WILBUR Smith

BŁĘKITNY HORYZONT

Z angielskiego przełożyli

GRZEGORZ KOŁODZIEJCZYK
PIOTR JANKOWSKI

WARSZAWA 2008

Tytuł oryginału:
BLUE HORIZON

Copyright © Wilbur Smith 2003
All rights reserved
First published in 2003 by Macmillan Publishers Ltd., London

Copyright © for the Polish edition
by Wydawnictwo Albatros A. Kuryłowicz 2004

Copyright © for the Polish translation by
Grzegorz Kołodziejczyk & Piotr Jankowski 2004

Redakcja: Barbara Nowak

Ilustracja na okładce: Jacek Kopalski

Projekt graficzny okładki i serii: Andrzej Kuryłowicz

891. 853
ISBN 978-83-7359-478-4

Wyłączny dystrybutor
Firma Księgarska Jacek Olesiejuk
Poznańska 91, 05-850 Ożarów Maz.
t./f. 022-535-0557, 022-721-3011/7007/7009
www.olesiejuk.pl

WYDAWNICTWO ALBATROS
ANDRZEJ KURYŁOWICZ
Wiktorii Wiedeńskiej 7/24, 02-954 Warszawa

Wydanie III (kieszonkowe – I)
Druk: B.M. Abedik S.A., Poznań

Książkę tę dedykuję mojej żonie Mokhiniso.
Nasze pierwsze trzy lata spędzone razem
upłynęły w oczarowaniu.
Nie mogę się doczekać następnych trzydziestu.

S tali w trójkę na samym brzegu morza i patrzyli na księżyc rzucający migotliwe pasmo światła na ciemną wodę.

— Pełnia za dwa dni — rzekł pewnym głosem Jim Courtney. — Wielkie czerwone *steenbras* * będą głodne jak lwy. — Fala rozlała się po plaży, obmywając pianą jego kostki.

— Spuśćmy łódź na wodę, zamiast tu stać i mleć ozorami — zaproponował Mansur Courtney, kuzyn Jima. Jego włosy lśniły w świetle księżyca niczym świeżo wytłoczony miedziak, a uśmiech był równie jasny. Szturchnął lekko łokciem stojącego obok czarnoskórego młodzieńca, który miał na sobie tylko przepaskę biodrową. — No dalej, Zama. — Pochylili się. Skif drgnął niechętnie i chłopcy popchnęli jeszcze raz, lecz łódź utknęła głęboko w piasku.

— Zaczekajmy na następną dużą falę — rzucił Jim. Ustawili się przy łodzi. — Nadchodzi! — Bałwan spiętrzył się w oddali, a potem zaczął sunąć w ich stronę, nabierając wysokości. Buchnął białą pianą na linii załamania i rozpłynął się, unosząc wysoko dziób łodzi; jego impet zachwiał młodymi mężczyznami, którzy musieli się chwycić krawędzi burty. Spieniona woda sięgała im do pasa.

— Teraz, razem! — krzyknął Jim i wszyscy naraz wparli się w skif. — Biegiem! — Łódka oderwała się od piasku; chłopcy wykorzystali siłę cofającej się fali i biegli, aż woda sięgnęła im do ramion. — Do wioseł! — rozkazał Jim, wypluwając wodę, gdy następna fala załamała się nad jego głową. Chwycili się burty

---

* *Red Steenbras — Petrus rupestris.*

i wciągnęli na pokład, ociekając wodą i śmiejąc się z podniecenia; złapali za długie wiosła, które leżały przygotowane, i błyskawicznie wsunęli je w dulki.

— I raaz! — Wiosła uderzyły o powierzchnię, śmignęły i wynurzyły się, pryskając srebrem w blasku księżyca, zostawiając za sobą na powierzchni maleńkie połyskujące wiry. Skif przestał tańczyć, wioślarze złapali dobrze znany rytm.

— W którą stronę? — zapytał Mansur. On i Zama spoglądali na Jima, w naturalny sposób oczekując od niego decyzji. Jim zawsze był przywódcą.

— Do Kotła! — odparł zdecydowanie chłopak.

— Tak myślałem — roześmiał się Mansur. — Wciąż nie przebaczyłeś Wielkiej Julii. — Zama splunął przez burtę, ani na chwilę nie gubiąc rytmu.

— Strzeż się, Somoja. Wielka Julia też ci nie wybaczyła — rzekł Zama. Mówił w swoim ojczystym języku lozi. Imię Somoja, czyli Dziki Wiatr, nadano Jimowi w dzieciństwie ze względu na krewki temperament.

Jim zmarszczył czoło na to wspomnienie. Żaden z nich nigdy nie widział ryby, którą nazwali Wielką Julią, lecz wiedzieli, że to samica, a nie samiec, bo tylko one rosły tak wielkie i miały taką siłę. Czuli wówczas tę moc na drżącej, napiętej lince, z której pryskała woda i która aż dymiła, przesuwając się po krawędzi burty i żłobiąc głęboką bruzdę w twardym drewnie. Z ich dłoni ciekła krew.

— W tysiąc siedemset piętnastym mój ojciec był na *Maid of Oman*, kiedy statek utknął na mieliźnie — powiedział Mansur w swoim ojczystym języku arabskim. — Mat chciał wziął linę i przepłynąć na brzeg. Był w połowie drogi, kiedy podpłynął do niego od dołu wielki czerwony *steenbras*. Woda była tak czysta, że zauważyli go, kiedy był na głębokości trzech sążni. Odgryzł matowi nogę nad kostką i połknął, tak jak pies połyka kurze skrzydełko. Mat krzyczał i bił rękami o wodę, czerwoną od jego krwi, próbując odstraszyć rybę. Lecz *steenbras* krążył pod nim, odgryzł mu drugą nogę i wciągnął mata w głębinę. Nigdy więcej go nie zobaczyli.

— Opowiadasz tę historię zawsze, ilekroć chcę płynąć do Kotła — burknął Jim.

— I za każdym razem dostajesz takiej cykorii, że o mało w portki nie narobisz — odparł po angielsku Zama. Spędzili ze sobą tyle czasu, że wszyscy trzej posługiwali się płynnie trzema językami — angielskim, arabskim i lozi — i bez wysiłku przechodzili z jednego na drugi.

Jim roześmiał się, bardziej żeby sobie ulżyć niż z rozbawienia.

— Powiedz mi, poganinie, jeśli łaska, gdzieś się nauczył tego okropnego powiedzonka?

— Od twojego dystyngowanego ojca — odparował z uśmiechem Zama, a Jim nie znalazł odpowiedzi, co rzadko mu się zdarzało. Spojrzał na jaśniejący horyzont.

— Za dwie godziny zacznie świtać. Chcę być już wtedy nad Kotłem. To najlepsza pora, żeby zapolować na Julię.

Wypływali na środek zatoki, przemykając po grzbietach bałwanów, sunących luźnymi szeregami po długiej wędrówce przez południowy Atlantyk. Wiatr dął wprost od dzioba, więc nie mogli podnieść jedynego żagla. Za nimi wznosił się majestatycznie płaski wierzchołek Góry Stołowej. Niżej rysowały się kontury zakotwiczonych statków i jachtów; większość dużych jednostek miała opuszczone reje. Ten port był serajem południowych mórz. Statki handlowe i okręty wojenne holenderskiej Kompanii Wschodnioindyjskiej, VOC*, oraz jednostki z kilku innych krajów zawijały do Przylądka Dobrej Nadziei, by uzupełnić zapasy żywności i dokonać niezbędnych napraw po długich oceanicznych rejsach.

O tak wczesnej godzinie na brzegu paliło się niewiele świateł, nie licząc słabych latarń na murach zamku i lamp w portowych tawernach, w których wciąż bawiły się załogi zakotwiczonych statków. Wzrok Jima powędrował naturalnie do pojedynczego punktu światła, który dzieliła od innych ponad mila ciemności. Był to magazyn i biuro Kompanii Handlowej Braci Courtneyów; Jim wiedział, że światło pali się w gabinecie ojca na drugim piętrze ogromnego składu.

— Papcio znów liczy szekle — rzekł ze śmiechem. Tom Courtney, ojciec Jima, był jednym z najbogatszych kupców na Przylądku Dobrej Nadziei.

— Już widać wyspę — oświadczył Mansur, nie roniąc ani jednego pociągnięcia wiosłami, i Jim wrócił myślą do czekającego ich zadania. Przesunął linę rumpla, owiniętą wokół dużego palca jego bosej prawej stopy. Zmienili nieco kurs, kierując się na północny kraniec wyspy Robben, Foczej Wyspy. Na skalistym przylądku wprost roiło się od tych rybożernych zwierząt. Chłopcy już czuli w nocnym powietrzu ciężki odór ich odchodów. Jim stanął na ławeczce, żeby poszukać na brzegu punktów orientacyj-

---

* VOC — Verenigde Oostindische Compagnie, holenderska Zjednoczona Kompania Wschodnioindyjska.

nych, które pomogłyby mu ustawić łódź dokładnie nad głębiną, którą nazwali Kotłem.

Nagle krzyknął i opadł na ławkę.

— Patrzcie na tę wielką niezdarę! Zaraz nas staranuje! Wiosłujcie, do licha, wiosłujcie! — Wysoki okręt pod ogromną masą żagli szybko i bezszelestnie opłynął północny cypel wyspy. Popędzany północno-zachodnim wiatrem sunął z przerażającą szybkością prosto na mały skif.

— Przeklęty holenderski kretyn! — wrzasnął Jim, pchając długie wiosło. — Lądowy szczur, bękart portowej dziewki! Nawet nie zapalił latarni.

— Powiedz, jeśli łaska, gdzieś się nauczył takich wyrażeń? — wydyszał Mansur między jednym rozpaczliwym uderzeniem wiosłami a drugim.

— Jesteś takim samym pajacem jak ten głupi holender — burknął ponuro Jim. Statek już zawisł nad nimi; jego fala dziobowa lśniła srebrzyście w blasku księżyca.

— Trzeba ich ostrzec! — zawołał nagle Mansur, widząc, że niebezpieczeństwo jest coraz bliżej.

— Nie warto zdzierać gardła — rzucił Zama. — Wszyscy śpią jak zabici. Nie usłyszą cię. Wiosłuj!

Wparli się w wiosła; mała łódka prawie śmigała po wodzie, lecz wielki okręt zbliżał się jeszcze prędzej.

— Chyba przyjdzie nam skakać? — powiedział Mansur pytającym, pełnym napięcia tonem.

— Świetnie! — warknął Jim. — Jesteśmy dokładnie nad Kotłem. Sprawdzimy opowieść twojego ojca. Którą nogę Wielka Julia odgryzie ci najpierw?

Wiosłowali zawzięcie, w milczeniu; choć noc była chłodna, na ich ściągniętych twarzach błyszczały krople potu. Kierowali się do skał, gdzie wielki żaglowiec nie mógł ich staranować, lecz byli jeszcze o cały kabel od nich, a wysokie żagle wisiały nad nimi, przesłaniając gwiazdy. Słyszeli już wiatr dudniący w płótnie, trzeszczenie drewnianego poszycia i melodyjny pomruk fali dziobowej. Żaden z chłopców nie odezwał się słowem, lecz napierając na wiosła, spoglądali z przerażeniem na okręt.

— Słodki Jezu, ratuj! — szepnął Jim.

— Na Allaha! — zawołał cicho Mansur.

— Na wszystkich ojców mojego plemienia!

Każdy wołał swojego boga lub bogów. Zama ani na chwilę nie

przerwał wiosłowania, lecz jego białe błyszczące oczy lśniły na tle czarnej twarzy, gdy patrzył na zbliżającą się śmierć. Fala przed okrętem podniosła ich, a potem odrzuciła; zsuwali się z jej grzbietu rufą w dół. Pawęż zanurzyła się i lodowata woda runęła na łódź. Wszyscy trzej chłopcy zostali wyrzuceni przez burtę w jednej sekundzie, gdy potężny kadłub żaglowca uderzył w skif. Zanurzając się, Jim uświadomił sobie, że było to tylko muśnięcie. Łódka została ciśnięta w bok, ale nie słyszał trzasku pękającego drewna.

Wpadł głęboko w wodę, chciał jednak zanurkować jeszcze głębiej. Wiedział, że zetknięcie z dnem okrętu byłoby fatalne w skutkach. Kadłub musiał być pokryty grubą warstwą pąkli po oceanicznym rejsie, a ich ostre jak brzytwa muszle zdarłyby mu ciało do kości. Spodziewając się strasznego bólu, napiął wszystkie mięśnie, lecz ból nie nadszedł. Paliły go płuca, pierś rozpaczliwie walczyła o oddech. Zwalczył to pragnienie i zwrócił się ku powierzchni dopiero wtedy, gdy był pewien, że okręt się oddalił. Przez czystą wodę ujrzał złoty zarys księżyca, nikły i drżący, i popłynął ku niemu, wytężając wszystkie siły mięśni i woli. Nagle wyskoczył na powierzchnię i napełnił płuca powietrzem. Przewrócił się na plecy, zachłysnął, zakrztusił i jeszcze raz wciągnął w usta życiodajną słodycz.

— Mansur! Zama! — wycharczał, natężając zbolałe płuca. — Gdzie jesteście? Wynurzcie się, do licha. Niech was usłyszę!

— Tutaj! — usłyszał głos Mansura. Jim obrócił głowę; jego kuzyn trzymał się kurczowo rękami zalanego skifu, długie rude kędziory przylepiły mu się do twarzy jak futro do skóry foki. W tej samej chwili na powierzchni pojawiła się jeszcze jedna głowa.

— Zama! — Jim podpłynął do niego dwoma uderzeniami ramion i pomógł mu się wynurzyć. Zama zakaszlał, z jego ust buchnął strumień morskiej wody i wymiocin. Próbował złapać Jima obiema rękami za szyję, lecz ten wymknął się zręcznie. Dopiero gdy Zama rozluźnił uścisk, pociągnął go do kołyszącego się skifu.

— Złap się! — rzekł, kierując jego dłonie do burty. Wisieli na niej wszyscy trzej, chwytając gorączkowo oddech.

Jim pierwszy doszedł do siebie i uniósł się gniewem.

— Parszywy drań! — wycharczał, spoglądając za znikającym okrętem, który żeglował sobie beztrosko dalej. — Nawet nie wie, że omal nas nie pozabijał.

— Śmierdzi gorzej niż focza kolonia — dodał chrapliwie Mansur. Wysiłek mówienia sprawił, że znów zaniósł się kaszlem.

Jim wciągnął nosem cuchnące powietrze.

— Cholerny niewolnik. — Splunął. — Wszędzie poznam ten smród.

— Albo zesłaniec — zauważył Mansur. — Pewnie przewozi więźniów z Amsterdamu do Batawii. — W świetle księżyca widzieli, jak żagle zmieniają kształt; statek kierował się w głąb zatoki, gdzie stały na kotwicy inne jednostki.

— Chciałbym dopaść tego kapitana w jakiejś portowej spelunce — mruknął posępnie Jim.

— Zapomnij o tym! — poradził Mansur. — Wepchnąłby ci nóż między żebra albo w jakieś inne czułe miejsce. Wylejmy wodę z łódki.

Skif wystawał tylko kilka palców nad powierzchnię, więc Jim musiał się wciągnąć na paweż. Pomacał pod ławką i znalazł drewniany ceberek. Szykując się do niebezpiecznej przeprawy, przywiązali cały sprzęt do kadłuba. Jim zaczął wylewać wodę za burtę. Opróżnił łódkę do połowy, kiedy Zama ochłonął na tyle, by wspiąć się na pokład i chwycić za wiadro. Jim wciągnął wiosła, wciąż pływające obok skifu, a potem sprawdził resztę wyposażenia.

— Sprzęt wędkarski jest w łodzi. — Otworzył worek i zajrzał do środka. — Nawet przynęta została.

— Płyniemy dalej? — spytał powątpiewająco Mansur.

— Pewnie, że tak! Czemuż by nie, do diabła?

— Omal się nie potopiliśmy... — odparł Mansur, spoglądając niepewnie na Jima.

— Ale żyjemy — zauważył raźno Jim. — Zama wylał wodę, a do Kotła został niecały kabel. Wielka Julia czeka na śniadanie. Trzeba ją nakarmić. — Zajęli miejsca na ławeczkach i chwycili długie wiosła. — Przez tego bałwana straciliśmy godzinę łowienia — poskarżył się Jim.

— Mogłeś stracić o wiele więcej, Somoja — roześmiał się Zama — gdybym nie zdążył cię wyłowić... — Jim wyciągnął z torby zdechłą rybę i cisnął nią w głowę Zamy. Błyskawicznie odzyskiwali dobry humor, a wraz z nim ochotę do przyjacielskich żartów.

— Wiosłujcie ostrożnie, wpływamy nad skraj głębiny — ostrzegł Jim. Operacja ustawiania łodzi nad skalistą studnią była bardzo delikatna. Musieli rzucić kotwicę na występ na południe od Kotła, a potem pozwolić się znieść prądowi nad głębię oceanicznego kanionu. Prąd, od którego wzięło nazwę to miejsce, utrudniał zadanie, więc dwukrotnie chybili. Pocąc się i klnąc, musieli wyciągać pięćdziesięciofuntowy kamień służący jako kotwica i próbować od nowa. Świt skradał się od wschodu jak złodziej, gdy Jim zanurzał w głębinie linę, by upewnić się, że są w idealnej pozycji. Zmierzył rozpostartymi ramionami długość ociekającej wodą liny. — Trzydzieści trzy sążnie! — zawołał. Ołowiany ciężarek stuknął o dno łodzi. — Prawie dwieście stóp. Jesteśmy dokładnie nad jadalnią Wielkiej Julii. — Wprawnie, płynnym ruchem obu rąk podnosił ciężarek. — Przynęta, chłopcy! — Mansur otworzył worek, a Jim wyciągnął spod jego rąk najlepszą przynętę, cefala długiego jak jego przedramię. Złapał go wczoraj w sieć w lagunie nieopodal składu. — To dla ciebie za dobre — wyjaśnił. — Trzeba prawdziwego rybaka, żeby poskromić Julię. — Przełożył ostrze stalowego haczyka na rekiny przez oczodoły cefala. Haczyk był szeroki na dwie dłonie. Jim wytrząsnął linkę. Był to dziesięciostopowy stalowy łańcuch, lekki, ale mocny. Wykuł go specjalnie dla Jima pracujący u Toma Courtneya kowal Alf. Chłopak był pewien, że łańcuch wytrzyma tarcie o rafę, nawet gdy będzie go ciągnął wielki królewski *steenbras*. Zakręcił kilka razy przynętą nad głową, wypuszczając coraz więcej linki, by wreszcie zamachnąć się i rzucić ją z łańcuchem daleko na zieloną taflę. Przynęta wpadła w toń, a linka poszła za nią. — Prosto w gardło Wielkiej Julii — ucieszył się Jim. — Tym razem się nie wymknie. Tym razem będzie moja. — Kiedy poczuł, że ciężarek uderza w dno, położył na deskach skifu zwój linki i przydepnął go mocno bosą stopą. Potrzebował obu rąk, by opierać się prądowi i utrzymywać łódź nieruchomo nad Kotłem, gdy ciężka linka będzie się zanurzać w głębinę.

Zama i Mansur łowili na mniejsze haczyki i cieńsze linki, wykorzystując jako przynętę kawałeczki makreli. Prawie od razu zaczęli wyciągać ryby: różowoczerwone *stumpnose**, srebrzyste leszcze, nakrapiane tigery, które piszczały jak świnki, kiedy zdejmowali je z haczyków i wrzucali do zęz.

— Rybie przedszkole dla małych chłopców! — drwił Jim, uważnie obserwując swoją linkę i wiosłując powoli, żeby utrzymać pozycję skifu pchanego morskim prądem. Słońce wzniosło się wyżej nad horyzont i rozgrzało powietrze. Jim i Mansur poszli za przykładem Zamy i zrzucili z siebie odzież, pozostając w samych przepaskach.

Tymczasem foki wylegiwały się na skałach, nurkowały i baraszkowały tuż obok zakotwiczonego skifu. Nagle jeden z większych

---

* *Red Stumpnose* — *Chrysoblephus gibbiceps*.

okazów dał nura pod łodzią, chwycił w zęby rybę, którą holował Mansur, zerwał ją z haczyka i wynurzył się z nią kilka jardów dalej. — Wstrętne bydlę, skaranie boskie! — krzyknął wściekły Mansur, widząc, jak foka kładzie się na grzbiecie z rybą w zębach i rozrywa ją błyszczącymi kłami. Jim rzucił wiosło i sięgnął do worka. Wyjął z niego procę i załadował ją kamieniem. Amunicję zebrał w strumieniu w północnej części rodzinnej posiadłości. Każdy kamień był zaokrąglony, gładki i doskonale wyważony. Jim ćwiczył rzut z procy i osiągnął taką wprawę, że umiał trafić lecącą wysoko gęś cztery razy na pięć rzutów. Zakręcił procą nad głową, aż zafurczała, i wypuścił kamień, który poleciał jak wystrzelony ze skórzanego mieszka. Pocisk trafił fokę w sam środek krągłej czaszki; rozległ się trzask pękającej kości. Zwierzę zginęło momentalnie, a prąd uniósł drgające konwulsyjnie zwłoki.

— Już nie będzie kradła ryb — rzekł Jim, chowając broń z powrotem do worka. — A reszta może nauczy się dobrych manier. — Pozostałe foki błyskawicznie zanurkowały i odpłynęły od skifu. Jim chwycił wiosło i po chwili wrócili do przerwanej rozmowy.

Tydzień wcześniej Mansur wrócił jednym ze statków Courtneyów z rejsu handlowego wzdłuż wschodniego wybrzeża Afryki. Dotarli aż do Ormuzu. Opowiadał towarzyszom o cudach i niezwykłych przygodach, których zaznał wraz z ojcem, kapitanem *Gift of Allah*.

Ojciec Mansura, Dorian Courtney, był współwłaścicielem firmy. W wieku dziecięcym został porwany przez arabskich piratów i sprzedany księciu Omanu, który go adoptował i nawrócił na islam. Jego przyrodni brat Tom był chrześcijaninem, Dorian zaś — muzułmaninem. Tom odnalazł i uratował młodszego brata od Arabów, i razem założyli świetnie działającą spółkę. Każdy miał prawo prowadzić handel w częściach świata, w których panowały różne religie, dzięki czemu ich interes kwitł. Przez dwadzieścia lat handlowali w Indiach, Arabii oraz Afryce, a egzotyczne towary sprzedawali w Europie.

Jim spojrzał na twarz kuzyna i po raz kolejny pozazdrościł mu urody i wdzięku. Mansur odziedziczył te przymioty po ojcu, zwłaszcza gęste złotorude włosy, które spadały mu na kark. Był gibki i zgrabny, podczas gdy Jim, który wrodził się w swojego ojca, miał mocną i krępą sylwetkę. Ojciec Zamy, Aboli, porównywał ich do byka i gazeli.

Mansur przerwał opowieść, żeby podrażnić się z Jimem.

14

— Coś kiepsko się starasz, kuzynie! Zanim się obudzisz, napełnimy z Zamą łódkę po brzegi rybami. Złapże coś wreszcie!

— Zawsze wyżej ceniłem jakość niż ilość — odparował pogardliwie Jim.

— Nie masz nic lepszego do roboty, więc opowiedz nam o swojej podróży do krainy Hotentotów — zaproponował Mansur, wrzucając do skifu kolejną trzepoczącą się rybę.

Szczera, choć niezbyt urodziwa twarz Jima rozjaśniła się, gdy przypomniał sobie przygody. Odruchowo spojrzał na północ przez zatokę na poszarpane góry, które poranne słońce pomalowało najjaśniejszym złotem.

— Wędrowaliśmy przez trzydzieści osiem dni — zaczął z dumą. — Na północ przez góry i wielką, bezludną równinę, daleko za granice kolonii, które gubernator i wielka rada VOC w Amsterdamie zakazali komukolwiek przekraczać. Zapuściliśmy się na ziemie, których żaden biały człowiek wcześniej nie widział. — Jim nie umiał opowiadać tak płynnie i poetycko jak kuzyn, lecz jego entuzjazm był zaraźliwy. Mansur i Zama śmiali się razem z nim, gdy opisywał barbarzyńskie plemiona, które napotkali, i niezliczone stada dzikiej zwierzyny w stepie. Czasem Jim przerywał i zwracał się do Zamy: — Byłeś tam ze mną. Powiedz Mansurowi, że to prawda.

Zama kiwał poważnie głową.

— To prawda, przysięgam na grób ojca. Każde słowo jest prawdą.

— Pewnego dnia tam wrócę — rzekł Jim, obiecując to raczej sobie niż towarzyszom. — Wrócę i pójdę aż za błękitny horyzont. Dotrę do samego krańca tego lądu.

— A ja pójdę z tobą, Somoja! — zawołał Zama, spoglądając na Jima z absolutnym oddaniem i ufnością.

Zama przypomniał sobie, co ojciec powiedział mu o Jimie, gdy leżał, umierając, na swoim *kaross*, niczym przygnieciony wiekiem, wypalony olbrzym, na którego potężnych barach spoczywał ongiś ciężar niebios. „Jim Courtney to nieodrodny syn swojego ojca — szepnął Aboli. — Trzymaj się go, tak jak ja trzymałem się jego ojca. Nigdy nie będziesz tego żałował, synu".

— Pójdę z tobą, Somoja — powtórzył Zama.

Jim puścił do niego oczko.

— Pewnie, że pójdziesz, hultaju. Któż inny by cię zechciał? — Klepnął Zamę w plecy tak mocno, że omal nie zrzucił go z ławki. Chciał powiedzieć coś jeszcze, lecz w tej samej chwili zwój linki pod jego stopą drgnął i Jim wydał okrzyk triumfu. — Julia puka do drzwi. Chodź do nas, Wielka Julio! — Wypuścił wiosło i chwycił linę. Trzymał ją napiętą między dłońmi, mając w pogotowiu luźny kawałek do wypuszczenia za burtę. Mansur i Zama, nie czekając na polecenie Jima, pośpiesznie wyciągnęli z wody swoje linki. Wiedzieli, że Jim musi mieć dużo przestrzeni, żeby walczyć z naprawdę wielką rybą. — Chodź do mnie, ślicznotko! — szepnął Jim, trzymając delikatnie linkę między kciukiem i palcem wskazującym. Czuł tylko lekkie ciągnięcie linki przez prąd. — No, chodźże, kochanie! Tatuś cię kocha — prosił. Nagle poczuł nieznaczne szarpnięcie, prawie niezauważalne. Każdy nerw w jego ciele napiął się do ostatnich granic. — Ona tam jest. Ciągle tam jest. — Linka znów się rozluźniła. — Nie opuszczaj mnie, najdroższa. Błagam cię. — Jim wychylił się za burtę, trzymając linkę wysoko, tak że biegła od jego dłoni prosto w zieloną toń wody. Jego towarzysze patrzyli, wstrzymując oddech. Nagle zobaczyli, że uniesiona ręka opada raptownie, szarpnięta ogromnym ciężarem. Mięśnie ramienia i pleców Jima napięły się i nabrzmiały jak ciało węża prężącego się do ataku. Dłoń trzymająca linkę prawie dotknęła powierzchni morza. — Teraz! — rzekł cicho Jim, szarpiąc całym ciałem do tyłu. — Tak! Tak! Tak! — Pociągał to prawą, to lewą ręką, lecz mimo że był silny, linka ani trochę nie ustępowała.

— To nie może być ryba — orzekł Mansur. — Żadna ryba nie ma tyle siły. Musiałeś zahaczyć o dno.

Jim nie odpowiedział. Wygiął się do tyłu całym ciężarem ciała, zapierając kolanami o burtę łodzi. Zacisnął zęby; jego twarz pokryła się purpurą, a oczy niemal wyszły z orbit.

— Złapcie linkę za mną! — wydyszał.

Zama i Mansur zerwali się na nogi, lecz nim przeszli na rufę, Jim stracił równowagę i rozciągnął się jak długi wzdłuż burty. Linka śmignęła między jego palcami, rozrywając skórę na dłoniach; poczuli woń spalenizny, jaką wydaje mięso pieczone na węglach.

Jim wrzasnął z bólu, lecz trzymał dalej z posępną zawziętością. Ogromnym wysiłkiem zdołał przełożyć linkę przez skraj burty i próbował ją zaklinować, ale zdarł sobie jeszcze więcej skóry i uderzył kostkami w drewno. Jedną ręką przyciskał linkę do burty, a drugą zerwał sobie z głowy czapkę, by użyć jej jak rękawiczki. Wszyscy trzej wrzeszczeli niczym czarty w piekle.

— Złap za koniec!

— Popuść trochę, bo haczyk się wyprostuje!

— Weź ceber. Polej linkę wodą, bo się zapali!

Zama chwycił linkę obiema dłońmi, lecz nawet wspólnymi siłami nie mogli powstrzymać wielkiej ryby. Napięta lina syczała, przesuwając się po krawędzi burty; chłopcy czuli jej pulsowanie pod wpływem ruchów wielkiego ogona.

— Zmocz linkę, na miłość boską! — ryknął Jim. Mansur nabrał wody do ceberka i wylał ją na dymiącą linę, z której uniósł się obłok pary. — Na Boga! Straciliśmy prawie cały zwój! — zawołał Jim na widok końcówki liny na dnie małej drewnianej balii. — Przywiąż następną, Mansur! Byle szybko!

Mansur ledwie zdążył, mimo że słynął ze zręcznych palców i uwijał się jak mógł; gdy tylko zacisnął węzeł, linka wyrwała mu się z dłoni i prześliznęła przez palce jego towarzyszy, zdzierając skórę, a potem znikła za burtą w zielonej toni.

— Przestań! — błagał Jim wielką rybę. — Przestań, moja ślicznotko! Chyba nie chcesz nas zabić?

— Poszła już połowa drugiego zwoju — ostrzegł Mansur. — Zastąpię cię, Jim. Cały pokład jest we krwi.

— Nie, nie — odparł Jim, potrząsając gwałtownie głową. — Ryba zwalnia. Serce za chwilę pęknie.

— Jej czy tobie? — spytał Mansur.

— Powinieneś zostać aktorem, kuzynie — stwierdził ponuro Jim. — Marnujesz tutaj swój dowcip. — Lina przesuwająca się między poranionymi palcami chłopców zaczęła zwalniać, a potem znieruchomiała. — Zostaw ceber i chwyć linę — polecił. Mansur ustawił się za Zamą; Jim mógł puścić linkę jedną ręką i podnieść ją do ust, żeby zlizać krew. — Czy my to robimy dla zabawy? — zapytał retorycznie, lecz po chwili zmienił ton i dodał rzeczowo: — Teraz nasza kolej.

Utrzymując linkę napiętą, ustawili się na pokładzie skifu, od dzioba do rufy, zgięci wpół, z liną między nogami.

Jim nadawał tempo.

— Raz, dwa, trzy, i raazem!

Ciągnęli miarowo, płynnie przesuwając ciężar ciała. Z toni wynurzył się węzeł; Mansur jako ostatni zwiał linkę w balii. Jeszcze czterokrotnie wielka ryba zbierała siły i odpływała. Chłopcy musieli wypuszczać linę, lecz za każdym razem jej ucieczki były coraz krótsze. Wreszcie zaczęli ją ściągać. Ryba szarpała się i próbowała zerwać z haka, ale jej siły powoli się wyczerpywały. Nagle Jim, który siedział na dziobie, wydał okrzyk radości.

— Jest! Widzę ją! — Ryba zatoczyła szeroki krąg w wodzie pod kadłubem łodzi. Jej brązowoczerwony bok zalśnił w słońcu. — Słodki Jezu, ale piękna! — Jim widział ogromne złote oko, łypiące nań przez szmaragdową wodę. Pysk otwierał się i zamykał spazmatycznie, spragnione tlenu skrzela falowały, pompując wodę. W przepaścistych szczękach, w których zmieściłaby się głowa dorosłego mężczyzny wraz z barkami, lśniły szeregi postrzępionych zębów, długich i grubych jak ludzki palec. — Teraz wierzę w opowieść stryjka Dorry'ego — westchnął wyczerpany. — Te zęby mogłyby bez trudu odgryźć nogę mężczyźnie.

Wreszcie, prawie dwie godziny po tym, jak Jim zaczepił haczyk w szczęce ryby, mieli ją przy burcie skifu. Razem unieśli olbrzymi łeb nad powierzchnię wody. W tej samej chwili rybę ogarnął ostatni atak szału. Była tak długa jak dorosły mężczyzna, a szerokość jej ciała w najgrubszym miejscu dorównywała obwodowi kłębu szetlandzkiego kuca. Prężyła się i wyginała, aż jej pysk dotknął szerokiej płetwy ogonowej, najpierw z jednej, potem z drugiej strony. Rozchlapywała strumienie morskiej wody, która spływała po chłopcach, jak gdyby stali pod wodospadem. Wreszcie przestała się miotać. — Trzymajcie ją! — krzyknął Jim. — Jest gotowa na przyjęcie księdza!

Wyciągnął spod ławeczki pałkę z końcówką obciążoną ołowiem. Podniósł wysoko łeb ryby i zamachnął się, wkładając w cios cały ciężar ciała. Trafił w kościsty mostek nad połyskującymi żółtymi ślepiami. Potężny korpus zesztywniał, po czerwonych jak słońce, lśniących bokach przebiegły gwałtowne drgawki. Z ryby uszło życie; przewróciła się białym brzuchem do góry, unosząc się obok burty ze skrzelami rozpostartymi szeroko jak damska parasolka.

Zlani wodą i potem chłopcy, dyszący ciężko i ostrożnie poruszający poobcieranymi dłońmi, wychylili się przez burtę i spoglądali z podziwem na wspaniałe stworzenie, które właśnie zabili. Nie było odpowiednich słów, by wyrazić przemożne uczucia triumfu i żalu, radości i melancholii, które ich ogarnęły, kiedy myśliwska pasja sięgnęła zenitu i zaczęła się wyczerpywać.

— Na imię Proroka, toż to prawdziwy lewiatan — rzekł cicho Mansur. — Czuję się przy niej taki mały.

— Rekiny zjawią się tu lada chwila — powiedział Jim, wyrywając towarzyszy z osłupienia. — Pomóżcie mi.

Przełożyli linkę przez skrzela ryby i wciągnęli ją na pokład skifu, który przechylił się niebezpiecznie na jedną burtę. Ryba ledwie się zmieściła, lecz nie starczyło już miejsca dla chłopców, żeby usiąść na ławeczce, więc musieli przycupnąć na pawęży. Z ciała ryby oderwała się łuska, wielka jak złoty dublon i równie jasno lśniąca. Mansur wziął ją do ręki i odwrócił tak, że błysnęła w słońcu.

— Musimy zabrać tę rybę do domu, do High Weald — oznajmił.

— Czemu? — spytał szorstko Jim.

— Żeby pokazać ją rodzinie, mojemu i twojemu ojcu.

— Nim zapadnie wieczór, ryba straci barwę, łuski wyschną i spłowieją, a mięso zacznie gnić i cuchnąć. — Jim potrząsnął głową. — Chcę ją zapamiętać taką, jaka jest teraz, piękną i majestatyczną.

— Więc co z nią zrobimy?

— Sprzedamy intendentowi tego holenderskiego żaglowca.

— Takie wspaniałe stworzenie. Sprzedać je jak worek kartofli? To świętokradztwo — zaprotestował Mansur.

— „Abyście panowali nad rybami morskimi, nad ptactwem powietrznym i nad wszystkimi zwierzętami pełzającymi po ziemi" — zacytował Jim. — Księga Rodzaju. Sam Bóg tak powiedział. A zatem, czy to może być świętokradztwo?

— Twój Bóg, nie mój — sprzeciwił się Mansur.

— To ten sam Bóg, twój i mój. Tylko inaczej go nazywamy.

— I mój też — wtrącił Zama. — Kulu Kulu, największy z wielkich.

Jim owinął sobie skaleczoną rękę paskiem płótna.

— A więc w imię Kulu Kulu. Dzięki *steenbras* dostaniemy się na pokład holendra. Uczynię z niego list polecający do intendenta. Sprzedam mu nie tylko tę rybę, lecz cały towar z High Weald.

Północno-zachodni wiatr dął z prędkością dziesięciu węzłów, więc mogli postawić żagiel, który poniósł ich szybko w głąb zatoki. Na kotwicy stało osiem statków, i wszystkie znajdowały się w zasięgu armat na zamku. Większość z nich była tam od tygodni i zdążyła się dobrze zaopatrzyć.

Jim wskazał ten, który zawinął ostatni.

— Nie postawili nogi na lądzie od miesięcy. Łakną świeżego jedzenia jak kania dżdżu. Szkorbut już pewnie toczy im dziąsła. — Jim manewrował sterem, prowadząc łódź między zakotwiczonymi żaglowcami. — Omal nas nie zatopili, więc należy nam się od nich jakiś zysk. — Wszyscy Courtneyowie byli kupcami z prawdziwego zdarzenia i nawet dla najmłodszego z nich słowo „zysk" miało znaczenie niemal religijne. Jim kierował skif ku holenderskiej jednostce. Był to uzbrojony trójpokładowiec z dwudziestoma działami na każdej burcie, trzema masztami i prostokątnymi żaglami, duży i masywny. Miał flagę VOC i holenderską banderę. Gdy się zbliżyli, Jim zauważył zniszczenia kadłuba i takielunku, skutek niedawnego sztormu. Najwyraźniej żaglowiec miał za sobą ciężką przeprawę morską. Kiedy podpłynęli jeszcze bliżej, Jim odczytał nazwę wypisaną złotymi literami, które zdążyły już wyblaknąć: *Het Gelukkige Meeuw*, Szczęśliwa Mewa. Uśmiechnął się na myśl, że trudno o bardziej chybione imię dla steranej życiem starej damy. Nagle jego oczy zwęziły się ze zdziwienia i zaciekawienia.

— Na Boga, kobiety! — Wskazał głową. — Setki kobiet. — Mansur i Zama zerwali się na nogi, przywarli do masztu i spojrzeli, osłaniając oczy przed słońcem.

— Masz rację! — zawołał Mansur. Poza żonami mieszczan i ich krępymi, pieczołowicie strzeżonymi córkami oraz ulicznicami z portowych tawern kobiety były rzadkością na Przylądku Dobrej Nadziei.

— Spójrzcie na nie — westchnął z podziwem Jim. — Popatrzcie tylko na te ślicznotki. — Na pokładzie przed masztem roiło się od kobiecych postaci.

— Skąd wiesz, że są piękne? — spytał z powątpiewaniem Mansur. — Jesteśmy za daleko. To pewnie same stare, brzydkie baby.

— Nie, Bóg nie mógłby być dla nas tak okrutny. — Jim roześmiał się, podekscytowany. — Każda z nich to anioł prosto z nieba. Jestem tego pewien! — Na tylnym pokładzie stała grupa oficerów, a cały zastęp marynarzy już pracował przy naprawie zrujnowanego takielunku i malowaniu kadłuba. Lecz trzech młodzików w łodzi nie widziało niczego poza sylwetkami kobiet na przednim pokładzie. Do ich nozdrzy doleciał cuchnący powiew wiszący nad żaglowcem. — Są skute kajdanami! — zawołał z przerażeniem Jim. Miał najostrzejszy wzrok z całej trójki. Zauważył, że kobiety przesuwają się po pokładzie jednym rzędem, szurając nogami po deskach krokiem więźniów.

— Skazane! — potwierdził Mansur. — Twoje anioły z nieba to więźniarki. Brzydkie jak sam grzech.

Byli już dość blisko, by dostrzec rysy twarzy niektórych nieszczęśnic, ich siwe, tłuste włosy, bezzębne usta, chorobliwą bladość pomarszczonej ze starości skóry i zapadnięte oczy. Na większości twarzy ciemniały brzydkie plamy i sińce od szkorbutu. Kobiety gapiły się na podpływającą łódź tępym, pozbawionym nadziei wzrokiem, bez śladu zainteresowania czy jakichkolwiek emocji.

Nawet pożądliwe zaciekawienie Jima ostygło. To już nie były istoty ludzkie, lecz zbite, sponiewierane zwierzęta. Ich zgrzebne płócienne okrycia były zszarpane i poplamione. Pewnie nie zdejmowały ich od wypłynięcia z Amsterdamu; nie miały wody, żeby się umyć, nie mówiąc o wypraniu odzieży. Obok pachołków i na kasztelu ustawili się strażnicy z muszkietami. Kiedy skif podpłynął na odległość głosu, do burty żaglowca podbiegł mat w niebieskim marynarskim surducie i podniósł tubę do ust.

— Nie zbliżać się! — krzyknął po holendersku. — To statek więzienie. Nie podpływajcie, bo będziemy strzelać.

— On nie żartuje, Jim — rzekł Mansur. — Lepiej odpłyńmy.

Jim zignorował sugestię i podniósł jedną z ryb.

— *Vars vis!* Świeże ryby — zawołał. — Prosto z morza. Złowione godzinę temu. — Mężczyzna przy relingu zawahał się; Jim wyczuł okazję. — Niech pan popatrzy na tę sztukę. — Wskazał ogromną rybę, która zajmowała prawie całą długość łodzi. — *Steenbras*. Najsmaczniejsza ze wszystkich ryb! Wystarczy, żeby wykarmić całą załogę przez tydzień.

— Zaczekaj! — krzyknął mat i podbiegł do oficerów. Zamienili kilka zdań i po chwili mat wrócił do relingu. — A więc dobrze, podchodźcie! Ale trzymajcie się z dala od dziobu. Przycumujcie do łańcuchów rufowych.

Mansur ściągnął maleńki żagiel i podpłynęli do burty żaglowca. Trzech marynarzy z muszkietami stanęło przy relingu, mierząc do skifu.

— Nie próbujcie żadnych sztuczek — ostrzegł mat — chyba że chcecie poczuć kulkę w brzuchu.

Jim wyszczerzył do niego zęby w uśmiechu i pokazał puste ręce.

— Nie mamy złych zamiarów, *Mijnheer*. Jesteśmy uczciwymi rybakami. — Wciąż nie mógł oderwać wzroku od szeregu skutych kajdanami kobiet; z litością i odrazą patrzył, jak przesuwają się wzdłuż relingu. Potem zajął się ustawianiem skifu wzdłuż burty żaglowca. Zrobił to z marynarską wprawą, a Zama rzucił fałeń marynarzowi czekającemu przy łańcuchach.

Intendent, pulchny, łysy mężczyzna, wysunął głowę za burtę, by spojrzeć, co przybysze mają do zaoferowania. Widok zrobił na nim wrażenie.

— Nie będę krzyczał. Wchodź na pokład, to pogadamy —

zaprosił Jima, rozkazując marynarzowi zrzucić przez burtę drabinkę linową.

Właśnie do tego dążył Jim. Wdrapał się w mgnieniu oka na wypukłą burtę, przesadził skokiem reling i wylądował obok intendenta z plaśnięciem bosych stóp o pokład.

— Ile za tę dużą sztukę? — spytał dwuznacznie, taksując Jima spojrzeniem pederasty. Ładny kawałek ciała, pomyślał, spoglądając na wypukłą pierś, muskularne ramiona i kształtne gładkie nogi, opalone słońcem.

— Piętnaście srebrnych guldenów za cały ładunek ryb — odparł Jim, akcentując ostatnie słowo. Nie ulegało wątpliwości, że intendent żywo się nim zainteresował.

— Uciekłeś z wariatkowa? — odpowiedział pytaniem Holender. — Ty, twoje ryby i brudna łajba razem wzięci nie jesteście warci połowy tego.

— Łódka i ja nie jesteśmy na sprzedaż — zapewnił go z uśmiechem Jim. Targując się, był w swoim żywiole. Ojciec dobrze go wyszkolił. Chłopak bez najmniejszych skrupułów wykorzystywał skłonności seksualne intendenta, by uzyskać najlepszą cenę. Zgodzili się na osiem guldenów za wszystkie ryby. — Chcę zachować najmniejszą sztukę dla rodziny na obiad — dodał.

Intendent parsknął śmiechem.

— Ciężko się z tobą handluje, *kerel*. — Splunął na prawą rękę i wyciągnął ją do Jima. Jim splunął na swoją i podał dłoń, potwierdzając dobicie targu. Intendent trzymał rękę Jima nieco dłużej, niż to było konieczne. — Co jeszcze masz do sprzedania, młody ogierze? — spytał, mrugając do Jima i oblizując językiem grube, spękane od słońca wargi.

Jim nie odpowiedział od razu, lecz podszedł do relingu, żeby popatrzeć, jak załoga spuszcza sieć do załadunku. Mansur i Zama z trudem wrzucili na nią wielką rybę, która po chwili znalazła się na pokładzie. Jim odwrócił się do intendenta.

— Mogę wam sprzedać dużą ilość świeżych warzyw: ziemniaków, cebuli, dyń i owoców, co tylko zechcecie, za połowę ceny, którą zapłacicie, kupując produkty z ogrodów holenderskiej kompanii.

— Dobrze wiesz, że VOC ma monopol — burknął intendent. — Nie wolno mi niczego nabywać od prywatnych kupców.

— Mogę to załatwić za pomocą paru guldenów, które trafią do właściwej kieszeni — odparł Jim, dotykając ścianki nosa. Wszyscy wiedzieli, jak łatwo jest obłaskawić urzędników na Przylądku

Dobrej Nadziei. Korupcja była sposobem życia w zamorskich koloniach.

— A więc dobrze. Przywieź mi najlepszy towar, jaki masz — zgodził się intendent, dobrotliwym gestem kładąc dłoń na ramieniu Jima. — Ale nie daj się na tym przyłapać. Nie chcielibyśmy, żeby taki ładny chłopiec jak ty miał skórę pociętą biczem.

Jim nieznacznym gestem uchylił się. Nigdy nie należy zrażać do siebie klienta. Na przednim pokładzie zrobiło się zamieszanie i obejrzał się przez ramię, wdzięczny, że coś pomoże mu uwolnić się od zalotów korpulentnego, spoconego Holendra.

Pierwszą grupę więźniarek spędzano z powrotem pod pokład, a druga właśnie wychodziła, by zażyć ruchu na świeżym powietrzu. Jim zapatrzył się na dziewczynę na czele szeregu. Jego oddech przyśpieszył, a krew uderzyła do uszu. Dziewczyna była wysoka, blada i wychudzona. Miała na sobie zgrzebną tunikę z przetartego płótna, tak podartą, że kolana przezierały przez dziury. Nogi zdawały się chude i kościste, podobnie jak ręce. Sylwetka pod bezkształtnym płótnem sprawiała wrażenie chłopięcej, była pozbawiona kobiecych wypukłości i zaokrągleń. Lecz Jim nie patrzył na jej ciało — widział tylko oczy.

Głowa dziewczyny była mała, ale wdzięcznie spoczywała na długiej szyi, jak nierozkwitły tulipan na łodydze. Cerę miała bladą i nieskazitelnie czystą, tak delikatną, że Jimowi zdawało się, że widzi przez nią kości policzkowe. Nie ulegało wątpliwości, że nawet w tak straszliwych warunkach dziewczyna zadała sobie wiele trudu, by nie pogrążyć się w bagnie rozpaczy. Włosy miała zebrane w gruby warkocz, który zwisał z przodu na ramieniu; jakimś sposobem udało jej się utrzymać je w czystości i uczesać. Sięgały prawie do talii, delikatne jak chiński jedwab i lśniące niczym złota gwinea w słońcu. Ale to widok jej oczu odebrał Jimowi mowę na długą chwilę. Ich błękit przypominał afrykańskie niebo w środku lata. Otworzyły się szeroko, kiedy dziewczyna spojrzała pierwszy raz na Jima. Rozchyliła usta, ukazując zęby... białe i równe, bez najmniejszej szczerby. Zatrzymała się raptownie, a idąca z tyłu kobieta wpadła na nią i potknęła się. Obie straciły równowagę i omal się nie przewróciły. Żelazne łańcuchy zabrzęczały, a kobieta zaklęła z portowym akcentem z Antwerpii.

— No, księżniczko, rusz tę śliczną cipkę.

Dziewczyna jakby jej nie usłyszała.

Z tyłu podszedł do niej jeden ze strażników.

— Ruszaj się, głupia krowo. — Smagnął ją gruzłowatą liną po odkrytej skórze ramienia, na której od razu zrobiła się czerwona pręga. Jim ledwie się powstrzymał, żeby nie skoczyć jej na ratunek. Stojący najbliżej strażnik wyczuł ruch i skierował w jego stronę lufę muszkietu. Chłopak cofnął się. Wiedział, że z tej odległości gruby śrut rozprułby mu brzuch. Lecz dziewczyna zauważyła i zrozumiała jego gest. Potknęła się z oczami pełnymi łez, masując ręką purpurową, nabrzmiałą pręgę. Kiedy mijała Jima, patrzyła na niego błękitnymi oczami. Wiedział, że nie powinien odzywać się do niej, że to niebezpieczne i daremne, ale przesycone litością słowa wymknęły się same z ust:

— Zagłodzili cię.

Coś w rodzaju uśmiechu pojawiło się na twarzy dziewczyny, ale poza tym nie dała żadnego innego znaku, że go usłyszała. Potem pchnęła ją idąca z tyłu jędza.

— Nie dla ciebie dzisiaj młody palik, księżniczko. Będziesz musiała zadowolić się palcem. No, ruszaj się.

Dziewczyna poszła dalej, zostawiając za sobą Jima.

— Dam ci pewną radę, *kerel* — rzekł stojący obok intendent. — Nie próbuj niczego z żadną z tych suk. To najprostsza droga do piekła.

Jim zmusił się do uśmiechu.

— Jestem odważny, lecz nie głupi. — Wyciągnął dłoń i Holender położył na niej osiem srebrnych monet. Jim przerzucił nogę przez reling. — Jutro przywiozę wam ładunek warzyw. Potem może zejdziemy na brzeg i napijemy się grogu w tawernie. — Zeskakując do skifu, dodał pod nosem: — Albo złamię ci kark i te grube nogi.

— Odbijamy, podnieś żagiel! — zawołał do Zamy, siadając przy sterze i ustawiając łódź pod wiatr.

Popłynęli wzdłuż burty żaglowca. Furty działowe były otwarte, żeby wpuścić pod pokład światło i świeże powietrze. Jim spojrzał w najbliższy otwór. Zatłoczony, cuchnący pokład przedstawiał widok z piekła rodem, a rozchodził się z niego smród jak z chlewa lub z kloaki. W ciasnym, niskim pomieszczeniu tłoczyły się przez wiele miesięcy setki istot ludzkich, których nie wypuszczano na zewnątrz, żeby mogły załatwić swoje potrzeby fizjologiczne.

Jim oderwał wzrok i spojrzał w górę, na reling. Pragnął zobaczyć dziewczynę, lecz spodziewał się rozczarowania. Gdy ujrzał wpatrzone w siebie niewiarygodnie błękitne oczy, poczuł przyśpieszony puls. Dziewczyna szurała skutymi nogami w szeregu więźniarek, tuż koło relingu.

— Jak masz na imię? Powiedz, jak masz na imię? — zawołał niecierpliwie Jim. W tej chwili wydawało mu się, że jest to najważniejsza rzecz na świecie.

Wiatr porwał cichą odpowiedź dziewczyny, lecz Jim zdołał odczytać ją z ruchu warg.

— Louisa.

— Ja tu wrócę, Louiso. Bądź dobrej myśli — zawołał nieostrożnie.

Dziewczyna patrzyła nań wzrokiem pozbawionym wyrazu. Potem Jim zrobił coś jeszcze bardziej lekkomyślnego. Wiedział, że to szaleństwo, lecz Louisa była wygłodniała. Podniósł *stumpnose*, którego nie sprzedał intendentowi, i bez wysiłku rzucił ważącą niemal dziesięć funtów rybę. Louisa wyciągnęła ręce i złapała ją z rozpaczliwym wyrazem twarzy. Idąca tuż za nią ladacznica skoczyła, próbując wyrwać kąsek z dłoni Louisy. Trzy lub cztery inne kobiety natychmiast przyłączyły się do zmagań, walcząc o rybę jak stado wilczyc. Strażnicy momentalnie wkroczyli do akcji, rozdzielając razy i chłoszcząc wrzeszczące kobiety biczami. Jim odwrócił głowę, zżerany litością i żalem, i jeszcze innym uczuciem, którego nie umiał nazwać, bo nigdy wcześniej go nie zaznał.

Cała trójka żeglowała w ponurym milczeniu, lecz Jim co kilka minut odwracał się, by spojrzeć na statek więzienie.

— Nic nie możesz zrobić dla tej dziewczyny — odezwał się Mansur. — Zapomnij o niej, kuzynie. Jest poza twoim zasięgiem.

Twarz Jima pociemniała od gniewu i frustracji.

— Czyżby? Wydaje ci się, że wszystko wiesz, Mansurze Courtneyu. Zobaczymy. Zobaczymy! — Na plaży czekał na nich jeden ze stajennych z paroma mułami w uprzężach, żeby pomóc chłopcom wyciągnąć skif na ląd. — Nie siedźcie jak para kormoranów suszących skrzydła na skale — warknął, wciąż trawiony niewyładowaną złością. — Zrzućcie żagiel. — Łódź utknęła tuż przy brzegu, a oni czekali na odpowiednią falę, trzymając wiosła w dłoniach. Wreszcie Jim krzyknął: — Teraz! Jazda!

Woda podmyła rufę i nagle chłopcy poczuli, że unoszą się na zielonkawym grzbiecie pędzącym ku plaży. Fala poniosła ich, a potem zostawiła i cofnęła się. Chłopcy wyskoczyli z łodzi i przyczepili ją do łańcucha. Biegli obok zaprzęgu, popędzając muły. Kiedy skif znalazł się za linią zasięgu wody w czasie najwyższego przypływu, odczepili go.

— Będę potrzebował zaprzęgu jutro z samego rana — powiedział Jim stajennemu. — Niech muły czekają w pogotowiu.

— Więc płyniemy jeszcze raz do tego statku piekła? — spytał beznamiętnym tonem Mansur.

— Dostarczymy im zapas warzyw — odparł niewinnie Jim.

— A co chcesz wziąć w zamian? — ciągnął z udaną obojętnością Mansur.

Jim szturchnął go lekko w ramię; po chwili wskoczyli na nieosiodłane muły. Jim spojrzał po raz ostatni na zatokę, gdzie stał na kotwicy żaglowiec, a potem pojechali wzdłuż brzegu laguny i na wzgórze, w stronę bielonych zabudowań i składów High Weald; Tom Courtney nazwał tak swoją posiadłość od wielkiego dworu w Devon, w którym urodził się on i Dorian i którego od tylu lat nie widzieli. Jedynie nazwa łączyła te dwa domy. Siedziba Toma była zbudowana w miejscowym stylu i miała dach z gęstej trzciny. Pełne gracji kalenice i łukowata brama prowadząca na centralne podwórze zostały zaprojektowane przez uznanego holenderskiego architekta Anreitha. Nazwę posiadłości i rodzinny herb wkomponowano w ozdobny fresk z cherubinami i świętymi, umieszczony nad bramą. Herb przedstawiał armatę z długą lufą na lawecie z dwoma kołami i wstęgą, na której widniały litery CBTC, czyli Courtney Brothers Trading Company *. Na osobnej tarczy znajdował się napis: „High Weald, 1711". Dom został zbudowany w tym samym roku, w którym przyszli na świat Jim i Mansur.

Kiedy kopyta mułów zastukały na brukowanym kamieniami podwórku, z bramy składu, stąpając donośnie, wyszedł Tom Courtney. Był to barczysty mężczyzna mający ponad sześć stóp wzrostu. Gęstą, czarną brodę przetykały srebrne nitki, a świecącej łysiny na czubku głowy nie mącił ani jeden włos. Otaczały ją jednak gęste kędziory opadające aż na kark. Jego brzuch, niegdyś twardy i płaski, okalał majestatyczny pas tłuszczu. Kanciaste rysy twarzy Toma pocięte były mimicznymi zmarszczkami, oczy zaś błyszczały humorem charakterystycznym dla człowieka obdarzonego nadzwyczajną pewnością siebie i bogatego.

— Jamesie Courtneyu! Tak długo cię nie było, że zapomniałem, jak wyglądasz. Miło, że zajrzałeś. Przykro mi, że muszę zawracać ci głowę, ale czy ty i twoi towarzysze planujecie zająć się dzisiaj jakąś robotą?

---

* Courtney Brothers Trading Company — Kompania Handlowa Braci Courtneyów.

26

Jim zwiesił ramiona w poczuciu winy.

— Prawie zostaliśmy staranowani przez parszywy holenderski żaglowiec i o mało się nie potopiliśmy. Później złowiliśmy *steenbras*, wielkiego jak koń. Wyciągaliśmy rybę dwie godziny. Musieliśmy ją sprzedać na jednym ze statków w zatoce.

— O Jezu, ależ mieliście pracowity poranek. Nie opowiadaj mi reszty swoich ciężkich przypadków, pozwól, że sam zgadnę. Zaatakował was francuski liniowiec, a potem uciekaliście przed szarżującym rannym nosorożcem. — Tom ryknął ze śmiechu, rozbawiony swoim żartem. — A ile dostaliście pieniędzy za tego *steenbras* wielkości konia? — zapytał.

— Osiem srebrnych guldenów.

Tom aż gwizdnął.

— To musiał być istny potwór. — Wyraz jego twarzy spoważniał. — Ale to żadna wymówka, chłopcze. Nie dałem ci tygodnia urlopu. Powinieneś był wrócić parę godzin temu.

— Ubiłem interes z intendentem z holenderskiego żaglowca — powiedział Jim. — Weźmie wszystko, co mu dostarczymy, i to za dobrą cenę, tato.

W roześmianych oczach Toma pojawił się błysk przebiegłości.

— Więc chyba jednak nie traciłeś czasu, chłopcze. Dobra robota.

W tej samej chwili z kuchni po przeciwnej stronie podwórka wyszła kobieta, ładna, niemal dorównująca wzrostem Tomowi. Włosy miała zebrane w ciężki kok na czubku głowy, a podwinięte rękawy jej bluzki odsłaniały pulchne, opalone ręce.

— Tomie Courtneyu, nie rozumiesz, że to biedne dziecko wyszło rano z domu bez śniadania? Pozwól mu coś zjeść, zanim znów zaczniesz się nad nim pastwić.

— Sarah Courtney! — zawołał Tom. — To twoje biedne dziecko nie ma już pięciu lat.

Zmieniła taktykę.

— Ty też powinieneś zjeść lunch. Jasmini, dziewczęta i ja uwijałyśmy się przy kuchni od samego rana. Chodźcie tu wszyscy, w tej chwili.

Tom wyrzucił w górę ręce w geście kapitulacji.

— Sarah, jesteś tyranem, ale mógłbym zjeść bawołu wraz z rogami — rzekł, schodząc z werandy. Jedną dłoń położył na ramieniu Jima, a drugą na ramieniu Mansura i poprowadził ich w stronę drzwi kuchni, gdzie czekała Sarah z rękami upudrowanymi mąką po łokcie.

Zama wziął zaprzęg mułów i poszedł do stajni.

— Powiedz mojemu bratu, że panie trzymają dla niego lunch — krzyknął za nim Tom.

— Dobrze, *oubaas*! — Zwracając się do właściciela High Weald, Zama użył określenia oznaczającego najwyższy szacunek.

— Jak tylko skończycie jeść, wracaj tu ze wszystkimi mężczyznami — powiedział Jim. — Musimy zebrać i zapakować ładunek warzyw, który jutro dostarczymy na *Het Gelukkige Meeuw*.

W kuchni krzątały się kobiety, z których większość stanowiły wyzwolone niewolnice — pełne gracji, złotoskóre Jawajki z Batawii. Jim wziął matkę w ramiona.

Sarah udała rozgniewaną.

— Nie bądź maminsynkiem, Jamesie — skarciła go, lecz kiedy podniósł ją i ucałował w oba policzki, zaczerwieniła się z radości. — Puść mnie w tej chwili, mam mnóstwo roboty.

— Jeśli ty mnie nie kochasz, to stryjenka Jassie mi to wynagrodzi. — Podszedł do delikatnej, prześlicznej kobiety, która utonęła w objęciach syna. — Teraz moja kolej, Mansur!

Uwolnił Jasmini z jego ramion. Miała na sobie długą spódnicę *ghâgrâ* i bluzkę *colî* z jedwabiu w żywych kolorach. Była szczupła i wiotka jak dziewczyna, miała skórę lśniącą niczym bursztyn i skośne ciemne oczy o barwie onyksu. Śnieżnobiałe pasmo wśród gęstych czarnych włosów nie świadczyło o wieku — urodziła się z nim, tak samo jak jej matka i babka.

Kobiety krzątały się, a mężczyźni usiedli u szczytu długiego drewnianego stołu o żółtawym odcieniu, zastawionego naczyniami i tacami. Było tam curry przyrządzone po malajsku, pachnące baraniną i korzeniami, wzbogacone jajami i śmietaną, ogromna zapiekanka z dziczyzny, z ziemniakami i mięsem jelenia, upolowanego przez Jima i Mansura na równinie, bochny gorącego chleba prosto z pieca, osełki żółtego masła, dzbany gęstego kwaśnego mleka i piwa.

— Gdzie Dorian? — spytał Tom. — Znów się spóźnia!

— Czy ktoś mnie wołał? — Dorian stanął w drzwiach kuchni, wciąż szczupły, ale dobrze zbudowany, przystojny i pogodny, z czupryną miedzianozłotych kędziorów, takich samych jak na głowie jego syna. Na nogach miał wysokie buty jeździeckie z cholewami, zakurzone aż do kolan, i słomiany kapelusz z szerokim rondem, który cisnął zręcznie przez całą izbę. Kobiety powitały przybysza chórem uradowanych głosów.

— Cisza! — ryknął Tom. — Zachowujecie się jak stado kur

w kurniku, do którego wtargnął szakal. — Hałas ucichł, lecz tylko odrobinę. — Siadaj, Dorry, zanim te baby poszaleją na twój widok. Zaraz usłyszymy opowieść o olbrzymim *steenbras*, złowionym przez chłopców, i o interesie, który ubili z żaglowcem VOC, zakotwiczonym w zatoce.

Dorian zajął krzesło obok brata i wbił nóż w skórkę zapiekanki z dziczyzny. Całe towarzystwo westchnęło z aprobatą, gdy wonny obłok uniósł się aż po belkowany sufit. Sarah nalewała zupę na niebieskie talerze z chińskim wzorem; jadalnia wypełniła się żartami mężczyzn, chichotami i czułym szczebiotem kobiet.

— Co się dzieje z naszym Jimem? — spytała Sarah. Musiała prawie krzyczeć, żeby być usłyszaną w tym zgiełku.

— Nic — odparł Tom, podnosząc łyżkę do ust, po czym spojrzał przenikliwie na syna. — A może jednak?

Przy stole powoli zapadła cisza; wszyscy wlepili wzrok w Jima.

— Czemu nie jesz? — spytała zaniepokojona Sarah. Apetyt Jima już dawno stał się rodzinną legendą. — Trzeba ci zaaplikować dawkę siarki z melasą.

— Nic mi nie jest, po prostu nie chce mi się jeść. — Jim zerknął na zapiekankę, której prawie nie tknął, a potem na krąg twarzy. — Nie gapcie się tak na mnie. Nie umrę.

Sarah to nie wystarczyło.

— Co się stało?

Jim wiedział, że matka potrafi go przejrzeć, jakby był ze szkła. Zerwał się na nogi.

— Przepraszam — powiedział, odsuwając taboret, i wyszedł na podwórze.

Tom wstał, żeby za nim pójść, lecz Sarah potrząsnęła głową.

— Daj mu spokój, mężu. — Tylko ona jedna mogła rozkazywać Tomowi Courtneyowi. Usiadł posłusznie. W kuchni zaległa ciężka, napięta cisza, tak bardzo kontrastująca z nastrojem, który panował tu jeszcze przed chwilą. Sarah spojrzała na Mansura. — Powiedz, co się stało?

— Jim wszedł na pokład statku więzienia i zobaczył rzeczy, które go wzburzyły.

— Jakie rzeczy? — dopytywała się Sarah.

— Na żaglowcu jest mnóstwo skazanych kobiet. Są skute łańcuchami, wygłodzone i bite. Statek śmierdzi jak chlew — wyjaśniał Mansur głosem pełnym litości i odrazy. Wszyscy zamilkli, wyobrażając sobie opisywaną scenę.

— A jedna z tych kobiet na pokładzie była młoda i ładna — powiedziała cicho Sarah.

— Skąd stryjenka wie? — spytał Mansur, gapiąc się na nią szeroko otwartymi oczami.

Jim przeszedł przez bramę i ruszył w dół wzgórza w stronę padoku obok laguny. Dochodząc do toru wyścigowego, włożył dwa palce do ust i gwizdnął. Ogier stał w pewnym oddaleniu od reszty stada i skubał zieloną trawę na skraju wody. Podrzucił do góry łeb, biała plama na jego czole zaświeciła w słońcu jak diadem. Wygiął szyję, wydał szerokie chrapy i popatrzył na Jima błyszczącymi ślepiami. Jim gwizdnął ponownie.

— Chodź do mnie, Werbel — zawołał.

Koń zerwał się do biegu i już po chwili był w pełnym galopie. Poruszał się z wdziękiem antylopy. Sam jego widok sprawił, że czarne myśli Jima ulotniły się. Sierść wierzchowca lśniła jak naoliwiony mahoń, a grzywa powiewała nad grzbietem niczym wojenny proporzec. Podkute żelazem kopyta wyrywały z ziemi kawały murawy, a ich szybkie, miarowe uderzenia przypominały odgłos wystrzałów baterii dział. Właśnie dlatego Jim wybrał mu takie imię.

W Boże Narodzenie Jim, dosiadając Werbla, pokonał w wyścigu mieszkańców kolonii i oficerów miejscowego pułku kawalerii, zdobywając Złotą Paterę gubernatora. W ten sposób Werbel pokazał, że jest najszybszym koniem w Afryce; Jim odrzucił ofertę dowódcy garnizonu, pułkownika Stephanusa Keysera, który proponował za ogiera dwa tysiące guldenów. Tego dnia koń i jeździec okryli się chwałą, lecz nie zyskali przyjaciół.

Werbel galopował prosto na Jima. Uwielbiał straszyć go w ten sposób i zmuszać do zrobienia uniku. Jego pan stał jednak nieruchomo, a koń w ostatniej chwili wykonał zwrot tak blisko, że powiew powietrza zmierzwił włosy Jima. Potem zatrzymał się raptownie, hamując przednimi nogami, machając dziko głową i rżąc.

— Lubisz się popisywać — powiedział Jim. — Zachowuj się. — Werbel, nagle grzeczny jak kociak, podszedł do Jima i otarł się chrapami o jego pierś, obwąchując kieszenie, aż wyczuł zapach śliwkowego placka. — Kochasz mnie tylko wtedy, gdy coś dla ciebie mam. — Werbel pchnął go lekko czołem, zrazu delikatnie, a potem tak natarczywie, że oderwał Jima od ziemi. — Nie zasłuży-łeś, ale... — W końcu Jim ustąpił i wyjął ciasto z kieszeni. Koń oślinił jego otwartą dłoń, do ostatniego okrucha zbierając smakołyk miękki-mi jak aksamit wargami. Jim wytarł rękę o lśniącą szyję zwierzęcia, a później położył ją na jego kłębie i wskoczył bez wysiłku na grzbiet. Dotknięty lekko piętami, Werbel zerwał się do biegu, a po chwili pęd powietrza wycisnął łzy z oczu Jima. Cwałowali wzdłuż brzegu laguny, lecz gdy Jim szturchnął wierzchowca dużym palcem u nogi, ten się nie zawahał. Skręcił i rzucił się w płyciznę, strasząc ławicę drobnych rybek, które zalśniły na tle zielonej wody jak garść srebrnych guldenów. Nagle koń znalazł się na głębi; Jim zsunął się z niego i popłynął obok. Pływanie było jedną z ulubionych rozrywek Werbla, który zaczął parskać głośno z radości. Gdy tylko ogier uderzył kopytami o dno na przeciwnym brzegu laguny, Jim wskoczył znów na jego grzbiet i rozpoczęli cwał po plaży.

Jim skierował konia ku brzegowi morza; przejechali przez wysokie wydmy, zostawiając w białym piasku głębokie odciski kopyt. Po drugiej stronie wydm fale rozbijały się o brzeg. Werbel, niepowstrzymywany, pędził wzdłuż linii wody, najpierw po mok-rym piachu, a potem po brzuch w słonej wodzie. Wreszcie Jim kazał mu zwolnić. Zły nastrój został gdzieś daleko w tyle, gniew i poczucie winy rozpłynęły się na wietrze. Jim stanął na grzbiecie wierzchowca i wyprostował ramiona, Werbel dostosował krok, tak aby pomóc jeźdźcowi utrzymać równowagę. To była jedna ze sztuczek, których się razem nauczyli.

Stojąc na grzbiecie ogiera, Jim spojrzał na zatokę. *Meeuw* przesunę-ła się na kotwicy i stała teraz zwrócona burtą do plaży. Z tej odległości wyglądała schludnie i przyzwoicie jak żona mieszczucha, niczym nie zdradzając grozy kryjącej się we wnętrzu jej brązowoszarego kadłuba.

— Wiatr się zmienił — powiedział Jim do konia, który zastrzygł uszami. — W ciągu kilku dni przywieje nam tu sztorm jak sto diabłów. — Wyobraził sobie, co będzie się działo na żaglowcu wystawionym na zachodni wiatr, kiedy nadejdzie burza. Zły nastrój wracał. Jim opadł na grzbiet konia i spokojniejszym krokiem ruszyli w stronę zamku. Zanim dotarli do masywnych kamiennych murów, ubranie Jima zdążyło wyschnąć, choć buty, zrobione ze skóry kudu, wciąż były mokre.

Kapitan Hugo van Hoogen, kwatermistrz garnizonu, siedział w swoim biurze koło głównej prochowni. Przywitał się życzliwie z Jimem, a potem zaproponował mu fajkę z tureckim tytoniem i filiżankę arabskiej kawy. Jim nie przyjął fajki, lecz z przyjemnością wypił ciemny, gorzki napój; Jasmini nauczyła całą rodzinę picia kawy. Jim i kwatermistrz byli starymi wspólnikami. Utarło się między nimi, że Jim jest nieoficjalnym wysłannikiem rodziny Courtneyów. Kiedy Hugo podpisywał oświadczenie, że kompania nie jest w stanie dostarczyć zapasów żywności bądź towarów któremuś ze statków w zatoce, wówczas prywatny dostawca, wymieniony w dokumencie, miał prawo to uczynić. Hugo był też zapalonym wędkarzem, więc Jim opowiedział mu o walce ze *steenbras*. Kwatermistrz raz po raz wykrzykiwał: „*Ag nee*, człowieku!" albo: „*Dis nee war nee!*", czyli „Nie może być!".

Kiedy Jim uścisnął mu rękę i odszedł, trzymał w dłoni zgodę in blanco na handel w imieniu Kompanii Handlowej Braci Courtneyów.

— Przyjdę napić się z tobą kawy w sobotę — powiedział, mrugając okiem.

Hugo skinął wesoło głową.

— Przywitam cię z otwartymi ramionami, młody przyjacielu. — Z doświadczenia wiedział, że Jim przyniesie mu w małej sakiewce jego prowizję w złotych i srebrnych monetach.

W stajni w High Weald Jim sam wyczyścił Werbla — bo nie chciał, żeby zrobił to któryś ze stajennych — a potem napełnił mu żłób pokruszoną kukurydzą, do której dodał melasy. Werbel był łasy na słodycze.

Na polach i w sadach za stajniami wyzwoleni niewolnicy zbierali warzywa i owoce przeznaczone dla holenderskiego żaglowca. Większość koszy była już napełniona ziemniakami i jabłkami, dyniami i czerwoną brukwią. Ojciec Jima i Mansur nadzorowali zbiór. Jim nie był tam potrzebny, więc poszedł do rzeźni. W ogromnym, chłodnym pomieszczeniu z grubymi ścianami bez okien na hakach wisiały tuziny półtusz świeżo ubitych owiec. Jim wyciągnął nóż z futerału przy pasie, wprawnymi ruchami naostrzył go osełką i podszedł do stryja Doriana. Wszyscy musieli wziąć się do pracy, by przygotować dostawę dla statku. Wyzwoleni niewolnicy wciągali do rzeźni tłuste perskie owce z zagrody, przewracali je i przytrzymywali, odsłaniając gardła pod nóż. Inne ręce podnosiły martwe zwierzęta, wieszały na hakach i ściągały z nich zakrwawione runa.

Kilka tygodni temu Carl Otto, rzeźnik pracujący dla Courtneyów, zapełnił wędzarnie szynkami i kiełbasami, które czekały właśnie na taką okazję. W kuchniach wszystkie kobiety, od najstarszych do najmłodszych, pomagały Sarah i Jasmini napełniać słoje owocami i marynowanymi warzywami.

Mimo że wszyscy bardzo się starali, dopiero późnym popołudniem wozy zostały załadowane, zaprzężono do nich muły i konwój mógł ruszyć w stronę plaży. Przeniesienie ładunku z wozów na stojące na plaży łodzie zajęło niemal całą noc; prawie świtało, kiedy skończono przeładunek.

Wbrew obawom Jima wiatr nie przybrał na sile; morze nie było wzburzone, fale nie przeszkadzały zbytnio w transporcie, gdy muły ciągnęły ciężkie łodzie po piasku. Na wschodzie świt rozjaśnił niebo, kiedy niewielki konwój wyruszył w morze. Jim usiadł za sterem pierwszej łodzi, a Mansur zajął się wiosłowaniem.

— Co masz w tej torbie, Jim? — spytał między jednym pociągnięciem wioseł a drugim.

— Nie zadawaj pytań, to nie usłyszysz kłamstwa — odparł Jim, zerkając na wodoszczelną, płócienną torbę leżącą między jego stopami. Mówił cicho, żeby ojciec nie usłyszał. Na szczęście dla niego Tom Courtney, który w czasie długiej kariery myśliwego często strzelał z ciężkiego muszkietu, miał nieco przytępiony słuch.

— Podarek dla ukochanej? — drążył Mansur, uśmiechając się w półmroku, lecz Jim zignorował go. Strzał był niepokojąco bliski celu. Jim starannie zapakował do torby sporą ilość pokrojonej w paski i posolonej dziczyzny, wysuszonej na słońcu, popularnej wśród mieszczuchów na Przylądku Dobrej Nadziei, dziesięć funtów twardych marynarskich sucharów, owiniętych w płótno, składany scyzoryk i pilnik z trójkątnym ostrzem, który zwędził z warsztatu, grzebień ze skorupy żółwia, należący do matki, i napisany po holendersku list na kartce papieru.

Dopłynęli do *Meeuw*.

— Łódź z zaopatrzeniem! — ryknął Tom Courtney. — Możemy przybić?

Jak tylko usłyszeli odpowiedź, podpłynęli, stukając lekko o wysoką burtę żaglowca.

L ouisa Leuven siedziała na twardym pokładzie, skrzyżowawszy długie nogi; tętniący hałasem półmrok rozpraszało nikłe światło latarni. Ramiona miała okryte tylko cienkim, nędznym bawełnianym kocem. Furty działowe były zamknięte i zaryglowane. Strażnicy nie ryzykowali: brzeg był tak blisko, że któraś z kobiet mogła zdecydować się na skok w zielonkawe odmęty, niezrażona groźbą utonięcia lub śmierci w paszczy jednego z olbrzymich rekinów, które przyciągała tutaj liczna kolonia fok na wyspie Robben. Po południu, kiedy kobiety były na pokładzie, kucharz wyrzucił za burtę wiadro wnętrzności *steenbras*. Dowódca straży pokazał więźniarkom trójkątne płetwy rekinów, płynących na wyścigi do krwawych kęsów. „Wybijcie sobie ze łba wszelkie myśli o ucieczce, brudne suki", ostrzegł kobiety.

Na początku rejsu Louisa wywalczyła sobie miejsce pod jedną z wielkich brązowych armat. Była silniejsza niż inne — postarzałe, niedożywione — więźniarki, i z konieczności nauczyła się bronić. Życie pod pokładem przypominało życie w stadzie dzikich zwierząt: otaczające Louisę kobiety były tak samo niebezpieczne i bezlitosne jak wilki, lecz bardziej chytre i przebiegłe. Louisa wiedziała, że musi się postarać o jakąś broń, więc z ogromnym wysiłkiem wyciągnęła spod łożyska armaty podłużną sztabkę brązu. W nocy całymi godzinami skrobała nią o lufę działa, że wreszcie sztabka wyglądała jak sztylet z obustronnym ostrzem. Oderwała skrawek okrycia przy szwie i owinęła nim metal, aby uzyskać rękojeść. Nosiła przy sobie sztylet w dzień i w nocy w woreczku przypasanym do talii pod koszulą. Jak dotąd tylko raz musiała go użyć, raniąc jedną z kobiet.

Nedda była Fryzyjką z grubymi udami i dużym tyłkiem, tłustymi ramionami i kluchowatą twarzą, pokrytą piegami. Kiedyś prowadziła popularny burdel dla szlachetnie urodzonych mężczyzn. Specjalizowała się w podsuwaniu dzieci bogatym klientom, lecz zwiodła ją zachłanność, gdy spróbowała zaszantażować jednego z nich. W gorącą tropikalną noc, gdy żaglowiec stał kilka stopni od równika, unieruchomiony morską ciszą, Gruba Nedda przygniotła Louisę swoim cielskiem. Nikt ze strażników ani więźniarek nie przyszedł jej na ratunek, mimo że wyrywała się i krzyczała. Chichotały tylko i podjudzały Neddę.

— Wsadź tej zarozumiałej dziwce.

— Słyszycie, jak piszczy? Podoba się jej.

— No, Nedda. Wsadź jej piąchę w tę ciasną *poesje*.

Gdy Louisa poczuła, że Nedda rozsuwa jej nogi grubymi kolanami, wyciągnęła z woreczka ostrze i przejechała nim po jej tłustym czerwonym policzku. Nedda zawyła i stoczyła się na bok, trzymając się za głęboką, tryskającą krwią ranę. Potem odczołgała się w ciemność, jęcząc i szlochając. Rana zaczęła się jątrzyć i przez kilka tygodni Nedda leżała skulona jak niedźwiedzica w najciemniejszym kącie pokładu, z twarzą dwa razy większą z powodu opuchlizny; przez brudny bandaż z policzka ciekła żółta ropa, gęsta jak śmietana. Od tej pory Nedda trzymała się z dala od Louisy, a pozostałe więźniarki też dostały lekcję i dawały jej spokój.

Louisie zdawało się, że ten koszmarny rejs trwa tak długo, jak jej życie. Nawet teraz, w Zatoce Stołowej, w czasie odpoczynku od otwartego morza, ogrom cierpień, które przeszła, wciąż ją przerażał. Skulona wsunęła się w kąt pod armatą i drżała na każde wspomnienie, kłujące niczym cierń. Ze wszystkich stron napierały na nią ludzkie ciała. Kobiety siedziały upchane tak gęsto, że było prawie niemożliwe uniknąć dotyku innych brudnych, zawszonych ciał. W czasie sztormu kubły kołysały się i nieczystości przelewały się po zatłoczonym pokładzie. Nasiąkały nimi ubrania kobiet i cienkie bawełniane koce, na których leżały. W krótkich okresach dobrej pogody załoga pompowała lukami morską wodę, a kobiety na kolanach skrobały deski szorstkimi kamieniami. Na próżno, bo w czasie następnego sztormu brudy rozlewały się na nowo. O świcie, gdy zdejmowano klapy z zejściówek, na zmianę wynosiły cuchnące wiadra po drabinach na górny pokład i wylewały je za burtę przy akompaniamencie szyderczych docinków załogi.

Co niedziela, bez względu na pogodę, więźniarki wypędzano na pokład i stawiano pod okiem uzbrojonych w załadowane muszkiety strażników. Kobiety w kajdanach na nogach i podartych, płóciennych koszulach stały, sine z zimna, trzęsąc się i obejmując rękami, podczas gdy kleryk duńskiego Kościoła reformowanego rzucał na nie gromy za popełnione grzechy. Gdy ta męczarnia dobiegła końca, załoga ustawiała płócienne parawany, więźniarki stawały za nimi grupami i polewano je wodą z okrętowej pompy. Louisa i kilka innych kobiet ściągały z siebie koszule i próbowały w miarę możliwości sprać brud. Płachty powiewały na wietrze, prawie wcale ich nie zasłaniając, więc marynarze przy pompach i na masztach gwizdali i wykrzykiwali sprośne uwagi.

— Patrzcie, jakie cyce ma ta krowa!

— Mógłbyś wpłynąć liniowcem do tej wielkiej włochatej przystani.

Louisa nauczyła się zasłaniać mokrą koszulą, klękając nisko i kryjąc się za innymi kobietami. Dla paru godzin czystości warto było znieść upokorzenie, lecz gdy tylko koszula wyschła i na ciepłym ciele zalęgły się od nowa wszy, znów zaczynała się drapać.

Brązowym ostrzem zrobiła z kawałka drewna grzebień o cienkich ząbkach, i godzinami wyczesywała wszy ze swoich długich, złotych włosów, i z owłosienia na ciele. Te żałosne próby utrzymania higieny podkreślały niechlujstwo innych więźniarek i budziły ich wściekłość.

— Patrzcie na tę cholerną, zasraną księżniczkę. Znowu czesze swoją *poesje*.

— Jest lepsza niż my. Myśli, że jak dopłyniemy do Batawii, ochajtnie się z gubernatorem, nie wiedziałaś?

— Zaprosisz nas na ślub, księżniczko?

— Nedda będzie twoją druhną, co, Nedda *Lieveling*? — Twarz Neddy, naznaczona krwawą blizną, skrzywiła się w groteskowym uśmiechu, lecz jej oczy błyszczały nienawiścią w mdłym świetle latarni.

Louisa nauczyła się je ignorować. Podgrzała czubek sztyletu nad dymiącym płomieniem latarni wiszącej nad jej głową i przesunęła ostrze po szwie koszuli na brzuchu. Przysmażone wszy podskakiwały i skwierczały. Ustawiła ostrze nad płomieniem, i czekając, aż się nagrzeje, schyliła głowę, by zerknąć przez wąską szczelinę klapy.

W czasie rejsu stale powiększała szczelinę miedzianym sztyletem, aż wreszcie mogła przez nią wyglądać na zewnątrz. Na klapie była kłódka, lecz Louisa po trzech tygodniach wysiłków zdołała poluzować zawiasy. Potem wtarła palcem sadzę z latarni w powierzchnię drewna, aby zamaskować oskrobane miejsce przed wzrokiem oficerów, którzy przeprowadzali cotygodniową inspekcję w niedzielę, kiedy więźniarki wychodziły na pokład na modlitwę i ablucje. Zawsze wracała na swoje legowisko z drżeniem serca, bojąc się, że jej dzieło zostało odkryte. Kiedy okazywało się, że nie, czuła tak wielką ulgę, że często wybuchała płaczem.

Rozpacz była zawsze blisko, czaiła się jak dzika bestia, w każdej chwili gotowa rzucić się na Louisę i pożreć ją. Niejeden raz w ciągu ostatnich miesięcy ostrzyła sztylet tak, że mogła nim zgolić delikatne włoski na przedramieniu. Potem kryła się pod lawetą armaty i znajdowała palcem miejsce, w którym czuła pulsowanie. Kiedyś przyłożyła ostrą krawędź do skóry i zaciskając zęby, podjęła decyzję, lecz podniosła głowę i ujrzała cienki promień światła wpadający przez szczelinę klapy. Dostrzegła w nim obietnicę.

— Nie — szepnęła do siebie. — Ucieknę stąd. Wytrzymam.

By wzmocnić swoją determinację, spędzała długie godziny

niekończących się dni, gdy statek przedzierał się przez potężne sztormy południowego Atlantyku, śniąc na jawie o jasnych, szczęśliwych chwilach dzieciństwa, które teraz zdawały się należeć do innego, spowitego mgłą życia. Nauczyła się uciekać w krainę wyobraźni, odcinając się od rzeczywistości, w którą została schwytana.

Przywoływała wspomnienie ojca, Hendricka Leuvena, wysokiego, szczupłego mężczyzny w zapiętym pod szyję, czarnym surducie. Widziała jego śnieżnobiały, koronkowy halsztuk i pończochy na żylastych nogach, pieczołowicie zacerowane przez kochającą żonę, i tombakowe klamerki trzewików z kwadratowymi czubkami, wypolerowane tak, że błyszczały jak czyste srebro. Spod szerokiego ronda kapelusza szelmowsko spoglądały jego oczy, zadając kłam posępności rysów. Louisa odziedziczyła oczy po ojcu. Pamiętała doskonale fascynujące, zabawne, a czasem pouczające bajki. Kiedy była mała, każdego wieczoru wnosił ją po schodach do łóżeczka. Otulał ją kołdrą i siadał, snując jakąś bajkę, a ona rozpaczliwie walczyła z sennością. Kiedy trochę podrosła, spacerowała z ojcem po ogrodzie, trzymając go za rękę. Chodzili po posiadłości wśród pól tulipanów, a Louisa powtarzała to, czego się w danym dniu nauczyła. Uśmiechnęła się skrycie, przypominając sobie cierpliwość ojca, który odpowiadał na jej pytania, i jego smutny, lecz pełen dumy uśmiech, gdy udało jej się rozwiązać jakieś matematyczne zadanie z niewielką pomocą.

Hendrick Leuven był guwernerem van Rittersów, jednej z najznakomitszych rodzin kupieckich w Amsterdamie. *Mijnheer* Koen van Ritters należał do Het Zeventien, rady gubernatorów VOC. Miał flotę pięćdziesięciu trzech doskonałych żaglowców, za pomocą której prowadził handel z całym światem, a składy ciągnęły się na ćwierć mili wzdłuż obu brzegów kanału. Jego wiejski pałac był jednym z najwspanialszych w Holandii.

Zimą wszyscy domownicy van Rittersa mieszkali w Huis Brabant, ogromnym pałacu nad kanałem. Rodzina Louisy miała trzy pokoje na samej górze; z okna swojego maleńkiego pokoiku Louisa widziała załadowane po brzegi barki i rybackie kutry wracające z morza.

Najbardziej jednak lubiła wiosnę. Wówczas rodzina van Rittersów przenosiła się do wiejskiej posiadłości Mooi Uitsig. W tych cudownych jak bajka czasach Hendrick mieszkał z rodziną w domku nad jeziorem; dwór stał na drugim brzegu. Louisa pamiętała długie klucze gęsi nadlatujące z południa, kiedy się ocieplało. Ptaki lądowały na jeziorze, budząc ją o świcie swoim rozgłośnym gęganiem. Wtedy kuliła się pod kołdrą i słuchała chrapania ojca, dobiegającego z sąsiedniego pokoju. Już nigdy nie było jej tak ciepło i nie czuła się tak bezpiecznie jak wtedy.

Matka Louisy, Anne, była Angielką. Ojciec przywiózł ją do Holandii, kiedy była jeszcze dzieckiem. Był kapralem w gwardii przybocznej Wilhelma Orańskiego, gdy ten został królem Anglii. W wieku szesnastu lat dostała posadę młodszej kucharki w domu van Rittersów, a rok później wyszła za Hendricka.

Anne była pulchną i pogodną kobietą; zawsze otaczały ją kuchenne aromaty, woń korzeni i wanilii, szafranu i pieczonego chleba. Nalegała, żeby Louisa uczyła się angielskiego, i kiedy były same, zawsze rozmawiały w tym języku. Anne uczyła ją też gotowania i pieczenia, szycia, wyszywania i innych kobiecych zajęć.

Za specjalnym pozwoleniem van Rittersa Louisa mogła uczyć się razem z jego dziećmi, choć siadała na końcu klasy i nie wolno było jej się odzywać. Dopiero kiedy została sama z ojcem, mogła zadawać pytania, które przez cały dzień nie dawały jej spokoju. Bardzo wcześnie nauczyła się manier i okazywania szacunku.

Przez te wszystkie lata Louisa tylko dwa razy miała okazję zobaczyć *Mevrou* van Ritters. Widziała ją przez okno klasy, gdy wsiadała do wielkiego powozu z czarnymi zasłonami, w asyście gromady służących. Była to tajemnicza postać, ubrana w liczne warstwy czarnego jedwabiu, błyszczącego brokatem, i ciemną woalkę zakrywającą twarz. Louisa podsłuchała kiedyś, jak matka rozmawia o pani domu z innymi służącymi. Kobieta cierpiała na jakąś chorobę skóry, która spowodowała, że jej twarz wyglądała jak widmo z piekła rodem. Nawet jej mężowi i dzieciom nie wolno było zobaczyć jej bez woalki.

Mijnheer van Ritters natomiast odwiedzał czasem klasę, by sprawdzić, jakie postępy robią jego latorośle. Często uśmiechał się do ładnej, skromnej dziewczynki siedzącej w końcu pomieszczenia. Raz nawet zatrzymał się koło ławki Louisy, żeby spojrzeć na tabliczkę zapisaną schludnym, starannym pismem. Uśmiechnął się i położył jej rękę na głowie. „Masz śliczne włosy, dziecko", powiedział cicho. Jego córki były raczej pulchne i miały pospolite rysy.

Louisa zarumieniła się i dygnęła. Pomyślała, że pan Ritters jest taki dobry, a zarazem odległy i potężny niczym Bóg. Nawet wyglądał jak wyobrażenie Boga na ogromnym olejnym obrazie w sali bankietowej. Malowidło było dziełem sławnego artysty, Rembrandta Harmenszoona van Rijna, protegowanego rodziny van Rittersów. Mówiono, że malarzowi pozował dziadek *Mijnheer*. Obraz przedstawiał dzień zmartwychwstania: miłosierny Bóg unosił zbawione dusze do raju, a w tle diabły pędziły potępionych w płonącą czeluść. Malowidło fascynowało Louisę; wpatrywała się w nie godzinami.

Teraz, siedząc na cuchnącym pokładzie bojowym *Meeuw* i wyczesując wszy z włosów, Louisa czuła się jak jeden z nieszczęsnych potępieńców skazanych na piekło. Łzy napływały jej do oczu, więc próbowała odsunąć od siebie smutne myśli, lecz wracały nieubłaganie. Miała zaledwie dziesięć lat, gdy czarna zaraza ponownie spadła na Amsterdam; tak jak przedtem, zaczęła się w dokach, gdzie roiło się od szczurów, a potem rozlała się na całe miasto.

Mijnheer van Ritters uciekł wraz ze wszystkimi domownikami z Huis Brabant, by schronić się w Mooi Uitsig. Rozkazał zamknąć wszystkie bramy posiadłości i rozmieścić przy nich uzbrojonych wartowników. Kiedy służba otworzyła jeden ze skórzanych kufrów przywiezionych z Amsterdamu, wyskoczył z niego ogromny szczur i umknął w dół po schodach. Mimo to przez kilka tygodni mieszkańcy pałacu uważali się za bezpiecznych aż do dnia, gdy jedna z pokojówek zemdlała i runęła na podłogę, podając państwu obiad.

Dwóch służących zaniosło dziewczynę do kuchni i położyło ją na długim stole. Kiedy matka Louisy rozpięła jej bluzkę, westchnęła gwałtownie na widok naszyjnika z czerwonych plam na szyi, stygmatu zarazy, pierścienia róż. Była tak przejęta, że nie zauważyła czarnej pchły, która przeskoczyła z ubrania pokojówki na jej spódnicę. Nazajutrz przed zachodem słońca dziewczyna zmarła.

Następnego ranka, gdy ojciec Louisy sprawdził obecność, okazało się, że brakuje dwóch synów van Rittersów. Jedna z opiekunek weszła do sali i powiedziała mu coś szeptem do ucha. Skinął głową i rzekł: „Kobusa i Tinusa nie będzie dzisiaj z nami. Dzieci, proszę otworzyć elementarze na stronie piątej. Petronello, to jest dziesiąta strona".

Petronella była w tym samym wieku co Louisa i jako jedyna z dzieci van Rittersów okazywała jej przyjaźń. Siedziały w tej samej podwójnej ławce na końcu. Często przynosiła Louisie drobne podarki, a czasem zapraszała ją do dziecinnego pokoju, gdzie bawiły się lalkami Petronelli. W ostatnie urodziny Louisy dała jej jedną ze swoich ulubionych. Rzecz jasna, opiekunka kazała Louisie oddać lalkę. Kiedy szły wzdłuż brzegu jeziora, Petronella złapała Louisę za rękę.

— Tinus był bardzo chory wczoraj w nocy — szepnęła. — Wymiotował! Strasznie śmierdziało.

W połowie lekcji Petronella wstała nagle, nie pytając o pozwolenie, i pobiegła w stronę drzwi.

— Dokąd się wybierasz, Petronello? — spytał surowo Hendrick Leuven.

Dziewczynka odwróciła pobladłą twarz, a potem bez słowa upadła na podłogę.

Wieczorem ojciec wyjaśnił Louisie:

— *Mijnheer* van Ritters kazał mi zamknąć klasę. Nikomu z nas nie wolno wchodzić do dużego budynku, dopóki choroba nie przejdzie. Mamy zostać tu, w domu.

— Co będziemy jeść, papo? — Louisa była zawsze praktyczna jak jej matka.

— Mama przyniesie żywność ze spiżarni. Ser, szynkę, jabłka i ziemniaki. Mamy ogródek warzywny, króliki i kury. Będziesz mi pomagać w pracy. Nie przerwiemy nauki. Pójdzie ci szybciej, kiedy nie będzie z nami mniej pojętnych dzieci. Ten czas spędzimy jak wakacje, będziemy się bawić. Ale nie wolno ci wychodzić z ogrodu, rozumiesz? — spytał poważnie, drapiąc czerwoną plamę po ugryzieniu pchły na kościstym nadgarstku.

Trzy dni upłynęły przyjemnie. Czwartego dnia rano Anne zemdlała, pracując przy piecu kuchennym, i rozlała sobie wrzątek na nogę. Louisa pomogła ojcu wnieść ją na górę i ułożyć na dużym łóżku. Owinęli poparzoną nogę bandażami namoczonymi w miodzie. Potem Hendrick rozpiął jej sukienkę i z przerażeniem popatrzył na naszyjnik czerwonych róż na szyi żony.

Gorączka spadła na nią nagle, jak letnia burza. Po godzinie skóra Anne nabiegła krwią i zrobiła się tak gorąca, że trudno było jej dotknąć. Louisa i Hendrick ochładzali ją gąbką namoczoną w zimnej wodzie z jeziora. „Bądź silna, *Lieveling* — szeptał jej do ucha Hendrick, kiedy Anne rzucała się i jęczała. Materac zrobił się mokry od potu. — Bóg cię ochroni".

Czuwali przy niej na zmianę przez całą noc, lecz rankiem Louisa krzykiem wezwała ojca. Kiedy wszedł z wysiłkiem po schodach, Louisa wskazała na obnażone od pasa ciało matki. Po obu stronach krocza, w pachwinach, utworzyły się ogromne wrzody wielkości pięści Louisy. Były twarde jak kamień i miały wściekle purpurowy kolor, jak dojrzałe śliwki.

— Dymienice! — stwierdził Hendrick, dotykając obrzmienia.

Anne wrzasnęła z bólu, choć dotknął bardzo lekko. Jej kiszki eksplodowały gazem i żółtą biegunką, która przemoczyła pościel.

Hendrick i Louisa zdjęli Anne z cuchnącego materaca i położyli na czystym na podłodze. Wieczorem ból stał się tak intensywny i uporczywy, że Hendrick nie mógł dłużej znieść krzyków żony. Patrzył na nią zaczerwienionymi, przerażonymi oczami.

— Przynieś moją brzytwę! — nakazał Louisie.

Dziewczynka pobiegła do umywalki w kącie pokoju i podała ojcu ostre narzędzie z piękną rączką z macicy perłowej. Louisa zawsze lubiła patrzeć, jak ojciec wczesnym rankiem namydla policzki, a potem zbiera kłęby piany prostym, lśniącym ostrzem.

— Co chcesz zrobić, tato? — spytała, widząc, że Hendrick ostrzy brzytwę na rzemiennym pasku.

— Musimy uwolnić truciznę. Ona zabija mamę. Trzymaj ją mocno!

Louisa delikatnie złapała matkę za nadgarstki.

— Wszystko będzie dobrze, mamo. Tatuś wie, co zrobić.

Hendrick zdjął czarny surdut i podszedł do łóżka w białej koszuli. Rozłożył nogi żony, żeby ją lepiej przytrzymać. Po jego policzkach spływał pot, kiedy strasznie drżącą ręką przyłożył ostrze brzytwy do ogromnego purpurowego obrzmienia w pachwinie Anne.

— Wybacz mi, litościwy Boże — szepnął, a potem przycisnął ostrze, tnąc równo i głęboko. Przez chwilę nic się nie działo, a potem strumień czarnej krwi i żółtej ropy trysnął z rany, rozpryskując się na koszuli Hendricka i niskim suficie nad jego głową.

Plecy Anne wygięły się w łuk; Louisą cisnęło o ścianę. Hendrick cofnął się w kąt, oszołomiony gwałtownością konwulsji żony. Anne skręcała się, rzucała i krzyczała, a jej twarz ściągnęła się w potwornym grymasie, który przestraszył Louisę. Zacisnęła usta dłońmi, by nie krzyczeć na widok krwi tryskającej regularnymi strumieniami z rany. Stopniowo szkarłatna fontanna zmniejszyła się, a wraz z nią ból Anne. Krzyki ustały, leżała nieruchomo, śmiertelnie blada, w rosnącej kałuży krwi.

Louisa przysunęła się i dotknęła jej ręki.

— Mamo, już dobrze. Tatuś wypuścił truciznę. Wkrótce będziesz zdrowa.

Spojrzała na ojca. Nigdy nie widziała go w takim stanie: szlochał, a jego otwarte usta były ciemnosine. Po brodzie kapała mu ślina.

— Nie płacz, tatusiu — szepnęła. — Mama niedługo się obudzi.

Anne jednak już się nie obudziła.

O jciec wziął szpadel z szopy, poszedł na koniec ogrodu i zaczął kopać w miękkiej ziemi pod rozłożystą jabłonią. Dopiero późnym popołudniem grób był wystarczająco głęboki. Hendrick wrócił do domu, z nieobecnym spojrzeniem w niebieskich oczach. Wstrząsały nim dreszcze. Louisa pomogła mu owinąć Anne w przemoczone krwią prześcieradło i szła obok niego, gdy niósł żonę do sadu. Zostawił zwłoki koło otwartego grobu i zszedł do środka, a potem ściągnął Anne. Ułożył ją na wilgotnej, pachnącej grzybem ziemi, wyszedł i sięgnął po szpadel.

Louisa łkała, patrząc, jak zakopuje grób i udeptuje ziemię. Wyszła na pole za żywopłotem i nazrywała kwiatów. Gdy wróciła, ojca nie było już w ogrodzie. Poukładała tulipany w miejscu, gdzie leżała głowa matki. Wydawało się, że studnia jej łez wyschła. Szlochała sucho, boleśnie.

Wróciwszy do domku, zastała ojca siedzącego przy stole, w koszuli poplamionej krwią żony i ziemią. Trzymał głowę w dłoniach, a jego ramionami wstrząsały dreszcze. Gdy podniósł głowę, by spojrzeć na córkę, jego twarz była blada i napuchnięta, a zęby szczękały o siebie.

— Tatusiu, ty też jesteś chory? — Ruszyła w jego stronę, lecz cofnęła się raptownie, gdy Hendrick otworzył usta i w tej samej chwili trysnęła z nich fontanna brązowożółtych wymiocin, rozpryskując się na drewnianym blacie stołu. Potem zsunął się z krzesła i runął na posadzkę z płaskich kamieni. Był zbyt ciężki, żeby mogła go podnieść czy wciągnąć po schodach, więc zostawiła go tam, gdzie leżał. Usunęła wymiociny i płynne ekskrementy, a później zwilżała skórę gąbką namoczoną w lodowatej wodzie z jeziora. Nie mogła jednak zmusić się, by przeciąć brzytwą wrzody. Dwa dni później Hendrick zmarł.

— Muszę być dzielna. Nie jestem dzieckiem, mam dziesięć lat — powiedziała sobie. — Nikt mi nie pomoże. Sama muszę się zająć papą.

Poszła do ogrodu. Szpadel leżał obok grobu matki, tam gdzie rzucił go Hendrick. Zaczęła kopać. Była to ciężka, mozolna robota. Kiedy jej szczupłe, dziecięce ramiona nie miały dość sił, żeby wyrzucać na zewnątrz mokrą ziemię, przyniosła z kuchni kosz na jabłka, napełniała go raz po raz i wyciągała na linie. Po zapadnięciu zmroku pracowała dalej w świetle latarni. Kiedy głębokość grobu przekroczyła jej wzrost, wróciła do domu i spróbowała wywlec ciało ojca. Była wyczerpana, na dłoniach zrobiły jej się pęcherze od szpadla. Nie mogła poradzić sobie ze zwłokami. Przykryła kocem bladą, spuchniętą twarz i wytrzeszczone oczy, a potem położyła się obok i spała do rana.

Gdy się zbudziła, światło słońca padało przez okno prosto na jej oczy. Wstała i ukroiła sobie plaster szynki i kawałek sera ze spiżarni. Zjadła je z pajdą suchego chleba. Potem poszła do stajni na tyłach pałacu. Pamiętała, że nie wolno jej tam chodzić, więc podkradła się wzdłuż żywopłotu. Stajnie ziały pustką. Uświadomiła sobie, że stajenni musieli uciec wraz z resztą służby. Louisa prześliznęła się przez dziurę w żywopłocie, którą odkryły z Petronellą. Konie były w stajni, nienakarmione i nienapojone. Otworzyła drzwi i wypędziła zwierzęta na wybieg. Natychmiast pogalopowały prosto nad brzeg jeziora i zaczęły gasić pragnienie.

Przyniosła ogłowie i podeszła do kucyka Petronelli, który wciąż pił wodę. Petronella pozwalała Louisie dosiadać kucyka, ilekroć ta miała ochotę, więc zwierzę ją rozpoznało. Gdy tylko kuc podniósł ociekający wodą pysk, Louisa wsunęła mu na łeb ogłowie i poprowadziła do domku. Tylne drzwi były dość szerokie, żeby konik mógł przez nie swobodnie przejść.

Louisa próbowała wymyślić jakiś sposób, żeby przetransportować ciało ojca do grobu w godniejszy sposób, w końcu znalazła dłuższą linkę i przywiązała ją do jego stóp. Kucyk przeciągnął zwłoki do sadu; głowa Hendricka podskakiwała na nierównej ziemi. Kiedy ciało zsunęło się do grobu, Louisa zapłakała nad ojcem ostatni raz. Zdjęła ogłowie ze łba kucyka i puściła zwierzę luzem. Potem zeszła do grobu i próbowała ułożyć kończyny, lecz były sztywne. Zostawiła go więc tak, jak leżał, poszła na pole, zebrała naręcze kwiatów i rozrzuciła je po ciele ojca. Uklękła przy otwartym grobie i wysokim, słodkim głosem zaśpiewała pierwszą zwrotkę „Pan jest moim pasterzem", po angielsku, tak jak nauczyła ją matka. Później wzięła szpadel i zaczęła zakopywać grób. Gdy skończyła, zapadł zmrok, więc poczłapała do domu, odrętwiała z wyczerpania.

Nie miała ani siły, ani ochoty na jedzenie, nie chciało jej się nawet wejść po schodach do swojego łóżka. Położyła się koło kominka i prawie natychmiast zapadła w sen przypominający śmierć. Obudziła się przed świtem, dręczona pragnieniem, z tak silnym bólem głowy, jakby za chwilę miała jej pęknąć czaszka. Chciała wstać, lecz zachwiała się i przewróciła na ścianę. Kręciło jej się w głowie i miała mdłości, bolał ją pęcherz. Próbowała wyjść do ogrodu, żeby sobie ulżyć, lecz pokonały ją nudności. Zgięła się powoli i zwymiotowała na środek podłogi w kuchni, a potem z przerażeniem spojrzała na parującą kałużę między swoimi stopami. Dowlokła się do szeregu naczyń wiszących na hakach na ścianie i spojrzała na swoje odbicie w wypolerowanej powierzchni jednego z nich. Powoli, z lękiem dotknęła szyi i popatrzyła na różany naszyjnik zdobiący jej mlecznobiałą skórę.

Nogi się pod nią załamały i osunęła się na kamienną posadzkę. Ciemne chmury rozpaczy zebrały się w jej głowie i przestała cokolwiek widzieć. Nagle ujrzała iskrę płonącą w ciemności, iskrę siły i determinacji. Uczepiła się jej, osłaniając ją jak płomyk lampy drżący na wietrze.

— Muszę pomyśleć — szepnęła do siebie. — Muszę wstać. Wiem, że stanie się to, co się stało z mamą i tatą. Muszę się przygotować. — Opierając się o ścianę, stanęła na drżących nogach. — Trzeba się śpieszyć. Czuję, że to nadchodzi. — Przypomniała sobie straszliwe pragnienie dręczące konających rodziców. — Woda! — wyszeptała. Dowlokła się z pustym wiadrem do pompy na podwórku. Każde poruszenie długiego ramienia było próbą siły i odwagi. — Nie każdy umiera — pocieszała się, nie przerywając pompowania. — Słyszałam, jak dorośli rozmawiają między sobą. Mówili, że niektórzy młodzi i silni przeżywają. Nie umierają. — Woda lała się do wiadra. — Nie umrę. Nie umrę! Nie umrę!

Kiedy wiadro było pełne, Louisa, powłócząc nogami, doszła do klatki z królikami, a potem do kurnika. Uwolniła wszystkie zwierzęta i ptaki, żeby mogły się same żywić.

— Nie będę w stanie opiekować się wami — usprawiedliwiała się sama przed sobą. Potykała się, niosąc wiadro z wodą, która rozlewała się jej na nogi. Postawiła je przy kominku i zawiesiła chochlę na brzegu. — Jedzenie! — szepnęła przytomnie, choć w głowie majaczyły jej jakieś niewyraźne obrazy. Przyniosła ze spiżarki resztkę sera i szynki, a także kosz jabłek, i postawiła w miejscu, do którego mogła sięgnąć. — Chłód. W nocy będzie zimno. — Dowlokła się do kufra z bielizną, gdzie matka trzymała resztę posagu, wyjęła kilka zwiniętych pledów i dywanik z owczej skóry i rozłożyła je koło kominka. Potem przyniosła z kąta naręcze drew i rozpaliła ogień. Zaczęły nią wstrząsać dreszcze. — Drzwi! Trzeba zamknąć drzwi! — nakazywała sobie. Słyszała, że w mieście wygłodniałe świnie i psy wdzierały się do domów, w których leżeli ludzie zbyt chorzy, żeby się bronić. Zwierzęta pożerały je żywcem. Zamknęła drzwi i założyła sztabę. Odszukała siekierę ojca oraz tasak i położyła obok materaca.

Pod strzechą domku i w ścianach gnieździły się szczury. Słychać było ich chrobotanie, a matka skarżyła się, że pod osłoną nocy dokonują spustoszeń w spiżarni. Petronella opowiadała Louisie, jak wielki szczur dostał się do pokoju dziecinnego, kiedy nowa opiekunka upiła się dżinem. Ojciec znalazł bestię w łóżeczku siostry Petronelli i kazał stajennym wychłostać pijaną opiekunkę. Wrzaski kobiety słychać było w klasie; dzieci spoglądały na siebie z przerażeniem, a jednocześnie z zachwytem. Louisa dostała gęsiej skórki na myśl, że leży bezradna, a szczur wbija w nią swoje ostre jak szpilki zęby. Ostatkiem sił zdjęła z haka na ścianie największy z miedzianych garnków matki i postawiła w rogu, przykrywając go pokrywką. Była schludnym dzieckiem i ze wstrętem myślała o tym, że może się zabrudzić tak jak jej chorzy rodzice.

— To wszystko, co mogę zrobić — szepnęła i osunęła się na owczą skórę. W głowie wirowały jej ciemne chmury, a krew zdawała się gotować w żyłach. — Ojcze nasz, któryś jest w niebie... — zaczęła odmawiać modlitwę po angielsku, lecz po chwili pochłonęła ją ciemność.

Minęła chyba wieczność, nim Louisa odzyskała świadomość. Mrok ustąpił miejsca oślepiającemu białemu światłu. Było jak blask słońca, odbity od śnieżnego pola. Ze światła napłynął chłód, mrożąc jej krew i kości. Wstrząsnął nią niepohamowany dreszcz.

Zbolałymi rękami naciągnęła na siebie owczą skórę i skuliła się w kłębek, podciągając kolana do piersi. Potem z lękiem sięgnęła za siebie: z wychudłych pośladków wystawały kości. Wysunęła palec, bojąc się, że natrafi na mokre, śliskie odchody, lecz skóra była sucha. Niepewnie powąchała palec. Był czysty.

Louisa podsłuchała kiedyś, jak ojciec mówił do matki: „Najgorszym objawem jest biegunka. Przeżywają ci, którzy nie wypróżniają kiszek".

— To znak od Jezusa — szepnęła do siebie, szczękając zębami. — Nie zabrudziłam się. Nie umrę.

Nagle wróciła piekąca gorączka, która odsunęła chłód i białe światło. Louisa rzucała się w malignie, wołając ojca, matkę i Jezusa. Obudziło ją pragnienie: ogień w gardle i ból języka, który wypełniał spalone usta jak wysuszony na słońcu kamień. Siłą woli podniosła się na łokciu i próbowała sięgnąć po chochlę. Przy pierwszej próbie rozlała sobie większość wody na pierś i zachłysnęła się tym, co zostało na łyżce. A jednak kilka łyków, które zdołała przełknąć, cudownie przywróciło jej siłę. Przy drugiej próbie udało jej się wypić całą zawartość chochli. Odpoczęła, a potem wypiła jeszcze jedną. Wreszcie zaspokoiła pragnienie i zdawało się, że na chwilę ugasiła ogień trawiący krew w jej żyłach. Skuliła się pod owczą skórą, z brzuchem wzdętym od wypitej wody. Tym razem sen, którą ją zmorzył, był głęboki, lecz naturalny.

Obudził ją ból. Louisa nie wiedziała, skąd pochodzi ani co jest jego przyczyną. Nagle usłyszała głośne skrobanie tuż obok. Otworzyła oczy i spojrzała w dół. Jedna z jej stóp wystawała spod owczej skóry. Siedziało nad nią coś, co było wielkie jak kot, szare i włochate. Przez chwilę nie rozumiała, co to takiego, lecz znów usłyszała skrobanie i poczuła ból. Chciała kopnąć to coś lub krzyczeć, lecz paraliżował ją strach. Ziścił się najgorszy koszmar.

Stworzenie podniosło łebek, spojrzało na Louisę jasnymi, paciorkowatymi oczami i poruszyło wąsami na długim, spiczastym nosie. Na ostrych, zakrzywionych zębach, wystających nad dolną wargą, czerwieniła się krew. Zwierzę gryzło kostkę Louisy. Dziewczynka patrzyła przez chwilę na szczura, a on na nią, lecz wciąż nie potrafiła zmusić się do ruchu. Szczur zniżył łebek i znów wbił zęby w jej ciało. Louisa powoli sięgnęła po tasak leżący koło głowy i z kocią szybkością zadała cios. Szczur był niemal tak samo szybki: skoczył wysoko w powietrze, lecz czubek noża rozpłatał mu brzuch. Bestia runęła z piskiem na grzbiet.

Dysząc ciężko, Louisa upuściła nóż i patrzyła szeroko otwartymi oczyma, jak szczur wlecze za sobą po kamiennej podłodze śliski, purpurowy splot wnętrzności. Długo trwało, nim jej serce zwolniło, a oddech się wyrównał. Potem poczuła, że szok dodał jej sił. Usiadła i obejrzała zranioną nogę. Ugryzienia były głębokie. Udarła pasek z halki i owinęła sobie kostkę. Wtedy poczuła, że jest głodna. Dowlokła się do stołu i z trudem stanęła na nogach. Szczur dostał się do szynki, ale Louisa odcięła nagryziony kawałek, ukroiła gruby plaster i położyła go na pajdzie chleba. Ser zarastał już zielonkawą pleśnią, co wskazywało, jak długo Louisa leżała nieprzytomna. Łakomie pochłonęła ser razem z pleśnią i wypiła ostatnią chochlę wody z cebra. Chciała go ponownie napełnić, lecz była zbyt słaba; poza tym bała się otworzyć drzwi.

Z trudem doszła do dużego garnka w kącie i przykucnęła nad nim. Sikając, podniosła wysoko spódniczkę i obejrzała sobie podbrzusze. Było gładkie i czyste; na jej małej, niewinnej płci nie wyrosły jeszcze włosy. Popatrzyła na obrzmienia w pachwinach. Były twarde jak żołędzie i bolały przy dotknięciu, lecz wydawały

46

się mniejsze i jaśniejsze niż te, które zabiły jej matkę. Pomyślała o brzytwie, lecz wiedziała, że nie zdobędzie się na odwagę.

„Nie umrę!". Po raz pierwszy uwierzyła w te słowa. Ściągnęła spódniczkę i doczołgała się do legowiska. Zasnęła z tasakiem zaciśniętym w dłoni. Dnie i noce mieszały się jej w senny ciąg, przerywany krótkimi okresami jawy, które stopniowo stawały się coraz dłuższe. Za każdym razem gdy się budziła, czuła się silniejsza i była w stanie lepiej zająć się sobą. Kucając na garnku w kącie, odkryła, że obrzmienia się zmniejszyły, zmieniły kolor z czerwonego na różowy i nie były już tak bolesne przy dotyku. Louisa wiedziała jednak, że musi pić.

Zebrała ostatnie resztki odwagi i sił, wytoczyła się na podwórze i napełniła ceber. Potem znów zamknęła się w kuchni. Kiedy z szynki została naga kość, a kosz z jabłkami był pusty, zdołała wyjść do ogrodu i przynieść brukwi i ziemniaków. Rozniecił ogień krzemieniem ojca i ugotowała gulasz z warzyw, wzbogacony kością z szynki. Jedzenie było wyśmienite, Louisa zaś poczuła, że staje się silniejsza. Od tej pory każdego ranka wyznaczała sobie zadanie do wykonania.

Zaczęła od wylania do dołu z kompostem zawartości miedzianego garnka, którego używała jako nocnika, potem wymyła go ługiem i gorącą wodą i odwiesiła na hak. Wiedziała, że matka tak kazałaby jej zrobić. Wyczerpało ją to, więc wczołgała się na dywanik z owczej skóry.

Nazajutrz rano poczuła się dość silna, by napełnić wiadro wodą z pompy, ściągnąć z siebie brudne ubranie i umyć się od stóp do głów. Zużyła do tego chochlę cennego mydła, które matka robiła, gotując razem owczy tłuszcz i popiół ze spalonego drewna. Ucieszyła się, widząc, że obrzmienia prawie zniknęły. Mogła je całkiem mocno przycisnąć końcami palców; ból był do zniesienia. Kiedy jej skóra zaróżowiła się, Louisa wyczyściła zęby palcem zanurzonym w soli i opatrzyła ranę po ugryzieniu szczura środkami znalezionymi w apteczce. Potem wyjęła z kufra świeże ubranie.

Nazajutrz rano znów była głodna. Zauważyła królika kicającego ufnie po ogrodzie, złapała go za uszy, zacisnęła zęby i złamała mu kark kijem, który ojciec trzymał specjalnie do tego celu. Wypatroszyła go i ściągnęła skórę, tak jak nauczyła ją matka, a potem poćwiartowała i włożyła do kociołka z cebulą i ziemniakami. Zjadła gulasz i obgryzła kości do czysta.

Rano następnego dnia poszła na koniec ogrodu i uprzątnęła groby rodziców. Aż do tej pory nie wychodziła z bezpiecznego otoczenia domu, lecz teraz zebrała się na odwagę, wyśliznęła przez dziurę w żywopłocie i podczołgała do szklarni. Upewniła się, że w pobliżu nikogo nie widać. Posiadłość wciąż wyglądała na opuszczoną. Wybrała najładniejsze sadzonki kwiatów z bogatego asortymentu na półkach, położyła na wózku, przewiozła do ogrodu i zasadziła w świeżo wygładzonej ziemi na grobach. Pracując, rozmawiała z rodzicami: opowiedziała im o każdym szczególe swoich strasznych przejść, o szczurze i króliku i o tym, jak ugotowała sobie gulasz w czarnym kociołku na trzech nogach.

— Przepraszam, że używałam twojego najlepszego miedzianego garnka, mamo — wyznała ze wstydem, zwieszając głowę na piersi. — Ale umyłam go i powiesiłam z powrotem na ścianie.

Kiedy Louisa była zadowolona z dekoracji grobów, ogarnęła ją ciekawość. Znów prześliznęła się przez dziurę w żywopłocie, a potem okrężną drogą przez jodłowy zagajnik podkradła się do pałacu od południowej strony. Dom stał cichy i posępny, wszystkie okna były zakryte okiennicami. Dotarłszy ostrożnie do frontowych drzwi, zobaczyła, że są zamknięte i zakratowane. Wpatrywała się w czerwony krzyż, niezgrabnie namalowany czyjąś ręka na drzwiach. Farba spłynęła po deskach niczym krwawe łzy. Było to ostrzeżenie przed zarazą.

Nagle poczuła się samotna i opuszczona. Usiadła na schodach prowadzących do drzwi. Chyba jestem jedynym żywym człowiekiem na świecie. Wszyscy inni pomarli, rozmyślała.

Rozpacz dodała jej śmiałości. Wstała i pobiegła do tylnego wejścia, które prowadziło do kuchni i pomieszczeń dla służby. Pociągnęła za klamkę. Ku jej zaskoczeniu drzwi się otwarły.

— Halo! — krzyknęła. — Jest tam kto? Stals! Hans! Gdzie jesteście? — W kuchni nikogo nie było. Poszła do komórki i wsunęła głowę przez drzwi. — Halo! — Nikt nie odpowiadał. Obeszła cały pałac, przeszukując każdy pokój, lecz wszystkie ziały pustką. Wszędzie widać było ślady świadczące o tym, że rodzina opuszczała dom w pośpiechu. Niczego nie dotykając, zamknęła starannie kuchenne drzwi i wyszła.

Kiedy wracała do domu, przyszła jej do głowy pewna myśl. Skręciła ze ścieżki i poszła do kaplicy przy końcu ogrodu różanego. Niektóre kamienne nagrobki miały dwieście lat i pokrywał je zielony mech, lecz przy furtce znajdował się rząd nowych grobów, bez pomników. Leżące na nich bukiety kwiatów zwiędły i poczerniały. Nazwiska i epitafia wydrukowano na kartach z czarnymi obramowaniami, które leżały na kopcach świeżej ziemi. Louisa znalazła kartkę z napisem: „Petronella Katrina Susanna van Ritters". Jej przyjaciółka spoczęła między swoimi dwoma młodszymi braćmi.

Louisa pobiegła do domku i szlochała tak długo, aż usnęła. Obudziwszy się, znów poczuła się słaba i chora; smutek i osamotnienie powróciły z całą siłą. Z trudem dowlokła się do pompy i umyła twarz i ręce. Potem nagle podniosła zapłakane oczy, przechyliła głowę i zaczęła nasłuchiwać. Jej twarz powoli rozjaśniła radość, w oczach zapaliły się iskry.

— Ludzie! — powiedziała na głos. Głosy były słabe i dochodziły od strony pałacu. — Wrócili. Nie jestem już sama.

Z mokrą twarzą podbiegła do dziury w żywopłocie, przeskoczyła przez nią i popędziła w stronę wielkiego domu. Głosy stawały się coraz wyraźniejsze. Koło szopy zatrzymała się, żeby złapać oddech. Już miała wybiec na trawę, kiedy instynkt podpowiedział jej, by zachowała ostrożność. Po chwili wahania powoli wysunęła głowę zza rogu ściany z czerwonej cegły. Dreszcz przerażenia przebiegł jej po plecach.

Louisa spodziewała się ujrzeć na żwirowej alejce powozy z herbem van Rittersów, wysiadających członków rodziny, stangretów, stajennych i lokajów. Tymczasem przez frontowe drzwi wbiegali i wybiegali jacyś nieznajomi mężczyźni, wynosząc srebra, ubrania i obrazy. Drzwi zostały strzaskane, ich skrzydła wisiały krzywo na zawiasach.

Szabrownicy wrzucali skarby na ustawione jeden za drugim wózki, pokrzykując i śmiejąc się głośno. Louisa widziała, że są to najgorsze szumowiny z doków i slumsów, dezerterzy z wojska, uciekinierzy z koszar i więzień — rozwalili bramy i kraty, kiedy zaraza zmiotła wszelkie oznaki cywilizowanej władzy. Ubrani byli w łachmany, części od wojskowych mundurów i niedopasowane, eleganckie rzeczy ukradzione z domów bogatych ludzi. Jeden łobuz w wysokim kapeluszu z piórami schodził niepewnym krokiem po schodach, ze złotą tacą pod pachą, wymachując kwadratową butelką dżinu. Zwrócił zaczerwienioną, pijacką twarz w stronę Louisy, która była zbyt oszołomiona tym, co zobaczyła, i za późno schowała się za ścianą.

— Baba. Niech mnie wszyscy diabli, prawdziwa, żywa baba! Młoda i soczysta jak dojrzałe czerwone jabłko. — Upuścił butelkę i wyciągnął szpadę. — Chodź tu, słodka mała klaczko. Zobaczymy, co masz pod tą ładną spódniczką. — Szabrownik w kilku krokach zbiegł po schodach.

Jego kompani wydali dziki okrzyk.

— Baba! Za nią, chłopcy! Kto ją złapie, będzie jego.

Wrzeszcząc, skoczyli przez trawnik w stronę Louisy, która odwróciła się i rzuciła do ucieczki. W pierwszej chwili instynktownie skierowała się do domku, lecz zaraz zdała sobie sprawę, że prześladowcy są zbyt blisko i złapią ją w pułapkę jak stado fretek ścigających królika. Skręciła i pobiegła przez koński wybieg w stronę lasu. Ziemia była miękka i błotnista, a jej nogi nie odzyskały jeszcze pełni sił po chorobie. Banda łotrów doganiała ją, zagrzewając się okrzykami radości. Louisa dobiegła do pierwszych drzew tuż przed nimi; znała ten las na pamięć, bo bawiła się w nim. Skręciła w ledwie widoczną ścieżkę, przemykając pod gałęziami i prześlizgując się przez zarośla jeżyn i kolcolistów.

Przystawała co kilka minut, i za każdym razem odgłosy pościgu były coraz słabsze, aż w końcu całkiem ucichły. Strach Louisy minął, lecz wiedziała, że wciąż jest zbyt niebezpiecznie, żeby mogła wyjść ze schronienia. Znalazła najgęściejsze kolczaste zarośla i wczołgała się pod nie na brzuchu. Potem przykryła się jeszcze warstwą uschniętych liści, zostawiając na wierzchu tylko usta i oczy, żeby móc obserwować polanę. Leżała tam, dysząc ciężko i drżąc. Trochę się uspokoiła; cienie drzew wydłużyły się już na ziemi. Wreszcie, nie słysząc żadnych odgłosów pogoni, zaczęła wyczołgiwać się ze swej kryjówki.

Już miała wstać, ale w tej samej chwili zmarszczyła nos i wciągnęła powietrze. Poczuła woń dymu tytoniowego i przycisnęła się na powrót do ziemi. Strach powrócił natychmiast z dawną siłą. Leżała cicho, w wielkim napięciu przez wiele minut, nim znów podniosła powoli głowę. Po drugiej stronie polanki siedział mężczyzna oparty plecami o pień najwyższego buka. Palił długą glinianą fajkę, lecz bez przerwy się rozglądał. Louisa natychmiast go rozpoznała: to był ten sam rabuś w kapeluszu z piórami, który ją zauważył i ruszył w pościg. Siedział tak blisko, że słyszała, jak pyka z fajki. Wtuliła twarz w stos liści i próbowała opanować drżenie. Nie wiedziała, co by jej zrobił, gdyby ją zauważył, ale czuła, że byłoby to gorsze od najgorszego koszmaru.

Leżała tak i słuchała, jak jego ślina bulgocze w cybuchu fajki, i była coraz bardziej przerażona. Nagle szabrownik zakaszlał i splunął gęstą plwociną. Louisa usłyszała, jak ślina spada niedaleko jej głowy, i ledwie opanowała strach. Musiała zebrać całą swoją odwagę i siłę woli, by nie zerwać się do ucieczki.

Zdawało się, że czas stanął w miejscu, lecz w końcu poczuła chłód powietrza na gołych ramionach. Mimo to nie podniosła głowy. Potem usłyszała szelest liści i zbliżające się, ciężkie kroki. Zatrzymały się blisko jej głowy. Nagle rozległo się głośne ryknięcie tak blisko, że serce Louisy ścisnęło się i zamarło.

— Tam jesteś! Widzę cię! Idę po ciebie! Lepiej bierz nogi za pas! No, uciekaj! — Serce Louisy zaczęło walić szaleńczo, ale zmusiła się, żeby nie drgnąć. Nastąpiła długa chwila ciszy, a potem kroki się oddaliły. Louisa słyszała, jak mężczyzna mruczy do siebie pod nosem: — Brudna mała dziwka, pewnie i tak ma francę.

Leżała bez ruchu, aż całkowicie się ściemniło i usłyszała pohukiwanie sowy w koronie buka. Wtedy wstała i poczołgała się przez las, drżąc na każdy szelest wywołany przez drobne nocne stworzenia.

Przez kilka dni nie wychodziła z domu. W ciągu dnia zagłębiała się w książkach ojca. Zafascynowała ją szczególnie jedna, którą przeczytała od pierwszej strony do ostatniej, a potem zaczęła od nowa. Jej tytuł brzmiał: „W najciemniejszych zakątkach Afryki". Opowieści o dziwnych zwierzętach i dzikich plemionach oczarowały Louisę i sprawiły, że długie dni szybko minęły. Czytała o wielkich włochatych ludziach mieszkających w koronach drzew, o plemieniu jedzącym mięso innych ludzi i pigmejach z jednym okiem pośrodku czoła. Czytanie stało się opium na jej lęki. Pewnego wieczoru zasnęła przy kuchennym stole, ze złotą głową na otwartej książce, przy migoczącym płomieniu lampy.

Jej blask przedostał się przez pozbawione zasłony okno, a potem przez szczelinę w żywopłocie. Dwie ciemne postacie przechodzące drogą zatrzymały się i zamieniły kilka szorstkich słów, a potem prześliznęły się przez furtkę. Jedna podeszła do frontowych drzwi domku, a druga go okrążyła.

— Ktoś ty?

Chrapliwy krzyk zbudził Louisę i jednocześnie poderwał ją na równe nogi.

— Wiemy, że tam jesteś! Wychodź w tej chwili!

Louisa skoczyła do tylnych drzwi, gorączkowo odsunęła żelazną sztabę i wybiegła w noc. W tym samym momencie ciężka męska dłoń spadła jej na szyję i podniosła do góry. Nogi Louisy kopały w powietrzu, jak gdyby była nowo narodzonym kociakiem.

Mężczyzna odsunął klapkę latarni i skierował strumień światła na twarz Louisy.

— Kim jesteś? — spytał groźnie.

Louisa rozpoznała czerwoną twarz i krzaczaste bokobrody.

— Jan! — pisnęła. — To ja! Louisa! Louisa Leuven.

Jan był służącym van Rittersów. Wyraz jego twarzy stopniowo łagodniał, ustępując miejsca zdumieniu.

— Mała Louisa! To naprawdę ty? Wszyscy myśleliśmy, że umarłaś razem z innymi.

P arę dni później Jan razem z Louisą odwiózł wozem van Rittersów część rzeczy, które udało się uratować. Gdy wprowadził ją do kuchni Huis Brabant, służący, którzy przeżyli zarazę, zbiegli się, żeby się z nią przywitać. Uroda, wdzięk i pogoda ducha Louisy sprawiły, że była ulubienicą w pomieszczeniach służby, więc wszyscy się zasmucili, słysząc, że jej matka i ojciec nie żyją. Nie mogli uwierzyć, że mała, zaledwie dziesięcioletnia Louisa przeżyła bez rodziców i przyjaciół, wyłącznie dzięki swej zaradności i determinacji. Kucharka Elise, bliska przyjaciółka matki Louisy, natychmiast wzięła ją pod swoje skrzydła.

Louisa musiała ciągle powtarzać swoją historię coraz to nowym służącym, pracownikom składów i wracającym z rejsu marynarzom ze statków van Rittersa.

Stals, lokaj i majordomus w jednej osobie, co tydzień składał raport van Rittersowi, który schronił się przed zarazą w Londynie wraz z pozostałymi przy życiu członkami swej rodziny. Na końcu jednego z nich wspomniał o tym, że Louisa, córka guwernera, ocalała. *Mijnheer* odpowiedział wielkodusznie: „Dopilnuj, żeby dziewczynę dobrze przyjęto i znaleziono dla niej jakąś pracę w obejściu. Możesz jej płacić jako pomywaczce. Kiedy wrócę do Amsterdamu, postanowię, co z nią dalej zrobić".

Na początku grudnia, gdy chłód oczyścił miasto z ostatnich śladów zarazy, *Mijnheer* van Ritters przywiózł rodzinę do domu. Epidemia zabrała jego żonę, lecz jej brak nie czynił różnicy w ich życiu. Z dwanaściorga dzieci przeżyło tylko pięcioro. Pewnego ranka, po ponadmiesięcznym pobycie w Amsterdamie i załatwieniu wszystkich pilnych spraw, *Mijnheer* van Ritters kazał Stalsowi przyprowadzić do siebie Louisę.

Dziewczynka stanęła niepewnie w drzwiach biblioteki. *Mijnheer* podniósł głowę znad grubej, oprawionej w skórę księgi handlowej.

— Wejdź, dziecko — odezwał się. — Podejdź tutaj, żebym mógł ci się przyjrzeć.

Stals poprowadził ją do biurka. Louisa dygnęła grzecznie, a *Mijnheer* skinął głową na znak aprobaty.

— Twój ojciec był zacnym człowiekiem. Widać, że nauczył cię dobrych manier.

Van Ritters wstał i podszedł do wysokiego wnękowego okna z szybami w kształcie rombów. Przez minutę spoglądał na jeden ze swych statków, z którego robotnicy wyładowywali bele bawełny i przenosili do magazynu. Potem odwrócił się do Louisy. Dziewczynka urosła, odkąd ją ostatnio widział, i nabrała ciała. Nie było widać żadnych śladów choroby. Ładna, pomyślał, nawet bardzo ładna. Jej uroda nie była pospolita: wyraz twarzy Louisy zdradzał żywą inteligencję. Miała bystre oczy, błyszczące jak drogocenne szafiry, i nieskazitelną, kremową cerę, lecz największe wrażenie robiły jej włosy, które nosiła splecione w dwa długie warkocze wiszące z przodu na ramionach. *Mijnheer* zadał jej kilka pytań.

Louisa starała się ukryć lęk i podziw dla wielkiego pana i odpowiadać rozsądnie.

— Chodzisz na lekcje, dziecko?

— Mam książki ojca, *Mijnheer*. Czytam codziennie przed snem.

— Jaką pracę wykonujesz?

— Piorę, obieram ziemniaki, zagniatam ciasto na chleb, pomagam Pieterowi zmywać i suszyć naczynia, *Mijnheer*.

— Jesteś zadowolona?

— Tak, *Mijnheer*. Elise, kucharka, jest dla mnie bardzo dobra, jak matka.

— Zdaje mi się, że możemy ci znaleźć jakieś bardziej pożyteczne zajęcie — rzekł van Ritters, gładząc się w zamyśleniu po brodzie.

Elise i Stals wyjaśnili Louisie, jak ma się zachowywać w jego obecności. „Nigdy nie zapominaj, że to jeden z największych ludzi w kraju. Zwracając się do niego, zawsze mów Wasza Ekscelencjo, albo *Mijnheer*. I dygaj, kiedy się z nim witasz i kiedy wychodzisz. Rób dokładnie to, co ci każe. Jeśli zada ci pytanie, odpowiadaj wprost, ale nie mów za dużo. Stój prosto i nie garb się. Miej dłonie złożone, nie wierć się i nie dłub w nosie".

Tych wskazówek było tyle, że w końcu jej się pomyliły. Lecz teraz wróciła jej odwaga. *Mijnheer* miał na sobie ubranie najprzedniejszego gatunku, z kołnierzykiem ze śnieżnobiałej koronki. Sprzączki na jego trzewikach były z litego srebra, a rękojeść sztyletu lśniła rubinami. Był wysoki, a nogi w czarnych jedwabnych pończochach wydawały się kształtne jak u mężczyzny o połowę młodszego. Włosy, choć przyprószone siwizną, były gęste i doskonale ułożone, broda zaś prawie całkowicie siwa, starannie przystrzyżona i uczesana w stylu van Dycka. Wokół oczu widać było zmarszczki, lecz dłonie były gładkie i pozbawione starczych plam. Na palcu wskazującym nosił ogromny rubin. Mimo otaczającej go aury splendoru i godności spojrzenie miał łagodne. Coś mówiło Louisie, że może mu zaufać, tak jak zawsze mogła ufać dobremu Panu Jezusowi, który otaczał ją opieką.

— Ktoś powinien się zająć Gertrudą — rzekł wreszcie van Ritters. Siedmioletnia Gertruda, jego najmłodsza córka, była brzydką, dość tępą i kapryśną dziewczynką. — Będziesz jej towarzyszyć i pomagać w lekcjach. Wiem, że jesteś bystra.

Louisę ogarnęło przygnębienie. Tak bardzo przywiązała się do opiekuńczej Elise, która zastąpiła jej matkę na stanowisku pierwszej kucharki. Nie miała ochoty porzucać ciepłej, bezpiecznej i przytulnej kuchni po to, żeby chodzić na górę i zajmować się marudną Gertrudą. Chciała zaprotestować, lecz przypomniała sobie ostrzeżenia Elise. Spuściła głowę i dygnęła.

— Stals, dopilnuj, żeby dziewczyna była odpowiednio ubrana. Otrzyma wynagrodzenie takie jak młodsza opiekunka i własny pokój koło pokoju dziecinnego — polecił van Ritters. Odprawiwszy oboje, usiadł za biurkiem.

Louisa rozumiała, że będzie musiała jak najlepiej wykorzystać sytuację, w której się znalazła. Nie było alternatywy. *Mijnheer* był panem jej świata. Wiedziała, że jeśli spróbowałaby sprzeciwić się jego decyzjom, jej cierpieniom nie byłoby końca. Postanowiła zaskarbić sobie życzliwość Gertrudy. Nie było to łatwe, gdyż dziewczynka okazała się niezwykle kapryśna. Nie wystarczało jej, że ma niewolnicę za dnia, więc krzyczała na nią w nocy, kiedy obudził ją zły sen, a nawet kiedy chciała skorzystać z nocnika. Zawsze pogodna, nieskarżąca się Louisa w końcu zdobyła jej sympatię. Uczyła ją prostych gier, chroniła przed zaczepkami starszych braci i sióstr, śpiewała do snu i czytała bajki. Gdy Gertrudę męczyły koszmary, wchodziła do jej łóżka, brała w ramiona i uspokajała. Stopniowo dziewczynka przestała zadręczać Louisę. Matka jawiła się jej jako odległa postać w woalce, której twarzy nie pamiętała. Znalazła sobie w Louisie zastępczą matkę

54

i chodziła za nią jak ufne szczenię. Wkrótce Louisa zdołała opanować jej napady histerii, w czasie których turlała się po podłodze, wrzeszcząc wniebogłosy, ciskała jedzeniem o ścianę albo próbowała rzucić się przez okno do kanału. Nikomu wcześniej się to nie udawało. Louisa potrafiła uspokoić dziewczynkę cichymi słowami, a potem brała ją za rękę i prowadziła do pokoju. Już po chwili Gertruda śmiała się, klaskała w ręce i recytowała z Louisą dziecięce wierszyki. Początkowo Louisa robiła to wszystko z poczucia obowiązku, lecz stopniowo zaczęła darzyć dziewczynkę uczuciem, które zamieniło się w rodzaj matczynej miłości.

Mijnheer van Ritters zauważył zmianę w zachowaniu córki. W czasie swych sporadycznych wizyt w pokoju dziecięcym i w klasie często nagradzał Louisę dobrym słowem. Na przyjęciu gwiazdkowym dla dzieci obserwował, jak Louisa tańczy ze swoją podopieczną. Jej wdzięk i wiotka figura kontrastowały z otyłością i niezgrabnością Gertrudy. Van Ritters uśmiechnął się, kiedy córka dała Louisie prezent w postaci pary maleńkich kolczyków z pereł, a ta przytuliła ją i pocałowała.

Kilka miesięcy później wezwał Louisę do swojej biblioteki. Porozmawiali trochę o Gertrudzie. *Mijnheer* oznajmił, że jest z Louisy bardzo zadowolony. Kiedy wychodziła, dotknął jej włosów.

— Wyrastasz na piękną młodą kobietę — powiedział. — Muszę uważać, żeby jakiś grubianin nie zabrał nam ciebie. Bardzo cię potrzebujemy.

Louisa była niemal oszołomiona jego łaskawością.

W trzynaste urodziny Louisy Gertruda zwróciła się do ojca z prośbą o specjalny prezent dla swojej opiekunki. Van Ritters zawoził właśnie jednego ze starszych synów do Anglii, gdzie chłopak miał rozpocząć naukę na uniwersytecie w Cambridge. Gertruda poprosiła, aby na tę wyprawę wziął także ją i Louisę. Van Ritters zgodził się wielkodusznie.

Popłynęli jednym ze statków van Rittersa i spędzili większą część lata na zwiedzaniu wielkich miast Anglii. Ojczyzna matki oczarowała Louisę, która wykorzystywała każdą możliwość, by doskonalić znajomość języka. Zostali tydzień w Cambridge, bo *Mijnheer* chciał dopilnować, żeby jego najukochańszy syn dobrze się rozgościł. Wynajął wszystkie pokoje w Czerwonym Dziku, najlepszej gospodzie w miasteczku uniwersyteckim. Louisa jak zwykle spała w pokoju Gertrudy. Pewnego ranka ubierała się, rozmawiając z dziewczynką, gdy ta nagle wyciągnęła rękę i uszczypnęła ją w pierś.

— Louisa, rosną ci cycki!

Louisa łagodnie odsunęła jej dłoń. W ciągu ostatnich kilku miesięcy pod jej sutkami pojawiły się twarde grudki, zapowiadające początek dojrzewania płciowego. Jej piersi były nabrzmiałe i bardzo wrażliwe. Dotknięcie Gertrudy spowodowało ból.

— Nie wolno tak robić, Gertie. To boli. A poza tym, użyłaś brzydkiego słowa.

— Przepraszam. — W oczach małej pojawiły się łzy. — Nie chciałam.

— Już dobrze. — Louisa pocałowała ją. — Co chcesz na śniadanie?

— Ciastka. — Gertruda szybko zapomniała o łzach. — Dużo ciastek z kremem i dżemem truskawkowym.

— A potem pójdziemy na przedstawienie lalkowe z Punchem i Judy — zaproponowała Louisa.

— Naprawdę? Naprawdę?

Louisa poszła zapytać van Rittersa o pozwolenie, a on pod wpływem impulsu postanowił im towarzyszyć. W powozie Gertruda, jak zwykle nieprzewidywalna, wróciła do tematu porannej rozmowy z opiekunką.

— Louisa ma różowe cycki ze sterczącymi czubkami — oznajmiła piskliwym głosikiem.

Louisa spuściła wzrok.

— Gertie, mówiłam ci, że to nieładne słowo. Obiecałaś, że nie będziesz go więcej powtarzać.

— Przepraszam. Zapomniałam — wyszeptała zawstydzona dziewczynka.

Louisa uścisnęła jej rączkę.

— Nie gniewam się, *Schat*. Chcę tylko, żebyś zachowywała się jak dama.

Wydawało się, że van Ritters nie usłyszał tej wymiany zdań. Nie podniósł głowy znad książki, którą trzymał otwartą na kolanach. A jednak w czasie przedstawienia, kiedy krzywonosy Punch grzmocił pałką po głowie swoją rozwrzeszczaną żonę, Louisa zerknęła w bok i zauważyła, że *Mijnheer* przygląda się jej nabrzmiałym pod bluzką piersiom. Poczuła, że krew napływa jej do policzków i owinęła się szczelniej chustą.

Była jesień, kiedy wypłynęli w powrotny rejs do Amsterdamu.

W pierwszą noc na morzu Gertruda zachorowała. Louisa opiekowała się nią i podstawiała jej miskę, do której dziewczynka wymiotowała. Kiedy w końcu zasnęła, Louisa uciekła z cuchnącej kabiny. Chcąc odetchnąć świeżym morskim powietrzem, wybiegła po schodach na pokład. Zatrzymała się na widok wysokiej, eleganckiej postaci van Rittersa, który stał samotnie na tylnym pokładzie. Oficerowie i załoga zostawili mu burtę od zawietrznej — to był jego przywilej jako właściciela statku. Louisa chciała wrócić szybko pod pokład, lecz van Ritters zobaczył ją i zawołał.

— Jak się miewa moja Gertie?

— Śpi, *Mijnheer*. Jestem pewna, że rano poczuje się o wiele lepiej.

Akurat w tym momencie statkiem zakołysało. Louisa straciła równowagę i wpadła na van Rittersa, który objął ją ręką.

— Przepraszam, *Mijnheer* — szepnęła chrapliwym głosem. — Poślizgnęłam się.

Chciała się cofnąć, lecz trzymał ją mocno. Zmieszana nie wiedziała, jak się zachować. Nie odważyła się odsunąć po raz drugi. Van Ritters nie wypuszczał jej z objęć i nagle — choć trudno było uwierzyć w to, co poczuła — położył dłoń na jej prawej piersi. Westchnęła głośno i zadrżała, czując, jak przesuwa palcami po jej nabrzmiałym sutku. Robił to delikatnie, inaczej niż jego córka. Wcale nie sprawił jej bólu. Z palącym wstydem uświadomiła sobie, że jego dotyk sprawia jej przyjemność.

— Zimno mi — szepnęła.

— Tak — odparł. — Musisz zejść na dół, zanim się przeziębisz. — Puścił ją i oparł się na relingu. Z jego cygara leciały iskry, które porywał wiatr.

Po powrocie do Huis Brabant Louisa nie widziała van Rittersa przez kilka tygodni. Słyszała, jak Stals informował Elise, że *Mijnheer* wyjechał w interesach do Paryża. Wciąż wracała pamięcią do incydentu na pokładzie statku. Czasem budziła się w nocy i leżała, nie mogąc zasnąć, trawiona wstydem i wyrzutami sumienia. Czuła się winna, gdyż nie wyobrażała sobie, że można obwiniać tak ważnego człowieka jak *Mijnheer* van Ritters. Gdy o tym myślała, jej sutki zdawały się płonąć. Czuła w sobie wielkie zło. Którejś nocy wstała z łóżka, uklękła na gołej drewnianej podłodze i zaczęła się modlić. W ciemności rozległo się wołanie Gertrudy: „Louisa, potrzebuję nocnika".

Z ulgą podeszła do dziewczynki; przynajmniej nie zmoczy znowu łóżka. Z upływem kolejnych tygodni poczucie winy malało, lecz nigdy jej do końca nie opuściło.

Pewnego dnia po południu Stals przyszedł po nią do pokoju dziecięcego.

— *Mijnheer* van Ritters chce cię widzieć. Masz tam iść natychmiast. Mam nadzieję, że nic nie zbroiłaś, dziewczyno?

Czesząc w pośpiechu włosy, Louisa wytłumaczyła Gertrudzie, dokąd się wybiera.

— Mogę iść z tobą?

— Musisz dokończyć rysowanie tej łódki. Staraj się pamiętać o liniach, *Schat*. Niedługo wrócę.

Louisa zapukała do drzwi biblioteki; serce biło jej jak oszalałe. Była pewna, że *Mijnheer* chce ją ukarać za to, co się stało na statku. Może każe ją wychłostać stajennym, tak jak tę pijaną opiekunkę. Albo jeszcze gorzej — może ją zwolnić, wyrzucić na ulicę.

— Wejść! — powiedział surowym tonem.

Louisa dygnęła w drzwiach.

— Posyłał pan po mnie, *Mijnheer*.

— Tak. Wejdź, Louiso. — Stanęła przed biurkiem, ale van Ritters gestem kazał jej się zbliżyć i stanąć koło siebie. — Chcę z tobą pomówić o mojej córce.

Zamiast czarnego surduta, który nosił zwykle z koronkowym kołnierzykiem, *Mijnheer* miał na sobie szlafrok z pięknego chińskiego jedwabiu, zapinany aż pod szyję. Po swobodnym stroju i spokojnym, przyjaznym wyrazie twarzy Louisa poznała, że nie jest na nią zły. Poczuła wielką ulgę. Nie ukarze jej. Potwierdziły to jego słowa.

— Pomyślałem, że może nadszedł już czas, by Gertruda rozpoczęła lekcje jazdy konnej. Ty dobrze jeździsz na koniu. Widziałem, jak pomagasz stajennym trenować wierzchowce. Chcę usłyszeć twoje zdanie.

— O tak, *Mijnheer*. Jestem pewna, że Gertie bardzo się to spodoba. Stary Trzmiel to łagodny wałach... — Zaczęła rozwijać temat. Stała tuż obok van Rittersa. Na biurku leżała przed nim gruba księga w zielonej skórzanej okładce. Otworzył ją mimochodem. Louisa, chcąc nie chcąc, zobaczyła, co jest w środku, i zamilkła w pół słowa. Podniosła dłonie do ust, spoglądając na rycinę, która zajmowała całą stronicę. Było to bez wątpienia dzieło

58

wprawnego artysty. Rysunek przedstawiał młodego, przystojnego mężczyznę, który na wpół siedział, na wpół leżał na skórzanym fotelu. Stała przed nim młoda, ładna, roześmiana dziewczyna; Louisa zauważyła, że mogłaby to być jej bliźniaczka. Dziewczyna miała duże, szeroko rozstawione, lazurowobłękitne oczy. Unosiła spódniczki aż do pasa, aby mężczyzna mógł widzieć złote gniazdo między jej udami. Artysta bardzo wyraźnie narysował dwie nabrzmiałe wargi wyzierające spomiędzy kędziorów.

To wystarczyło, żeby pozbawić Louisę tchu, lecz dostrzegła coś gorszego, o wiele gorszego. Spodnie mężczyzny były rozpięte i wystawał z nich blady pal z różową główką. Mężczyzna trzymał go lekko między palcami, jakby kierując na różane przecięcie dziewczyny.

Louisa nigdy przedtem nie widziała nagiego mężczyzny. I choć słyszała, jak dziewczęta w pomieszczeniach dla służby rozmawiają o tym z ożywieniem, czegoś takiego się nie spodziewała. Patrzyła na tę rzecz z lękiem i fascynacją, nie mogąc oderwać wzroku. Czuła gorące fale krwi napływające do policzków. Ogarnął ją wstyd i przerażenie.

— Pomyślałem, że ta dziewczyna jest do ciebie podobna, choć nie tak ładna — rzekł cicho van Ritters. — Nie uważasz, kochanie?

— Ja... ja nie wiem — wyszeptała Louisa. Nogi się pod nią prawie załamały, gdy poczuła, że *Mijnheer* van Ritters położył lekko rękę na jej pupie. Zdawało się, że od tego dotknięcia paliło ją ciało. Ujął w dłoń jej mały krągły pośladek; Louisa wiedziała, że powinna go poprosić, by przestał, albo wybiec z pokoju. Ale nie mogła. Stals i Elise ciągle jej powtarzali, że zawsze musi słuchać *Mijnheer* van Rittersa, więc stała jak sparaliżowana. Należała do niego, tak jak jego konie czy psy. Była jedną z rzeczy, które posiadał. Musiała poddać mu się bez słowa sprzeciwu, mimo że nie była pewna, co *Mijnheer* robi, czego od niej chce.

— Oczywiście, jeśli idzie o rozmiary, to jest w tym trochę artystycznej przesady.

Louisa nie mogła uwierzyć, że malarz, który namalował postać Boga, stworzył też ten rysunek, lecz było to możliwe: nawet sławny artysta musi robić to, czego wymaga od niego wielki człowiek.

— Wybacz mi, dobry Jezu — szepnęła i zamknęła mocno oczy, żeby nie patrzeć na nieczysty rysunek. Usłyszała szelest sztywnego, pokrytego brokatem jedwabiu.

— Spójrz, tak to wygląda naprawdę — powiedział van Ritters. Powieki Louisy były mocno zaciśnięte. *Mijnheer* przesunął dłonią po jej pośladku, delikatnie, lecz zdecydowanie. — Jesteś już dużą dziewczynką, Louiso. Czas, żebyś poznała te rzeczy. Otwórz oczy, kochanie.

Posłusznie uchyliła odrobinę powieki. Zobaczyła, że van Ritters rozsunął szlafrok, pod którym nic nie miał. Patrzyła na tę rzecz, sterczącą dumnie spomiędzy fałd jedwabiu. Rysunek był tylko uszlachetnionym wizerunkiem tego, co widziała. To coś wyrastało z gniazda gęstych ciemnych włosów, i wydawało się, że jest tak grube jak jej nadgarstek. Główka nie była bladoróżowa jak na rycinie, lecz ciemna niczym dojrzała śliwka. Kreska na czubku spoglądała na Louisę jak oko cyklopa. Dziewczynka zacisnęła mocno powieki.

— Gertruda! — szepnęła. — Obiecałam wziąć ją na spacer.

— Jesteś dla niej bardzo dobra, Louiso. — Głos van Rittersa miał dziwne, chropawe zabarwienie, którego nigdy wcześniej nie słyszała. — Ale teraz musisz być też dobra dla mnie. — Włożył jej rękę pod spódniczkę, a potem przesunął po gołych nogach. Zatrzymał dłoń na miękkich zagłębieniach pod kolanami; Louisa zadrżała jeszcze mocniej. Jego dotyk był pieszczotliwy, jakby uspokajający, lecz Louisa zdawała sobie sprawę, że jest niedobry. Mieszały jej się te sprzeczne doznania i czuła się tak, jakby się dusiła. Palce van Rittersa przesunęły się wyżej po udzie. Dotknięcie nie było ukradkowe ani niepewne, lecz stanowcze — nie mogła mu zapobiec ani się przeciwstawić. — Musisz być dla mnie dobra — powtórzył, Louisa zaś wiedziała, że ma wszelkie prawo, by od niej tego oczekiwać. Wszystko mu zawdzięczała. Jeśli to oznaczało bycie dobrym dla niego, nie miała wyboru, choć wiedziała, że to jest złe i Chrystus ją ukarze. Może przestanie ją kochać za to, co teraz robi z van Rittersem. Usłyszała szelest kartki, którą przewrócił wolną ręką. — Spójrz! — powiedział. Próbowała sprzeciwić mu się, zamykając oczy. Jego dłoń stała się bardziej natarczywa, ręka powędrowała do miejsca, gdzie pośladek łączył się z udem.

Uniosła troszeczkę powieki i przez rzęsy spojrzała na stronicę książki. Oczy otwarły jej się szeroko. Dziewczyna, która była do niej tak podobna, klęczała przed swoim kochankiem. Uniesiona spódnica odsłaniała jej tyłek, krągły i miękki. Oboje, dziewczyna i chłopak, spoglądali na jego podbrzusze. Dziewczyna patrzyła czule, jakby spoglądała na ukochane zwierzątko, na przykład małego kotka. Trzymała przyrodzenie kochanka w swoich małych dłoniach, lecz jej wąskie palce nie były w stanie go objąć.

— Czy to nie piękny obrazek? — spytał *Mijnheer*. Mimo nieprzyzwoitości tematu Louisa poczuła dziwną empatię dla pary młodych ludzi. Uśmiechali się; miała wrażenie, że się kochają, że to, co robią, sprawia im przyjemność. Zapomniała zamknąć oczy. — Widzisz, Louiso, Bóg stworzył kobietę i mężczyznę tak, że się od siebie różnią. Osobno są niepełni, lecz razem tworzą całość. — Nie była pewna, co *Mijnheer* dokładnie ma na myśli, lecz czasem nie rozumiała też tego, co mówił jej ojciec, lub kazań wygłaszanych przez pastora. — Dlatego ci dwoje na rysunku są tacy szczęśliwi i dlatego widać, że się kochają.

Z delikatną stanowczością wsunął jej palce między nogi, aż do miejsca, gdzie łączyły się uda. A potem zrobił tam jeszcze coś. Louisa nie wiedziała co, lecz rozsunęła stopy, żeby było mu łatwiej. Doznanie, które nią owładnęło, przekraczało wszystko, czego dotąd doświadczyła. Poczuła szczęście i miłość, o których mówił *Mijnheer*, rozlewające się na całe ciało. Spojrzała znów na jego rozsunięty szlafrok; lęk i szok gdzieś zniknęły. Dostrzegła, że ta rzecz wygląda całkiem przyjemnie, podobnie jak na rycinie. Nic dziwnego, że tamta dziewczyna patrzyła na nią z taką czułością.

Van Ritters przysunął ją nieco do siebie, a ona nie stawiła oporu. Wciąż siedząc, obrócił się w stronę Louisy i położył dłoń na jej ramieniu. Instynktownie wyczuła, że chce, by zrobiła to samo, co dziewczyna na rysunku. Pod naciskiem jego ręki opadła na kolana, a ta rzecz, w dziwny sposób łącząca piękno z brzydotą, znalazła się tuż przy jej twarzy. Wyciągnęła ręce i tak jak tamta dziewczyna ujęła to coś w dłonie. *Mijnheer* westchnął; Louisa poczuła, jak gorące i twarde jest to coś, co zaczęło budzić jej fascynację. Ścisnęła lekko i poczuła, że dziwna rzecz się porusza, jakby żyła własnym życiem. Należała do niej; Louisa doznała osobliwego poczucia siły, jak gdyby trzymała w rękach samo sedno istoty *Mijnheer* van Rittersa.

Wyciągnął ręce i położył na jej dłoniach. Zaczął poruszać nimi w górę i w dół. Z początku nie wiedziała, co robi, lecz po chwili zrozumiała, że pokazuje jej, czego pragnie. Czuła dziwną potrzebę zaspokojenia go, i błyskawicznie się tego nauczyła. Poruszała palcami tak szybko, jak prządka pracująca przy krośnie, a *Mijnheer* leżał rozciągnięty na fotelu, postękując. Louisa pomyślała, że sprawiła mu ból i próbowała wstać, lecz powstrzymał ją, kładąc jej znów dłoń na ramieniu.

— Nie, Louiso — powiedział rozpaczliwym tonem. — Nie przestawaj. Jesteś taką dobrą, mądrą dziewczynką.

61

Nagle zadrżał na całym ciele, wzdychając gwałtownie, i wyciągnął z kieszeni szlafroka szkarłatną jedwabną chusteczkę. Zakrył
nią brzuch i dłonie Louisy. Nie chciała puścić tej rzeczy, nawet
gdy poczuła gorącą, lepką ciecz rozlewającą się po jej rękach
i przesiąkającą jedwabną tkaninę. Chciała dalej poruszać dłońmi,
lecz *Mijnheer* złapał ją za nadgarstki i przytrzymał.

— Już dość, kochanie. Sprawiłaś mi wielką przyjemność.

Po długiej chwili wyprostował się. Ujął jej małe dłonie i wytarł
do sucha chusteczką. Louisa wcale nie czuła odrazy. Van Ritters
uśmiechał się do niej czule.

— Jestem z ciebie bardzo zadowolony, ale nie wolno ci nikomu
mówić, co dzisiaj robiliśmy. Rozumiesz, Louiso? — Pokiwała
głową. Poczucie winy rozpłynęło się, była przepełniona wdzięcznością i ślepym oddaniem.

— Możesz już wrócić do Gertrudy. Jutro zaczniemy lekcje
jazdy konnej. Zabierzesz ją do szkoły jeździeckiej.

W ciągu następnych kilku tygodni Louisa widziała van Rittersa
tylko raz, i to na odległość. Była w połowie schodów,
w drodze do pokoju Gertrudy, kiedy lokaj otworzył drzwi sali
bankietowej, z której *Mijnheer* wyprowadzał korowód gości. Były
to piękne, bogato ubrane panie i dżentelmeni. Louisa wiedziała,
że co najmniej czterech spośród mężczyzn to członkowie Het
Zeventien, dyrektorzy VOC. Zjedli dobrą kolację, byli hałaśliwi
i rozbawieni. Ukryła się za zasłoną, kiedy przechodzili, lecz gdy
patrzyła na van Rittersa, ogarnęło ją poczucie dziwnej tęsknoty.
Miał na głowie długą, falującą perukę oraz szarfę i gwiazdę Orderu
Złotego Runa. Wyglądał olśniewająco. Louisa poczuła rzadki u niej
przypływ nienawiści do uśmiechniętej, eleganckiej kobiety przy
jego ramieniu. Kiedy się oddalili, pobiegła do pokoju, który dzieliła
z Gertrudą, rzuciła się na łóżko i zaczęła płakać.

— Dlaczego nie chce mnie więcej widzieć? Nie było mu ze
mną dobrze.

Codziennie myślała o tym, co stało się w bibliotece, zwłaszcza
kiedy leżała w swoim łóżku w pokoju Gertrudy.

Pewnego dnia *Mijnheer* van Ritters zjawił się niespodzianie
w szkole jeździeckiej. Louisa nauczyła Gertrudę dygania. Musiała
ją podnieść, gdy dziewczynka straciła równowagę, lecz van Ritters
uśmiechnął się, widząc to drobne osiągnięcie córki, i odwzajemnił

grzeczność żartobliwym ukłonem. „Pani oddany sługa", rzekł, co bardzo rozbawiło Gertrudę. Nie odezwał się wprost do Louisy, a ona wiedziała, że musi milczeć, dopóki jej nie zagadnie. Obserwował, jak Gertruda lonżuje. Louisa musiała iść obok kucyka, a pucołowata twarz Gertrudy ściągnęła się w wyrazie przerażenia. Van Ritters zniknął równie nagle, jak się pojawił.

Minął kolejny tydzień; Louisą wstrząsały przeciwstawne emocje. Chwilami prześladowała ją myśl o wielkim grzechu, który popełniła. Pozwoliła mu się dotykać i bawić ze sobą i z przyjemnością wzięła do ręki jego monstrualny narząd. Widziała go nawet w bardzo realistycznych snach, po których budziła się zmieszana, a jej ledwie rozwinięte piersi i intymne części ciała paliły ją. Piersi jakby za karę nabrzmiały tak, że rozsadzały guziki bluzki. Próbowała je ukrywać, krzyżując na nich ręce, ale widziała, że stajenni i lokaje spoglądają na nie.

Chciała powiedzieć Elise o tym, co się stało, i spytać o radę, lecz *Mijnheer* van Ritters zabronił jej tego. Milczała więc.

Potem pewnego dnia Stals oznajmił:

— Masz się przenieść do swojego pokoju. To polecenie pana van Rittersa.

Louisa popatrzyła nań ze zdumieniem.

— Ale co z Gertrudą? Ona nie może spać sama.

— Pan uważa, że czas, by się nauczyła. Ona też dostanie nowy pokój, a ty zamieszkasz obok. Będzie miała dzwonek, żeby cię wezwać w nocy, w razie potrzeby.

Nowe pokoje dziewcząt znajdowały się na piętrze pod biblioteką i sypialnią van Rittersa. Louisa uspokoiła Gertrudę, przekonując ją, że to taka zabawa. Zabrały na górę wszystkie lalki i urządziły dla nich przyjęcie, pokazując im ich nowe apartamenty. Louisa z wielką wprawą udawała, że każda lalka mówi innym głosem, co rozbawiało Gertrudę tak, że pokładała się ze śmiechu. Gdy wszystkie lalki po kolei powiedziały Gertrudzie, jak bardzo im się podoba ich nowy dom, dziewczynka przestała się obawiać.

Pokój Louisy był jasny, przestronny i pięknie umeblowany, z pluszowymi zasłonami, złoconymi krzesłami i wezgłowiem. Na łóżku leżał puchowy materac i grube koce. Był nawet kominek z marmuru, choć Stals ostrzegł Louisę, że będzie dostawać tylko jeden kubeł węgla tygodniowo. Lecz największym z cudów był niewielki sześcian z klapą, pod którą kryło się rzeźbione siedzisko z porcelanowym nocnikiem. Louisie zakręciło się w głowie ze szczęścia, gdy wchodziła pierwszego wieczoru do łóżka. Miała wrażenie, że aż do tej chwili nie wiedziała, co to jest ciepło.

Obudziła się nagle. Leżała, próbując zrozumieć, co ją wyrwało ze snu. Musiało być dobrze po północy, bo było ciemno i w domu panowała cisza. Znów usłyszała ten odgłos i serce zabiło jej mocniej. Były to kroki. Opanował ją przesądny lęk, nie mogła się ani poruszyć, ani krzyczeć. Potem usłyszała skrzypienie otwieranych drzwi i skądś zaświeciło widmowe światło. Szeroka klapa w ścianie się otworzyła, ukazując upiorną postać wysokiego, brodatego mężczyzny w bryczesach i grubej białej koszuli z szerokimi rękawami.

— Louiso!

Głos był głuchy i dochodził jakby z daleka. Właśnie takim głosem mogły mówić duchy. Naciągnęła sobie na głowę koce i leżała bez ruchu. Usłyszała, że ktoś zbliża się do łóżka i widziała drżącą smugę światła. Kroki ucichły i coś raptownie zerwało z niej okrycie. Louisa krzyknęła głośno, lecz wiedziała, że to daremne: Gertruda spała w pokoju obok głębokim snem, z którego wyrwać mogłoby ją tylko trzęsienie ziemi. Na tym piętrze Huis Brabant mieszkały tylko one. Popatrzyła na twarz, tak głęboko przerażona, że nie rozpoznała jej nawet w świetle lampy.

— Nie bój się, dziecko. Nie zrobię ci krzywdy.

— Och, *Mijnheer!* — Rzuciła mu się na pierś i przywarła do niego całym ciałem. — Myślałam, że to duch.

— No już dobrze, dziecko. — Pogładził ją po włosach. — Nie ma się czego bać. — Długo trwało, zanim Louisa się uspokoiła. — Nie zostawię cię tu samej — powiedział van Ritters. — Chodź ze mną.

Wziął ją za rękę, a Louisa poszła z nim ufnie, bosa, ubrana w bawełnianą koszulę nocną. Przeprowadził ją przez drzwi w boazerii, za którą kryły się spiralne schody. Wspięli się po nich, a potem przeszli przez następne sekretne drzwi. Nagle znaleźli się we wspaniałej komnacie, tak obszernej, że choć oświetlało ją pięćdziesiąt świec w kandelabrach, przeciwległa ściana i sufit kryły się w cieniu. *Mijnheer* poprowadził Louisę do kominka, w którym skakały wysokie żółte płomienie.

Przytulił ją i pogłaskał po włosach.

— Myślałaś, że o tobie zapomniałem?

Skinęła głową.

— Wydawało mi się, *Mijnheer*, że cię rozgniewałam i że już mnie nie lubisz.

Roześmiał się i podniósł jej twarz do światła.

— Jesteś prawdziwą małą ślicznotką. Pokażę ci teraz, jak się gniewam i jak cię nie lubię. — Pocałował ją w usta; smak cygara na jego wargach sprawił, że poczuła się pewnie i bezpiecznie. Posadził ją na kanapie przed kominkiem. Podszedł do stołu, na którym stały kryształowe kieliszki i karafka z rubinowoczerwonym napojem. Napełnił kieliszek i podał Louisie. — Wypij. To odpędzi złe myśli.

Louisa zachłysnęła się i zakrztusiła mocnym alkoholem, lecz potem poczuła cudowne gorąco. *Mijnheer* siedział obok, głaskał ją po włosach i mówił, że jest dobrą dziewczynką i że bardzo za nią tęsknił. Uspokojona ciepłem i hipnotycznym głosem, oparła głowę na jego piersi. Podniósł rąbek jej koszuli, a Louisa zsunęła ją z siebie. Pozostała naga. W blasku świec jej dziewczęce ciało było białe i gładkie. Nie czuła wstydu, gdy ją pieścił i całował jej twarz. Odwracała się to w jedną, to w drugą stronę, kierowana łagodnymi ruchami jego rąk.

Nagle wstał. Zobaczyła, że ściąga koszulę i bryczesy. Kiedy podszedł do kanapy i stanął przed nią, wyciągnęła do niego ręce naturalnym ruchem. Patrzyła na jego przyrodzenie, przesuwając luźną skórę i odsłaniając ciemną jak śliwka główkę, tak jak ją nauczył. Potem odsunął jej dłonie i opadł przed nią na podłogę. Rozsunął jej kolana i ułożył ją na pluszowej kanapie. Zniżył głowę i poczuła wąsy łaskoczące jej uda, przesuwające się coraz wyżej.

— Co robisz, *Mijnheer*? — zawołała przestraszona i próbowała usiąść. Przytrzymał ją i po chwili krzyknęła, wbijając paznokcie w jego ramiona. Jego usta przywarły do najintymniejszych zakamarków jej ciała. Doznanie było tak silne, że przez chwilę bała się, że zemdleje.

N ie przychodził po nią spiralnymi schodami każdej nocy. Louisa wiele razy słyszała łoskot kół powozu na kocich łbach ulicy pod oknem swojego pokoju. Zdmuchiwała świecę i zerkała przez zasłony na gości van Rittersa, przybywających na kolejny bankiet lub modne *soirée*. Długo po ich odejściu leżała, czuwając, z nadzieją, że usłyszy jego kroki na schodach, lecz zwykle się rozczarowywała.

Tygodniami albo nawet miesiącami pływał na swoich pięknych statkach do miejsc o dziwnych, pobudzających wyobraźnię nazwach. Nudziła się wtedy i trawił ją niepokój. Była na siebie zła i zauważyła, że nawet Gertruda budzi jej niecierpliwość.

Kiedy wracał, jego obecność wypełniała wielki dom, a służba stawała się ożywiona i podekscytowana. Oczekiwanie i tęsknota odchodziły w zapomnienie, jakby ich nigdy nie było, gdy Louisa słyszała jego kroki na schodach i wyskakiwała z łóżka, żeby czekać przed sekretnymi drzwiami. *Mijnheer* wymyślił sygnał, którym mógł wzywać do siebie Louisę, tak że nie musiał po nią schodzić. W czasie kolacji posyłał Gertrudzie przez lokaja czerwoną różę. Żaden ze służących nie widział w tym nic dziwnego, bo wszyscy wiedzieli, że darzy swoją brzydką, tępą córkę trudnym do wytłumaczenia uczuciem. W takie wieczory drzwi w boazerii były zawsze otwarte, i kiedy Louisa wchodziła, *Mijnheer* już na nią czekał.

Spotkania nigdy nie były takie same. Za każdym razem van Ritters wymyślał jakąś nową grę, w którą się bawili. Kazał przebierać się Louisie w fantastyczne kostiumy, odgrywać rolę mleczarki, chłopca stajennego albo księżniczki. Czasami kazał jej nakładać maski przedstawiające głowy demonów i dzikich zwierząt.

Kiedy indziej oglądali ryciny w zielonej księdze i odgrywali przedstawione tam sceny. Gdy po raz pierwszy pokazał jej rysunek ukazujący dziewczynę leżącą pod chłopakiem i jego miecz zatopiony w nią aż po rękojeść, Louisa nie mogła uwierzyć, że to możliwe. Lecz *Mijnheer* był delikatny, cierpliwy i czuły, więc kiedy to się stało, było mało bólu i tylko kilka kropel jej dziewiczej krwi spłynęło na pościel szerokiego łoża. Potem czuła, że dokonała czegoś wielkiego, i oglądała ze zdumieniem swoje podbrzusze. Dziwiło ją, że te części ciała, o których mówiono jej, że są nieczyste i grzeszne, mogą być siedzibą takich rozkoszy. Była przekonana, że *Mijnheer* niczego więcej nie może jej już nauczyć. Uważała, że sprawiła przyjemność i jemu, i sobie w każdy możliwy sposób. Myliła się jednak.

Van Ritters popłynął w jeden ze swych długich rejsów, które zdawały się nigdy nie kończyć, do miasta Sankt Petersburg w Rosji, by odwiedzić Piotra Aleksiejewicza, zwanego przez wielu Piotrem Wielkim, i rozszerzyć handel drogocennymi futrami. Kiedy wrócił, Louisę ogarnęła gorączka oczekiwania. Tym razem nie musiała długo czekać na wezwanie. Kroiła właśnie pieczonego kurczaka, kiedy lokaj wręczył Gertrudzie czerwoną różę.

— Z czego się tak cieszysz? — spytała dziewczynka na widok tańczącej po pokoju opiekunki.

— Bo cię kocham, Gertie, i wszystkich ludzi na świecie — odparła śpiewnie Louisa.

Gertruda klasnęła w rączki.

— Ja też cię kocham.

— A teraz czas do łóżka. Masz tu filiżankę gorącego mleka, żeby ci się lepiej spało.

Tego wieczoru, gdy Louisa przekroczyła próg sekretnych drzwi i weszła do sypialni van Rittersa, stanęła jak wryta ze zdumienia. Nie wiedziała, co myśleć o nowej grze, i bała się. To było zbyt realistyczne i przerażające.

Głowa van Rittersa ukryta była w obcisłym, czarnym skórzanym kapturze z wyciętymi okrągłymi otworami na oczy i usta. Miał na sobie czarny skórzany fartuch i lśniące czarne buty z cholewami okrywającymi uda. Stał z rękoma skrzyżowanymi na piersi, a na dłoniach miał czarne rękawice. Louisa ledwie zdołała oderwać od niego wzrok, by spojrzeć na złowieszczą konstrukcję na środku komnaty. Wyglądała tak samo jak trójnóg, przy którym publicznie chłostano złoczyńców na placu przed gmachem magistratu, tyle że zamiast łańcuchów na szczycie wisiały jedwabne postronki.

Louisa uśmiechnęła się do van Rittersa drżącymi ustami, on jednak patrzył na nią beznamiętnie przez otwory w czarnym kapturze. Chciała uciekać, ale van Ritters, jakby wyczuł jej zamiary, podszedł szybko do drzwi i zamknął je, a klucz włożył do kieszonki z przodu fartucha. Nogi ugięły się pod Louisą; upadła na podłogę.

— Przepraszam — szepnęła. — Nie rób mi krzywdy.

— Za grzech nierządu zostałaś skazana na karę dwudziestu uderzeń batoga — powiedział szorstkim, twardym głosem.

— Puść mnie, proszę. Nie chcę się w to bawić.

— To nie zabawa. — Podszedł i mimo że błagała o litość, podniósł ją i zaniósł do trójnogu. Związał jej ręce jedwabnym sznurem wysoko nad głową, a ona spoglądała na niego przez ramię; jasne włosy opadły jej na twarz.

— Co chcesz mi zrobić?

Van Ritters podszedł do stołu pod ścianą i stojąc do niej tyłem, coś z niego podniósł, a potem odwrócił się z teatralną powolnością. Trzymał w dłoni bicz. Louisa zaszlochała rozpaczliwie i zaczęła szarpać jedwabne sznury krępujące jej nadgarstki. Van Ritters zbliżył się, włożył palec za kołnierzyk nocnej koszuli, rozpruł ją aż do szwu, a potem porwał na strzępy. Stanął przed nagą Louisą; widziała wybrzuszenie pod skórzanym fartuchem, dowód jego podniecenia.

— Dwadzieścia uderzeń — powtórzył zimnym, obcym głosem — a ty będziesz je głośno liczyła. Rozumiesz, próżna mała dziwko?

Louisa drgnęła na dźwięk tego słowa. Nikt jej tak jeszcze nie nazwał.

— Nie wiedziałam, że robię coś złego. Myślałam, że sprawiam ci przyjemność.

Van Ritters trzasnął biczem w powietrzu, tuż przy twarzy Louisy. Potem stanął z tyłu. Zamknęła oczy i napięła wszystkie mięśnie pleców, lecz mimo to ból był niewiarygodny.

— Licz! — rozkazał.

— Raz! — powiedziała posłusznie, ledwie rozchylając białe, drżące wargi.

Bił bez litości, dopóki nie zemdlała. Wtedy podstawił jej pod nos małą zieloną fiolkę; ostra woń oparów ocuciła Louisę.

— Licz! — rzucił.

— Dwadzieścia — szepnęła.

Van Ritters odłożył bicz na stół. Podszedł do niej z tyłu, rozwiązując sznurki fartucha. Louisa wisiała na jedwabnych postronkach, nie mogąc podnieść głowy ani stanąć na nogach. Jej plecy, pośladki i uda paliły jak ogień.

Poczuła, jak van Ritters rozsuwa dłońmi jej zaczerwienione, zbolałe pośladki. Wtedy stało się coś strasznego. Była rozrywana w najbardziej nienaturalny sposób. Ból rozlewał się po jej wnętrznościach. Znalazła w sobie siłę, żeby znów krzyczeć.

W końcu van Ritters odciął ją od trójnoga, owinął w koc i zniósł po schodach, a potem bez słowa zostawił szlochającą na łóżku. Kiedy rano dowlokła się do ubikacji i usiadła na desce, zauważyła, że wciąż krwawi. Siedem dni później rana wciąż się do końca nie zagoiła, a Gertruda znów dostała czerwoną różę. Drżąc i łkając cicho, Louisa wspięła po schodach. Przekroczyła próg sypialni — trójnóg stał na środku, a van Ritters czekał na nią w katowskim kapturze i fartuchu.

Miesiącami walczyła z sobą, lecz wreszcie zebrała się na odwagę i powiedziała Elise, jak *Mijnheer* ją traktuje. Podniosła sukienkę i pokazała pręgi na plecach. Potem schyliła się i pokazała porozrywany, ropiejący odbyt.

— Okryj się, bezwstydnico! — wrzasnęła Elise i uderzyła ją w twarz. — Jak śmiesz zmyślać takie wstrętne kłamstwa o takim wielkim, zacnym człowieku? Będę musiała powiedzieć o tym *Mijnheer* van Rittersowi, a tymczasem Stals zamknie cię w piwnicy z winem.

Przez dwa dni Louisa kuliła się w ciemnym kącie piwnicy. Ból w dolnej części ciała był jak ogień, który w każdej chwili mógł strawić jej duszę. Trzeciego dnia przyszedł po nią sierżant i trzech ludzi z miasta. Kiedy wyprowadzili ją na podwórko przed kuchnią, Louisa rozejrzała się za Gertrudą, Elise albo Stalsem, lecz żadnego z nich nie było, nie dostrzegła także nikogo ze służby.

— Dziękuję, że mnie uratowaliście — powiedziała do sierżanta. — Nie wytrzymałabym ani dnia dłużej.

Mężczyzna spojrzał na nią enigmatycznie.

— Przeszukaliśmy twój pokój i znaleźliśmy biżuterię, którą ukradłaś — oświadczył. — Co za niewdzięczność wobec człowieka, który potraktował cię tak wielkodusznie. Zobaczymy, co zrobi z tobą sędzia.

Sędzia cierpiał z powodu skutków upojnej zabawy, na którą pozwolił sobie wczoraj wieczorem. Był jednym z pięćdziesięciu gości Huis Brabant, miejsca, którego piwnice i stół słynęły w całych Niderlandach. Koen van Ritters był jego starym przyjacielem. Sędzia zmarszczył czoło na widok młodej więźniarki. Koen rozmawiał z nim wczoraj o tej smarkuli... przy cygarach i butelce dobrego starego koniaku. Wysłuchał niecierpliwie sierżanta, który złożył relację i położył na stole paczkę ze skradzionymi klejnotami, znalezioną w jej pokoju.

— Oskarżona będzie deportowana do kolonii karnej w Batawii i zostanie tam na zawsze — orzekł sędzia.

Het Gelukkige Meeuw stała na przystani, prawie gotowa do wypłynięcia. Louisę zaprowadzono do portu prosto z sądu. Na trapie czekał dowódca straży, który wpisał nazwisko do dziennika. Potem dwóch jego podwładnych skuło jej nogi kajdanami i sprowadziło po schodach na pokład bojowy.

N iemal rok później *Meeuw* stała na kotwicy w Zatoce Stołowej. Przez grube dębowe klapy Louisa usłyszała: „Łódź z zaopatrzeniem. Możemy przybić?".

Otrząsnęła się ze wspomnień i zerknęła przez szparę wzdłuż furty działowej. Zobaczyła długą łódź z kilkunastoma czarnymi i białymi wioślarzami. Na dziobie stał wysoki, barczysty mężczyzna o ogorzałej twarzy. Louisa drgnęła, gdy rozpoznała chłopaka przy sterze. Był to ten sam młodzieniec, który zapytał ją o imię i rzucił jej rybę. Musiała walczyć o cenny podarunek, a potem podzieliła go swoim sztyletem między siebie i trzy inne kobiety. Nie były to jej przyjaciółki, bo na pokładzie tego żaglowca nie było przyjaciół, lecz na początku rejsu zawarła z nimi pakt o wzajemnej ochronie, żeby przeżyć. Pochłonęły surową rybę, uważając na inne wygłodniałe kobiety, które zebrały się wokół, czekając na okazję, by wyrwać dla siebie kawałek.

Przypomniała sobie słodki smak surowej ryby, spoglądając na załadowaną łódź, cumującą przy burcie żaglowca. Rozległy się krzyki i nawoływania, skrzypienie drewnianych bloków i rozkazy. Louisa widziała przez szparę, jak kosze i skrzynie świeżych produktów są wciągane na pokład. Czuła woń owoców i niedawno zerwanych pomidorów. Ślina napłynęła jej do ust, lecz wiedziała, że większość tego bogactwa trafi do mesy oficerskiej, a to, co zostanie, do zbrojowni i kuchni załogi. Nic nie dotrze na pokład więźniarek, które będą się żywić twardymi jak skorupa sucharami i zepsutą soloną wieprzowiną, rojącą się od larw.

Nagle usłyszała walenie do jednej z klap i męski głos.

— Jest tutaj Louisa?

Zanim odpowiedziała, kilka kobiet zaczęło się przekrzykiwać:

— Tak, mój *dottie*. Ja jestem Louisa. Chcesz spróbować mojego miodu?

Rozległy się chichoty. Louisa rozpoznała głos mężczyzny. Próbowała przekrzyczeć chór wykrzykujący sprośności i obelgi, lecz złośliwe wrzaski zagłuszyły ją. Rozpaczliwie wyjrzała przez szparę, lecz niewiele mogła zobaczyć.

— Tutaj — krzyknęła po holendersku. — To ja jestem Louisa.

Nagle ujrzała tuż przed sobą jego twarz. Chłopak musiał stać na ławeczce łodzi przycumowanej poniżej furty.

— Louisa? — Przyłożył oko do szpary i popatrzyli na siebie z odległości kilku cali. — Tak — roześmiał się niespodziewanie. — Błękitne oczy! Jasne, błękitne oczy.

— Ktoś ty? Jak masz na imię? — Pod wpływem impulsu zaczęła mówić po angielsku. Chłopak aż otworzył usta ze zdziwienia.

— Mówisz po angielsku?

— Nie, to chiński, ty ciołku — burknęła. Chłopak znów się roześmiał. Odniosła wrażenie, że jest pewny siebie i butny, lecz od roku nie usłyszała żadnego innego przyjaznego głosu.

— Zuchwała z ciebie sztuka! Chcę ci dać coś jeszcze. Możesz podnieść trochę tę klapę?

— Czy któryś ze strażników patrzy z pokładu? — spytała. — Wychłoszczą mnie, jeśli zobaczą, że rozmawiamy.

— Nie, zasłania nas burta żaglowca.

— Zaczekaj! — powiedziała Louisa i wyciągnęła sztylet z sakiewki. Szybko podważyła ostatni kawałek deski utrzymujący zamek. Potem odchyliła się, oparła bose stopy o klapę i pchnęła z całej siły.

Zawiasy skrzypnęły i ustąpiły o kilka cali. Chłopak złapał palcami za krawędź i pomógł uchylić klapę nieco szerzej. A potem wsunął do środka mały płócienny woreczek.

— Jest tam dla ciebie list. Przeczytaj go — szepnął, przysuwając twarz, i zniknął.

— Nie odchodź! — odezwała się błagalnie Louisa. Twarz chłopaka ukazała się znowu. — Nie powiedziałeś mi, jak masz na imię.

— Jim. Jim Courtney.

— Dziękuję ci, Jimie Courtneyu — rzekła Louisa i puściła krawędź klapy.

Trzy koleżanki otoczyły Louisę ciasnym kręgiem, kiedy otwierała woreczek. Szybko podzieliły suszone mięso oraz paczki twardych sucharów i zaczęły gryźć zawzięcie nieapetyczne kąski. Louisie łzy napłynęły do oczu, gdy znalazła grzebień wycięty z cętkowanego szylkretu w miodowym kolorze. Przeciągnęła nim po włosach. Nie szarpał ich tak boleśnie jak przyrząd, który sama z mozołem zrobiła. Potem znalazła pilnik i nóż, owinięte w skrawek płótna. Nóż miał rogową rękojeść; Louisa dotknęła klingą kciuka. Była to ostra, dobra broń. Solidny mały pilnik miał trzy krawędzie tnące. Poczuła nadzieję, pierwszy raz od miesięcy. Spojrzała na żelazne obręcze na kostkach. Skóra pod nimi zgrubiała od ucisku.

Nóż i pilnik były nieocenionymi darami, lecz najbardziej wzruszył Louisę grzebień. Był potwierdzeniem tego, że chłopak widzi w niej kobietę, a nie więzienną wywłokę ze slumsów i rynsztoka. Wsunęła rękę głęboko do woreczka, szukając obiecanego listu. Była to pojedyncza kartka taniego papieru, przemyślnie zwinięta w kopertę, na której widniało jej imię: „Louisa". Otworzyła starannie list, żeby go nie podrzeć. Był napisany po holendersku, z błędami ortograficznymi, lecz Louisa zrozumiała treść.

Użyj pilnika do kajdan. Jutro w nocy podpłynę łodzią do rufy. Kiedy okrętowy dzwon zabije dwa razy w czasie środkowej wachty, skacz. Usłyszę plusk. Bądź odważna.

Poczuła przyśpieszone bicie pulsu. Od razu zrozumiała, że szanse powodzenia są znikome. Sto rzeczy mogło stanąć na przeszkodzie, na przykład kula z muszkietu albo rekin... Liczyło się to, że znalazła przyjaciela, a wraz z nim nadzieję na ratunek, choćby nie wiem jak nikłą. Podarła list na kawałki i wrzuciła do cuchnącego kubła latryny. Żaden strażnik nie będzie próbował ich stamtąd wydobyć. Potem wsunęła się pod armatę, w ciemność, która była jej jedyną prywatnością, i usiadła ze skrzyżowanymi nogami, by mogła łatwo sięgnąć do ogniw łączących obręcze kajdan. Pierwszym pociągnięciem małego pilnika zrobiła wąskie, lecz wyraźne nacięcie, i kilka opiłków żelaza spadło na pokład. Kajdany zostały wykute z niehartowanej, pośledniej stali, lecz przepiłowanie choć jednego ogniwa wymagało czasu i wytrwałości.

Mam dzień i noc. Do dwóch uderzeń w dzwon w czasie środkowej wachty, pomyślała, przystawiając pilnik do nacięcia, które wcześniej zrobiła. Na deski pokładu posypały się kolejne opiłki żelaza.

Długa łódź, uwolniona od ciężkiego ładunku żywności, sunęła lekko po wodzie. Mansur usiadł przy sterze, a Jim, wiosłując, oglądał się przez rufę. Co jakiś czas się uśmiechał, przypominając sobie krótkie spotkanie z Louisą. Mówiła po angielsku, i to dobrze, z lekkim tylko nalotem holenderskiego akcentu, miała w sobie hart ducha i była bystra. Błyskawicznie reagowała na okoliczności. Nie była tępą dziewką czy nieletnią kryminalistką. Jim widział przez szparę klapy jej nogi. Były straszliwie wychudzone i zaczerwienione od kajdan, lecz długie i proste, niezdeformowane krzywicą. „Dobry rodowód!", jak mawiał jego ojciec, oglądając młodą klacz. Ręka, która wzięła od niego płócienny worek, była szorstka, z popękanymi i połamanymi paznokciami, lecz miała piękny kształt i zgrabne palce. To były ręce damy, a nie niewolnicy czy pomywaczki. Nie pachnie jak bukiet lawendy. Ale przecież siedzi zamknięta w tej brudnej kadzi, Bóg wie jak długo. Czego się można spodziewać? Usprawiedliwiając w ten sposób Louisę, pomyślał o jej oczach, cudownie błękitnych, i rozmarzył się. Nigdy w życiu nie widziałem takiej dziewczyny, doszedł do wniosku. A do tego mówi po angielsku.

— Hej, kuzynie! — zawołał Mansur. — Trzymaj rytm. Wylądujemy na wyspie Robben, jeśli tak będziesz wiosłował. — Jim otrząsnął się z marzeń akurat w chwili, gdy wysoka fala uniosła rufę łodzi.

— Morze jest wzburzone — mruknął jego ojciec. — Jutro jak nic będzie wichura. Będziemy musieli przywieźć ostatni ładunek, zanim zacznie się sztorm.

Jim spojrzał ponad oddalającym się żaglowcem i przeraził się. Na horyzoncie piętrzyły się burzowe chmury, wysokie jak grzbiety gór.

Muszę wymyślić jakąś wymówkę, żeby zostać na brzegu, kiedy będą zabierać następny ładunek na *Meeuw*, postanowił. Nie będzie drugiej szansy na przygotowanie się.

G dy muły wyciągały łódź na plażę, Jim zwrócił się do ojca:
— Muszę zanieść kapitanowi jego działkę. Może nas wystawić, jeśli nie dostanie pieniędzy do tej grubej łapy.

— Niech sobie poczeka, stary złodziej. Potrzebuję cię przy następnym załadunku.

— Obiecałem mu, a poza tym masz pełną obsadę do następnej łodzi.

Tom Courtney przyjrzał się badawczo synowi. Znał go dobrze i wiedział, że chłopak coś knuje. Dekowanie się nie było do niego podobne. Wprost przeciwnie: Jim był jak skała, na której Tom mógł polegać. To on wkradł się w łaski intendenta holenderskiego żaglowca, zdobył koncesję na handel i nadzorował załadunek pierwszej łodzi. Można mu było ufać.

— Bo ja wiem... — Tom pogładził się z powątpiewaniem po brodzie.

— Pozwól mu iść, stryju — wtrącił się Mansur. — Zastąpię go tymczasem.

— No dobra, Jim. Idź do swojego kumpla Hugona — zgodził się Tom — ale bądź na plaży, kiedy łodzie przypłyną z powrotem.

Z grzbietu wydmy Jim obserwował łodzie płynące z ostatnim ładunkiem towarów. Zdawało mu się, że bałwany są wyższe niż rano, a wiatr zrywa z nich białe czapy piany, które wyglądały jak parada galopujących koni.

— Boże, zmiłuj się nad nami! — powiedział głośno. — Jeśli przyjdzie sztorm, nie uda mi się zabrać ze statku dziewczyny, dopóki szkwał się nie skończy.

Przypomniał sobie udzielone jej instrukcje. Kazał jej wyskoczyć ze statku, kiedy okrętowy dzwon zabije dwa razy podczas środkowej wachty. Nie mógł przesłać Louisie drugiej wiadomości, w której to odwoła. Czy starczy jej rozsądku, żeby się domyślić, że Jim nie zdołał przypłynąć z powodu sztormu, czy mimo wszystko rzuci się za burtę i zginie w ciemności? Na myśl o tym poczuł się tak, jakby ktoś walnął go pięścią w brzuch i dostał mdłości. Skierował Werbla w stronę zamku i wbił pięty w jego boki.

Kapitan zdziwił się, ale i ucieszył, że dostał swoją prowizję tak szybko. Jim wyszedł bez żadnych ceregieli, odmawiając nawet wypicia filiżanki kawy, i pogalopował z powrotem ku plaży. Jego mózg pracował usilnie.

Miał bardzo mało czasu na przemyślenie swego planu. Dopiero kilka godzin temu nabrał pewności, że dziewczyna ma dość hartu ducha, by odważyć się na taką ucieczkę. Pierwszą rzeczą, o którą musiał się zatroszczyć, jeśli uda mu się przewieźć ją na brzeg, będzie bezpieczna kryjówka. Kiedy tylko ucieczka zostanie odkryta, na poszukiwanie wyruszy cały garnizon, czyli stu piechurów i szwadron jazdy. Oddział na zamku nie ma nic do roboty, więc polowanie na człowieka, a tym bardziej na kobietę, byłoby dla wojaków jednym z najbardziej ekscytujących wydarzeń roku. Pułkownik Keyser, dowódca garnizonu, z wielką chęcią zapisałby na swoje konto schwytanie zbiegłej więźniarki.

Jim po raz pierwszy pozwolił sobie na zastanowienie się nad tym, co by się stało, gdyby ten niedowarzony plan legł w gruzach. Bał się, że przysporzyłby w ten sposób kłopotów rodzinie. Surowe prawo ustanowione przez wszechwładnych gubernatorów VOC w Amsterdamie zakazywało cudzoziemcom osiedlania się i prowadzenia interesów w kolonii. A jednak, podobnie jak w wypadku wielu surowych przepisów, stanowionych przez Zeventien w Amsterdamie, w pewnych szczególnych okolicznościach można je było obejść. Owe szczególne okoliczności wiązały się zawsze z finansowym wyrazem szacunku dla Jego Ekscelencji gubernatora van de Wittena. Uzyskanie pozwolenia na zamieszkanie i prowadzenie interesów w kolonii na Przylądku Dobrej Nadziei kosztowało braci Courtneyów dwadzieścia tysięcy guldenów. Było mało prawdopodobne, żeby van de Witten cofnął im licencję. Gubernatora łączyły przyjazne stosunki z Tomem, który hojnie zasilał nieoficjalny fundusz emerytalny van de Wittena.

Jim miał nadzieję, że jeśli po prostu zniknie razem z dziewczyną, nie uwikła w żaden sposób reszty rodziny. Będą jakieś podejrzenia, które w najgorszym razie mogą kosztować ojca następny podarunek dla van de Wittena, lecz w końcu sprawa przycichnie, jeśli Jim nie pokaże się więcej na Przylądku Dobrej Nadziei.

Z kolonii były tylko dwie drogi ucieczki. Najbardziej naturalna i najlepsza wiodła przez morze. Wymagała ona jednak posiadania łodzi. Bracia Courtneyowie mieli dwa uzbrojone statki handlowe, zgrabne i dzielne szkunery, które pływały aż do Arabii i Bombaju. Niestety oba żaglowce były akurat w morzu; miały wrócić dopiero po zmianie monsunu, czyli za kilka miesięcy.

Jim zaoszczędził trochę pieniędzy. Możliwe, że zdoła opłacić podróż swoją i dziewczyny na jednym ze statków stojących w zatoce. Lecz pierwszą rzeczą, jaką zrobi pułkownik Keyser, dowiedziawszy się o zniknięciu dziewczyny, będzie wysłanie oddziałów do przeszukania tych statków. Mógłby spróbować ukraść jakąś szalupę, na której być może udałoby mu się dotrzeć do któregoś z portugalskich portów na wybrzeżu Mozambiku, lecz wszyscy kapitanowie bardzo strzegli się piratów, więc najpewniejszą nagrodą, jakiej Jim mógłby się spodziewać za swoje wysiłki, byłaby kulka w brzuch.

Nawet przy najbardziej optymistycznych założeniach musiał przyjąć za pewnik, że droga morska jest dla nich zamknięta. Pozostała druga; Jim odwrócił głowę i spojrzał na północ w stronę dalekich gór, na których nie stopniały jeszcze resztki zimowych śniegów. Ściągnął wodze i pomyślał, co go tam czeka. Nigdy nie zapuścił się dalej niż sto pięćdziesiąt mil za te szczyty, lecz słyszał o ludziach, którzy powędrowali dalej w głąb lądu i wrócili z ogromną masą kości słoniowej. Opowiadano nawet o pewnym starym myśliwym, który podniósł lśniący kamień na brzegu bezimiennej rzeki daleko na północy, a potem sprzedał go w Amsterdamie za sto tysięcy guldenów. Jim dostał gęsiej skórki na samą myśl. Ileż to razy śnił po nocach o tym, co kryje się za błękitnym horyzontem. Rozmawiał z Mansurem i Zamą i obiecali sobie, że pewnego dnia wyruszą w taką podróż. Czyżby bogowie przygód usłyszeli jego przechwałki i knuli właśnie, jak by go tu wyciągnąć na dzikie pustkowia? Czy u jego boku będzie jechać dziewczyna o złotych włosach i błękitnych oczach? Roześmiał się na tę myśl i popędził Werbla.

Ojca, stryja Doriana, niemal wszystkich służących i wyzwolonych niewolników miało nie być przez kilka godzin, musiał więc działać szybko. Wiedział, gdzie ojciec trzyma klucze do skarbca i zbrojowni. Wybrał sześć silnych mułów ze stada w zagrodzie, założył im juki i zaprowadził do tylnych drzwi składu. Musiał starannie wybierać rzeczy, które załaduje na grzbiety mułów. Tuzin najlepszych muszkietów marki Tower i płóciennych woreczków na kule, prochownice z czarnym prochem, ołowiane sztaby i formy do odlewania kul, toporki, noże i koce, paciorki i bele materiału na handel z dzikimi plemionami, które mogą napotkać po drodze, podstawowe lekarstwa, garnki i butelki, igły i nici oraz wszystkie inne rzeczy niezbędne do przetrwania na pustkowiu, lecz żadnych luksusów. Kawa to nie luksus, pocieszył się Jim, pakując worek brązowych ziaren.

Objuczone muły zaprowadził na postronku w ustronne miejsce przy strumieniu w lesie, prawie dwie mile od High Weald. Uwolnił zwierzęta od ładunku, żeby odpoczęły, i zostawił je ze skrępowanymi kolanami; brzegi strumienia porastała bujna trawa, więc mogły się paść aż do jego powrotu.

Kiedy wrócił do High Weald, łodzie były już w drodze powrotnej. Spotkał ojca, Mansura i załogę na wydmach. Jechał obok nich na koniu i słuchał chaotycznej wymiany zdań. Wszyscy byli przemoczeni morską wodą i wyczerpani, gdyż wracając z holenderskiego statku, musieli się zmagać z wysoką falą.

Mansur opisał wyprawę bardzo lapidarnie:

— Masz szczęście, że tego uniknąłeś. Fale przewalały się nad nami jak wodospad.

— Widziałeś dziewczynę? — spytał szeptem Jim, żeby ojciec nie usłyszał.

— Jaką dziewczynę? — odpowiedział pytaniem Mansur, spoglądając porozumiewawczo na kuzyna.

— Wiesz jaką. — Jim szturchnął go w ramię.

Mansur spoważniał.

— Trzymali wszystkie więźniarki zamknięte pod pokładem. Jeden z oficerów powiedział stryjowi Tomowi, że planują wyjść w morze, jak tylko skończą aprowizację i uzupełnią zapas wody w beczkach. Najpóźniej jutro. Nie chcą, żeby sztorm zaskoczył ich przy brzegu. — Mansur zauważył rozpacz na twarzy Jima. — Przykro mi, kuzynie, ale jutro w południe statku najpewniej już tu nie będzie. Ona i tak nie byłaby dla ciebie dobra, to przecież więźniarka. Nie znasz jej, nie wiesz nawet, jakie przestępstwo popełniła. Może morderstwo. Pozwól jej odpłynąć, Jim. Zapomnij o niej. Niejeden jest ptak na błękitnym niebie, niejedno źdźbło trawy na równinie Camdeboo.

Jima ogarnął gniew i ostre słowa cisnęły mu się na usta, lecz je powstrzymał. Zawrócił Werbla, skierował go na szczyt wydmy i stamtąd spojrzał na zatokę. Sztorm już się zbierał, przynosząc ze sobą przedwczesny mrok. Zawodzący wiatr zmierzwił Jimowi włosy i splątał grzywę Werbla. Jim musiał osłonić oczy przed piaskiem i kropelkami wody. Z wierzchołków fal unosiła się biała piana, a wysokie bałwany załamywały się na plaży. To cud, że ojciec Jima zdołał przeprowadzić łodzie przez tę nawałnicę wiatru i wody, lecz Tom Courtney był prawdziwym mistrzem żeglugi.

Stojąca niemal dwie mile od brzegu *Meeuw* była zaledwie niewyraźnym kształtem, który kołysał się na fali z nagimi masztami, znikając przy każdym kolejnym bałwanie, przetaczającym się przez zatokę. Jim stał i patrzył, dopóki mrok nie okrył całkowicie żaglowca, a potem ruszył galopem do High Weald. Zastał Zamę w stajni przy oporządzaniu koni.

— Chodź ze mną — powiedział, i Zama posłusznie wyszedł za nim do ogrodu. Przykucnęli obok siebie w miejscu, gdzie nikt nie mógł ich zobaczyć z domu. Milczeli przez chwilę, a potem Jim przemówił w lozi, języku lasów, żeby Zama wiedział, że będzie mowa o śmiertelnie poważnych sprawach.

— Ruszam w drogę — oznajmił.

Zama patrzył mu w twarz, ale jego oczy skrywała ciemność.

— Dokąd, Somoja? — spytał. Jim wskazał ruchem głowy na północ. — Kiedy wrócisz?

— Nie wiem, może nigdy — odparł Jim.

— Więc będę musiał opuścić ojca.

— Idziesz ze mną? — spytał Jim. Zama spojrzał nań z politowaniem. Pytanie było tak głupie, że nie wymagało odpowiedzi. — Aboli był ojcem także dla mnie — rzekł Jim, kładąc rękę na ramieniu przyjaciela. — Chodźmy do jego grobu.

Wspinali się na wzgórze w świetle błyskawic, lecz obaj byli młodzi i dobrze widzieli w mroku, więc szli szybko. Miejsce na grób wybrano na wschodnim stoku, tak aby każdego ranka padały na niego promienie wschodzącego słońca. Jim pamiętał pogrzeb ze wszystkimi szczegółami. Tom Courtney ubił czarnego byka, a żony Abolego zaszyły zwłoki w mokrą skórę. Tom zniósł do głębokiego grobowca wielkie niegdyś ciało przyjaciela, teraz skurczone wiekiem, niczym śpiące dziecko. Posadził go prosto, a potem złożył obok jego broń i wszystkie najcenniejsze rzeczy, które posiadał. Na koniec zablokowano wejście do grobowca okrągłym głazem. Trzeba było dwóch zaprzęgów wołów, żeby ustawić go na miejscu.

Teraz, w ciemności, Jim i Zama uklękli i pomodlili się do plemiennych bogów Lozi i do Abolego, który w chwili śmierci dołączył do ciemnego panteonu. Przetaczające się gromy były tłem dla ich modłów. Zama poprosił ojca o błogosławieństwo na podróż, która ich czekała, a Jim podziękował Abolemu za to, że wprowadził go na drogę szpady i muszkietu, i przypomniał, jak Aboli zabrał go na pierwsze polowanie na lwa.

— Broń nas, swoich synów, tak jak broniłeś tamtego dnia — mówił — bo wyruszamy w podróż i nie wiemy, dokąd nas ona doprowadzi.

Potem usiedli oparci o kamień grobowy, a Jim wyjaśnił Zamie, co trzeba zrobić.

— Objuczyłem muły i zostawiłem je spętane koło strumienia. Zabierz je w góry, do Majuby, Kryjówki Gołębi, i czekaj tam na mnie.

Majuba była prymitywnym szałasem ukrytym u podnóża gór, wykorzystywanym przez pasterzy wyprowadzających stada należących do Courtneyów zwierząt na wysokie pastwiska latem, i przez nich samych, kiedy wyruszali polować na *quagga*, antylopy eland i nilgau. O tej porze roku chata stała pusta. Pożegnali się po raz ostatni ze starym wojownikiem, spoczywającym w ciemności za głazem, i zeszli na polanę w lesie koło strumienia. Jim wyjął z jednego z worków latarnię i przy jej świetle pomógł Zamie umieścić ciężkie juki na grzbietach mułów. Potem skierował go na ścieżkę prowadzącą w góry na północy.

— Przyjdę za dwa dni, bez względu na wszystko. Czekaj na mnie! — zawołał Jim, kiedy się rozstawali.

Zama odjechał.

Dom był pogrążony we śnie, kiedy Jim wrócił do High Weald. Lecz Sarah, matka Jima, trzymała dla niego ciepłą kolację na piecu. Usłyszawszy, że krząta się przy garnkach, zeszła na dół w nocnej koszuli, usiadła i patrzyła, jak się posila. Mówiła niewiele, ale jej oczy były smutne, a kąciki ust opadły.

— Niech cię Bóg błogosławi, synku — szepnęła, całując go na dobranoc. Widziała, jak za dnia wyprowadza związane muły do lasu, i matczynym instynktem wyczuła, że Jim odchodzi. Wzięła świecę i weszła po schodach do sypialni, gdzie spokojnie chrapał Tom.

Jim spał mało tej nocy; wiatr smagał ściany domu i potrząsał oknami. Wstał, gdy inni domownicy byli pogrążeni we śnie. W kuchni nalał sobie kubek gorzkiej czarnej kawy z czajnika, który zawsze stał na piecu. Było jeszcze ciemno, kiedy poszedł do stajni, wyprowadził Werbla i ruszył w stronę morza. Na wydmie wicher spadł na konia i jeźdźca jak furia. Jim przywiązał wierzchowca do krzaka za wydmą, gdzie był osłonięty od wiatru, a potem wspiął się z powrotem na jej grzbiet. Owinął się szczelnie płaszczem, nasunął kapelusz na oczy i przykucnął, czekając na pierwsze oznaki brzasku. Pomyślał o dziewczynie. Pokazała, że jest bystra, lecz czy na tyle, by domyślić się, że małą łódką nie da się dopłynąć do kotwicowiska, póki sztorm nie zelżeje? Czy nie pomyśli, że Jim zostawił ją na pastwę losu?

Pędzące nisko po niebie chmury opóźniały nadejście świtu, a kiedy już światło przebiło się przez nie, z trudem wydobyło z mroku niesamowitą scenę rozciągającą się przed Jimem. Wstał, ale musiał się pochylić, jakby przechodził przez wartką rzekę. Przytrzymał obiema rękami kapelusz i poszukał wzrokiem holenderskiego żaglowca. W oddali zauważył coś, co nie było tak jasne jak piana, która chciała go pochłonąć. Patrzył łapczywie; biała plamka wciąż tkwiła w pejzażu rozszalałego morza.

— Żagiel! — krzyknął. Wiatr porwał momentalnie jego słowa. *Meeuw* nie była jednak tam, gdzie się jej spodziewał. To był statek z rozwiniętymi żaglami, a nie stojący na kotwicy. Jim musiał się dowiedzieć, czy to *Meeuw* próbuje wyrwać się z zatoki, czy to jeden z innych zakotwiczonych żaglowców. W sakwie przy siodle miał małą myśliwską lunetę. Odwrócił się i popędził po miękkim piasku do miejsca, w którym zostawił Werbla.

Znalazłszy się znowu na grzbiecie wydmy, poszukał statku. Wreszcie po kilku minutach spostrzegł żagle. Usiadł na piasku i, podpierając się łokciami jak trójnogiem, skierował lunetę na odległy statek. Wyłowił wzrokiem żagle, lecz bałwany zasłaniały kadłub; dopiero przypadkowy splot sił wiatru i fal podniósł wysoko żaglowiec.

— To ona! — krzyknął. *Het Gelukkige Meeuw*. Ogarnęło go rozpaczliwe poczucie nieuchronności. Oto na jego oczach statek zabiera Louise do jakiegoś brudnego więzienia na końcu świata, a on nic nie może zrobić.

— Boże, nie zabieraj mi jej tak szybko, błagam — szeptał w rozpaczy, lecz daleki statek przebijał się przez sztorm ostrym bajdewindem; kapitan próbował uciec jak najdalej od śmiertelnie niebezpiecznego brzegu. Jim obserwował to przez lunetę okiem żeglarza. Wprowadzony przez ojca w arkana sztuki żeglarskiej, rozumiał wzajemne oddziaływania siły wiatru, kila i żagli. Wiedział, że statek jest o włos od katastrofy.

Światło było mocniejsze i nawet gołym okiem Jim widział każdy szczegół straszliwego zmagania statku ze sztormem. Minęła godzina, a żaglowiec był wciąż zamknięty w zatoce. Jim skierował lunetę na czarny, podobny do rekina kształt wyspy Robben, strzegącej wejścia do zatoki. Z każdą minutą stawało się coraz bardziej oczywiste, że *Meeuw* nie może się przebić tym kursem na otwarte morze. Kapitan będzie musiał wykonać zwrot przez sztag. Nie miał innego wyboru: morze było już w tym miejscu za głębokie na rzucenie kotwicy, a wichura nieubłaganie spychała statek na skały wyspy. Gdyby na nie wpadł, kadłub rozleciałby się w drzazgi.

— Zrób zwrot! — krzyknął Jim, zrywając się na nogi. — Zawracaj, bo ich pozabijasz, kretynie! — Miał na myśli żaglowiec i dziewczynę. Wiedział, że Louisa wciąż jest uwięziona i jeśli nawet jakimś cudem zdoła uciec z pokładu, kajdany na nogach wciągną ją pod wodę, jak tylko znajdzie się za burtą.

Żaglowiec jednak uparcie trzymał kurs. Manewr zwrotu na wiatr tak dużą jednostką przy takiej pogodzie wiązał się z dużym ryzykiem, lecz kapitan wkrótce będzie musiał zdać sobie sprawę, że nie ma innej możliwości.

— Za późno! — wołał zrozpaczony Jim. — Już jest za późno. — I nagle zobaczył, że statek zaczyna się obracać dziobem na wiatr. Obserwował to przez lunetę, którą trzymał drżącą ręką. Manewr był coraz wolniejszy i w końcu statek znieruchomiał z trzepoczącymi żaglami, nie mogąc dokończyć zwrotu na drugą burtę. Fale i wiatr naparły na niego. Morze zagotowało się i w ścianie wody żaglowiec przewrócił się na bok, ukazując dno brudne od morskich porostów i pąkli. Fala pochłonęła go całkowicie, jakby nigdy nie istniał. Jim modlił się, żeby wypłynął. Może ustawi się kilem do góry, a może utonie na dobre — tego nie sposób było przewidzieć. Jim patrzył przez lunetę tak intensywnie, że zabolało go oko, a obraz się rozmazał. Fala przewalała się w nieskończoność. Potem statek pojawił się znów, lecz wydawało się, że to nie ten sam, tak bardzo zmieniła się jego sylwetka.

— Fale zerwały maszty! — jęknął Jim. Mimo że wiatr i ból wyciskały mu łzy z oczu, nie mógł się oderwać od lunety. — Główny i przedni.

Tylko bezan sterczał z kołyszącego się kadłuba. Plątanina żagli, słupów i rej prawie wcale nie spowalniała statku pędzonego przez wiatr. Szkwał wpychał go z powrotem w zatokę, z dala od wyspy Robben, wprost na plażę, na której stał Jim.

Szybko obliczył odległość, kąt i prędkość.

— Znajdzie się na plaży za niecałą godzinę — szepnął do siebie. — Boże, dopomóż wszystkim na pokładzie, kiedy uderzy o brzeg. — Opuścił lunetę i wierzchem dłoni starł łzy z policzka. — A najbardziej Louisie.

Próbował wyobrazić sobie, co się w tej chwili dzieje na pokładzie bojowym *Meeuw*, lecz wyobraźnia go zawiodła.

Louisa nie spała wcale tej nocy. Godzina za godziną żaglowiec unosił się i kołysał, jakby chciał się zerwać z łańcucha kotwicy; wiatr wył niemiłosiernie w ożaglowaniu, a ona siedziała pod lawetą i piłowała pilnikiem. Owinęła ogniwa łańcucha płócienną torbą, żeby stłumić zgrzyt metalu o metal. Od rączki pilnika zrobił jej się pęcherz na dłoni. Kiedy pękł, musiała użyć torebki, by osłonić nagie mięso. Pierwsze promienie światła wpadły przez szparę w klapie, a ogniwo łańcucha trzymało się na cienkim kawałeczku żelaza. Louisa podniosła głowę i usłyszała charakterystyczny dźwięk wciągania łańcucha kotwicy i tupanie bosych stóp marynarzy pracujących przy kabestanie na pokładzie nad jej głową. Potem usłyszała niewyraźne rozkazy oficerów na głównym pokładzie i tupot nóg marynarzy, którzy biegli, żeby mimo szalejącego sztormu wspiąć się na maszty.

„Wypływamy!", powtarzały kobiety na pokładzie bojowym, przeklinając swój los, kapitana i załogę albo Boga, zależnie od humoru. Odpoczynek się skończył. Udręka rejsu piekielnym statkiem zaczynała się od początku. Poczuły zmianę w ruchu kadłuba, kiedy ramiona kotwicy wyrwały się z błotnistego dna i statek ożył, by rozpocząć walkę z szalejącym żywiołem.

Louisę zalała goryczy i gniew; wydawało się, że ratunek jest tak blisko. Podczołgała się do klapy i wyjrzała przez szparę. Światło było za słabe, a fontanny piany i deszczu za gęste, żeby mogła zobaczyć więcej niż niewyraźny zarys lądu.

— Wciąż jest niedaleko — szepnęła do siebie. — Z bożą pomocą, mogłabym dopłynąć. — Lecz w głębi duszy wiedziała, że od brzegu dzielą ją całe mile targanego sztormem morza. Nawet gdyby zdołała zrzucić żelazne kajdany, wydostać się przez furtę i wyskoczyć, nie utrzymałaby się na powierzchni dłużej niż kilka minut. Wiedziała, że Jim Courtney nie może przypłynąć jej na ratunek.

Lepiej szybko utonąć, pomyślała, niż gnić w tym zawszonym piekle. W szaleńczym pośpiechu przepiłowała ostatni kawałek ogniwa łańcucha. Więźniarki krzyczały i zawodziły, rzucane niemiłosiernie po całym pokładzie. Idący pod wiatr żaglowiec przechylał się i kołysał wściekle. Louisa zmusiła się siłą woli, żeby nie odrywać się od pracy i nie podnosić głowy. Jeszcze tylko kilka ruchów pilnikiem i ogniwo puściło, a łańcuch opadł na pokład. Przez minutę masowała sobie spuchnięte, zaczerwienione kostki, a potem wczołgała się pod armatę i wyciągnęła nóż z kościaną rękojeścią.

— Niech nikt nie próbuje mnie powstrzymywać — szepnęła z ponurą zawziętością. Zbliżyła się do klapy, podważyła okucie zamka i schowała nóż do woreczka pod sukienką. Zaparła się plecami o klapę i pchnęła. Statek był akurat w przechyle, więc musiała pchać w górę. Z ogromnym wysiłkiem udało jej się odsunąć ciężką klapę zaledwie o kilka cali i natychmiast przez szparę trysnął mocny strumień słonej wody. Cofnęła się mimo woli i pozwoliła furcie zatrzasnąć się z powrotem.

— Pomóżcie mi otworzyć klapę! — zawołała rozpaczliwie do swoich sojuszniczek, ale one popatrzyły tylko na nią z tępym, krowim wyrazem twarzy. Podniosłyby się jedynie wówczas, gdyby zależało od tego ich własne życie. Między uderzeniami kolejnych fal Louisie udało się zerknąć jeszcze raz przez szparę i zobaczyć ciemny zarys wyspy na kursie żaglowca, całkiem blisko.

Będziemy musieli zrobić zwrot, bo wyrzuci nas na brzeg, pomyślała. W ciągu tych paru miesięcy zdobyła podstawową wiedzę o nawigacji i sterowaniu statkiem. A wtedy masa kadłuba będzie działała na moją korzyść, doszła do wniosku. Przygotowała się i po chwili wreszcie poczuła, że dziób statku kieruje się na wiatr. Mimo wycia wichru słyszała rozkazy wykrzykiwane na pokładzie i gorączkowe tupanie. Spodziewała się, że burta pójdzie w dół, lecz nic takiego nie nastąpiło. Żaglowiec sunął bezwładnie po powierzchni morza.

— Ten wieprz kapitan przegapił zwrot! — krzyknęła rozdzierająco jedna z więźniarek, której pożal się Boże mąż był bosmanem na statku VOC, pływającym do Indii. — Słodki Jezu, a my jesteśmy w kajdanach! — Louisa wiedziała, co to znaczy. Żaglowiec stracił sterowność i nie mógł wykonać zwrotu na drugą burtę. Był teraz zdany na łaskę sztormu. — Słuchajcie! — wrzasnęła kobieta. I rzeczywiście usłyszały mimo wycia wiatru. — To szkwał! Zaraz nas wywróci! — Więźniarki skuliły się bezradnie, skute łańcuchami, i słuchały narastającego wycia wichru. Ryk nadchodzącego szkwału ogłuszał je, a kiedy zdawało się, że nie może już być głośniejszy, runął na statek. Żaglowiec zakołysał się i zachwiał, a potem przewrócił się niczym słoń trafiony pociskiem prosto w serce. Rozległ się trzask łamiącego się takielunku, a później sztagu, który nie wytrzymał nacisku. Kadłub statku przechylił się na bok, tak że pokład znalazł się w pozycji pionowej, a wszystkie przedmioty, oprzyrządowanie i ludzie ześliznęli się i spadli na drewnianą ścianę. Leżące luzem armatnie kule runęły z impetem na skłębione więźniarki, krzyczące z bólu i strachu. Jedna potoczyła się w stronę miejsca, gdzie Louisa trzymała się kurczowo lawety. W ostatniej chwili dziewczyna się uchyliła, a kula wpadła na więźniarkę, która przykucnęła obok. Louisa usłyszała trzask łamanych nóg. Kobieta siedziała i gapiła się ze zdumieniem na swoje zmasakrowane kończyny.

Jedna z wielkich armat, dziewięć ton litego brązu, zerwała się z lawety i zaczęła sunąć w dół po pokładzie. Miażdżyła więźniarki, które znalazły się na jej drodze, jakby to były króliki pod kołami rydwanu. A potem zwaliła się całym ciężarem na ścianę kadłuba. Nawet grube dębowe deski nie mogły wytrzymać takiego uderzenia. Armata przeleciała przez nie i znikła. Lodowata woda wtargnęła przez ogromną dziurę i błyskawicznie zalała pokład. Louisa wstrzymała oddech i złapała się lawety. Nagle poczuła, że kadłub zaczyna się prostować. Woda wylała się przez ziejący otwór, porywając ze sobą kłąb krzyczących kobiet. Wpadały do morza, a kajdany w mgnieniu oka wciągały je pod wodę.

Ciągle trzymając się lawety, Louisa wyjrzała przez otwartą ranę statku jak przez okno. W spienionej kipieli widziała zwisający z pokładu złamany maszt, plątaninę lin i płótna. Widziała też podskakujące na wodzie głowy marynarzy, którzy zsunęli się z pokładu. A dalej zobaczyła brzeg Afryki i wysokie fale uderzające weń niczym grad armatnich pocisków. Okaleczony żaglowiec dryfował w stronę brzegu, pędzony wiatrem. Louisa patrzyła na to wszystko, rozpacz mieszała się jej w głowie z kiełkującą nadzieją. Z każdą sekundą brzeg był bliżej, a zerwane z uwięzi działo otworzyło jej drogę ucieczki. Nawet przez zasłonę deszczu i piany dostrzegała szczegóły linii brzegowej, drzewa gnące się i tańczące na wietrze i rozrzucone nieco dalej domy o bielonych ścianach. Żaglowiec zbliżał się do brzegu. Louisa mogła już dostrzec maleńkie postacie ludzi. Nadchodziły z miasta i biegały wzdłuż plaży, machając rękami, lecz jeśli coś krzyczały, ich głosy nie mogły się przebić przez straszliwą wichurę. Po chwili mogła już rozróżnić sylwetki kobiet, mężczyzn i dzieci w rosnącym tłumie gapiów.

Z ogromnym wysiłkiem zmusiła się do tego, żeby opuścić swoją bezpieczną kryjówkę za lawetą. Zaczęła się czołgać po rozkołysanym pokładzie, omijając strzaskane ciała i zalane wodą sprzęty. Armatnie kule wciąż się turlały, a były bardzo ciężkie i mogły pogruchotać jej kości, więc musiała unikać tych, które toczyły się w jej stronę. Dotarła do wyrwy w ścianie kadłuba, tak wielkiej, że mógłby przez nią przeskoczyć koń. Przytrzymała się krawędzi połamanych desek i zerknęła przez deszcz i fale na plażę. Ojciec nauczył ją pływać pieskiem w jeziorze Mooi Uitsig. Pewnego razu, płynąc obok niego, pokonała wszerz całe jeziorko. Tutaj było inaczej. Wiedziała, że wśród rozszalałych fal zdoła się utrzymać na powierzchni nie więcej niż kilka sekund.

Brzeg był już tak blisko, że widziała wyraz twarzy gapiów czekających na roztrzaskanie się statku. Niektórzy śmiali się wesoło, kilkoro dzieci tańczyło i klaskało nad głowami. Nikt nie okazywał współczucia ani litości wobec śmiertelnej walki wielkiego żaglowca i tragedii tych, którzy zostali na jego pokładzie. Patrzyli na to jak na rzymski cyrk, licząc, że uda im się uszczknąć sobie coś z tego, co woda wyrzuci z wraku na brzeg.

Louisa dostrzegła, że od strony zamku zjeżdża na koniach w kierunku brzegu oddział żołnierzy. Na czele jechał oficer – w mdłym świetle widziała jego lśniące insygnia na zielono-żółtym mundurze. Zrozumiała, że jeśli nawet uda jej się dopłynąć jakoś do brzegu, żołnierze już będą na nią czekali.

Wokół niej kobiety krzyczały i wyły rozdzierająco, czując, że statek ociera się poszyciem o dno. Żaglowiec sunął dalej, by po chwili znów uderzyć o dno, aż zatrząsł się kadłub. Tym razem utkwił na piasku, smagany kolejnymi bałwanami, które nacierały jak szarżująca kawaleria. Opierał się tej wściekłej nawałnicy, a każda fala wzbijała wysoką fontannę białej piany. Powoli kadłub przetoczył się na lewą burtę. Louisa wygramoliła się przez wyrwę i stanęła na silnie przechylonym kadłubie. Wiatr rozwiał jej splątane włosy i przycisnął mocno przetartą tunikę do wychudzonego ciała. Mokry materiał uwydatnił krągłość jej pełnych piersi.

Spojrzała w stronę brzegu i zobaczyła głowy marynarzy, którzy opuścili statek, podskakujące na wzburzonej wodzie. Jeden z nich dopłynął do płycizny, lecz w tej samej chwili następna fala zwaliła go z nóg. Trzy więźniarki poszły w ślad Louisy i wydostały się przez dziurę, lecz kajdany krępowały ich ruchy. Fala przetoczyła się przez burtę i Louisa złapała się jednej z lin, kołyszącej się tuż obok. Woda sięgnęła jej do pasa, lecz ona nie puściła. Kiedy fala przeszła, trzech więźniarek już nie było: kajdany w mgnieniu oka wciągnęły je w zieloną topiel.

Trzymając się liny, Louisa znów stanęła na nogach. Gapie wpatrywali się w nią jak w Afrodytę wynurzającą się z fal. Była młoda i piękna i groziło jej śmiertelne niebezpieczeństwo. Nawet chłosta czy egzekucja na placu defilad przed zamkiem nie mogły się równać z tym widowiskiem. Tłum na brzegu tańczył, machał rękami i krzyczał. Głosy dochodziły z oddali, lecz Louisa zdołała rozróżnić słowa.

— Skacz, *Meisje*.

— Płyń, pokaż, jak umiesz pływać!

— Lepiej ci niż w celi, *Poesje*?

Louisa widziała sadystyczne podniecenie na twarzach, słyszała okrucieństwo w głosach. Zdawała sobie sprawę, że nie może liczyć na żadną pomoc. Podniosła wzrok ku niebu i w tej samej chwili zauważyła jakiś ruch.

Na grzbiecie wydmy wznoszącej się nad plażą zjawił się jeździec dosiadający na oklep wspaniałego gniadosza. Zrzucił z siebie ubranie oprócz przepaski na biodrach. Tors miał biały jak porcelana, lecz jego silne młode ramiona były opalone przez słońce na kolor wyprawionej skóry. Gęste, ciemne kędziory chłopaka tańczyły na wietrze. Popatrzył z wydmy na statek, a potem nagle podniósł rękę nad głowę i zamachał. Louisa rozpoznała go.

— Jim! Jim Courtney! — krzyknęła, machając zawzięcie ręką.

Jim z narastającą rozpaczą obserwował przedśmiertne drgawki *Het Gelukkige Meeuw*. Garstka członków załogi wciąż trzymała się na przewróconym kadłubie, a potem kilka więźniarek wyczołgało się przez otwarte furty armatnie i strzaskane klapy na obmywany bałwanami kadłub. Motłoch, który zebrał się na plaży, drażnił się z nimi. Kiedy fala zmyła którąś z kobiet, a kajdany wciągnęły ją pod powierzchnię, odzywał się chór zjadliwych śmiechów i drwin. W końcu kil żaglowca zarył się w piasku i siła uderzenia rzuciła większość kobiet do wody.

Potężne bałwany ciskały statkiem i pchały go na plażę, a marynarze zeskakiwali z silnie przechylonego pokładu do morza. Woda pochłonęła większość z nich. Jedno czy dwa ciała zostały wyrzucone na plażę, i gapie wyciągnęli je poza zasięg fal. Ponieważ rozbitkowie nie dawali znaku życia, rzucili zwłoki jak popadnie i dołączyli do rozbawionej gawiedzi. Pierwszy z ocalonych dobrnął do plaży i opadł na kolana, żeby pomodlić się w podzięce za to, że żyje. Trzy więźniarki woda wyrzuciła na brzeg, uczepione rei ze strzaskanego takielunku. Reja utrzymała je na powierzchni, mimo że miały kajdany na nogach. Żołnierze weszli do spienionej wody, aby je aresztować i wywlec na plażę. Jim dostrzegł, że jedna z kobiet to otyła jędza z wyblakłymi włosami i piersiami wielkimi jak dwa zelandzkie sery. Wyrywając się żołnierzom, miotała obelgi na pułkownika Keysera, który podjechał na koniu. Keyser pochylił się i zdzielił ją pochwą szpady. Więźniarka upadła na kolana, ale nie przestała obrzucać go przekleństwami. Na jej tłustym policzku ukazała się purpurowa pręga. Następny cios stalową pochwą rzucił kobietę twarzą na piasek, a żołnierze odwlekli ją na bok.

Jim rozpaczliwie wypatrywał Louisy, lecz nigdzie nie było jej widać. Kadłub poderwał się z piasku i zaczął dryfować w stronę plaży. Potem znów uderzył o dno i przechylił się na burtę. Więźniarki, które przeżyły, zsuwały się z przechylonego pokładu i z pluskiem wpadały do zielonkawej wody. Żaglowiec leżał na boku. Nikt nie trzymał się burty wraku. Jim dopiero teraz zauważył ziejącą dziurę, przez którą wypadła armata. Jej wyrwa była skierowana ku górze. Nagle wyczołgała się przez nią drobna kobieca postać i stanęła na zaokrąglonej burcie. Jej długie złote włosy, ociekające wodą, trzepotały na wietrze, postrzępiona tunika ledwie osłaniała wątłe kończyny. Wyglądałaby jak chłopiec, gdyby nie pełne piersi pod łachmanami. Patrzyła błagalnie na tłum na brzegu, który się śmiał i szydził z niej.

— Skacz, szubienicznico!
— Płyń, rybko, płyń!

Jim skierował lunetę na jej twarz. Rozpoznałby ją, gdyby nawet nie zobaczył szafirowego błysku niebieskich oczu w wychudzonej, bladej twarzy. Zerwał się na nogi i zbiegł po wydmie do miejsca, gdzie czekał cierpliwie Werbel. Koń podniósł łeb i zarżał na widok zbliżającego się pana. Jim w biegu ściągał z siebie ubranie i rzucał na ziemię. Podskakując najpierw na jednej, a potem na drugiej nodze, zdjął buty i został tylko w bawełnianej przepasce na biodrach. Odpiął popręg i pozwolił siodłu opaść na piasek. Wskoczył na grzbiet konia, popędził go i zatrzymał się na wierzchołku wydmy.

Bał się, że fale zmyły dziewczynę z rozkołysanego wraku. Widok Louisy przycupniętej na burcie statku dodał mu ducha. Lecz kadłub łamał się pod potężnymi uderzeniami fal. Jim podniósł wysoko prawą rękę i zamachał. Głowa dziewczyny skierowała się w jego stronę; wiedział już, że Louisa go rozpoznała. Zamachała z całej siły ręką, i choć wiatr stłumił słowa, Jim odczytał z jej ust, że krzyknęła: „Jim! Jim Courtney!".

— Ha, ha! — zawołał do Werbla i koń skoczył w dół stoku, opierając się na tylnych nogach i zsuwając po sypkim białym piasku. Tłum gapiów rozpierzchł się przed śmigającymi w powietrzu kopytami galopującego wierzchowca. Keyser spiął ostrogami swojego konia, jakby chciał przeciąć Jimowi drogę. Jego pulchna, gładko ogolona twarz miała surowy wyraz, a strusie pióra w kapeluszu falowały jak spieniona morska woda. Jim szturchnął stopami boki Werbla, ogier skręcił raptownie przed koniem pułkownika i pomknął w stronę morza.

Toczyła się im na spotkanie złamana fala, lecz jej siła zdążyła się już rozproszyć. Werbel podciągnął kopyta pod pierś i przesadził wał spienionej wody niczym płot. Kiedy spadł z pluskiem po drugiej stronie, było już za głęboko, żeby mógł sięgnąć kopytami dna. Zaczął płynąć; Jim zsunął się z jego grzbietu i chwycił dłonią za grzywę konia. Wolną rękę położył na jego szyi i kierował ogiera w stronę kołyszącego się wraku.

Werbel pływał jak wydra, jego mocarne nogi pracowały pod powierzchnią w równym rytmie. Przepłynął dwadzieścia jardów, zanim przetoczyła się po nich następna fala.

Dziewczyna patrzyła z żaglowca z przerażeniem, nawet gapie na plaży ucichli, szukając wzrokiem w spienionej wodzie śladu konia i jeźdźca. Krzyknęli, gdy z piany wyskoczyły dwie głowy. Odrzuciło ich z powrotem do połowy drogi, którą przepłynęli, lecz wierzchowiec pracował mocno; dziewczyna słyszała, jak z każdym parsknięciem wyrzuca z nozdrzy morską wodę. Długie włosy Jima przylepiły się do twarzy i ramion. Wśród ryku fal słyszała jego słabe pokrzykiwania: „Naprzód, Werbel! Ha, ha!".

Płynęli w lodowatej, zielonej wodzie, szybko nadrabiając utracony dystans. Nadeszła następna fala, lecz przepłynęli nad jej grzbietem. Byli już w połowie drogi do statku. Dziewczyna stanęła, balansując na rozbujanym kadłubie; przygotowywała się do skoku. — Nie! — krzyknął z całej siły Jim. — Jeszcze nie! Poczekaj! — Na horyzoncie widział wzbierającą kolejną falę. Wszystkie poprzednie wyglądały przy niej jak karły. Jej czoło wydawało się wyrzeźbione w malachicie i ozdobione białą pianą. Zbliżała się majestatycznie, zasłaniając połowę nieba. — Trzymaj się mocno, Louiso! — wrzasnął Jim, gdy potężna fala runęła na kadłub, pochłaniając go całkowicie. Potem wezbrała znowu jak drapieżny ptak spadający na ofiarę. Jeździec i koń długo wznosili się do jej zakrzywionego szczytu. Byli niczym para owadów uwięzionych na ścianie z zielonego szkła. W następnej chwili czoło fali załamało się nad nimi z takim impetem, że gapie na plaży poczuli drżenie ziemi pod stopami. Koń i jeździec zniknęli w głębinie. Wszystkim zdawało się, że już nigdy się nie wynurzą.

Ci, którzy jeszcze przed momentem skakali z radości na widok ofiar pochłanianych przez sztorm, teraz stali jak porażeni, licząc, że zdarzy się niemożliwe, że łeb dzielnego wierzchowca i głowa jeźdźca pojawią się w wirującej topieli. Woda wokół statku opadła i ujrzeli dziewczynę leżącą na burcie, uczepioną luźnych lin, które uratowały ją przed zmyciem z kadłuba. Podniosła głowę oblepioną długimi jasnymi włosami i rozpaczliwie rozejrzała się za koniem i mężczyzną. Sekundy zamieniły się w minuty. Przypłynęła następna fala, a potem jeszcze jedna, lecz nie były już tak wysokie i potężne jak ta, która pochłonęła konia i jeźdźca.

L ouisa wpadała w rozpacz. Nie bała się o siebie. Wiedziała, że za chwilę umrze, lecz jej własne życie już się nie liczyło. Żal jej było młodego nieznajomego, który oddał życie, próbując ją ocalić. „Jim, nie umieraj! — błagała. — Proszę cię, nie umieraj".

Jak gdyby w odpowiedzi na jej wołanie, z wody wyskoczyły dwie głowy. Podwodny prąd wielkiej fali, która pochłonęła konia i jeźdźca, pociągnął ich z powrotem niemal w to samo miejsce, gdzie zniknęli.

— Jim! — wrzasnęła Louisa, zrywając się na nogi. Był tak blisko, że widziała jego ściągniętą z bólu twarz; rozpaczliwie próbował wziąć oddech, ale mimo to podniósł głowę i chciał coś do niej powiedzieć. Może było to pożegnanie, ale Louisa zrozumiała już, że ten mężczyzna nigdy się nie poddaje, nawet w obliczu śmierci. Próbował wykrzyczeć jakiś rozkaz, lecz z jego gardła wydobyły się tylko świst i gulgotanie. Koń płynął, ale kiedy spróbował odwrócić głowę w stronę brzegu, ręka jeźdźca skierowała go do Louisy. Jim wciąż się krztusił i nie mógł wydobyć głosu, lecz wolną ręką wykonał gest; był tak blisko, że Louisa mogła dostrzec determinację w jego oczach. — Skakać? — krzyknęła z całej siły. — Mam skakać?

Jim skinął mocno głową. Ledwie usłyszała jego chrapliwy głos, kiedy zawołał:

— Chodź.

Spojrzała za siebie. Zorientowała się, że mimo tak trudnego położenia wybrał moment, kiedy z tyłu nie nadpływała fala. Louisa odrzuciła linę, która ocaliła jej życie, odepchnęła się i skoczyła; jej sukienka rozpostarła się wokół talii, a ręce zakręciły się w powietrzu jak skrzydła wiatraka. Wpadła do wody i niemal w tej samej chwili się wynurzyła. Zaczęła płynąć na spotkanie Jimowi, tak jak nauczył ją ojciec.

Jim wyciągnął ręce i chwycił ją za nadgarstek. Jego uścisk był tak silny, że omal nie zmiażdżył kości. Po przeżyciach w Huis Brabant myślała, że już nigdy nie pozwoli się dotknąć mężczyźnie. Lecz teraz nie było czasu, żeby o tym myśleć. Następna fala przewaliła się nad ich głowami, ale Jim nie zwolnił uścisku. Wypłynęli na powierzchnię; Louisa wypluwała wodę i krztusiła się, łapiąc oddech, lecz czuła, że przez palce Jima napływa do niej siła. Skierował jej dłonie do grzywy konia.

— Nie krępuj jego ruchów — powiedział z wysiłkiem.

Zrozumiała, co miał na myśli, bo znała się na koniach; nie próbowała kłaść się na grzbiecie ogiera, tylko płynęła obok niego. Kierowali się teraz ku brzegowi. Każda nadchodząca fala pchała ich do celu. Louisa usłyszała głosy, z początku słabe, lecz z każdą sekundą głośniejsze. Gapie na plaży — zmienni jak każdy tłum — ekscytowali się ocaleniem dziewczyny i zachęcali Jima i Louisę do dalszych zmagań. Wszyscy znali konia — większość widziała, jak wygrywał wyścig w Boże Narodzenie. Jim Courtney był dobrze znaną postacią w mieście, niektórzy zazdrościli mu, że jest synem zamożnego człowieka, inni uważali, że jest zbyt hardy, lecz wszyscy musieli darzyć go respektem. Teraz toczył wspaniałą walkę z morzem, a większość mężczyzn na brzegu była marynarzami. Serce kazało im stanąć po jego stronie.

— Odwagi, Jim!
— Nie poddawaj się.
— Brawo! Płyń, chłopcze, płyń.

W erbel poczuł grunt pod kopytami i wyrwał mocno do przodu.
Jim wypluł już większość wody z płuc i odzyskał oddech.
Zarzucił jedną nogę na grzbiet konia, a potem sięgnął po Louisę
i posadził ją za sobą. Dziewczyna objęła go z całej siły rękami.
Ogier wybiegł na mieliznę, wzbijając kopytami fontanny wody,
i po chwili znaleźli się na plaży.

Jim widział, że pułkownik galopuje na swoim koniu, żeby
przeciąć im drogę, więc skierował głowę Werbla w drugą stronę
i popędził go. Keyser został dwadzieścia kroków z tyłu.

— *Wag, jou donder!* Stój! To zbiegła więźniarka. Oddaj tę
krowę w ręce prawa!

— Sam dostarczę ją na zamek — zawołał Jim, nie odwracając
się.

— Nie zrobisz tego! Ona jest moja. Oddaj tę sukę! — ryknął
z wściekłością Keyser.

Jim popędzał Werbla, a w głowie miał tylko jedną myśl. Dla tej
dziewczyny zbyt dużo rzucił na szalę, żeby oddać ją komukolwiek
z garnizonu, a zwłaszcza Keyserowi. Widział zbyt wiele chłost
i egzekucji na placu defiladowym przed zamkiem, nadzorowanych
przez pułkownika. Właśnie w tym miejscu był torturowany i stracony dziadek Jima, po tym jak niesłusznie oskarżono go o piractwo
na morzu. Jej nie dostaną, poprzysiągł sobie zawzięcie. Szczupłe
ręce dziewczyny obejmowały go w pasie i czuł całe jej ciało
przyciśnięte do swoich obnażonych pleców. Mimo że Louisa była
wychudzona, mokra i drżąca z zimna od wody i wiatru, czuł jej
determinację, nie mniejszą niż jego własna. Ta dziewczyna to
wojowniczka. Nie wolno mi jej zawieść, pomyślał.

— Trzymaj się mocno, Louiso. Przeciągniemy grubego pułkownika po piasku.

Nie odpowiedziała. Jim słyszał tylko szczękanie zębami. Poczuł
jednak, że mocniej zaciska ramiona i zniża głowę. Z balansu jej
ciała i sposobu, w jaki przystosowała się do ruchu Werbla, zorientował się, że Louisa umie jeździć konno.

Zerknął przez ramię i zobaczył, że zwiększyli przewagę nad
Keyserem. Jim ścigał się ze Śmigłą i znał jej mocne i słabe punkty.

90

Była szybka i dzielna, tak jak sugerowała jej nazwa, lecz Keyser był dla lekko zbudowanej klaczy zbyt wielkim obciążeniem. Na twardym, gładkim terenie czuła się w swoim żywiole i miała nie gorsze nogi od Werbla, ale na miękkim piasku plaży czy na skałach ogromna siła ogiera dawała mu przewagę. Co prawda Werbel niósł na grzbiecie dwie osoby, lecz Louisa była lekka jak wróbelek, a Jim nie był tak ciężki jak pułkownik. Wiedział jednak, że nie wolno mu nie doceniać Śmigłej. Miała serce lwicy, a on pamiętał, że omal nie dogoniła Werbla na ostatnim, półmilowym odcinku bożonarodzeniowego wyścigu. *Muszę wybrać trasę, która zapewni nam przewagę*, postanowił. Zjeździł każdy cal terenu między plażą i wzgórzami, znał każdy pagórek i grzęzawisko, solny basen i zagajnik, który mógłby być utrudnieniem dla Śmigłej.

— Stój, *Jongen*, bo będę strzelał.

Jim obejrzał się i zobaczył, że Keyser wyciągnął pistolet z olstra przy siodle i wychylił się, żeby nie postrzelić swojego konia. Zauważył też, że jest to broń jednostrzałowa, a w drugim olstrze nie ma pistoletu. Nie zwalniając ani na sekundę, skierował Werbla ostro w lewo, tak że szyja Śmigłej zasłoniła Keyserowi widok. Pułkownik nie mógł już strzelać do celu uciekającego na wprost; musiał mierzyć pod ostrym kątem. Nawet żołnierzowi tak doświadczonemu jak Keyser, ale strzelającemu z galopującego konia, trudno jest dobrze wziąć na to poprawkę.

Chłopak sięgnął za siebie, złapał Louisę w talii i przeniósł na drugą stronę, zasłaniając własnym ciałem. Usłyszał głośny wystrzał i poczuł uderzenie kuli. Trafiła go wysoko między łopatkami, lecz po chwili odrętwienia Jim odzyskał siłę i czucie w ramionach. Wiedział, że nie jest ciężko ranny.

Zostałem ukłuty przez pułkownika, pomyślał.

— To jego jedyny strzał — powiedział głośno, żeby dodać otuchy Louisie, i przerzucił ją z powrotem za siebie.

— Na litość boską! Jesteś ranny! — zawołała z przerażeniem. Po plecach Jima płynęła krew.

— Później będziemy się tym martwić! — odkrzyknął. — Teraz pokażemy ci z Werblem parę sztuczek. — Był ranny, przed chwilą omal nie utonął, a mimo to nie opuszczała go zadziorność. Louisa znalazła sobie nieustraszonego obrońcę. Natychmiast dodało jej to sił.

Wykonując zwrot, zmniejszyli nieco swoją przewagę; słyszeli uderzenia kopyt Śmigłej na piasku i zgrzyt stali o metal, kiedy

Keyser wyciągał szablę. Louisa obejrzała się i zobaczyła, jak staje w ostrogach i zamierza się na nią uniesioną wysoko bronią, lecz zmiana położenia jego ciała spowodowała, że klacz straciła rytm i potknęła się. Keyser zachwiał się i chwycił za łęk siodła, żeby nie spaść. Werbel nadrobił stracony dystans. Jim skierował go na zbocze wysokiej wydmy, i tu dała o sobie znać wielka siła ogiera. Wierzchowiec rwał skokami do przodu, aż piasek tryskał mu spod kopyt. Śmigła została mocno z tyłu, obciążona potężną masą ciała pułkownika.

Wjechali na grzbiet wydmy i ślizgając się, ruszyli w dół. Dalej rozciągał się otwarty teren z twardym gruntem aż do brzegu laguny. Louisa ponownie się obejrzała.

— Znów nas doganiają — ostrzegła Jima. Śmigła galopowała z gracją, mimo że niosła na grzbiecie grubego pułkownika, jego broń i oporządzenie. — Przeładowuje pistolet — dodała z przerażeniem.

Keyser pakował kulę do lufy.

— Spróbujemy zamoczyć mu nieco proch — odparł Jim. Werbel dobiegł do brzegu laguny i wskoczył do wody, niepowstrzymywany przez Jima. — Płyń — polecił i Louisa zsunęła się do wody z drugiej strony Werbla. Śmigła dotarła do brzegu i tu Keyser ją zatrzymał. Zeskoczył z siodła, odciągnął kurek, wymierzył i strzelił. Nad pistoletem ukazał się pióropusz białego dymu. Tuż za Werblem, na długość ramienia, trysnęła fontanna wody; ciężka kula odbiła się rykoszetem od jej powierzchni i przeleciała nad głowami uciekinierów. — Teraz możesz rzucać w nas butami — roześmiał się Jim. Keyser tupał nogami z wściekłości. Jim miał nadzieję, że da za wygraną. Przecież mimo swej złości musiał brać pod uwagę to, że Śmigła niesie na grzbiecie jego ciężar, a Werbel biegnie bez siodła, z dwojgiem prawie nagich jeźdźców.

Keyser tymczasem podjął decyzję i wskoczył na grzbiet klaczy. Wepchnął ją do wody dokładnie w chwili, gdy Werbel wyskakiwał na grząski brzeg po przeciwnej stronie. Jim natychmiast skierował go równolegle do brzegu, i trzymając się miękkiego gruntu, poprowadził konia stępem.

— Musimy dać Werblowi trochę odpoczynku — wyjaśnił biegnącej za nim Louisie. — Każdy inny koń utopiłby się w czasie takiej wycieczki wpław. — Obejrzał się; Śmigła była dopiero w połowie laguny. — Keyser stracił czas na to próbne strzelanie. Ale więcej nie użyje broni, to jedno jest pewne. Jego proch jest teraz do cna przemoczony.

— Woda zmyła ci krew z rany — powiedziała Louisa, dotykając lekko pleców Jima. — Widzę, że to tylko draśnięcie, Bogu niech będą dzięki.

— To o ciebie musimy się martwić — odparł Jim. — Sama skóra i kości, nie ma na tobie ani funta mięśni. Jak długo możesz biec na tych chudych nogach?

— Tak długo jak ty — odparowała, spoglądając na niego gniewnie; na jej bladych policzkach pojawiły się czerwone plamy.

Jim uśmiechnął się do niej szeroko.

— Być może będziesz musiała tego dowieść, nim dzień upłynie. Keyser przepłynął lagunę.

Śmigła wyszła na brzeg, a Keyser, z którego płaszcza, bryczesów i butów ściekały strumienie wody, wskoczył na nią i ruszył wzdłuż brzegu za uciekinierami. Popędził klacz do galopu, lecz spod jej kopyt wylatywały duże grudy błota i widać było, że Śmigłej jest ciężko. Jim trzymał się grząskiego terenu właśnie po to, żeby poddać próbie siłę konia pułkownika.

— Wskakuj — rzucił, chwytając Louisę i wsadzając ją na grzbiet konia. Pobiegł, trzymając mocno Werbla za grzywę. Ogier ciągnął Jima, który łatwo dotrzymywał mu kroku, a zarazem oszczędzał siły biegnącego lekkim kłusem wierzchowca. Zerkał co chwila, by ocenić przewagę nad pościgiem. Teraz mógł pozwolić Keyserowi na niewielkie nadrobienie straty. Niosąc samą Louisę, Werbel kłusował bez wysiłku, podczas gdy Śmigła spalała się w tym lekkomyślnym pościgu.

Po przebiegnięciu pół mili klacz zwolniła do stępa, gdyż ciężar Keysera dał o sobie znać. Wciąż była w tyle na odległość strzału z pistoletu. Jim powściągnął nieco konia, żeby utrzymywać ten dystans.

— Niech panienka zsiądzie, jeśli łaska — zwrócił się do Louisy. — Dajmy Werblowi jeszcze trochę odpocząć.

Louisa zeskoczyła lekko, lecz błysnęła groźnie okiem.

— Nie nazywaj mnie tak. — Więźniarki na statku właśnie tak się do niej zwracały, a Jim niechcący przypomniał jej o tym.

— Może powinienem nazywać cię Jeżem? — zapytał. — Bóg mi świadkiem, że masz kolców aż nadto. — Pomyślał, że Keyser musiał się solidnie zmęczyć, bo został w siodle, nie dając odpocząć klaczy. — Są prawie wykończeni — oświadczył. Wiedział, że jest już niedaleko od leżącej na terenie posiadłości Courtneyów solnej niecki, którą nazywali Groot Wit, Wielka Biel. Tam właśnie wiódł Keysera.

— Znów się zbliża — ostrzegła Louisa.

Keyser popędzał Śmigłą do cwału. Była to dzielna klacz, dobrze reagująca na pejcz.

— Wsiadaj! — polecił Jim.

— Mogę biec tak długo jak ty — odparła, potrząsając wyzywająco długimi włosami, zlepionymi w kosmyki przez zaschniętą morską sól.

— Chryste panie, kobieto, czy ty zawsze musisz się kłócić?

— A czy ty zawsze musisz bluźnić? — odparowała Louisa, lecz pozwoliła mu się dźwignąć i wsadzić na grzbiet konia.

Jim ruszył biegiem. Milę dalej Śmigła znów zaczęła iść stępa, więc mógł zwolnić.

— Tam zaczyna się sól — rzekł, wskazując przed siebie. Nawet o zmierzchu, przy takiej pogodzie, z ciężkimi chmurami zasnuwającymi niebo, niecka świeciła niczym wielkie lustro.

— Wygląda, jakby grunt był płaski i twardy — zauważyła Louisa, osłaniając oczy przed blaskiem.

— Tak wygląda, ale pod powierzchnią ziemia jest miękka jak owsianka. Ten wielki gruby Holender z całym swoim oporządzeniem na grzbiecie klaczy będzie się zapadał co kilka kroków. Niecka ma prawie trzy mile szerokości. Będą kompletnie wyczerpani, zanim dojadą do drugiego końca, a wtedy... — Jim zerknął na Keysera — będzie już ciemno.

Choć pokrywa chmur zasnuwała słońce, musiało ono być nisko nad horyzontem; zmierzch szybko nadciągał. Jim prowadził Werbla i potykającą się dziewczynę przez zdradliwą białą płaszczyznę. Zatrzymali się na skraju lasu i spojrzeli za siebie.

Odciski kopyt Werbla, wytłoczone w gładkiej, lśniącej powierzchni, wyglądały jak długi sznur czarnych pereł. Nawet dla niego była to ciężka przeprawa. Daleko w tyle widzieli mały, ciemny zarys klaczy. Dwie godziny wcześniej, z Keyserem na grzbiecie, kopyta Śmigłej przebiły solną skorupę i zaczęły się zapadać w ruchomy piasek pod spodem. Jim stanął i obserwował, jak Keyser walczy, żeby ją wyciągnąć. Z trudem się powstrzymał, żeby nie pobiec im z pomocą. Klacz była tak pięknym i dzielnym zwierzęciem, że nie mógł znieść myśli, iż mogłaby zginąć w taki sposób. Potem przypomniał sobie, że jest nieuzbrojony, a Keyser ma szablę i jest szermierzem, z którym trzeba się liczyć. Często widział, jak pułkownik prowadzi oddział kawalerii podczas defilad na placu. Okazało się jednak, że Keyser zdołał wyciągnąć Śmigłą z błota i ruszył w dalszy pościg.

Jim zmarszczył brwi.

— Jeśli istnieje dobry moment, żeby stanąć z Keyserem oko w oko, to nadejdzie on wtedy, kiedy pułkownik przebrnie przez nieckę. Będzie wyczerpany, a w ciemności będę mógł wykorzystać zaskoczenie. Ale on ma szablę, ja zaś nie mam niczego — mruknął.

Louisa patrzyła na niego przez chwilę, a potem odwróciła się skromnie i sięgnęła pod sukienkę. Wyciągnęła nóż z sakiewki, którą nosiła na pasku, i podała mu bez słowa. Jim spojrzał na nią zdumiony i parsknął śmiechem, rozpoznając broń.

— Cofam wszystko, co o tobie powiedziałem. Wyglądasz jak córa wikingów i, na Boga, zachowujesz się tak, jakbyś nią była.

— Okiełznaj swój bluźnierczy język, Jimie Courtneyu — odparła Louisa, ale bez przygany w głosie. Była za bardzo zmęczona, żeby się kłócić, a komplement jej się spodobał. Gdy odwracała głowę, na jej ustach błąkał się słaby uśmiech. Ruszyła za Jimem, który wprowadził Werbla między drzewa. Po przejściu stu kroków, w miejscu, gdzie zagajnik był najgęściejszy, przywiązał konia.

— Teraz możesz chwilę odpocząć — powiedział do Louisy.

Tym razem nie zaprotestowała, tylko położyła się na grubej warstwie liści, skuliła się i zamknęła oczy. Była tak osłabiona, że zdawało jej się, że nigdy nie będzie miała siły się podnieść. Ledwie zdążyła to pomyśleć, zaraz zasnęła.

Jim roztrwonił kilka chwil, podziwiając jej twarz, która nagle stała się beztroska. Do tej pory nie zdawał sobie sprawy, jak młodziutka jest Louisa. Wyglądała jak śpiące dziecko. Obserwując ją, przyłożył nóż do kciuka i sprawdził jego ostrość. Wreszcie oderwał się od widoku Louisy i pobiegł z powrotem na skraj zagajnika. Z ukrycia spojrzał na ciemniejącą solną nieckę. Keyser parł zawzięcie do przodu, prowadząc za sobą klacz.

Czy on nigdy nie rezygnuje? — zastanawiał się Jim; poczuł dla pułkownika odrobinę podziwu. Rozejrzał się za najlepszą kryjówką w pobliżu miejsca, do którego wiodły ślady kopyt Werbla. Wybrał gęste krzaki, wczołgał się tam i przykucnął z nożem w garści.

Keyser dowlókł się do krańca niecki i wszedł na twardy grunt. Zrobiło się już ciemno — mimo że Jim słyszał jego sapanie, widział tylko zarys sylwetki. Holender szedł powoli, prowadząc klacz za uzdę. Jim pozwolił mu przejść koło swojej kryjówki. Potem wysunął się z krzaków i podkradł się z tyłu do pułkownika. Stukanie końskich kopyt zagłuszało szelest jego kroków. Zacisnął lewą rękę na gardle Keysera, jednocześnie przystawiając czubek noża do miękkiego miejsca pod jego uchem.

— Zabiję cię, jeśli mnie do tego zmusisz — warknął groźnie. Keyser zamarł, lecz po chwili odzyskał głos.

— Jeśli liczysz, że ujdzie ci to płazem, Courtney, to się mylisz. Nie masz dokąd uciec. Oddaj mi tę kobietę, a ja załatwię wszystko między twoim ojcem i gubernatorem van de Wittenem.

Jim wyciągnął mu z pochwy przy pasie szablę. Potem zdjął rękę z szyi Keysera i cofnął się, lecz przystawił do jego piersi czubek broni.

— Rozbieraj się — polecił.

— Jesteś młody i głupi, Courtney — odparł zimno Keyser. — Spróbuję wziąć to pod uwagę.

— Najpierw kurtka — ciągnął Jim. — Potem spodnie i buty.

Keyser nie ruszył się, więc Jim dźgnął go lekko szablą. Pułkownik niechętnie zaczął rozpinać płaszcz.

— Na co liczysz? — spytał, zrzucając okrycie. — Czy to ma być jakieś szczenięce wyobrażenie rycerskości? Ta kobieta to skazana przed sądem zbrodniarka. Pewnie jest dziwką i morderczynią.

— Powiedz to jeszcze raz, pułkowniku, a rozpłatam cię jak prosię. — Tym razem Jim drasnął go ostrzem do krwi. Keyser usiadł, żeby zdjąć buty i bryczesy. Jim wcisnął je w sakwy przy siodle Śmigłej. Potem, trzymając Keysera na ostrzu szabli, bosego i w koszuli, odprowadził go na skraj solnej niecki.

— Idź po swoich śladach, pułkowniku — powiedział. — Powinieneś zdążyć na śniadanie na zamku.

— Posłuchaj mnie, *Jongen* — wycedził Keyser. — Będę cię ścigał. Powieszę cię na placu; przysięgam, że egzekucja będzie wolna, bardzo wolna.

— Jeśli będziesz tu stał, pułkowniku, spóźnisz się na śniadanie — odparł z uśmiechem Jim. — Lepiej ruszaj w drogę.

Keyser powlókł się przez solną nieckę. Nagle wiatr rozpędził ciężkie chmury i księżyc w pełni rozświetlił bladą powierzchnię, jakby był dzień. Zrobiło się na tyle jasno, że postać Keysera rzucała cień. Jim odprowadzał wzrokiem pułkownika, aż stał się on ciemną plamą w oddali. Wiedział, że nie wróci, przynajmniej dzisiaj. Ale usłyszymy jeszcze o rycerskim pułkowniku. To nie ulega wątpliwości, pomyślał. Podbiegł do Śmigłej i poprowadził ją głębiej w las. Potem potrząsnął Louisę za ramię.

— Obudź się, Jeżu. Przed nami długa droga. Jutro o tej porze Keyser z całym szwadronem kawalerii będą nas ścigać do upadłego.

Louisa usiadła, zdezorientowana, a Jim podszedł do klaczy. Do siodła Keysera przytroczony był wełniany, kawaleryjski płaszcz.

— W górach będzie zimno — ostrzegł dziewczynę, która wciąż była rozespana i nie protestowała, kiedy wkładał jej okrycie na ramiona. Następnie poszukał chlebaka. Był tam bochenek chleba, kawałek sera, kilka jabłek i butelka wina. — Pułkownik uwielbia jedzenie. — Rzucił jabłko Louisie, która pochłonęła je w całości, z nasionami.

— Słodsze niż miód — powiedziała z pełnymi ustami. — Nigdy czegoś takiego nie jadłam.

— Żarłoczny, mały Jeż — rzucił Jim. Tym razem Louisa posłała mu szelmowski uśmiech. Trudno było długo się na niego gniewać. Ukucnął przed dziewczyną, ukroił pajdę chleba i położył na wierzchu gruby plaster sera. Zjadła łapczywie. Jim patrzył na jej twarz w świetle księżyca. Wyglądała jak skrzat.

— A ty nie jesz? — spytała. Jim potrząsnął głową. Uznał, że prowiantu nie starczy dla nich obojga, a dziewczyna jest wygłodzona.

— Jak nauczyłaś się tak dobrze mówić po angielsku?

— Moja matka pochodziła z Devon.

— A niech mnie! My też pochodzimy z Devon. Mój pradziad był księciem czy kimś w tym rodzaju.

— Mam cię tytułować mości książę?

— Może być, póki nie wymyślę czegoś lepszego, Jeżu.

Louisa ugryzła kolejny kęs chleba z serem, więc nie mogła odpowiedzieć. Jim tymczasem zrobił przegląd pozostałych rzeczy Keysera. Przymierzył kurtkę mundurową ze złotą lamówką, złączając poły.

— Zmieścilibyśmy się w nim oboje, ale przynajmniej jest ciepły. — Bryczesy pułkownika były mniej więcej dwa razy za obszerne, lecz ściągnął je paskami od sakw przy siodle. Potem przymierzył buty. — Chociaż one pasują.

— W Londynie widziałam sztukę „Ołowiany żołnierzyk" — powiedziała Louisa. — Właśnie tak w tej chwili wyglądasz.

— Byłaś w Londynie? — zdziwił się Jim. Wbrew jego woli zrobiło to na nim wrażenie. Londyn był centrum świata. — Musisz mi o tym opowiedzieć, jak tylko znajdzie się sposobność.

Zaprowadził konie do studni na skraju niecki, z której brano wodę do pojenia bydła. Wykopali ją z Mansurem dwa lata temu. Woda ze studni była słodka; konie piły chciwie. Kiedy wrócił, zastał Louisę śpiącą pod płaszczem. Przykucnął obok niej, popatrzył na jej twarz oświetloną blaskiem księżyca i poczuł dziwną pustkę pod żebrami. Postanowił dać jej jeszcze trochę pospać, a sam poszedł nakarmić konie obrokiem z worka, który znalazł przy klaczy Keysera.

Wybrał ze sprzętu pułkownika to, czego najbardziej potrzebował. Pistolet stanowił wspaniałą broń, a w skórzanym olstrze tkwiła płócienna rolka z wyciorem i innymi akcesoriami. Szabla była zrobiona z najprzedniejszej stali. W mundurze Jim znalazł złoty zegarek oraz sakiewkę ze srebrnymi guldenami i kilkoma złotymi dukatami. W tylnej kieszeni znajdowało się małe mosiężne pudełko zawierające krzemień i stal oraz bawełniana podpałka.

— Jeśli kradnę konia, równie dobrze mogę ukraść pieniądze — powiedział do siebie. Postanowił jednak, że osobiste rzeczy Keysera to co innego, więc umieścił zegarek i medale pułkownika w jednej z sakw, którą położył w widocznym miejscu na środku polany. Wiedział, że Keyser wróci tam jutro z buszmeńskimi zwiadowcami i znajdzie swoje skarby. Ciekawe, czy będzie mi bardzo wdzięczny za moją wielkoduszność? Uśmiechnął się leciutko. Pchało go naprzód poczucie nieuchronności, graniczące z lekkomyślnością. Wiedział, że rozpoczął coś, od czego nie ma odwrotu. Osiodłał Śmigłą, a potem przykucnął obok Louisy, która leżała skulona pod płaszczem. Obudził dziewczynę, delikatnie głaszcząc ją po włosach.

Louisa otworzyła oczy i spojrzała na niego.

— Nie dotykaj mnie w ten sposób — szepnęła. — Nigdy więcej mnie tak nie dotykaj.

Powiedziała to z taką odrazą, że Jim aż się wzdrygnął. Wiele lat temu złapał maleńkiego, dzikiego kota. Mimo że okazywał mu mnóstwo czułej cierpliwości, nigdy nie zdołał oswoić zwierzaka. Kot warczał, gryzł i drapał. W końcu Jim zabrał go na step i wypuścił. Może ta dziewczyna jest taka sama?

— Musiałem cię obudzić — wyjaśnił. — Trzeba jechać dalej. — Louisa wstała momentalnie. — Weź klacz — powiedział. — Ma miękki pysk i łagodną naturę, ale jest rącza jak wiatr. Wabi się Śmigła. — Podsadził dziewczynę do siodła, a ona chwyciła wodze i owinęła się szczelnie płaszczem. Jim podał jej resztkę chleba i sera. — Możesz pożywiać się w czasie jazdy. — Louisa jadła, jakby wciąż umierała z głodu; Jim zastanawiał się, jakie niedostatki musiała cierpieć, skoro zmieniła się w wygłodzone, sponiewierane i dzikie stworzenie. Na krótką chwilę zwątpił, czy kiedykolwiek uda mu się jej pomóc i wyzwolić od brzemienia przeszłości. Odrzucił jednak zwątpienie i uśmiechnął się pojednawczo; Louisa uznała jego uśmiech za protekcjonalny. — Kiedy dojedziemy do Majuby, Zama powiesi pod ogniem myśliwski garnek. Mam nadzieję, że napełnił go po brzegi. Postawiłbym wszystkie pieniądze na to, że mogłabyś ścigać się w jedzeniu z naszym zacnym pułkownikiem. — Wskoczył na grzbiet Werbla. — Ale najpierw musimy wziąć się do innej roboty.

Ruszył kłusem w stronę High Weald, lecz okrążył dom w sporej odległości. Było już po północy, nie chciał jednak ryzykować przypadkowego spotkania z ojcem lub stryjem Dorianem. Wiadomość o jego eskapadzie dotarła do nich, jak tylko wyłowił dziewczynę z morza. Wśród ludzi zebranych na plaży widział wielu służących rodziny Courtneyów i wyzwolonych niewolników. Jim nie mógł teraz stanąć twarzą w twarz z ojcem, nie mógł liczyć z jego strony na sympatię. Ojciec będzie próbował mnie skłonić, żebym oddał dziewczynę w ręce pułkownika, myślał. Podjechał do chat przy wschodniej stronie wybiegu dla zwierząt. Zsiadł w kępie drzew i oddał wodze Werbla Louisie.

— Zostań tutaj — powiedział. — Długo nie zabawię.

Ostrożnie zbliżył się do największej lepianki i gwizdnął. Po dłuższej chwili za niewyprawioną owczą skórą, zasłaniającą jedyne okno, błysnęło światło latarni. Zza cuchnącej skóry wysunęła się podejrzliwie czyjaś głowa.

— Kto tam?

— To ja.

— Somoja! — Bakkat wysunął się z lepianki, owinięty w zatłuszczony koc. Był drobny jak dziecko, a jego skóra lśniła niczym bursztyn w blasku księżyca. Miał spłaszczone rysy twarzy i lekko skośne, azjatyckie oczy. Był Buszmenem, umiał tropić zwierzynę przez pięćdziesiąt mil w pustyni i w górach, w zamieci i w burzy. Uśmiechnął się, spoglądając na Jima; jego oczy prawie zniknęły w pajęczynie zmarszczek.

— Niech uśmiech Kulu Kulu będzie z tobą, Somoja.

— I z tobą, stary przyjacielu. Zwołaj wszystkich pasterzy. Niech zbiorą stada i wypędzą je na wszystkie drogi. Zwłaszcza te, które prowadzą na wschód i północ. Niech stratują ziemię tak, żeby wyglądała jak zaorane pole. Nikt nie może pójść po moich śladach, nawet ty. Rozumiesz?

Bakkat zaniósł się śmiechem.

— Och *ja*, Somoja! Rozumiem bardzo dobrze. Wszyscy widzieliśmy, jak gruby wojownik ścigał cię, kiedy umknąłeś z tą małą ślicznotką. Nie martw się! Do rana nie zostanie ani jeden ślad, po którym mógłby za tobą pójść.

— To mi się podoba! — rzekł Jim, klepiąc go po plecach. — A więc ruszam.

— Wiem, dokąd się wybierasz. Pójdziesz Zbójeckim Szlakiem? — Tak nazywano legendarną trasę ucieczki z kolonii, wybieraną tylko przez zbiegów i banitów. — Nikt nie wie, dokąd on prowadzi, bo nikt nigdy stamtąd nie wrócił. Duchy moich przodków szepczą do mnie po nocach, a moja dusza tęskni do dzikich przestrzeni. Czy jest dla mnie miejsce u twojego boku?

Jim roześmiał się.

— Będziesz mile widziany, Bakkat. Wiem, że znajdziesz mnie, dokądkolwiek pójdę. Wytropiłbyś ducha na rozpalonych skałach piekieł. Ale najpierw zrób tutaj co trzeba. Powiedz mojemu ojcu, że mam się dobrze. A matce powiedz, że ją kocham — rzekł, a potem odwrócił się i pobiegł do miejsca, gdzie czekała Louisa z koniem.

Pojechali. Burza zużyła całą swoją moc, wiatr ucichł, a księżyc wisiał już nisko na zachodzie, kiedy dotarli do wzgórz. Jim zatrzymał Werbla przy strumieniu spływającym po zboczu.

— Odpoczniemy tu i napoimy konie — oznajmił.

Nie pomógł Louisie zsiąść; ona jednak zeskoczyła na ziemię zręcznie jak kot i zaprowadziła Śmigłą do sadzawki w zakolu strumienia. Zdążyła już nawiązać nić porozumienia z klaczą pułkownika. Potem zniknęła sama w buszu. Jim chciał krzyknąć, żeby nie szła za daleko, ale się powstrzymał.

Butelka pułkownika była do połowy pusta. Jim uśmiechnął się, potrząsając nią. Keyser musiał z niej pociągać od wczorajszego śniadania, pomyślał, idąc do strumienia, by rozcieńczyć resztkę słodką górską wodą. Usłyszał, jak dziewczyna wraca z zarośli, i wciąż ukryta przed nim za spiętrzoną skałą wchodzi do wody. Rozległ się plusk.

A niech mnie diabli, jeśli ta szalona baba nie bierze kąpieli. Pokręcił głową i zatrząsł się na samą myśl. Na wierzchołkach gór wciąż leżał śnieg, a noc była zimna. Wróciwszy, Louisa usiadła na kamieniu na skraju sadzawki, nie za daleko od Jima i nie za blisko. Uczesała mokre włosy. Jim rozpoznał szylkretowy grzebień. Podszedł i podał jej butelkę z winem. Louisa pociągnęła długi łyk.

— Dobre — rzekła pojednawczym tonem, a potem dalej czesała jasne włosy, sięgające prawie do pasa. Jim obserwował ją bez słowa, lecz nie spojrzała więcej w jego stronę.

Sowa śmignęła bezgłośnie nad sadzawką, niczym gigantyczna ćma. Polując przy ostatnich promieniach księżyca, wyciągnęła z wody rybę i pofrunęła z nią na konar martwego drzewa na drugim brzegu strumienia. Ryba trzepotała się jeszcze w jej szponach, kiedy ptak wyrywał z grzbietu swej zdobyczy kawały mięsa.

Louisa odwróciła głowę.

— Nie myśl, że nie jestem wdzięczna za to, co dla mnie zrobiłeś — odezwała się miękkim głosem z ledwie wyczuwalnym, przyjemnym holenderskim akcentem. — Wiem, że ryzykowałeś życie, a może jeszcze więcej, żeby mnie uratować.

— Musisz wiedzieć, że trzymam w domu niewielką menażerię — odparł żartobliwie Jim. — Brakowało mi tylko jednego okazu. Małego jeża.

— Może masz prawo mnie tak nazywać — odparła, pociągając z butelki. — Nic o mnie nie wiesz. W moim życiu wiele się zdarzyło. Przeżyłam rzeczy, których nigdy nie zrozumiesz.

— Wiem o tobie co nieco. Widziałem twoją odwagę i determinację. Widziałem, jak było na pokładzie *Meeuw*, czułem ten smród. Może potrafię zrozumieć — odrzekł Jim. — W każdym razie na pewno będę próbował.

Odwrócił się do Louisy i serce mu się ścisnęło, gdy zobaczył łzy spływające po jej policzkach, lśniące srebrzyście w blasku księżyca. Chciał podbiec do niej i mocno ją uścisnąć, ale przypomniał sobie, co powiedziała: „Nigdy więcej nie dotykaj mnie w ten sposób".

— Czy ci się to podoba, czy nie, jestem twoim przyjacielem. Chcę zrozumieć. — Louisa otarła policzki małą, filigranową dłonią i siedziała skulona, drobna, szczupła, otulając się płaszczem. — Jest tylko jedna rzecz, którą muszę wiedzieć — ciągnął Jim. — Mam kuzyna imieniem Mansur. Jest mi bliski jak brat. On powiedział, że być może jesteś morderczynią. Te słowa palą mi duszę. Muszę wiedzieć. Jesteś morderczynią? Czy dlatego znalazłaś się na pokładzie *Meeuw*?

Louisa powoli zwróciła się w jego stronę i obiema dłońmi rozsunęła zasłonę mokrych włosów, tak aby mógł widzieć jej twarz.

— Mojego ojca i matkę zabrała zaraza. Pogrzebałam ich własnymi rękami. Przysięgam ci, Jimie Courtneyu, na moją miłość do nich i na groby, w których spoczywają, że nie jestem morderczynią.

Jim westchnął z głęboką ulgą.

— Wierzę ci. Nie musisz mówić nic więcej.

Louisa pociągnęła jeszcze jeden łyk, a potem oddała Jimowi butelkę.

— Nie pozwól mi pić więcej. To rozmiękcza serce, a muszę być silna — rzekła. Siedzieli w milczeniu. Jim właśnie chciał jej powiedzieć, że muszą iść dalej w góry, kiedy zaczęła mówić szeptem, tak cicho, że ledwie mógł ją usłyszeć. — Był pewien mężczyzna. Bogaty, wielki pan, któremu kiedyś ufałam jak mojemu świętej pamięci ojcu. Robił mi straszne rzeczy i nie chciał, żeby ktokolwiek się o tym dowiedział.

Jim podniósł rękę, aby ją powstrzymać.

— Nie, Louiso. Nie mów mi o tym.

— Zawdzięczam ci życie i wolność. Masz prawo wiedzieć.

— Przestań, proszę. — Chciał zerwać się na nogi i uciec przed jej słowami, ale nie mógł się ruszyć. Był nimi zahipnotyzowany, tak jak mysz jest zahipnotyzowana tańcem kobry.

Louisa mówiła dalej tym samym słodkim, dziecięcym głosem:

— Nie powiem ci, co mi zrobił. Tego nigdy nikomu nie powiem. Ale nie mogę pozwolić się dotknąć żadnemu mężczyźnie. Kiedy próbowałam od niego uciec, kazał służbie ukryć w moim pokoju woreczek z biżuterią. Później wezwali straż, żeby go znalazła. Zabrali mnie do magistratu w Amsterdamie. Tego, który mnie oskarżał, nie było nawet na sali sądowej, gdy skazywano mnie na dożywotnią deportację. — Na dłuższą chwilę zapadła cisza. Potem Louisa mówiła dalej: — Teraz wiesz już o mnie, Jimie Courtneyu. Wiesz, że jestem zbrukaną i wyrzuconą zabawką. Co zamierzasz zrobić?

— Chcę go zabić — odparł wreszcie Jim. — Jeśli kiedykolwiek spotkam tego łotra, zabiję go.

— Byłam wobec ciebie szczera. Teraz ty musisz odpłacić mi tym samym. Musisz wiedzieć na pewno, czego chcesz. Powiedziałam ci, że już nigdy nie pozwolę się dotknąć mężczyźnie. Powiedziałam ci, czym jestem. Chcesz zabrać mnie z powrotem na Przylądek Dobrej Nadziei i oddać pułkownikowi Keyserowi? Jeśli tak, jestem gotowa wrócić.

Jim wolał, żeby nie widziała jego twarzy. Nikt nie widział go płaczącego, od kiedy był dzieckiem. Zerwał się na nogi i poszedł osiodłać Śmigłą.

— Chodź, Jeżu. Do Majuby daleka droga. Nie możemy tracić czasu na czcze pogaduszki.

Louisa posłusznie wsiadła na konia. Jim poprowadził w głęboki wąwóz, a potem stromym szlakiem pod górę. Wspinali się w coraz większym chłodzie, a o świcie słońce zalało wierzchołki gór dziwnym różowym blaskiem. Między skałami połyskiwały płaty nieroztopionego śniegu.

Wczesnym przedpołudniem stanęli na grzbiecie góry na wysokości górnej granicy lasu i spojrzeli w dół w ukrytą dolinę. Między skałami, wśród rumowiska kamieni przycupnęła jakaś stara rudera. Louisa nie zauważyłaby jej, gdyby nie wąski pióropusz dymu, snujący się z otworu w dziurawej strzesze, i gdyby nie małe stadko mułów w otoczonym kamiennym ogrodzeniem wybiegu.

— Majuba, Kryjówka Gołębi — powiedział Jim, ściągając wodze. — A to jest Zama. — Wysoki młody mężczyzna ubrany w przepaskę wyszedł na słońce i spoglądał z dołu na Jima i Louisę. — Jesteśmy razem od dziecka. Myślę, że go polubisz.

Zama pomachał ręką i wybiegł przybyszom na spotkanie. Jim ześliznął się z grzbietu Werbla, żeby go przywitać.

— Wstawiłeś wodę na kawę? — spytał.

Zama spojrzał na dziewczynę na koniu. Przyglądali się sobie przez chwilę. Chłopak był wysoki i dobrze zbudowany, miał szeroką twarz i bardzo białe zęby.

— Widzę cię, panno Louiso — rzekł wreszcie.

— Ja też cię widzę, Zama. Ale skąd znasz moje imię?

— Somoja mi powiedział. A ty skąd znasz moje?

— Mnie też powiedział. Wielki z niego gaduła, prawda? — Roześmieli się oboje. — Dlaczego nazywasz go Somoja?

— Mój ojciec go tak nazwał. To znaczy Dziki Wiatr — odparł Zama. — Wieje, gdzie mu się podoba, jak wiatr.

— W którą stronę teraz zawieje? — spytała Louisa, spoglądając na Jima z lekkim, pytającym uśmiechem.

— Zobaczymy — roześmiał się Zama. — Ale na pewno w tę, której nikt by się nie spodziewał.

Pułkownik Keyser wjechał na podwórze High Weald z dziesięcioma kawalerzystami, wśród pobrzękiwania broni. Na czele oddziału biegł jego buszmeński tropiciel. Keyser zatrzymał konia przed główną bramą składu.

— *Mijnheer* Tom Courtney! — Z każdego okna i drzwi wyglądały białe i czarne głowy, dzieci i wyzwoleni niewolnicy patrzyli na niego szeroko otwartymi oczyma. — Przychodzę w imieniu holenderskiej kompanii! Nie igraj ze mną, Tomie Courtneyu!

Tom stanął w wysokich wrotach magazynu.

— Mój drogi przyjaciel Stephanus Keyser! — zawołał jowialnie, przesuwając okulary w stalowych oprawkach na czubek głowy. — Witamy serdecznie.

Spędził z pułkownikiem niejeden wieczór w tawernie Syrena. Od lat świadczyli sobie wzajemnie liczne przysługi. W zeszłym miesiącu Tom znalazł sznur pereł dla kochanki Keysera za niewygórowaną cenę, a Keyser postarał się, żeby umorzono zarzuty o pijaństwo w miejscu publicznym i wszczynanie burd przeciwko jednemu z pracowników Toma.

— Wejdź! Wejdź! — mówił Tom, rozkładając ramiona. — Żona zaraz przyniesie filiżankę kawy, a może wolisz coś z win? — Odwrócił głowę w stronę kuchni. — Sarah Courtney! Mamy honorowego gościa!

Sarah wyszła na taras.

— Pułkownik! Co za wspaniała niespodzianka.

— Niespodzianka, być może — mruknął surowo Keyser — ale czy wspaniała, w to wątpię. *Mevrouw*, twój syn James ma poważne kłopoty z prawem.

Sarah stanęła obok męża, który otoczył ją w pasie mocnym ramieniem. W tej samej chwili z ciemnego wnętrza składu wysunął się szczupły, elegancki Dorian Courtney, z ciemnorudą czupryną pod zielonym turbanem, i stanął po drugiej stronie Toma. Razem stanowili jednolity, budzący respekt front.

— Wejdź do środka, Stephanusie — powtórzył zaproszenie Tom. — Nie możemy tutaj rozmawiać.

Keyser potrząsnął mocno głową.

— Musisz mi powiedzieć, gdzie ukrywa się twój syn, Tomie Courtneyu.

— Myślałem, że ty mi to powiesz. Wczoraj wieczorem cały świat widział, jak gnasz za nim po wydmach. Czyżby znów cię pokonał, Stephanusie?

Keyser łypnął oczami i poruszył się niespokojnie w siodle. Jego zapasowy mundur był za ciasny pod pachami. Kilka godzin wcześniej odzyskał swoje medale i Gwiazdę Świętego Nicholasa, które jego tropiciel znalazł w sakwie na skraju solnej niecki. Pułkownik poprzypinał odznaczenia jak popadnie. Dotknął kieszeni, by upewnić się, że złoty zegarek wciąż jest na swoim miejscu. Bryczesy były tak obcisłe, że niemal pękały w szwach. Na stopach miał otarcia i pęcherze po długim marszu do domu w ciemności, a nowe buty uciskały go w bolesne miejsca. Zazwyczaj dbał o swoją aparycję, więc nieporządny wygląd i dyskomfort tylko nasilały uczucie poniżenia, przeżywane z powodu Jima Courtneya.

— Twój syn uciekł ze zbiegłą więźniarką. Ukradł konia i inne cenne rzeczy. Za to wszystko można zawisnąć na szubienicy, ostrzegam cię. Mam powody przypuszczać, że uciekinier ukrywa się tutaj, w High Weald. Przyszliśmy tu po jego tropach prowadzących z niecki. Zamierzam przeszukać każdy budynek.

— Świetnie! — odparł Tom, kiwając głową. — Kiedy skończycie, moja żona będzie miała przekąski dla ciebie i twoich ludzi. — Żołnierze Keysera zsiedli z koni, dobywając szabel. — Ale musisz ostrzec tych zbirów, żeby zostawili w spokoju moje służące, bo inaczej ktoś naprawdę zawiśnie tu na szubienicy.

Trójka Courtneyów skryła się w cień magazynu i przeszła po rozległej, zagraconej rozmaitymi rzeczami posadzce do kantorka po przeciwnej stronie. Tom opadł na pokryty skórą fotel obok zimnego kominka. Dorian usiadł po turecku na skórzanej poduszce po drugiej stronie pomieszczenia. W zielonym turbanie i haftowanej kamizelce wyglądał jak orientalny dostojnik, którym niegdyś był. Sarah zamknęła drzwi i stanęła koło nich, na wypadek gdyby komuś przyszło do głowy ich podsłuchiwać. Czekała na to, co powie Tom. Trudno było sobie wyobrazić bardziej odmiennych przyrodnich braci: Dorian był szczupły, elegancki i przystojny, a Tom rosły, krzepki i trochę grubo ciosany. Siła uczucia, które wciąż do niego żywiła po tylu latach, zaskakiwała Sarah.

— Chętnie skręciłbym szczeniakowi kark — burknął Tom. Jowialny uśmiech na jego twarzy ustąpił miejsca grymasowi wściekłości. — Na razie nie sposób odgadnąć, w co nas wpakował.

— Ty też byłeś kiedyś młody, Tomie Courtneyu, i w gorącej wodzie kąpany. — Sarah uśmiechnęła się czule do męża. — Jak myślisz, dlaczego się w tobie zakochałam? Na pewno nie z powodu urody.

Tom z trudem powstrzymał uśmiech.

— To było coś innego — odparł. — Ja nigdy celowo nie pakowałem się w kłopoty.

— Rzeczywiście, nie pakowałeś się — przyznała Sarah. — Pogrążałeś się w nich.

Tom puścił do niej oczko i odwrócił się do Doriana.

— To musi być cudowne mieć posłuszną żonę, która okazuje ci szacunek, taką jak Jasmini. — Po chwili spoważniał. — Czy Bakkat już wrócił? — Pasterz przysłał do Toma jednego ze swoich synów, żeby opowiedział mu o nocnej wizycie Jima. Tom czuł skryty podziw dla przebiegłości chłopaka, który wymyślił sposób zatarcia swoich śladów. „Ja też bym coś takiego zrobił. Może bywa porywczy jak wiatr, ale nie jest głupcem", powiedział do Sarah.

— Nie — odparł Dorian. — Bakkat i inni pasterze wciąż pędzą bydło i owce po wszystkich drogach i ścieżkach po tej stronie gór. Nawet Buszmen Keysera nie zdoła odnaleźć tropów Jima. Chyba możemy być pewni, że Jimowi udało się wymknąć. Ale dokąd poszedł? — Obaj spojrzeli na Sarah, spodziewając się od niej usłyszeć odpowiedź.

— Zaplanował wszystko starannie — odparła. — Widziałam, jak krzątał się przy mułach wczoraj czy przedwczoraj. Szczęście mogło mu dopisać, kiedy sztorm wyrzucił statek na brzeg, ale on planował zabrać tę dziewczynę z żaglowca, tak czy inaczej.

— Przeklęta baba! Czy zawsze musi chodzić o babę? — zawołał Tom.

— Kto jak kto, ale ty nie powinieneś o to pytać — odrzekła Sarah. — Kule fruwały nad naszymi głowami, kiedy wykradałeś mnie mojej rodzinie. Nie odgrywaj przede mną papieża, Tomie Courtneyu!

— Wielkie nieba, prawie o tym zapomniałem. Jakaż to była zabawa, co, moja piękna? — Przechylił się i uszczypnął Sarah w pośladek. Trzasnęła go w rękę. — Lecz kim jest kobieta, którą Jim sobie wybrał? Więzienna wywłoka. Trucicielka? Złodziejka? Ladacznica? Kto wie, kogo sobie znalazł ten kretyn.

Dorian przysłuchiwał się tej wymianie zdań z pełną czułości uwagą, pykając nargile. Weszło mu to w nawyk w czasie pobytu w Arabii. Wyjął ustnik z kości słoniowej i zauważył chłodno:

— Rozmawiałem z co najmniej dziesięcioma naszymi ludźmi, którzy byli na plaży i wszystko widzieli. Ta dziewczyna może i jest trucicielką, złodziejką albo ladacznicą, ale na pewno nie wywłoką. — Wypuścił długi pióropusz dymu. — Różnie ją określano. Kateng mówi, że to anioł piękności, Litila twierdzi, że dziewczyna jest złotogłową księżniczką. Bakkat powiedział, że jest piękna jak duch bogini deszczu.

Tom parsknął pogardliwie.

— Bogini deszczu ze śmierdzącego statku więzienia? Prędzej

złocisty nektarnik wylęgnie się z jaja myszołowa. Ale dokąd Jim ją zabrał?

— Zama zniknął przedwczoraj. Nie widziałam, jak wychodził, ale coś mi mówi, że Jim wysłał go gdzieś z mułami i kazał na siebie czekać — zasugerowała Sarah. — Zama zrobi wszystko, o co Jim go poprosi.

— A Jim rozmawiał z Bakkatem o Zbójeckim Szlaku — dodał Dorian. — I kazał mu zatrzeć swoje ślady na drogach na wschód i na północ.

— Zbójecki Szlak to legenda — oświadczył zdecydowanie Tom. — Nie ma dróg prowadzących na pustkowie.

— Jim wierzy w jego istnienie. Słyszałam, jak rozmawiał o nim z Mansurem — powiedziała Sarah.

Tom się zmartwił.

— To szaleństwo. Dzieciak i więźniarka uciekają z pustymi rękoma w dzicz? Nie przeżyją nawet tygodnia.

— Mają Zamę. Nie można też powiedzieć, że poszli z pustymi rękoma. Jim wziął sześć objuczonych mułów — sprostował Dorian. — Sprawdziłem, czego brakuje w magazynie, i mogę cię zapewnić, że wybrał dobrze. Są porządnie zaopatrzeni na długą podróż.

— Nawet się nie pożegnał. — Tom potrząsnął głową. — Mój syn, jedyny syn, i nawet się ze mną nie pożegnał.

— Trochę mu się śpieszyło, braciszku — zauważył Dorian.

Sarah postanowiła przyłączyć się do obrony syna.

— Wysłał nam wiadomość przez Bakkata. Nie zapomniał o nas.

— To nie to samo — westchnął ciężko Tom. — Wiecie, że być może nigdy nie wróci. Zatrzasnął za sobą drzwi. Keyser złapie go i powiesi, jeśli Jim kiedykolwiek postawi nogę w kolonii. Do diabła, muszę go jeszcze zobaczyć. Chociaż raz. On jest taki uparty i postrzelony. Muszę podzielić się z nim moją radą.

— Dzieliłeś się nią z nim przez dziewiętnaście lat — zauważył cierpko Dorian. — Sam widzisz, do czego nas to doprowadziło.

— Gdzie wyznaczył spotkanie z Zamą? — spytała Sarah. — Tam właśnie będzie.

Tom zastanowił się przez chwilę, a potem wyszczerzył zęby w uśmiechu.

— Tylko jedno miejsce wchodzi w grę — oznajmił pewnym głosem.

Dorian skinął głową.

— Wiem, co masz na myśli — rzekł. — Majuba to dla nich najlepsza kryjówka. Ale nam nie wolno iść tam za nimi. Keyser będzie nas obserwował jak lampart wodopój. Jeśli choćby jeden z nas opuści High Weald, wyśle za nami swojego żółtego ogara. W ten sposób zaprowadzimy go prosto do Majuby i Jima.

— Jeżeli chcemy go znaleźć, to musimy się śpieszyć, bo w przeciwnym razie Jim odejdzie z Majuby. Mają dobre wierzchowce, Werbla i klacz Keysera. Zanim dogonimy Jima, będzie w połowie drogi do Timbuktu.

W tej samej chwili od strony głównego magazynu dobiegło tupanie ciężkich butów i głośne męskie okrzyki.

— Ludzie Keysera przeszukali dom — powiedziała Sarah, zerkając przez drzwi. — Teraz zaczynają przetrząsać skład i pozostałe budynki.

— Lepiej mieć te szelmy na oku, zanim zaczną się częstować, czym popadnie — rzekł Dorian.

— Postanowimy, co robić, kiedy Keyser sobie pójdzie — zgodził się Tom; ruszyli razem w stronę głównej części składu.

Czterech kawalerzystów kręciło się bez celu po budynku. Wyraźnie męczyły ich te bezowocne poszukiwania. Długie magazyny był zastawione skrzynkami aż po drewniane belki. Gdyby chcieli go dokładnie przeszukać, musieliby przesunąć tony towarów. Były tam bele jedwabiu z Chin i indyjskiej bawełny; worki kawy i gumy arabskiej z Zanzibaru i innych portów za Rogiem Ormuzu; sągi drewna tekowego, sandałowego i mahoniu; czysta lśniąca miedź stopiona w ogromne koła, które armie niewolników przetaczały po górskich szlakach z głębi Etiopii na wybrzeże. Były też powiązane w pęki wysuszone skóry egzotycznych zwierząt, zebr i tygrysów, a także futra małp i fok oraz długie, zakrzywione rogi nosorożców, słynące w Chinach i krajach Orientu jako afrodyzjaki.

Przylądek Dobrej Nadziei leżał na skrzyżowaniu szlaków handlowych między Europą i Orientem. W dawnych czasach statki z północy odbywały długie rejsy po wodach Atlantyku. Nawet gdy rzuciły kotwicę w Zatoce Stołowej, czekała je jeszcze jedna niekończąca się podróż do Indii i Chin, a czasem nawet dłuższa, do Japonii. Żaglowiec mógł spędzić na morzu trzy lub cztery lata, zanim wrócił do Amsterdamu lub do londyńskich doków.

Tom i Dorian stopniowo opracowali inny system handlowy. Przekonali syndykat armatorów w Europie, żeby wysyłali statki tylko do Przylądka Dobrej Nadziei. Tam kapitanowie mogli napełnić ładownie swoich jednostek najlepszymi towarami i wyruszyć w rejs powrotny. Przy sprzyjających wiatrach znalazłyby się znów w macierzystych portach po niecałym roku. Zyski czerpane przez Courtneyów z takiego handlu z nawiązką wyrównywały im nakłady, które musieliby ponieść, gdyby statki przebywały dłużej na morzu. Podobnie statki płynące ze Wschodu mogły wyładować swoje towary w Zatoce Stołowej i zostawić je w składach braci Courtneyów, a same wrócić do Batawii, Rangunu czy Bombaju. Gdyby musiały przepłynąć dwa wielkie oceany, zajęłoby im to dwa razy więcej czasu.

Na tej innowacji Courtneyowie zbudowali swoją fortunę. Ponadto mieli własne szkunery handlowe, które pływały wzdłuż wybrzeży Afryki; ich kapitanami byli oddani Dorianowi Arabowie, którym mógł ufać. Jako muzułmanie mieli prawo wpływać na wody zakazane dla chrześcijańskich kapitanów i żeglować aż do Maskatu i Medyny, Świetlistego Miasta Boskiego Proroka. I choć żaglowce te nie miały pojemnych ładowni, przewoziły towary wysokiej jakości: miedź i gumę arabską, perły i muszle z macicy perłowej z Morza Czerwonego, kość słoniową z rynków Zanzibaru, szafiry z kopalni w Kandy, żółte diamenty z aluwialnych pokładów wzdłuż biegu wielkich rzek imperium Mogołów oraz bloki czarnego opium z gór Patanu.

Był tylko jeden towar, którym bracia Courtneyowie nie handlowali: niewolnicy. Znali tę barbarzyńską praktykę z pierwszej ręki. Dorian spędził większą część dzieciństwa w niewoli, do dnia gdy jego właściciel, sułtan Abd Muhammad al-Malik, władca Maskatu, adoptował go jako swego syna. W młodości Tom toczył zaciekłą wojnę z arabskimi handlarzami niewolników na wschodnim wybrzeżu Afryki i na własne oczy widział towarzyszące temu okrucieństwo. Wielu służących i marynarzy Courtneyów wywodziło się spośród byłych niewolników, którzy wpadli w ich ręce i zostali natychmiast wyzwoleni. Owi nieszczęśnicy trafiali pod skrzydła rodziny Courtneyów różnymi sposobami; niektórzy zostali odbici siłą — gdyż bitwy były żywiołem Toma — inni byli rozbitkami ze statków, jeszcze innych oddano jako spłatę długów albo po prostu sprzedano. Sarah nie mogła przejść obojętnie obok płaczącego dziecka na podeście aukcyjnym — zawsze potrafiła ubłagać męża, żeby kupił dziecko i oddał jej pod opiekę. Większość domowej służby wychowała od maleńkości.

Sarah poszła do kuchni i niemal natychmiast wróciła z Jasmini oraz chmarą rozgadanych, chichoczących pokojówek, które niosły dzbany świeżo wyciśniętego soku z limony, tace pełne kornwalijskich zapiekanek, ciast i *samosas* nadziewanych pikantnym curry z jagnięciny. Znudzeni, wygłodniali kawalerzyści schowali szable do pochew i rzucili się ochoczo na łakocie. Między jednym kęsem a drugim pożerali wzrokiem pokojówki i flirtowali z nimi. Ci, którzy mieli przeszukać wozownie i stajnie, zauważyli kobiety niosące jedzenie i wykorzystali to jako pretekst, żeby za nimi pójść.

Pułkownik Keyser przerwał tę ucztę i rozkazał swoim podwładnym wracać do roboty, lecz Tom i Dorian zaprosili go do kantorka.

— Mam nadzieję, że teraz przyjmiesz moje słowo honoru, pułkowniku, że mego syna Jima nie ma w High Weald. — Tom nalał mu kieliszek jonge jenever z kamiennej flaszy, a Sarah ukroiła gruby plaster parującej kornwalijskiej zapiekanki.

— *Ja*. Cóż, przyznaję, że tu go nie ma, Tom. Miał dość czasu, żeby zniknąć... to znaczy... na razie. Ale myślę, że wiesz, gdzie się ukrywa. — Wlepił wzrok w Toma, biorąc do ręki kieliszek o długiej nóżce.

Tom przybrał wyraz twarzy ministranta, który za chwilę ma przyjąć komunię.

— Możesz mi zaufać, Stephanusie.

— Wątpię. — Keyser popił zapiekankę łykiem dżinu. — Muszę cię ostrzec, że nie zamierzam pozwolić, żeby twojemu rozpuszczonemu szczeniakowi uszło płazem to, co zrobił. I nie próbuj mnie zmiękczać.

— Ależ skąd! Masz obowiązek i musisz go spełnić — zgodził się Tom. — Ofiaruję ci tylko zwykłą gościnność i nie próbuję na ciebie wpływać. Jak tylko Jim zjawi się w High Weald, sam osobiście odprowadzę go do zamku, żeby odpowiedział przed tobą i Jego Ekscelencją. Masz na to moje słowo dżentelmena.

Nieco udobruchany Keyser pozwolił odprowadzić się do miejsca, gdzie chłopak stajenny trzymał dla niego konia. Tom wsunął mu do saków dwie butelki młodego holenderskiego dżinu i pomachał na pożegnanie, kiedy pułkownik wyprowadzał swój szwadron przez bramę.

— Trzeba koniecznie przekazać Jimowi wiadomość — szepnął do brata Tom, obserwując odjazd kawalerzystów. — Chłopak musi zostać w Majubie, póki do niego nie dotrę. Keyser będzie mnie obserwował, zakładając, że wyjadę w góry i wskażę mu drogę, ale ja wyślę Bakkata. On nie zostawia śladów.

Dorian zarzucił na ramię koniec turbanu.

— Tom, nie wolno ci lekceważyć Keysera. Nie jest takim błaznem, jakiego udaje. Jeśli dostanie Jima w swoje łapy, to będzie tragiczny dzień dla rodziny. Nigdy nie zapominaj, że nasz dziadek zginął na szubienicy na placu defiladowym.

Z ryta koleinami droga z High Weald do miasta prowadziła przez las wysokich drzew o pniach grubych jak kolumny katedry. Keyser zatrzymał swój oddział; jak tylko skrył ich las. Spojrzał z góry na idącego obok jego strzemienia Buszmena, który wlepił w niego wzrok ogara, gotowego na każde skinienie pana.

— Xhia! — Keyser wypowiedział to imię z nosowym przydechem, jakby prychał. — Oni wyślą kogoś niedługo tam, gdzie ukrywa się ten młody łotr. Czekaj na posłańca. Obserwuj go. Nie pozwól się zobaczyć. Kiedy znajdziesz kryjówkę, wracaj do mnie czym prędzej. Zrozumiałeś?

— Zrozumiałem, Gwenjama. — Xhia użył określenia wyrażającego najwyższy szacunek; w jego języku znaczyło ono: Ten, Który Pożera Swych Wrogów. Wiedział, że Keyser lubi być tak nazywany. — Wiem, kogo wyślą. Bakkat to mój stary rywal i wróg. Pogrążenie go sprawi mi wielką radość.

— A więc idź. I miej oczy otwarte.

Xhia znikł wśród drzew cicho jak duch, a Keyser poprowadził oddział do zamku.

C hata w Majubie składała się z jednej długiej izby. Niski dach pokryty był strzechą z trzciny rosnącej na brzegach potoku płynącego nieopodal wejścia. Okna stanowiły szczeliny w kamiennych ścianach, zasłonięte wysuszonymi skórami elandów i nilgau. Na środku podłogi z ubitej ziemi znajdowało się otwarte palenisko, a nad nim otwór, przez który uchodził dym. Kąt izby odgrodzony był wiszącym parawanem ze skóry.

— Za tą zasłoną spał mój ojciec, kiedy przyjeżdżaliśmy tutaj na polowanie. Zdawało się nam, że parawan stłumi trochę jego chrapanie — powiedział Jim. — Oczywiście byliśmy w błędzie. Nic nie jest w stanie zagłuszyć jego chrapania. — Roześmiał się. — Teraz będzie tam twoje miejsce.

— Ja nie chrapię — zaprotestowała Louisa.

— Nawet gdyby tak było, to długo byś sobie nie pochrapała.

Ruszamy dalej w drogę, jak tylko konie odpoczną, przepakujemy rzeczy i znajdziemy ci coś porządnego do ubrania.

— Ile czasu nam to zajmie?

— Wyruszymy, zanim wyślą za nami żołnierzy z zamku.

— Dokąd?

— Nie wiem — odparł z uśmiechem Jim. — Ale powiem ci, jak już tam dotrzemy. — Spojrzał z uznaniem na Louisę. W podartej, luźnej tunice była prawie naga. Dziewczyna otuliła się płaszczem. — Nie jesteś odpowiednio ubrana, żeby zjeść z gubernatorem kolację na zamku. — Podszedł do jednego z pakunków, które Zama złożył pod ścianą. Wsunął ręce do środka i wyciągnął rolkę materiału, a także owinięty w płótno zestaw przyborów krawieckich, takich jak nożyce, igły i nici. — Mam nadzieję, że umiesz szyć? — spytał, podając przybornik Louisie.

— Mama nauczyła mnie robić dla siebie ubrania.

— To dobrze. Najpierw coś zjemy. Nie jadłem od śniadania przedwczoraj.

Zama nakładał chochlą gulasz z myśliwskiego kociołka stojącego na węglach. Na wierzchu położył kawał twardego kukurydzianego ciasta. Jim spróbował łyżkę gulaszu.

— Czy mama nauczyła cię też gotować? — spytał.

Louisa skinęła głową.

— Była dobrą kucharką. Gotowała dla gubernatora prowincji i księcia Izby Orańskiej.

— Więc będziesz tu miała sporo roboty — oznajmił. — Zajmiesz się gotowaniem. Zama otruł kiedyś wodza Hotentotów, bez większego wysiłku. Może nie uznasz tego za szczególne osiągnięcie, ale trzeba wiedzieć, że Hotentot potrafi utuczyć się tym, co zabije hienę.

Louisa zerknęła niepewnie na Zamę, z łyżką podniesioną do ust.

— To prawda?

— Hotentoci to najwięksi kłamcy w Afryce — odparł Zama — ale Somoja bije ich na głowę.

— Więc to żart? — spytała Louisa.

— Tak, to jest żart — potwierdził Zama. — Niedobry angielski żart. Musi upłynąć wiele lat, żeby nauczyć się rozumieć angielskie żarty. Niektórym ludziom nigdy się to nie uda.

Po posiłku Louisa rozłożyła materiał i zaczęła mierzyć i kroić. Jim i Zama rozpakowali juki mułów, które Jim załadował w ogromnym pośpiechu, posegregowali i uporządkowali zawartość. Jim

112

z ulgą znalazł swoje buty i ubrania, a Zamie podarował płaszcz i bryczesy Keysera.

— Jeśli będziemy kiedyś toczyć bitwę z dzikimi plemionami z północy, zaimponujesz im mundurem — rzekł.

Wyczyścili i naoliwili muszkiety, a potem wymienili krzemienie w zamkach. Powiesili kociołek nad ogniskiem i roztopili ołów na dodatkowe kule do pistoletu, który Jim odebrał pułkownikowi Keyserowi. Woreczki z nabojami do muszkietów były wciąż pełne.

— Powinieneś był zabrać przynajmniej pięć baryłek prochu — powiedział Zama, napełniając flaszki prochem. — Jeśli w czasie polowania napotkamy wrogie plemiona, to nie wystarczy na długo.

— Zabrałbym pięćdziesiąt baryłek, gdybym znalazł jeszcze dwadzieścia jucznych mułów — odparł cierpko Jim. Louisa klęczała nad materiałem, który rozpostarła na ziemi. Zwęglonym patykiem z paleniska zaznaczała, gdzie ciąć. — Umiesz nabić muszkiet i strzelić? — zawołał do niej Jim. Potrząsnęła z zawstydzeniem głową. — Więc będę cię musiał nauczyć. — Wskazał materiał. — Co robisz?

— Spódnicę.

— Para solidnych spodni lepiej by się nadała i zużyłabyś mniej materiału.

Policzki Louisy przybrały intrygujący różowy kolor.

— Kobiety nie noszą spodni.

— Jeśli zamierzają jeździć konno, chodzić i biegać, tak jak ty, powinny zacząć je nosić. — Skinął głową na jej bose stopy. — Zama uszyje ci do kompletu buty ze skóry elanda.

Louisa wykroiła szerokie nogawki spodni, w których wyglądała jeszcze bardziej chłopięco. Z postrzępionej tuniki zrobiła długą koszulę, wyrzucaną na spodnie. Zebrała ją w talii paskiem z niewyprawionej skóry, który zrobił dla niej Zama. Dowiedziała się, że chłopak świetnie szyje żagle i różne rzeczy ze skóry. Buty, które jej zrobił, pasowały doskonale. Sięgały do połowy łydek i miały futro na wierzchu, dzięki czemu wspaniale wyglądały i wydłużały nogi Louisy. Na koniec zrobiła sobie kapelusz z płótna, aby chronić głowę przed słońcem.

Nazajutrz wczesnym rankiem Jim gwizdnął na Werbla. Ogier przygalopował znad brzegu strumienia, gdzie skubał świeżą wiosenną trawę. Jak to miał w zwyczaju, okazał swoje przywiązanie do pana, udając, że chce go stratować. Jim obrzucił go kilkoma czułymi wyzwiskami, nakładając mu jednocześnie uzdę na łeb.

Louisa stanęła w drzwiach chaty.

— Dokąd jedziesz?

— Zatrzeć za nami ślady — odparł.

— Co to znaczy?

— Muszę pojechać tą samą drogą, którą tu przybyliśmy, i sprawdzić, czy nikt nas nie śledzi — wyjaśnił.

— Chciałabym z tobą pojechać — powiedziała, spoglądając na Śmigłą. — Oba konie są dobrze wypoczęte.

— A więc siodłaj ją!

Louisa schowała w sakwie przy pasku duży kawałek kukurydzianego chleba, lecz Śmigła wyczuła go, jak tylko dziewczyna wyszła z chaty, i podeszła do niej. Kiedy chrupała smakołyk, Louisa zarzuciła jej siodło na grzbiet. Jim obserwował, jak zapina popręg i dosiada klaczy. Poruszała się swobodnie w nowych bryczesach.

— Ona musi się uważać za najszczęśliwszego konia w Afryce — zauważył Jim. — Zamieniła pułkownika na ciebie. Słonia na Jeża.

Jim osiodłał Werbla, wsunął w olstro długi muszkiet, przerzucił przez ramię róg z prochem i wskoczył na grzbiet wierzchowca.

— Prowadź — rzekł do Louisy.

— Tą samą drogą, którą przyjechaliśmy? — spytała i nie czekając na odpowiedź, ruszyła w górę zbocza. Trzymała wodze lekką ręką i miała naturalny dosiad. Klacz zdawała się nie zauważać jej ciężaru, sunąc po stoku góry jak na skrzydłach.

Jim oceniał styl jej jazdy. Jeśli dziewczyna przywykła do bocznego dosiadu, szybko przyzwyczaiła się do jazdy okrakiem. Wiedział, jak się zmęczyła w czasie długiej nocnej jazdy, i dziwił się, że tak szybko odzyskała siły. Pomyślał, że dotrzyma mu kroku bez względu na to, jak forsowne narzuci tempo.

Kiedy dotarli na grzbiet zbocza, Jim wysunął się naprzód. Bezbłędnie odnalazł drogę wśród labiryntu dolin i wąwozów. Louisie każda ściana i wzgórze wydawały się takie same, lecz Jim wybierał trasę bez wahania.

Ilekroć otwierał się przed nimi teren, zsiadał z konia, znajdował jakiś punkt obserwacyjny i spoglądał przez lunetę. Te przystanki pozwalały Louisie podziwiać wspaniałą urodę rozpościerającego się wokół krajobrazu. W porównaniu z płaskim pejzażem jej kraju, otaczające ją zewsząd szczyty zdawały się sięgać nieba. Ściany

114

klifów miały barwę ceglastą, czerwoną i purpurową. Zbocza pokrywały gęste krzaki; niektóre z ich kwiatów, żółte jak żonkile i jaskrawopomarańczowe, przypominały poduszki na szpilki. Uwijały się nad nimi roje ptaków z długimi ogonami, wsuwające zakrzywione dzioby do wnętrza kielichów.

— *Suiker-bekkies*, cukrodzioby — wyjaśnił Jim, kiedy Louisa wskazała ptaki ręką. — Spijają nektar z kwiatów.

Po raz pierwszy od katastrofy na żaglowcu Louisa miała okazję rozejrzeć się dookoła, i piękno tego niezwykłego kraju urzekło ją. Groza pokładu *Meeuw* należała teraz do starego sennego koszmaru. Szlak, którym jechali, wspiął się na kolejny stromy stok; Jim zatrzymał się tuż przed szczytem i podał Louisie wodze Werbla, a sam wszedł na grań, żeby spojrzeć na drugą stronę góry.

Louisa obserwowała go spokojnie. Nagle zachowanie Jima zmieniło się całkowicie. Schował szybko głowę, schylił się i podbiegł do dziewczyny.

— Czy ktoś nas śledzi? — spytała drżącym głosem. — Ludzie pułkownika?

— Nie, to coś o wiele lepszego. Mięso.

— Nie rozumiem.

— Elandy, całe stado. Dwadzieścia sztuk albo więcej. Idą po tamtej stronie góry, w naszą stronę.

— Elandy?

— Największe antylopy w Afryce. Wielkie jak wół — wyjaśnił Jim, sprawdzając panewkę muszkietu. — Ich mięso jest bogate w tłuszcz i bardziej przypomina smakiem wołowinę niż mięso jakiejkolwiek innej antylopy. Zasolone i ususzone lub uwędzone mięso jednego elanda wystarczy nam na kilka tygodni.

— Chcesz zapolować? A jeśli pułkownik idzie za nami? Nie usłyszy wystrzału?

— W górach echo zakłóci odgłos i pomiesza kierunki. Tak czy siak, nie mogę stracić okazji. Już brakuje nam mięsa. Muszę podjąć ryzyko, jeśli nie chcemy głodować.

Wziął oba konie za uzdy i sprowadził je ze ścieżki, po czym zatrzymał się za występem czerwonej skały.

— Zsiadaj. Trzymaj konie, ale staraj się nie pokazywać. Nie ruszaj się, póki cię nie zawołam — polecił Jim, a potem wziął muszkiet i podbiegł w górę zbocza. Tuż przed granią położył się na trawie. Obejrzał się na Louisę, która zrobiła to, co jej kazał. Przykucnęła tak, że widać było tylko jej głowę. — Konie nie przestraszą elandów — powiedział do siebie. — Antylopy wezmą je za dziką zwierzynę.

Otarł czapką pot z oczu i usadowił się wygodniej za niewielką skałą. Nie leżał płasko na ziemi, tylko siedział. Odrzut muszkietu przy strzale w pozycji pochylonej mógłby mu złamać obojczyk. Jim podłożył kapelusz pod kolbę, jak poduszkę, mierząc w górę stoku.

W dolinie zaległa głęboka cisza gór; łagodne brzęczenie owadów w kwieciu i żałosne kwilenie samotnego górskiego szpaka z czerwonymi skrzydłami wydawały się przeraźliwie głośne.

Minuty płynęły powoli niczym krople miodu; Jim podniósł głowę. Usłyszał coś, co sprawiło, że serce zaczęło bić szybciej — słabe stukanie, przypominające odgłos uderzających o siebie suchych patyków. Momentalnie rozpoznał ten dźwięk. Elandy mają szczególną cechę, wyjątkową wśród zwierząt afrykańskich: ich potężne ścięgna przy każdym kroku wydają osobliwy odgłos.

Bakkat, drobny Buszmen o żółtej skórze, wyjaśnił małemu Jimowi, skąd wziął się ów dźwięk. Bardzo dawno temu, w dniu kiedy słońce wzeszło po raz pierwszy nad światem, mokrym jeszcze od rosy, Xtog, ojciec wszystkich Khoisan, czyli Buszmenów, schwytał w swe przemyślne sidła Impisi, hienę. Wie o tym cały świat, że Impisi był, i wciąż jest, potężnym czarownikiem. Xtog ostrzył właśnie nóż, by poderżnąć Impisi gardło, gdy hiena przemówiła do niego: „Xtogu, jeśli mnie uwolnisz, pomogę ci swoją magią. Zamiast mojego mięsa, cuchnącego padliną, którą się żywię, będziesz miał góry białej słoniny i słodkiego mięsa elandów. Będą się piekły na twoim rożnie każdego wieczoru, do końca twego życia". „Jak to możliwe, hieno?", zdziwił się Xtog, choć już zaczynał się dławić śliną na myśl o mięsie antylop. Elandy były jednak przebiegłą zwierzyną, trudną do upolowania. „Rzucę na nie zaklęcie. Ono sprawi, że gdziekolwiek pójdą, na pustyni czy w górach, będą wydawać dźwięk, który cię do nich zaprowadzi". I tak Xtog wypuścił Impisi, i od tego dnia elandy stukają przy każdym kroku, dając znak myśliwym, że się zbliżają.

Jim uśmiechnął się, przypominając sobie opowieść Bakkata. Delikatnie odciągnął ciężki kurek muszkietu i ułożył kolbę w zagłębieniu ramienia. Stukanie to narastało, to cichło, gdy zwierzęta zatrzymywały się, a potem ruszały znowu. Jim obserwował niebo tuż nad linią stoku. Nagle na błękitnym tle ukazały się dwa potężne rogi. Czarne, długie i grube jak ramiona atlety, spiralnie skręcone niczym róg narwala, lśniły w blasku słońca.

116

Stukanie ustało, rogi poruszyły się w jedną i w drugą stronę, jak gdyby noszące je zwierzę nasłuchiwało. Jego oddech świszczał w uszach Jima, którego nerwy napięły się jak cięciwa łuku. Znów usłyszał stukanie; rogi podeszły w górę, ukazało się dwoje uszu w kształcie trąbki, a pod nimi para ogromnych oczu. Były ciemne i łagodne, jakby pełne łez. Osłaniały je długie, podwinięte rzęsy. Patrzyły prosto w głąb duszy Jima, który przestał oddychać. Zwierzyna była tak blisko, że widział, jak mruga oczami, i nie śmiał nawet drgnąć.

Eland płynnym ruchem odwrócił głowę, żeby spojrzeć w dół stoku, po którym wszedł. Potem popatrzył w stronę Jima i ukazała się reszta jego sylwetki. Pod grubą szyją kołysał się ciężki płat skóry. Eland był tak samo wysoki jak Jim, a jego grzbiet i boki poszarzały od starości.

Kilkanaście kroków od miejsca, w którym czekał Jim, zwierzę przystanęło i schyliło łeb, żeby skubnąć świeżych listków z krzaku. Na grzbiecie wzgórza za bykiem pojawiło się całe stado. Krowy miały łagodne, kremowobrązowe umaszczenie, i choć zdobiły je długie spiralne rogi, miały delikatniejsze łby, jak przystało na samice. Cielęta były rudobrązowe, młodsze zaś nie miały jeszcze rogów. Jedno opuściło łeb i figlarnie ubodło swojego bliźniaka, a potem oba zaczęły wierzgać, okrążając się nawzajem. Matka obserwowała to z umiarkowanym zainteresowaniem.

Instynkt myśliwski skierował wzrok Jima z powrotem na wielkiego byka, który wciąż przeżuwał liście. Jim z wielkim trudem zrezygnował ze zwierzęcia. Byk niósł wprawdzie na łbie wspaniałe trofeum, lecz jego mięso było twarde i żylaste, ubogie w tłuszcz. Przypomniał sobie filozoficzne wskazówki Bakkata: „Zostaw wielkiego byka, żeby mógł się rozmnażać, a krowę, żeby karmiła młode". Jim powoli odwrócił głowę, by przyjrzeć się reszcie stada. W tej samej chwili na grzbiecie wzgórza ukazało się doskonałe zwierzę.

Był to młody byk, najwyżej czteroletni; jego pulchne szynki wprost rozpierały lśniący, złotobrązowy zad. Zaczął się odwracać, by skubnąć połyskliwie zielonych listków *gwarrie*, drzewa, którego gałęzie uginały się pod ciężarem dojrzałych, purpurowych jagód; w pewnej chwili znalazł się w wprost Jima. Wyciągnął łeb do jagód, ukazując miękki łuk gardła.

Jim skierował na niego lufę muszkietu ruchem powolnym, przypominającym zbliżanie się kameleona do muchy. Niesforne cielęta wzbijały kopytami chmurę kurzu i rozpraszały uwagę czujnych zwykle krów. Jim starannie ustawił muszkę na fałdzie skóry pod gardłem byka, otaczającym je niczym naszyjnik. Wiedział, że nawet z tak bliskiej odległości masywne łopatki zwierzęcia zatrzymałyby i spłaszczyły kulę muszkietu. Musiał znaleźć miejsce w klatce piersiowej elanda, przez które pocisk przebije się do serca, płuc i tętnic.

Położył palec na spuście i nacisnął lekko, wyczuwając opór. Stopniowo zwiększał nacisk, wpatrując się uporczywie w punkt na gardle zwierzęcia i powstrzymując się przed szarpnięciem cyngla w ostatniej chwili. Kurek spadł z głośnym plaśnięciem, krzemień skrzesał snop iskier i proch na panewce zapalił się, wyrzucając pióropusz białego dymu. Rozległ się basowy grzmot i kolba uderzyła w ramię Jima. Zanim oślepił go dym z prochu, zobaczył, że grzbiet elanda wygina się w potężnym spazmie. Wiedział, że kula przeszyła serce. Zerwał się na nogi, żeby spojrzeć ponad chmurą dymu. Młody byk znieruchomiał w agonii, z rozwartym szeroko pyskiem. Jim widział wlot kuli, ciemny otwór w gładkiej skórze na gardle, niezabarwiony krwią.

Reszta stada rzuciła się do ucieczki w dół zbocza, w szalonym galopie wyrzucając kamienie spod kopyt i wzbijając chmurę kurzu. Trafiony byk osunął się na zad w przedśmiertnym skurczu. Podniósł łeb do nieba, z jego rozwartych szczęk popłynęła jasnoczerwona krew. Potem skręcił się całym ciałem i upadł na grzbiet, kopiąc spazmatycznie wszystkimi nogami w powietrze. Jim stał i patrzył na ostatnie drgawki zwierzęcia.

Jego radość stopniowo ustępowała miejsca melancholii prawdziwego myśliwego, przytłoczonego pięknem i tragedią zabijania. Położył muszkiet na ziemi i wyciągnął nóż z pochwy przy pasku. Chwyciwszy antylopę za rogi, odciągnął łeb, dwoma wprawnymi nacięciami otworzył tętnice i patrzył na wypływającą jasną krew. Potem podniósł jedną z tylnych nóg i odciął mosznę.

Louisa nadjechała w chwili, gdy stanął wyprostowany z pokrytym białą szczeciną workiem w dłoni.

— Gdybym to zostawił, zatrułoby krew — wyjaśnił. Odwróciła głowę.

— Jakie wspaniałe zwierzę. Takie wielkie. — Wydawała się oszołomiona tym, co zrobił Jim. Zaraz jednak wyprostowała się w siodle. — Jak mogę ci pomóc?

— Najpierw skrępuj konie — powiedział.

Louisa zeskoczyła z grzbietu Śmigłej i odprowadziła wierzchowce do drzewa *gwarrie*, po czym przywiązała je do pnia i wróciła.

— Przytrzymaj za jedną z tylnych nóg — polecił Jim. — Jeśli zostawimy wnętrzności w środku, mięso skwaśnieje i zepsuje się w ciągu kilku godzin.

Była to niewdzięczna robota, lecz Louisa nie uchylała się przed nią. Jim przeciągnął ostrzem noża od krocza do żeber. Wnętrzności wylały się obficie z otworu.

— Teraz trzeba będzie sobie upaprać ręce — ostrzegł, lecz zanim zdążył wypowiedzieć następne słowo, rozległ się dźwięczny, jakby dziecięcy głos.

— Dobrze cię nauczyłem, Somoja.

Jim odwrócił się błyskawicznie, trzymając nóż od spodu, obronnym chwytem, i spojrzał na małego człowieczka o żółtawej skórze, który przysiadł na skale i obserwował dwoje młodych ludzi przy pracy.

— Bakkat, ty mały szatanie — zawołał Jim bardziej ze strachu niż z gniewu. — Nie rób mi tego więcej. Skąd cię przyniosło, w imię Kulu Kulu?

— Przestraszyłem cię, Somoja? — spytał zaniepokojony Bakkat. Jim przypomniał sobie o manierach. O mały włos nie obraził przyjaciela.

— Ależ skąd. Widziałem cię z daleka. — Nigdy nie wolno powiedzieć Buszmenowi, że go przeoczyłeś, gdyż uzna to za obelżywą aluzję do jego niskiego wzrostu. — Twoja głowa wystaje nad korony drzew.

Twarz Bakkata się rozjaśniła.

— Obserwowałem cię od początku polowania. To było pierwszorzędne podejście i czysty strzał, Somoja. Ale do oporządzenia mięsa przyda ci się ktoś oprócz młodej dziewczyny. — Zeskoczył ze skały, zatrzymał się przed Louisą i przykucnął, klaszcząc w dłonie.

— Co on mówi? — zapytała Louisa.

— Mówi, że cię widzi i że twoje włosy są jak promienie słońca — przetłumaczył Jim. — Chyba otrzymałaś właśnie swoje afrykańskie imię. Welanga, Słoneczna Dziewczyna.

— Powiedz mu, że ja też go widzę i że to dla mnie wielki zaszczyt. — Uśmiechnęła się do Bakkata, który zaniósł się śmiechem.

Na jednym ramieniu miał buszmeński toporek, a na drugim łuk. Odłożył łuk i kołczan, wziął toporek i podszedł, żeby pomóc Jimowi przy wielkim cielsku ubitego elanda.

Louisa ze zdziwieniem patrzyła, jak szybko idzie im praca. Obaj wiedzieli, co mają robić, i wykonywali swoje zadanie bez wahania. Zakrwawionymi po łokcie rękami wydobyli trzewia zwierzęcia i ogromny wór żołądka. Prawie nie odrywając się od pracy, Bakkat odciął kawałek kiszki. Trzasnął nim o skałę, żeby wypadła na wpół strawiona roślinność, po czym wsadził sobie do ust i zjadł z niekłamaną rozkoszą. Kiedy wyciągnęli parującą wątrobę, nawet Jim przyłączył się do uczty.

Louisa obserwowała ich z przerażeniem.

— Przecież to jest surowe mięso! — zaprotestowała.

— W Holandii jecie śledzie na surowo — odparł Jim, podając jej kawałek purpurowej wątroby. Już miała odmówić, kiedy odczytała z jego miny, że jest to swoiste wyzwanie. Wahała się, dopóki nie zauważyła, że Bakkat też przypatruje się jej zwężonymi oczami, uśmiechając się kpiąco.

Wzięła kawałek mięsa, zebrała się na odwagę i włożyła do ust. Poczuła, że żółć podchodzi jej do gardła, lecz powstrzymała wstręt. W pierwszej chwili uderzył ją ostry smak, lecz potem wrażenie nie było takie straszne. Przeżuła powoli i połknęła. Z głęboką satysfakcją spostrzegła wyraz rozczarowania na twarzy Jima. Wzięła z jego ręki drugi kawałek i zaczęła jeść.

Bakkat zachichotał piskliwie i wsadził Jimowi łokieć między żebra. Potrząsnął wesoło głową i naigrawając się z Jima, pokazał gestami, jak Louisa wygrała milczącą konfrontację. Skakał w kółko i zataczał się, udając, że obiema rękami wciska sobie do ust wyimaginowane kawały mięsa.

— Gdybyś był choć w połowie tak zabawny, jak ci się wydaje — powiedział cierpko Jim — byłbyś wcieleniem dowcipu wszystkich pięćdziesięciu plemion Khoisan. Bierz się do roboty.

Podzielili mięso na porcje, tak aby można je było załadować na grzbiety koni, a Bakkat zrobił wór z mokrej skóry, do którego włożył drobne kawałeczki nerek, kiszek i wątroby. Ładunek ważył niemal tyle samo, co Buszmen, lecz zarzucił go sobie na ramię i pobiegł truchtem. Jim wziął łopatkę elanda, pod którą prawie ugięły mu się kolana, a Louisa poprowadziła konie. Ostatnią milę drogi do Majuby pokonali w półmroku.

X hia truchtał szybko na pałąkowatych nogach; Buszmeni nazywają taki bieg „połykaniem wiatru". Mógł utrzymać to tempo od pierwszego brzasku do zmroku. Biegnąc, rozmawiał ze sobą jak z towarzyszem podróży, odpowiadał na swoje pytania i śmiał się z własnych żartów. Nie zatrzymując się ani na chwilę, popijał wodę ze zwierzęcego rogu i posilał się, wyciągając kawałki mięsa z worka przerzuconego przez ramię.

Powtarzał sobie, jaki jest dzielny i przebiegły.

— Jestem Xhia, wielki myśliwy — rzekł, podskakując lekko. — Zabiłem wielkiego słonia trucizną na czubku mojej strzały. — Wspominał, jak szedł za nim wzdłuż brzegu wielkiej rzeki. Nieustępliwie tropił samca od nowiu księżyca do pełni, a nawet jeszcze dłużej. — Ani razu nie zgubiłem tropu. Czy ktokolwiek oprócz mnie mógłby tego dokonać? Nigdy! Czy Bakkat trafiłby strzałą dokładnie w tętnicę za uchem, tak żeby trucizna przedostała się prosto do serca? Nie udałoby mu się! — Wątła trzcinowa strzała ledwie drasnęła grubą skórę słonia... nie miała szans na przebicie się do serca czy płuc. Xhia musiał trafić w jedną z wielkich tętnic, przebiegających tuż pod skórą. Dopiero po pięciu dniach trucizna powaliła samca. — Ale ja szedłem za nim przez cały czas, tańczyłem i śpiewałem myśliwską pieśń, i wreszcie runął jak góra, i wzbił tuman kurzu wysoki jak drzewa. Czy Bakkat by tego dokonał? — Xhia zwrócił się do górskich szczytów. — Nigdy! — odpowiedział sam sobie. — Przenigdy!

Xhia i Bakkat należeli do tego samego plemienia, lecz nie byli braćmi.

— Nie jesteśmy braćmi! — krzyknął na głos Xhia i ogarnął go gniew.

Była kiedyś dziewczyna o skórze jasnej jak pióra ptaka wikłacza i twarzy w kształcie serca. Miała wargi pełne jak dojrzały owoc *marula*, pośladki jak jaja strusia i piersi okrągłe niczym dwa żółte melony *tsama*, rozgrzane słońcem Kalahari.

— Urodziła się po to, aby zostać moją kobietą — zawołał Xhia. — Kulu Kulu wziął kawałek mojego serca, kiedy spałem, i ulepił z niego tę kobietę. — Nie umiał się zmusić, żeby wyrzec jej imię. Pewnego dnia wystrzelił do niej maleńką miłosną strzałę z piórami turkawki na czubku, żeby pokazać, jak bardzo jej pragnie. — Ale ona odeszła. Nie chciała się położyć na macie Xhii, myśliwego. Poszła z nędznym Bakkatem i urodziła mu trzech synów. Jestem jednak przebiegły. Kobieta umarła od ukąszenia mamby. — Xhia sam złapał węża, znalazł jego kryjówkę pod płaskim głazem. Przywiązał obok kamienia żywego gołębia jako przynętę, a kiedy wąż wysunął się spod głazu, Xhia przygwoździł go do ziemi tuż za łbem. To nie była duża mamba, miała długość męskiego ramienia, lecz jej jad był wystarczająco silny, żeby zabić byka bawołu. Xhia wsadził węża do koszyka dziewczyny, kiedy ona i Bakkat spali. Nazajutrz rano, gdy otworzyła koszyk, by włożyć tam jadalną bulwę, wąż ukąsił ją trzykrotnie, raz w palec i dwa razy w nadgarstek. Jej śmierć, choć nadeszła szybko, wyglądała strasznie. Bakkat płakał, trzymając żonę w ramionach. Xhia widział wszystko, ukryty między skałami. Wspomnienie jej śmierci i żalu Bakkata było tak słodkie, że Xhia podskoczył do góry ze złączonymi nogami, jak pasikonik. — Nie ma takiego zwierzęcia, które mogłoby mnie zwieść. Nie ma mężczyzny, który oprze się mojej nienawiści. Bo jam jest Xhia! — krzyknął, a głos odbity od ścian skał powrócił echem. „Xhia, Xhia, Xhia".

Po odejściu pułkownika Keysera spędził dwa dni i dwie noce na wzgórzach i w lasach High Weald, czekając na Bakkata. Pierwszego ranka zobaczył, jak jego wróg wychodzi o świcie z chaty, ziewa, drapie się i śmieje, z piskiem puszczając gazy spomiędzy pośladków. Dla Buszmena obfite wiatry są zawsze oznaką dobrego zdrowia. Xhia patrzył, jak Bakkat wyprowadza bydło z zagrody i pędzi je do wodopoju. Leżąc niczym kuropatwa w trawie, widział, jak rosły biały mężczyzna z czarną brodą, zwany Klebe, czyli Jastrząb, wyjeżdża z domu; był to pan Bakkata. Potem obaj przykucnęli obok siebie na środku pola i trzymając blisko głowy, długo rozmawiali szeptem, tak aby nikt ich nie podsłuchał. Nawet Xhia nie mógł się podczołgać dość blisko, żeby usłyszeć słowa.

Xhia uśmiechnął się, obserwując tę tajną naradę.

— Wiem, co mówisz, Klebe — szeptał do siebie. — Wysyłasz Bakkata, żeby odszukał twojego syna. Ostrzegasz go, by nie pozwolił się nikomu wyśledzić, ale ja, Xhia, niczym duch wiatru będę widział, kiedy się spotkają.

Patrzył, jak Bakkat zamyka wieczorem drzwi i rozpala ogień. Wyszedł z domu dopiero o świcie.

— Próbujesz mnie uśpić. To będzie dzisiaj czy jutro? — zastanawiał się głośno, obserwując Bakkata ze szczytu wzgórza. — Czy twoja cierpliwość jest większa od mojej? Zobaczymy.

O brzasku Bakkat okrążył swoją chatę, by sprawdzić, czy jakiś wróg nie próbuje go śledzić.

Xhia objął się z radości ramionami i potarł dłońmi po plecach. Myślisz, że jestem głupi i podejdę tak blisko? — myślał. Właśnie dlatego spędziłem całą noc na wzgórzu. Jestem Xhia, który nie zostawia śladów. Nawet sęp szybujący wysoko nie wypatrzy mojej kryjówki.

Przez cały dzień obserwował Bakkata przy pracy, zajmującego się trzodą Klebe. O zmierzchu Bakkat znów wszedł do swojej chaty. W ciemności Xhia odprawił czary. Wziął szczyptę proszku z zakorkowanego rogu dujkera i położył ją na języku. Były to zmielone na proch wąsy lamparta, zmieszane z wysuszonymi, sproszkowanymi odchodami lwa i innymi sekretnymi składnikami. Kiedy proszek rozpuścił się w jego ślinie, Xhia wymamrotał zaklęcie na przechytrzenie zwierzyny. Potem splunął trzy razy w stronę chaty, w której mieszkał Bakkat.

— To czar o wielkiej mocy, Bakkacie — ostrzegł swojego wroga. — Żadne zwierzę ani żaden człowiek nie może mu się oprzeć. — Nie zawsze tak było, lecz ilekroć czar zawodził, działo się tak z ważnego powodu. Czasem wiatr zmienił kierunek, przeleciała czarna wrona albo kwitła akurat czarna lilia. Nie licząc tych i podobnych przypadków, zaklęcie było niezawodne.

Rzuciwszy czar, Xhia usiadł i czekał. Nie jadł od dwóch dni, więc teraz połknął kilka kawałków wędzonego mięsa, które miał w torbie. Nie przerażał go ani głód, ani zimny wiatr, wiejący od ośnieżonych gór. Jak wszyscy członkowie jego plemienia, był odporny na cierpienie i trudy. Noc była cicha, co dowodziło skuteczności zaklęcia. Nawet lekki wiatr zagłuszyłby dźwięki, na które czekał Xhia.

Wkrótce po zachodzie księżyca usłyszał krzyk nocnego ptaka koło domu Bakkata. Xhia skinął głową. Coś tam się poruszyło, pomyślał. Parę minut później usłyszał, że samica kozodoja wyfrunęła z gniazda w leśnej ściółce; z tych dwóch wskazówek wywnioskował, w którą stronę porusza się jego zwierzyna. Zszedł ze wzgórza bezgłośnie jak cień, bosą stopą wyczuwając gałązki i suche liście, które mogłyby zaszeleścić, zdradzając jego obecność. Co dwa kroki zatrzymywał się, by nasłuchiwać; w dole strumienia usłyszał szmer igieł jeżozwierza, który ostrzegał drapieżnika, że za bardzo się zbliżył. Być może jeżozwierz zobaczył lamparta, lecz Xhia wiedział, że jest inaczej. Lampart nie zostawiłby swojej naturalnej zdobyczy, człowiek tymczasem poszedł dalej. Nawet wtajemniczony tropiciel Sanów, taki jak Bakkat czy Xhia, nie jest w stanie uniknąć spotkania z kozodojem czy myszkującym w ciemnym lesie jeżozwierzem. Te drobne znaki wystarczyły Xhii do odgadnięcia, w którą stronę zmierza Bakkat.

Inny myśliwy mógłby popełnić błąd i zbliżyć się za szybko, lecz Xhia trzymał się z tyłu. Wiedział, że Bakkat zawróci i będzie zataczał kręgi, by upewnić się, że nikt go nie śledzi. Jest prawie tak samo przebiegły jak ja i prawie tak samo porusza się w dzikim buszu, pomyślał. Ale ja jestem Xhia, nie ma drugiego takiego jak ja. Powiedziawszy to sobie, poczuł się silny i odważny. Znalazł miejsce, w którym Bakkat przekroczył strumień, i w ostatnich promieniach zachodzącego księżyca zauważył pojedynczy odcisk stopy, błyszczący na wierzchołku kamienia w potoku, małej jak stopa dziecka, lecz szerszej i pozbawionej łuku na podeszwie.

Bakkat! — wykrzyknął w duchu i podskoczył lekko z radości. Nie zapomnę kształtu twojej stopy do końca moich dni. Czyż nie widziałem go sto razy obok śladów stóp kobiety, która powinna być moją żoną? Przypominał sobie, jak szedł ich tropem w busz i podkradał się tak blisko, że widział, jak parzą się tuż obok na trawie. To wspomnienie odświeżyło w nim nienawiść do Bakkata. Już nigdy nie będziesz mógł położyć ręki na tych piersiach, wielkich jak dynie, cieszył się w myślach. Xhia i wąż postarali się o to.

Teraz, kiedy ustalił, dokąd zmierza trop, mógł poczekać, by uniknąć pułapek, które bez wątpienia zastawi na niego Bakkat. Idzie w ciemności, więc nie będzie mógł zatrzeć swoich śladów, jak zrobiłby to za dnia. Poczekam, aż wzejdzie słońce, postanowił.

Gdy tylko świt zaróżowił niebo, Xhia podjął trop. Mokry ślad na kamieniu wysechł, lecz sto kroków dalej Xhia znalazł przesunięty kamień. Po następnych stu krokach zauważył złamane źdźbło trawy, które zaczynało usychać. Nie zatrzymywał się, by oglądać dokładnie ślady. Szybkie spojrzenie potwierdzało jego przypuszczenia i pozwalało na minimalne korekty obranego kierunku. Uśmiechnął się i potrząsnął głową, odnajdując miejsce, w którym Bakkat przykucnął. Ponieważ tkwił tam przez dłuższy czas, bose pięty zostawiły wgłębienia w ziemi. Znacznie dalej zauważył szeroki krąg — Bakkat zatoczył go niczym zraniony bawół, który zawraca i czai się na myśliwego.

Xhia był z siebie tak bardzo zadowolony, że aż prychnął cicho i powiedział głośno:

— Wiedz, Bakkacie, że to Xhia cię tropi, że Xhia jest mistrzem we wszystkim! — Starał się nie myśleć o miodowożółtej dziewczynie, bo na tym jednym polu Bakkat go pokonał.

Trop stał się trudniejszy do wykrycia w górach. W długiej wąskiej dolinie Xhia zorientował się, że jego wróg skakał z kamienia na kamień, nie dotykając miękkiej ziemi ani nie poruszając choćby źdźbła czy innej rośliny, z wyjątkiem szarych nalotów na kamieniach. Bakkat był tak lekki, jego stopa zaś tak mała i elastyczna, że przemykał po tych miejscach niczym górski wiatr. Xhia mrużył oczy, by zauważyć minimalną różnicę w odcieniu szarości, tam gdzie stanęła stopa Bakkata. Starannie trzymał się z boku śladu, po przeciwnej stronie od wschodzącego słońca, żeby nie stracić ledwie dostrzegalnego tropu ani go nie naruszyć, w razie gdyby musiał się cofnąć i iść za nim od nowa.

W pewnym momencie Xhia stanął bezradnie. Ślady prowadziły w górę po rumowisku na zboczu, z kamienia na kamień, a potem nagle, w połowie zbocza, się urwały. Tak jakby orzeł chwycił Bakkata w szpony i porwał w przestworza. Xhia poszedł w kierunku, w którym zmierzał trop, i dotarł aż do końca doliny, lecz niczego nie znalazł. Wrócił do miejsca, gdzie ślad się skończył. Przykucnął i zaczął oglądać nikłe smugi na skalnych porostach.

Wreszcie nie pozostało mu nic innego, jak sięgnąć do rogu po jeszcze jedną szczyptę proszku. Zamknął oczy i czekał, aż proszek rozpuści się w ślinie, a potem go połknął. Rozchylił lekko powieki i przez zasłonę rzęs ujrzał przelotny ruch, cień, coś jakby trzepot skrzydeł nietoperza o zmierzchu. Gdy spojrzał w tamtą stronę, wszystko znikło, jak gdyby nigdy nie istniało. Ślina zaschła w ustach Xhii, na jego rękach pojawiła się gęsia skórka. Wiedział, że dotknął go jeden z duchów dzikiej przestrzeni i pozwolił dostrzec ślady stóp Bakkata, biegnące po skałach. Prowadziły nie w górę, lecz w dół doliny.

Ta chwila skoncentrowanej świadomości pozwoliła mu odgadnąć z barwy porostów, że stopa Bakkata dotknęła ich dwa razy: najpierw zmierzając w górę, a potem w dół. Roześmiał się w głos. Bakkat, zwiódłbyś każdego, ale nie Xhię, ucieszył się. Zszedł w dół rumowiska i zrozumiał, w jaki sposób jego przeciwnik wbiegał pod górę, skacząc z kamienia na kamień, a potem ruszył w przeciwnym kierunku, stawiając swe małe stopy dokładnie w tych samych miejscach. Jedynym znakiem była minimalna różnica w odcieniu podwójnych tropów.

Tuż przy podnóżu stoku ślad przechodził pod niskim konarem drzewa fasolowego. Na ziemi obok tropu leżał kawałeczek kory, nie większy niż paznokieć, który niedawno spadł lub został strącony z gałęzi. W tym miejscu podwójny ślad na porostach nagle znów zamieniał się w pojedynczy. Xhia się roześmiał. Bakkat zaczął łazić po drzewach jak samica pawiana, która była jego matką, pomyślał. Ustawił się pod konarem, podskoczył, złapał się go, podciągnął i stanął wyprostowany, balansując ciałem. Widział ślady, które stopy Bakkata zostawiły na gałęzi. Przebiegł po nich do pnia drzewa, zsunął się po nim, odnalazł trop i pobiegł.

Jeszcze dwa razy Bakkat stawiał go przed zagadkami. Pierwsza z nich, u podnóża czerwonego klifu, zabrała mu więcej czasu. Lecz dzięki drzewu fasolowemu nauczył się patrzeć w górę; znalazł w ten sposób miejsce, w którym Bakkat złapał się rękoma skalnego występu i przesuwał, nie dotykając stopami ziemi.

Słońce zaczęło się zniżać nad horyzontem, kiedy Xhia dotarł do miejsca, w którym Bakkat postawił go przed drugą zagadką. Ta zdawała się przekraczać jego możliwości. Po chwili tknął go przesądny lęk, że Bakkat wymyślił jakieś zaklęcie przeciwko jego zaklęciu i wyrosły mu skrzydła jak u ptaka. Połknął kolejną szczyptę proszku, lecz tym razem duch go nie dotknął. Zamiast tego rozbolała go głowa.

— Jestem Xhia. Żaden człowiek nie może mnie zwieść — powiedział na głos, ale nawet w ten sposób nie zdołał odsunąć od siebie poczucia klęski, które stopniowo go ogarniało.

Wtem usłyszał jakiś dźwięk, stłumiony odległością, lecz mimo to łatwy do rozpoznania. Odbite od skalnych ścian echo potwierdziło domysł, ale jednocześnie pomieszało kierunki; Xhia musiał odwracać głowę to w jedną, to w drugą stronę, starając się zlokalizować źródło.

— Strzał z muszkietu — szepnął. — Duchy mnie nie opuściły. Prowadzą mnie dalej.

Zszedł z tropu i wspiął się na najbliższy szczyt, przysiadł tam i spojrzał w niebo. Niebawem spostrzegł maleńki ciemny punkcik na tle błękitu. Tam gdzie strzelają, musi być śmierć. A śmierć ma swoje wierne sługi, pomyślał.

Na niebie ukazał się następny punkcik, a potem jeszcze wiele kolejnych. Po chwili zlały się w wolno wirujące koło. Xhia zerwał się na nogi i potruchtał w tamtym kierunku. Gdy się zbliżał, plamki zamieniły się w sępy szybujące na nieruchomych skrzydłach, kierujące wstrętne nagie głowy w jedno miejsce wśród gór.

Xhia dobrze znał pięć odmian sępów, od pospolitego brązowego ścierwojada z Przylądka Dobrej Nadziei do ogromnego, brodatego sępa ze wzorem na gardzieli i trójkątnym ogonem.

— Dziękuję wam, starzy przyjaciele — zawołał.

Od niepamiętnych czasów ptaki te wiodły jego i współplemień-ców na ucztę. Zbliżając się do centrum wirującego kręgu, poruszał się coraz ostrożniej; skradał się od skały do skały i rozglądał jasnymi, bystrymi oczami. Nagle usłyszał ludzkie głosy dochodzące z drugiej strony grzbietu góry, unoszące się w powietrzu jak dym.

Z ukrycia obserwował troje ludzi ładujących poćwiartowane mięso na konie. Somoję znał dobrze, to była znana twarz w kolonii. Xhia widział, jak wygrywał bożonarodzeniowy wyścig, zostawiając w pobitym polu jego pana. Kobieta była jednak obca. To musi być ta, której szuka Gwenjama, pomyślał. Kobieta, która uciekła z tonącego statku.

Roześmiał się cicho, rozpoznając Śmigłą przywiązaną obok Werbla. Niedługo wrócisz do swojego pana, obiecał w duchu klaczy. Skupił uwagę na drobnej postaci Bakkata, jego oczy zwęziły się z nienawiści.

Widział, jak trzyosobowa grupa kończy ładowanie mięsa na konie i znika z pola widzenia, odchodząc zwierzęcym szlakiem wijącym się w dolinie. Jak tylko się oddalili, Xhia ruszył biegiem, żeby „przedyskutować" z sępami los resztek elanda. W miejscu, gdzie Jim przeciął gardło byka, zebrała się kałuża krwi, ściągnięta w czarną, galaretowatą masę. Xhia zaczerpnął jej dłońmi i wlał sobie do ust. Przez dwa dni jadł bardzo mało, sięgając do zapasów w torbie, i był wygłodzony. Zlizał z palców do czysta lepką maź. Nie mógł sobie pozwolić na to, żeby spędzić obok ścierwa więcej czasu, bo gdyby Bakkat się obejrzał, zauważyłby, że sępy nie opadły od razu, i domyśliłby się, że coś zatrzymało je w powietrzu. Myśliwi nie zostawili wiele dla Xhii. Na ziemi leżała długa, gumowata kiszka, której nie zabrali. Xhia przeciągnął ją między palcami, żeby wycisnąć płynny gnój. Warstewka odchodów nadawała zdobyczy ostry posmak, który przy przeżuwaniu sprawił Xhii wielką przyjemność. Kusiło go, żeby strzaskać kamieniem potężne kości nóg i wyssać smakowity, żółty szpik, ale wiedział, że Bakkat wróci do zabitego zwierzęcia i nie przeoczy takiej jednoznacznej wskazówki. Zamiast tego zeskrobał nożem strzępy mięsa, które wciąż przylegały do kości i żeber. Wepchnął kawałki do torby, a potem wiązką trawy usunął odciski swoich stóp. Ptaki wkrótce zatrą drobniejsze ślady obecności Xhii, które on sam przeoczył. Kiedy Bakkat wróci, żeby zatrzeć swoje tropy, nie zostanie nic, co mogłoby go zaalarmować.

Przeżuwając z rozkoszą strzępy śmierdzących kiszek, zostawił ścierwo i ruszył za Bakkatem i dwojgiem białych. Nie szedł dokładnie po ich śladach, tylko trzymał się zbocza doliny. W trzech miejscach przewidział zakręty i przeciął je wysoko, tam gdzie nie mogły dotrzeć konie. Ze znacznej odległości zauważył dym z obozowiska i wspiął się wyżej. Z wierzchołka góry widział, jak cała trójka przybywa z końmi. Zdawał sobie sprawę, że powinien wrócić natychmiast na Przylądek Dobrej Nadziei i donieść swojemu panu, że udało mu się odkryć kryjówkę zbiegów, lecz pokusa, by zostać dłużej i napawać się zwycięstwem nad starym wrogiem Bakkatem, była zbyt silna.

Trzej mężczyźni — biały, czarny i żółty — pocięli mięso elanda na grube pasy, kobieta zaś posypała je morską solą ze skórzanej torby; potem rozciągnęła pasy mięsa na skale, żeby wyschły. Mężczyźni tymczasem wrzucili słoninę zebraną z mięsa do kociołka na trójnogu i postawili nad ogniem, aby wytopić tłuszcz lub ugotować zupę.

Ilekroć Bakkat wstał lub odsunął się od pozostałych, Xhia wodził za nim oczami kobry. Dotknął palcami strzały w małym kołczanie z kory i zamarzył o dniu, w którym zatruty czubek wbije się głęboko w skórę Bakkata.

Kiedy rzeźnicza robota dobiegła końca, a mężczyźni zajęli się doglądaniem koni i mułów, biała kobieta położyła na skale ostatnie pasy mięsa. Potem odeszła od obozu i ruszyła brzegiem strumienia do zielonego zakola, niewidocznego z chaty. Zdjęła kapelusz i potrząsnęła jasnymi, błyszczącymi włosami. Xhia był zaskoczony. Nigdy nie widział włosów o takim kolorze i tak długich. To było odrażające, nienaturalne. Czaszki kobiet z jego plemienia pokrywały twarde, szczeciniaste loczki, na które przyjemnie było patrzeć i których lubił dotykać. Tylko czarownica albo jakieś równie odrażające stworzenie może mieć takie włosy. Xhia splunął, żeby odpędzić zły urok, który mogła zadawać.

Kobieta rozejrzała się ostrożnie, lecz żadne ludzkie oko nie mogło wypatrzyć Xhii, jeśli ten chciał pozostać ukryty. Zdjęła z siebie luźne ubranie, okrywające dolną część jej ciała, i stanęła nago na brzegu sadzawki. Xhia znów się wzdrygnął. To nie była kobieta, tylko jakiś dziwny stwór o zdeformowanym ciele, bardziej przypominający hermafrodytę. Miała wydłużone nogi, wąskie biodra, wklęsły brzuch i pośladki jak wychudzony chłopak. Kobiety Sanów chlubiły się swoją otyłością. W miejscu, w którym zbiegały się jej nogi, widać było kępkę włosów. Były koloru piasku pustyni Kalahari i tak delikatne, że nie do końca zakrywały jej genitalia. Płeć tej kobiety wyglądała jak mocno zaciśnięte usta. Nie było widać ani śladu wewnętrznych warg. Kobiety z plemienia Xhii przekłuwały wargi sromowe córek w dzieciństwie i przywiązywały do nich kamyki, żeby się rozciągnęły i dzięki temu wystawały ponętnie. Zdaniem Xhii, monstrualne pośladki i obwisły srom były atrybutami prawdziwej kobiecej urody. Tylko piersi potwierdzały płeć tej kobiety, ale one też miały dziwny kształt. Wystawały do przodu, a ich blade sutki sterczały w górę jak różki przestraszonej antylopy. Xhia zakrył usta i roześmiał się ze swojego porównania. „Na co mężczyźnie takie stworzenie?" — zapytał sam siebie.

Kobieta, brodząc, zanurzyła się w sadzawce, aż woda sięgnęła jej do szyi. Xhia zobaczył wystarczająco dużo; słońce już zachodziło. Zsunął się z grzbietu wzgórza i ruszył truchtem w stronę płaskiego szczytu odległej góry, błękitnej i eterycznej, która wznosiła się nad horyzontem na południu. Będzie biegł przez całą noc, żeby zanieść wieści swojemu panu.

S iedzieli niedaleko małego ogniska pośrodku chaty, bo noce wciąż były chłodne. Zrobili sobie ucztę z grubych steków wyciętych z pasów mięsa elanda, kebabów z nerki, wątroby i słoniny pieczonej nad węglami. Tłusty sok spływał Bakkatowi po brodzie. Kiedy Jim rozsiadł się z westchnieniem zadowolenia, Louisa nalała mu kubek kawy. Skinął w podzięce głową.

— A ty się nie napijesz? — spytał zachęcająco.

Louisa potrząsnęła głową.

— Kawa mi nie smakuje — odparła. Nie była to prawda. Polubiła ten napój, mieszkając w Huis Brabant, lecz wiedziała, jaki jest rzadki i kosztowny. Widziała, jak ostrożnie Jim brał do ręki niewielki worek z ziarnami, których nie zostało już wiele. Była tak wdzięczna swojemu wybawicielowi i obrońcy, że nie chciała go pozbawiać czegoś, co sprawia mu tyle przyjemności. — Jest gorzka i cierpka — wyjaśniła.

Usiadła po drugiej stronie paleniska i patrzyła na oświetlone blaskiem ognia twarze rozmawiających mężczyzn. Nie rozumiała, co mówią w dziwnym, nieznanym języku, lecz jego dźwięk był melodyjny i usypiający. Była najedzona i senna; nie czuła się tak bezpiecznie i przyjemnie od czasu, kiedy opuściła Amsterdam.

— Przekazałem wiadomość o ciebie twojemu ojcu — rzekł Bakkat. Dopiero teraz nawiązali do tematu, który zaprzątał ich myśli. Rozmawianie o ważnych sprawach w nieodpowiednim czasie świadczyło o gruboskórności i braku manier.

— I co powiedział? — spytał z zaciekawieniem Jim.

— Kazał pozdrowić cię w imieniu swoim i twojej matki. Powiedział, że chociaż zostawiasz pustkę w ich sercach, której nic nie zapełni, nie wolno ci wracać do High Weald. Powiedział, że gruby żołnierz z zamku będzie czekał na twój powrót cierpliwie jak krokodyl w błocie na dnie bajora.

Jim skinął smutno głową. Wiedział, jakie będą konsekwencje jego czynu, od chwili gdy postanowił, że musi uratować Louisę. Teraz jednak, na wieść o potwierdzeniu przypuszczeń, ciężar wygnania z kolonii przygniótł go niczym kamień. Naprawdę został banitą.

Louisa zauważyła wyraz jego twarzy w blasku ognia i instynktownie wyczuła, że to ona jest przyczyną smutku. Spojrzała w skaczące płomienie; poczucie winy było ostre jak nóż wbity między żebra.

— Co jeszcze powiedział? — spytał Jim.

— Że ból rozstania z jedynym synem będzie nie do zniesienia, jeśli przynajmniej jeszcze raz nie skieruje na ciebie oczu. — Jim otworzył usta, żeby coś powiedzieć, ale zaraz je zamknął. — On wie, że pójdziesz Zbójeckim Szlakiem na północ, w bezludny busz — ciągnął Bakkat. — Powiedział, że nie przeżyjesz z takimi nędznymi zapasami, jakie zdołałeś zabrać. Chce ci przywieźć więcej. Powiedział, że to będzie twoje dziedzictwo.

— Jak to możliwe? Ja nie mogę pojechać do niego, a on nie może przyjechać do mnie. Ryzyko jest zbyt wielkie.

— Już wysłał Bomvu, twojego stryja Doriana, i Mansura, z dwoma wozami załadowanymi workami z piachem i kuframi pełnymi kamieni, szlakiem wzdłuż zachodniego wybrzeża. W ten sposób odciągną Keysera, a twój ojciec będzie mógł spotkać się z tobą w umówionym miejscu. Zabierze ze sobą wozy z pożegnalnymi darami dla ciebie.

— Gdzie jest to miejsce spotkania? — zapytał Jim. Czuł głęboką ulgę i radość, że być może zobaczy się z ojcem. Już myślał, że rozstali się na zawsze. — Nie może przyjechać tutaj, do Majuby. Szlak przez góry jest zbyt stromy i zdradliwy dla wozów.

— Nie przyjedzie tutaj.

— A więc dokąd? — dopytywał się Jim.

— Pamiętasz, jak dwa lata temu dotarliśmy do granic kolonii? — Jim skinął głową. — Przeszliśmy przez góry sekretną przełęczą rzeki Gariep.

— Pamiętam. — Ta podróż była największą przygodą w życiu Jima.

— Klebe przeprowadzi wozy przez tę przełęcz i spotka się z tobą na skraju nieznanych ziem, obok *kopje* w kształcie głowy pawiana.

— Tam ubiliśmy starego byka oryksa. To był ostatni obóz przed powrotem do kolonii. — Doskonale pamiętał swoje rozczarowanie, kiedy zawracali. — Chciałem jechać dalej, do następnego horyzontu, a potem jeszcze jednego, i tak do ostatniego.

Bakkat roześmiał się.

— Zawsze byłeś niecierpliwy, i taki pozostałeś. Ale ojciec spotka się z tobą pod Głową Pawiana. Znajdziesz ją bez mojej pomocy, Somoja? — spytał drwiąco, lecz tym razem wyjątkowo Jim nie zareagował. — Twój ojciec wyruszy z High Weald, kiedy będzie miał pewność, że Keyser podążył za Bomvu i Mansurem, i kiedy ja wrócę z twoją odpowiedzią.

— Powiedz mojemu ojcu, że tam się spotkamy.

Bakkat wstał i sięgnął po kołczan i łuk.

— Nie możesz jeszcze odejść — rzekł Jim. — Jest ciemno, a ty nie odpoczywałeś, od kiedy wyszedłeś z High Weald.

— Gwiazdy mnie poprowadzą — odparł Bakkat, podchodząc do wyjścia. — Klebe powiedział, żebym wracał od razu. Spotkamy się pod Głową Pawiana. — Uśmiechnął się do Jima. — Idź w pokoju, Somoja. Zawsze miej koło siebie Welangę, bo choć jest młoda, wydaje mi się, że wyrośnie z niej wspaniała kobieta, taka jak twoja matka. — W następnej chwili skryła go noc.

B akkat poruszał się w ciemności szybko jak każde inne nocne stworzenie, lecz późno wyszedł z Majuby, i brzask nabierał już mocy, kiedy dotarł do szczątków ścierwa elanda. Przykucnął obok i zaczął szukać śladów tych, którzy odwiedzili je wczoraj. Na pobliskich skałach usadowiły się jak na grzędzie sępy. Ziemia wokół padliny zasnuta była ich piórami, a na okolicznych głazach bieliły się smugi płynnych odchodów. Szpony zryły ziemię, lecz Bakkat dostrzegł na zmiękczonej ziemi ślady kilku szakali, małych dzikich kotów i innych padlinożerców. Brakowało tropów hieny, ale nic w tym dziwnego, bo góry były dla nich za wysokie i za zimne o tej porze roku. Mimo że obrany do czysta, szkielet elanda pozostał nienaruszony. Hieny pogruchotałyby kości.

131

Jeśli przebywał tu jakiś człowiek, wszelkie jego ślady zostały zatarte. Bakkat był jednak przekonany, że go nie śledzono. Nagle jego wzrok padł na żebra elanda, gładkie i białe. Wydał cichy gwizd, bo jego pewność została zachwiana. Dotknął nagich żeber, przesuwając po nich palcem. Ślady wydawały się nieznaczne, mogły być naturalne lub zostawione przez zęby któregoś z padlinożerców. Lecz Bakkat wątpił w to; poczuł ucisk w żołądku. Rysy były zbyt gładkie i regularne, jakby zostały zrobione narzędziem, a nie zębami. Ktoś zdrapał ostrzem mięso z kości.

Jeżeli zrobił to człowiek, powinien zostawić odciski butów lub sandałów, pomyślał Bakkat, rozglądając się szybko. Patrzył tam, gdzie padlinożerne stworzenia nie zryły ziemi szponami i pazurami. Nic! Wrócił do szkieletu i przyjrzał mu się ponownie. Może ten człowiek chodził boso? Lecz przecież Hotentoci nosili sandały, a poza tym, co któryś z nich robiłby w górach o tej porze roku? Są na równinach ze swoimi stadami. A może jednak ktoś mnie śledził? — zastanawiał się. Ale tylko wtajemniczony odczytałby mój trop. Wtajemniczony, który chodzi boso? San? Ktoś z mojego plemienia? Im dłużej Bakkat o tym myślał, tym większy był jego niepokój. Iść do High Weald, czy wrócić i ostrzec Somoję? Po chwili wahania podjął decyzję: Nie mogę iść jednocześnie w obie strony. Muszę iść dalej. To mój obowiązek. Muszę zanieść wieści Klebe.

W blasku poranka mógł poruszać się szybciej. Biegł, a jego ciemne oczy nigdy nie pozostały nieruchome, żaden dźwięk ani zapach, choćby najsłabszy, nie uszedł jego uwagi. Kiedy okrążał kępę drzew o pniach z brodami z szarego mchu, jego nozdrza rozszerzyły się, wychwytując lekką woń odchodów. Skręcił ze ścieżki, żeby poszukać źródła smrodu; znalazł je kilka kroków dalej. Jedno spojrzenie wystarczyło mu, by się zorientować, że są to odchody mięsożercy, który niedawno ucztował, spożywając mięso i krew; ekskrementy były czarne, rzadkie i cuchnące.

Szakal? — zastanawiał się Bakkat. Po chwili zrozumiał, że to musiał być człowiek, bo tuż obok leżały zbrukane liście, którymi się podtarł. Tylko członkowie ludu Sanów używali do tego celu liści krzewu *wash-hand*, bo były miękkie i soczyste, a kiedy potarło się je między palcami, pękały, wydzielając pachnący ziołami sok. Bakkat wiedział już, że ten sam mężczyzna, który pożywiał się mięsem elanda, wypróżnił się tutaj, obok ścieżki prowadzącej z Majuby przez góry, i że mężczyzna ten był wtajemniczonym tropicielem z plemienia Sanów. Ilu takich oprócz niego mieszkało w granicach kolonii? Jego lud zamieszkiwał pustynie i busz. Nagle instynkt podpowiedział mu, kim jest ów człowiek.

— Xhia! — szepnął. — Xhia, mój wróg, śledził mnie i odkrył moje tajemnice. Teraz biegnie do swojego pana na zamku. Niedługo ruszą konno do Majuby i zaskoczą Somoję i Welangę. — Znów opadła go straszliwa niepewność: Wracać, żeby ostrzec Somoję, czy iść dalej do High Weald? O ile wyprzedza mnie Xhia? Decyzja była taka sama jak przedtem — Somoja już wyruszył z Majuby, a Keyser i jego ludzie będą jechać wolniej niż Somoja. Jeśli będę łykał wiatr, może zdążę ostrzec i Klebe, i Somoję, zanim Keyser ich doścignie.

Pobiegł tak szybko, jak zdarzyło mu się niewiele razy w życiu, jakby ścigał rannego oryksa albo umykał przed wygłodniałym lwem.

B yła późna noc, kiedy Xhia dotarł do kolonii. Bramy zamku były już zamknięte i miały się otworzyć dopiero o świcie, po pobudce i wciągnięciu na maszt flagi VOC. Lecz Xhia wiedział, że Gwenjama, jego pan, rzadko sypia w wytwornej kwaterze za wysokim kamiennym murem. W mieście było coś, co stanowiło dlań świeżą i nieodpartą pokusę.

Rada dyrektorów VOC w Amsterdamie wydała zarządzenie, w myśl którego obywatele kolonii, a zwłaszcza ci, którzy pozostają w służbie holenderskiej kompanii, nie powinni utrzymywać bliskich kontaktów z tubylcami. Jak wiele innych dekretów Zeventien, tak i ten pozostał wyłącznie zarządzeniem na papierze; pułkownik Keyser miał dyskretną małą chatkę w odległej części ogrodów kompanii. Znajdowała się przy niebrukowanej alejce i zasłaniał ją wysoki żywopłot z kwitnących krzewów lantany. Xhia wiedział, że nie ma co tracić czasu na utarczki ze strażnikami przy bramie zamku. Poszedł prosto do miłosnego gniazdka pułkownika i prześliznął się przez dziurę w żywopłocie. W kuchni, w tylnej części domku, paliła się lampa; Xhia zapukał w okno. Między lampą i oknem przesunął się cień.

— Kto tam? — usłyszał ostry kobiecy głos, który od razu rozpoznał.

— Szala, to ja, Xhia! — odpowiedział po hotentocku i usłyszał, że skobel na drzwiach się podnosi. Kobieta otworzyła i wyjrzała. Była niewiele wyższa od niego i wyglądała jak dziecko, lecz nim nie była.

— Jest tu Gwenjama? — spytał Xhia.

Szala potrząsnęła głową. Xhia spojrzał na nią z przyjemnością:

Hotentoci byli kuzynami Sanów, a Szala była dla Xhii ideałem kobiecej urody. Jej skóra lśniła w świetle lampy jak bursztyn, kąciki ciemnych oczu były skośne, kości policzkowe wysokie i szerokie, a podbródek wąski, dzięki czemu twarz miała kształt odwróconego grotu strzały. Jej głowa była idealnie okrągła i pokryta puszkiem gęstych kędziorów.

— Nie! Poszedł sobie — powiedziała, otwierając szeroko drzwi.

Xhia się zawahał. Z poprzednich spotkań dobrze pamiętał płeć Szali, przypominającą soczysty kwiat pustynnego kaktusa z wydętymi, purpurowymi mięsistymi płatkami. Poza tym miałby okazję zamieszać w garnuszku swojego pana, co sprawiłoby mu ogromną przyjemność. Szala opisała kiedyś Xhii męskość pułkownika. „Jest jak dziób nektarnika. Cienka i zakrzywiona. Ledwie zanurza się w moim nektarze, a potem odlatuje".

Sanowie słynęli z rozmiarów członka, kontrastujących z drobną posturą. Szala, która miała w tej materii rozległe doświadczenie z pierwszej ręki, uważała, że Xhia jest wyjątkowo obdarowany przez naturę, nawet jak na mężczyznę z plemienia Sanów.

— Gdzie jest? — spytał Xhia, rozdarty między obowiązkiem i pokusą.

— Wyjechał wczoraj z dziesięcioma jeźdźcami. — Szala wzięła Xhię za rękę, wciągnęła do kuchni i zamknęła za nim drzwi na sztabę.

— Dokąd pojechali? — dopytywał się Xhia.

Szala tymczasem rozpięła sukienkę. Keyser uwielbiał ubierać ją w krzykliwe jedwabie z Indii, w perły i inne kosztowności, które kupował za duże pieniądze ze składów braci Courtneyów.

— Powiedział, że będą śledzić wozy Bomvu, tego rudego — odparła, zsuwając z siebie sukienkę, która spadła na podłogę.

Xhia wciągnął szybko powietrze. Bez względu na to, jak często widział te piersi, zawsze sprawiało mu to szaloną przyjemność.

— Czemu on jedzie za tymi wozami? — spytał, wyciągając rękę i ściskając pierś Szali.

Uśmiechnęła się z rozmarzeniem i przysunęła bliżej.

— Powiedział, że doprowadzą go do uciekinierów: syna Courtneyów i kobiety, którą wykradł z wraku — odparła chrapliwym głosem, sięgając ręką pod spódniczkę Xhii. Jej oczy patrzyły pożądliwie. Uśmiechnęła się, pokazując białe zęby.

— Nie mam dużo czasu — ostrzegł Xhia.

— Więc śpieszmy się — powiedziała, klękając przed nim.

— Którą drogą pojechał?

— Patrzyłam za nimi ze szczytu wzgórza sygnałowego — odparła. — Jechali na zachód drogą wzdłuż wybrzeża.

Szala oparła łokcie na podłodze i pochyliła się, tak że jej obfite złote pośladki uniosły się do góry. Xhia podszedł do niej z tyłu, rozsunął jej kolana i ukłęknął między nimi, a potem położył ręce na jej biodrach i przyciągnął do siebie. Szala pisnęła cicho, gdy mocno rozsunął jej mięsiste płatki i wszedł głęboko. Na koniec pisnęła znowu, lecz tym razem jakby w bolesnej agonii, po czym osunęła się na środek podłogi i leżała, podrygując leciutko.

Xhia wstał i poprawił skórzaną spódniczkę. Podniósł kołczan i łuk i zarzucił sobie na ramię.

— Kiedy wrócisz? — spytała drżącym głosem.

— Kiedy będę mógł — obiecał i wyszedł w noc.

S tanąwszy na szczycie wzgórza nad High Weald, Bakkat zobaczył, że obejście tętni gorączkową aktywnością. Cała służba pracowała zawzięcie. Woźnice i *voorlopers*, czyli przewodnicy zaprzęgów, prowadzili woły z boksów w samym końcu głównego wybiegu. Zebrali cztery zaprzęgi, po dwanaście byków każdy, które zmierzały teraz ociężale drogą do głównego budynku. Druga grupa pasterzy prowadziła powoli szlakiem na północ niewielkie stada tłustych owiec, mlecznych krów z ssącymi jeszcze cielakami oraz zapasowe woły. Pochód ludzi i zwierząt rozciągnął się na takiej długości, że ci, którzy szli przodem, wyglądali jak niewyraźne plamki w tumanie kurzu.

Już wyruszają w stronę rzeki Gariep na spotkanie z Somoją, pomyślał Bakkat i skinął głową z satysfakcją, po czym zaczął schodzić w dół zbocza ku domostwu.

Kiedy znalazł się na podwórku, zobaczył, że przygotowania są mocno zaawansowane. Tom Courtney stał na rampie magazynu w samej koszuli i wydawał polecenia mężczyznom pakującym ostatnie skrzynie na wozy.

— Co jest w tym kufrze? — dopytywał się. — Nie pamiętam go.

— Pani kazała go zapakować. Nie wiem, co jest w środku — odparł parobek, wzruszając ramionami. — Pewnie jakieś damskie rzeczy.

— Załaduj go na drugi wóz. — Tom odwrócił się i zauważył Bakkata wchodzącego na podwórze. — Widziałem cię, jak tylko wspiąłeś się na wzgórze. Rośniesz z dnia na dzień, Bakkacie.

Buszmen wyszczerzył zęby z zadowolenia, wyprostował ramiona i wypiął lekko pierś.

— Widzę, że twój plan się sprawdził, Klebe? — Było to raczej pytanie aniżeli stwierdzenie.

— Parę godzin po tym, jak Bomvu poprowadził wozy wzdłuż zachodniego wybrzeża, Keyser ruszył za nim ze wszystkimi swoimi ludźmi. — Tom się roześmiał. — Ale nie wiem, kiedy zauważy, że ściga niewłaściwą zwierzynę, i pędem ruszy z powrotem. Musimy ruszać najprędzej, jak się da.

— Klebe, przynoszę złe wieści.

Tom zobaczył wyraz twarzy małego człowieczka i jego uśmiech przygasł.

— Chodź, porozmawiamy na osobności. — Zaprowadził Bakkata w głąb składu i z powagą wysłuchał relacji Buszmena z jego wypadu w góry. Z wielką ulgą przyjął wiadomość, że myśl była trafna i że Bakkat znalazł Jima w Majubie.

— Somoja, Zama i dziewczyna już pewnie wyruszyli z Majuby i jadą do miejsca spotkania na granicy pod wzgórzem Głowa Pawiana — ciągnął Bakkat.

— To dobra wiadomość — stwierdził Tom. — Więc czemu masz taką grobową minę?

— Śledzono mnie — przyznał Bakkat. — Ktoś szedł za mną do Majuby.

— Kto to był? — Tom nie potrafił ukryć niepokoju.

— San — odparł Bakkat. — Wtajemniczony tropiciel z mojego plemienia, który zdołał odczytać mój ślad. Ten, który czekał, aż wyjdę z High Weald.

— Pies gończy Keysera! — zawołał gniewnie Tom.

— Xhia — potwierdził Bakkat. — Zwiódł mnie i pewnie teraz biegnie do swojego pana. Jutro poprowadzi Keysera do Majuby.

— Somoja wie, że Xhia go widział?

— Odkryłem ślad Xhii, kiedy byłem w połowie drogi powrotnej. Najpierw chciałem ostrzec ciebie — odparł Bakkat. — Teraz mogę znaleźć Somoję, ostrzec go i wyprowadzić na bezpieczny teren.

— Musisz dotrzeć do niego, zanim Keyser go dogoni. — Surowe rysy twarzy Toma były ściągnięte z niepokoju.

— Xhia musi wrócić do Majuby, żeby odszukać wychodzący stamtąd trop. Keyser i jego ludzie będą jechać wolno, bo nie przywykli do górskich szlaków — wyjaśnił Bakkat. — Będzie musiał zatoczyć szeroki łuk na południe. Ja zaś mogę przeciąć góry dalej na północy, wyprzedzić ich i znaleźć Somoję przed nimi.

— Idź szybko, stary przyjacielu — rzekł Tom. — Składam w twoje ręce życie mojego syna.

Bakkat kiwnął głową na pożegnanie.

— Będę czekał na ciebie z Somoją koło Głowy Pawiana.

Odwrócił się, żeby odejść, lecz Tom go zawołał.

— Ta kobieta... — Przerwał, nie mogąc spojrzeć małemu człowiekowi w twarz. — Jest z nim jeszcze? — spytał burkliwie.

Bakkat skinął głową.

— Jaka ona jest...? — Urwał. — Czy?...

Bakkat zlitował się nad nim.

— Nazwałem ją Welanga, bo jej włosy są jak słoneczny blask.

— Nie o to pytałem.

— Myślę, że Welanga będzie chodzić u jego boku długo, bardzo długo. Może do końca jego życia. Czy to chciałeś wiedzieć?

— Tak, Bakkacie, właśnie to chciałem wiedzieć.

Stojąc na rampie, odprowadził wzrokiem Bakkata wybiegającego przez bramę i ruszającego ścieżką w kierunku gór. Nie miał pojęcia, kiedy mały Buszmen ostatnio spał lub odpoczywał, lecz w tej chwili pytanie to nie miało znaczenia. Bakkat będzie biegł dopóty, dopóki będzie wymagał tego obowiązek.

— Tom! — krzyknęła Sarah. Odwrócił się i zobaczył, że żona biegnie do niego z kuchni. Ze zdziwieniem spostrzegł, że ma na sobie bryczesy, buty z cholewami i kapelusz z szerokim rondem, przewiązany pod brodą czerwoną chustą. — Co Bakkat tutaj robił?

— Znalazł Jima.

— A dziewczynę?

Tom skinął niechętnie głową.

— Dziewczynę też.

— Więc czemu nie jesteśmy jeszcze gotowi do drogi? — zapytała.

— My? — zdziwił się Tom. — My nigdzie nie jedziemy. Ale ja będę gotowy w ciągu godziny.

Sarah oparła na biodrach zaciśnięte pięści. Tom wiedział, że ten znak jest jak pierwszy pomruk aktywnego wulkanu, który za chwilę wybuchnie.

— Thomasie Courtneyu — zaczęła chłodnym tonem, lecz w jej oczach błysnął bojowy ogień. — James jest moim synem. Jedynym dzieckiem. Czy myślałeś chociaż przez chwilę, że będę siedzieć w kuchni, podczas gdy ty pojedziesz się z nim pożegnać... może na zawsze?

— Przekażę mu wyrazy twojej matczynej miłości — zaproponował Tom — a kiedy wrócę, opiszę ci dziewczynę w najdrobniejszych szczegółach.

Spierali się jeszcze przez chwilę, lecz gdy Tom wyjeżdżał przez bramę High Weald, Sarah jechała u jego boku. Trzymała brodę wysoko i próbowała nie uśmiechać się triumfalnie. Zerknęła bokiem na męża i powiedziała słodko:

— Tomie Courtneyu, wciąż jesteś najprzystojniejszym mężczyzną, jakiego kiedykolwiek widziały moje oczy, oczywiście kiedy się nie dąsasz.

— Ja nigdy się nie dąsam — odparł z nadąsaną miną.

— Ścigamy się do brodu — rzuciła. — Zwycięzca dostaje całusa. — Podrapała klacz witką po zadzie i wyrwała do przodu. Tom próbował powstrzymać swojego ogiera, ten jednak zatańczył w kółko, rwąc się do pogoni za klaczą.

— A niech to licho! No dobrze. — Tom popuścił koniowi wodze. Dał klaczy za duże fory, a Sarah była świetną amazonką.

Czekała na niego przy brodzie z zarumienionymi policzkami i błyszczącymi oczyma.

— Co z moim całusem? — zapytała.

Tom wychylił się z siodła, żeby ją objąć.

— To tylko zaliczka — obiecał, odsuwając się. — Wieczorem dostaniesz całą wypłatę.

Jim miał dobre wyczucie kierunku, lecz Bakkat wiedział, że nie jest ono niezawodne. Pamiętał, jak Jim pewnego razu wymknął się z obozu w upalne południe, kiedy wszyscy spali. Zauważył małe stado oryksów na horyzoncie, a ponieważ w obozie brakowało mięsa, pojechał za nimi. Bakkat znalazł go trzy dni później, błąkającego się po wzgórzach z kulawym koniem, umierającego z pragnienia.

Jim nie cierpiał, kiedy mu przypominano o tym epizodzie, i zanim się pożegnali w Majubie, z największą uwagą wysłuchał Bakkata, udzielającego mu wskazówek, jak znaleźć drogę wśród gór, idąc dobrze widocznymi szlakami zwierząt, którymi od setek lat podążały stada słoni i elandów. Jeden z nich zaprowadzi go do brodu na rzece Gariep. W tym miejscu rzeka wypływa na równinę, i tam zaczyna się dziki busz. Głowa Pawiana jest stamtąd widoczna na horyzoncie, jeśli spojrzy się na wschód. Bakkat był pewien, że Jim dokładnie będzie się trzymał jego wskazówek, więc potrafił sobie wyobrazić, gdzie w tej chwili chłopak może być, i którędy pójść, żeby przeciąć mu drogę.

Bakkat przeszedł przez podnóża wzgórz i dotarł daleko na północ, zanim zawrócił i znalazł się w głównym łańcuchu. Tam ruszył w górę między wysokimi, ceglastoczerwonymi ścianami głębokich dolin. Piątego dnia po opuszczeniu High Weald przeciął ślad karawany Jima. Dwa podkute konie i sześć ciężko objuczonych mułów zostawiało głęboki trop. Przed południem zrównał się z nimi. Nie pokazał się od razu, lecz wyszedł przed nich i poczekał koło ścieżki, którą musieli pójść.

Widział Jima idącego na czele karawany. Kiedy Werbel znalazł się na wysokości jego kryjówki, wysunął głowę zza głazu niczym *ajinni* z lampy i krzyknął piskliwie:

— Widzę cię, Somoja!

Werbel tak się przestraszył, że stanął dęba. Jim, także zaskoczony, odbił się od szyi wierzchowca, a Bakkat rechotał jak szalony ze swojego żartu. Jim błyskawicznie odzyskał równowagę i popędził konia za umykającym ścieżką Bakkatem, który wciąż trząsł się ze śmiechu. Jim zerwał kapelusz, wychylił się z siodła i trzepnął nim Buszmena po głowie i ramionach.

— Ty wstrętny konusie! Jesteś taki mały, taki tyci, że nawet cię nie widziałem.

Te obelgi tak rozbawiły Bakkata, że padł na ziemię i turlał się ze śmiechu. Kiedy wreszcie zdołał wstać, Jim przyjrzał mu się dokładnie i przywitali się, jak każe obyczaj. Okazało się, jak wyjątkowy jest Bakkat. Jego plemię słynęło z odporności i wytrzymałości, lecz w ciągu ostatniego tygodnia Bakkat przebiegł chyba sto mil w górzystym terenie, nie jedząc porządnie ani nie pijąc, ani nie śpiąc dłużej niż kilka godzin. Jego skóra nie była już złota i lśniąca, lecz zakurzona i szara jak popiół z ogniska. Twarz miał wychudzoną, kości policzkowe sterczały dumnie na boki, a oczy zapadły się głęboko w oczodoły. Pośladki Buszmena są jak garb wielbłąda: kiedy jest najedzony i wypoczęty, kołyszą się majestatycznie przy każdym kroku. Tyłek Bakkata zamienił się w luźne fałdy skóry, zwisające spod spódniczki. Jego nogi i ręce były chude niczym kończyny modliszki.

— Zama — zawołał Jim. — Otwórz jedną paczkę *chagga*.

Bakkat zaczął składać relację, lecz Jim go uciszył.

— Najpierw się najedz i napij — nakazał — a potem wyśpij. Później pomówimy.

Zama wydobył skórzaną torbę pełną *chagga*, pasów mięsa elanda, wysuszonych w słońcu, zasolonych i upakowanych ciasno w torbie, żeby powietrze i muchy nie mogły się do nich dostać. Pierwsi afrykańscy podróżnicy pewnie wzięli ten pomysł od Indian z Ameryki Północnej, którzy w podróży jedli *pemmikan*. Przygotowane w ten sposób mięso się nie psuje i można je jeść bardzo długo. Zachowuje dużą część swojej wilgoci, i choć ma ostry smak i trochę cuchnie, sól pozwala je przełknąć.

Bakkat rozsiadł się w cieniu koło górskiego potoku ze stosem czarnych *chagga* przed sobą i zaczął jeść. Louisa wykąpała się w zakolu strumienia nieco dalej, a potem usiadła koło Jima. Razem obserwowali posilającego się Buszmena.

— Ile jeszcze on może w sobie zmieścić? — spytała po chwili Louisa.

— Dopiero narobił sobie smaku — odparł Jim. Po pewnym czasie dodał: — Spójrz na jego brzuch. Zaczyna pęcznieć.

Bakkat wstał, podszedł do strumienia i przyklęknął.

— Skończył! — powiedziała Louisa. — A już myślałam, że będzie jadł, dopóki nie pęknie.

— Mylisz się — odparł Jim. — On teraz popija, żeby zrobić w żołądku miejsce na drugie danie.

Bakkat wrócił, z wodą ściekającą z brody, i rzucił się na stos *chagga* z nienasyconym apetytem. Louisa klasnęła w dłonie i roześmiała się ze zdumieniem.

— On jest taki mały, że to wydaje się niemożliwe! Chyba nigdy nie przestanie.

W końcu Bakkat przestał jeść. Z widocznym wysiłkiem wepchnął sobie do ust ostatni kęs. Potem usiadł po turecku, ze szklistymi oczami, i czknął donośnie.

— Wygląda jak kobieta w ósmym miesiącu ciąży — zauważył Jim, wskazując wydęty brzuch Bakkata. Louisa zaczerwieniła się, słysząc takie niewłaściwe porównanie, ale nie mogła powstrzymać uśmiechu. Bakkat uśmiechnął się do niej, a potem ułożył się na boku, zwinął w kłębek i zaczął chrapać.

Rankiem jego policzki wypełniły się w cudowny sposób, a pośladki, choć jeszcze nie odzyskały dawnych imponujących rozmiarów, wyraźnie urosły pod spódniczką. Bakkat zasiadł do *chagga*

140

z nowym apetytem, i wzmocniwszy się w ten sposób, był gotów złożyć raport Jimowi.

Ten zaś słuchał w milczeniu. Zmartwił się, usłyszawszy o odkryciu śladów świadczących o tym, że Xhia śledził go w górach, że z pewnością sprowadzi Keysera do Majuby i że stamtąd pójdą jego tropem. Potem Bakkat przekazał mu słowa miłości i wsparcia od ojca. Ciemne chmury jakby się rozproszyły i twarz chłopaka rozjaśnił znajomy uśmiech. Kiedy Bakkat skończył, obaj milczeli przez chwilę. Jim wstał i podszedł do zakola strumienia. Usiadł na spróchniałym pniu drzewa i zamyślił się głęboko. Odłamał kawałek zgniłej kory, powybierał białe larwy i wrzucił do wody. Duża żółta ryba podpłynęła natychmiast do powierzchni i połknęła je, rzucając się gwałtownie. Wreszcie Jim wrócił do czekającego cierpliwie Bakkata i usiadł naprzeciwko.

— Nie możemy iść do Gariep z Keyserem na karku. Zaprowadzimy go prosto do ojca i taboru. — Bakkat skinął głową. — Musimy go wywieść w pole, żeby zgubił nasz trop.

— Masz wiele mądrości i roztropności, jak na swój młody wiek, Somoja.

Jim zauważył kpinę w głosie Bakkata. Pochylił się i dał mu przyjacielskiego kuksańca.

— Więc oświeć mnie, o książę Sanów z klanu tchórzofretek, co musimy zrobić?

B akkat poprowadził karawanę Jima z powrotem, zataczając szeroki łuk, który oddalił ich od rzeki Gariep. Kluczyli po zwierzęcych szlakach z jednej doliny do drugiej, aż dotarli do Majuby. Nie zbliżyli się na mniej niż wiorstę do kamiennej chaty, lecz rozbili obóz poza wschodnią ścianą doliny. Nie palili ognia, jedli suchy prowiant, spali owinięci w *kaross* ze skóry szakala. W ciągu dnia mężczyźni na zmianę wspinali się wysoko z lunetą Jima i obserwowali Majubę. Wypatrywali przybycia Xhii, Keysera i jego kawalerzystów.

— Nie mogą posuwać się w górach tak szybko jak ja — chełpił się Bakkat. — Przyjdą dopiero pojutrze. Ale do tej pory musimy się dobrze ukrywać, bo Xhia ma oczy sępa i instynkt hieny.

Jim i Bakkat zbudowali tuż pod grzbietem wzgórza kryjówkę obserwacyjną z gałęzi i trawy. Buszmen obejrzał ją ze wszystkich stron, żeby upewnić się, że jest niewidoczna. Potem przestrzegł

Jima i Zamę, żeby nie używali lunety, kiedy słońce jest pod takim kątem, że jego promienie mogą się odbić od szkła. Jim wybrał sobie pierwszą poranną wartę w szałasie.

Usadowił się wygodnie i oddał się przyjemnym rozmyślaniom. Ojciec obiecał dostarczyć wozy z zapasami. Z jego pomocą marzenie o podróży do krańców tego ogromnego lądu może się ziścić. Myślał o przygodach, które przeżyją razem z Louisą, i wspaniałych rzeczach, które znajdą w niezbadanej dziczy. Przypomniał sobie legendy o rzekach pełnych bryłek złota, wielkich stadach słoni z ogromnymi kłami, pustyniach usłanych błyszczącymi diamentami.

Z marzeń wyrwał go odgłos luźnego kamienia, toczącego się po zboczu wzgórza tuż obok. Odruchowo sięgnął do pistoletu u pasa. Nie mógł jednak strzelać. Bakkat wyśmiał go, i to niezbyt łagodnie, wykazując, że strzał z muszkietu do elanda stał się wskazówką dla Xhii.

— Xhia nigdy nie odnalazłby mojego tropu, gdybyś go nie naprowadził, Somoja. Ten strzał nas zdemaskował. —

— Przebacz, Bakkacie — błagał kpiąco Jim. — Przecież wiem, jak nie cierpisz smaku *chagga*. O wiele lepiej byłoby, gdybyśmy pomarli z głodu.

Zdjął rękę z pistoletu i położył na rękojeści noża. Klinga była długa i ostra. Jim trzymał nóż od spodu, w pozycji obronnej, lecz w tym momencie usłyszał szept Louisy:

— Jim. Jim?

Niepokój wywołany nadejściem dziewczyny ustąpił miejsca radości.

— Wchodź szybko, Jeżu. Nie pokazuj się. — Louisa wczołgała się przez niski otwór. W środku ledwie starczało miejsca dla nich obojga. Siedzieli blisko siebie, dzieliło ich zaledwie kilka cali. Zapanowała niezręczna cisza, którą w końcu przerwał Jim. — Wszystko w porządku u Zamy i Bakkata?

— Śpią. — Louisa nie patrzyła na niego, lecz nie mogła nie odczuwać intensywnie jego obecności. Był blisko, pachniał potem, skórą i końmi. Był tak silny i męski, że czuła się zmieszana i zawstydzona. Mroczne wspomnienia mieszały się jej z nowymi sprzecznymi doznaniami; odsunęła się od Jima najdalej, jak to było możliwe. On natychmiast zrobił to samo.

— Ciasno tu — rzekł. — Bakkat zbudował ten szałas na swój rozmiar.

— Nie chciałam... — zaczęła Louisa.

— Rozumiem, Jeżu — przerwał jej Jim. — Już mi to raz tłumaczyłaś. — Zerknęła na niego kątem oka i zobaczyła z ulgą, że uśmiecha się życzliwie. W ciągu tych kilku dni zdążyła zrozumieć, że nazywając „Jeżem", nie wyrzuca jej niczego ani jej nie obraża, lecz łagodnie się z nią drażni.

— Powiedziałeś kiedyś, że chciałeś mieć takie zwierzątko.

— Jakie?

— Jeża. Dlaczego go sobie nie znalazłeś?

— To nie takie łatwe. Nie ma ich w Afryce. — Uśmiechnął się. — Widziałem je w książkach. Ty jesteś pierwszym, którego zobaczyłem na własne oczy. Nie gniewasz się, że cię tak nazywam?

Po chwili namysłu uświadomiła sobie, że teraz Jim nawet się z nią nie drażni, tylko używa przydomka pieszczotliwie.

— Z początku byłam zła, ale teraz przywykłam — odparła, a potem dodała z subtelnym uśmiechem: — Pewnie o tym nie wiesz, ale jeże to urocze małe stworzenia. Nie, nie gniewam się.

Znów zapanowała cisza, lecz nie była już niezręczna. Louisa zrobiła w ścianie z trawy otwór do wyglądania. Jim podał jej lunetę i pokazał, jak ustawić ostrość.

— Mówiłaś, że jesteś sierotą. Opowiedz mi o swoich rodzicach — poprosił.

Louisa była zaszokowana i wzburzona. Nie miał prawa o to pytać. Skupiła się na lunecie, lecz niczego nie zobaczyła. Gniew ustąpił. Poczuła głęboką potrzebę mówienia o swej bolesnej stracie. Nigdy z nikim o tym nie rozmawiała, nawet z Elise, kiedy jeszcze ufała starej kucharce.

— Tata był nauczycielem, dobrym i wyrozumiałym. Kochał książki i naukę. — Z początku jej głos był ledwie słyszalny, lecz nabierał mocy, kiedy przypominała sobie, jak wspaniali byli jej rodzice, jak cudowna była ich miłość i dobroć.

Jim usiadł cicho obok; kiedy Louisie brakowało słów, zadawał pytanie, żeby ją zachęcić. Było tak, jakby przeciął skalpelem wrzód na jej duszy i wypuścił ze środka całą truciznę i ból. Louisa darzyła go coraz większym zaufaniem, czuła, że może mu wszystko powiedzieć, a on jakimś sposobem to zrozumie. Wydawało się, że straciła rachubę czasu; dopiero ciche drapanie w tylną ścianę szałasu wyrwało ją ze wspomnień. Bakkat zapytał o coś szeptem. Gdy Jim odpowiedział, Buszmen oddalił się równie cicho, jak się zjawił.

— O co on pytał? — zwróciła się do Jima.

— Przyszedł przejąć wartę, ale odesłałem go z powrotem.

— Za bardzo się rozgadałam. Która godzina?

— Tutaj czas się nie liczy. Mów dalej. Lubię cię słuchać.

Kiedy opowiedziała mu to, co pamiętała o rodzicach, zaczęli rozmawiać o innych sprawach, o wszystkim, co przyszło jej do głowy albo o tym, o co spytał Jim. To była dla Louisy wielka radość, że znów może z kimś otwarcie pomówić.

Teraz, gdy poczuła się swobodnie i opuściła gardę, Jim zauważył z radością, że ma cierpkie, kapryśne poczucie humoru; potrafiła być zabawna i autoironiczna, czasem spostrzegawcza i przewrotnie kpiarska. Jej angielski był doskonały, nieporównanie lepszy od holenderskiego Jima, a akcent sprawiał, że to, co mówiła, miało posmak świeżości; sporadyczne przejęzyczenia i pomyłki dodawały jej tylko uroku.

Wykształcenie zdobyte przy ojcu dało jej zaskakująco rozległą wiedzę, a poza tym odwiedziła wiele niezwykłych miejsc. Anglia była duchowym domem Jima, domem jego przodków, lecz nigdy w niej nie był; Louisa opisała mu miejsca i sceny, o których słyszał od rodziców i znał jedynie z książek.

Godziny upływały szybko. Dopiero kiedy długie cienie gór padły na szałas, Jim spostrzegł, że dzień prawie się skończył. Z poczuciem winy uświadomił sobie, że zaniedbał wartę i prawie nie wyjrzał z kryjówki przez kilka godzin.

Pochylił się i spojrzał na stok góry. Louisa podskoczyła, kiedy jego ręka spoczęła na jej ramieniu.

— Są tutaj! — powiedział ostrym tonem, lecz w pierwszej chwili nie zrozumiała. — Keyser i jego ludzie.

Puls jej przyśpieszył, dostała gęsiej skórki na rękach. Wyjrzała z drżeniem serca i zobaczyła ruch w głębi doliny. Kolumna jeźdźców przekraczała strumień, ale z tej odległości nie sposób było rozróżnić poszczególnych ludzi. Jim wziął lunetę z kolan Louisy i zerknął na słońce. Szałas znajdował się już w cieniu i nie było ryzyka, że blask odbije się od soczewki. Szybko ustawił ostrość.

— Prowadzi ich Buszmen Xhia. Znam od dawna tę małą świnię. Jest przebiegły jak pawian i niebezpieczny jak ranny lampart. On i Bakkat to śmiertelni wrogowie. Bakkat przysięga, że Xhia zabił czarami jego żonę. Mówi, że zaczarował mambę, żeby ją ukąsiła. — Przesunął lunetę i opisał, co widzi: — Keyser jedzie tuż za Xhią na swoim siwku. To też dobry koń. Keyser wzbogacił się na łapówkach i tym, co ukradł VOC. Ma jedną z najprzedniejszych

144

stajni w Afryce. Nie jest tak miękki, jak można by sądzić po jego brzuchu. Przyjechali o cały dzień wcześniej, niż przewidywał Bakkat.

Louisa przysunęła się do niego bliżej; czuła, jak strach pełza jej po plecach niczym zimny gad. Wiedziała, co ją czeka, jeśli wpadnie w ręce Keysera.

Jim przesunął lunetę.

— Za Keyserem jedzie kapitan Herminius Koots. Matko Boska, to dopiero jest łotr! Krążą o nim takie opowieści, że zarumieniłabyś się albo zemdlała, gdybym ci je powtórzył. Z tyłu widzę sierżanta Oudemana. To kompan Kootsa, obaj mają podobne gusta. Obchodzi ich tylko złoto, krew i to, co znajduje się pod spódnicą.

— Jimie Courtneyu. Byłabym ci wdzięczna, gdybyś tak nie mówił. Pamiętaj, że jestem kobietą.

— Więc nie będę musiał ci tego wyjaśniać, prawda, Jeżu? — Uśmiechnął się. Louisa próbowała zgromić go wzrokiem, ale zignorował ją i dalej wymieniał nazwiska żołnierzy Keysera.

— Z tyłu jadą kaprale Richter i Le Riche, prowadząc luzaki. — Naliczył ich dziesięć. — Nic dziwnego, że jechali w takim tempie. Z tyloma końmi będą nas mocno naciskać.

Jim złożył teleskopową lunetę.

— Powiem ci teraz, co musimy zrobić. Trzeba odciągnąć Keysera od rzeki Gariep, nad którą mój ojciec będzie na nas czekał z wozami i zapasami. Przykro mi, lecz znaczy to, że będziemy uciekać przez wiele dni albo nawet tygodni. Nie będziemy mogli mieszkać w namiotach, nie będzie też czasu na budowanie szałasów; racje żywnościowe będą małe, kiedy skończy się mięso elanda... chyba że coś upolujemy, ale o tej porze roku większość zwierzyny jest na nizinach. Poza tym z Keyserem na karku nie damy rady polować. Nie będzie łatwo.

Louisa zamaskowała lęk uśmiechem i beztroskim tonem:

— W porównaniu z pokładem *Meeuw* to i tak będzie raj. — Potarła się po pręgach od łańcuchów na kostkach. Rany goiły się: strupy odpadały, pod nimi widać było świeżą, różową skórę. Bakkat sporządził z tłuszczu elanda i ziół balsam, który działał nieomal cudownie.

— Myślałem o tym, czy nie wysłać cię nad Gariep z Zamą; tam spotkałabyś się z moim ojcem, a ja i Bakkat odciągnęlibyśmy Keysera. Ale omówiłem to z Bakkatem i uznaliśmy, że nie można tak ryzykować. Tropiciel Keysera, Buszmen, to prawdziwy czarownik. Nie umknęlibyście mu, nawet gdyby Bakkat zastosował wszystkie swoje sztuczki. Xhia zauważyłby wasz trop w miejscu, gdzie byśmy się rozdzielili, a Keyser chce cię dostać prawie tak bardzo jak mnie. — Twarz Jima zachmurzyła się, gdy pomyślał o tym, że Louisa mogłaby wpaść w ręce Keysera, Kootsa i Oudemana. — Zostaniemy razem.

Louisa zdziwiła się, jak wielką poczuła ulgę, słysząc, że jej nie zostawi.

Obserwowali ludzi Keysera, przeszukujących opuszczoną chatę, a potem wsiadających na konie i ruszających zimnym tropem karawany Jima. Po chwili oddział zniknął w górach.

— Niedługo wrócą — powiedział Jim.

Xhia potrzebował trzech dni, by poprowadzić Keysera szerokim łukiem i wrócić do wzgórz koło Majuby. Jim wykorzystał ten czas, żeby nakarmić konie i muły i dać im odpocząć. Bakkat zaś odzyskał siły, jego tyłek znów się wypełnił i zaokrąglił. Nieco po południu trzeciego dnia zjawiła się znów kolumna Keysera, uparcie podążająca starym tropem. Jak tylko Bakkat ją zobaczył, Jim ruszył ze swoją karawaną w głąb gór. Dostosował tempo do prędkości posuwania się pościgu: trzymali się w takiej odległości, żeby mieć Keysera na oku i żeby nie przeoczyć żadnego nagłego manewru ani podstępu, który pułkownik mógłby obmyślić z Xhią.

Zama i Louisa szli z mułami i ładunkiem przed resztą karawany. Zama dyktował takie tempo, żeby zwierzęta mogły je wytrzymać. Musiały mieć czas na popas i odpoczynek, bo inaczej wkrótce by osłabły i nie poszły dalej. Na szczęście Keyser musiał postępować tak samo, choć miał zapasowe konie.

Bakkat i Jim szli Keyserowi pod nosem, tak aby zawsze wiedzieć, gdzie znajduje się pułkownik. Ilekroć trop prowadził przez przełęcz lub wodę, czekali w jakimś wysoko położonym miejscu, aż grupa Keysera wejdzie w pole widzenia. Zanim ruszyli dalej, Jim liczył przez lunetę konie i ludzi, żeby się upewnić, czy nikt się nie odłączył.

Gdy zapadła noc, Bakkat podczołgiwał się pod obóz Keysera i obserwował. Nie mógł zabierać ze sobą Jima. Xhia stanowił wielkie zagrożenie, i choć Jim dobrze znał busz, nie mógł się równać z Buszmenem, szczególnie w ciemności. Louisa i Zama szli daleko z przodu, a Jim posilał się samotnie przy ognisku; zostawiał je płonące, żeby wprowadzić w błąd tego, kto mógłby go śledzić. Potem wymykał się w ciemność w ślad za Zamą i Louisą, strzegąc ich od tyłu przed ewentualnym atakiem z zaskoczenia.

Przed świtem Bakkat przerywał obserwację obozu przeciwnika i szybko dołączał do Jima. Później przez cały dzień posuwali się w tym samym szyku.

Nazajutrz rano Xhia mógł odgadnąć wszystkie ich ruchy. Trzeciej nocy Keyser zarządził atak z zaskoczenia. Wieczorem rozbił obóz. Kawalerzyści przywiązali konie, zjedli kolację i wystawili straże, a pozostali owinęli się w koce i pozwolili ognisku wygasnąć. Dzięki obserwacjom Xhii wiedzieli, że Bakkat ich szpieguje. Jak tylko się ściemniło, Xhia potajemnie wyprowadził Kootsa i Oudemana z obozu. Okrężną drogą próbowali prześliznąć się obok Bakkata i zaskoczyć Jima przy ogniu. Lecz dwóch białych, mimo zdjęcia ostróg i owinięcia stóp szmatami, nie stanowiło przeciwników dla Bakkata. Słyszał w mroku każde ich ciężkie stąpnięcie. Kiedy Xhia i kawalerzyści dotarli do ogniska Jima, zastali tylko rozżarzone węgle.

Dwa dni później nocą Koots i Oudeman zaczaili się na Bakkata w dużej odległości od obozu. Bakkat miał jednak zwierzęcy instynkt. Wyczuł Kootsa z dwudziestu kroków: pot białego mężczyzny i dym z cygar mają bardzo wyraźną woń. Buszmen zepchnął niewielki głaz z pagórka. Słysząc odgłos spadającego kamienia, Koots i Oudeman zaczęli strzelać na oślep z muszkietów. W obozie rozległy się krzyki i strzelanina; ani Keyser, ani jego ludzie nie wypoczęli zbytnio tej nocy.

Rankiem Jim i Bakkat zobaczyli, że wróg znów wsiada na konie i rusza w pościg.

— Kiedy Keyser da za wygraną? — zastanawiał się Jim.

Bakkat biegł obok niego, trzymając się skórzanego paska strzemienia.

— Nie powinieneś był kraść mu konia, Somoja. Myślę, że go rozgniewałeś i uraziłeś jego dumę. Będziemy musieli albo go zabić, albo mu się wyśliznąć. On sam nie zrezygnuje.

— Żadnego zabijania, ty krwiożerczy mały diable. Uprowadzenie więźniarki ze statku VOC i kradzież wierzchowca to wystarczająco dużo. Nawet gubernator van de Witten nie mógłby puścić płazem zabójstwa dowódcy garnizonu. Zemściłby się na mojej rodzinie. Mój ojciec... — Jim nie dokończył. Konsekwencje były zbyt straszne, żeby o nich myśleć.

— Keyser nie jest głupi — ciągnął Bakkat. — Wie już, że idziemy na spotkanie z twoim ojcem. Jeśli nie wie, gdzie ono ma się odbyć, wystarczy, że będzie nas śledził. Jeśli nie chcesz go zabić, będziesz potrzebował pomocy samego Kulu Kulu, żeby wyprowadzić Xhię w pole. Ja nie mógłbym być tego pewny, nawet gdybym szedł sam. A jest nas trzech mężczyzn, dziewczyna, która nigdy nie była w buszu, dwa konie i sześć objuczonych mułów. Jaką możemy mieć nadzieję wobec oczu, nosa i magii Xhii?

Dotarli do kolejnego grzbietu i zatrzymali się, żeby dać odpocząć Werblowi i przyjrzeć się oddziałowi Keysera.

— Bakkat, gdzie my jesteśmy? — Jim stanął w strzemionach i rozejrzał się po budzącym grozę labiryncie gór i dolin.

— Ta okolica nie ma nazwy, bo zwykli ludzie tu nie przychodzą, chyba że gubią drogę i wpadają w obłęd.

— Więc gdzie jest morze i kolonia? — Jimowi trudno było zorientować się pośród gór. Bakkat bez wahania wskazał kierunek; Jim zmrużył oczy i spojrzał w tamtą stronę, lecz nie zakwestionował słów Buszmena. — Jak daleko?

— Niedaleko, jeśli się podróżuje na grzbiecie orła. — Bakkat wzruszył ramionami. — Może osiem dni, jeżeli zna się drogę i szybko idzie.

— Keyserowi muszą się kończyć zapasy. Nawet nam został tylko jeden worek *chagga* i dwadzieścia funtów mąki kukurydzianej.

— On zeżre swoje luzaki, zanim zrezygnuje i pozwoli ci spotkać się z ojcem — prorokował Bakkat.

Późnym popołudniem zobaczyli, że sierżant Oudeman wybrał jednego konia spośród zapasowych i wyprowadził go do parowu nieopodal obozu. Oudeman trzymał koniowi głowę, Richter i Le Riche ostrzyli noże na kamieniu, a Koots sprawdził krzemień i spłonkę pistoletu. Potem podszedł do zwierzęcia i przyłożył mu lufę do białej plamy na głowie. Odgłos wystrzału był stłumiony, lecz koń padł jak rażony gromem i zaczął kopać nogami w konwulsjach.

— Końskie steki na kolację — mruknął Jim. — Keyser ma żywności co najmniej na następny tydzień. — Zniżył lunetę. — Bakkat, nie możemy uciekać w ten sposób zbyt długo. Ojciec nie będzie czekał nad rzeką w nieskończoność.

— Ile koni im zostało? — spytał Bakkat, dłubiąc z namysłem w nosie i oglądając to, co wydobył.

148

Jim podniósł znów lunetę i przesunął ją po stadzie.

— ...szesnaście, siedemnaście, osiemnaście. Osiemnaście, licząc siwka Keysera. — Spojrzał na niewinnie wyglądającą twarz Bakkata. — Konie? Oczywiście! — zawołał. Twarz Bakkata skrzywiła się w szelmowskim uśmiechu. — Tylko w ten sposób możemy ich zaatakować.

Uciekając przed nieustępliwym pościgiem, wjechali w dziką krainę, gdzie nawet Bakkat wcześniej się nie zapuszczał. Dwa razy widzieli zwierzynę — raz cztery elandy idące po grani, a innym razem stado pięćdziesięciu pięknych oryksów. Ale gdyby skręcili za zwierzętami, zmieniłaby się odległość dzieląca ich od wrogów, a wystrzały naprowadziłyby pogoń tak szybko, że nawet nie zdążyliby poćwiartować mięsa. Zabicie jednego muła wiązało się z takim samym skutkiem. Jechali więc dalej, mimo że zapasy prawie całkowicie im się wyczerpały. Jimowi została jeszcze tylko garść ziaren kawy.

Stopniowo Zama i Louisa, prowadzący muły, zwolnili tempo. Odległość między dwiema grupami topniała, aż wreszcie Jim z Bakkatem zrównali się z czołówką. Pościg Keysera jednak nie zwalniał, więc karawana Jima z coraz większym trudem utrzymywała przewagę. Wydawało się, że świeże steki z koniny, pieczone nad ogniskiem, odnowiły siłę i determinację kawalerzystów Keysera. Louisa opadała z sił. Była wychudzona, zanim zaczęli uciekać, a teraz, bez jedzenia i odpoczynku, zbliżała się do granic wytrzymałości.

Na domiar złego do pościgu przyłączyli się inni myśliwi. Śpiących niespokojnie w ciemności, głodnych i zziębniętych uciekinierów, spodziewających się w każdej chwili ataku Keysera, wyrwał ze snu okropny dźwięk. Louisa krzyknęła, zanim zdążyła się powstrzymać.

— Co to było?

Jim wyskoczył spod futrzanego *kaross*, podszedł do niej i otoczył ją ramieniem. Była tak przerażona, że nawet się nie odsunęła. Dźwięk powtórzył się znowu — seria głębokich pomruków, stopniowo narastających, by wreszcie zamienić się w ryk, który rozległ się echem pośród ciemnych gór.

— Co to było? — powtórzyła drżącym głosem.

— Lwy — odparł Jim. Nie było sensu jej oszukiwać, więc

spróbował skierować uwagę dziewczyny na coś innego. — Nawet najodważniejszy człowiek boi się lwa trzy razy: kiedy pierwszy raz widzi jego trop, kiedy słyszy jego ryk i kiedy spotyka się z nim oko w oko.

— Mnie wystarczy raz — powiedziała Louisa drżącym głosem, choć roześmiała się niepewnie. Jej odwaga napełniła Jima dumą. Zdjął rękę z ramienia dziewczyny, czując, że porusza się niespokojnie w jego objęciach. Wciąż nie mogła znieść dotyku mężczyzny.

— Polują na konie — wyjaśnił. — Jeśli nam szczęście dopisze, może zajmą się stadem Keysera, a nie naszym. — Jakby w odpowiedzi na to życzenie, kilka minut później usłyszeli kanonadę z muszkietów w głębi doliny, w miejscu, gdzie wróg rozbił na noc swój obóz.

— Mamy lwy po naszej stronie — roześmiała się Louisa, tym razem nieco bardziej przekonująco. Przez całą noc co jakiś czas słyszeli odległe salwy z muszkietów.

— Wciąż nękają obóz Keysera — zauważył Jim. — Może pozbawią go kilku koni.

O świcie, gdy przygotowywali się do dalszej ucieczki, Jim spojrzał przez lunetę i zobaczył, że w nocy Keyser nie stracił ani jednego ze swoich wierzchowców.

— Niestety, udało im się odpędzić lwy — powiedział do Louisy.

— Miejmy nadzieję, że dzisiaj w nocy spróbują jeszcze raz — odparła.

To był najgorszy dzień ze wszystkich, jakie dotąd przeżyli podczas ucieczki. Po południu z północnego zachodu nadciągnęła burza z piorunami i przemoczyła ich zimnym, zacinającym deszczem. Przeszła akurat o zachodzie słońca; tuż przed zapadnięciem zmroku zobaczyli, że wróg jest mniej niż milę za nimi i wciąż się zbliża. Uciekali jeszcze długo po zapadnięciu ciemności. Był to koszmarny marsz po mokrym, zdradliwym terenie, w strumieniach, które wezbrały niebezpiecznie po ulewie. Jim czuł w głębi serca, że nie wytrzymają już tego długo.

Kiedy się w końcu zatrzymali, Louisa omal nie zsunęła się z grzbietu Śmigłej. Jim otulił ją mokrym *kaross* i dał jej małą pałeczkę *chagga* z ostatnich resztek zapasów żywności.

— Ty zjedz — sprzeciwiła się. — Ja nie jestem głodna.

— Jedz — rozkazał. — Nie czas na poświęcanie się.

Osunęła się na ziemię i zasnęła, nim zdążyła ugryźć kilka kęsów. Jim podszedł do siedzących obok siebie Zamy i Bakkata.

— To już prawie koniec — rzekł. — Musimy to zrobić dzisiaj

albo wcale. Musimy się dobrać do ich koni. — Planowali to przez cały dzień, lecz był to daremny wysiłek. Jim wiedział, że prawie na pewno są skazani na porażkę.

Bakkat jako jedyny spośród nich miał jakąś szansę na zmylenie uwagi Xhii i wśliźnięcie się niepostrzeżenie do obozu wroga, a przecież nie był w stanie odwiązać wszystkich osiemnastu koni i w pojedynkę ich wyprowadzić.

— Jeden lub dwa, tak — powiedział do Jima — ale nie osiemnaście.

— Musimy zabrać wszystkie — odparł Jim, spoglądając w niebo. Sierp księżyca płynął przez resztki deszczowych chmur. — Akurat dość światła do wykonania roboty.

— Bakkat mógłby wejść między konie i podciąć im pęciny — zaproponował Zama.

Jim poruszył się niespokojnie: sam pomysł okaleczeniu konia budził jego niesmak.

— Pierwsze zwierzę narobiłoby takiego hałasu, że Bakkat miałby na głowie cały oddział. Nie, to na nic.

W tym samym momencie Bakkat zerwał się na równe nogi i głośno wciągnął powietrze.

— Trzymajcie konie! — krzyknął. — Lwy są tutaj!

Zama podbiegł do Śmigłej i złapał ją za uzdę, a Bakkat skoczył do mułów. Muły są spokojniejsze niż konie czystej krwi.

Jim zdążył w ostatniej chwili. Chwycił Werbla za głowę, kiedy ten stanął na tylnych nogach i zarżał przenikliwie ze strachu. Jim został oderwany od ziemi, ale zdołał zarzucić ramię na szyję ogiera i przytrzymać go.

— Już dobrze, już dobrze, koniku! — uspokajał go. Mimo to ogier wciąż skakał i wierzgał, próbując się wyrwać. — Co się dzieje? — zawołał Jim do Bakkata.

— To lew — wydyszał Bakkat. — Parszywy demon! Podszedł od wiatru i wypuścił swoje cuchnące szczyny, żeby konie poczuły. Lwica czeka po drugiej stronie. Złapie tego, który ucieknie.

— Słodki Jezu! — zawołał Jim. — Nawet ja to czuję! — Była to ostra, cuchnąca woń, bardziej odrażająca niż odór moczu jakiegokolwiek innego kota. Werbel znowu stanął dęba. Smród doprowadzał go do szaleństwa. Wyrywał się tak wściekle, że Jimowi zdawało się, iż tym razem go nie utrzyma. Obejmował ogiera rękami za szyję, ale ledwie dotykał stopami ziemi. Werbel rzucił się przed siebie galopem, wlokąc ze sobą Jima.

— Lwica! — krzyknął za nim Bakkat. — Uważaj! Tam czeka lwica!

Kopyta Werbla dudniły po skalistej ziemi; Jim czuł, że ręce wyskakują mu ze stawów.

— Puść, Somoja. Nie powstrzymasz go! — zawołał Bakkat. — Lwica dopadnie i ciebie!

Jim skręcił ciało i odbił się nogami od ziemi, a potem zarzucił jedną nogę na grzbiet Werbla. Balansując na pędzącym koniu, wyszarpnął zza pasa pistolet Keysera i jednym ruchem naciągnął kurek.

— Z prawej, Somoja! — Ledwo usłyszał głos Bakkata, lecz ostrzeżenie przyszło w samą porę. Zauważył ruch z prawej strony, gdy lwica wychynęła z ukrycia i skoczyła. W bladej poświacie księżyca była niczym duch... cicha, ogromna i straszna.

Jim podniósł pistolet i pochylił się do przodu. Próbował kierować Werbla naciskiem kolan, lecz koń nie pozwolił się kontrolować. Zobaczył, że lwica wybiega przed nich i przypada do ziemi, gotując się do skoku. Potem oderwała się, skacząc prosto na Jima. Nie było czasu mierzyć. Instynktownie skierował lufę w jej pysk. Była tak blisko, że widział łapy wyciągające się do niego z wielkimi, zakrzywionymi pazurami. Otwarta paszcza wyglądała jak czarny dół. Kły świeciły w blasku księżyca niczym porcelana, a gdy lwica ryknęła, cuchnący grobem, gorący oddech wionął mu prosto w twarz.

Wypalił, trzymając pistolet na pełną długość ręki; oślepił go błysk z lufy. Bestia spadła na niego i konia całym ciężarem ciała. Nawet Werbel zachwiał się pod uderzeniem, lecz zaraz pogalopował dalej. Jim poczuł pazury lwicy na bucie, ale na szczęście się nie zaczepiły. Olbrzymie cielsko odbiło się od konia i osunęło bezwładnie na ziemię.

Po kilku sekundach Jim uświadomił sobie, że wyszedł bez szwanku. Teraz musiał zatroszczyć się o Werbla. Pochylił się i objął ogiera za szyję.

— Już po wszystkim, koniku! — wołał uspokajająco. — Już dobrze.

Werbel zastrzygł uszami, wsłuchując się w głos Jima. Zwolnił do kłusa, a potem zaczął iść stępa. Jim skierował go z powrotem. Gdy tylko koń poczuł krew lwicy, zaczął podskakiwać i tańczyć, rzucając nerwowo łbem.

— Lwica nie żyje! — dobiegł z ciemności głos Bakkata. — Kula przeszła przez paszczę i wyleciała z tyłu czaszki.

152

— Gdzie lew? — spytał Jim.

Jak gdyby w odpowiedzi usłyszeli ryk drapieżnika spod szczytu góry, o dobrą milę dalej.

— Żona na nic mu się już nie przyda, więc ją zostawił — zauważył szyderczo Bakkat. — Tchórzliwy i podstępny zwierz.

Jim z trudem nakłonił Werbla, żeby podszedł do miejsca, gdzie Bakkat stał obok martwej lwicy. Koń wciąż był niespokojny.

— Nigdy go nie widziałem tak przerażonego! — zawołał Jim.

— Żadne zwierzę nie zachowa spokoju i odwagi, kiedy czuje w nozdrzach szczyny albo krew lwa — powiedział Bakkat. Nagle obaj jednocześnie krzyknęli: — No właśnie! To jest to!

Dobrze po północy dotarli do skalnego grzbietu górującego nad obozowiskiem wroga. Ogniska wygasły, lecz Jim i Bakkat wiedzieli, że wartownicy nie śpią.

— Lekki wiaterek ze wschodu. — Jim trzymał Werbla za łeb, żeby go uspokoić. Ogier wciąż drżał i pocił się ze strachu. Nawet ręka Jima nie pomagała. Ilekroć ścierwo, które ciągnął, przesunęło się, przewracał oczami, aż białka lśniły w blasku księżyca.

— Musimy iść pod wiatr — mruknął Bakkat. — Konie nie mogą poczuć zapachu, póki nie będziemy gotowi.

Wcześniej owinęli skórą kopyta Werbla i wszystkie metalowe części uprzęży. Bakkat poszedł przodem, by upewnić się, że droga jest wolna. Okrążyli obóz wroga od zachodu.

— Nawet Xhia musi czasem spać — szepnął Jim do Bakkata, lecz sam nie był o tym przekonany. Zbliżali się powoli, widzieli już zarysy postaci wartowników na tle słabego żaru ogniska.

— Daj mi swój nóż, Somoja! — szepnął Bakkat. — Jest ostrzejszy niż mój.

— Jeśli go zgubisz, wezmę w zamian twoje uszy — mruknął Jim.

— Czekaj na mój sygnał. — Bakkat odszedł błyskawicznie, jakby rozpływając się w powietrzu. Jim stał obok łba Werbla, trzymając go za nozdrza, żeby ogier nie poczuł zapachu stojących tak blisko koni i nie zaczął rżeć.

Bakkat niczym duch sunął coraz bliżej ognisk; serce mu drgnęło, gdy zobaczył Xhię. Buszmen siedział przy drugim ognisku, z *kaross* zarzuconym na ramiona. Bakkat widział, że ma zamknięte oczy, a jego głowa kołysze się, jakby miał za chwilę usnąć.

Somoja miał rację, pomyślał Bakkat, uśmiechając się do siebie. Xhia rzeczywiście czasem śpi.

Trzymał się jednak z dala od Buszmena, za to z pogardliwym lekceważeniem przemknął niemal na wyciągnięcie ręki od kaprala Richtera, pilnującego koni. Pierwszym zwierzęciem, do którego dotarł, był siwek Keysera. Zbliżając się, Bakkat wydawał z głębi gardła monotonny, uspokajający pomruk. Siwek poruszył się nieznacznie i wyprostował uszy, lecz nie zarżał. Bakkat w jednej chwili podciął trzy krępujące konia postronki. Przesunął się do następnego wierzchowca w szeregu, wciąż mrucząc kołysankę. Starannie przeciągnął ostrzem noża po lince.

Był w połowie szeregu, gdy usłyszał, że kapral Richter kaszle, chrząka i spluwa. Bakkat przypadł do ziemi i znieruchomiał. Usłyszał ciężki krok Richtera i zobaczył, że kapral zatrzymuje się przy łbie siwka, żeby sprawdzić postronki. W ciemności kapral nie zauważył jednak, że linka jest do połowy przecięta. Ruszył dalej i omal nie nastąpił na Bakkata. Doszedłszy do końca szeregu, rozpiął rozporek bryczesów i hałaśliwie oddał mocz na ziemię. Bakkat wczołgał się pod brzuch jednego z koni; wracający Richter nawet nie zerknął w jego stronę. Zajął swoje miejsce przy ognisku i odezwał się do Xhii, który mruknął coś w odpowiedzi.

Bakkat odczekał kilka minut, a potem ruszył dalej wzdłuż szeregu koni, nie pomijając ani jednego postronka.

Jim usłyszał sygnał — ciche, przeciągłe wołanie nocnego ptaka, tak przekonujące, że nie był do końca pewien, czy wydał je tropiciel, czy prawdziwy ptak.

Teraz nie ma odwrotu! — pomyślał i wskoczył na grzbiet Werbla. Ogier nie potrzebował zachęty, jego nerwy były napięte jak postronki; rzucił się przed siebie, gdy tylko poczuł pięty Jima na bokach. Ścierwo lwicy, do połowy przecięte, z wylewającymi się wnętrznościami, sunęło z tyłu. Werbel, który nie mógł dłużej znieść tej woni, wpadł w środek śpiącego obozu. Jim wrzeszczał na całe gardło, wymachując kapeluszem nad głową.

Bakkat wyskoczył z ciemności po przeciwnej stronie, rycząc niewiarygodnie głośno jak na swoją nędzną posturę. Doskonale naśladował ryk lwa.

Kapral Richter, na wpół śpiący, wstał i wypalił z muszkietu w stronę szarżującego Jima. Kula nie dosięgła Werbla, lecz trafiła w jednego z koni w szeregu i roztrzaskała mu przednią nogę. Zwierzę zarżało rozpaczliwie, zrywając podcięte postronki, a potem przewróciło się na grzbiet, kopiąc nogami w powietrzu. Pozostali kawalerzyści zerwali się z miejsc i chwycili za muszkiety. Panika była zaraźliwa; wszyscy strzelali do wyimaginowanych lwów i napastników, pokrzykując bezładnie.

— To ten bękart Courtneyów! — ryknął Keyser. — Tam jest! Zastrzelić go! Nie pozwólcie mu umknąć!

Uszy koni były bombardowane okrzykami, rykami i wystrzałami z muszkietów, a wreszcie do ich nozdrzy wpadł budzący grozę odór lwich wnętrzności. Wczorajszej nocy atakowało je stado lwów, i dobrze to zapamiętały. Nie mogły dłużej wytrzymać. Zaczęły wierzgać, kopać, stawać dęba i rżeć ze strachu. Postronki popękały jeden po drugim i konie były wolne. Wybiegły całym stadem z obozu, uciekając w stronę, w którą wiał wiatr. Tuż za nimi pędził na Werblu Jim. Bakkat wyskoczył z ciemności i złapał się skórzanego paska strzemienia. Werbel holował go, a on wciąż ryczał jak rozjuszony lew. Keyser i jego żołnierze biegli za nimi w tumanie kurzu, wrzeszcząc z wściekłości, strzelając i ładując muszkiety.

— Zatrzymać ich! — krzyczał Keyser. — Mają nasze konie! Zatrzymać ich. — Potknął się na kamieniu i przewrócił, łapiąc ciężko powietrze; serce waliło mu, jakby miało za chwilę eksplodować. Patrząc za znikającym stadem koni, uświadomił sobie z całą mocą własne położenie. Był ze swoimi ludźmi w górzystym terenie, pozbawionym dróg, co najmniej dziesięć dni marszu od cywilizacji. Zapasy żywności prawie się wyczerpały, a i tak nie byli w stanie zabrać nawet tej resztki. — Świnia! — ryknął. — Jeszcze cię dopadnę, Courtney! Nie spocznę, dopóki nie zobaczę, jak dyndasz na szubienicy, jak robaki włażą ci do czaszki i wychodzą oczodołami. Przysięgam na wszystko, co święte, i niech Bóg będzie mi świadkiem.

Wystraszone konie trzymały się razem, a Jim pędził je dalej. Odciął linę, na której wlókł ścierwo lwicy. Werbel, uradowany, że pozbył się cuchnącego ciężaru, szybko się uspokoił. Po przebiegnięciu mili stado zwolniło, lecz Jim nie pozwalał koniom zatrzymać się. Godzinę później wiedział, że żaden z żołnierzy niosących ciężką broń i sprzęt nie jest w stanie ich dogonić. Zwolnił i zaczął jechać kłusem; konie mogły utrzymywać takie tempo godzinami.

P rzed atakiem na obóz Keysera Jim polecił Zamie i Louisie wyruszyć w drogę. Prowadzili ze sobą Śmigłą i muły. Mieli kilka godzin przewagi, lecz Jim dogonił ich wkrótce po zachodzie słońca. Spotkanie było bardzo emocjonalne.

— Usłyszeliśmy w nocy strzały — powiedziała Louisa — i baliśmy się najgorszego; modliłam się o ciebie. Przestałam dopiero przed minutą, kiedy usłyszeliśmy wasze okrzyki z tyłu.

— I to nas uratowało, Jeżu — odparł Jim. — Musisz być mistrzynią modlitwy. — Uśmiechał się, lecz czuł nieodparte pragnienie, żeby ściągnąć ją z grzbietu Śmigłej i przytulić do siebie opiekuńczo. Była taka szczuplutka, blada i wyczerpana. Zeskoczył z siodła. — Rozpal ognisko, Zama — polecił. — Możemy się ogrzać i odpocząć. Niech mnie kule biją, jeśli nie zjemy tego, co mamy, do ostatniego kęsa, nie wypijemy ostatniego kubka kawy, a potem porządnie się nie wyśpimy. — Roześmiał się głośno. — Keyser wraca do kolonii na własnych nogach. Przez jakiś czas nie będzie nam sprawiał kłopotów.

Tym razem Jim nie pozwolił Louisie zrezygnować z kubka kawy. Jak tylko poczuła w ustach jej gorzki smak, wypiła z wdzięcznością do końca. Kawa niemal natychmiast ją ożywiła. Dziewczyna przestała się trząść, a jej policzki się zaróżowiły. Uśmiechnęła się nawet, gdy Jim opowiedział kilka ze swoich najgorszych dowcipów. Kiedy w kociołku kończyła się woda, nalewał od nowa. Każda kolejna porcja kawy była słabsza, lecz napój podnosił go na duchu; rozweselony Jim znów tryskał energią i humorem. Opowiedział Louisie o zaskoczeniu Keysera, pokazał, jak pułkownik potyka się w ciemności o swoje bose stopy, wymachując nad głową szpadą i wykrzykując groźby. Louisa śmiała się, aż łzy spływały jej po policzkach.

Jim i Zama obejrzeli przechwycone konie. Były w dobrej kondycji, zważywszy na to, że zmuszono je do długiej i wyczerpującej podróży. Siwy wałach Keysera był najlepszy z całego stada. Keyser nazywał go Zehn, lecz Jim nadał mu bardziej swojskie imię, Szron.

Teraz, kiedy mieli wierzchowce na zmianę, mogli szybko zmierzać do miejsca spotkania nad rzeką Gariep. Najpierw jednak Jim pozwolił koniom odsapnąć i najeść się, wiedząc, że Keyser nie może nękać jego karawany. Louisa w pełni wykorzystała popas. Zwinęła się w kłębek pod *kaross* i zasnęła. Leżała tak spokojnie, że Jim się zaniepokoił. Ostrożnie podniósł róg futrzanego okrycia i sprawdził, czy dziewczyna oddycha.

Zanim dogonili z Bakkatem Zamę i Louisę, Jim wypatrzył stadko złożone z czterech czy pięciu antylop *rhebuck*, pasące się na skałach nad doliną. Osiodłał Szrona, a Bakkat pojechał na oklep na jednym ze schwytanych luzaków. Jim zostawił Louisę pod opieką Zamy i wyruszyli do miejsca, gdzie widzieli zwierzynę. Okazało się, że stada nie ma na stoku, lecz Jim wiedział, że nie mogło odejść zbyt daleko. Spętali koniom kolana i zostawili je, żeby popasły się na słodkiej trawie z różowymi, pierzastymi główkami, dojrzewającej w wiosennym słońcu, a sami wspięli się na zbocze.

Bakkat odnalazł trop antylop tuż pod granią i ruszył szybkim truchtem po skalistym gruncie; Jim szedł z tyłu. Po drugiej stronie grzbietu zobaczyli, że stado schroniło się na noc pod dużymi głazami, które osłaniały je przed zimnym wiatrem. Bakkat poprowadził Jima, czołgającego się jak lampart z muszkietem w zgięciu łokcia. Gdy zbliżyli się na siedemdziesiąt kroków, Jim wiedział, że jeśli podejdą bliżej, stado zerwie się do ucieczki. Wybrał tłustą, brązową samicę, leżącą z pyskiem zwróconym w drugą stronę i z lubością przeżuwającą trawę. Wiedział, że muszkiet znosi mniej więcej trzy cale w prawo na odległość stu kroków, więc oparł łokcie na kolanach, wziął pod uwagę odchylenie i strzelił. Kula trafiła łanię w czaszkę. Rozległ się odgłos, jaki wydałby dojrzały melon, upuszczony na kamienną posadzkę. Antylopa się nie poruszyła; jej głowa opadła płasko na ziemię. Reszta stada umknęła w podskokach, błyskając puszystymi białymi ogonami i poświstując z niepokojem.

Jim i Bakkat ściągnęli skórę z antylopy, nie żałując sobie surowej wątroby. Było to zwierzę średniej wielkości, lecz młode i tłuste. Zostawili skórę, głowę i wnętrzności, a resztę tuszy wspólnie zanieśli do koni.

Kiedy Bakkat napchał sobie torbę paskami świeżego, surowego mięsa, załadowali zdobycz na grzbiet Szrona, a potem rozdzielili się z Jimem. Uzbrojony w lunetę Jima, Buszmen pojechał śledzić Keysera i jego żołnierzy. Jim chciał mieć pewność, że po stracie koni kawalerzyści zrezygnowali z pościgu i wyruszyli w długi, mozolny marsz przez góry do dalekiej kolonii. Nie mógł ślepo wierzyć w to, że Keyser zrobi wszystko, czego się od niego oczekuje; zaczął traktować z respektem upór pułkownika i siłę jego nienawiści.

Zanim dojechał do obozu, było już po południu, a Louisa wciąż spała. Obudziła ją woń pieczonego mięsa. Jim zdołał zaparzyć jeszcze jeden kociołek wodnistej kawy z zużytych już ziaren. Louisa tymczasem jadła dziczyznę z nieukrywaną przyjemnością.

Późnym popołudniem, kiedy słońce zachodziło nad szczytami,

malując je płomienną, krwistą czerwienią, Bakkat wjechał do obozu.

— Znalazłem ich jakieś pięć mil od miejsca, w którym przeprowadziliśmy atak wczorajszej nocy — oznajmił. — Zrezygnowali z pościgu. Zostawili wszystkie zapasy i sprzęt, którego nie mogli nieść na plecach, nawet nie marnowali czasu, żeby spalić swoje rzeczy. Zabrałem wszystko, co może nam się przydać.

Zama pomógł mu zdjąć łupy z konia.

— Którą drogą poszli? — spytał Jim.

— Miałeś nadzieję, że ruszą na zachód, z powrotem w stronę kolonii. I właśnie tą drogą prowadzi ich Xhia. Ale posuwają się wolno. Większość białych bardzo cierpi. Ich buty lepiej nadają się do jazdy niż do marszu. Gruby pułkownik już utyka i podpiera się kijem. Chyba nie wytrzyma długo, na pewno nie dziesięć dni marszu, bo tyle ich dzieli od kolonii. — Bakkat spojrzał na Jima. — Mówiłeś, że nie chcesz go zabić. Może zrobią to za ciebie góry.

Jim potrząsnął głową.

— Stephanus Keyser nie jest głupcem. Wyśle przodem Xhię, żeby przyprowadził świeże konie z przylądka. Może stracić trochę sadła na brzuchu, ale nie umrze — odparł z przekonaniem, którego nie czuł. Taką mam przynajmniej nadzieję, dopowiedział w myślach. Nie chciał, żeby morderstwo Keysera spadło na jego rodzinę.

Po raz pierwszy od tygodni nie musieli uciekać, żeby trzymać się z dala od pościgu. Bakkat znalazł małą torebkę mąki i butelkę wina w jednej z sakw porzuconych przez Keysera. Louisa upiekła na węglach płaskie placki bez zakwasu i zrobiła kebab z mięsa i wątroby antylopy. Popili to wszystko wyśmienitym, starym claretem Keysera. Podchmielony Bakkat, chichocząc nieprzytomnie, omal nie wpadł do ogniska, kiedy próbował wstać. *Kaross* zdążyły wyschnąć po wczorajszej ulewie; Jim i Zama przynieśli naręcza drewna cedrowego, które dorzucili do ogniska, żeby dym ładnie pachniał. Po raz pierwszy od wielu nocy mogli się cieszyć niezakłóconym snem.

Nazajutrz wyjechali wczesnym rankiem, najedzeni i wypoczęci, ku miejscu umówionego spotkania pod wzgórzem Głowa Pawiana. Tylko Bakkat cierpiał z powodu przykrych skutków wypicia trzech łyków wina wczoraj wieczorem.

— Otrułem się i czeka mnie śmierć — mamrotał.

— Nie umrzesz — zapewnił go Jim. — Przodkowie nie przyjmą takiego huncwota jak ty.

P ułkownik Stephanus Keyser kuśtykał przez trzy dni, opierając się ciężko na kiju uciętym dla niego przez kapitana Kootsa, a drugą ręką na ramienia Goffla, żołnierza z plemienia Hotentotów. Droga wlokła się bez końca; strome stoki przeplatały się ze zdradliwymi podejściami, na których luźne kamienie wysuwały się spod stóp. Godzinę po południu trzeciego dnia marszu Keyser stwierdził, że nie może dalej iść. Opadł z jękiem na mały głaz obok zwierzęcego szlaku, którym podążali.

— Goffel, ty leniwy wałkoniu, ściągnij mi buty! — wrzasnął, wysuwając nogę. Goffel zmagał się chwilę z dużym, poobcieranym, zakurzonym buciorem, a potem zatoczył się kilka kroków do tyłu, kiedy but został mu w rękach. Mężczyźni stanęli wokół i ze zdumieniem przyglądali się obnażonej stopie. Długa skarpeta była cała w krwawych strzępach. Pęcherze popękały, z otwartych ran zwisały kawałki skóry.

Kapitan Koots zamrugał wodnistymi oczami. Miał bardzo jasne rzęsy, przez co jego oczy wyglądały tak, jakby bez przerwy gapiły się beznamiętnie.

— Panie pułkowniku, nie może pan iść z takimi stopami.

— To właśnie ci powtarzam przez ostatnie dwadzieścia mil, ty beznadziejny kretynie! — ryknął Keyser. — Każ swoim ludziom zrobić dla mnie nosidło.

Kawalerzyści popatrzyli na siebie. Już uginali się pod ciężarem rzeczy, które Keyser kazał im nieść do kolonii, między innymi myśliwskiego siodła, składanego leżaka i łóżka oraz polowej kuchenki i zwijanego materaca. Teraz czekał ich jeszcze zaszczyt dźwigania samego pułkownika.

— Słyszeliście, co powiedział pan pułkownik! — naskoczył na nich Koots. — Richter! Znajdźcie z Le Riche'em dwa cedrowe drągi. Przytnijcie je bagnetami. Przywiążemy do nich siodło pułkownika paskami z kory.

Żołnierze biegiem ruszyli wykonać rozkaz.

Keyser pokuśtykał na bosych, krwawiących stopach do potoku i usiadł na brzegu. Zamoczył je w czystej, zimnej wodzie i odetchnął z ulgą.

— Koots! — krzyknął.

Kapitan zjawił się w jednej chwili.

— Tak jest, panie pułkowniku! — powiedział, stając na baczność. Był to chudy, zahartowany mężczyzna o wąskich biodrach i szerokich, kościstych ramionach. Miał na sobie zielonkawobeżowy płaszcz.

— Nie chciałbyś zarobić dziesięciu tysięcy guldenów? — spytał Keyser konfidencjonalnym szeptem. Koots obliczył, że to prawie równowartość jego pięcioletnich zarobków na obecnym poziomie, a nie miał złudzeń, że zdoła wspiąć się wyżej po szczeblach kariery wojskowej.

— To duża suma — odparł ostrożnie.

— Chcę dostać tego młodego drania Courtneya. Chcę tego bardziej, niż chciałem czegokolwiek w życiu.

— Rozumiem, pułkowniku. — Koots skinął głową. — Ja sam chciałbym go dostać w swoje ręce. — Uśmiechnął się jak kobra i odruchowo zacisnął dłonie w pięści.

— On umknie, Koots — rzekł ciężkim głosem Keyser. — Zanim dotrzemy do zamku, będzie za granicą kolonii i nigdy więcej go nie zobaczymy. Zrobił osła ze mnie i z VOC.

Koots nie widział w tych przewinieniach nic zdrożnego. Nie mógł powstrzymać bladego uśmiechu, który błąkał się na jego wąskich ustach. To żadne osiągnięcie, pomyślał. Nie trzeba być geniuszem, żeby zrobić osła z pułkownika.

Keyser zauważył minę kapitana.

— Z ciebie też, Koots. Każdy pijak i każda dziwka w tawernach kolonii będą się z ciebie śmiać do rozpuku. Przez długie lata sam będziesz musiał płacić za swoje drinki. — Twarz Kootsa pociemniała w morderczym grymasie, a Keyser kuł żelazo póki gorące. — Chyba że postaramy się o to, żeby go złapać i przyprowadzić do kolonii. Wtedy zatańczy na stryczku przed zamkiem i wszyscy będą mieli uciechę.

— Poszedł na północ Zbójeckim Szlakiem — zaprotestował Koots. — VOC nie może wysłać za nim wojska. To poza terytorium holenderskiej kompanii. Gubernator van de Witten nigdy na to nie pozwoli. Nie może zignorować rozkazów Het Zeventien.

— Mogę ci załatwić bezterminową przerwę w służbie. Płatną, rzecz jasna. Mogę też załatwić glejt na drogę, żebyś mógł przekroczyć granicę z wyprawą myśliwską. Dałbym ci Xhię i dwóch albo trzech innych dobrych ludzi... Richtera, może Le Riche'a? Zaopatrzyłbym cię we wszystko, czego potrzebujesz.

— A jeśli mi się uda? Jeśli schwytam Courtneya i przyprowadzę go na zamek?

— Postaram się, żeby gubernator van de Witten wyznaczył za niego nagrodę w wysokości dziesięciu tysięcy guldenów w złocie. Zadowolę się nawet jego głową w słoju *brandewijn*.

Oczy Kootsa rozwarły się szeroko. Z dziesięcioma tysiącami guldenów mógłby wyjechać na zawsze z tej zapomnianej przez Boga dziury, jaką był Przylądek Dobrej Nadziei. Oczywiście nie mógł wrócić do Holandii. W kraju znany był pod innym nazwiskiem i miał tam niedokończoną sprawę, która mogła go zaprowadzić na szubienicę. Batavia była rajem w porównaniu z tą zacofaną kolonią na krańcu barbarzyńskiego kontynentu. Koots pozwolił sobie na przelotną fantazję erotyczną. Jawajki słynęły ze swej urody, a kapitan nigdy nie zasmakował w podobnych do małp hotentockich kobietach z przylądka. Na wschodzie istniały wielkie możliwości dla mężczyzny dobrze władającego szpadą i pistoletem, niemdlejącego na widok krwi, szczególnie jeśli mężczyzna ten miał u pasa grubą sakiewkę ze złotymi guldenami.

— I co ty na to, Koots? — spytał Keyser, przerywając marzenia kapitana.

— Piętnaście tysięcy.

— Chciwy z ciebie typ, Koots. Piętnaście tysięcy to fortuna.

— Jest pan bogatym człowiekiem, pułkowniku — zauważył Koots. — Wiem, że zapłacił pan po dwa tysiące za Śmigłą i Szrona. Przyniósłbym panu głowę Courtneya i przyprowadził obydwa konie.

Na wzmiankę o ukradzionych koniach wściekłość Keysera, powstrzymywana z trudem, wróciła z całą mocą. Miał dwa spośród najlepszych wierzchowców poza Europą. Spojrzał na swoje pokiereszowane stopy, które bolały niemal tak bardzo, jak utrata koni. Mimo to pięć tysięcy guldenów z jego własnej kieszeni to była naprawdę fortuna.

Koots zauważył wahanie pułkownika. Potrzebne było jeszcze jedno lekkie pchnięcie.

— Niech pan nie zapomina o ogierze — dodał Koots.

— Jakim ogierze? — spytał Keyser, podnosząc głowę.

— Tym, który pokonał pana w Boże Narodzenie. O Werblu, ogierze Jima Courtneya. Dorzuciłbym go do umowy.

Opór Keysera słabł, musiał jednak postawić jeszcze jeden warunek.

— Dziewczyna, ta więźniarka. Ją też chcę mieć.

— Najpierw trochę się z nią zabawię. — Chuda, bezwzględna twarz kapitana nie wyrażała żadnych emocji, lecz Koots rozkoszował się targowaniem. — Przyprowadzę ją panu trochę uszkodzoną, ale żywą.

— Już jest pewnie uszkodzona — roześmiał się Keyser. — A będzie jeszcze bardziej uszkodzona, kiedy ten młody tryk Courtney z nią skończy. Potrzebna jest mi tylko do tego, żeby uświetnić przedstawienie pod szubienicą. Gawiedź zawsze lubi popatrzeć na młodą dziewczynę na sznurze. Nic mnie nie obchodzi, co z nią wcześniej zrobisz.

— A więc umowa stoi? — spytał Koots.

— Chłopak, dziewczyna i trzy konie — zgodził się Keyser, kiwając głową. — Trzy tysiące za każde z osobna albo piętnaście za wszystkich razem.

Dziesięciu mężczyzn miało na zmianę nieść pułkownika, w zespołach po czterech ludzi, zmieniających się co godzina, według wskazań złotego zegarka Keysera. Siodło było w stylu angielskim, lecz wykonali je najlepsi holenderscy rymarze. Kawalerzyści umocowali je pośrodku drążków. Keyser rozsiadł się wygodnie, z nogami w strzemionach, a dwóch ludzi podniosło końce drążków i ruszyło w drogę. Dziewięć dni trwał marsz do kolonii, dwa ostatnie bez jedzenia. Na ramionach żołnierzy pojawiły się okropne odparzenia, lecz stopy Keysera prawie się zagoiły; przymusowa dieta sprawiła, że jego brzuch bardzo zmalał, dzięki czemu pułkownik wyglądał o dziesięć lat młodziej.

Pierwszym obowiązkiem Keysera było stawienie się przed gubernatorem Paulusem Pieterzoonem van de Wittenem. Był to wysoki, cierpiący na dyspepsję mężczyzna przed czterdziestką. Jego ojciec i dziadek byli członkami Het Zeventien w Amsterdamie. Gubernator posiadał znaczną fortunę i wpływy. Niebawem miał wrócić do Holandii i zająć miejsce w radzie dyrektorów VOC, jeśli na jego karierze i reputacji nie będzie ciemnych plam. Taką plamą mogłyby być występki młodego angielskiego bandyty. Pułkownik Keyser szczegółowo opisał przestępstwa przeciwko własności i godności VOC, popełnione przez najmłodszego z Courtneyów. Keyser systematycznie podsycał płomień gniewu van de Wittena, wielokrotnie czyniąc aluzje do odpowiedzialności gubernatora za całą sprawę. Dyskusja trwała kilka godzin, wspomagana dużymi ilościami holenderskiego dżinu i francuskiego bordo. Wreszcie van de Witten skapitulował i zgodził się wyznaczyć nagrodę w wysokości piętnastu tysięcy guldenów za schwytanie Louisy Leuven i Jamesa Archibalda Courtneya lub dostarczenie bezsprzecznych dowodów ich egzekucji.

162

Wyznaczanie nagrody za głowy przestępców zbiegłych z kolonii było z dawna ustanowioną praktyką. Wielu myśliwych i kupców mających zezwolenia na opuszczanie terytorium kolonii wzbogacało swoje dochody pieniędzmi z nagród wypłacanych przez VOC.

Keyser był niesłychanie zadowolony z wyniku rozmowy z gubernatorem. Oznaczała ona bowiem, że nie musiał dokładać ani jednego guldena ze swej pieczołowicie zgromadzonej fortuny do nagrody uzgodnionej z kapitanem Kootsem.

W nocy Koots odwiedził go w małym domku za ogrodami Kompanii Wschodnioindyjskiej. Keyser wypłacił mu czterysta guldenów zaliczki na zaopatrzenie oddziału, który miał ruszyć w pościg za Jimem Courtneyem. Pięć dni później niewielka grupa zebrała się na brzegu rzeki Eerste, pierwszej, na którą natrafili po opuszczeniu terytorium kolonii. Przyszli na spotkanie różnymi drogami. Było tam czterech białych mężczyzn: kapitan Koots o bezbarwnych oczach i skórze zaczerwienionej od słońca; sierżant Oudeman, łysy, ale za to z gęstymi, zwisającymi wąsami, prawa ręka i najbliższy kamrat Kootsa; kaprale Richter i Le Riche, którzy polowali razem jak para dzikich psów. Było też pięciu żołnierzy z ludu Hotentotów, między innymi Goffel, służący za tłumacza, oraz Xhia, Buszmen tropiciel. Nikt nie nosił munduru VOC; mieli na sobie siermiężne ubrania domowej roboty i skóry, typowe dla mieszczan z Przylądka Dobrej Nadziei. Opaska Xhii była zrobiona ze skóry szpringboka, ozdobionej koralikami ze skorupy strusiego jaja oraz weneckimi koralami. Na ramionach niósł łuk i kołczan z kory z zatrutymi strzałami, a na jego biodrach wisiał pas z zestawem czarów i róg pełen magicznych i leczniczych napojów, proszków i maści.

Koots wskoczył na siodło i spojrzał z góry na Xhię.

— Znajdź trop, ty mały żółty diable, i połykaj wiatr. — Ruszyli gęsiego za tropicielem; każdy jeździec prowadził luzaka niosącego juki. — Trop Courtneya będzie pochodził sprzed wielu tygodni, zanim go znowu przetniemy — ciągnął Koots, spoglądając na gołe plecy Xhii i jego kędzierzawą głowę podskakującą obok pyska konia — ale ten pies gończy to istny szatan. Wytropiłby kulę śniegu wśród ogni piekielnych. — Koots pozwolił sobie przez chwilę rozkoszować się myślą o glejcie podpisanym przez gubernatora van de Wittena, schowanym w sakwie przy siodle, i perspektywie piętnastu tysięcy guldenów w złocie. Uśmiechnął się. Nie był to miły uśmiech.

B akkat zdawał sobie sprawę, że mają tylko chwilę wytchnienia, że Keyser nie pozwoli im tak łatwo uciec — raczej prędzej niż później Xhia znów pójdzie ich tropem. Wysunął się daleko przed karawanę i szóstego dnia po schwytaniu koni Keysera znalazł miejsce idealnie odpowiadające jego zamysłom. Warstwa czarnej wulkanicznej skały przecinała na ukos dno doliny i łożysko wartko płynącej rzeki, a dalej biegła stromym stokiem doliny. Zastygła lawa wyglądała jak brukowany rzymski trakt, gdyż nie rosła na niej trawa ani żadna inna roślinność. W miejscu, gdzie przecinała rzekę, tak skutecznie oparła się jej erozyjnemu działaniu, że utworzyła naturalną tamę. Woda przelewała się na drugą stronę i z ogłuszającym łoskotem wpadała do sadzawki pięćdziesiąt stóp niżej.

— Keyser wróci — rzekł Bakkat do Jima, gdy siedzieli przykucnięci na połyskliwej czarnej skale. — To zawzięty człowiek, a ty uczyniłeś tę sprawę kwestią jego dumy i honoru. Nie zrezygnuje. Jeśli nawet nie przyjdzie sam, wyśle za tobą innych, a Xhia ich poprowadzi.

— Dotarcie do Przylądka Dobrej Nadziei i powrót zajmie jego Buszmenowi wiele dni i tygodni — mruknął Jim. — Przez ten czas zdążymy przejechać setki mil.

— Xhia potrafi iść tropem pozostawionym przed rokiem, jeśli nie zostanie starannie zatarty.

— Jak usuniesz nasze ślady? — spytał Jim.

— Mamy wiele koni — zauważył Bakkat; Jim skinął głową. — Może za wiele — dodał tropiciel.

Jim spojrzał na stado mułów i schwytanych koni. Było ich ponad trzydzieści.

— Nie potrzebujemy aż tylu — zgodził się.

— Ile potrzebujesz? — spytał Bakkat.

Jim zastanowił się.

— Werbla, Śmigłą, Szrona i Wronę do jazdy, Jelenia i Cytrynę jako luzaki i do niesienia ładunku.

— Pozostałe konie i muły wykorzystam do zatarcia naszych śladów i odciągnięcia Xhii — oświadczył Bakkat.

— Pokaż mi, jak to zrobisz! — polecił Jim.

Bakkat rozpoczął przygotowania. Zama napoił stado w rzeczułce ponad czarną groblą, a Louisa i Jim wykroili buty z sakw przy schwytanych koniach oraz ze skór elanda i antylopy *rhebuck*. Miały one wyciszyć kopyta sześciu koni, które ze sobą zabierali. Buszmen tymczasem udał się w dół rzeki. Poruszał się wysoko na stoku i nie zbliżał do brzegu. Kiedy wrócił, obwiązali kopyta sześciu wybranych koni skórzanymi butami. Stalowe podkowy i tak wkrótce miały przeciąć skórę, lecz chodziło tylko o kilkuset-jardowy odcinek.

Przytroczyli sprzęt do grzbietów sześciu wierzchowców. Potem, gdy wszystko było gotowe, zebrali konie i muły w zbite stado i powoli poprowadzili je do czarnej skały. W połowie grobli zatrzymali sześć objuczonych koni, a reszcie pozwolili iść dalej i paść się na przeciwległym stoku doliny.

Jim, Louisa i Zama zdjęli buty, przywiązali je do grzbietów wierzchowców, a potem na bosaka poprowadzili konie po skalnej grobli. Bakkat poszedł za nimi, dokładnie oglądając każdy cal skały, po którym przeszli. Nawet jego oczy nie dojrzały żadnych śladów. Skórzane buty skutecznie osłoniły końskie kopyta, a bose ludzkie stopy były miękkie i elastyczne; cała trójka szła powoli, nie dodając swojego ciężaru do ciężaru koni. Kopyta nie zostawiły rys na czarnej skale.

Dotarli na miejsce.

— Ty idź pierwszy — zwrócił się Jim do Zamy. — Kiedy konie wskoczą do wody, będą chciały płynąć prosto do brzegu. Musisz je przed tym powstrzymać.

Obserwowali z niepokojem, jak Zama brodzi wzdłuż naturalnej grobli w wodzie, która sięgała najpierw do kolan, a później do pasa. Nie musiał do niej wskakiwać — rwący prąd sam go zniósł. Wpadł do sadzawki dwadzieścia stóp niżej i zniknął, jak się zdawało patrzącym, na bardzo długo. Potem głowa ukazała się nad powierzchnią i Zama podniósł jedną rękę i zamachał. Jim odwrócił się do Louisy.

— Jesteś gotowa? — spytał. Dziewczyna podniosła brodę i ski-nęła głową. Nie odezwała się, lecz Jim widział strach w jej oczach. Podeszła zdecydowanie do brzegu, ale nie pozwolił jej iść samej. Wziął ją za rękę; nie odsunęła się od niego. Wchodzili razem, dopóki woda nie sięgnęła im za kolana. Tam zatrzymali się i przez chwilę balansowali lekko. — Wiem, że pływasz jak ryba — powie-dział Jim. — Widziałem. — Louisa spojrzała na niego i uśmiech-nęła się, lecz jej oczy powiększyły się ze strachu. Puścił jej rękę, a dziewczyna skoczyła, w okamgnieniu znikając w wodnym pyle i huku. Jim zamarł z przerażenia.

Głowa Louisy wyskoczyła ze spienionej bieli. Dziewczyna wcisnęła kapelusz za pasek i teraz włosy opadły jej na twarz, niczym kurtyna z błyszczącego jedwabiu. Spojrzała w górę na

Jima; z niedowierzaniem zauważył, że się uśmiecha. Łoskot wodospadu zagłuszył jej słowa, lecz z ruchu warg odgadł, co mówiła: „Nie bój się. Złapię cię".

Z ulgą otworzył szeroko usta.

— Zadziorna z ciebie bestia! — krzyknął i wrócił na brzeg, gdzie Bakkat trzymał konie. Poprowadził je pojedynczo, najpierw Śmigłą, bo była najłagodniejsza. Klacz widziała wskakującą do wody Louisę i poszła bez oporu. Wpadła do sadzawki, wzbijając wysoką fontannę. Jak tylko się wynurzyła, próbowała płynąć do brzegu, lecz Louisa podpłynęła do jej łba i skierowała ją w dół rzeki, gdzie dno się podniosło i mogli stanąć. Louisa zamachała do Jima na znak, że wszystko w porządku. Zdążyła już z powrotem nałożyć kapelusz na głowę.

Jim sprowadził pozostałe konie.

Wrona i Cytryna zeszły bez kapryszenia. Młode wałachy, Jeleń i Szron, stawiły opór, lecz w końcu Jimowi udało się zmusić je do skoku w kipiącą wodę. Jak tylko wpadły w toń, Zama podpłynął i skierował je do Louisy.

Werbel obserwował skaczące konie, a kiedy przyszła jego kolej, zdecydował się nie brać udziału w tym szaleństwie. Pośrodku skalnej grobli, wśród szalejącej wody, rozegrał bitwę na siłę woli z Jimem. Stawał dęba i wierzgał, potykając się, cofając i rzucając łbem. Jim miotał nań przekleństwa łagodnym, uspokajającym głosem.

— Ty wściekła bestio, zrobię z ciebie przynętę na lwy — obiecywał, w końcu jednak zdołał ustawić Werbla w takiej pozycji, że mógł wskoczyć na jego grzbiet. Kiedy już go dosiadł, miał nad nim przewagę i zdołał sprowadzić ogiera w wodę; prąd zrobił resztę. Spadli razem, a Jim w locie wykonał półobrót i zeskoczył z konia. Jak tylko ogier wynurzył łeb, chwycił go za grzywę i popłynęli do miejsca, gdzie czekała Louisa z resztą wierzchowców.

Bakkat stał na górze. Dał Jimowi krótki znak ręką, żeby ruszył dalej w dół rzeki, sam zaś przeszedł grzbietem czarnej skały, jeszcze raz sprawdzając, czy nie przeoczył żadnego śladu na jej powierzchni.

Zadowolony z oględzin, wrócił na brzeg, gdzie pasła się reszta stada. Tam rzucił czar na wroga. Podniósł skórzaną spódniczkę i oddał mocz, kciukiem i palcem wskazującym przerywając strumień i obracając się wkoło.

— Xhia, ty morderco niewinnych kobiet, tym zaklęciem zamykam ci oczy, żebyś nie widział nad sobą słońca w południe. —

Puścił silny strumień moczu. — Xhia, ty ulubieńcu ciemnych duchów, tym zaklęciem zamykam ci uszy, żebyś nie usłyszał trąbienia rozszalałych słoni. — Pierdnął, wypuszczając następną porcję moczu, a potem podskoczył i roześmiał się. — Xhia, ty, któremu obce są tradycje i zwyczaje własnego ludu, tym zaklęciem zatykam ci nozdrza, żebyś nie poczuł nawet smrodu swojego gnoju. — Opróżniwszy pęcherz, Bakkat odkorkował róg dujkera przy pasku, wytrząsnął szczyptę szarego proszku i pozwolił go rozwiać wiatrowi. — Xhia, ty, który jesteś moim wrogiem aż do śmierci, otępiam wszystkie twoje zmysły, tak abyś minął to miejsce, nie zauważając rozdzielających się śladów. — Wreszcie zapalił wysuszoną gałązkę drzewa *tong*, wydobytą z glinianego dzbana, i zamachał *nią* nad pozostawionymi przez siebie śladami. — Xhia, ty bezimienna kupo brudu i odchodów, tym dymem maskuję mój trop, żebyś nim nie poszedł.

Zadowolony ze swego dzieła spojrzał w dół doliny; zobaczył Jima i resztę, prowadzących konie środkiem wartkiego potoku. Wyjdą z wody dopiero w miejscu, które wybrał, prawie o milę dalej w dół rzeczki. Patrzył, jak znikają za zakolem strumienia.

Konie i muły, które miały posłużyć do odciągnięcia pościgu, już rozproszyły się po dolinie, spokojnie skubiąc trawę. Bakkat podszedł, wybrał sobie wierzchowca i wsiadł na niego. Powoli, nie strasząc stada, zebrał je i odprowadził od rzeki, pokonując przełęcz i przechodząc do następnej doliny o stromych zboczach.

Szedł tak przez pięć dni, klucząc bez celu w górzystym terenie, w żaden sposób nie próbując zacierać tropu. Wieczorem piątego dnia przywiązał sobie do stóp kopyta zabitej antylopy, zostawił konie i muły i oddalił się, naśladując krok zwierzęcia. Kiedy odszedł dość daleko, rzucił kolejne zaklęcie, żeby oślepić Xhię, w razie gdyby jakimś cudem wrogowi udało się odszukać jego trop i dotrzeć aż tam.

Wreszcie był przekonany, że Xhia nie zdoła zauważyć miejsca, w którym uciekinierzy rozdzielili się, natomiast natrafi na ślady liczniejszego stada. A kiedy je dogoni, znajdzie się w ślepej uliczce.

Teraz mógł zawrócić, by pójść tam, gdzie rozstał się z Jimem, Zamą i Louisą. Bez zaskoczenia stwierdził, że Jim postępował dokładnie według jego instrukcji. Wyszedł z wody w wybranym przez Bakkata miejscu, gdzie brzeg był skalisty, i zawrócił tą samą drogą na wschód. Bakkat ruszył za grupą, starannie zacierając nikłe ślady. Posługiwał się miotłą zrobioną z gałęzi magicznego drzewa *tong*. Oddaliwszy się od rzeki, rzucił trzecie zaklęcie, które miało zmylić pościg, a potem ruszył w szybszym tempie. Miał w stosunku do towarzyszy dziesięć dni opóźnienia, lecz posuwał się z taką prędkością, że dogonił ich pieszo w ciągu czterech dni.

Wywęszył dym z ogniska dużo wcześniej, niż zobaczył ludzi. Z zadowoleniem dostrzegł, że po posiłku Jim zasypał ognisko grubą warstwą piasku, a potem oddalił się od niego razem z innymi i spędzili noc w bezpieczniejszym miejscu w ciemności.

Bakkat skinął głową z aprobatą: tylko głupiec śpi obok swojego ogniska, wiedząc, że ktoś może go śledzić. Podczołgawszy się do obozu, zauważył, że Zama trzyma wartę. Bakkat minął go bez trudu, a kiedy Jim obudził się o świcie, mały Buszmen siedział koło niego.

— Somoja, twoje chrapanie zawstydziłoby lwy — rzekł na powitanie.

Jim otrząsnął się z szoku, a potem uścisnął Bakkata.

— Przysięgam na Kulu Kulu, że skurczyłeś się jeszcze bardziej, od kiedy cię ostatnio widziałem. Niedługo będę cię mógł nosić w kieszeni.

B akkat pojechał przodem na Szronie. Prowadził towarzyszy prosto do ściany zamykającej dolinę niczym potężna forteca. Jim odsunął kapelusz na tył głowy i spojrzał na skałę.

— Nie ma przejścia. — Potrząsnął głową. Wysoko nad krawędzią klifu krążyły na szerokich skrzydłach sępy i lądowały na skalnych występach obok wielkich gniazd z gałązek i patyków.

— Bakkat znajdzie drogę — powiedziała Louisa, która pokładała w małym Buszmenie całkowitą ufność. Nie zamienili ze sobą słowa we wspólnym języku, lecz wieczorami siadywali blisko przy ognisku, porozumiewając się znakami rąk i wyrazem twarzy i śmiejąc się z żartów, które, jak się zdawało, oboje doskonale rozumieją. Jim nie wiedział, czy powinien być zazdrosny o Bakkata, bo Louisa nie zachowywała się w jego obecności tak swobodnie jak przy Buszmenie.

Ruszyli pod górę, wprost na skalną ścianę. Louisa została z tyłu z Zamą, który, jadąc na samym końcu kolumny, prowadził luzaki. Zama był jej obrońcą i towarzyszem w czasie długiej, trudnej ucieczki przed Keyserem, podczas gdy Jim zajmował się osłanianiem tyłów i obserwacją pościgu. Z Zamą też nawiązała nić porozumienia. Uczył ją mowy lasu, ona zaś miała ucho do języków i chwytała wszystko w lot.

Jim uświadomił sobie, że Louisa ma jakąś cechę, która przyciąga do niej innych ludzi. Próbował rozwikłać tę zagadkę. Wrócił myślą do swojego pierwszego spotkania z nią na pokładzie statku więzienia. Zaczęła go pociągać natychmiast, i to w przemożny sposób. Starał się ująć to w słowa. Czy dlatego, że emanuje z niej dobroć i współczucie dla innych? Nie był tego pewien. Miał wrażenie, że tylko przed nim ukryła się za obronnym pancerzem, który nazwał kolcami jeża, a dla innych była przyjazna i otwarta. To budziło w nim sprzeczne uczucia, a chwilami nawet irytację. Chciał, żeby Louisa jechała przy nim, a nie obok Zamy.

Musiała poczuć na sobie jego wzrok, bo podniosła głowę. Nawet z tej odległości jej oczy miały niezwykły, błękitny kolor. Posłała mu uśmiech przez cienką zasłonę kurzu, która unosiła się spod końskich kopyt.

Bakkat zatrzymał się w połowie rumowiska.

— Zaczekaj tu na mnie, Somoja — rzekł.

— Dokąd idziesz, stary przyjacielu? — spytał Jim.

— Idę pomówić z moimi przodkami i dać im podarunek.

— Jaki podarunek?

— Coś do jedzenia i coś ładnego. — Bakkat otworzył sakiewkę przy pasku i wyciągnął pałeczkę *chagga* z mięsa elanda, długości połowy jego kciuka, i zasuszone skrzydło nektarnika. Lśniące piórka połyskiwały jak szmaragdy i rubiny. Buszmen zsiadł z konia i podał Jimowi wodze Szrona. — Muszę poprosić, żeby mi pozwolili wejść do świętych miejsc — wyjaśnił, po czym zniknął w gąszczu pyrofitów.

Tymczasem nadjechali Zama i Louisa, rozsiodłali konie i usiedli, żeby odpocząć. Czas mijał, a oni drzemali w cieniu gałęzi. Nagle usłyszeli ludzki głos. Był słaby, bo dochodził z oddali, lecz jego echo wędrowało po skalnych ścianach. Louisa zerwała się i spojrzała w górę.

— Mówiłam ci, że Bakkat zna drogę — zawołała.

Buszmen stał wysoko nad nimi, u podnóża klifu, i machał ręką. Osiodłali szybko konie i zaczęli się wspinać.

— Spójrzcie tam! — powiedziała Louisa, wskazując pionową szczelinę, przecinającą ścianę od podstawy do krawędzi. — To przypomina bramę zamczyska.

Bakkat wziął od Jima wodze Szrona i wprowadził konia w ciemny korytarz. Pozostali poszli w jego ślady. Przejście było tak wąskie, że musieli iść gęsiego, a metalowe strzemiona prawie drapały o skałę po obu stronach. Gładkie jak szkło powierzchnie zdawały się sięgać paska błękitu wysoko w górze. Niebo było tak odległe, że wyglądało jak wąskie ostrze rapiera. Zama wprowadził do szczeliny skalnej luzaki; miękki biały piasek tłumił stukot ich kopyt. Ludzkie głosy natomiast rozlegały się niesamowitym echem w skalnym korytarzu.

— Patrzcie, patrzcie! — krzyknęła podekscytowana Louisa, wskazując rysunki pokrywające ściany od piaszczystego dna aż do poziomu oczu. — Kto to namalował? To na pewno nie jest dzieło ludzi, lecz wróżek.

Malowidła przedstawiały stada antylop galopujących w szaleńczym pędzie po gładkim kamieniu i drobne figurki ludzi, którzy ścigali je z napiętymi łukami, gotowymi do strzału. Były też stada żyraf, z plamami w kolorze ochry i kremowym, o długich, wijących się na kształt węży szyjach. Były nosorożce, ciemne i budzące grozę, z rogami dłuższymi niż małe ludzkie postacie strzelające do nich z łuków. Czerwona krew sączyła się z cielsk zwierząt i zbierała w kałuże pod ich kopytami. Były słonie, ptaki i węże, całe bogactwo żywych stworzeń.

— Kto to namalował, Bakkacie? — powtórzyła Louisa.

Bakkat uchwycił sens pytania, choć nie rozumiał języka. Odwrócił się na grzbiecie Szrona i odpowiedział jej potokiem krótkich słów, które zabrzmiały jak trzask pękających gałązek.

— Co on mówi? — spytała Louisa, odwracając się do Jima.

— Że namalowali to jego plemienni przodkowie, jego ojcowie i dziadowie. To są myśliwskie marzenia ludu, do którego należy, pochwała piękna i odwagi zwierzyny oraz przebiegłości myśliwych.

— Kojarzy się z katedrą — zauważyła z podziwem Louisa.

— Bo to jest katedra — potwierdził Jim. — Jesteśmy w jednym ze świętych miejsc Sanów.

Malowidła pokrywały ściany po obu stronach. Niektóre musiały być bardzo stare, gdyż farba wyblakła i odpadła i inni artyści przykryli je swoimi obrazkami. Lecz wizerunki, nierzeczywiste jak duchy, zlały się ze sobą niczym odzwierciedlenie nieskończoności. Podróżnicy zamilkli, bo ich głosy brzmiały w tym miejscu jak świętokradztwo.

Wreszcie szczelina skalna rozszerzyła się przed nimi i zaczęli się zbliżać do pionowej smugi światła na końcu. Gdy znaleźli się na zewnątrz, oślepiło ich słońce. Byli wysoko nad światem, który mogli oglądać z perspektywy szybującego sępa. Oniemieli na widok bezkresnych, brązowawych równin, urozmaiconych żyłkami zieleni w miejscach, gdzie płynęły rzeki, i ciemnymi plamami lasu. Za równinami, prawie tak daleko jak sięgnąć wzrokiem, wyrastały niekończące się szeregi wzgórz, niczym poszarpane zęby monstrualnego rekina, niknące w dali, purpurowe i niebieskie, by wreszcie zlać się z błękitem wysokiego afrykańskiego nieba.

Louisa nigdy sobie nie wyobrażała, że niebo może być tak wysokie, a ląd tak ogromny, więc w milczeniu chłonęła widok wzrokiem jak zaczarowana. Wreszcie Jim nie wytrzymał ciszy. To był jego świat, chciał, by Louisa dzieliła go z nim i kochała tak, jak on ją kochał.

— Czy to nie jest wspaniałe?

— Gdybym nie wierzyła w Boga, to teraz bym uwierzyła — szepnęła Louisa.

Dotarli do Gariep nazajutrz rano, w miejscu, gdzie rzeka oddalała się od gór. Przez miliony lat wyżłobiła sobie głębokie przejście w skale i płynęła szerokim nurtem, a jej woda miała jabłkowozielony kolor dzięki śniegom topniejącym na górskich zboczach.

Powietrze okazało się tu inne niż w górach, ciepłe i kojące. Brzegi rzeki porośnięte były gęstymi zaroślami głogów i dzikich wierzb i usłane kobiercem wiosennych kwiatów. Szafirowe wikłacze pokrzykiwały piskliwie, trzepocząc skrzydłami i wijąc swoje gniazda, podobne do koszyczków, na opadających nisko gałęziach wierzb. Pięć byków kudu piło wodę na brzegu rzeki. Podrzuciły wielkie, spiralne rogi i spojrzały ze zdziwieniem na kawalkadę koni schodzących do brodu po przeciwnej stronie rzeki. Potem zerwały się i umknęły w zarośla, odchylając w tył rogi, z pyskami ociekającymi wodą.

Jim pierwszy przekroczył rzekę i wydał głośny okrzyk triumfu na widok głębokich kolein po okutych żelazem kołach w miękkiej ziemi na brzegu.

— Wozy! — zawołał. — Przejeżdżały tutaj niecały miesiąc temu!

Przyśpieszyli; Jim z trudem hamował niecierpliwość. Z odległości wielu mil zauważył pojedyncze *kopje* wyrastające ponad równinę. Podstawę wzgórza otaczał las ciernistych drzew, a wznoszące się stromo zbocza wieńczyły szare skały, stanowiące cokół dla dziwnej, stworzonej przez wiatr naturalnej rzeźby. Miała ona kształt przykucniętego pawiana z wysoko sklepioną czaszką, niskimi, wystającymi brwiami i wydłużonym pyskiem skierowanym na północ, wpatrzonego w równinę koloru skóry lwa, na której pasły się stada szpringboków, wyglądające jak obłoczki cynamonowego dymu.

Jim wyszarpnął stopy ze strzemion i stanął wyprostowany na grzbiecie Werbla. Przez lunetę omiótł spojrzeniem podstawę gigantycznego *kopje*. Roześmiał się radośnie na widok białej plamy, błyszczącej w słońcu jak wysoki żagiel statku widzianego z oddali.

— Wozy! Są tam, czekają na nas — rzekł, opadając na siodło. Gdy jego pośladki klapnęły na siedzisku, Werbel poderwał się i poniósł go przed siebie galopem.

T om Courtney przerabiał na mięso zwierzynę, którą rano upolował. Służący w namiocie kręcił korbą, a drugi wkładał kawałki świeżego mięsa w maszynkę do wyrobu kiełbasy. Sarah stała z drugiej strony maszynki i napełniała mielonką długie wieprzowe kiszki. Tom wyprostował się, zerknął na równinę i spostrzegł w oddali tuman kurzu unoszący się spod końskich kopyt. Zdjął kapelusz i osłonił nim oczy przed ostrym blaskiem słońca.

— Jeździec! — zawołał do Sarah. — Zbliża się szybko.

Sarah podniosła głowę, lecz nie wypuściła spomiędzy palców długiego zwoju kiełbasy.

— Kto to? — zapytała. Oczywiście wyczuwała matczynym instynktem, kim jest jeździec, lecz nie chciała zapeszyć, wypowiadając imię, zanim zobaczy twarz syna.

— To on! — krzyknął Tom. — Jeśli to nie jest ten mały czart, to zgolę sobie brodę. Jak nic pokazał Keyserowi pięty.

Czekali od tygodni, zamartwiając się i pocieszając nawzajem; powtarzali sobie, że Jim jest bezpieczny, lecz z każdym upływającym dniem ich nadzieja słabła. Teraz poczuli bezgraniczną ulgę i ogarnęła ich radość.

Tom chwycił uzdę z wieszaka na tylnej klapie wozu i podbiegł do jednego z koni przywiązanych w zacienionym miejscu. Wsunął mu do pyska wędzidło i zacisnął pasek. Wzgardziwszy siodłem, wskoczył na grzbiet wierzchowca i pogalopował synowi naprzeciw.

Na jego widok Jim podniósł się w strzemionach, wymachując

kapeluszem nad głową i wrzeszcząc jak zbieg z domu wariatów. Pędzili naprzeciw siebie, a kiedy się zrównali, zeskoczyli z koni i z rozpędu padli sobie w ramiona. Ściskali się, klepali po plecach i tańczyli w kółko, jakby chcieli się nawzajem oderwać od ziemi. Tom mierzwił włosy syna i ciągnął go boleśnie za uszy.

— Powinienem cię sprać na kwaśne jabłko, ty gałganie — powiedział. — Ile my z matką przez ciebie wycierpieliśmy. — Odsunął Jima na długość ramienia i popatrzył na niego z czułością. — Nie wiem właściwie dlaczego. Powinniśmy cię oddać Keyserowi, i kłopot z głowy — dodał łamiącym się głosem i jeszcze raz uścisnął Jima. — No, chłopcze! Matka na ciebie czeka. Mam nadzieję, że zbeszta cię, jak tylko ona potrafi.

Spotkanie Jima z Sarah było mniej hałaśliwe, lecz czulsze niż z ojcem, jeśli to możliwe.

— Tak się o ciebie martwiliśmy — powitała go Sarah. — Z całego serca dziękuję Bogu, że cię ocalił.

Natychmiast postanowiła go nakarmić. Z ustami pełnymi puddingu i mlecznych ciastek, Jim złożył rodzicom barwną, choć nieco wybiórczą relację ze swych wyczynów. Nie wspomniał o Louise i nie uszło to niczyjej uwagi.

Wreszcie Sarah nie wytrzymała. Stanęła nad Jimem i oparła pięści na biodrach.

— Wszystko dobrze i pięknie, Jamesie Archibaldzie Courtneyu, ale co z dziewczyną?

Jim zakrztusił się ciastkiem; był wyraźnie zbity z tropu i zabrakło mu słów.

— No, gadaj, chłopcze! — poparł żonę Tom. — Co z tą dziewczyną, kobietą albo kimkolwiek ona jest?

— Poznacie ją. Już tu jedzie — odparł przyciszonym głosem Jim, wskazując kawalkadę koni i mułów, które nadjeżdżały w tumanie pyłu. Tom i Sarah wstali i patrzyli na zbliżających się jeźdźców.

Tom odezwał się pierwszy.

— Nie widzę tam żadnej dziewczyny — stwierdził zdecydowanie. — Są Zama i Bakkat, ale dziewczyny nie ma.

Jim poderwał się od stolika i podszedł do rodziców.

— Musi być... — Zamilkł, widząc, że ojciec ma rację. Louisy nie było wśród jeźdźców. Wybiegł do Zamy i Bakkata, którzy wjechali do obozu. — Gdzie Welanga? Co z nią zrobiliście?

Zama i Bakkat spojrzeli po sobie. W takich chwilach Buszman

uważał, że wygodniej jest zachować milczenie. Zama wzruszył ramionami i wziął na siebie odpowiedzialność.

— Nie przyjedzie — odparł.

— Dlaczego!? — krzyknął Jim.

— Boi się.

— Boi się? — Jim był kompletnie zaskoczony. — Czego miałaby się bać?

Zama nie odpowiedział, tylko spojrzał znacząco na Toma i Sarah.

— Też sobie wybrała moment na strojenie fochów. — Jim ruszył w stronę Werbla, który ze smakiem zajadał owies z worka na pysku. — Przyprowadzę ją.

— Nie! — zawołała cicho Sarah; w tonie jej głosu było coś, co go powstrzymało. Popatrzył na matkę. — Osiodłaj mi Trzcinę — poleciła. — Ja po nią pojadę. — A kiedy wykonał polecenie, spytała, spoglądając z siodła: — Jak jej na imię?

— Louisa — odparł. — Nazywa się Louisa Leuven. Mówi dobrze po angielsku.

Sarah skinęła głową.

— To może trochę potrwać — rzekła do męża. — Nie przyjeżdżajcie po mnie, słyszycie? — Znała Toma od dzieciństwa i kochała go bardziej, niż można wyrazić słowami, ale wiedziała, że czasem bywa taktowny jak zraniony bawół. Pociągnęła za uzdę i Trzcina ruszyła stępa.

Wypatrzyła dziewczynę z odległości mili, siedzącą pod ciernistym drzewem na złamanym konarze, obok przywiązanej Śmigłej. Louisa wstała na widok nadjeżdżającej Sarah. Na szerokiej równinie wyglądała jak maleńka, porzucona figurka. Sarah podjechała i zatrzymała Trzcinę.

— Ty jesteś Louisa? Louisa Leuven?

— Tak, pani Courtney. — Dziewczyna zdjęła kapelusz, spod którego wysypały się włosy. Sarah zamrugała oczami, zdumiona ich obfitością i złotym kolorem. Louisa dygnęła grzecznie i z szacunkiem czekała, aż Sarah się odezwie.

— Skąd wiesz, kim jestem?

— On jest do pani bardzo podobny — odparła Louisa. — Opowiadał mi dużo o pani i swoim ojcu. — Głos dziewczyny był niski i przyjemny, lecz drżał, jakby za chwilę miała się rozpłakać.

Sarah była zaskoczona. Spodziewała się czegoś zupełnie innego.

Ale czego właściwie oczekiwała po zbiegłej więźniarce? Zaczepnej, wyzywającej pozy? Znudzenia światem? Zepsucia i deprawacji? Spojrzała w błękitne oczy dziewczyny i nie znalazła w nich ani śladu występku.

— Jesteś bardzo młoda, Louiso.

— Tak, proszę pani — potwierdziła łamiącym się głosem dziewczyna. — Bardzo mi przykro. Nie chciałam wciągać Jima w tarapaty. Nie chciałam go pani odbierać. — Po twarzy Louisy wolno płynęły łzy, błyszczące jak diamenty w promieniach słońca. — Nie zrobiliśmy razem niczego złego. Przysięgam.

Sarah zsiadła z Trzciny i podeszła do Louisy. Objęła dziewczynę, a ta przywarła do niej całym ciałem. Sarah wiedziała, że to, co robi, jest niebezpieczne, lecz jej matczyny instynkt był silny, a dziewczyna taka młoda. Otaczała ją niemal namacalna aura niewinności. Poczuła, że coś ją do niej nieodparcie ciągnie.

— Chodź, dziecko. — Łagodnie zaprowadziła Louisę w cień; usiadły obok siebie na martwej gałęzi.

Słońce sięgnęło zenitu, a potem zaczęło schodzić niżej, a one wciąż rozmawiały. Z początku pytania Sarah były dociekliwe; walczyła z chęcią odsłonienia się i dopuszczenia tej nieznajomej do swej wewnętrznej twierdzy, gdzie dostęp mieli tylko najbliżsi, ci których darzyła bezgranicznym zaufaniem. Gorzkie doświadczenie nauczyło ją, że diabeł często ukrywa swoją prawdziwą naturę za piękną powłoką.

Odpowiedzi Louisy były otwarte, niczym nieskażone, wręcz niepokojąco szczere. Nie unikała badawczego spojrzenia Sarah. Wydawało się, że za wszelką cenę chce ją zadowolić, co aż budziło litość; Sarah poczuła, że jej wątpliwości ulatują. Wreszcie wzięła Louisę za rękę.

— Czemu mi to wszystko mówisz? — zapytała.

— Bo Jim ryzykował dla mnie życie, a pani jest jego matką. Przynajmniej tyle jestem pani winna.

Sarah poczuła, że łzy napływają jej do oczu. Milczała, próbując nad nimi zapanować. W końcu Louisa przerwała ciszę.

— Wiem, co pani myśli, pani Courtney. Zastanawia się pani, dlaczego znalazłam się na statku więzieniu. Chce pani wiedzieć, jaką zbrodnię popełniłam. — Sarah nie mogła temu zaprzeczyć, bo wiedziała, że głos by ją zdradził. Oczywiście, że chciała znać odpowiedź. Jej jedyny syn zakochał się w tej dziewczynie, więc musiała się tego dowiedzieć. — Powiem pani — oznajmiła Loui-

175

sa. — Nie powiedziałam tego nikomu oprócz Jima, ale pani powiem.

I rozpoczęła swą opowieść, a kiedy skończyła, Sarah płakała razem z nią.

— Zrobiło się późno — zauważyła, spoglądając na słońce. Wstała. — Chodź, Louiso, czas ruszać już do domu.

Tom Courtney zdumiał się bardzo, widząc, że jego żona płakała. Miała spuchnięte, zaczerwienione oczy. Nie pamiętał, kiedy to się ostatnio zdarzyło, bo Sarah niełatwo poddawała się łzom. Nie zsiadła z konia ani nie przedstawiła go bladej dziewczynie, która wjechała razem z nią do obozu.

— Musimy zostać jakiś czas same, zanim Louisa będzie gotowa się z tobą spotkać — oświadczyła zdecydowanym tonem; dziewczyna trzymała głowę opuszczoną i odwróciła wzrok, kiedy przejeżdżały obok Toma. Kierowały się do ostatniego wozu w szeregu. Po chwili zniknęły za płócienną osłoną. Sarah poleciła służbie przynieść miedzianą balię i wiadra gorącej wody znad ogniska. Zagadkowy kufer, który kazała Tomowi zapakować na wóz i który wieźli ze sobą aż z High Weald, zawierał wszystko, czego dziewczyna mogła potrzebować.

Tom i Jim siedzieli przy ognisku na krzesełkach zwanych *riempie*; ich oparcia i siedziska zrobione były z krzyżujących się pasków skóry, od których pochodziła nazwa tych lekkich mebli. Popijali kawę, którą Tom szczodrze wzbogacił holenderskim dżinem. Wciąż dyskutowali, co się zdarzyło w rodzinie od ostatniego spotkania, i planowali dalsze posunięcia. Obaj taktownie nie wspominali o Louisie i jej miejscu w tych planach.

— To babskie sprawy — orzekł Tom. — Trzeba będzie pozwolić matce zdecydować.

Zapadła noc i na równinie niosło się wycie i zawodzenie szakali.

— Co ta twoja matka wyprawia? — narzekał Tom. — Już dawno powinniśmy jeść kolację, a ja zgłodniałem.

W tej samej chwili, jakby słysząc te słowa, Sarah wyszła zza wozu, w jednej ręce niosąc latarnię, a drugą prowadząc Louisę. Gdy znalazły się w kręgu światła, obaj mężczyźni spojrzeli z rozbawieniem na dziewczynę. Jim był nie mniej zdziwiony niż jego ojciec.

Sarah umyła włosy Louisy lawendowym mydłem z Anglii, wysuszyła je, uczesała, obcięła rozdwojone końce i związała satynową wstążką. Spadały teraz na jej plecy połyskującą falą. Bluzkę miała skromnie zapiętą pod samą szyją, rękawy też były zapięte. Spod spódnicy ledwie wystawały kostki. Białe pończochy zakrywały ślady po żelaznych kajdanach.

Blask ogniska podkreślał doskonałą gładkość skóry i wielkość oczu Louisy. Tom gapił się na nią, a Sarah uprzedziła żartobliwą uwagę, która mogłaby mu przyjść do głowy.

— To jest Louisa Leuven, przyjaciółka Jima. Być może zostanie z nami jakiś czas. — Było to grube niedopowiedzenie. — Louiso, to jest mój mąż, pan Thomas Courtney. — Louisa dygnęła grzecznie.

— Miło mi cię poznać, Louiso — rzekł Tom z ukłonem.

Sarah uśmiechnęła się. Dawno nie widziała, jak jej mąż się kłania, nie miał bowiem zbyt dworskich obyczajów. Zapomnij o więziennej wywłoce, Tomie Courtneyu, pomyślała z politowaniem. Ta dziewczyna to najpiękniejszy złoty żonkil Holandii.

Zerknęła na Jima i zobaczyła wyraz jego twarzy. Nie było wątpliwości, co jej syn czuje w tej chwili. Wyglądało na to, że Louisa została jednogłośnie przyjęta do klanu Courtneyów.

Późnym wieczorem Sarah i Tom weszli pod koce w grubych piżamach; nawet tu, na sawannie, noce były chłodne. Od dwudziestu lat spali jak dwie łyżki dopasowane idealnie do siebie, zmieniając pozycję tylko wtedy, gdy jedno się obróciło, nie budząc się ani nie odsuwając od siebie. Tej nocy leżeli w nabrzmiałym znaczeniami milczeniu; żadne nie chciało odezwać się pierwsze.

Wreszcie Tom nie wytrzymał.

— Jest całkiem ładna — mruknął.

— Można tak powiedzieć — zgodziła się Sarah. — Ty mógłbyś nawet powiedzieć, że nie jest więzienną wywłoką.

— Nigdy tak nie mówiłem — obruszył się Tom i usiadł, lecz Sarah ściągnęła go, wtulając się w ciepłą, wypukłą poduszkę jego brzucha. — A jeśli coś takiego powiedziałem, to wycofuję.

Sarah wiedziała, ile go kosztowało przyznanie się do błędu, i była z nim całym sercem.

— Rozmawiałam z nią — oznajmiła. — To dobra dziewczyna.

— Jeśli ty tak mówisz, to wierzę. — Tom zamknął w ten sposób sprawę. Powoli zaczął ich morzyć sen.

— Kocham cię, Tomie Courtneyu — mruknęła sennie Sarah.

— Kocham cię, Sarah Courtney — odpowiedział Tom. — Jim będzie się mógł uważać za szczęściarza, jeśli ona uczyni go choć w połowie tak szczęśliwym, jak ty uczyniłaś mnie. — Takie wyznania zwykle nazywał mazgajeniem i krzywił się na nie. W jego ustach były one rzadkością.

— Tomie Courtneyu! Nawet po tylu latach zdarza ci się mnie zaskoczyć — szepnęła Sarah.

W szyscy wstali przed świtem. Louisa wyszła z wozu ustawionego obok wozu Toma i Sarah. Sarah umieściła ją tam rozmyślnie, a Jima w najdalszym wozie. Gdyby w nocy doszło między nimi do jakichś konszachtów, usłyszałaby każdy szept.

Biedne dziecko, pomyślała, uśmiechając się do siebie. Przez całą noc musiała słuchać chrapania mojego Toma. Środki ostrożności, które przedsięwzięła, okazały się zbyteczne: Tom i szakale zapewnili wszystkim dźwiękową rozrywkę, a z wozu Louisy nie doszedł ani jeden szept.

Widząc Sarah przy ogniu, przygotowującą śniadanie, w te pędy ruszyła jej pomóc i po chwili gawędziły jak dwie stare przyjaciółki. Louisa układała na grillu kiełbaski, a Sarah lała ciasto na płaską żelazną płytę i pilnowała, żeby naleśniki usmażyły się na ładny złotobrązowy kolor.

Tom i Jim zajęli się przeglądaniem wozów przyprowadzonych przez Toma z Przylądka Dobrej Nadziei. Były to duże, solidne pojazdy, zbudowane w kolonii według ciągle ulepszanego projektu, tak aby mogły sprostać surowym afrykańskim warunkom. Dwa przednie koła wykorzystywane były do kierowania. Przednia oś łączyła się z długim, grubym dyszlem. Dwanaście wołów, tworzących zaprzęg, przyczepionych było parami za pomocą prostego systemu jarzm, kołków i skórzanych rzemieni. Główna uprząż łączyła się z czubkiem dyszla. Tylne koła miały o wiele większą średnicę niż przednie.

Sam wóz był bardzo pojemny: miał osiemnaście stóp długości i cztery stopy szerokości. Drewniane boki miały z przodu dwie stopy wysokości, a z tyłu osiągały wysokość trzech stóp. Metalowe klamry z obu stron służyły do zamocowania drewnianych łuków, na których rozpięty był namiot. Wewnątrz miał on około pięciu stóp wysokości, więc wysoki mężczyzna musiał się w nim schylać. Czasza zrobiona była z dwóch warstw. Mocne zewnętrzne płótno żaglowe zapobiegało przedostawaniu się do środka deszczówki, a zgrzebna mata z włókna kokosowego chroniła wnętrze przed nagrzaniem przez słońce. Długie zasłony z przodu i z tyłu nazywane były klapami. Siedzisko woźnicy stanowiła duża skrzynia zajmująca całą szerokość wozu; podobna skrzynia umieszczona była z tyłu. Wzdłuż kadłuba wozu i pod spodem znajdowały się szeregi żelaznych haków, na których wieszano garnki i patelnie, narzędzia, płócienne torby, worki z prochem oraz inne ciężkie przedmioty.

Wewnątrz był jeszcze jeden szereg haków, na których wisiały prostokątne, płócienne kieszenie. Wkładano do nich zapasowe ubrania, grzebienie, szczotki, mydło i ręczniki, tytoń i fajki, pistolety, noże i wszystko, co mogło się okazać pilnie potrzebne. Mieściło się tam też duże, wygodne łóżko na ruchomych kołkach. Dzięki kołkom można je było podnosić lub obniżać, żeby zrobić pod spodem miejsce na worki, skrzynie, kufry i torby. Podobnie jak polowe krzesła, także łóżko miało legowisko ze skórzanych pasków *riempie*, krzyżujących się jak nitki katgutu w rakietach, którymi gra się w królewską grę, czyli w tenisa.

Tom przyprowadził cztery takie ogromne wozy i woły do ich ciągnięcia. Każdy wóz wymagał specjalnego przewodnika zwanego *voorloper* — chłopaka prowadzącego wołu za pomocą kantara ze skóry kudu, przywiązanego do podstawy rogów.

Wszystkie wozy były załadowane po brzegi; po śniadaniu Tom zawołał Sarah i Louisę, żeby pomogły zrobić inwentaryzację zawartości. W tym celu trzeba było rozładować wszystkie wozy i przejrzeć ładunek. Tom, stary kapitan statku, sporządził list przewozowy, Jim musiał bowiem wiedzieć dokładnie, gdzie znajduje się każda rzecz. Gdyby przyszło im rozładowywać w buszu wszystkie cztery wozy, żeby znaleźć gwóźdź, podkowę albo motek szpagatu, byłaby to niesłychanie frustrująca strata czasu.

Nawet Jim ze zdumieniem patrzył na to, co ojciec przywiózł.

— To całe twoje dziedzictwo, chłopcze, i więcej nie będzie. Używaj go mądrze.

Ogromny drewniany kufer, który Sarah spakowała dla Louisy, został umieszczony w tylnej części wozu mającego być domem dziewczyny w ciągu nadchodzących miesięcy, a może i lat. Zawierał grzebienie i szczotki, igły i nici, odzież i rolki materiału na szycie rozmaitych rzeczy, rękawiczki i kapelusze chroniące delikatną skórę przed słońcem, nożyczki i pilniki, aromatyzowane angielskie mydło i lekarstwa. Była też gruba księga przepisów, napisana przez Sarah, nieoceniona skarbnica empirycznej wiedzy; instrukcje, jak ugotować niemal wszystko, od trąby słonia do dzikich grzybów;

179

jak zrobić mydło i wyprawić skórę; wykaz ziół leczniczych, jadalnych roślin i bulw; środków na udar słoneczny, zatrucie żołądkowe i bóle ząbkującego niemowlęcia. Znalazł się tam również niewielki zbiór innych książek, a wśród nich leksykon medyczny opublikowany w Londynie i almanach kalendarzowy zaczynający się w tysiąc siedemset trzydziestym pierwszym roku, Pismo Święte, atrament, pióra i papier; pudełko akwarel i pędzli, arkusze pierwszorzędnego papieru rysunkowego; druty do dziergania i wełna, a także rolka miękkiej skóry na wierzchnią część butów, których podeszwy miały być wykonane ze skóry bawołu. Były jeszcze komplety pościeli, koce i poduszki wypchane puchem dzikich gęsi, długie okrycie z owczej skóry oraz nieprzemakalny płaszcz z odczepianym kapturem. A to była dopiero połowa zawartości.

Kufer Jima był mniejszy i zawierał wszystkie jego stare, znoszone ubrania, brzytwę i pasek do ostrzenia, noże myśliwskie, linkę na ryby i haczyki, pudełko z krzemieniem i hubką, szkło powiększające, zapasową lunetę oraz inne rzeczy, o których nigdy by nie pomyślał, świadczące o trosce, jaką otaczała go matka: długi płaszcz przeciwdeszczowy i kapelusz z szerokim rondem z tego samego materiału, szaliki i rękawice, chusty i wełniane skarpety, tuzin buteleczek przeciwkaszlowego wyciągu z sałaty i drugi tuzin butelek lekarstwa na biegunkę, opracowanego przez doktora Chamberlaina.

Kiedy doszli do listy ogólnych zapasów, wydawało się, że nie ma ona końca. Na jej szczycie widniało osiem skrzynek z ziarnem kawowym, ważących w sumie sześćset funtów, tudzież trzysta funtów cukru. Jim nie posiadał się z radości. Było też dwieście funtów soli do konserwowania dziczyzny, dziesięć funtów pieprzu, duża skrzynia mocnego proszku curry, worki ryżu, mąki i mąki kukurydzianej, torby z przyprawami i butelki aromatów do ciast i gulaszu, słoiki dżemu i ogórków z kuchni w High Weald. Na hakach w wozach wisiały sery i szynki. Były także dynie i kolby suszonej kukurydzy, paczki i skrzynki z nasionami warzyw do sadzenia, gdyby przebywali w jednym miejscu dość długo, by doczekać się zbiorów.

Do gotowania i jedzenia były kociołki na trzech nogach, patelnie i rondle, ruszty i czajniki, wiadra z wodą, talerze i kubki, widelce, łyżki i warząchwie. Każdy wóz został zaopatrzony w dwie pięćdziesięciogalonowe beczki z wodą. Pamiętano także o manierkach i butelkach wojskowych do przewożenia na koniu. Zapakowano również pięćdziesiąt funtów żółtego mydła, z którego po rozcieńczeniu można było zrobić więcej, używając tłuszczu hipopotama i popiołu z drewna.

Do utrzymania i konserwacji wozów Tom przygotował dwie beczki smoły, którą po zmieszaniu ze zwierzęcym tłuszczem należało nasmarować osie kół; ciężkie zwoje postronków z grubej skóry, paski, jarzma i kółki, trzpienie, a także rolki płótna i zwoje włókna kokosowego do reperacji namiotów. W innych skrzyniach Tom umieścił narzędzia, takie jak: świdry, punktaki i przebijaki, heble, skrobaki, dłuta, ciężkie imadło, szczypce i młotki kowalskie oraz bogaty zestaw innych narzędzi stolarskich i kowalskich, między innymi dwieście podków, worki ćwieków i skrobaki do końskich kopyt.

— To są ważne rzeczy, Jim. — Tom pokazał synowi żelazny tłuczek i moździerz do kruszenia próbek skał oraz szerokie, płaskie sita z rowkiem wzdłuż krawędzi, do zbierania ciężkich drobin złota z rzecznego piasku.

— Stary Humbert nauczył cię, jak tego używać. — Humbert był zatrudnionym przez Toma poszukiwaczem złota, dopóki jego wątroba nie skapitulowała przed niekończącym się strumieniem holenderskiego dżinu i taniej brandy z przylądka. — Dałem ci też dwieście jardów lontu do wysadzenia skały, gdybyś natrafił na złoto.

Na wymianę z afrykańskimi królami i wodzami Tom przeznaczył rzeczy, które znajdowały uznanie w oczach wszystkich dzikich plemion w głębi interioru: dwieście tanich noży, siekiery, worki weneckich paciorków w pięćdziesięciu różnych kolorach i wzorach, lusterka, puzderka z hubką i krzesiwem, zwoje cienkiego drutu miedzianego i mosiężnego na bransolety oraz inne ozdoby noszone przez tubylców.

Wybrał też dwa piękne angielskie siodła i komplety uprzęży, zwykłe siodła dla służby i dwa juczne na dziczyznę upolowaną po drodze, duży stożkowy namiot na kuchnię i jadalnię, składane krzesła i polowe stoliki.

Do polowania i obrony przed wojowniczymi plemionami Tom zaopatrzył syna w dwadzieścia marynarskich kordów i trzydzieści gładkolufowych muszkietów Brown Bess — większość służby umiała posługiwać się nimi dość sprawnie — w dwie ciężkie strzelby, których pociski mogły przebić się do serca słonia albo nosorożca, i dwie nieprzyzwoicie drogie londyńskie dubeltówki, tak celne, że — o czym Jim wiedział z doświadczenia — stożkowym pociskiem można z nich było ustrzelić oryksa albo kudu z odległości czterystu kroków. Była jeszcze jedna strzelba, piękna damska broń wykonana we Francji. Miała niewątpliwie szlachetne pochodzenie, gdyż jej zamek był inkrustowany złotem, na którym wyryto herb książąt d'Ademas. Tom dał ją Sarah, kiedy urodził się Jim. Była lekka i celna, a na orzechowej kolbie miała podkładkę na policzek z różowego zamszu. Sarah rzadko teraz polowała, ale Jim widział kiedyś, jak z odległości dwustu kroków położyła z tej broni szpringboka w biegu. Teraz oddawała strzelbę Louisie.

— Może ci się przydać — powiedziała krótko, przerywając podziękowania dziewczyny. Ta jednak impulsywnie zarzuciła jej ręce na szyję i szepnęła:

— Będę chowała pani podarunki jak skarby i nigdy nie zapomnę, ile dobroci okazała mi pani.

Do tej baterii broni palnej Tom dołożył zestaw łyżek na ołów, form, stempli, pasów na ładunki i prochownic. Jako materiał do wyrobu amunicji miało służyć pięćset cetnarów ołowiu w sztabach, pięćdziesiąt funtów stopu ołowiu z cyną do utwardzenia pocisków na grubą zwierzynę, dwadzieścia tysięcy gotowych ołowianych pocisków, dwadzieścia worków pierwszorzędnego prochu do strzelb i sto worków pośledniejszego czarnego prochu do muszkietów Brown Bess, dwa tysiące krzemieni, tłuste kłębki pakuł do uszczelniania lufy z załadowanym stożkowym pociskiem, czysta bawełna do przerobienia na uszczelniacze oraz duży wór przetopionego tłuszczu hipopotama do nasączania pakuł.

Zapasów było takie mnóstwo, że przed zmrokiem następnego dnia wozy jeszcze nie były załadowane.

— Mogą poczekać do jutra — oświadczył spokojnie Tom. — A panie mają teraz czas, żeby zrobić nam kolację.

Ostatni wspólny posiłek mąciła melancholijna cisza, bo wszyscy pamiętali o nieuchronnym rozstaniu. Przerywały ją wybuchy nieco wymuszonej radości. Wreszcie Tom zakończył sprawę z właściwą sobie otwartością.

— Jutro zaczynamy z samego rana. — Wstał i wziął Sarah za rękę. Prowadząc ją do pierwszego wozu, szepnął: — Możemy ich zostawić samych? Nie powinniśmy trzymać ich na oku?

Sarah roześmiała się wesoło.

— Tomie Courtneyu, ale ci się zebrało na odgrywanie roli przyzwoitki! Oni spędzili już ze sobą w buszu kilka tygodni, a wygląda na to, że spędzą razem długie lata. Co możesz teraz zdziałać?

Tom uśmiechnął się markotnie, podniósł żonę w ramionach i wsadził na wóz. Później, kiedy leżeli w łóżku, Sarah mruknęła:

— Nie martw się o Louisę. Mówiłam ci już, że to dobra dziewczyna, a Jima nauczyliśmy, że ma się zachowywać jak dżentelmen. Nic się jeszcze między nimi nie stało i nie stanie, póki nie przyjdzie pora. Wtedy nawet stado oszalałych bawołów nie zdoła temu zapobiec. Jeśli coś się zmieni, do czasu kiedy znów się spotkamy, trzeba będzie pomyśleć o ślubie. O ile mnie pamięć nie myli, Tomie Courtneyu, wykazywałeś mniejszą wstrzemięźliwość, kiedy się poznaliśmy, i upłynęło trochę czasu, zanim połączyły nas więzy małżeńskie.

— Przynajmniej w tych sprawach jesteś ode mnie mądrzejsza — przyznał Tom, przysuwając się do żony. — Pani Courtney, niech pani raczy zauważyć, że nie ma tu ani jednego stada oszalałych bawołów, które mogłyby zapobiec temu, co dzisiaj może się stać między nami.

— Jaki pan spostrzegawczy, panie Courtney — powiedziała, chichocząc jak podlotek.

Z jedli śniadanie i dokończyli załadunek wozów, zanim słońce rozproszyło nocny chłód. Smallboy, olbrzymi woźnica pierwszego wozu, dał sygnał do zaprzęgania wołów jednym uderzeniem bicza. Ten niesamowity przyrząd składał się z sześcioipółmetrowego bambusowego kija oraz jeszcze dłuższego rzemienia. Bez schodzenia z kozła i wyjmowania glinianej fajki z ust Smallboy umiał pędzelkiem ze skóry kudu na końcu bata zabić muchę na zadzie wołu w pierwszej parze, nie dotykając przy tym włosa na grzbiecie zwierzęcia.

Na sygnał przypominający wystrzał z pistoletu, słyszalny na milę, przewodnicy zaprzęgów ruszyli biegiem wiązać woły w pary i przyprowadzać je z trawy, na której się pasły. Popędzali zwierzęta, celnie rzucając kamykami i wykrzykując rozmaite epitety.

„Chodź tu, Szkot, ty wężu, potomku dwudziestu dwóch ojców i jednej matki".

„Obudź się, Jaszczur, ty leniwe bydlę!".

„Hej, Zezowaty, patrz tam, bo zarobisz jeszcze jednym kamieniem".

„Ruszaj się, Czarny, nie próbuj tych swoich sztuczek".

Jednej parze wołów po drugiej zakładano jarzma, a potem

prowadzono na swoje miejsca czołowe pary, złożone z najsilniejszych i najpotulniejszych zwierząt. Smallboy trzasnął ponownie z bicza, woły ruszyły bez widocznego wysiłku i ciężki wóz potoczył się za nimi. Trzy następne poszły za pierwszym, w odległości kilkuset kroków jeden od drugiego. Utrzymywały tak duży dystans, aby uniknąć kurzu wzbijającego się spod kopyt wołów i okutych żelazem kół wozów. Za karawaną podążało stado luzaków, zapasowych wołów, mlecznych krów, owiec i kóz na ubój. Mimo że rozproszyły się na znacznej długości, skubiąc po drodze trawę, czterech pasterzy prowadziło je w nieśpiesznym tempie. Żaden z nich nie miał więcej niż trzynaście, a mniej niż dziesięć lat. Chłopcy byli sierotami przygarniętymi przez Sarah; błagali, żeby zabrać ich na wielką wyprawę z Somoją, którego uwielbiali. Pod nogami kręciły im się pstrokate ogary mieszańce, które pracowały na swoje utrzymanie polowaniem i odnajdowaniem rannej zwierzyny oraz zabłąkanych zwierząt należących do karawany.

Niebawem w obozie pod Głową Pawiana został tylko jeden mały wóz, którym mieli pojechać Tom i Sarah; był już załadowany, a konie pasły się nieopodal. Rodzinie trudno było się rozstać. Przeciągali ostatnią wspólnie spędzoną godzinę, pijąc ostatnią kawę przy gasnącym ognisku, przypominając sobie to, czego w ciągu kilku dni zapomnieli powiedzieć, i powtarzając to, co zostało powiedziane wielokrotnie.

Tom zostawił na koniec jedną z najważniejszych spraw. Przyniósł z wozu marynarski, brezentowy mapnik i usiadł obok Jima. Otworzył torbę i wyjął mapę.

— Masz tu kopię mapy, którą rysuję stopniowo od piętnastu lat. Zatrzymałem sobie oryginał. To cenny dokument — rzekł, wręczając mapę Jimowi.

— Będę jej pilnował — obiecał chłopak.

Tom rozpostarł ciężki arkusz pergaminu na ziemi i położył na rogach kamyki, bo wiał lekki poranny wiaterek. Jim popatrzył na świetnie sporządzoną mapę, z zaznaczoną kolorami topografią południa kontynentu.

— Nie wiedziałem, tato, że jesteś takim utalentowanym rysownikiem.

Tom zerknął na Sarah, lekko zakłopotany.

— Miałem kogoś do pomocy — wymamrotał.

— Jesteś zbyt skromny — powiedziała z uśmiechem Sarah. Przecież osobiście nadzorowałeś pracę.

— Oczywiście — zachichotał Tom. — To był najtrudniejszy kawałek roboty. — Po chwili spoważniał. — Zarys wybrzeża jest bardzo dokładny, dokładniejszy niż na wszystkich mapach, które widziałem. Stryj Dorian i ja notowaliśmy swoje spostrzeżenia, przez dwadzieścia lat żeglując i handlując wzdłuż zachodniego i wschodniego wybrzeża. Towarzyszyłeś mi podczas jednej z wypraw, więc będziesz pamiętał te miejsca. — Wskazując, podawał ich nazwy: — Na zachodnim wybrzeżu Zatoka Wielorybów i przystań Nowy Devon; nazwałem ją tak na cześć starego kraju. Na wschodnim wybrzeżu leży Laguna Franka, gdzie twój dziadek zakopał skarb przechwycony z holenderskiego galeonu *Standvastigheid*. To świetne kotwicowisko, osłonięte przed otwartym morzem przez skaliste cyple. Tu, znacznie dalej na północ, jest następna wielka zatoka, którą Portugalczycy nazywają Zatoką Narodzenia Pańskiego albo Natal.

— Ale nie masz tam zbudowanych składów, tato — przerwał mu Jim. — Wiem, że wszystkie te miejsca są puste i odosobnione.

— Masz rację. Mimo to jeden z naszych szkunerów zawija do tych miejsc mniej więcej co sześć miesięcy, w zależności od pory roku i wiatrów. Tubylcy wiedzą, że przypływamy regularnie, i czekają na nas ze skórami, gumą arabską, kością słoniową i innymi towarami na handel.

Jim skinął głową.

— Byłeś tam, więc rozpoznasz każde z tych miejsc na wybrzeżu, kiedy do nich dotrzesz — ciągnął Tom. — Wiesz, gdzie leżą kamienie pocztowe. — Były to duże, jaskrawo pomalowane, płaskie głazy niedaleko brzegu, pod którymi załogi zostawiały listy w brezentowych paczkach, aby marynarze z innych statków mogli je dostarczyć do adresatów. — Jeśli zostawisz tam list, będziesz wiedział, że ja albo stryjek znajdziemy go po jakimś czasie. My też na wszelki wypadek będziemy zostawiać korespondencję do ciebie.

— A ja mogę tam poczekać na następną wizytę jednego z naszych statków.

— Tak, ale najpierw upewnij się, że nie trafisz na statek VOC. Gubernator van de Witten wyznaczy dużą nagrodę za głowę twoją i Louisy. — Wszyscy spoważnieli, zastanawiając się nad trudnym położeniem dwojga młodych ludzi. Tom szybko przerwał ciszę. — Zanim dotrzesz do wybrzeża, będziesz musiał przejść setki, nawet tysiące mil niezbadanego buszu. — Rozłożył na mapie swoją dużą, pokrytą bliznami dłoń. — Spójrz tylko, co czeka twoje wozy. Oto nadarza się okazja, o której myślałem przez całe życie. To miejsce, w którym teraz siedzimy, jest najdalej wysuniętym punktem w głąb interioru, do jakiego kiedykolwiek udało mi się dotrzeć. — Sam jesteś temu winien, Thomasie Courtneyu — powiedziała Sarah. — Nigdy cię nie powstrzymywałam, lecz ty zawsze byłeś zbyt zajęty zarabianiem pieniędzy.

— A teraz jest za późno. Starzeję się i tyję. — Tom zrobił żałosną minę. — Ale Jim pójdzie tam za mnie. — Spojrzał tęsknie na mapę, a potem na równinę, ku której w żółtym kurzu toczył się wóz. — Szczęściarz z ciebie, ty mały łobuzie — mruknął. — Zobaczysz miejsca, których nigdy nie widziały oczy cywilizowanego człowieka. Przez lata wypytywałem każdego mężczyznę... czarnego, białego czy żółtego... o którym mówiono, że zapuścił się poza granice kolonii — ciągnął Tom, spoglądając znów na mapę. — Starałem się uzyskać od nich, co się dało. Kiedy schodziliśmy z Dorianem na brzeg w czasie naszych rejsów handlowych, zasięgaliśmy języka u tubylców, z którymi handlowaliśmy. Wszystko, czego się dowiedziałem, zapisałem na tej mapie. Nazwy zanotowałem tak, jak brzmiały w moim uchu. Tu, na marginesach i na odwrocie, przepisałem wszystkie legendy, które mi opowiedziano, nazwy plemion, wiosek, imiona królów i wodzów. Próbowałem zaznaczyć rzeki, jeziora i zbiorniki wodne, ale nie miałem sposobu, by ustalić odległości pomiędzy nimi i ich położenie względem siebie. Ty, Bakkat, Zama i Smallboy znacie mniej więcej tuzin tubylczych narzeczy. Będziecie mogli wynajmować przewodników i tłumaczy, w miarę jak będziecie posuwać się coraz dalej i napotykać nowe, nieznane plemiona. — Tom złożył mapę i pieczołowicie umieścił ją z powrotem w brezentowej torbie, którą dał Jimowi. — Pilnuj jej dobrze, chłopcze. Będzie cię prowadzić w podróży. — Tom podszedł jeszcze raz do wozu i przyniósł twardy, skórzany futerał. Otworzył go i pokazał Jimowi, co zawiera. — Chciałbym ci dać jeden z tych nowomodnych chronometrów, opracowanych niedawno przez Harrisona w Londynie, żebyś mógł dokładnie oznaczać w podróży szerokość i długość, ale nigdy jeszcze czegoś takiego nie widziałem na oczy, a ludzie powiadają, że jak się już na taki trafi, to trzeba za niego zapłacić pięćset funtów. Podobnie jak za kwadrant refleksyjny Johna Hadleya. Ale masz tu mój wierny stary kompas i oktant. Należały do dziadka, lecz ty umiesz się nimi posługiwać, a dzięki tym tablicom morskim zawsze będziesz znał szerokość geograficzną, jeśli tylko zobaczysz słońce. Będziesz mógł znaleźć drogę do każdego z tych miejsc, które zaznaczyłem na mapie.

Jim wziął od ojca futerał, podniósł wieko i wyjął piękny, skomplikowany instrument włoskiej roboty. Na wierzchu znajdował się mosiężny pierścień, na którym można go było zawiesić, żeby się sam wypoziomował, a niżej były obrotowe mosiężne okręgi z misternie wygrawerowanymi mapami gwiazd i kołami szerokości geograficznej; ostatnie koło pokazywało godziny. Alidada, czyli suwak średnicowy, służący jako wizjer słoneczny, pozwalała uchwycić cień słońca i rzucić go na zbiegające się okręgi czasu i szerokości.

Jim obrócił instrument w ręku, a potem spojrzał na ojca.

— Nigdy nie zdołam się odpłacić za te wszystkie wspaniałe dary i za wszystko, co dla mnie zrobiłeś. Nie zasługuję na taką miłość i hojność.

— Pozwól, że twoja matka i ja to ocenimy — odparł szorstko Tom. — A teraz musimy ruszać do domu. — Zawołał dwoje służących, którzy wracali z nimi do kolonii. Ci zaraz pobiegli zaprzęgać konie do wozu i siodłać dużego, młodego ogiera Toma.

Jim i Louisa, dosiadający Werbla i Śmigłej, jechali obok wozu przez prawie dwie mile, żeby jeszcze raz powtórzyć słowa pożegnania. W końcu zrozumieli, że jeśli pojadą dalej, nie dogonią przed zachodem słońca swojego taboru, więc zatrzymali się i patrzyli, jak wóz znika w tumanie kurzu na stepie.

— Twój ojciec jedzie! — zawołała Louisa, widząc galopującego Toma, który po chwili zatrzymał obok nich konia.

— Jim, drogi chłopcze, nie zapomnij o prowadzeniu dziennika. Chcę, żebyś zapisywał wszystkie dane nawigacyjne. Nie zapominaj o wodzach plemion i nazwach miast. Dowiaduj się o wszystkie towary, którymi w przyszłości będziemy mogli z nimi handlować.

— Tak, tato. Już o tym rozmawialiśmy.

— I pamiętaj o sitach na złoto.

— Przesieję piasek w każdej rzece, którą będziemy przekraczać — obiecał ze śmiechem Jim. — Nie zapomnę.

— Przypominaj mu o tym, Louiso. Ten mój syn jest strasznie roztrzepany. Nie mam pojęcia, po kim to odziedziczył. Pewnie po matce.

— Obiecuję, panie Courtney — odrzekła poważnie Louisa.

Tom zwrócił się do syna.

— Jamesie Archibaldzie, opiekuj się tą młodą damą. To bez wątpienia rozsądna dziewczyna, o wiele za dobra dla ciebie.

Wreszcie Tom skierował konia w stronę wozu, co kilka minut odwracając się, żeby pomachać Jimowi i Louisie. W chwili gdy dojeżdżał, Jim zawołał:

— A niech mnie diabli, zapomniałem przesłać pozdrowienia i wyrazy szacunku Mansurowi i stryjowi Dorianowi. Jedźmy! — Pogalopowali za wozem. Kiedy go dogonili, wszyscy zsiedli i zaczęli się ściskać. — Tym razem naprawdę odjeżdżamy — powiedział w końcu Jim, lecz ojciec jechał z nimi jeszcze milę, zanim zebrał się w sobie, żeby ich zostawić. Pomachał im po raz ostatni i ruszył w drogę.

Wozy dawno zniknęły w oddali, lecz odciski okutych żelazem kół były jak drogowskazy. Stada szpringboków śmigały przed nimi jak gromady owiec, dołączając do tych, które szły wcześniej; zdawało się, że cała równina pulsuje, i nie było widać trawy pod tym żywym morzem.

A potem większe zwierzęta przyłączyły się do wielkiego pochodu. Antylopy gnu wierzgały i wyginały grzbiety niczym narowiste rasowe konie, wyrzucając tylne nogi do nieba i goniąc się wkoło. Zastępy kwag galopowały szeregami, szczekając jak stada ogarów. Te dzikie konie, podobne do zebr we wszystkim oprócz jednolicie brązowych tylnych nóg, były tak liczne, że mieszkańcy przylądka zabijali je tysiącami dla skór. Szyli z nich worki na zboże, a mięso zostawiali sępom i hienom.

Louisa patrzyła na to wszystko ze zdumieniem.

— Nigdy nie widziałam czegoś równie wspaniałego.

— Ta ziemia została pobłogosławiona taką obfitością, że żaden mężczyzna nie musi się ograniczać, póki jego ręce nie zmęczą się tak bardzo, że nie uniosą strzelby — rzekł Jim. — Znam pewnego wielkiego myśliwego z kolonii, który jednego dnia zastrzelił trzysta sztuk grubej zwierzyny i prawie zajeździł cztery konie, żeby tego dokonać. Nadzwyczajny wyczyn — westchnął, potrząsając z podziwu głową.

Ostatnią milę drogi do taboru przejechali w ciemności, kierując się na płonące ogniska. Zama postawił nad ogniem czarny kociołek, a w moździerzu czekała już świeżo utarta kawa.

Polegając na mapie ojca i instrumentach nawigacyjnych, Jim kierował tabor na północny wschód. Dni mijały naturalnym rytmem, zamieniając się w tygodnie, a te z kolei w miesiące.

Każdego ranka wyjeżdżał z Bakkatem naprzód, żeby przeprowadzić rekonesans w nieznanym terenie i znaleźć następny zbiornik wodny lub rzekę. Wkładał śniadanie do menażki przyczepionej z tyłu siodła obok maty, a Bakkat prowadził jucznego konia, żeby zabrać zwierzynę, którą uda się upolować.

Louisa krzątała się często koło wozów, naprawiając, sprzątając i kierując służbą, aby jej dom na kołach wyglądał tak, jak chciała, lecz przeważnie miała sporo wolego czasu i towarzyszyła Jimowi na Śmigłej. Od samego początku była urzeczona zwierzętami i ptactwem, od których roiło się, gdziekolwiek spojrzeć. Jim uczył ją nazw zwierząt, a potem rozmawiali ze szczegółami o ich zwyczajach. Bakkat dokładał do tego niezliczone fakty i bajeczne opowieści.

Kiedy zatrzymywali się w południe, żeby odpocząć i zrobić koniom popas, Louisa wyciągała z sakwy blok rysunkowy, podarunek Sarah, i szkicowała wszystkie rzeczy, które zobaczyli tego dnia. Jim układał się nieopodal i podpowiadał, jak mogłaby poprawić rysowany właśnie wizerunek, w głębi duszy podziwiając jej artystyczny talent.

Nalegał, żeby zawsze woziła ze sobą małą francuską strzelbę w olstrze pod prawym kolanem.

— Kiedy potrzebujesz broni, potrzebujesz jej natychmiast — mówił. — I musisz być pewna, że potrafisz jej użyć.

Ćwiczył z nią ładowanie, naciąganie kurka i strzelanie. Przy pierwszym strzale, przestraszona hukiem i odbiciem broni, upuściłaby ją na ziemię, gdyby Jim nie wyrwał jej strzelby z rąk. Po długim tłumaczeniu i namowach udało mu się przekonać dziewczynę, że to, co się stało, nie było aż tak straszne, jak wskazywałaby jej reakcja. Wreszcie Louisa zgodziła się na drugą próbę. Jim wybrał niski krzak w odległości dwudziestu kroków i dla zachęty położył na nim kapelusz.

— Powiadam ci, Jeżu, że nie trafisz bliżej niż dziesięć stóp od celu.

Louisa podjęła wyzwanie; jej oczy zwęziły się w błękitne szparki. Tym razem ręka jej nie zadrżała. Kiedy opadł dym wystrzału, kapelusz Jima kręcił się wysoko w powietrzu. Jim rzucił się w pogoń, gdyż było to jego ulubione nakrycie głowy. Wsunął palec w dziurę z takim osłupieniem i niedowierzaniem, że Bakkat jął się skręcać ze śmiechu. Obracał się wkoło, pokazując rękami, jak kapelusz pofrunął w powietrze. Potem nogi się pod nim ugięły, przewrócił się na piach i klepał obiema rękami po brzuchu, rechocząc jak szalony.

Jego śmiech okazał się zaraźliwy i Louisa też zaczęła się śmiać. Jim nigdy wcześniej nie słyszał, żeby śmiała się tak szczerze i naturalnie. Nałożył kapelusz na głowę i przyłączył się do ogólnej wesołości. Później włożył w dziurkę orle pióro i nosił go z wielką dumą.

Usiedli w cieniu akacji i zjedli lunch złożony z zimnej dziczyzny i ogórków. Co parę minut któreś znów zaczynało się śmiać, zarażając dwoje pozostałych.

— Pozwól Welandze strzelić jeszcze raz do twojego kapelusza — prosił Bakkat. — To był najlepszy żart, jaki w życiu widziałem.

Jim odmówił i zamiast tego zrobił na pniu drzewa nacięcie myśliwskim nożem. Biała plama stanowiła łatwy cel. Jim zaczynał rozumieć, że jeśli Louisa wzięła sobie coś do serca, potrafiła być uparta i zdeterminowana. Szybko opanowała sztukę ładowania broni: odmierzania odpowiedniej ilości prochu z prochownicy, ubijania go kłębkiem pakuł, wybierania symetrycznej kuli z woreczka przy pasie, owijania jej w nasączoną tłuszczem bawełnę, wsuwania do lufy i dobijania drewnianym pobijakiem, a następnie odciągania kurka i przygotowywania spłonki.

Drugiego dnia nauki Louisa umiała bez pomocy załadować broń i wystrzelić; wkrótce trafiała w cieknące żywicą nacięcie cztery razy na pięć prób.

— To staje się dla ciebie za łatwe, Jeżu. Czas, żebyś naprawdę zapolowała — orzekł Tom.

Nazajutrz wczesnym rankiem Louisa nabiła broń tak, jak ją nauczył, i wyjechali razem z obozu. Gdy zbliżali się do pierwszego stada, Jim pokazał Louisie, jak wykorzystać Śmigłą do podchodzenia zwierzyny. Zsiedli z koni. Jim prowadził Werbla, a Louisa podążała za nim, idąc tuż przy boku klaczy. Zasłonięci ciałami wierzchowców, podeszli do niewielkiego stada szpringboków, złożonego wyłącznie z tryków. Zwierzęta nigdy nie widziały ludzi ani koni, więc patrzyły z niewinnym zdumieniem na dziwne stworzenia, przechodzące obok. Jim zbliżał się do nich po skosie, nie idąc wprost na stado, bo to mogłoby je wystraszyć i skłonić do ucieczki.

Znalazłszy się w odległości mniejszej niż sto czterdzieści kroków od najbliższego zwierzęcia, Jim zatrzymał Werbla i gwizdnął cicho. Louisa ściągnęła wodze Śmigłej. Klacz stanęła posłusznie, drżąc w oczekiwaniu na strzał, którego się spodziewała. Louisa przykucnęła i starannie wymierzyła w tryka stojącego bokiem do niej, w pewnej odległości od reszty stada. Jim wbił jej do głowy, żeby celowała tuż za łopatką, pokazując to miejsce na rysunkach zwierząt i na tuszach tych, które ubił i przywiózł do obozu.

Mimo wszystko Louisa odkryła, że to coś innego niż celowanie do tarczy na drzewie. Serce biło jej szybko, ręce drżały niepowstrzymanie, a cel skakał we wszystkie strony.

— Pamiętaj, co ci mówiłem — przypomniał jej cicho Jim.

Podniecona polowaniem Louisa zapomniała o jego radach.

— Weź głęboki oddech. Podnieś lekko lufę, wypuść połowę powietrza. Nie trzymaj kurczowo za cyngiel. Naciśnij lekko, kiedy cel znajdzie się na muszce.

Louisa opuściła strzelbę, zebrała się w sobie i zrobiła dokładnie tak, jak ją nauczył. Broń wydała jej się lekka niczym dmuchawiec i wystrzeliła tak niespodziewanie, że dziewczyna przestraszyła się huku salwy i długiego pióropusza dymu.

Pocisk uderzył głucho w cel, tryk skoczył wysoko w powietrze i spadł w pełnym gracji piruecie. Nogi załamały się pod nim, zwierzę potoczyło się po spalonej słońcem ziemi jak kula, wreszcie rozciągnęło się i znieruchomiało. Jim wydał triumfalny okrzyk i popędził do zdobyczy. Z dymiącą strzelbą w dłoni Louisa pobiegła za nim.

— Trafiony w samo serce! — krzyknął Jim. — Sam nie zrobiłbym tego lepiej. — Odwrócił się do nadbiegającej Louisy. Miała zarumienione policzki, włosy wysypały się spod kapelusza w cudownym nieładzie, a oczy błyszczały. Mimo że starała się unikać słońca, jej skóra nabrała koloru dojrzałej brzoskwini. Była równie podekscytowana jak Jim, który pomyślał, że nigdy nie widział jej piękniejszej niż w tej chwili.

Wyciągnął ręce, żeby wziąć ją w ramiona, lecz dziewczyna zatrzymała się i odsunęła. Jim z wielkim wysiłkiem powstrzymał odruch. Patrzyli na siebie przez chwilę; Jim widział, jak iskry w jej oczach znikają i pojawia się przerażenie i odraza na myśl o dotyku mężczyzny. Była to tylko przelotna chwila, ale zrozumiał, jak niewiele dzieliło go od katastrofy. Tyle miesięcy starał się budować jej zaufanie, otaczać szacunkiem i troską, pokazywać, jak bardzo chce ją chronić i czcić, i wszystkiego omal nie zaprzepaścił przez jeden nieostrożny, impulsywny gest.

Odwrócił się szybko, żeby dać Louisie czas na ochłonięcie.

— Wspaniały tryk, tłusty jak masło. — Mięśnie zabitego zwierzęcia rozluźniły się i na jego grzbiecie ukazał się długi, biegnący wzdłuż całego ciała pas śnieżnobiałej sierści. Jim schylił się i przesunął po nim palcem. — To jedyne zwierzę, które pachnie jak kwiat. — Na jego palcu została warstewka bladożółtego wosku z gruczołów łojowych zwierzęcia. — Zobacz sama — rzekł, nie patrząc na Louisę.

Odwróciła od niego oczy i przesunęła palcami po grzbiecie zwierzęcia, a potem podniosła do nosa.

— Perfumy! — krzyknęła zdziwiona.

Jim zawołał Bakkata; razem oporządzili antylopę i wpakowali mięso do sakw. Wozy wyglądały na równinie jak maleńkie kropki. Pojechali w ich stronę, lecz radosny nastrój poranka prysł, więc milczeli. Jima zżerała rozpacz. Wydawało się, że on i Louisa stracili wszystko, co razem zyskali, i emocjonalnie wrócili do punktu wyjścia.

Na szczęście, kiedy dotarli do wozów, zastali coś, co zajęło uwagę Jima. Smallboy wjechał prowadzącym wozem na podziemną norę mrównika i ziemia się zapadła. Ciężko obładowany wóz wpadł do dziury aż po deski. Szprychy w przednim kole pękły i wóz utknął głęboko. Musieli go rozładować, a potem wyciągać dwoma zaprzęgami wołów. Nim się z tym uporali, zapadł zmrok. Było za późno, by zaczynać naprawę przedniego koła. Strzaskane szprychy należało wymienić, a struganie i dopasowywanie nowych było skomplikowaną robotą, która mogła potrwać kilka dni.

Zmęczony i spocony Jim odszedł do swojego wozu.

— Kąpiel! Gorąca woda! — krzyknął do Zamy.

— Welanga już zamówiła — odparł z wyższością Zama.

Przynajmniej wiem, po czyjej jesteś stronie, pomyślał gorzko Jim, lecz nastrój zaraz mu się poprawił, gdy ujrzał balię z ocynkowanego żelaza napełnioną gorącą wodą, a obok mydło i czysty ręcznik. Po kąpieli poszedł do kuchennego namiotu.

Louisa krzątała się przy ogniu. Jim był wciąż zbyt urażony, aby podziękować jej za pomysł przygotowania kąpieli. Wchodząc do namiotu, zerknął na nią, a potem szybko odwrócił spojrzenie.

— Pomyślałam, że masz ochotę na kieliszek dżinu od ojca. — Butelka już czekała na stole. Widział ją pierwszy raz od pożegnania z rodziną. Zastanawiał się, jak grzecznie podziękować i powiedzieć, że nie lubi otępiać sobie zmysłów alkoholem. Upił się tylko raz w życiu i później tego żałował. Nie chciał jednak psuć nastroju, więc nalał sobie pół kieliszka i wypił niechętnie.

Louisa upiekła na kolację kotlety ze świeżego mięsa antylopy i podała je z karmelizowaną cebulą i ziołami, według przepisu Sarah. Jim pochłonął wszystko z ogromnym apetytem; jego humor poprawił się tak bardzo, że pochwalił Louisę.

— Nie tylko dobrze strzelasz, ale wspaniale gotujesz. — Mimo to rozmowa kulała i była przerywana niezręcznym milczeniem. A tak niewiele brakowało, żebyśmy stali się bliskimi przyjaciółmi, żalił się w duchu, popijając kawę.

— Idę spać — oznajmił, wstając wcześniej niż zwykle. — A ty?

— Uzupełnię pamiętnik — odparła. — To był dla mnie wyjątkowy dzień. Moje pierwsze polowanie. Poza tym obiecałam twojemu ojcu, że nie pominę ani jednego dnia. Przyjdę później. — Jim zostawił ją i ruszył do swojego wozu.

Co wieczór ustawiali wozy w okrąg i wypełniali luki między nimi gałęziami akacji, tworzącymi zagrodę dla udomowionych zwierząt i trzymającymi z dala drapieżniki. Wóz Louisy stał zawsze koło wozu Jima, więc dzieliła ich tylko podwójna grubość brezentu. Dzięki temu Jim był zawsze w pobliżu, gdyby Louisa go potrzebowała, i w nocy mogli ze sobą rozmawiać, nie wstając z łóżek.

Tego wieczoru Jim leżał z otwartymi oczami, dopóki nie usłyszał jej kroków zbliżających się od kuchni i nie zobaczył poświaty latarni przesuwającej się wzdłuż namiotu jego wozu. Potem usłyszał, że Louisa się przebiera. Szelest ubrania wywołał niepokojące obrazy, których Jim nie mógł od siebie odsunąć. Słyszał, jak czesze włosy, a każde przesunięcie szczotki brzmiało jak szept wiatru na polu dojrzałej pszenicy. Wyobrażał sobie złote pasemka, lśniące w blasku latarni. Wreszcie łóżko zaskrzypiało pod ciężarem jej ciała i zapanowała cisza.

— Jim. — Louisa odezwała się cicho, niemal szeptem. — Nie śpisz?

— Nie. — Własny głos zabrzmiał mu głośno w uszach.

— Dziękuję — powiedziała. — Bardzo dawno nie przeżyłam takiego wspaniałego dnia.

— Dla mnie też był wspaniały. — Omal nie dodał: „prawie", lecz w porę ugryzł się w język.

Zapadła cisza na tak długą chwilę, że Jim pomyślał, iż Louisa zasypia. A jednak odezwała się ponownie:

— I dziękuję, że byłeś taki delikatny.

Nic nie odpowiedział, bo nie było nic do powiedzenia. Leżał bez słowa. Stopniowo poczucie zranienia ustępowało miejsca złości. Nie zasługuję na takie traktowanie, myślał. Porzuciłem dla niej wszystko, dom i rodzinę. Skazałem się na banicję, żeby ją ocalić, a ona traktuje mnie jak oślizłego, jadowitego gada. A potem idzie spać, jakby nigdy nic. Nienawidzę jej. Szkoda, że ją kiedykolwiek zobaczyłem.

Louisa leżała sztywno na łóżku. Wiedziała, że Jim słyszy każdy jej ruch i nie chciała, by wiedział, że nie może usnąć. Dręczyło ją poczucie winy i wyrzuty sumienia. Czuła się wobec niego bardzo zobowiązana. Wiedziała aż nazbyt dobrze, co dla niej poświęcił. A na dodatek go lubiła. Nie można go było nie lubić. Był taki otwarty i pogodny, taki silny, zaradny i godny zaufania. Czuła się bezpieczna, kiedy przebywał w pobliżu. Podobało jej się, że jest rosły i silny, i podobała jej się jego szczera twarz. Potrafił ją rozbawić. Uśmiechnęła się na myśl o reakcji Jima, kiedy przedziurawiła kulą jego kapelusz. Miał przewrotne poczucie humoru, które wreszcie zaczynała rozumieć. Umiał opowiadać o wydarzeniach dnia w sposób, który ją rozśmieszał i zaskakiwał, mimo że widziała je na własne oczy. Czuła, że nazywając ją Jeżem, drażni się z nią po przyjacielsku na szorstką, prawie niezrozumiałą angielską modłę.

Nawet teraz, gdy się dąsał, miło było pomyśleć, że jest niedaleko. Nocą, słysząc niesamowite odgłosy dzikiej przyrody, jękliwe zawodzenia hieny czy ryk stada lwów, Louisa bała się śmiertelnie. Wtedy Jim odzywał się do niej ze swojego wozu. Jego głos uspokajał ją, gasił lęk i znów mogła spać.

Miewała też nocne koszmary. Często śniło jej się, że znów jest w Huis Brabant, że widzi trójnóg, jedwabne postronki i czarną postać w blasku świec, odzianą w katowski kostium, czarne rękawice i skórzaną maskę z wyciętymi otworami na oczy. Czuła się wtedy schwytana w pułapkę mrocznych wizji i nie mogła uciec, dopóki nie obudził jej głos Jima, wyrywając z koszmaru. „Jeżu, obudź się! To tylko sen. Jestem tutaj. Nie pozwolę, żeby ci się coś stało". Zawsze budziła się wtedy z głębokim poczuciem wdzięczności.

Każdego dnia lubiła go trochę bardziej i coraz bardziej mu ufała. Nie mogła jednak pozwolić mu na dotyk. Nawet przy przypadkowym kontakcie — kiedy poprawił jej pasek strzemienia, dotykając kostki, podawał zwykły przedmiot, taki jak łyżeczka lub kubek — czuła strach i odrazę.

A przecież wydawał jej się atrakcyjny. Kiedy jechał obok, a ona czuła jego ciepły, męski zapach i słyszała głos, cieszyła się.

Pewnego dnia zaskoczyła go niechcący, kiedy mył się w rzece. Miał na sobie bryczesy, ale koszulę i skórzaną kurtkę rzucił na brzeg; nabierał wody w ręce i oblewał sobie głowę. Stał zwrócony do niej tyłem, więc nie mógł jej widzieć. Przez dłuższą chwilę, zanim się odwróciła, patrzyła na gładką, jasną skórę pleców, ostro kontrastującą z opalonymi słońcem ramionami. Mięśnie pod skórą były wyraźnie zarysowane i zmieniały kształt, kiedy podnosił ręce.

Znów poczuła niebezpieczne drgnienie zmysłów, krótkość oddechu, ciężar w lędźwiach i nieokreśloną, pożądliwą tęsknotę, którą obudził w niej Koen van Ritters, zanim strącił ją w czeluść swych mrocznych fantazji. Nigdy więcej tego nie chcę, myślała, leżąc w ciemności. Nie dam się dotknąć żadnemu mężczyźnie. Nawet Jimowi. Chcę, żeby był moim przyjacielem, ale nie chcę tego. Powinnam iść do kościoła, do klasztoru. To jedyna dla mnie ucieczka.

Lecz na sawannie nie było klasztoru. W końcu Louisa zasnęła.

X hia doprowadził Kootsa i jego bandę łowców nagród do obozu, w którym Jim Courtney zabrał im konie i z którego pułkownik Keyser rozpoczął swój długi powrotny marsz do kolonii. Od tej nocy upłynęło wiele tygodni, w górach wiały silne wiatry i padały obfite deszcze. Nikt oprócz Xhii nie zobaczyłby najmniejszej pozostałości tropu zmazanego przez żywioły.

Xhia poszedł w stronę, w którą uciekały zwierzęta, a potem instynktownie odgadł, w jakim kierunku Jim poprowadzi ukradzione stado. Półtorej mili od obozowiska zauważył zadrapanie na łupkowej powierzchni, ślad stalowej końskiej podkowy, którego nie mogło zostawić kopyto byka elanda ani żadna inna dzika zwierzyna. Uznał, że ślad nie był ani zbyt świeży, ani zbyt stary. To był pierwszy kawałek fundamentu, na którym zaczął budować wizerunek pogoni.

Szukał w osłoniętych miejscach, między skałami, w cieniu przewróconych drzew, w miękkiej glinie, w warstwach łupków dość miękkich, żeby ugiąć się pod naciskiem, i wystarczająco twardych, żeby go utrwalić.

Koots i jego ludzie podążali za nim w pewnej odległości, starannie unikając zadeptania starego tropu. Kiedy ślad stawał się zbyt nieuchwytny nawet dla niezrównanego oka Xhii, zdejmowali siodła z koni, paląc i przekomarzając się albo grając w kości o pieniądze, które mieli dostać za schwytanie zbiegów. Wreszcie

Xhia z niezmierzoną cierpliwością znajdował kolejną część układanki. Wołał towarzyszy, którzy wsiadali na konie i jechali za nim dalej.

Stopniowo trop stawał się świeższy, w miarę jak zmniejszała się odległość między myśliwymi i zwierzyną, więc Xhia mógł iść z większą pewnością siebie. Mimo to upłynęły trzy tygodnie od chwili, gdy Buszmen zobaczył ledwie dostrzegalny ślad podkowy na ziemi, zanim napotkali błąkające się stado mułów i koni, które Jim i Bakkat wykorzystali do wyprowadzenia wrogów w pole, a potem porzucili.

Z początku Koots nie mógł pojąć, jak zostali oszukani. Są konie, ale nie ma ludzi. Od pierwszego dnia miał trudności w porozumiewaniu się z Xhią, jako że Buszmen ledwie znał holenderski, a znaki migowe nie wystarczały, by wyjaśnić skomplikowany charakter podstępu, do którego uciekł się Bakkat. Wreszcie Kootsowi zaświtało, że w zabłąkanym stadzie brakuje najlepszych koni: Szrona, Wrony, Cytryny, Jelenia i — rzecz jasna — Werbla oraz Śmigłej.

— Rozdzielili się i zostawili to stado, żeby nas zwieść. — Koots zrozumiał wreszcie i pobladł z wściekłości. — Cały czas kręciliśmy się w kółko, a ci bandyci poszli sobie w inną stronę.

Musiał wyładować na kimś swój gniew i uznał, że najlepszym obiektem będzie Xhia.

— Dawajcie tu tego żółtego szczura! — ryknął do Richtera i Le Riche'a. — Trzeba zedrzeć trochę skóry z tego śmierdzącego małego *Swartze*. — Richter i Le Riche chwycili Buszmena, zanim ten zorientował się w ich zamiarach. — Przywiążcie go do tego pnia — rozkazał, wskazując wysokie okaleczone drzewo. Podobała im się ta zabawa. Ich wściekłość na Buszmena była taka sama jak Kootsa: to on był bezpośrednio odpowiedzialny za udrękę i dyskomfort, które musieli cierpieć przez te miesiące. Czuli, że zemsta będzie słodka. Przywiązali go do pnia skórzanymi rzemieniami za kostki i nadgarstki. Koots zerwał z Xhii skórzaną spódniczkę i zostawił go nagiego.

— Goffel! — krzyknął na hotentockiego żołnierza. — Utnij mi pęk gałęzi głogu tej grubości. — Zrobił okrąg z kciuka i palca wskazującego. — I zostaw kolce.

Koots ściągnął skórzaną kurtkę i zakręcił prawą ręką, żeby rozluźnić mięśnie. Goffel przyniósł znad strumienia naręcze głogowych witek, a Koots starannie wybrał jedną o odpowiedniej sztywności. Xhia obserwował go szeroko otwartymi oczami, rozciągając więzy. Koots tymczasem odłamał ciernie na grubszej stronie wybranej witki, żeby nie poranić sobie palców; reszta gałęzi była najeżona kolcami o czerwonych czubkach. Machnął biczem, podchodząc do Xhii.

— Ty mały gadzie, urządziłeś mi niezły taniec, ale teraz twoja kolej zatańczyć.

Pierwszy cios spadł na łopatki Xhii. Na skórze została nabrzmiała pręga z nieregularnymi nakłuciami, z których kapała krew. Xhia zawył z bólu i złości.

— Śpiewaj, ty pawiani bękarcie — rzucił z ponurą satysfakcją Koots. — Musisz się nauczyć, że nie można traktować Herminiusa Kootsa jak durnia. — Zamachnął się ponownie. Zielona gałązka zaczęła się rozpadać od siły uderzeń, kolce odłamały się i utkwiły w skórze.

Xhia skręcał się i szarpał więzy, aż nadgarstki poobcierały się o skórzane rzemienie i zaczęły krwawić. Głosem zbyt donośnym jak na jego lichą posturę zaczął wrzeszczeć z wściekłości i przysięgać zemstę w języku, którego biali nie mogli zrozumieć.

— Zdechniesz za to, ty biała hieno! Ty gównojadzie, który kopulujesz z trupami! Zabiję cię najpowolniejszą z moich trucizn, żebyś więcej nie żłopał wężowych szczyn i małpiej spermy.

Koots wyrzucił złamaną witkę i wybrał następną. Starł pot z czoła rękawem koszuli i zaczął od nowa. Nie przestawał, dopóki nie zmęczył zarówno samego siebie jak i Xhii. Jego koszula była mokra od potu, oddech stał się chrapliwy. Xhia wisiał bez słowa na skórzanych postronkach; krew spływała mu ciemnymi strużkami po plecach i pośladkach. Dopiero wtedy Koots odstąpił.

— Zostawcie go, niech tak powisi — rozkazał. — Rano trochę zmięknie. Nie ma nic lepszego niż dobre garbowanie skóry, żeby te *Zwartes* chodziły jak należy.

Xhia powoli odwrócił głowę i spojrzał Kootsowi w twarz.

— Zadam ci śmierć w dwadzieścia dni — powiedział cicho. — Na koniec będziesz mnie błagał, żebym cię zabił.

Koots nie zrozumiał słów, lecz kiedy zobaczył nienawiść w ciemnych jak paciorki oczach Xhii, cofnął się bezwiednie.

— Kapralu Richter — zawołał. — Będziemy go musieli związać, dopóki nie zapomni o zbolałym grzbiecie i morderczych nastrojach. — Podniósł kołczan Xhii z zatrutymi strzałami i wrzucił do ognia. — Nie dawajcie mu żadnej broni, dopóki nie zrozumie lekcji. Nie chcę, żeby wbił mi nóż między łopatki. Te małe małpy to podstępne dranie.

Rano Goffel wydłubał czubkiem bagnetu kolce z pleców Xhii, lecz niektóre utkwiły za głęboko. W ciągu następnych dni rany zaogniły się i zaropiały i dopiero wtedy kolce wyszły na powierzchnię. Xhia odzyskał siły i zwinność błyskawicznie niczym dzikie zwierzę. Wyraz jego twarzy był nieprzenikniony, ale kiedy patrzył na Kootsa, nienawiść wyzierała z ciemnych jak antracyt oczu.

— Połykaj wiatr, Xhia — popędzał go mimochodem Koots, jak niesfornego psa. — I nie łyp tak na mnie, bo zmarnuję jeszcze jedno drzewo na twoją śmierdzącą skórę. — Wskazał trop, który doprowadził ich tam, gdzie się znajdowali. — Znajdź miejsce, w którym Jim Courtney zdołał nas przechytrzyć.

Szli po własnych śladach, które zostawili w ciągu dziesięciu dni. Xhia prowadził. Jego plecy pokryły się strupami, rany zaczęły goić. Wydawało się jednak, że chłosta rzeczywiście się przydała, bo pracował nadzwyczaj ciężko. Rzadko odrywał wzrok od ziemi i tylko po to, by spojrzeć na rozciągający się przed nim teren. Posuwali się szybko. Czasem Xhia zapuszczał się gdzieś w bok, sprawdzając ślad, który okazywał się fałszywy lub złudny, po czym wracał i szedł dalej trafnie obraną drogą.

Wreszcie dotarli do czarnej wulkanicznej skały koło wodospadu. Idąc tędy za pierwszym razem, minęli to miejsce, zatrzymując się tylko na chwilę. Mimo że był to idealny teren dla Bakkata, gdyby ten chciał zwieść pogoń, podejrzliwość Xhii ledwo się obudziła. Niemal natychmiast wpadł na wyraźny trop po drugiej stronie rzeki i poszedł, kierując się tym śladem.

Potrząsnął głową. Byłem głupcem. Teraz czuję zdradę Bakkata w powietrzu, pomyślał. Pociągnął nosem jak pies wietrzący zwierzynę. Dotarł do miejsca, w którym Bakkat rzucił maskujące zaklęcie, i podniósł z ziemi drobinę czarnego popiołu. Obejrzał ją dokładnie i zorientował się, że jest to popiół z drzewa *tong*, drzewa czarowników.

Tutaj spalił *tong* i rzucił zaklęcie, żeby mnie oszukać. A ja minąłem to miejsce z zamkniętymi oczami, ganił się w duchu. Był wściekły, że tak łatwo dał się zwieść temu, którego uważał za mniej przebiegłego od siebie i gorszego w sztuce czarów. Opadł na ręce i kolana i obwąchał ziemię. Tutaj na pewno naszczał, żeby zamaskować ślady, doszedł do wniosku. Lecz stało się to ponad miesiąc temu i nawet nos Xhii nie mógł wychwycić woni amoniaku w moczu Bakkata.

Wstał i pokazał Kootsowi znak rozdzielania się, składając dłonie, a potem rozsuwając je jak przy pływaniu.

— To tutaj — powiedział, kalecząc nieznośnie holenderski i wskazując na prawo i lewo. — Konie iść w tę stronę. Człowiek w tę.

— Na krew ukrzyżowanego Chrystusa, lepiej żebyś się tym razem nie pomylił, bo ci obetnę jaja. Rozumiesz?

— Nie rozumieć. — Xhia potrząsnął głową.

Koots sięgnął w dół i złapał Xhię za genitalia, a drugą ręką dobył sztyletu. Trzymając go za mosznę, wykonał gest przeciągania ostrzem po jądrach, prawie dotykając skóry.

— Obetnę ci jaja — powtórzył. — *Verstaan?*

Xhia pokiwał bez słowa głową; Koots odepchnął go.

— A więc ruszaj.

Rozbili obóz na brzegu nad wodospadem, a Xhia zbadał oba brzegi trzy mile w dół i w górę rzeki. Najpierw obejrzał sam skraj wody, lecz w ciągu ostatnich dziesięciu dni rzeka wezbrała, a potem cofnęła się. Na gałęziach drzew rosnących wzdłuż brzegu osiadła trawa i drobne szczątki drewna. Nawet najgłębszy trop nie mógł się zachować po takim potopie.

Xhia wspinał się po zboczu do najwyższych punktów, jakie osiągnęła woda. Mozolnie oglądał każdy cal gruntu. Mimo całego swego doświadczenia i czarów, niczego nie mógł znaleźć. Ślad zniknął, zmyła go woda. Nie mógł odgadnąć, czy Bakkat poszedł w górę rzeki, czy w dół. Xhia musiał zgłębić tajemnicę nieprzeniknioną jak mur.

Nerwy Kootsa były już napięte do granic, a kiedy zrozumiał, że Xhia znów zawiódł, wpadł w szał wściekłości gorszy niż poprzednio. Znów kazał związać Buszmena, lecz tym razem powiesili go głową w dół nad dymiącym ogniskiem, do którego Koots wrzucił dużo zielonych liści. Kędzierzawe włosy Xhii smażyły się od gorąca, a on kaszlał, krztusił się i wymiotował, skręcając się wśród kłębów dymu.

Reszta bandy przerwała grę w kości, żeby popatrzeć. Wszyscy byli do cna znudzeni i rozczarowani, a pokusa nagrody bladła, bo trop stawał się z każdym dniem zimniejszy. Richter i Le Riche już zaczęli przebąkiwać o buncie, o porzuceniu pościgu i ucieczce z tych surowych gór, i powrocie do kolonii.

— Zabić tę parszywą małpę — rzucił obojętnie Le Riche. — Skończmy z nim i wracajmy do domu.

Koots wstał, wyciągnął nóż i przeciął linę, na której wisiał Xhia. Buszmen wpadł głową w rozżarzone węgle. Wrzasnął i wytoczył się z ognia, niewiele bardziej poparzony niż do tej pory. Koots złapał koniec liny, która wciąż krępowała mu kostki, i zawlókł Xhię do najbliższego drzewa. Przywiązał go, a sam poszedł zjeść posiłek.

Tropiciel, siedząc w kucki plecami do pnia, mamrotał coś do siebie i oglądał swoje rany. Skończywszy jeść, Koots wytrząsnął z kubka fusy od kawy i krzyknął na Goffla. Hotentot podszedł z nim do drzewa i obaj popatrzyli z góry na Xhię.

— Powiedz temu małemu śmierdzielowi, że pozostanie związany. Nie będzie dostawał jedzenia ani wody, a ja będę go prał codziennie, dopóki nie wpadnie na trop.

Goffel przetłumaczył groźbę. Xhia syknął gniewnie i zakrył twarz, pokazując, że widok Kootsa go obraża.

— Powiedz mu, że mi się nie śpieszy — ciągnął Koots. — Powiedz, że mogę poczekać, aż wyschnie na słońcu jak pawianie gówno, którym jest.

Rano Xhia był wciąż przywiązany do drzewa. Koots i jego ludzie jedli na śniadanie smażone placki kukurydziane i wędzoną holenderską kiełbasę, kiedy Xhia krzyknął coś do Goffla w języku san. Hotentot podszedł i ukucnął przed nim. Długo rozmawiali po cichu między sobą. W końcu Goffel wrócił do Kootsa.

— Xhia mówi, że może ci znaleźć Somoję.

— Jak dotąd mu się to nie udawało — odparł Koots, wypluwając w ogień kawałek skórki od kiełbasy.

— Mówi, że jest tylko jeden sposób, żeby znaleźć trop. Trzeba odprawić poważne czary.

Le Riche i Richter parsknęli pogardliwie.

— Jeśli zaczniemy się bawić w czary, to ja nie mam tu nic więcej do roboty. Wracam na Przylądek Dobrej Nadziei, a Keyser może sobie wsadzić w tyłek swoją nagrodę — oświadczył Le Riche.

— Zamknij pysk — rzucił Koots i odwrócił się do Goffla. — Co to za poważne czary?

— W górach jest święte miejsce, gdzie mieszkają duchy Sanów. Tam ich moc jest największa. Xhia mówi, że jeśli tam pójdziemy i złożymy ofiarę duchom, wpadniemy na trop.

Le Riche wstał.

— Nasłuchałem się już dość tych dyrdymałów. Słucham go prawie od trzech miesięcy, a nie zbliżyliśmy się ani o krok do złotych guldenów. — Podniósł siodło i ruszył do miejsca, gdzie pasły się konie.

— Dokąd się wybierasz? — spytał Koots.

— Jesteś głuchy czy tylko głupi? — spytał wojowniczym tonem Le Riche, kładąc prawą rękę na rękojeści szabli. — Powiedziałem ci już, ale powtórzę. Wracam na przylądek.

— To się nazywa dezercja, lecz rozumiem, dlaczego chcesz wracać — rzekł Koots głosem tak spokojnym, że Le Riche był zaskoczony. — Jeśli ktoś chce odejść z Le Riche'em, nie będę go zatrzymywał.

Richter wstał.

— Ja chyba pójdę — oświadczył.

— Dobrze! — zawołał Koots. — Ale przed odejściem musisz zostawić wszystko, co jest własnością VOC.

— Co masz na myśli, Koots? — zapytał Le Riche.

— Siodło, uzda, muszkiet i szabla, to wszystko należy do holenderskiej kompanii — odparł Koots. — Koń, buty i mundur, że nie wspomnę o manierce i kocu. — Uśmiechnął się. — Zostaw to wszystko i możesz powiedzieć do widzenia.

Richter jeszcze się nie zdeklarował, więc usiadł szybko z powrotem. Le Riche stał niepewnie, spoglądając to na Kootsa, to na pasącego się konia. Potem z widocznym wysiłkiem opanował się.

— Koots, pierwsze, co zrobię po powrocie na przylądek, to zerżnę twoją żonę, jeśli nawet będzie mnie to kosztować pięć guldenów. — Koots niedawno ożenił się z młodą dziewczyną z plemienia Hotentotów, imieniem Nella, jedną z najsławniejszych *filles de joie* w kolonii. Poślubił ją po to, żeby mieć wyłączność na dostęp do jej wdzięków. Ten fortel nie okazał się stuprocentowo skuteczny i Koots już zabił jednego śmiałka, który nie miał zrozumienia dla powagi świętych węzłów małżeńskich.

Koots zerknął na sierżanta Oudemana, swojego kamrata. Oudeman był łysy jak strusie jajo, lecz miał ciemne, sumiaste wąsy. Zrozumiał niewypowiedziany rozkaz i zasygnalizował to, opuszczając jedną powiekę. Koots wstał i przeciągnął się jak lampart. Był wysoki i szczupły, a z jego wyblakłych oczu pod bezbarwnymi brwiami wyzierała groźba.

— Nie wspomniałem jeszcze o jednym — rzekł złowieszczo. — Możesz też zostawić swoje jaja. Właśnie teraz ci je zabiorę. — Z metalicznym zgrzytem wyciągnął szablę i ruszył w stronę Le Riche'a. Ten zaś rzucił siodło na ziemię i odwrócił się do przeciwnika. Jego szabla błysnęła w słońcu.

— Długo czekałem na okazję, żeby cię dopaść, Koots.

— Więc ją masz — odparł Koots, podnosząc ostrze i zbliżając

się do Le Riche'a, który też uniósł broń; stal szczęknęła lekko o stal. Przeciwnicy mierzyli swoje siły. Znali się dobrze, bo ćwiczyli ze sobą od lat. Teraz odsunęli się od siebie i zaczęli okrążać.

— Dopuściłeś się dezercji — powiedział Koots. — Mam obowiązek cię aresztować albo zabić. — Uśmiechnął się. — Wolę to drugie rozwiązanie.

Le Riche skrzywił się i schylił agresywnie głowę. Nie był tak wysoki jak Koots, lecz miał długie, małpie ręce i silne ramiona. Zaatakował serią pchnięć, mocnych i szybkich. Koots spodziewał się tego; Le Riche'owi brakowało finezji. Cofał się, a kiedy Le Riche nie mógł dalej sięgnąć, Koots skontrował błyskawicznie jak żmija. Le Riche odskoczył w porę, ale jego rękaw został rozdarty i z zadrapania na przedramieniu spadło na ziemię kilka kropel krwi.

Szpady znów zazgrzytały, lecz siły przeciwników były bardzo wyrównane. Odstąpili od siebie i zaczęli krążyć; Koots próbował skierować Le Riche'a w stronę Oudemana, który stał oparty niedbale o pień drzewa. Przez lata Koots z Oudemanem nauczyli się porozumiewać bez słów. Koots dwa razy zdołał wepchnąć Le Riche'a w zasięg Oudemana, ten jednak wymknął się z pułapki.

Oudeman odsunął się od drzewa i ruszył w stronę ogniska, udając, że chce sobie dolać kawy, lecz trzymał prawą rękę za plecami. Zwykle atakował na wysokości nerek; cios nisko w plecy paraliżował ofiarę. Koots mógłby wtedy wykończyć Le Riche'a pchnięciem w gardło.

Koots zmienił kierunek i kąt ataku, spychając przeciwnika do miejsca, w którym czekał Oudeman. Le Riche odskoczył i odwrócił się błyskawicznie jak baletnica, jednocześnie tnąc ostrzem po kostkach dłoni Oudemana, trzymającej sztylet. Nóż wypadł z okaleczonej ręki, a Le Riche odwrócił się z powrotem twarzą do Kootsa. Wciąż się uśmiechał.

— Może powinieneś nauczyć swojego psa nowych sztuczek, Koots? Tę widziałam tyle razy, że już mi się znudziła.

Oudeman bluźnił, trzymając się za zranioną rękę, a Koots był wyraźnie zbity z tropu zaskakującym fortelem Le Riche'a. Zerknął na wspólnika, odwracając wzrok od przeciwnika, który zaatakował *en fleche*, pchnięciem strzały: mierzył prosto w gardło Kootsa. Ten potknął się i stracił równowagę. Opadł na jedno kolano, a Le Riche rzucił się z wyciągniętą bronią, chcąc zakończyć sprawę. W ostatniej chwili spostrzegł błysk triumfu w wodnistych oczach Kootsa i próbował skręcić, lecz jego prowadząca noga już opadała na ziemię. Koots ciął poniżej gardy Le Riche'a; ostra jak brzytwa stal przebiła tylną część buta i ścięgno Achillesa, które pękło z głośnym plaśnięciem. Koots już stał na nogach i błyskawicznie odskoczył poza zasięg długich ramion Le Riche'a.

— Oto nowa sztuczka dla ciebie, kapralu. Jak ci się spodobała? — spytał. — A teraz powiedz, kto kogo zerżnął?

Krew tryskała z buta Le Riche'a, który cofał się, wlokąc za sobą zranioną nogę i podskakując na zdrowej. Na jego twarzy pojawił się wyraz desperacji. Koots ruszył na niego natychmiast, mierząc ostrzem szabli w twarz. Le Riche na jednej nodze nie mógł go powstrzymać, więc przewrócił się na plecy. Koots z precyzją chirurga ciął przez lewy but, przerywając drugie ścięgno. Potem schował szablę do pochwy i odszedł z pogardą. Pobladły, spocony Le Riche usiadł i drżącymi rękami zdjął po kolei obydwa buty. W milczeniu wpatrywał się w dwie straszliwe rany. Potem rozdarł koszulę na szwie i próbował je obwiązać, lecz krew szybko przesączyła się przez brudny materiał.

— Zwijamy obóz, sierżancie — krzyknął Koots do Oudemana. — Wszyscy na koń, za pięć minut ruszamy. Buszmen zaprowadzi nas do swojego świętego miejsca.

Oddział wyjechał z obozu gęsiego, za Xhią. Oudeman prowadził konia Le Riche'a, a jego muszkiet, manierka i cały sprzęt zostały przywiązane do pustego siodła.

Le Riche czołgał się za nimi.

— Poczekaj! Nie możecie mnie tu zostawić. — Próbował wstać, lecz nie mając władzy w nogach, znów runął na ziemię. — Proszę, kapitanie Koots, litości. W imię Chrystusa, zostawcie mi chociaż muszkiet i manierkę z wodą.

Koots odwrócił się na koniu i spojrzał w dół na Le Riche'a.

— Czemu miałbym marnować cenny sprzęt? Wkrótce nie będzie ci do niczego potrzebny.

Le Riche poczołgał się do niego na rękach i kolanach; bezwładne stopy wlokły się za nim jak śnięte ryby. Koots wycofał konia, trzymając się poza zasięgiem Le Riche'a.

— Nie mogę chodzić, a zabraliście mi konia — błagał.

— To nie twój koń, kapralu. Należy do VOC — zauważył Koots. — Ale zostawiłem ci buty i jaja. To dość wielkoduszności jak na jeden dzień. — Zawrócił konia i ruszył za resztą oddziału.

— Proszę! — krzyknął za nim Le Riche. — Jeśli mnie tu zostawicie, zginę.

— Tak — potwierdził przez ramię Koots — ale dopiero wtedy, kiedy znajdą cię sępy i hieny.

Odjechał. Stukot końskich kopyt zamilkł w oddali; cisza gór spadła na Le Riche'a takim ciężarem, że poczuł, jak kruszą się pod nią resztki jego odwagi i determinacji.

Wkrótce na niebie pojawił się pierwszy sęp, kołując na rozpostartych skrzydłach. Skręcił głowę na długiej, nagiej szyi i spojrzał z góry na Le Riche'a. Widząc, że człowiek jest unieruchomiony, dogorywający i nie może się bronić, zatoczył krąg i wylądował na sterczącej jak wieżyczka skale. Rozłożył potężne skrzydła i wyciągnął szpony, szukając oparcia. Potem usiadł przygarbiony, złożył skrzydła i zaczął przyglądać się beznamiętnie swej ofierze. Był to olbrzymi ptak, czarny, z płatem czerwonej skóry na głowie.

Le Riche dowlókł się do najbliższego drzewa i oparł o pień. Zebrał wszystkie kamienie leżące w zasięgu ręki, lecz było ich rozpaczliwie mało. Cisnął jednym w siedzącego sępa, ale ptak był za daleko; poza tym rzut nie miał odpowiedniej siły, bo Le Riche wykonał go z pozycji siedzącej. Ogromne ptaszysko zamrugało oczami, lecz się nie poruszyło. Jakiś konar leżał w zasięgu ręki Le Riche'a. Był za ciężki i nieporęczny, żeby nim skutecznie machać, ale przyciągnął go i położył na kolanach. Była to jego ostatnia broń, lecz gdy spojrzał na wielkiego ptaka, zrozumiał, jaka jest słaba.

Przyglądali się sobie przez resztę dnia. Sęp zmierzwił dziobem pióra, a potem wygładził je starannie i znów pogrążył się w bezruchu. Nim zapadł wieczór, Le Riche poczuł pragnienie, a ból w stopach stał się nieznośny. Sylwetka siedzącego sępa, jakby pogrążonego w zadumie, wyglądała demonicznie na tle gwiazd. Le Riche pomyślał, że mógłby podczołgać się do śpiącego ptaka i udusić go gołymi rękoma, lecz kiedy spróbował się ruszyć, ból powstrzymał go jak kajdany.

Nocny chłód odebrał mu siły witalne i Le Riche zapadł w deliryczny sen. Zbudziło go ciepło słońca na twarzy i jego blask padający prosto w oczy. Długo nie wiedział, gdzie jest, lecz gdy spróbował się poruszyć, ból w nogach sparaliżował go i z całą mocą przypomniał o straszliwym położeniu.

Jęknął i odwrócił głowę, a potem wrzasnął dziko z przerażenia. Sęp sfrunął ze skalistej grzędy i usiadł tuż obok. Dopiero teraz Le Riche uświadomił sobie ogrom ścierwojada, który siedząc, wyrastał nad nim jak wieża. Z bliska wyglądał jeszcze bardziej odrażająco. Czerwona skóra na nagiej głowie i szyi miała łuskowatą powierzchnię, a ptaszysko cuchnęło padliną.

Le Riche chwycił kamień z kupki i cisnął nim z całej siły. Pocisk ześliznął się po błyszczącym upierzeniu. Sęp rozpostarł skrzydła, których szerokość była większa niż długość jego ciała, odskoczył trochę do tyłu i znów je złożył.

— Daj mi spokój, parszywa bestio! — zaszlochał z przerażeniem Le Riche.

Słysząc głos, sęp najeżył pióra i zniżył potworną głowę, prawie chowając ją między skrzydła, lecz była to jedyna reakcja. Dzień płynął, słońce paliło coraz mocniej; Le Riche poczuł się tak, jakby został uwięziony w wielkim piecu. Ledwie mógł oddychać, a pragnienie zamieniło się w straszliwą udrękę.

Sęp tymczasem siedział jak gargulec na katedrze i obserwował człowieka. Le Riche czuł, że zmysły zaczynają go zawodzić i pochłania go ciemność. Ptak też musiał to wyczuć, gdyż nagle rozłożył skrzydła niczym czarny baldachim. Wydał gardłowy skrzek i zaczął podskakiwać w stronę ofiary na rozpostartych szponach. Jego zakrzywiony dziób rozwarł się szeroko. Le Riche zawył z przerażenia, złapał gałąź i zamachnął się wściekle. Cios trafił sępa w nagą szyję, przewracając go. Ptak wstał jednak, pomagając sobie skrzydłami, i w podskokach usunął się poza zasięg rąk Le Riche'a. Zwinął skrzydła i znów rozpoczął wartę.

To właśnie niewyczerpana cierpliwość sępa odebrała Le Riche'owi rozum. Wył na niego spuchniętymi z pragnienia i spieczonymi przez słońce ustami, aż krew zaczęła mu ściekać po brodzie. Sęp nawet się nie ruszył, tylko mrugnął błyszczącymi ślepiami. W obłędzie Le Riche cisnął w ptaka cenną gałęzią, swoją ostatnią bronią. Sęp podniósł tylko skrzydła i zakrakał, gdy drewno ześlizgnęło się po jego twardych jak zbroja piórach. A potem usiadł i czekał.

Słońce sięgnęło zenitu, a Le Riche miotał się i krzyczał, wyzywając Boga i szatana, rzucając przekleństwa na cierpliwego ścierwojada. Zdrapywał z ziemi piach i ciskał w niego, aż połamał sobie paznokcie i zdarł skórę. Ssał krwawiące palce, żeby wilgocią oszukać pragnienie, ale piasek sklejał się w grudki na jego spuchniętym języku.

Myślał o strumieniu, który przekroczyli po drodze, lecz dzieliło go od niego co najmniej pół mili. Obraz chłodnej, płynącej szybko wody potęgował jego obłęd. Opuścił złudne schronienie akacji i powoli zaczął się czołgać kamienistą ścieżką w stronę rzeki. Stopy wlokły się za nim, zasklepione rany po cięciach szabli otworzyły się i znów zaczęły krwawić. Sęp wyczuł krew, zaskrzeczał chrapliwie i podążył skokami za Le Riche'em, który pokonał mniej niż sto kroków i powiedział: „Odpocznę tu sobie chwilę". Położył twarz na ramieniu i zapadł w letarg. Obudził go ból. Miał wrażenie, że tuzin włóczni wbija mu się w plecy.

Sęp przysiadł między łopatkami Le Riche'a, zatopiwszy szpony głęboko w jego ciele. Trzepocząc skrzydłami dla utrzymania równowagi, zniżył głowę i dziobem rozrywał mu koszulę. Potem wbił zakrzywiony dziób i wyrwał długi skrawek mięsa.

Le Riche wrzasnął histerycznie i przetoczył się, próbując zmiażdżyć ptaka ciężarem ciała, lecz sęp uderzył skrzydłami i odleciał, a potem usiadł tuż obok.

Mimo że wzrok mu się mącił, Le Riche widział, jak sęp wyciąga szyję i z wysiłkiem połyka kawałek jego ciała. Następnie podniósł głowę i skierował na niego nieruchome spojrzenie.

Le Riche zdawał sobie sprawę, że ptaszysko czeka, aż znowu straci przytomność. Usiadł, zaczął śpiewać i krzyczeć, klaszcząc w ręce, lecz z wolna słowa zamieniały się w niezrozumiały bełkot, ręce opadły, a oczy się zamknęły.

Kiedy tym razem się ocknął, poczuł straszliwy ból. Wokół jego głowy powietrze wirowało, poruszane trzepotem skrzydeł. Czuł się tak, jakby wbito mu w oczodół stalowy hak i wyciągano mózg z czaszki.

Leżąc na plecach, zamachał słabo rękami; nie miał już siły krzyczeć. Próbował otworzyć oczy, lecz był ślepy; czuł strumienie gorącej krwi płynące po jego twarzy, zalewające zdrowe oko, usta i nozdrza; zaczął się nią dusić.

Wyciągnął obie ręce do łuskowatej szyi sępa i uświadomił sobie, że ptak wbił dziób głęboko w jego oczodół i wydziera mu oko, połączone z ciałem długą, gumowatą nitką, którą był nerw wzrokowy. One zawsze zaczynają od oczu, pomyślał z ostateczną rezygnacją, porzuciwszy wszelki opór. Oślepiony i za słaby, żeby podnieść ręce, Le Riche słyszał, jak ptak połyka jego oko. Próbował spojrzeć na niego zdrowym okiem, lecz zalał je strumień krwi, zbyt obfity, żeby można go było zneutralizować mruganiem. Potem znów jego twarz owionął strumień powietrza poruszanego uderzeniami potężnych skrzydeł. Ostatnią rzeczą, którą poczuł, był ostry czubek dzioba wbijający się głęboko w jego drugie oko.

O udeman jechał tuż za Xhią, trzymając go na długim powrozie, jak myśliwskiego psa na smyczy. Wszyscy wiedzieli, że jeśli Xhia ich zostawi, choćby wymknąwszy się pod osłoną nocy, żaden z nich nie jest w stanie znaleźć drogi na tym pustkowiu i wrócić do kolonii.

Przeszli następny mały strumień i skręcili w dolinę między dwiema wysokimi, spiętrzonymi jak wieżyczki skałami. Ukazał się im niezwykły widok. Ich zmysły zostały stępione przez dziki krajobraz gór, lecz teraz wszyscy wstrzymali konie i gapili się w zdumieniu.

Xhia zawodzącym głosem zaintonował błagalną pieśń o monotonnej melodii, szurając nogami i tańcząc. Spoglądał na święte skały wyrastające przed nim. Nawet Koots oniemiał. Ściany skał zdawały się sięgać samego nieba, a chmury przelewały się nad ich wierzchołkami niczym rozlane mleko.

Nagle Xhia skoczył wysoko w powietrze i wydał przeraźliwy wrzask, który przestraszył Kootsa tak bardzo, że kapitan dostał gęsiej skórki na przedramionach. Krzyk Xhii rozniósł się w wielkiej kamiennej niecce i powrócił niczym pasaż glissandowy, odbity echem od gór.

— Słuchajcie, jak odpowiadają duchy moich przodków! — zawołał Xhia i znów podskoczył. — O święci, o mędrcy, pozwólcie mi wejść.

„Wejść! Wejść!", odpowiedziały echa.

Xhia, wciąż tańcząc i śpiewając, poprowadził oddział w górę ku podnóżom skalnych ścian, które wisiały nad nimi, porośnięte mchami, a płynące wysoko chmury dawały złudzenie, że góry przewracają się na nich. Wiatr świszczał w kamiennych wieżach i wieżyczkach jak głosy dawno zmarłych ludzi; żołnierze zamilkli, a ich konie wierciły się nerwowo.

W połowie kamienistego stoku potężny głaz zagrodził im drogę. W pradawnych czasach odpadł od ściany góry i runął w tym miejscu. Był wielkości wiejskiego domku i niemal idealnie prostokątny; można było pomyśleć, że ukształtowała go czyjaś ręka. Koots spostrzegł w ścianie skalnego bloku niewielką naturalną niszę, jakby kapliczkę. Leżał tam dziwny zbiór przedmiotów: rogi antylop tak stare, że pokrywały je kokony jakichś owadów, czaszka pawiana i skrzydła czapli, wysuszone i kruche ze starości, tykwy pełne pięknych agatów i kamieni kwarcu, wygładzone przez wodę, naszyjnik z koralików ze strusiego jaja, krzemienne groty strzał i kołczan, spróchniały i popękany.

— Musimy tu zostawić dary dla Starców — oznajmił Xhia, a Goffel przetłumaczył.

— Jakie dary? — spytał zaniepokojony Koots.

— Coś do jedzenia i do picia, i coś ładnego — odparł Xhia. — Twoją małą błyszczącą buteleczkę.

— Nie! — zaprotestował Koots, ale bez przekonania. W srebrnej flaszce zostało na dnie kilka cali holenderskiego dżinu, który skrzętnie oszczędzał, tylko od czasu do czasu pociągając mały łyk.

— Starcy będą się gniewać — ostrzegł Xhia. — Ukryją przed nami znak.

Koots poruszył się w siodle, a potem niechętnie odpiął klapę sakwy i wyjął srebrną flaszkę. Xhia wyciągnął rękę, lecz Koots nie wypuścił butelki.

— Jak mnie jeszcze raz zawiedziesz, nie będziesz mi więcej potrzebny, chyba że do utuczenia szakali — zagroził, podając Buszmenowi flaszkę.

Nucąc cicho, Xhia zbliżył się do niszy i wylał kilka kropel dżinu na ścianę głazu. Potem podniósł kamień wielkości pięści i zaczął nim walić w metalową flaszkę. Koots skrzywił się, ale milczał. Xhia położył flaszkę obok innych darów w niszy i odszedł, wciąż cicho pośpiewując.

— I co teraz? — zapytał Koots. To otoczenie przyprawiało go o dreszcze. Chciał jak najszybciej stamtąd odejść. — Co z tropem?

— Jeśli Starcy będą zadowoleni z twojego daru, odkryją go nam — odparł Xhia. — Musimy iść dalej, w głąb świętych miejsc. Najpierw zdejmij ten powróz z mojej szyi, bo Starcy będą się gniewać, że traktujesz w taki sposób człowieka z ich plemienia.

Koots nie był przekonany, lecz prośba Xhii miała sens. Podjął decyzję. Wyciągnął muszkiet z olstra i naciągnął kurek.

— Powiedz mu, żeby się nie oddalał. Jak spróbuje uciec, dogonię go i zastrzelę jak wściekłego psa. Ten karabin naładowany jest grubym śrutem, a on widział, jak strzelam. Wie, że nie chybiam. — Poczekał, że Goffel przetłumaczy jego słowa małemu Buszmenowi. — Puść go — polecił Oudemanowi.

Xhia nie próbował uciekać; poszli za nim do podnóża skalnej ściany. Nagle Xhia zniknął, jakby za sprawą czarów swoich przodków.

Z gniewnym okrzykiem Koots popędził konia, trzymając muszkiet gotowy do strzału. Raptem osadził wierzchowca w miejscu i ze zdumieniem wlepił wzrok w przejście otwierające się w skale.

Xhia zniknął w mroku skalnego korytarza. Koots wahał się, czy podążyć tam za nim. Wiedział, że kiedy znajdzie się w środku, nie będzie w stanie obrócić konia. Pozostali trzymali się za nim w tyłu.

— Goffel! — krzyknął. — Wejdź tam i wyciągnij tego małego hultaja.

Goffel obejrzał się za siebie, lecz Koots wymierzył w niego muszkiet.

— Jak nie dostanę Xhii, to, na Boga, zadowolę się tobą.

W tej samej chwili usłyszeli Buszmena śpiewającego w głębi korytarza.

— Co on mówi? — spytał Koots wzdychającego z wielką ulgą Goffla.

— To pieśń zwycięstwa. Dziękuje swoim bogom za ich dobroć, za wskazanie mu tropu.

Złe przeczucia Kootsa znikły. Zeskoczył z siodła i wszedł do korytarza. Znalazł Xhię za pierwszym zakrętem, śpiewającego, klaszczącego w dłonie i chichoczącego.

— Czegoś się dowiedział?

— Spójrz pod nogi, ty biały pawianie — odparł Xhia w swoim języku, wiedząc, że Koots nie zrozumie obelgi. Jednocześnie wskazał zdeptany biały piasek. Koots zrozumiał gest, lecz wciąż gnębiła go niepewność. Wszelkie ślady zostały dawno starte: widać było tylko zagłębienia w powierzchni.

— Skąd on może mieć pewność, że to nasza zwierzyna? — zapytał Koots Goffla, który właśnie nadszedł. — To mogło być cokolwiek, stado kwag albo elandów.

Xhia zareagował gwałtownymi zaprzeczeniami. Goffel odpowiedział za niego.

— Xhia mówi, że to święte miejsce i żaden zwierz tędy nie przechodzi.

— Nie wierzę! — żachnął się Koots. — Skąd dzikie bydlę miałoby o tym wiedzieć?

— Jeśli nie czujesz tutaj magii, to twoje oczy są naprawdę ślepe, a uszy głuche — odparł Xhia, lecz mimo to podszedł do najbliższej ściany i przyjrzał się jej bardzo dokładnie. Potem zaczął zdejmować coś ze skały, niczym pawian iskający sierść towarzysza. Z wyciągniętą dłonią zbliżył się do Kootsa. Trzymał coś między kciukiem a palcem wskazującym. Koots musiał zniżyć głowę, by zobaczyć, że jest to włos.

— Wytrzeszcz te swoje wstrętne blade ślepia, gównojadzie! — powiedział Xhia. — Ten biały włos pochodzi z grzbietu wałacha, Szrona. Ten brązowy, jedwabisty zostawiła Śmigła, kiedy ocierała się o skałę, a ten należał do Cytryny. Ten ciemny to włos Werbla, na którym jeździ Somoja. — Prychnął pogardliwie. — Teraz wierzysz, że Xhia jest największym myśliwym Sanów i że odprawił wielkie czary, żeby trafić na trop?

— Powiedz tej małej żółtej małpie, żeby przestała mleć ozorem i poprowadziła nas, kierując się śladami — warknął Koots, bezskutecznie próbując ukryć radość.

C o to za rzeka? — spytał Koots. Stali na szczycie i patrzyli na niezmierzoną równinę, za którą wznosił się następny łańcuch wzgórz, bladoniebieskich na tle mlecznego błękitu wysokiego afrykańskiego nieba w południe.

— Nazywa się Gariep — przetłumaczył odpowiedź Xhii Goffel. — W języku san to Gariep Che Tabong, czyli Rzeka, Gdzie Umarł Słoń.

— Skąd taka nazwa? — dopytywał się Koots.

— To właśnie na brzegu tej rzeki Xhia, kiedy był młodym mężczyzną, zabił wielkiego słonia, którego tropił przez wiele dni.

Koots mruknął coś pod nosem. Od chwili kiedy Xhia odnalazł trop, kapitan był do niego życzliwiej usposobiony. Posmarował jego oparzenia i inne rany lekarstwami z przenośnej apteczki, którą niósł na grzbiecie juczny koń. Xhia wydobrzał szybko, tak jak to dzieje się z dzikimi zwierzętami.

— Powiedz mu, że jeśli znajdzie miejsce, w którym Somoja przekroczył tę rzekę, po powrocie do kolonii dam mu na własność krowę. A potem, jeśli mnie doprowadzi do miejsca, gdzie będę mógł pojmać lub zabić Somoję, dam mu jeszcze pięć tłustych krów. — Koots żałował teraz, że wcześniej potraktował Buszmena tak bezwzględnie. Wiedział, że jeżeli chce dogonić zbiegów, musi pogodzić się z Xhią i kupić sobie jego lojalność.

Xhia przyjął obietnicę bogactwa z radością. Niewielu członków plemienia Sanów posiadało choćby owcę, nie mówiąc o krowie. Jak dziecko zapomniał o brutalności Kootsa, gdy tylko usłyszał obietnicę nagrody. Rzucił się pędem w dół zbocza ku równinie i rzece tak żwawo, że jadący na koniu Koots musiał się mocno wysilać, żeby nie stracić go z oczu. Mnogość dzikiej zwierzyny nad rzeką przeszła wyobrażenie Kootsa. W obrębie kolonii prowadzono intensywne polowania niemal od dnia, gdy pierwsi holenderscy koloniści z gubernatorem van Riebeeckiem postawili stopę na brzegu, prawie osiemdziesiąt lat temu. Mieszczanie polowali z entuzjazmem i oddawali się tej rozrywce nie tylko dla dreszczyku pogoni za zwierzyną, lecz również w celu zdobycia mięsa, skór i kości słoniowej. W granicach kolonii o każdej porze dnia słychać było donośne salwy z ich strzelb, a w okresie wielkich wędrówek zwierząt po równinach organizowali się w duże grupy polujące na kwagi, ze względu na ich skóry, oraz na skoczki i elandy z powodu ich mięsa. Po jednej z tych masowych rzezi sępy niemal zasłoniły niebo swoimi skrzydłami, a odór śmierci wisiał w powietrzu jeszcze przez wiele miesięcy. Kości błyszczały w blasku słońca niczym śnieżnobiałe lilie.

W konsekwencji tych wyczynów liczebność zwierzyny drastycznie spadła, i nawet kwagi stały się rzadkością w bezpośredniej bliskości miasta i zamku. Ostatnie stada słoni zostały przepędzone spod granic kolonii prawie czterdzieści lat temu i tylko niektórzy zapaleńcy sporadycznie odbywali trwające miesiącami, a nawet latami podróże w bezludny busz, żeby je ścigać. Niewielu białych odważyło się zapuścić tak daleko za granice bezpiecznej kolonii i dlatego to wielkie nagromadzenie zwierząt wprawiło Kootsa w zdumienie.

W górach zwierzyny było mało, więc Koots i Oudeman, spragnieni świeżego mięsa, wysforowali się daleko przed resztę oddziału. Jadąc szybko, dotarli do stada żyraf skubiących liście na wysokich gałęziach odosobnionej kępy akacji. Te olbrzymie stworzenia biegły statecznym, kołyszącym się krokiem, unosząc wysoko pędzelkowate ogony. Wyrzucały do przodu długie, wiotkie szyje, jak gdyby dla zrównoważenia masywnych ciał. Koots i Oudeman oddzielili młodą samicę od stada i jadąc tuż za nią, wśród świstu kamieni wyrzucanych spod jej kopyt, strzelali w zad, próbując trafić w kręgosłup widoczny wyraźnie pod nakrapianą, brązowo-żółtą skórą. Wreszcie Koots podjechał tak blisko, że lufa jego muszkietu prawie dotykała żyrafy i kula trafiła idealnie w cel. Przecięła rdzeń kręgowy i zwierzę runęło w tumanie kurzu. Koots zeskoczył z konia, żeby przeładować broń, i podbiegł do żyrafy. Trzymając się z dala od konwulsyjnie drgających przednich nóg, które mogły zdruzgotać kręgosłup atakującego lwa, strzelił jej z tyłu w czaszkę.

Tej nocy hieny toczyły podjazdową wojnę z stadem lwów o resztki ogromnej padliny, a Koots i jego ludzie raczyli się przy ognisku szpikiem. Kamieniami rozbijali przypieczone nad ogniem kości, z których wysuwały się cylindryczne kawały tłustego, żółtego szpiku, grube jak męskie ramię i dwa razy dłuższe.

Obudziwszy się o świcie, Koots zastał Goffla, który miał pełnić wartę, pogrążonego w twardym śnie. Xhii nie było. Wściekły Koots skopał go po brzuchu i kroczu, a potem dołożył metalową uzdą po plecach i krótko obciętych, kędzierzawych włosach. W końcu odstąpił i warknął:

— A teraz szukaj śladów i złap tę małą żółtą małpę, bo oberwiesz jeszcze więcej.

Xhia nie próbował w żaden sposób maskować swojego tropu, więc nawet Goffel trafił na ślad bez trudu. Nie jedząc śniadania, wsiedli na konie i ruszyli za Xhią. Koots miał nadzieję, że na otwartej równinie zauważą go z daleka, a nawet Buszmen nie mógł liczyć na to, że będzie szybszy od dobrego wierzchowca.

Ślady Xhii wiodły prosto do ciemnozielonych zarośli na horyzoncie, znaczących bieg rzeki Gariep. Byli w połowie drogi, kiedy Koots zobaczył stada szpringboków brykających wysoko ze złączonymi wszystkimi czterema stopami i nosami niemal dotykającymi przednich kopyt; ich śnieżnobiałe pasy grzbietowe błyszczały w słońcu.

— Coś je zaniepokoiło — powiedział Goffel. — Może to Buszmen. — Koots popędził ostrogami konia. Nagle w tumanie kurzu wzbijanego przez stada szpringboków ujrzał drobną, znajomą postać, która zbliżała się truchtem.

— Na tchnienie szatana! — zaklął Koots. — To on. Xhia wraca!

Zbliżając się, Xhia zaczął tańczyć triumfalnie i wyśpiewywać pochwały na swoją cześć. „Jestem Xhia, największy myśliwy mojego plemienia. Jestem Xhia, ukochany przez przodków. Moje oczy są jak księżyc, bo wszystko widzą, nawet w nocy. Moje strzały są chyże jak jaskółki w locie i żadne zwierzę przed nimi nie umknie. Moje czary są tak potężne, że żaden człowiek im się nie oprze".

Tego samego dnia Xhia zaprowadził oddział nad rzekę Gariep i pokazał Kootsowi głębokie koleiny biegnące wzdłuż brzegu, wyryte w miękkim aluwialnym gruncie przez koła wozów.

— Przejechały tędy cztery wielkie wozy i jeden mały. — Objaśniał znaczenie śladów Kootsowi za pośrednictwem Goffla. — Z wozami było wiele zwierząt, koni, bydła i owiec. Spójrz tutaj! Mały wóz zawrócił w stronę kolonii, ale cztery wielkie pojechały dalej w busz.

— Czyje to wozy? — zapytał Koots.

— W całej kolonii jest niewielu mieszczan, którzy mogą się poszczycić czterema wozami. Jednym z nich jest Klebe, ojciec Somoi.

— Nie pojmuję — wyznał Koots, kręcąc głową.

— Wygląda na to, że kiedy Bakkat i Somoja prowadzili nas w góry, Klebe przyjechał tu, nad Gariep, z tymi wozami. A gdy Somoja ukradł nasze konie i wiedział, że nie możemy go dalej ścigać, wrócił tutaj, żeby spotkać się z ojcem.

— A co z tym małym wozem, który wrócił do kolonii? — dopytywał się Koots.

Xhia wzruszył ramionami.

— Może Klebe dał wielkie wozy synowi, a potem wrócił na Przylądek Dobrej Nadziei. — Dotknął śladów dużym palcem u nogi. — Spójrz, jak głęboko koła wryły się w ziemię. Są ciężko obładowane różnym dobrem.

— Skąd to wszystko wiesz? — Koots nie dawał za wygraną.

— Bo ja jestem Xhia, mam oczy jak księżyc, który wszystko widzi.

— To znaczy, że ta mała szelma zgaduje. — Koots zdjął kapelusz i starł pot z łysiejącej czaszki.

— Jak pojedziemy za wozami, Xhia da ci dowód — zasugerował Goffel. — A jak nie, to go zastrzelisz i zaoszczędzisz bydło, które mu obiecałeś.

Koots nałożył kapelusz z powrotem. Mimo posępnego wyrazu twarzy był bardziej pewny sukcesu niż kiedykolwiek od dnia, w którym wyjechali z kolonii.

To jasne jak słońce, że wiozą sporo ładunku. Możliwe, że wozy są warte niewiele mniej niż pieniądze z nagrody, myślał, spoglądając w stronę błyszczącego od gorąca horyzontu, do którego prowadziły ślady. Tam nie ma cywilizowanego prawa. Nagroda czy ładunek, czuję nosem słodki zapach zysku.

Zsiadł z konia i dokładniej obejrzał ślady wozów, dając sobie chwilę do namysłu.

— Ile czasu upłynęło, odkąd te wozy tędy przejechały?

Goffel przetłumaczył pytanie Xhii.

— Parę miesięcy. Nie da się powiedzieć więcej. Ale wozy jadą powoli, a jeźdźcy szybko.

Koots skinął głową na Goffla.

— Dobrze, bardzo dobrze! Powiedz mu, żeby szedł tym tropem. Niech znajdzie dowód, który powie nam, do kogo te wozy należą.

Znaleźli dowód sto mil dalej, dwanaście dni później. Dotarli do miejsca, w którym jeden z wozów wpadł w jamę mrównika i został poważnie uszkodzony. Pękło sporo szprych w jednym z przednich

213

kół. Ci, którzy prowadzili wozy, zatrzymali się tam na kilka dni, by naprawić szkody. Wystrugali nowe szprychy i wyrzucili zepsute.

Buszmen podniósł z trawy jedną z nich i zachichotał triumfalnie.

— Czy Xhia nie powiedział ci prawdy? Czy mu uwierzyłeś? Nie! Nie uwierzyłeś mu, ty tępa biała larwo. — Zamachał pękniętą szprychą. — Dowiedz się raz na zawsze, biały człowieku, że Xhia wszystko widzi i wszystko wie. — Przyniósł fragment szprychy Kootsowi i pokazał mu znak wypalony żelazem w drewnie. — Znasz ten rysunek? — zapytał.

Koots uśmiechnął się niczym wilk i skinął głową.

Był to stylizowany wizerunek dziewięciofuntowej armaty na lawecie. Na wstędze poniżej widniały litery CBTC. Koots widział ten sam znak na fladze powiewającej nad składem w High Weald i na frontonie głównego budynku. Wiedział, że inicjały oznaczają nazwę: Courtney Brothers Trading Company.

Zwołał swoich ludzi i pokazał im kawałek drewna. Podawali go sobie z rąk do rąk. Dobrze znali ten znak. W całej kolonii mieszkało trzysta dusz, w jej granicach wszyscy wiedzieli wszystko o wszystkich. Ten herb był niemal tak samo dobrze znany, jak znak VOC. Bracia umieszczali go na tym, co do nich należało: budynkach, statkach i wozach. Pieczętowali nim dokumenty, znakowali konie i żywy inwentarz. Nie mogło już być wątpliwości co do tego, śladem czyich wozów podąża pościg.

Koots spojrzał po swojej bandzie i zatrzymał wzrok na Richterze. Rzucił mu szprychę.

— Kapralu, wiecie, co trzymacie w rękach?

— Tak, panie kapitanie. To jest szprycha od koła.

— Nie, kapralu! — odparł Koots. — Trzymacie w rękach dwa tysiące guldenów w złocie. — Przeniósł wzrok z białych twarzy Oudemana i Richtera na żółtą twarz Xhii, czekoladową Goffla i pozostałych Hotentotów. — Czy któryś w dalszym ciągu chce wracać do domu? Jeśli ktoś zapragnie odjechać, będzie mógł wziąć swojego konia, nie tak jak ten żałosny pataałach Le Riche. Pieniądze z nagrody to nie wszystko, co zyskamy. Są jeszcze cztery wozy i stado zwierząt domowych. Nawet Xhia dostanie więcej niż sześć sztuk bydła, które mu obiecałem. A reszta? Ktoś chce jechać do domu? Tak czy nie?

Uśmiechnęli się do siebie jak wataha dzikich ogarów, czująca w nozdrzach woń zranionej zwierzyny, i potrząsnęli głowami.

— No i jest jeszcze dziewczyna. Czy któryś z was, czarne łachudry, chciałby się zabawić z białą złotowłosą dziewką?

Zareagowali na tę sugestię głośnym, lubieżnym śmiechem.

— Muszę przeprosić, ale jeden z was nie będzie miał tej przyjemności. — Popatrzył na nich z namysłem. Był jeden hotentocki żołnierz, którego Koots nie miał ochoty oglądać. Nazywał się Minna i był zezowaty. Nadawało to jego twarzy podstępny, łotrowski wyraz. Koots już wcześniej uświadomił sobie, że jest to odbicie jego prawdziwej natury. Minna kręcił nosem i dąsał się od samego początku wyprawy, a teraz był jedynym, który nie okazał entuzjazmu na wieść o ściganiu wozów Jima Courtneya.

— Minna, ty i twoi bracia macie w sobie krew wojowników — zaczął Koots, położywszy rękę na ramieniu Hotentota — więc bardzo mnie smuci, że musimy się rozstać. Potrzebuję jednak zacnego i uczciwego człowieka, który zaniesie wiadomość pułkownikowi Keyserowi. Muszę go zawiadomić o powodzeniu naszej wyprawy. Ty, mój drogi, dzielny Minno, będziesz posłańcem. Poproszę pułkownika, żeby cię hojnie wynagrodził. Kto wie? Może kiedy wykonasz to zadanie, na twoim rękawie zaświeci trochę złota, a trochę wpadnie ci do kieszeni?

Koots siedział zgarbiony nad swoim zatłuszczonym notesem prawie godzinę, układając wiadomość. Wiedział, że Minna jest niepiśmienny. Zaczął od wynoszenia pod niebiosa swoich zasług jako dowódcy wyprawy. Ostatni akapit brzmiał następująco: „Żołnierz, który przyniósł tę wiadomość, Johannes Minna, nie ma żadnych żołnierskich walorów. Z całym szacunkiem zalecam pozbawić go stopnia i przywilejów, a następnie wyrzucić ze służby bez wynagrodzenia i prawa do emerytury".

A to, pomyślał z satysfakcją, składając kartkę, zwalnia mnie z ewentualnego obowiązku podzielenia się z Minną nagrodą, kiedy przywiozę do kolonii głowę Jima Courtneya.

— Musisz tylko kierować się śladami wozu. One doprowadzą cię do Przylądka Dobrej Nadziei — powiedział Minnie na odchodnym. — Xhia mówi, że to mniej niż dziesięć dni jazdy. — Wręczył Hotentotowi wiadomość i złamaną szprychę. — Oddaj to osobiście pułkownikowi Keyserowi.

Minna uśmiechnął się krzywo i z ochotą poszedł osiodłać konia. Nie mógł uwierzyć w swoje szczęście: udało mu się wyrwać z tej strasznej podróży i jeszcze dostanie za to nagrodę.

Dni upływały o wiele szybciej, niż kręciły się koła wozów. Uciekinierom wydawało się, że godziny są za krótkie na to, żeby mogli w pełni nacieszyć się cudami, które widzą, i smakować przygody, wielkie i małe, które przydarzały im się każdego dnia. Gdyby nie dziennik, który Louisa uzupełniała z takim poświęceniem, szybko straciliby rachubę. Musiała ciągle przypominać Jimowi, żeby dotrzymywał obietnicy złożonej ojcu. Wyznaczał według słońca ich pozycję tylko po jej naleganiach, a ona zapisywała wyniki.

Lepiej wywiązywał się z wykorzystywania sit do złota — przesiewał piasek w każdej rzece, którą przekraczali. Wiele razy znajdował na obręczy żółty metaliczny nalot, lecz jego entuzjazm szybko wyparowywał po zbadaniu osadu kwasem solnym z zasobnika poszukiwacza złota: z żółtego metalu szły bąbelki i rozpuszczał się. „Piryty! Złoto głupców! — wyjaśniał z goryczą Louisie. — Stary Humbert wyśmiałby mnie jak naiwniaka". Lecz rozczarowanie i gorycz nie trwały długo. Po kilku godzinach entuzjazm Jima odradzał się na nowo. Chłopięcy optymizm był jedną z tych cech, które lubiła w nim Louisa.

Jim szukał śladów ludzkiej obecności, lecz tych było niewiele. Raz natrafili na ślady kół wozów w sterylnej skorupie solnej niecki, ale Bakkat orzekł, że są naprawdę bardzo stare. Jego pojęcie upływu czasu różniło się znacznie od europejskiego, więc Jim próbował dowiedzieć się czegoś więcej.

— Co to znaczy bardzo stare?

— Te ślady powstały, zanim się urodziłeś, Somoja — odparł Buszmen. — Mężczyzna, który zbudował te wozy, umarł już pewnie ze starości.

Były też inne ślady istot ludzkich. Te pozostawili ludzie z plemienia Bakkata. Ilekroć uciekinierzy natrafili na skalną niszę bądź pieczarę w zboczu góry lub *kopje*, zwykle znajdowali w nich skalne ściany pokryte malowidłami o żywych kolorach, a także dość świeże paleniska ze zwęglonym drewnem; dzięki temu można było wywnioskować, w jaki sposób mali ludzie przyrządzają mięso ubitej zwierzyny i gdzie wyrzucają kości. Bakkat umiał odgadnąć, który klan przechodził drogą, na podstawie symboli i stylu rysunków. Często podczas oglądania tych artystycznych wyrazów czci dla nieznanych bogów i dziwnych zwyczajów Louisa wyczuwała u Buszmena głęboką tęsknotę za swoim plemieniem, wiodącym wolne, beztroskie życie, które ofiarowała im natura.

Krajobraz zmieniał się ciągle, równina ustąpiła miejsca lasom i wzgórzom, z rzekami wijącymi się przez szerokie zielone doliny i kotliny rzeczne. Miejscami busz był tak gęsty i kolczasty, że nie mogli się przez niego przedrzeć. Nie udawało się nawet wyciąć przejścia dla wozów. Splątane gałęzie były twarde jak żelazo i opierały się najostrzejszym toporom. Uciekinierzy musieli poświęcać wiele dni na okrążanie tych gąszczy. W innych miejscach sawanna była niczym angielski park, żyzna i otwarta, z drzewami wysokimi jak kolumny katedr i szerokimi baldachimami zielonego listowia. W koronach słychać było śpiewne rozmowy ptaków i wrzaski małp walczących o smakowite owoce.

Wydawało się, że ptaki i zwierzęta są wszędzie, jak okiem sięgnąć. Ich liczba i różnorodność ani przez chwilę nie przestawały zaskakiwać. Były maleńkie nektarniki i strusie wyższe niż człowiek na koniu, ryjówki nie większe niż męski kciuk i hipopotamy ciężkie jak największy wół. Te kolosy zasiedlały każde bajoro i rzekę; ich olbrzymie cielska, skupione jedno obok drugiego, tworzyły szerokie tratwy, na których białe czaple siedziały jak na grzędach.

Jim strzelił jednemu samcowi utwardzoną kulą między oczy. Hipopotam w przedśmiertnych drgawkach zanurzył się pod wodę i zniknął, lecz następnego dnia gazy wyniosły go na powierzchnię; unosił się na wodzie jak balon z grubymi nogami sterczącymi w górę. Jim z Zamą i Bakkatem przyczepili go do zaprzęgu wołów i wyciągnęli na brzeg. Czysty biały tłuszcz, wytopiony z ciała, napełnił pięćdziesięciogalonową beczkę. Świetnie nadawał się do smażenia i wyrobu kiełbasy, mydła, smarowania osi wozów i broni.

Było tyle gatunków antylop, z których każda miała mięso o innym smaku i konsystencji, że Louisa mogła zamawiać u Jima swoje ulubione, jak gospodyni domowa u rzeźnika. Pod wysokimi drzewami pasły się jasnobrązowe antylopy *reedbuck*. Gdzie indziej galopowały stada fantastycznie umaszczonych, pasiastych zebr. Zdarzały się stada podobnych do koni antylop o grzbietach i nogach czarnych jak heban, śnieżnobiałych brzuchach, z ogromnymi, wygiętymi do tyłu, przypominającymi szable rogami. W każdym zagajniku czy kępie zarośli widzieli kudu ze spiralnymi rogami i czarne bawoły, tak liczne, że kiedy rzucały się do ucieczki, tratowały kopytami gęste, splątane krzaki.

Jim nie mógł się doczekać, kiedy zobaczy pierwszego słonia; wieczorami mówił o nich niemal z nabożną czcią. Nigdy nie widział żywego słonia, lecz w składzie w High Weald wznosiły się stosy ich kłów. W młodości jego ojciec polował na słonie we wschodniej Afryce, tysiąc mil od miejsca, gdzie teraz znajdowali się uciekinierzy. Jim wychował się na opowieściach o tym, jak ojciec ścigał te legendarne zwierzęta, i myśl o pierwszym spotkaniu z nimi stała się jego obsesją.

— Jesteśmy ponad dwa tysiące mil za rzeką Gariep — powiedział do Louisy. — Nikt z kolonii tak daleko nie zawędrował. Niedługo musimy napotkać stada słoni.

W końcu znaleźli pożywkę dla jego marzeń: las drzew o pniach powalonych na ziemię i strzaskanych na długie kawałki. Te, które wciąż stały, miały korę odartą przez potężne twardoskóre zwierzęta.

— Zobacz, jak wyssały sok z kory — rzekł Bakkat, pokazując Jimowi ogromne kule kory, przeżutej przez słonie i wyplutej. — Przewróciły to drzewo, które kiedyś było wyższe niż maszt na statku twojego ojca, a oskubały tylko delikatne liście na czubku. Ho ho! To naprawdę niezwykłe bestie.

— Pójdźmy ich tropem, Bakkat! — prosił Jim. — Pokaż mi te stwory!

— Te znaki powstały cały sezon temu. Widzisz? Odciski stóp w błocie w czasie poprzednich deszczów zrobiły się twarde jak kamień.

— Kiedy je znajdziemy? — dopytywał się Jim. — Czy w ogóle je znajdziemy?

— Znajdziemy — obiecał Bakkat. — Ale jeśli znajdziemy je przez przypadek, będziesz tego żałował. — Ruchem podbródka wskazał jedno z przewróconych drzew. — Jeżeli mogą tak zrobić z mocnym drzewem, to co mogą zrobić z człowiekiem?

Codziennie wyjeżdżali przed tabor, żeby zbadać teren i wypalić drogę dla wozów prowadzonych przez Smallboya. Musieli znaleźć źródła wody, której można było nabrać, i dobrej paszy dla wołów i innych zwierząt. Musieli też napełnić beczki na wypadek, gdyby kiedyś nie udało się znaleźć wody zdatnej do picia. Bakkat pokazał Jimowi, jak obserwować przeloty gęsi i innych ptaków oraz kierunek pochodu spragnionych stad zwierząt do najbliższego wodopoju. Powiedział mu też, że konie są także dobrymi przewodnikami — potrafią wyczuć wodę z odległości wielu mil.

Często zapuszczali się tak daleko przed tabor, że nie byli w stanie wrócić przed zachodem słońca i musieli rozbijać tymczasowe obozy tam, gdzie zastała ich ciemność i gdzie poczuli zmęczenie. Kiedy jednak pojawiali się w obozie, zawsze mieli przyjemne wrażenie powrotu do domu, z daleka widząc ogniska lub słysząc ryk wołów. Wybiegały im na spotkanie szczekające psy, a Smallboy i reszta witali ich okrzykami.

Louisa z religijną starannością śledziła kalendarz i nigdy nie przeoczyła niedzieli. Nalegała, żeby zostawali tego dnia w obozie. W niedzielne poranki oboje spali dłużej i każde słyszało, jak drugie się budzi, kiedy promienie słońca wpadały przez szczeliny wzdłuż klapy wozu. Potem leżeli na swoich łóżkach i rozmawiali sennie przez brezent namiotów, aż w końcu Louisa zaczynała namawiać Jima, żeby wstali i czymś się zajęli. Wonny aromat kawy, którą Zama parzył nad ogniskiem, zwykle przekonywał go, że dziewczyna ma rację.

Zawsze przygotowywała w niedzielę specjalny obiad, wykorzystując nowy przepis z książki, którą podarowała jej Sarah. Jim tymczasem doglądał drobnych prac, których zaniedbano w ciągu tygodnia, takich jak podkucie konia, zacerowanie dziury w poszyciu namiotu czy nasmarowanie osi kół.

Po lunchu zwykle rozwieszali w cieniu drzew hamaki i czytali sobie książki ze skromnej biblioteki. Później rozmawiali o tym, co się zdarzyło w ubiegłym tygodniu i obmyślali plany na następny. Na pierwsze spędzone wspólnie urodziny Jima Louisa potajemnie wyrzeźbiła figury szachowe i szachownicę, wykorzystując drewno w różnych kolorach. Jim starał się okazać entuzjazm, lecz nie był zbytnio oczarowany podarunkiem, bo nigdy wcześniej nie grał w szachy. Louisa przeczytała mu zasady z ostatniej stronicy kalendarza, a potem rozłożyła szachownicę pod konarzystym wielkim drzewem.

— Możesz grać białymi — oznajmiła wspaniałomyślnie. — To znaczy, że do ciebie należy pierwszy ruch.

— A czy to dobrze? — zapytał Jim.

— To daje wielką przewagę — zapewniła go. Ze śmiechem przesunął o trzy pola pionka przed wieżą. Louisa poprawiła ruch, a potem niemiłosiernie rozprawiła się z przeciwnikiem. — Szach i mat! — powiedziała do zaskoczonego Jima.

Upokorzony łatwością, z jaką tego dokonała, przyjrzał się dokładnie szachownicy i próbował kwestionować każdy ruch, który doprowadził do jego klęski. Kiedy stało się jasne, że nie oszukiwała, usiadł nieruchomo jak pień i gapił się ponuro na szachownicę. Potem w jego oczach błysnął bojowy ogień.

— Zagramy jeszcze raz — oznajmił złowieszczo, rozprostowując ramiona. Lecz wynik drugiej partii był dlań równie upokarzający. Może właśnie z tego powodu Jim zapalił się do gry, która wkrótce stała się bardzo ważną, wiążącą siłą w ich wspólnym życiu. Dzięki taktownej nauce Louisy czynił tak szybkie postępy, że po pewnym czasie stali się prawie równymi przeciwnikami. Rozegrali na szachownicy wiele pamiętnych, epickich bitew, lecz, co dziwne, te potyczki zbliżyły ich do siebie.

W jednej dziedzinie Louisa nie mogła dorównać Jimowi, chociaż próbowała z całą determinacją i często była tego bliska. Było nią strzelanie. W niedzielne popołudnia, po obiedzie, Jim ustawiał tarcze w odległości pięćdziesięciu, stu i stu pięćdziesięciu kroków. Louisa strzelała z małej francuskiej strzelby, a Jim z cięższego londyńskiego karabinu. Trofeum stanowił pędzelkowaty ogon żyrafy, a zwycięzca cotygodniowych zawodów miał prawo zawieszać go na swoim wozie przez resztę tygodnia. W czasie tych rzadkich tygodni, kiedy Louisa dzierżyła prym, Smallboy, woźnica jej wozu, wymachiwał i strzelał ze swojego wielkiego bicza częściej, niż to było konieczne do popędzania zaprzęgu wołów.

Stopniowo Louisa zaczęła czerpać taką dumę i poczucie spełnienia z prowadzenia obozu i władzy nad swoim życiem, a towarzystwo Jima sprawiało jej taką przyjemność, że ciemne wspomnienia zaczęły odchodzić w niepamięć. Koszmary stały się rzadsze i mniej przerażające. Powoli odzyskiwała umiejętność cieszenia się życiem, bardziej przystającą do jej wieku niż nieufność i podejrzliwość.

Pewnego dnia podczas wspólnej przejażdżki trafili na owocujące pnącza *tsama*. Melony w zielono-żółte pasy były wielkości męskiej głowy. Jim napełnił nimi sakwy przy siodle, a kiedy wrócili do obozu, pokroił owoce na grube plastry.

— Jeden z delikatesów buszu — rzekł, podając kawałek Louisie, która spróbowała ostrożnie. Miąższ ociekał sokiem, lecz smak miał wodnisty i tylko lekko słodki. Chcąc sprawić Jimowi przyjemność, Louisa udała, że owoc jej smakuje.

— Ojciec mówił, że pewnego razu taki melon ocalił mu życie. Błądził po pustkowiu przez wiele dni i umarłby z pragnienia, gdyby nie natknął się na *tsama*. Smaczne, co?

Louisa popatrzyła na bladożółty miąższ wypełniający skorupę, a potem na Jima. Nagle nabrała takiej ochoty na psikusa, jakiej nie czuła od śmierci rodziców.

— Co cię tak bawi? — zdziwił się Jim.

— To! — pochyliła się nad stolikiem i rozmazała mu po twarzy miękki, mokry miąższ. Jim gapił się na nią ze zdumieniem, a sok i żółta masa ściekały mu po nosie i brodzie.

— Smaczne, co? — spytała i zaczęła się głośno śmiać. — Ale śmiesznie wyglądasz!

— Zobaczymy, kto będzie wyglądał śmieszniej. — Jim chwycił resztkę melona, a Louisa pisnęła, zerwała się od stołu i zaczęła uciekać. Jim gonił ją po całym obozie, wymachując melonem, z nasionkami we włosach i sokiem na koszuli.

Służący ze zdziwieniem patrzyli na Louisę nurkującą między wozami. Jim w końcu ją dopadł, osłabioną śmiechem. Jedną ręką przycisnął dziewczynę do wozu, a drugą wycelował melon.

— Jest mi śmiertelnie przykro — wydyszała. — Wybacz mi, proszę. Jestem okropna. To się już więcej nie zdarzy.

— Masz rację! Na pewno się już nie zdarzy — zgodził się Jim. — Pokażę ci, czym by się to skończyło. — Potraktował ją tak samo, jak ona jego, i po chwili Louisa miała żółtego melona na włosach, brwiach i w uszach.

— Jesteś dzikusem, Jamesie Archibaldzie! — Wiedziała, jak nie cierpiał tego imienia. — Nienawidzę cię. — Chciała go spiorunować wzrokiem, lecz znów wybuchła śmiechem. Podniosła rękę, żeby mu przyłożyć, lecz Jim złapał ją za nadgarstek i dziewczyna wpadła na niego.

Nagle przestali się śmiać. Ich usta były tak blisko siebie, że mieszały się oddechy. Jim zobaczył w oczach Louisy coś, czego wcześniej nie widział. Potem jej wargi zadrżały. Nagle w oczach pojawił się strach. Jim wiedział, że cała służba na nich patrzy.

Zmusił się, żeby puścić rękę Louisy i odstąpić. Teraz on śmiał się do rozpuku.

— Uważaj, psotnico, bo następnym razem poczujesz za kołnierzem kawał zimnego, oślizłego melona.

Chwila ciągnęła się niezręcznie, bo Louisa była o krok od płaczu. To Bakkat uratował sytuację. Naśladując gestami ich zmagania, podniósł resztkę melona i cisnął nim w Zamę. Woźnice i przewodnicy podchwycili zabawę i skórka od melona fruwała we wszystkie strony. Louisa tymczasem wśliznęła się do swojego wozu. Kiedy wyszła nieco później, była w skromnej świeżej sukience i miała włosy splecione w długie warkocze.

— Chcesz zagrać w szachy? — spytała, nie patrząc Jimowi w oczy.

Dał jej mata w dwudziestu ruchach, ale od razu zaczął wątpić w wartość swojego triumfu. Zastanawiał się, czy Louisa umyślnie pozwoliła mu wygrać, czy była po prostu rozkojarzona.

Nazajutrz rano Jim, Louisa i Bakkat wyjechali z obozu przed świtem, zabierając ze sobą śniadanie w menażkach przywiązanych za siodłami. Godzinę później zatrzymali się, żeby napoić konie i zjeść śniadanie przy małym strumyku wypływającym spomiędzy zarośniętych rzadkim lasem wzgórz, które stały na ich drodze.

Siedzieli naprzeciwko siebie na przewróconych pniach drzew. Zachowywali się nieśmiało i nie umieli spojrzeć sobie w oczy. Wspomnienie wczorajszego dnia było żywe w ich pamięci, przesadnie ugrzeczniona rozmowa wciąż się rwała. Po śniadaniu Louisa zabrała menażki do strumienia, żeby je umyć, a Jim osiodłał konie. Kiedy wróciła, zawahał się, zanim pomógł jej wsiąść na grzbiet Śmigłej. Louisa podziękowała znacznie bardziej wylewnie, niż zasługiwał na to drobny uczynek.

Bakkat, który prowadził zwiad, wjechał na wzgórze. Gdy znalazł się na jego wierzchołku, zawrócił nagle Szrona i galopem zbliżył się do Jima i Louisy. Twarz miał ściągniętą z przejęcia i nie mógł wydobyć z siebie słowa.

— Co tam jest? — zawołał Jim. — Co zobaczyłeś? — Złapał Buszmena za rękę i prawie ściągnął go z siodła.

Wreszcie Bakkat odzyskał głos.

— *Dhlovu!* — krzyknął, jakby dławił go wielki ból. — Dużo, dużo.

Jim rzucił mu wodze, wyrwał z olstra karabin i zeskoczył z siodła. Wiedział, że nie może się pokazać, więc zatrzymał się przed grzbietem wzgórza. Podniecenie ścisnęło mu pierś i ledwie mógł oddychać. Wydawało się, że serce za chwilę skoczy mu do gardła. Mimo wszystko zachował dość trzeźwości umysłu, żeby sprawdzić kierunek wiatru: zerwał garść trawy, podniósł i popatrzył, w którą stronę wyginają się źdźbła. Wiatr był korzystny.

Nagle poczuł za sobą obecność Louisy.

— Co się stało, Jim? — Dziewczyna nie zrozumiała okrzyków Bakkata.

— Słonie! — Ledwie zdołał wypowiedzieć to magiczne słowo.

Patrzyła na niego przez chwilę, a potem jej oczy zalśniły jak szafiry w słońcu.

— Och, Jim! Pokaż mi je!

W głębi serca czuł, że nigdy nie zapomni tego, co się za chwilę stanie, i choć ledwie panował nad emocjami, ucieszył się, że będzie to dzielił z Louisą.

— Chodź! — rzekł. Louisa naturalnym ruchem złapała go za rękę. Mimo że zdarzyło się między nimi tak wiele, ten pełen ufności gest wcale go nie zaskoczył. Trzymając się za ręce, weszli na szczyt wzniesienia i spojrzeli w dół.

Rozpościerała się przed nimi wielka niecka otoczona ze wszystkich stron wzgórzami. Pokrywał ją kobierzec świeżej roślinności, która wystrzeliła z ziemi spalonej w pożarach traw w porze suchej. Była zielona jak angielska łąka, z kępami wysokich drzew *mahoba--hoba* i kolczastych zarośli.

Na dnie niecki roiło się od słoni. Były ich setki. Rzeczywistość przeszła wszelkie oczekiwania Jima, który wyobrażał sobie pierwsze spotkanie tyle razy. „O Matko Boska! — szeptał. — O mój Boże!".

Louisa poczuła, że jego dłoń drży, więc ścisnęła mocniej. Zrozumiała, że to bardzo ważna chwila w jego życiu, i była dumna, że może ją z nim dzielić. Poczuła się tak, jakby wreszcie znalazła swoje miejsce.

Po wielkości słoni Jim od razu odgadł, że większość stad składa się z samic z młodymi. Tworzyły szare grupki wyglądające jak granitowe rafy; kształt stad zmieniał się powoli, gdyż zwierzęta to schodziły się, to znów rozpraszały. Wielkie samce stały nieco na uboczu tej ogromnej żywej masy, niczym ciemne posągi; nawet z tej odległości widać było wyraźnie, że ich majestat dominuje nad stadem.

W niewielkiej odległości od miejsca, gdzie znajdowali się Jim i Louisa, stało zwierzę, przy którym wszystkie inne schodziły na drugi plan. Może to była tylko gra światła słonecznego, lecz ten samiec wydawał się ciemniejszy od innych. Rozłożył uszy jak wielkie żagle i wachlował się nimi leniwie. Przy każdym ruchu promień słońca padał na łuk jego ogromnego kła i strzelał w stronę Jima i Louisy, jakby odbity od powierzchni lustra. W pewnej chwili słoń zebrał trąbą piasek spod stóp i wypuścił sobie szary tuman na głowę i grzbiet.

— Ależ on wielki! — szepnęła Louisa. — Nigdy nie przypuszczałam, że są aż tak ogromne.

Jej głos wyrwał z transu Jima, który obejrzał się na stojącego tuż za nim Bakkata.

— Mam przy sobie tylko tę strzelbę. — Jim zostawił dwie duże niemieckie czterouncjówki w wozie. Były ciężkie i nieporęczne, a ponieważ tak wiele razy się rozczarował, poszukując słoni, nie spodziewał się spotkać ich dzisiaj, i to w takiej liczbie. Żałował teraz swego niedopatrzenia, lecz wiedział, że byłoby szaleństwem użyć małej londyńskiej strzelby na stworzenie obdarzone taką masą mięśni i ścięgien i tak potężnymi kośćmi. Tylko przy wyjątkowym szczęściu mógł liczyć na to, że lekka kula przedrze się do głównych organów zwierzęcia.

— Bakkat, jedź do obozu co koń wyskoczy i przywieź mi dwie duże strzelby, prochownicę i pas z nabojami. — Jeszcze nie skończył mówić, a Bakkat już siedział na Szronie i galopował jak opętany w dół zbocza. Jim i Louisa tymczasem podczołgali się za niewielki krzak, żeby nie było widać ich sylwetek na tle nieba. Nieco dalej znaleźli kępę kolczastych akacji i przykucnęli obok siebie między pokrytymi puchem żółtego kwiecia gałęziami. Jim skierował lunetę na wielkiego samca.

Westchnął głośno, zdumiony rozmiarami zwierzęcia w obiektywie, a także długością i grubością jego białych ciosów. Podał instrument Louisie, mimo że daleki był od tego, żeby nasycić się widokiem. Dziewczyna nauczyła się już posługiwać lunetą, więc błyskawicznie skierowała ją na potężne zwierzę. Po kilku minutach jej uwagę zwróciły igraszki kilku słoniątek, które goniły się, popiskując.

Widząc, że luneta nie jest już skierowana na patriarchę stada, Jim miał ochotę zabrać ją z rąk Louisy i dalej obserwować samca. Spostrzegł jednak czuły uśmiech na jej twarzy i powstrzymał się. Świadczyło to najlepiej o tym, co do niej czuł, gdyż niemal całkowicie pochłaniała go myśliwska pasja, a serce rwało się do polowania.

Nagle ku jego radości słoń wyszedł z cienia *mahoba-hoba* i zaczął się zbliżać do stoku, na którym przykucnęli. Jim położył dłoń na ramieniu Louisy. Kiedy zniżyła lunetę, dotknął palcem ust i wskazał w stronę zbliżającego się samca.

Twarz Louisy zmieniła się na widok potężniejącego w obiektywie zwierzęcia. Nawet w świetle dnia jego bezszelestny krok budził trwogę: słoń stawiał stopy z precyzją i wdziękiem, co wydawało się niesamowite ze względu na jego wielkość, a olbrzymie, miękkie poduszki pochłaniały wszelkie dźwięki. Trąba zwisała luźno, prawie do ziemi, i tylko jej koniuszek rozwijał się i dotykał podłoża, podnosząc jakiś liść lub strąk z nasionami z wyjątkową zręcznością, dorównującą ludzkim palcom; bawił się nim przez chwilę, a potem odrzucał na bok.

Z tej odległości Jim i Louisa widzieli już oko słonia w pajęczynie głębokich, szarych zmarszczek, przypominających koncentryczne pierścienie pajęczej sieci. Od kącika oka po zniszczonym wiekiem policzku biegł mokry ślad łez, lecz w oku błyszczała mądrość i inteligencja. Co kilka kroków czubek jednego z długich ciosów dotykał ziemi i zostawiał maleńką bruzdę.

Słoń zbliżył się na tyle, że jego sylwetka zdawała się wypełniać niebo. Jim i Louisa wstrzymali oddech, spodziewając się, że lada moment zostaną stratowani lub przebici jednym z połyskujących, białych kłów. Louisa drgnęła, gotowa zerwać się do ucieczki, lecz Jim mocniej zacisnął dłoń na jej ramieniu.

Z gardła i brzucha byka wydobywał się głęboki, głuchy pomruk, który brzmiał jak odległy grzmot. Louisa zadrżała; podniecenie mieszało się w jej głowie z lękiem. Powoli, by nie przestraszyć zwierzęcia, Jim podniósł strzelbę do ramienia i spojrzał przez muszkę na ogromny, szary łeb. Poczuł, że Louisa zesztywniała, oczekując huku wystrzału. Wtedy przypomniał sobie słowa ojca, który tłumaczył mu, gdzie mierzyć, żeby pocisk przeszył mózg.

„Ale tylko dureń lub samochwał próbuje tego strzału — dodał. — Trzeba trafić w maleńki punkt na olbrzymim zamku z kości, którym jest czaszka słonia. Prawdziwy myśliwy wybiera pewny strzał. Bierze ciężką strzelbę z dużymi nabojami i stara się trafić ponad łopatką w serce i płuca".

Jim opuścił lufę, a Louisa odprężyła się. Słoń minął majestatycznie ich kryjówkę i pięćdziesiąt kroków dalej zatrzymał się koło małego drzewa *gwarrie*; zaczął zrywać purpurowe jagody i wkładać je ostrożnie do pyska. Kiedy zwrócił pomarszczony zad w ich stronę, Jim podniósł się ostrożnie i sprowadził Louisę ze stoku. Zauważył pióropusz kurzu od strony wozów i niewyraźny zarys Szrona w pełnym galopie.

— Szybko się uwinąłeś — rzekł do Bakkata. — Dobra robota. — Wyciągnął mu z ręki jedną z wielkich strzelb, zanim Buszmen zdążył zsiąść. Szybko obejrzał broń. Była niezaładowana i grubo posmarowana tłuszczem, lecz miała nowy, dobrze ukształtowany krzemień. Od razu zabrał się do ładowania. Wepchnął ogromną, lśniącą kulę do lufy. Ważący cztery uncje pocisk, prawie dwa razy większy od dojrzałego winogrona, został dodatkowo utwardzony stopem cyny i ołowiu. Kiedy kula tkwiła mocno na pakułach i ładunku czarnego prochu, Jim spojrzał na kurek, a potem podał strzelbę Bakkatowi i wziął od niego drugą.

— Tam, za tym grzbietem, żeruje wspaniały samiec — zwrócił się do Buszmena, gdy skończył ładować broń. — Strzelę do niego, stojąc na ziemi, ale jak tylko usłyszysz huk, czym prędzej przyprowadź mi Werbla i przynieś drugą strzelbę.

— A ja co mam robić? — spytała Louisa.

Jim zawahał się; instynkt kazał mu odesłać ją do taboru, lecz wiedział, że to byłoby nie w porządku. Nie powinien jej pozbawiać dreszczu przygody, towarzyszącego pierwszej pogoni za wielką zwierzyną. Co gorsza, spotkałby się z odmową, a nie miał teraz czasu na spór, który prawie na pewno by przegrał. Nie mógł też zostawić dziewczyny w tym miejscu. Z barwnych relacji ojca wiedział, że zaraz po pierwszym strzale busz zaroi się od zwierząt uciekających panicznie we wszystkie strony. Gdyby któreś znalazło się w pobliżu samotnej Louisy, byłaby w śmiertelnym niebezpieczeństwie.

— Idź za nami, ale nie za blisko. Musisz przez cały czas widzieć mnie albo Bakkata, a jednocześnie uważnie się rozglądać. Słonie mogą nadejść z każdej strony, nawet z tyłu. Ale możesz polegać na Śmigłej. Ona wyniesie cię w bezpieczne miejsce.

Odciągnął kurek wielkiej strzelby do połowy, wbiegł na szczyt wzgórza i rozejrzał się. Nic się nie zmieniło od chwili, gdy ostatni raz widział samca. Zwierzę wciąż skubało spokojnie owoce *gwarrie*, stojąc tyłem do Jima. Stada pasły się albo odpoczywały, a młode słoniątka wciąż baraszkowały wokół nóg samic.

Jim zatrzymał się, żeby jeszcze raz sprawdzić kierunek wiatru. Czuł na twarzy jego lekki, chłodny powiew, lecz poświęcił parę sekund, żeby przesypać przez palce garść piasku. Wiatr był stały i sprzyjający. Jim wiedział, że nie ma powodów, by się ukrywać. Słonie mają słaby wzrok, nie umieją rozpoznać sylwetki człowieka z odległości pięćdziesięciu kroków, jeśli pozostaje nieruchoma, natomiast ich węch jest doskonały.

Posuwając się pod wiatr i stąpając lekko, Jim podkradł się od tyłu do żerującego samca. Znów przypomniał sobie słowa ojca. „Podejdź blisko, tak blisko, jak się da. Każdy jard bliżej zwiększa szanse na zabicie zwierzyny. Trzydzieści kroków to za daleko. Dwadzieścia to nie to samo, co dziesięć. Pięć kroków to idealna odległość. Wtedy twoja kula przebije serce".

Zbliżając się, Jim szedł coraz wolniej, jak gdyby jego nogi napełniły się roztopionym ołowiem. Oddychał z wysiłkiem i czuł się tak, jakby się dusił. Strzelba coraz bardziej ciążyła mu w dłoniach. Nie spodziewał się, że poczuje strach. Nigdy wcześniej się nie bałem, pomyślał. No, może czasem trochę.

Bliżej, jeszcze bliżej. Przypomniał sobie, że nie do końca odwiódł kurek wielkiej strzelby. Gdyby zrobił to teraz, zwierzę mogłoby usłyszeć szczęk mechanizmu i przestraszyć się. Zawahał się. W tej samej chwili słoń się poruszył i zaczął powoli okrążać drzewo. Serce Jima zabiło mocno, gdy samiec stanął do niego bokiem; widział zarys masywnej łopatki pod pomarszczoną skórą. Wyglądała właśnie tak, jak narysował ją ojciec. Jim wiedział dokładnie, gdzie mierzyć. Podniósł strzelbę do ramienia, lecz samiec dalej okrążał drzewo; w końcu łopatka skryła się za gałęziami i gęstym, zielonym listowiem. Słoń stanął po drugiej stronie pnia i znów zaczął żerować. Był tak blisko, że Jim widział pojedyncze włosy w jego uchu i grube, gęste rzęsy otaczające oko o inteligentnym wyrazie, tak niepasujące do ogromnej, starej głowy.

„Tylko głupiec albo samochwał strzela w mózg", ostrzegał ojciec, lecz łopatka słonia była zakryta, a Jim stał tak blisko. Przecież z tej odległości nie może spudłować. Najpierw musiał odciągnąć do końca kurek strzelby. Zakrył mechanizm dłonią, starając się wyciszyć odgłos, i powolutku odwiódł stalowy młoteczek. Wyczuł moment, w którym język miał wpaść w zapadkę, i jeszcze bardziej zwolnił ruch.

Obserwował samca, siłą woli próbując uśpić jego zmysły, tak aby zwierz nie usłyszał zgrzytu metalu o metal. Słoń przeżuwał z wyraźnym zadowoleniem, wciskając sobie do pyska dojrzałe jagody; wnętrze jego warg zrobiło się purpurowe.

Stuk! Dźwięk zabrzmiał w uszach Jima jak grzmot pośród ciszy na równinie. Słoń przestał żuć i znieruchomiał jak monumentalny posąg. Usłyszał obcy odgłos i Jim wiedział, że jest gotów zerwać się do ucieczki.

Wpatrywał się w ciemną szparę ucha, z wolna podnosząc kolbę strzelby do ramienia. Metalowa muszka nie zasłaniała mu widoku. Skupił się na punkcie znajdującym się o pół długości palca przed uchem słonia. Znał dobrze siłę odrzutu ciężkiej broni, lecz był tak skoncentrowany, że grzmot go zaskoczył.

Kolba uderzyła go w ramię, odrzucając o dwa kroki do tyłu, zanim zdołał odzyskać równowagę. Długi, niebieskawy pióropusz dymu wystrzelił z lufy, jakby chciał pogłaskać szarą, pomarszczoną skórę na skroni zwierzęcia. Odrzut broni i chmura dymu oślepiły go, więc nie widział, jak kula trafia w cel, lecz słyszał, że uderza w czaszkę jak ostrze topora w pień drzewa żelaznego.

Słoń odrzucił wielki łeb i w mgnieniu oka runął na ziemię, upadając na nią tak ciężko, że wzbił tuman kurzu. Grunt zadrżał pod nogami Jima, który odzyskał już równowagę i gapił się w zdumieniu na to, czego udało mu się dokonać. Jego serce biło jak szalone. „Położyłem go jednym strzałem!". Ruszył w stronę leżącego samca, żeby nacieszyć się zdobyczą, lecz w tej samej chwili usłyszał za sobą stukot końskich kopyt.

Obejrzał się. Bakkat galopował na Szronie, wymachując drugą strzelbą i prowadząc Werbla.

— Zmień strzelbę, Somoja! — krzyknął. — Patrz, ile *dhlovu* dookoła. Możemy zabić jeszcze dziesięć, jeśli pojedziemy szybko.

— Muszę obejrzeć samca, którego zastrzeliłem — sprzeciwił się Jim. — Muszę mu odciąć ogon. — Ojciec zawsze to robił, nawet wśród gorączki pogoni za innymi.

— Jeśli nie żyje, to już się nie podniesie. — Bakkat osadził konia, wyrwał strzelbę z dłoni Jima i wyciągnął w jego stronę drugą, nabitą. — Tamte uciekną, zanim zdążysz odciąć ogon. A jak odejdą, to nigdy ich już nie zobaczysz. — Jim wciąż się wahał, spoglądając w stronę cielska leżącego pod drzewem *gwarrie*. — Chodź, Somoja! Widzisz kurz, który unosi się spod ich stóp? Niedługo będzie za późno.

Spojrzawszy w dół stoku, Jim zauważył, że jego strzał spłoszył pozostałe stada, które pierzchały we wszystkie strony. Ojciec opowiedział mu o dziwnym, instynktownym lęku, który słonie czują wobec człowieka; jeśli nawet nigdy nie zetknęły się z jego okrutnym, wojowniczym postępowaniem, widząc go po raz pierwszy, umkną sto mil dalej. Mimo to się wahał.

— Somoja, czas biegnie — rzekł naglącym tonem Bakkat. Wskazał dwa inne wielkie samce, znajdujące się w odległości strzału z pistoletu. Zwierzęta rwały, ile sił w nogach, przycisnąwszy uszy do boków. — Zanim trzy razy odetchniesz, już ich nie będzie. Jedź za nimi! Jedź jak najszybciej!

Samce już znikały w lesie, lecz Jim wiedział, że szybko jadąc, mógłby je dogonić na dystansie mili. Przestał się wahać. Z załadowaną strzelbą w dłoni wskoczył na siodło i spiął ogiera.

— Hej, hej, Werbel! Za nimi, koniku!

Skierował łeb wierzchowca w dół stoku i ruszyli w pościg. Werblowi udzieliło się podniecenie jeźdźca; jego oczy skakały dziko przy każdym ruchu głowy, śmigającej w górę i w dół jak ogromny młot. Szybko doganiali uciekające zwierzęta. Jim zmrużył oczy, gdyż spod ich ogromnych stóp unosił się tuman kurzu, a gałęzie krzewów smagały go w twarz. Wybrał większego z dwóch samców. Nawet z tyłu widział szerokie łuki ciosów po obu stronach kołyszących się boków.

Niech mnie diabli wezmą, jeśli nie jest większy od tego, którego zastrzeliłem, cieszył się w myślach, kierując Werbla w jego stronę. Chciał zrównać się z samcem i strzelić mu w bok nad łopatką. Przycisnął strzelbę do siodła i odciągnął do połowy kurek.

Nagle z tyłu usłyszał ryk oszalałego słonia, a zaraz po nim krzyk Louisy.

Odległość i grzmot kopyt Werbla niemal zagłuszyły te dwa straszne dźwięki, lecz ton krzyku Louisy był taki, że Jim zadrżał i poczuł ucisk w sercu. Usłyszał w nim dziki strach. Odwrócił się w siodle i od razu pojął, że Louisa znalazła się w śmiertelnym niebezpieczeństwie.

Jim kazał jej jechać w bezpiecznej odległości, i tak właśnie zrobiła. Widziała plecy Jima, który dwieście kroków dalej, pochylony, skradał się ze strzelbą, trzymając ją na wysokości pasa.

Przez chwilę nie mogła dostrzec słonia. Szary kolor jego skóry zdawał się zlewać z otaczającym buszem jak dym. Potem westchnęła raptownie, gdy spostrzegła jego kształt. Był wielki jak góra, a Jim znajdował się tak blisko, że bała się o jego bezpieczeństwo. Zatrzymała Śmigłą. Z przestrachem, a jednocześnie z fascynacją patrzyła, jak Jim podkrada się coraz bliżej. Zobaczyła, że słoń przesuwa się za drzewo, i przez chwilę myślała, że wymknie się Jimowi. Wtedy spostrzegła, że Jim wstaje i podnosi strzelbę do ramienia. Wydawało się, że czubek lufy dotyka głowy słonia. Potem rozległ się głośny jak grom huk wystrzału, podobny do odgłosu, który wydawał główny maszt *Meeuw*, wypełniając się wiatrem w czasie sztormu.

Niebieski dym rozpłynął się na wietrze, a samiec padł jak podcięty lawiną. Bakkat z krzykiem pogalopował na Szronie w stronę Jima, trzymając cugle Werbla. Jim wskoczył na ogiera i zostawiwszy słonia tam, gdzie padł, pomknął w dół zbocza w pogodni za dwoma ogromnymi samcami, których Louisa wcześniej nie zauważyła. Bakkat pognał za nim.

Louisa odruchowo ścisnęła kolanami Śmigłą, a klacz posłusznie ruszyła w kierunku drzewa *gwarrie*, za którym leżał wielki byk. Dziewczyna nie próbowała jej zatrzymywać, w miarę zbliżania się do ubitej zwierzyny jej ciekawość rosła. Uniosła się w strzemionach, próbując zerknąć na cielsko ogromnego zwierzęcia.

Była tuż koło drzewa, gdy zauważyła drobny ruch, za mały, żeby jego sprawcą mogło być tak wielkie zwierzę. Podjechała bliżej i zrozumiała, że to było machnięcie ogona słonia. Pędzelek włosów na końcu był wytarty i postrzępiony jak stary pędzel malarski. Już miała zsiąść i podprowadzić Śmigłą bliżej, by obejrzeć dokładniej ciało i wspaniałe, zakrzywione ciosy, gdy nagle z niedowierzaniem i przerażeniem zobaczyła, że samiec się podnosi. Dźwignął się z ziemi jednym szybkim ruchem, czujny i przytomny, jakby zbudził się z lekkiego snu. Stał przez chwilę, nasłuchując. Z rany na jego skroni wydobywała się strużka jasnoczerwonej krwi i spływała po szarym, pomarszczonym policzku. Śmigła parsknęła i odskoczyła w tył. Louisa miała w tym momencie tylko jedną stopę w strzemieniu, lecz udało jej się utrzymać w siodle.

Słoń usłyszał parsknięcie Śmigłej i zwrócił się w jej stronę, rozkładając uszy. Widział w nieznanych stworzeniach tych, którzy zadali mu ranę. Zapachy konia i człowieka, których nigdy nie czuł, wypełniły mu głowę; ta woń kojarzyła się z zagrożeniem.

Potrząsnął mocno głową, aż zatrzepotały ogromne uszy, i wydał przeciągły, gniewny pisk. Kropelki krwi z rany prysnęły Louisie na twarz, ciepłe jak monsunowy deszcz.

— Jim, ratuj mnie! — krzyknęła z całej siły.

Samiec podniósł zwiniętą trąbę do piersi i wygiął uszy do tyłu; była to postawa oznaczająca najwyższy stopień agresji. A potem ruszył do szarży. Śmigła skoczyła w bok, położywszy uszy po sobie, i pogalopowała. Wydawało się, że sunie lekko nad nierówną powierzchnią ziemi, ale samiec wciąż był blisko, wydając ostrzegawcze piski. Z rany tryskał pióropusz różowej krwi.

Śmigła przyśpieszyła i zwiększyła przewagę nad słoniem, lecz nagle wyrósł przed nią mur kolczastych krzaków, więc musiała zwolnić i wykonać zwrot, żeby ominąć przeszkodę. Słoń tymczasem bez wahania przebił się przez zarośla, jakby ich nie było, zmniejszając dzielący ich dystans. Był coraz bliżej.

Louisa z przerażeniem zauważyła przed sobą skalisty teren i jeszcze gęściejsze zarośla. Słoń pędził ich w pułapkę, w której nawet szybkość Śmigłej nie na wiele się zda. Louisa przypomniała sobie o małej francuskiej strzelbie pod prawą nogą. Ze strachu zapomniała o niej, lecz teraz uświadomiła sobie, że tylko użycie broni może powstrzymać rozjuszone zwierzę przed wyrwaniem jej z siodła. Obejrzawszy się, zobaczyła wyciągniętą w swoją stronę długą, wężowatą trąbę.

Wyszarpnęła strzelbę ze skórzanego olstra i odwróciła się, odciągając jednocześnie kurek. Znów krzyknęła mimowolnie, widząc trąbę przed swoją twarzą, i podrzuciła w górę broń. Ogromny łeb zasłaniał jej cały widok. Louisa nie mierzyła, tylko wypaliła na oślep prosto w pysk słonia.

Lekka kula nigdy nie przebiłaby grubej skóry i twardej kości czaszki, lecz łeb samca miał jedno słabe miejsce. Przedziwnym zrządzeniem losu pocisk trafił właśnie tam. Wbił się w oko, momentalnie oślepiając zwierzę po tej samej stronie głowy, w którą trafił Jim.

Słoń zachwiał się i zatoczył, lecz niemal natychmiast odzyskał równowagę i rzucił się w pościg. Louisa skupiła się całkowicie na ponownym nabiciu strzelby, jednak nigdy nie robiła tego na koniu w pełnym galopie, więc proch wyleciał z prochownicy i rozsypał się na wietrze. Zerknąwszy w tył, zobaczyła, że słoń wciąż łypie na nią prawym okiem i znów wyciąga trąbę. Wiedziała, że tym razem jej dosięgnie.

Była tak pochłonięta myślą o swoim nieuchronnym przeznaczeniu, że nie zauważyła tuż-tuż przed sobą gąszczu ciernistych zarośli. Śmigła szarpnęła w bok i Louisa przechyliła się gwałtownie. Upuściła broń, przytrzymując się łęku siodła. Strzelba trzasnęła o kamienistą ziemię.

Odchylona połową ciała w bok, Louisa ocierała się o krzewy z karmazynowymi, zakrzywionymi kolcami, ostrymi jak igły. Wbiły się w ubranie jak setki kocich pazurów, zaczepiły się i Louisa została wyrwana z ogromną siłą z siodła. Klacz pogalopowała dalej bez obciążenia, zostawiając ją szarpiącą się wśród kolczastych gałęzi.

Słoń stracił ją z pola widzenia, lecz wyraźnie czuł zapach świeżej krwi z ran zadanych przez kolce. Zrezygnował z pogoni za Śmigłą i odwrócił się. Zaczął szukać wyciągniętą trąbą, przepychając się przez gąszcz; jego gruba, szara skóra była całkowicie odporna na ukłucia zakrzywionych kolców. Kierował się odgłosami szarpania i zapachem i zbliżał się szybko. Louisa zdała sobie sprawę z niebezpieczeństwa i znieruchomiała.

Leżała cicho, zaplątana w kolczaste gałęzie, i patrzyła z rezygnacją na czubek poruszającej się trąby, który dotknął jej buta, a potem owinął się wokół kostki. Z niewyobrażalną siłą została wyciągnięta z zarośli; kolce łamały się w fałdach jej ubrania i w skórze.

Słoń ścisnął ją mocniej i bała się, że kość nie wytrzyma i pęknie w kawałki. Z opowieści Jima wiedziała, co ją za chwilę spotka. Samiec uniesie ją w powietrze, a potem z potworną siłą roztrzaska o kamienistą ziemię. Będzie walił nią w ziemię raz po raz, aż popękają wszystkie kości, a potem przygniecie ją swoim ciałem i zmiażdży na papkę, przebijając jeszcze czubkami ciosów.

Jim odwrócił się, słysząc pierwszy krzyk i przenikliwe piski słonia. Przerwał pościg za dwoma samcami i osadził Werbla na zadzie. Spojrzał za siebie z przerażeniem i niedowierzaniem.

— Przecież go zabiłem! — wyszeptał. — Kiedy odjeżdżałem, leżał martwy. — W tej samej chwili przypomniał sobie ostrzeżenie ojca. „Mózg jest bardzo mały i nie znajduje się tam, gdzie się go spodziewasz. Jeśli chybisz choćby o grubość palca, zwierzę padnie jak martwe, ale zostanie tylko ogłuszone. Kiedy się ocknie, nie będzie wcale słabsze, za to o wiele bardziej niebezpieczne. Widziałem, jak ginęli w ten sposób dzielni ludzie. Nigdy nie ryzykuj takiego strzału, chłopcze, bo będziesz tego później żałował".

— Bakkat! — ryknął Jim. — Trzymaj się za mną z drugą strzelbą!

Spiął Werbla ostrogami i ogier wyrwał przed siebie galopem. Louisa uciekała przed słoniem dokładnie w przeciwnym kierunku, i Jim doganiał ich, ale powoli. Ogarnęło go otępiające poczucie bezradności; wiedział, że Louisa zginie, zanim zdąży do niej dotrzeć, i będzie to jego wina, gdyż zostawił rozwścieczone zwierzę w miejscu, z którego mogło zaatakować dziewczynę.

— Jadę! Trzymaj się! — Próbował dodać Louisie odwagi, lecz pewnie nie usłyszała go wśród grzmotu końskich kopyt i ryku słonia, bo nie dała żadnego znaku. Jim widział, jak odwraca się w siodle i strzela z małej damskiej strzelby, ale samiec tylko lekko się zachwiał i dalej ją ścigał.

Potem patrzył zrozpaczony, jak Śmigła wskakuje w ciernie krzewy i Louisa spada z siodła. Słoń skierował się do niej, a ona nie mogła się wyplątać z kolczastych gałęzi. Ta chwila jednak pozwoliła Jimowi podjechać tak blisko, że Werbel poczuł odór słonia i jego groźną obecność. Naciskając bezlitośnie ostrogami, Jim podprowadził ogiera jeszcze bliżej, czekając na okazję do celnego strzału. Wiedział, że kula musi złamać kość albo trafić w ważny narząd, żeby zwrócić uwagę słonia, lecz niewiele mógł dostrzec oprócz tumanu kurzu i szamotaniny w gąszczu krzewów, czemu towarzyszyło głośne szuranie. Wielki samiec przedzierał się przez kolczaste zarośla, a trzęsące się gałęzie zasłaniały Jimowi cel. Werbel tańczył pod nim, potrząsając głową; chciał znaleźć się jak najdalej od budzącej grozę bestii.

Jim dojrzał wreszcie Louisę zaplątaną w kolczaste gałęzie. Nie dawała znaku życia. Przestraszył się, że podczas upadku mogła doznać urazu kręgosłupa lub czaszki. Myśl, że może ją stracić, była tak bolesna, że zebrał wszystkie siły i zmusił Werbla, by podszedł bliżej. Nagle słoń znalazł bezwładne ciało dziewczyny i wywlókł ją z zarośli. Jim nie odważył się strzelić mu łeb, żeby nie trafić przez przypadek Louisy. Musiał czekać, aż zwierzę cofnie się i odwróci do niego bokiem. Wychylił się mocno z siodła, aż czubek lufy ciężkiej strzelby prawie dotknął szorstkiej, luźnej skóry, i wypalił.

Kula trafiła w miejsce, gdzie łopatka łączy się z kością ramieniową. Słoń cofnął się, wyrzucając przed siebie trąbę, by utrzymać równowagę na trzech nogach. Złamana przednia noga unieruchamiała go jednak, więc Jim zdołał zawrócić Werbla i znaleźć się poza zasięgiem samca. Wyjechał na spotkanie Bakkata, który trzymał w gotowości drugą strzelbę.

— Ładuj! Byle szybko! — krzyknął i skoczył naprzeciw słonia. Zwierzę wlokło się ku niemu na trzech nogach.

Zorientował się, że strzał Louisy trafił słonia w oko, które wypłynęło na policzek. Zmienił kierunek, podjeżdżając od tej właśnie strony tak blisko, że czubek wielkiego kła zawadził go o ramię, i strzelił prosto w pierś samca, nie powstrzymując galopującego Werbla. Zwierzę zachwiało się. Tym razem ciężka, czterouncjowa kula weszła głęboko, przebijając ważne narządy, tętnice i żyły w klatce piersiowej. Była to śmiertelna rana, lecz Jim wiedział, że słoń nie padnie od razu.

Wiedział też, że Louisie nic nie grozi, jeśli zostanie tam, gdzie jest, głęboko ukryta wśród zarośli. W największym pośpiechu podjechał do miejsca, gdzie Bakkat zeskoczył z grzbietu Szrona, żeby szybciej i lepiej nabić strzelbę. Trzeba było nie lada odwagi, by zsiąść z siodła w pobliżu rannego słonia.

Śmiałości mu nie brakuje! — pomyślał Jim, patrząc, jak Buszmen kończy skomplikowaną operację ładowania ciężkiej strzelby. Werbel tańczył nerwowo w kółko, a Jim obejrzał się na słonia. Krzyknął, widząc, że Louisa wyczołguje się z krzaków na czworakach, niemal pod stopami rannego zwierzęcia. W tej chwili znów znalazła się w straszliwym niebezpieczeństwie. Upuścił nienabitą strzelbę i nie czekając, aż Bakkat dokończy ładowania, pogalopował z powrotem. Znów podjechał od strony, z której samiec nie mógł widzieć, aby móc się bardziej zbliżyć.

Na wpół ogłuszona Louisa podniosła się, wyraźnie oszczędzając nogę, za którą złapał ją słoń. Widząc nadjeżdżającego Jima, wyciągnęła doń ręce. W poszarpanej, poplamionej krwią sukience przedstawiała straszny widok. Była cała podrapana i zakurzona, a długie włosy spadały jej na twarz.

Werbel przemknął tak blisko samca, że krew z rany na łopatce zwierzęcia umazała bryczesy Jima, lecz kiedy słoń machnął trąbą, żeby zmiażdżyć go jak muchę na grzbiecie konia, chłopak przywarł do szyi ogiera i uniknął ciosu. Werbel zbliżył się do Louisy, a Jim w biegu wychylił się z siodła, złapał dziewczynę jedną ręką i posadził za sobą. Louisa natychmiast objęła go w pasie i przycisnęła twarz do spoconej koszuli. Szlochała z bólu i przerażenia, nie mogąc wydobyć słowa. Jim zawiózł ją na szczyt wzgórza, zeskoczył na ziemię, a potem zdjął z grzbietu wierzchowca.

W dalszym ciągu nie mogła mówić, lecz słowa były zbędne i zbyt ubogie. Patrząc na niego z bliska, oczyma wyraziła całą swoją wdzięczność i wszelkie inne uczucia, wciąż zbyt złożone i poplątane, by dało się je wypowiedzieć.

Jim ostrożnie postawił ją na ziemi.

— Gdzie jesteś ranna? — zapytał zduszonym z przejęcia głosem. Wrażenie, jakie wywarło na nim ich wspólne otarcie się o śmierć, było widoczne na jego twarzy. Objęła go mocno, kiedy się nad nią pochylił.

— W kostkę, ale to nic — szepnęła.

— Pokaż — rzekł. Zsunęła ręce z jego szyi. — W którą? — spytał, a kiedy mu pokazała, delikatnie zdjął but z jej stopy i sprawdził.

— Nie jest złamana.

— Nie — potwierdziła Louisa, siadając. — Tylko trochę otarta. — Odsunęła złote włosy z umorusanej twarzy; Jim dostrzegł cierń, który utkwił jej w policzku. Wyciągnął go.

Louisa skrzywiła się, lecz nie odwróciła spojrzenia.

— Jim! — szepnęła.

— Tak, mój mały Jeżu?

— Nie, nic, tylko... Bardzo lubię, kiedy mnie tak nazywasz — dokończyła niezręcznie.

— Cieszę się, że jesteś — rzekł Jim. — Przez chwilę myślałem, że nas zostawiłaś.

— Pewnie wyglądam tak, że każde dziecko przestraszyłoby się na mój widok, a później śniłabym mu się w nocy jak koszmar. — Nie mogła dłużej patrzeć w oczy Jima; próbowała otrzeć twarz z kurzu.

Tylko kobieta może się w takiej chwili przejmować swoim wyglądem, pomyślał Jim.

— Wyglądasz tak, jak moje najpiękniejsze sny — powiedział i zarumienił się.

Bakkat nadjechał z dwiema naładowanymi, gotowymi do strzału strzelbami.

— On jeszcze może uciec, jeśli mu pozwolisz, Somoja.

Jim przypomniał sobie o tym, co się wokół niego dzieje. Zobaczył, że stary samiec odchodzi powoli w dół zbocza, wlokąc przednią nogę i potrząsając ogromnym łbem; ból przestrzelonego oka musiał rozdzierać mu czaszkę.

— Jim — szepnęła Louisa. — To biedne zwierzę cierpi okropnie. Nie możesz na to pozwolić.

— To nie potrwa długo — obiecał.

Wskoczył na Werbla i wziął strzelbę od Bakkata. Zjechał w dół, okrążył słonia, stanął na jego drodze, odciągnął kurek i czekał.

Zwierz wlókł się powoli, jakby nie wyczuwając konia i jeźdźca. Z dziesięciu kroków Jim strzelił mu prosto w pierś. Kula wbiła się w pomarszczoną skórę, a Jim spiął Werbla, który zatańczył jak baletnica. Słoń nie zrobił żadnego ruchu w ich stronę. Stał jak posąg, a krew tryskała ze świeżej rany, świecąc w blasku słońca jak fontanna.

Jim wymienił strzelby z Bakkatem, a potem zawrócił Werbla do miejsca, gdzie stał samiec. Podszedł od strony uszkodzonego oka. Słoń zaczął kołysać się lekko na nogach, wydając cichy, głęboki odgłos z piersi. Jim poczuł, że cały jego wojowniczy nastrój znika i ustępuje miejsca smutkowi i bolesnym wyrzutom sumienia. W obliczu tej najszlachetniejszej zwierzyny bardziej niż kiedykolwiek czuł odwieczną tragedię zabijania. Z wysiłkiem podniósł znowu broń i strzelił. Słoń zadrżał, zaczął się cofać, powoli i niepewnie, a potem wydał głębokie, ciężkie, ostatnie tchnienie.

Padł tak, jak pada wielkie drzewo pod naporem siekiery i piły, najpierw wolno, a później coraz szybciej, by w końcu runąć na ziemię z łoskotem, który odbił się od wzgórz i przetoczył przez dolinę.

Bakkat zsunął się z grzbietu Szrona i podszedł bliżej. Oko słonia było szeroko otwarte. Buszmen przesunął dłonią po rzęsach. Nie poruszyło się.

— To koniec, Somoja. Jest twój na zawsze.

W brew protestom Louisy, która upierała się, że obrażenia są niegroźne, Jim nie pozwolił jej jechać na koniu z powrotem do taboru. Wycięli z Bakkatem dwie długie tyczki, przymocowali między nimi lżejsze gałęzie, przykryli płótnem i zaprzęgli do tej konstrukcji Śmigłą. Jim ułożył Louisę, a potem wybierał najrówniejszą drogę powrotną.

Chociaż dziewczyna śmiała się z tego ruchomego łoża i mówiła, że nigdy nie odbyła łatwiejszej podróży, zanim dotarli do taboru, jej rany dały o sobie znać. Kiedy wstała z sań, pokuśtykała do swojego wozu jak wiekowa staruszka.

Zaniepokojony Jim trzymał się blisko, świadom, że jeśli sam zaproponuje pomoc, zostanie odprawiony. Zdziwił się i ucieszył, kiedy Louisa położyła mu dłoń na ramieniu, wchodząc po schodkach do wozu. Oddalił się potem, aby mogła w spokoju zdjąć podarte, brudne ubranie, i zajął się podgrzewaniem wody w kociołku i przygotowaniem balii. Zama ze służącymi ściągnęli z wozu Louisy kufer, ustawili na jego miejscu balię i napełnili ją parującą wodą. Gdy wszystko było gotowe, Jim poszedł do swojego wozu. Krzywił się ze współczuciem, słysząc jej ciche okrzyki bólu przy obmywaniu ran i obtarć. Kiedy uznał, że skończyła toaletę, zapytał, czy może do niej przyjść.

— Tak, możesz — odpowiedziała. — Jestem ubrana niewinnie jak zakonnica.

Louisa miała na sobie sukienkę, którą dostała od Sarah Courtney. Sukienka sięgała od podbródka do kostek i zakrywała ręce aż do nadgarstków.

— Czy mogę coś zrobić, żeby ulżyć twoim cierpieniom? — spytał.

— Posmarowałam sobie kostkę i inne rany balsamem twojej stryjenki Jasmini. — Uniosła nieco rąbek sukienki, żeby pokazać ciasno obandażowaną kostkę. Żona Doriana Courtneya znała tajniki arabskiej i orientalnej medycyny. Jej słynna maść służyła w rodzinie jako panaceum na wszelkie dolegliwości. Sarah zapakowała do apteczki, którą dała Jimowi i Louisie, tuzin słoików z maścią. Koło

236

łóżka Louisy stał właśnie otwarty jeden z nich i silna, lecz przyjemna ziołowa woń wypełniła wnętrze. Jim nie był pewien, do czego prowadzi jej odpowiedź, lecz skinął mądrze głową. Louisa zarumieniła się i wymamrotała: — Ale mam cierne w miejscach, do których nie mogę sięgnąć. I tyle siniaków, że starczyłoby dla dwóch osób. — Jimowi nie przyszło do głowy, że dziewczyna prosi go o pomoc, więc musiała to wyrazić wprost. Położyła rękę na ramieniu i dotknęła pleców, najdalej jak mogła sięgnąć. — Czuję się tak, jakbym miała tam cały las cierni. — Jim wciąż się na nią gapił, więc musiała zapomnieć o skromności i subtelności. — W kufrze znajdziesz pęsetę i zestaw igieł — powiedziała, odwracając się i zsuwając sukienkę z ramienia. — Tu, pod łopatką, jest jeden kolec. To miejsce boli, jakby ktoś mi wbijał gwóźdź.

Jim przełknął głośno ślinę, gdy zrozumiał, o co prosi, i sięgnął po pęsetę.

— Będę się starał, żeby cię nie bolało, ale krzycz, jeśli zaboli — rzekł. Miał jednak wprawę w zajmowaniu się chorymi i rannymi zwierzętami, więc jego dotknięcie było pewne, lecz delikatne.

Louisa rozciągnęła się na owczej skórze i poddała zabiegom. Z podrapanych i poranionych pleców spływała wodnista krew i limfa, ale w miejscach wolnych od ran skóra była gładka jak marmur i idealnie biała. Kiedy się poznali, Louisa była chuda jak porzucone szczenię, lecz od tego czasu dostatek jedzenia i miesiące konnej jazdy oraz marszu wzmocniły i ukształtowały jej mięśnie. Nawet w tej chwili, podrapana i poobcierana, Louisa była najpiękniejszą istotą, jaką Jim kiedykolwiek widział. Milczał, nie ufając swojemu głosowi, a Louisa nic nie mówiła, czasem tylko wyrwało jej się westchnienie lub cichy jęk.

Gdy podwinął brzeg sukienki, żeby sięgnąć do kolejnego ukrytego ciernia, poruszyła się, żeby mu to ułatwić. Przesuwając jedwab nieco niżej, odsłonił początek rozcięcia między pośladkami i włosków tak delikatnych i jasnych, że nie było ich widać, dopóki światło nie padło na nie pod określonym kątem. Jim wstał i odwrócił oczy, choć wymagało to od niego prawie nadludzkiego wysiłku.

— Dalej nie mogę — wykrztusił.

— Dlaczego? — zapytała Louisa, nie odrywając twarzy od poduszki. — Czuję, że są tam jeszcze kolce, którymi powinieneś się zająć.

— Skromność mi nie pozwala.

— Więc pozwoliłbyś, żebym dostała zakażenia i umarła?

— Nie żartuj w ten sposób — zaprotestował Jim. Myśl o tym, że Louisa mogłaby umrzeć, ugodziła go w samo serce. A przecież dziewczyna ledwie wymknęła się z objęć śmierci.

— Ja nie żartuję, Jamesie Archibaldzie. — Podniosła głowę znad poduszki i zmierzyła go lodowatym spojrzeniem. — Do nikogo innego nie mogę się zwrócić. Pomyśl, że jesteś chirurgiem, a ja twoją pacjentką.

Linie jej nagich pośladków były idealnie symetryczne, doskonalsze niż jakikolwiek wykres geometryczny czy nawigacyjny. Pod palcami czuł ciepłą, jedwabistą skórę. Usunąwszy wszystkie ciernie i posmarowawszy rany maścią, odmierzył dawkę laudanum, aby złagodzić cierpienie. Potem mógł wreszcie wyjść z jej wozu. Nogi miał tak słabe, że ledwie go niosły.

Jim sam zjadł kolację przy ognisku. Zama upiekł duży plaster trąby słonia, uważanej przez jego ojca i innych znawców za jeden z największych przysmaków afrykańskiego buszu. Od żucia rozbolała go szczęka, a mięso miało smak gotowanych wiórów. Kiedy ognisko wygasło, słaniał się ze zmęczenia. Zostało mu akurat tyle siły, żeby zerknąć przez szparę wzdłuż brezentowej klapy wozu Louisy. Dziewczyna leżała na brzuchu i spała tak mocno, że musiał mocno wytężyć słuch, żeby usłyszeć jej cichy oddech. Odwrócił się i powlókł do łóżka. Zdjął z siebie ubranie i rzucił je na podłogę, a potem legł na owczej skórze.

Przebudził się, nie wiedząc, czy to, co słyszy, to sen czy jawa.

— Jim! Jim! — wołała Louisa głosem, w którym brzmiało przerażenie. — Pomóż mi!

Zerwał się z łóżka i chciał biec, ale przypomniał sobie, że jest nagi. Kiedy szukał po omacku spodni, Louisa krzyknęła znowu. Nie miał czasu, żeby zapiąć spodni, więc pobiegł jej na ratunek, przytrzymując je w garści. W pośpiechu obtarł sobie kolano o deskę wozu.

— Louiso! Nic ci nie jest? Co się stało?

— Chodź! Chodź jak najprędzej! Nie pozwól, żeby mnie złapał! — krzyczała.

Zorientował się, że śni jej się koszmar. Tym razem nie mógł jej dobudzić. Musiał złapać ją za ramiona i mocno potrząsnąć.

— Jim, to ty? — Louisa wreszcie wróciła z krainy cieni. — Och, miałam taki straszny sen. Śnił mi się słoń.

Przywarła do niego; Jim czekał, aż się uspokoi. Była zaczerwieniona i rozgorączkowana, lecz po chwili mógł ją położyć z powrotem i przykryć *kaross*.

— Śpij już, mały Jeżu — szepnął. — Będę blisko.

— Nie zostawiaj mnie, Jim. Zostań chwilę.

— Dopóki nie uśniesz — zgodził się.

Zasnął pierwszy. Louisa poczuła, że osuwa się na łóżko obok niej. Jego oddech stał się wolniejszy i wyrównał się. Nie dotykał jej, lecz obecność Jima uspokajała ją; po chwili znowu zapadła w sen. Tym razem nie mąciły go żadne koszmary.

Kiedy rano zbudziły ją odgłosy krzątaniny w obozie, wyciągnęła rękę, żeby dotknąć Jima, lecz go nie było. Doznała bolesnego poczucia straty.

U brała się i z bólem zeszła po schodkach z wozu. Jim i Bakkat obmywali zadrapania i drobne zranienia, których Werbel i Śmigła doznały we wczorajszej batalii ze słoniem; dali im trochę cennego owsa i otrębów z czarną melasą za ich odwagę. Widząc Louisę schodzącą z wysiłkiem z wozu, Jim krzyknął i podbiegł do niej.

— Powinnaś zostać w łóżku. Co tu robisz?

— Chcę się zająć śniadaniem.

— A co to za szalone pomysły? Zama może sobie przez jeden dzień poradzić bez twoich wskazówek. Musisz odpocząć.

— Nie traktuj mnie jak dziecko — odparła, lecz w reprymendzie nie było zdecydowania. Uśmiechnęła się do Jima, kuśtykając do ogniska. Nie spierał się z nią. Poranek był piękny, jasny i chłodny, i oboje wprawił w słoneczny nastrój. Jedli śniadanie pod drzewami, wśród śpiewu ptaków w gałęziach. Posiłek stał się okazją do uczczenia wczorajszych wydarzeń. Z ożywieniem rozprawiali o każdym szczególe polowania, jeszcze raz przeżywali dreszcz i strach, lecz żadne z nich nie wspomniało o tym, co zdarzyło się w nocy i zajmowało ich myśli bardziej niż wszystko inne.

— Muszę teraz pojechać tam i zabrać kły. Nie mogę tego zadania zostawić komuś innemu. Jeden nieostrożny ruch topora zniszczy bezpowrotnie kość — wyjaśnił Jim, wycierając talerz kawałkiem chleba. — Dam dzisiaj Werblowi dzień odpoczynku, bo wczoraj ciężko się napracował, i wezmę Wronę. Śmigła zostanie w obozie, bo jest poturbowana tak samo jak ty.

239

— W takim razie pojadę na Jeleniu — odparła. — Zasznurowanie butów nie potrwa długo. — Jeleń był silnym, lecz łagodnym wałachem, zdobytym od pułkownika Keysera.

— Powinnaś zostać w obozie, żeby do końca wydobrzeć.

— Muszę z tobą pojechać, by odzyskać strzelbę, którą upuściłam w zarośla.

— To marny pretekst. Ja mogę to zrobić.

— Nie wierzysz chyba, że nie będzie mnie przy usuwaniu kłów, dla których ryzykowaliśmy życie?

Jim otworzył usta, by się sprzeciwić, lecz po wyrazie twarzy Louisy zrozumiał, że szkoda słów.

— Powiem Bakkatowi, żeby osiodłał Jelenia.

Istniały dwa tradycyjne sposoby usuwania ciosów. Można było zostawić padlinę, żeby się rozłożyła, a gdy chrząstki trzymające siekacze w zębodole zmiękły i rozpadły się, wyciągało się je siłą z kości. Trwało to jednak długo i wiązało się nieuchronnie ze strasznym smrodem, a Jim nie mógł się doczekać, kiedy ujrzy swoje trofeum w całej okazałości. Louisa czuła to samo.

Kiedy dotarli na miejsce, zobaczyli, że niebo nad martwym samcem zaczerniło się od krążących ścierwojadów. Były tam wszystkie gatunki sępów i orłów, a także padlinożernych bocianów z monstrualnymi dziobami i łysymi różowymi głowami, które wyglądały tak, jakby zostały oskubane nad parą. Konary drzew wokół martwego zwierzęcia stękały pod ciężarem tej pierzastej hordy. Gdy Jim i Louisa podjeżdżali do słonia, umykały przed nimi chyłkiem stada hien, a małe rude szakale ze sterczącymi uszami zerkały z ciernistych zarośli. Padlinożercy wyjedli oczy słonia i wdarli się do wnętrza ciała przez odbyt, lecz nie zdołali przegryźć grubej skóry i dobrać się do jego mięsa. Tam, gdzie sępy siadały na padlinie, białe ekskrementy znaczyły boki samca. Jima oburzyło takie niegodne potraktowanie szlachetnego zwierzęcia. W gniewie wyciągnął z olstra strzelbę i wypalił do jednego z czarnych sępów na najwyższej gałęzi najbliższego drzewa. Trafione ołowianą kulą wstrętne ptaszysko runęło, machając skrzydłami i gubiąc pióra. Reszta usadowionego jak na grzędzie towarzystwa wzbiła się, by dołączyć do pobratymców kołujących w powietrzu.

Louisa znalazła swoją strzelbę; okazało się, że drewno jest tylko lekko zarysowane. Wróciła i wybrała sobie punkt obserwacyjny w cieniu. Usadowiwszy się na kocu z siodła, zajęła się szkicowaniem Jima przy pracy i sporządzaniem notatek na marginesie.

Pierwszym zadaniem było oddzielenie ogromnego łba od szyi. Należało to zrobić, bo w przeciwnym razie potrzebowaliby pięćdziesięciu lub więcej ludzi, by przetoczyć ogromne cielsko z boku na bok. Odcięcie głowy zajęło im całe przedpołudnie. Rozebrani do pasa mężczyźni spocili się w południowym słońcu, zanim się z tym uporali.

Potem trzeba było usunąć skórę i z pieczołowitą ostrożnością odrąbać kość wokół ciosów. Jim, Bakkat i Zama robili to na zmiany, bojąc się powierzyć los cennych kłów w niezgrabne ręce woźniców i służących. Najpierw jeden, a potem drugi wielki siekacz zostały wyciągnięte z zębodołów i ułożone na poduszce ze ściętej trawy. Szybkimi ruchami pędzla Louisa uwieczniła chwilę, w której Jim pochylił się nad nimi i czubkiem noża oddzielił długą, stożkowatą część od pustego trzonu każdego z ciosów. Białe, galaretowate nerwy wyślizgnęły się z kanałów.

Zawinęli ciosy w trawę, zapakowali na grzbiety jucznych koni i triumfalnie zawieźli do obozu. Jim zdjął z wozu wagę, którą ojciec dał mu specjalnie do tego celu, i podwiesił ją do gałęzi drzewa. Potem, otoczony ze wszystkich stron przez towarzyszy, zważył oba ciosy. Prawy siekacz, częściej używany przez słonia, był bardziej starty i ważył sto czterdzieści trzy funty. Większy miał dokładnie sto pięćdziesiąt funtów. Oba były brązowe od roślinnych soków w odsłoniętych miejscach, lecz te części, które były w osłonie kości i chrząstki, miały piękny kremowy kolor i lśniły jak drogocenna porcelana.

— Przez składy w High Weald przechodziły setki kłów, ale nigdy nie widziałem większego — pochwalił się Jim Louisie.

Tego wieczoru siedzieli długo przy ognisku, bo wciąż było tyle do opowiedzenia. Bakkat, Zama i mężczyźni ze służby owinęli się kocami i spali przy swoich ogniskach, kiedy Jim odprowadzał Louisę do jej wozu.

Potem położył się nago na swoim łóżku, bo noc była ciepła. Zasypiając, wsłuchiwał się w dziwne zawodzenia i śmiech hien patrolujących obrzeża obozu, przyciągniętych wonią mięsa, które wędziło się na rusztach. Tuż przed zaśnięciem myślał o tym, czy Smallboy i inni woźnice zostawili skórzane postronki i uprząż poza zasięgiem tych padlinożerców. Swoimi potwornymi szczękami hiena mogła przeżuć najtwardszą wyprawioną skórę równie łatwo, jak on mógł pochłonąć soczystą ostrygę. Jim wiedział jednak, że bezpieczeństwo i dobry stan uprzęży były zawsze u Smallboya na pierwszym miejscu, więc pozwolił sobie spokojnie usnąć.

Obudził się nagle, czując, że wóz zakołysał się lekko. W pierwszej chwili pomyślał, że być może jakaś hiena wtargnęła do obozu. Usiadł i sięgnął do nabitego muszkietu, który zawsze leżał koło łóżka, lecz zanim jego ręka dotknęła kolby, zamarł i wlepił wzrok w brezentową klapę.

Brakowało jeszcze dwóch dni do pełni księżyca; z jego wysokości nad horyzontem Jim zorientował się, że jest po północy. Księżycowy blask przedzierał się delikatnie przez płótno klapy. Na jej tle rysowała się eteryczna postać Louisy. Nie widział twarzy, bo była w cieniu, lecz jej włosy spadały kaskadami na ramiona.

Zrobiła niepewny krok w stronę łóżka, a potem się zatrzymała. Po sposobie, w jaki trzymała głowę, Jim widział, że jest onieśmielona lub przestraszona, a może jedno i drugie.

— Louisa? Co się stało?

— Nie mogłam zasnąć — szepnęła.

— Czy mogę ci jakoś pomóc?

Nie odpowiedziała od razu, ale podeszła i położyła się u jego boku.

— Jim, proszę cię, bądź dla mnie dobry. Bądź cierpliwy.

Leżeli w milczeniu, usztywnieni, nie dotykając się. Żadne nie wiedziało, co dalej robić. Wreszcie Louisa przerwała milczenie.

— Odezwij się do mnie, Jim. Chcesz, żebym wróciła do siebie? — Niecierpliwiło ją to, że on, który zwykle był taki odważny, teraz zachowuje się tak nieśmiało.

— Nie, proszę — wykrztusił Jim.

— Więc mów do mnie.

— Nie jestem pewien, co chcesz, żebym powiedział, lecz powiem ci, co dzieje się w mojej głowie i sercu. — Pomyślał chwilę, a potem zniżył głos do szeptu. — Kiedy zobaczyłem cię pierwszy raz na pokładzie, miałem wrażenie, że czekałem na tę chwilę całe życie. — Louisa westchnęła cicho; Jim poczuł, że odpręża się jak kot rozciągający się w cieple słońca. Zachęcony mówił dalej: — Często, patrząc na ojca i matkę, myślałem, że dla każdego mężczyzny Bóg tworzy jedną kobietę.

— Żebro Adama — mruknęła.

— Wierzę, że ty jesteś moim żebrem — dodał. — Nie znajdę szczęścia i spełnienia bez ciebie.

— Mów dalej, Jim. Proszę cię.

— Wierzę, że wszystkie straszne rzeczy, które ci się przydarzyły, zanim się spotkaliśmy, i wszystkie niebezpieczeństwa, którym od tej chwili stawiliśmy czoło, miały tylko jeden cel. Żeby nas poddać próbie i zahartować jak stal.

— Nie myślałam o tym — powiedziała Louisa. — Ale teraz widzę, że to prawda.

Jim wyciągnął rękę i dotknął jej dłoni. Zdawało mu się, że między ich palcami przeskoczyła iskra, taka jak ta, która zapala proch na panewce. Louisa odsunęła gwałtownie rękę. Jim zrozumiał, że ich chwila, chociaż jest już blisko, jeszcze nie nadeszła. Odsunął dłoń i Louisa znów się rozluźniła.

Stryj Dorian dał mu kiedyś młodą klaczkę, której nikt nie mógł nauczyć nosić siodła i wędzidła. Oswajanie trwało tygodniami i miesiącami i było niesłychanie powolne; każdy kolejny postęp przeplatał się z regresem, lecz w końcu klacz należała do niego i była najpiękniejszym, najwspanialszym zwierzęciem, jakie można sobie wyobrazić. Nazwał ją Windsong, czyli Śpiew Wiatru. Kiedy umierała na końską chorobę, trzymał na kolanach jej głowę.

Pod wpływem impulsu opowiedział Louisie o Śpiewie Wiatru, o tym jak ją kochał i jak umarła. Dziewczyna leżała obok niego w ciemności i słuchała jak urzeczona. Kiedy doszedł do końca, rozpłakała się, lecz były to dobre łzy, nie te gorzkie, które kiedyś tak często płynęły z jej oczu.

W końcu usnęła, wciąż leżąc przy nim, lecz go nie dotykając. Jim słuchał jej cichego oddechu, a potem i on zasnął.

P odążali śladem stad słoni na północ jeszcze niemal przez miesiąc. Stało się to, przed czym ostrzegał Jima ojciec: zaniepokojone przez człowieka, wielkie zwierzęta wędrowały setki mil. Posuwały się naprzód długim krokiem, którego nawet dobry koń nie potrafił utrzymać przy takich odległościach. Całe południe kontynentu należało do nich, a stare słonice w stadach znały każdą górską przełęcz i jezioro, rzekę i bajoro pod drodze, wiedziały, jak omijać pustynie i suche tereny. Znały lasy bogate w owoce i bujną roślinność oraz bezpieczne miejsca, gdzie nie groził im atak.

Zostawiały jednak ślad czytelny dla oka Bakkata, który podążał nim w busz, w miejsca, gdzie nigdy wcześniej się nie zapuszczał. Tropy prowadziły ich do źródeł dobrej wody i przełęczy w górach.

Dotarli w końcu do rzeki płynącej po trawiastej równinie, z czystą i słodką wodą. Przez pięć kolejnych dni Jim w południe wyznaczał pozycję, aż nabrał pewności, że poprawnie zaznaczył położenie na mapie ojca. Oboje z Louisą zdumieli się, że leniwie obracające się koła wozów dowiozły ich aż tak daleko.

Codziennie wyjeżdżali z obozu nad brzegiem rzeki, żeby zbadać teren we wszystkich kierunkach. Szóstego dnia wspięli się na szczyt wysokiego, zaokrąglonego wzgórza, z którego rozpościerał się widok na równinę za rzeką.

— Odkąd wyjechaliśmy poza granice kolonii, nie widzieliśmy człowieka — zauważyła Louisa. — Nie licząc śladu kół prawie trzy miesiące temu i malowideł, które plemię Bakkata zostawiło w jaskini w górach.

— To bezludny kraj — potwierdził Jim — i za to właśnie go kocham, bo wszystko tutaj należy do mnie. Dzięki temu czuję się jak bóg.

Louisa uśmiechnęła się, widząc jego entuzjazm. W jej oczach naprawdę wyglądał jak młody bóg. Słońce opaliło go na brązowo, umięśnione ramiona i nogi wyglądały jak wyrzeźbione w granicie. Mimo że często obcinała mu włosy nożycami do strzyżenia owiec, urosły mu aż do ramion. Jego wzrok, nawykły do spoglądania na daleki horyzont, był spokojny i zdecydowany, a postawa i zachowanie znamionowały władczość i śmiałość.

Nie mogła dłużej oszukiwać siebie — wiedziała, jak jej uczucia do niego zmieniły się w ciągu ostatnich kilku miesięcy. Sto razy dowiódł swojej wartości. Był teraz sednem jej życia. Najpierw jednak musiała zrzucić z siebie ciężar przeszłości — gdy zamykała oczy, wciąż jeszcze widziała złowieszczą głowę w czarnej skórzanej masce i zimne oczy w wyciętych szparach. Van Ritters, pan Huis Brabant, w dalszym ciągu był przy niej.

Jim spojrzał na Louisę, a ona odwróciła wzrok, bojąc się, że ujrzałby w jej oczach czarne myśli.

— Patrz! — zawołała, wskazując na drugi brzeg rzeki. — Tam jest całe pole dzikich stokrotek.

Jim osłonił oczy przed słońcem i spojrzał w stronę, którą wskazała wyciągniętą ręką.

— Wątpię, czy to są kwiaty. — Potrząsnął głową. — Za bardzo się świecą. Wydaje mi się, że to pokład kamienia kredowego albo białego kwarcu.

— Jestem pewna, że to stokrotki, takie jak nad rzeką Gariep — odparła Louisa, popędzając Śmigłą. — Przejdźmy na drugą stronę i zobaczmy. Chciałabym je narysować. — Już zjeżdżała ze wzgórza, nie zostawiając Jimowi wyboru, choć kwiaty mało go interesowały.

Dobrze wydeptana zwierzęca ścieżka poprowadziła ich przez zagajnik dzikich wierzb do płytkiego brodu. Przejechali z pluskiem przez wodę, sięgającą koniom do brzucha, i wyszli na stromy brzeg po drugiej stronie. Tajemnicze białe pole nie było daleko; popędzili ku niemu na wyścigi.

Louisa prowadziła o kilka długości, lecz nagle wstrzymała konia, a śmiech zamarł jej na ustach. Patrzyła przed siebie, oniemiała z przerażenia. Jim zsiadł i ruszył powoli przed siebie, prowadząc wolno Werbla. Ziemia pod jego stopami była gęsto usłana ludzkimi kośćmi. Schylił się i podniósł czaszkę.

— Dziecko — rzekł, obracając ją w dłoniach. — Strzaskano mu głowę.

— Co tu się stało, Jim?

— To była masakra — odparł. — Nie tak dawno temu, bo ptaki obrały szkielety do czysta, lecz nie pożarły ich hieny.

— Jak to się stało? — W oczach Louisy błyszczały łzy.

Pokazał jej z bliska czaszkę dziecka.

— Odcisk maczugi. Jeden cios w tył głowy. W taki sposób Nguni pozbywają się swoich wrogów.

— Dzieci też?

— Mówi się, że zabijają dla rozrywki i chwały.

— Ilu ludzi tu zginęło? — Louisa odwróciła głowę od małej czaszki i spojrzała na stosy szkieletów, podobne do śnieżnych zasp. — Ilu?

— Nigdy się tego nie dowiemy, ale wydaje mi się, że całe plemię — odparł Jim, odkładając czaszkę w to samo miejsce, w którym ją znalazł.

— Nic dziwnego, że w czasie takiej długiej podróży nie znaleźliśmy ani jednego żywego człowieka — wyszeptała. — Te potwory zgładziły wszystkich i spustoszyły ziemię.

Jim sprowadził Bakkata, a ten potwierdził jego przypuszczenia. Wśród kości znalazł coś, co dawało szerszy obraz rzezi: złamaną głowicę i drzewce bojowej maczugi, którą nazwał *kerrie*. Broń została zręcznie wycięta z krzewu, którego bulwiasty korzeń tworzył naturalną głowicę zabójczej broni. Maczuga musiała pęknąć w dłoni wojownika, który jej używał. Bakkat znalazł też garść koralików rozsypanych w trawie. Kiedyś mogły być częścią naszyjnika. Miały cylindryczny kształt i były czerwono-białe.

Jim znał je dobrze: podobne koraliki wiózł w swoich wozach. Pokazał je Louisie.

— Takie koraliki są powszechnie używaną walutą w Afryce od stu lat, a może i dłużej. Prawdopodobnie na początku Portugalczycy zaczęli je sprzedawać północnym plemionom.

Bakkat obracał w dłoni koralik.

— Nguni bardzo je sobie cenią. Jeden z wojowników nosił pewnie naszyjnik, który zdarła mu palcami umierająca ofiara.

— Kim były ofiary? — spytała Louisa, rozłożonymi rękoma pokazując zalegającą na ziemi warstwę kości.

Bakkat wzruszył ramionami.

— Tutaj ludzie przychodzą znikąd i odchodzą, nie zostawiając śladów. — Schował koraliki do mieszka przy pasie, zrobionego z moszny bawołu. — Wszyscy oprócz mojego plemienia. My zostawiamy rysunki na skałach, żeby duchy nas zapamiętały.

— Chciałabym wiedzieć, kim byli ci ludzie — ciągnęła Louisa. — To tragiczne, jeśli się pomyśli o zabitych tutaj dzieciach, których nikt nie opłakiwał ani nie pochował.

Nie musiała długo czekać, by otrzymać odpowiedź na swoje pytanie.

Nazajutrz, gdy wozy toczyły się na północ, zobaczyli w oddali stada antylop, rozdzielające się niczym fala rozbijająca się o dziób oceanicznego statku. Jim wiedział, że tak właśnie zwierzęta reagują na pojawienie się ludzi. Nie mógł natomiast wiedzieć, co to za ludzie, więc kazał Smallboyowi utworzyć z wozów obronny krąg i wydać każdemu po muszkiecie. Potem razem z Louisą, Bakkatem i Zamą wyjechali na rekonesans.

Trawiasta równina falowała jak morze; gdy dotarli do następnego wzniesienia, mimowolnie zatrzymali konie i w milczeniu patrzyli na dziwny widok, który się przed nimi roztaczał.

W oddali po równinie posuwała się z wysiłkiem kolumna ludzi, tak żałośnie wolno, że spod ich stóp prawie nie unosił się kurz. Nie mieli zwierząt hodowlanych; przez lunetę Jim zobaczył, że cały nędzny dobytek — składający się z glinianych garnków, tyków i tobołków — niosą na głowach. Nie wyglądali groźnie, więc postanowił wyjechać im na spotkanie. Z bliska dostrzegł więcej szczegółów.

Grupa składała się niemal całkowicie z kobiet i dzieci. Maluchy były niesione w skórzanych workach zarzuconych na plecy lub na biodra matek. Wszyscy byli mizerni i wychudzeni, ich nogi wyglądały jak suche patyki. Wlekli się ostatkiem sił, wyczerpani. Jedna z kobiet osunęła się na ziemię. Tobołek i dwoje maleńkich dzieci, które niosła na plecach, były zbyt wielkim ciężarem. Towarzyszki zatrzymały się, żeby pomóc. Któraś podsunęła jej do ust tykwę z wodą. Był to wzruszający gest.

— Ci ludzie konają, idąc — powiedziała cicho Louisa. Kiedy podjechali bliżej, policzyła nieszczęśników. — Sześćdziesiąt osiem osób, ale mogłam pominąć jakieś dziecko.

Po chwili Jim zatrzymał wierzchowca i uniósł się w strzemionach.

— Kim jesteście i skąd przybywacie?

Wydawało się, iż są tak wyczerpani, że aż do tej pory nie zauważyli jeźdźców, bo okrzyk Jima wzbudził wśród nich popłoch i zamieszanie. Niektóre kobiety rzucały na ziemię tobołki i łapały dzieci. Grupa rozpierzchła się w stronę, z której nadeszła, lecz była to żałosna próba ucieczki, gdyż kobiety potykały się i padały jedna po drugiej na trawę, nie mogąc dalej biec. Próbowały nie zwracać na siebie uwagi, leżąc płasko na ziemi i naciągając na głowy swoje skórzane okrycia.

Tylko jeden człowiek nie próbował uciekać. Był stary, chudy i wiotki jak patyk, lecz stał, godnie wyprostowany. Opuścił chustę na ramiona, wydał przenikliwy, drżący okrzyk wojenny i ruszył z włócznią w dłoni prosto na Jima. Cisnął nią z odległości pięćdziesięciu kroków, ale jego stare ramię nie było w stanie tak daleko rzucić, więc włócznia wbiła się w ziemię w połowie drogi. Starzec opadł na kolana. Jim podjechał ostrożnie bliżej, czujny, starając się nie narazić na kolejny atak srebrnowłosego staruszka.

— Kim jesteś, stary ojcze? — zapytał. Musiał powtórzyć pytanie w trzech różnych narzeczach, zanim mężczyzna zrozumiał i odpowiedział.

— Wiem, kim jesteście, wy, którzy jeździcie na grzbietach dzikich zwierząt i mówicie w naszych językach. Wiem, że jesteś jednym z białych czarowników-krokodyli, przychodzących z wielkiej wody, żeby pożerać ludzi. Bo skąd znałbyś język mojego ludu? Lecz nie lękam się ciebie, nieczysty demonie, bo jestem stary i gotowy na śmierć. Ale zginę, walcząc z tym, który pożre moje córki i wnuki. — Podniósł się z wysiłkiem i wyciągnął zza pasa toporek. — Chodź, zobaczymy, czy masz w żyłach krew, jak inni ludzie.

Mówił dialektem północnych Lozi, którego Aboli nauczył Jima.

— Napawasz mnie trwogą, stary wojowniku — rzekł poważnie do starca — lecz odłóżmy broń i porozmawiajmy chwilę, zanim zaczniemy bitwę.

— Jest tak przerażony, że nie wie, co mówi — zauważyła Louisa. — Biedny stary człowiek.

— Może nie przywykł do dyskusji z białymi czarownikami i demonami — powiedział z przekąsem Bakkat. — Ale jedno wiem: jeśli nie dostanie czegoś do jedzenia, niedługo zdmuchnie go wiatr.

Starzec chwiał się na chudych nogach.

— Kiedy ostatnio jadłeś, wielki wodzu? — spytał Jim.

— Nie rozmawiam z czarownikami i duchami krokodyli — odparł z pogardą starzec.

— Jeśli nie jesteś głodny, wodzu, to powiedz mi, kiedy twoje córki i wnuki coś jadły?

To zbiło go z tropu. Spojrzał na swoje plemię i odparł cicho, z pełną godności prostotą:

— Oni głodują.

— I ja to widzę — stwierdził ponuro Jim.

— Musimy im przywieźć jedzenie z wozów — powiedziała niecierpliwie Louisa.

— Potrzeba czegoś więcej niż kilka ryb i bochenków chleba, żeby nakarmić tłumy. Kiedy zjedzą wszystko z naszej spiżarni, będziemy głodować razem z nimi. — Jim odwrócił się w siodle i spojrzał na stada zwierząt, pasące się wszędzie na równinie. — Umierają z głodu wśród obfitości jadła. Nie mają ani umiejętności, ani broni, żeby zabić chociaż jedną sztukę spośród tych tysięcy zwierząt. — Spojrzał na starego wodza. — Użyję swoich czarów nie do tego, by zgładzić twoje plemię, ale żeby je nakarmić.

Zostawili starca i odjechali. Jim wybrał stado podobnych do krów, dziwnych zwierząt z ciemnymi, strąkowatymi grzywami, zakrzywionymi rogami i nogami za cienkimi w stosunku do krzepkich ciał. Głupie stworzenia brykały przed Bakkatem i Zamą, którzy szerokim łukiem zaganiali je w stronę Jima i Louisy. Kiedy przywódcy stada znaleźli się prawie w zasięgu strzału, wyczuli niebezpieczeństwo i pochylili kosmate łby. Prychając i parskając, zwierzęta rzuciły się do prawdziwej ucieczki, lecz Werbel i Śmigła łatwo je dogoniły. Podjechawszy blisko, Jim położył po jednej sztuce z każdej strzelby, a Louisa ustrzeliła ze swojej francuskiej broni jeszcze jedną. Obwiązali postronkami ciała zwierząt i przyciągnęli je końmi do miejsca, gdzie starzec przykucnął na trawie.

Podniósł się.

— Mięso! Demony przyniosły nam mięso! Chodźcie prędko i przyprowadźcie dzieci! — krzyknął drżącym głosem, zobaczywszy, co się dzieje.

Jedna stara kobieta podczołgała się niepewnie, ale inne trzymały się z dala. Dwoje najstarszych zaczęło oprawiać ubite zwierzęta, używając ostrza włóczni jak noża do krojenia mięsa. Kiedy reszta grupy zobaczyła, że białe demony ich nie napastują, rzuciła się do uczty.

Louisa śmiała się głośno, widząc matki oddzierające kawały surowego mięsa, by przeżuć je na papkę i wypluć do ust dzieci, jak samice ptaków karmiące pisklęta. Zaspokoiwszy pierwszy głód, rozpalili ogniska, żeby upiec i uwędzić resztę mięsa. Jim i Louisa zapolowali jeszcze raz i przywieźli dość jedzenia, aby wystarczyło nawet dla tak wielu gąb na kilka miesięcy.

Niebawem wędrowcy stali się tak ufni, że nie uciekali, kiedy Louisa wchodziła między nich. Kobiety pozwalały jej brać dzieci na ręce. A potem skupiły się wokół niej i ze zdumieniem dotykały jej włosów i głaskały bladą skórę.

Jim i Bakkat usiedli ze starcem.

— Z jakiego jesteście plemienia?

— Jesteśmy z Lozi, ale naszym totemem jest Bakwato.

— Jak cię zwą, wielki wodzu ludu Bakwato? — spytał Jim.

— Tegwane, i w rzeczy samej jestem tylko małym wodzem — odparł starzec. Tegwane to mały, żywiący się rybami brązowy bocian z pióropuszem na głowie, którego można było zobaczyć w każdym strumieniu i bajorze.

— Skąd pochodzisz? — Mężczyzna wskazał na północ. — Gdzie są młodzi wojownicy z twojego plemienia?

— Zginęli z rąk Nguni — odparł Tegwane — walcząc w obronie swoich rodzin. Próbuję znaleźć miejsce, gdzie kobiety i dzieci będą bezpieczne, ale boję się, że zabójcy nie są daleko za nami.

— Opowiedz mi o tych Nguni — poprosił Jim. — Słyszałem, jak ludzie wypowiadają z lękiem to słowo, ale nigdy nie widziałem Nguni ani nie spotkałem nikogo, kto się z nimi zetknął.

— To demony-mordercy — odparł Tegwane. — Przychodzą szybko jak chmura nad równiną i zabijają każdą żywą duszę, którą znajdą na swej drodze.

— Powiedz mi o nich wszystko. Jak wyglądają?

— Wojownicy są rośli i zbudowani jak drzewa żelazne. Na

głowach noszą czarne pióra sępów. Mają grzechotki na nadgarstkach i kostkach, więc ich legion, idąc, wydaje dźwięk wiatru.

— Jaką mają broń?

— Noszą czarne tarcze z wysuszonych skór wołów i kpią sobie z włóczni. Lubią podchodzić blisko ze swoimi ostrymi *assegai*. Rana od tego żelaznego ostrza jest tak szeroka i głęboka, że kiedy je wyciągają, ofiara traci dużo krwi.

— Skąd pochodzą Nguni?

— Tego nikt nie wie, ale niektórzy powiadają, że z krainy daleko na północy. Wędrują z wielkimi stadami zrabowanego bydła, i wysyłają przed sobą kohorty, które zabijają wszystko na drodze.

— Kto jest ich królem?

— Nie mają króla, tylko królową. Ma na imię Manatasee. Nigdy jej nie widziałem, ale powiadają, że jest bardziej okrutna i wojownicza niż wszyscy jej wojownicy. — Spojrzał z lękiem na horyzont. — Muszę zabrać mój lud i uciekać przed nią. Jej wojownicy nie mogą być daleko. Może jak przejdziemy rzekę, nie podążą za nami.

Jim i jego towarzysze zostawili Tegwane z kobietami przy mięsie i ogniskach, a sami pojechali do taboru. Wieczorem, jedząc kolację przy ognisku pod baldachimem błyszczących gwiazd, rozmawiali o tragicznym położeniu uchodźców. Louisa zaproponowała, żeby wrócić tam nazajutrz rano z kuferkiem lekarstw, workami mąki i soli.

— Jeśli oddasz im wszystko, co mamy, co się stanie z nami? — zauważył rozsądnie Jim.

— Może tylko dla dzieci? — spytała, wiedząc, że Jim ma rację i raczej nie przystanie na jej propozycję.

— Dzieci czy dorośli, nie możemy wziąć pod nasze skrzydła całego plemienia. Zaopatrzyliśmy ich w tyle jedzenia, że wystarczy im na dojście do rzeki i jeszcze dalej. To okrutna kraina. Muszą zadbać o siebie albo zginą. To samo dotyczy nas.

Tej nocy Louisa nie przyszła do wozu Jima. Bardzo za nią tęsknił. Mimo że zachowali czystość i wciąż traktowali się jak brat i siostra, przyzwyczaił się już do jej obecności w nocy. Kiedy się zbudził, Louisa krzątała się przy ognisku. W czasie popasu kury zostały wypuszczone z klatki i dziobały teraz pracowicie w trawie. Z wdzięczności zniosły pół tuzina jaj. Louisa usmażyła omlet na śniadanie i podała go bez uśmiechu, wyraźnie dając do zrozumienia, że jest niezadowolona.

— W nocy miałam sen — powiedziała do Jima.

— Opowiedz — odparł, tłumiąc westchnienie. Powoli przyzwyczajał się do tego, że sny Louisy będą zajmować niemało miejsca w jego życiu.

— Śniło mi się, że coś strasznego stało się naszym przyjaciołom Bakwato.

— Nie poddajesz się bez walki, co? — zapytał.

Uśmiechnęła się do niego, kiedy jechali konno do miejsca, gdzie zostawili grupkę uciekinierów. Po drodze Jim próbował wymyślić jakieś argumenty, żeby odwieść ją od zamiaru przyjęcia na siebie roli dobroczyńcy i obrończyni siedemdziesięciu głodomorów, lecz uznał, że musi wybrać dobry moment na tego rodzaju słowne zmagania z Louisą.

Dym unoszący się z ognisk, nad którymi wędziło się mięso, doprowadził ich do obozu Tegwane. Wjechawszy na pagórek, zatrzymali się ze zdziwieniem. Obozowisko Tegwane wyglądało zupełnie inaczej niż wczoraj. Kurz i dym zaciemniały obraz, lecz z nisko wiszącej chmury pierzchało wiele drobnych postaci. Jim wyjął lunetę z futerału i zerknął.

— Słodki Jezu, Nguni już ich znaleźli!

— Wiedziałam! — krzyknęła Louisa. — Mówiłam ci, że stało się coś strasznego, czyż nie?

Spięła klacz i rzuciła się przed siebie. Jim musiał ją gonić. Wreszcie złapał wodze Śmigłej i zatrzymał oba konie.

— Zaczekaj! Musimy uważać, bo nie wiemy, co nas tam czeka!

— Mordują naszych przyjaciół!

— Starzec i jego plemię już pewnie nie żyją, a my nie chcemy do nich dołączyć. — Szybko wyjaśnił swój plan Bakkatowi i Zamie.

Na szczęście wozy nie były daleko w tyle. Jim kazał Zamie wrócić do obozu i ostrzec Smallboya i jego ludzi, żeby wystawili straże i wprowadzili wszystkie woły, luzaki i inne zwierzęta do środka kręgu.

— Kiedy zabezpieczą obóz, niech Smallboy i jeszcze dwóch woźniców przyjedzie tu jak najszybciej! Zabierzcie po dwa muszkiety dla każdego, woreczki z grubym śrutem i dodatkowe prochownice.

Muszkiety z gładkimi lufami ładowało się łatwiej niż strzelby. Salwa śrutu, oddana z niewielkiej odległości, mogła powalić więcej niż jednego przeciwnika naraz.

Louisa upierała się, żeby natychmiast ruszyć na odsiecz uciekinierom, lecz Jim kazał jej czekać, aż Zama sprowadzi posiłki.

— Dotrą tu w ciągu godziny — zapewnił.

— Wtedy po Bakwato już nie będzie śladu.

Chciała wyjąć mu lunetę z ręki, ale nie pozwolił jej.

— Lepiej, żebyś na to nie patrzyła.

Jim widział błysk stalowych ostrzy w słońcu, potrząsanie tarczami i tańczące pióropusze na głowach. Sam dostał gęsiej skórki na widok nagiej kobiety Bakwato, wybiegającej z tumanu kurzu i przyciskającej dziecko do piersi. Dopędził ją rosły wojownik z pióropuszem i dźgnął z tyłu z taką siłą, że czubek *assegai* wyszedł jej między piersiami. Stalowe ostrze, zaróżowione od krwi, wyglądało jak bok łososia połyskującego pod powierzchnią wody. Kobieta upadła na trawę, a wojownik pochylił się, a potem wyprostował z dzieckiem w jednym ręku. Rzucił je wysoko w górę, a gdy spadało, nadział zręcznie na ostrze *assegai*. Wymachując małym ciałkiem jak sztandarem, skoczył z powrotem w tuman kurzu i dymu.

Wreszcie przygalopował Zama ze Smallboyem, Klaasem i Muntu; zdaniem Louisy o wiele za późno. Jim sprawdził, czy ich muszkiety są nabite i gotowe do strzału. Wszyscy byli dobrze obeznani z bronią, lecz Jim nie wiedział, jak dadzą sobie radę w prawdziwej walce. Utworzyli szeroką tyralierę i stępa, żeby oszczędzać konie, ruszyli w stronę objętego bitwą obozowiska. Jim trzymał Louisę blisko siebie. Wolałby odesłać ją z powrotem do obozu, gdzie byłaby bezpieczna, lecz nie odważył się nawet wyjść z taką propozycją.

Zbliżając się, słyszeli okrzyki i zawodzenia oraz dzikie, triumfalne wrzaski Nguni, wymachujących *assegai* i *kerrie*. Trawa sawanny usłana była ciałami martwych kobiet i dzieci, jak morska plaża pokryta szczątkami rozbitych statków po sztormie.

Wszyscy nie żyją, pomyślał Jim, i ogarnął go morderczy gniew. Zerknął na Louisę, której twarz pobladła z przerażenia. Nagle z niedowierzaniem zobaczył, że przynajmniej jeden Bakwato jeszcze żyje.

Pośrodku obozowiska sterczało niskie granitowe wzniesienie, tworzące naturalny punkt obronny, otoczony skałami. Widać tam było wychudzoną sylwetkę Tegwane z maczugą w jednej i włócznią w drugiej dłoni. Całe ciało miał umazane krwią własną i wrogów. Ze wszystkich stron otaczali go Nguni. Wydawało się, że drażnią się ze starcem, rozbawieni jego determinacją. Tańczyli wokół, przedrzeźniając go i śmiejąc się z jego wojowniczych ruchów. Tegwane jakby odzyskał nieco ze swej młodzieńczej siły i zaciekłości. Jego wojownicze okrzyki rozlegały się głośno. Jim dostrzegł, że jeden z napastników zatoczył się i cofnął przed ostrzem włóczni, które trafiło go w twarz. Spomiędzy jego palców tryskała krew. To przypieczętowało los Tegwane, bo Nguni ruszyli nań z wyraźnym zamiarem.

Jeźdźcy znaleźli się mniej więcej sto kroków od obozowiska. Nguni byli tak pochłonięci rozkoszą zabijania, że żaden nie zauważył nadejścia obcych.

— Ilu ich jest? — zawołał Jim do Louisy.

— Widzę nie więcej niż dwudziestu kilku — odparła.

— Mały zwiad — domyślił się Jim. — Na nich! Strzelajcie jak do wściekłych szakali.

Popędzili konie i wjechali do obozu. Jeden Nguni dźgał młodą kobietę czubkiem *assegai*, żeby odsłoniła brzuch, lecz ona zwijała się na ziemi jak piskorz, unikając błyszczącego stalowego ostrza. Zajęty okrutną zabawą wojownik nie zauważył Louisy, która znalazła się tuż przed nim. Jim nie był pewien, co zamierza, i zdziwił się, kiedy uniosła muszkiet i wypaliła. Ładunek śrutu trafił Nguni prosto w błyszczącą od potu pierś, odrzucając go do tyłu.

Louisa wyciągnęła z olstra drugi muszkiet i zajęła miejsce obok Jima. Wszyscy ruszyli w stronę grupy wojowników otaczających Tegwane. Louisa strzeliła jeszcze raz, i następny Nguni zwalił się na ziemię. Nawet biorąc pod uwagę okoliczności, Jima zdumiała jej bezwzględność. A wydawało mu się, że zna tę dziewczynę. Zabiła dwóch ludzi, skutecznie i na chłodno, nie okazując emocji, które w niej szalały.

Wojownicy atakujący Tegwane usłyszeli strzały; był to dla nich nowy dźwięk. Kiedy odwrócili się do jeźdźców, na ich twarzach, zbryzganych krwią ofiar, malowało się zdziwienie i zaskoczenie. Jim strzelił kilka sekund po Louisie. Gruby śrut rozdarł nagi brzuch, momentalnie powalając mężczyznę, i strzaskał rękę drugiego, który stał za nim. *Assegai* wypadł mu z dłoni, a bezużyteczne ramię zwisało przy boku, na wpół przecięte nad łokciem.

Ranny spojrzał na bezwładną rękę, a potem schylił się, chwycił *assegai* w drugą dłoń i ruszył prosto na Jima. Zdumiała go odwaga wojownika. Oba muszkiety miał nienabite, więc musiał wyciągnąć pistolet z olstra przy siodle. Kula trafiła szarżującego Nguni prosto w gardło. W przełyku coś zagulgotało i trysnęła krew, lecz jego przykład zainspirował pozostałych napastników. Otrząsnęli się z szoku, zostawili Tegwane i skoczyli w stronę jeźdźców, z twarzami pałającymi żądzą krwi; grzechotki na nogach wydawały niesamowity szelest przy każdym ruchu bosych stóp.

Zama i Bakkat wystrzelili jednocześnie, kładąc dwóch wrogów. Dwóch dalszych trafiła salwa Smallboya i pozostałych woźniców, lecz nie były to precyzyjne strzały i ranni Nguni biegli dalej, prawie zbliżając się na odległość, z której mogli użyć swoich krótkich *assegai*.

— Wycofujemy się i ładujemy broń! — krzyknął Jim. Jeźdźcy zawrócili i galopem wyjechali z obozowiska. Szarża Nguni załamała się, gdy zobaczyli, że nie mogą doścignąć koni. Z dala od pola bitwy Jim znów przejął dowództwo w swoje ręce.

— Na ziemię i ładować broń! — rozkazał. — Trzymać cugle. Lepiej, żebyście teraz nie stracili koni!

Nie musiał tego dwa razy powtarzać. Owinąwszy wodze wokół ramion, wszyscy wsypywali proch do luf i wpychali wyciorami garście śrutu.

— Smallboy i jego chłopcy strzelają jak patałachy — mruknął Jim do Louisy, odciągając kurek drugiego muszkietu.

Louisa pracowała niemal tak szybko jak Jim. Nguni ucieszyli się, widząc, że wrogowie się zatrzymali. Z dzikim okrzykiem znów rzucili się w pogoń, szybko pokonując otwartą przestrzeń, dzielącą ich od stojących obok koni jeźdźców.

— Przynajmniej odciągnęliśmy ich od ofiar — powiedziała Louisa, dosiadając Śmigłej. Jim wskoczył na Werbla, lecz pozostali wciąż nabijali muszkiety. Louisa miała rację: wszyscy wojownicy przyłączyli się do pogoni. Stary Tegwane stał samotnie na skale, ciężko ranny.

Bakkat spuścił kurek muszkietu i wskoczył na siodło ze zręcznością małpy. Podjechał i zajął miejsce obok Jima.

— Jedźcie za nami, kiedy skończycie! — krzyknął Jim do swoich ludzi. — Ale śpieszcie się! — Potem zwrócił się do Louisy i Bakkata: — Dajmy im powąchać prochu, to może stracą apetyt. — W trójkę ruszyli stępa na spotkanie zbliżającej się gromady wojowników.

— Nie widać po nich strachu! — zawołała Louisa z mimowolnym podziwem. Nguni biegli prosto na nich, szczekając niczym wataha myśliwskich psów.

Kiedy od wrogów dzieliło ich sto kroków, Jim wstrzymał konia. Cała trójka oddała salwę. Dwóch Nguni runęło na ziemię, trzeci padł na kolana, trzymając się za brzuch. Zmienili muszkiety i strzelili ponownie. Jim i Bakkat położyli po jednym napastniku, lecz ciężar muszkietów wyraźnie zaczął się dawać we znaki Louisie. Instynktownie wzdrygała się przy odrzucie broni. Jej drugi strzał poszedł za wysoko. Pozostali Nguni zbliżali się, wyjąc dziko. Tylko kilku trzymało się na nogach, ale ich twarze zdradzały bitewną gorączkę i unosili wysoko swoje czarne tarcze.

— Odwrót! — rozkazał Jim.

Zawrócili, będąc już prawie w cieniu tarcz, i pogalopowali do miejsca, gdzie Zama, Smallboy i reszta dosiadali koni.

— Nie dopuszczaj ich za blisko! — krzyknął Jim, kiedy mijał Smallboya. — Strzelajcie z dystansu. Zaraz do was dołączymy.

Ładując broń, Jim zdołał dostrzec, że Smallboy posłuchał rozkazu. Jego grupa zatrzymała konie poza zasięgiem Nguni, oddała salwę i wycofała się. Teraz szło im lepiej: dwóch kolejnych wojowników padło bez życia na trawę. Wystrzeliwszy z muszkietów, Smallboy przerwał atak i wycofał swoich ludzi.

Do tego czasu grupa Jima zdążyła uporać się z bronią i dosiąść koni. Dwa szeregi jeźdźców mijały się; gdy jeden się wycofywał, drugi szedł naprzód.

— Brawo! — krzyknął Jim do Smallboya. — Teraz nasza kolej.

Wojownicy Nguni zatrzymali się. Przez chwilę stali niepewnie w małej grupce. Wiedzieli już, jak daremny jest pieszy atak na nieznanych wrogów, dosiadających zwierząt, którym żaden człowiek nie mógł dorównać szybkością. Zrozumieli, jak groźna jest broń plująca dymem i z odległości powalająca ludzi z siłą czarów. Jeden wojownik rzucił się do ucieczki. Jim zauważył jednak, że nie pozbył się tarczy ani *assegai*. Było jasne, że się nie poddaje i zamierza walczyć dalej. Przykład pociągnął jego towarzyszy, którzy również zaczęli uciekać.

— Spokojnie! — ostrzegł swoich ludzi Jim. — Nie dajcie im się wciągnąć. — Tegwane ostrzegał go, że ulubioną taktyką Nguni było udawanie ucieczki albo nawet śmierci, by zachęcić przeciwnika do ataku.

Jeden z wojowników biegł trochę wolniej. Jim szybko go dopędził. Gdy podnosił muszkiet, mężczyzna nagle się odwrócił. Jim zorientował się, że nie jest to młodzik: jego krótka, kręcona broda przetykana była srebrnymi pasemkami. Na głowie miał pióropusz ze strusich piór, a na ramieniu krowi ogon, symbol honoru i męstwa. Nguni skoczył nagle w stronę Jima z zaskakującą szybkością.

Mógł wbić ostrze *assegai* w bok Werbla, lecz Jim trafił go prosto w twarz strzałem z muszkietu.

Obejrzawszy się, zobaczył, że Louisa posłuchała jego rozkazu. Nie podjęła pościgu, a Bakkat i Zama także zawrócili. Jima ucieszył ten dowód dyscypliny i rozsądku — gdyby jego mały oddział rozproszył się, mogłoby to zakończyć się fatalnie. Podjechał do czekającej Louisy.

Wyczytał z jej twarzy, że gniew rozpłynął się równie szybko, jak się pojawił. Spoglądała na zabitego Nguni ze smutkiem w oczach.

— Odpędziliśmy ich, ale wrócą, jestem tego pewien — rzekł Jim, spoglądając na postaci wojowników, zmniejszające się na tle złotej trawy, a potem znikające za niewielkim wzniesieniem.

— To wystarczy — powiedziała Louisa. — Cieszę się, że pozwoliłeś im uciec.

— Gdzie nauczyłaś się walczyć? — zapytał.

— Zrozumiałbyś, gdybyś spędził rok na pokładzie *Meeuw*.

W tej chwili nadjechał Smallboy i pozostali woźnice z załadowanymi muszkietami.

— Jedźmy za nimi, Somoja! — krzyknął, rozochocony bojową gorączką.

— Nie! Stójcie! — rzucił ostro Jim. — Manatasee i jej armia czekają pewnie za następnym wzgórzem. Wasze miejsce jest przy wozach. Wracajcie, zajmijcie się bydłem i przygotujcie do następnej potyczki.

Smallboy odjechał z woźnicami, a Jim poprowadził swoją grupkę do tonącego we krwi obozowiska. Stary Tegwane siedział na granitowej skale, opatrując rany i lamentując cicho nad kobietami i dziećmi, których ciała leżały rozrzucone wokół.

Louisa podała mu butelkę z wodą, a potem obmyła zranione miejsca i obandażowała, żeby zatamować krwawienie. Jim obszedł tymczasem obozowisko. Ostrożnie zbliżał się do ciał poległych Nguni, trzymając pistolet w pogotowiu. Wszyscy nie żyli. Byli to w większości rośli, przystojni mężczyźni, młodzi i potężnie zbudowani. Ich oręż wyszedł spod rąk zręcznych kowali. Jim podniósł leżące na ziemi *assegai*. Broń była doskonale wyważona i miała obie krawędzie tak ostre, że można nimi było zgolić włosy na przedramieniu. Wszyscy polegli wojownicy nosili naszyjniki i obręcze z kości słoniowej. Jim zdjął taką ozdobę z szyi Nguni, którego położył ostatnim strzałem. Strusie pióra w pióropuszu i białe ogony na ramieniu wskazywały, że musiał być dowódcą tego oddziału. Naszyjnik składał się z pięknych, rzeźbionych w kości słoniowej maleńkich postaci, nanizanych na skórzany rzemyk.

Każda postać przedstawia mężczyznę zabitego w walce, domyślił się Jim. Było oczywiste, że Nguni wysoko sobie cenią kość słoniową. Zaintrygowało go to i wsunął naszyjnik do kieszeni.

Idąc dalej, przekonywał się, że Nguni wykonali swoją krwawą robotę rzetelnie. Wszystkie dzieci zostały zgładzone. Większość zginęła od jednego ciosu maczugą. Oprócz Tegwane przy życiu pozostała tylko kobieta, którą Louisa uratowała swoim pierwszym strzałem. Miała głęboką ranę od włóczni na ramieniu, ale kiedy Zama podniósł ją na nogi, była w stanie chodzić. Louisa zauważyła, że jej brzuch jest płaski i gładki, a piersi przypominają niedojrzałe owoce. Domyśliła się, że to dziewczyna, która nie rodziła jeszcze dzieci. Tegwane wydał okrzyk radości i podszedł szybko, kuśtykając, by ją uściskać.

— To Intepe, lilia mojego serca, moja wnuczka! — zawołał.

Louisa zwróciła na nią uwagę podczas pierwszego spotkania, bo była najładniejsza ze wszystkich kobiet. Intepe usiadła ufnie przy Louisie, a ta umyła i opatrzyła jej ranę. Skończywszy zajmować się Tegwane i jego wnuczką, popatrzyła na ciała leżące w wysokiej trawie.

— Co zrobić z pozostałymi? — zapytała Jima.

— Wykonaliśmy już swoją robotę — odparł, spoglądając w bezchmurne niebo, na którym zaczynały się zbierać sępy. — Reszta należy do nich. Musimy wracać szybko do wozów. Jest wiele do zrobienia, zanim wrócą Nguni.

J im wybrał na stanowisko obronne miejsce na brzegu rzeki, tam gdzie niewielka struga spływała do niej ze wzgórz. Jej koryto biegło pod ostrym kątem, tworząc wąski klin ziemi, ograniczony z jednej strony nurtem głównej rzeki, o głębokości większej niż przeciętna wysokość człowieka.

— Nguni nigdy nie pływają — zapewnił go Tegwane. — Woda jest być może jedyną rzeczą, której się lękają. Nie jedzą ani ryb, ani hipopotama, bo mają wstręt do wszystkiego, co pochodzi z wody.

— Więc rzeka zabezpieczy nam flanki i tył — stwierdził z ulgą Jim. Tegwane okazał się cennym źródłem informacji. Starzec pochwalił się, że płynnie mówi w języku, którym posługują się Nguni, i zna ich obyczaje. Jeśli było to prawdą, z nawiązką zarobił na swoje utrzymanie.

Jim sprawdził brzeg strumienia, wysoki na ponad dziesięć stóp i pokryty tłustą gliną, po której trudno byłoby się wspiąć bez drabiny.

— To będzie ochrona naszej drugiej flanki. Musimy tylko ustawić wozy między rzeką a potokiem.

Przetoczyli wozy na wskazane miejsce i związali koła skórzanymi pasami, żeby Nguni nie rozepchnęli ich i nie zrobili wyłomu. Luki między wozami i pod nimi upchali gałęziami ciernistych krzewów, likwidując miejsca, przez które wojownik mógłby się przecisnąć. Pośrodku linii wozów zostawili wąskie przejście.

Konie i inne zwierzęta domowe pasły się blisko, żeby w ciągu kilku minut można było wprowadzić je między wozy i zatarasować przejście grubymi gałęziami.

— Naprawdę wierzysz, że Nguni wrócą? — spytała Louisa, próbując ukryć lęk. — Nie sądzisz, że dostali ciężką nauczkę i dadzą nam spokój?

— Stary Tegwane dobrze ich zna. Nie ma wątpliwości, że przyjdą choćby dlatego, że uwielbiają się bić — odparł Jim.

— Ilu ich jest? — zapytała. — Czy Tegwane to wie?

— Starzec nie umie liczyć. Mówi tylko, że wrogów jest wielu.

Jim wybrał miejsce w pewnej odległości od wozów i kazał Smallboyowi i woźnicom wykopać tam płytki dół. Włożył do niego pięćdziesięciofuntową baryłkę czarnego prochu, umieścił zapalnik i poprowadził wolnotlący lont między kołami środkowego wozu. Przykrył baryłkę workami kamieni z koryta rzeki, licząc na to, że kiedy proch eksploduje, rozprysną się na wszystkie strony niczym kule z muszkietu.

Polecił wyciąć otwory strzelnicze w ścianie kolczastych gałęzi, przez które mogli prowadzić ostrzał na całej linii obrony. Smallboy naostrzył osełką marynarskie kordy i umieścił je obok stanowisk ogniowych. Potem ułożono przy nich nabite muszkiety, a także prochownice, ładownice i wyciory. Louisa uczyła woźniców i pasterzy nabijania broni i przygotowywania jej do strzału. Z trudem wytłumaczyła im, że jeśli jedna garść prochu wystarcza, to dodanie drugiej nie tylko nie poprawi sytuacji, ale może rozerwać lufę lub nawet pozbawić głowy tego, kto pociągnie za spust.

Napełniono beczki wodą z rzeki i postawiono koło wozów;

miały służyć albo do gaszenia pragnienia obrońców, albo ognia, gdyby Nguni uciekli się do starej sztuczki i wrzucili do wnętrza obozu zapalone pochodnie.

Na grzbiecie niewielkiego wzgórza, z którego Louisa po raz pierwszy zauważyła pole ludzkich kości, założono punkt obserwacyjny. Jim wysłał tam dwóch chłopców. Dał im gliniany garnek i kazał rozpalić w nim ognisko z zielonych liści, jeśli zobaczą *impi*, czyli oddział Nguni. Dym zaalarmuje obóz, a chłopcy mieli natychmiast opuścić punkt obserwacyjny i przynieść wiadomość. Jim zadecydował, żeby każdego wieczoru wracali do obozu. Uznał, że byłoby zbyt okrutne zostawiać ich tam w ciemności, zdanych na łaskę i niełaskę dzikich bestii i zwiadowców Nguni.

— Nguni nigdy nie atakują w nocy — oznajmił Tegwane. — Mówią, że ciemność jest dla tchórzy. Prawdziwy wojownik powinien ginąć tylko w blasku słońca. — Mimo to Jim na noc ściągał z powrotem czujkę, rozmieszczał wartowników na skraju obozowiska i regularnie sprawdzał, czy nie usnęli. — Nadejdą ze śpiewem, waląc pięściami w tarcze — wyjaśnił Tegwane. — Ostrzegają swoich wrogów. Wiedzą, że dźwięk ich głosów i widok czarnych pióropuszy napełnia strachem brzuchy wroga.

— Więc musimy im zgotować odpowiednie powitanie — orzekł Jim.

Wycięli drzewa i krzaki na sto kroków przed wozami i za pomocą wołów odciągnęli zwalone pnie i gałęzie. Zostawili nagi, odkryty teren. Nacierające *impi* będą musiały przejść przez tę strefę śmierci, żeby dostać się do wozów. Jim odmierzył krokami odległość przed zaporą obronną i linią z białych rzecznych kamieni oznaczył najlepszy zasięg muszkietów i pola rażenia śrutu. Wbił swoim ludziom do głowy, że nie wolno im rozpoczynać ognia, dopóki pierwszy szereg napastników nie przekroczy tej linii.

Ukończywszy wszystkie przygotowania, mogli czekać. To był najgorszy okres; upływające godziny nadwątlały ducha obrońców. Jim postanowił wykorzystać ten czas, spędzając go z Tegwane i dowiadując się od niego więcej o zwyczajach wrogów.

— Gdzie mają swoje kobiety i dzieci?

— Nie zabierają ich na wojnę. Może zostawiają na rodzinnej ziemi.

— Czy gromadzą zrabowane bogactwo?

— Mają mnóstwo bydła i kochają kość słonia i hipopotama.

— Opowiedz mi o ich bydle.

— Mają ogromne stada. Nguni kochają bydło jak własne dzieci. Nie zabijają, żeby jeść mięso. Upuszczają krowom krew i mieszają z mlekiem. To jest ich główne pożywienie.

Jim zaczął rachować w myślach. Dobry wół wart był w kolonii sto guldenów.

— Opowiedz o kości słoniowej.

— Bardzo ją kochają — odparł Tegwane. — Może handlują nią z Arabami z północy albo z Bulamatari. — Nazwa ta oznaczała Tych, Którzy Rąbią Skałę. Odnosiła się do Portugalczyków, którzy wysyłali poszukiwaczy złota, aby wysadzali skały. Jim zdziwił się, że tu, w głębi kontynentu, Tegwane słyszał o tych narodach. Zapytał go o to, a Tegwane się uśmiechnął. — Ojciec mojego ojca wiedział o was, czarownicy-krokodyle, i jego ojciec również.

Jim skinął głową, dostrzegając swoją naiwność. Arabowie z Omanu handlowali w Afryce i chwytali niewolników od piątego wieku. Upłynęło już sto pięćdziesiąt lat od chwili, gdy Vasco da Gama wylądował na wyspie w Mozambiku, a Portugalczycy zaczęli budować forty i faktorie handlowe na głównym lądzie. Rzecz jasna, pogłoski o tych wydarzeniach musiały zawędrować do najprymitywniejszych plemion w najdalszych zakątkach tego ogromnego kontynentu.

Jim pokazał starcowi ciosy byka, którego zabił; Tegwane był zdumiony.

— Jeszcze nigdy nie widziałem takich wielkich kłów.

— Skąd Nguni biorą kość słoniową? Polują na słonie?

Tegwane potrząsnął głową.

— Słoń to potężny zwierz. Nawet Nguni nie mogą go zabić swoimi *assegai*.

— Więc skąd mają kość słoniową?

— Słyszałem, że są plemiona, które kopią pułapki na ścieżkach słoni albo wieszają na drzewach włócznie z kamieniami. Kiedy słoń dotyka liny, włócznia spada i przebija mu serce. — Tegwane zrobił pauzę i zerknął na Bakkata, śpiącego pod jednym z wozów. — Słyszałem też, że te małe żółte małpy San zabijają czasem słonie zatrutymi strzałami. Ale takimi sposobami można zabić niewiele słoni.

— Więc skąd Nguni biorą kość słoniową? — indagował Jim.

— Niektóre z tych wielkich bestii, zwłaszcza w porze deszczowej, umierają ze starości lub wskutek choroby, grzęzną w bajorach lub spadają z przełęczy w górach. Ich kły leżą i każdy może je sobie wziąć. Moje plemię zebrało takich wiele.

— I co się z nimi stało? — Jim aż pochylił się z ciekawości.

— Kiedy Nguni zabili młodych mężczyzn, ukradli je nam. Kradną je każdemu plemieniu, na które napadają i potem masakrują.

— Muszą mieć wielki zapas kości słoniowej — zauważył Jim. — Gdzie ją trzymają?

— Wożą ze sobą — odparł Tegwane. — Ładują kły na grzbiety swoich krów. Mają tyle bydła, ile trzeba do noszenia kości słoniowej. Mają dużo bydła.

Jim powtórzył jego słowa Louisie.

— Chciałbym znaleźć takie stado. Każda sztuka nosi na grzbiecie fortunę.

— Należałoby do ciebie? — zapytała niewinnie Louisa.

— Zdobycz wojenna! — odparł Jim ze słusznym oburzeniem. — Oczywiście, że tak. — Spojrzał na wzgórza, spoza których spodziewał się nadejścia Nguni. — Kiedy przyjdą? — zastanawiał się głośno.

Im dłużej musieli czekać, tym bardziej działało im to na nerwy. Jim i Louisa spędzali większość czasu przy szachownicy, a kiedy im się to znudziło, Louisa malowała jego portret. Pozując, Jim czytał na głos „Robinsona Crusoe". Była to jego ulubiona książka. Wyobrażał sobie siebie w roli zaradnego bohatera. Mimo że przeczytał powieść wiele razy, wciąż bawiły go przygody Robinsona i smuciły jego nieszczęścia.

Dwa lub trzy razy w ciągu dnia odwiedzali posterunek na wzgórzu — sprawdzali, czy chłopcy nie usnęli, czy nie oddalili się w poszukiwaniu miodu albo nie zajęli jakąś inną dziecięcą rozrywką. Potem przeczesywali teren wokół obozu, by upewnić się, że zwiadowcy Nguni nie podkradają się parowami albo przez niewielkie zagajniki, tu i ówdzie wyrastające na trawiastej równinie.

Dwunastego dnia po masakrze kobiet i dzieci Bakwato Jim i Louisa wyjechali sami. Mali pasterze na wzgórzu byli znudzeni i rozczarowani, więc Jim musiał przemówić do nich surowo, żeby zostali na posterunku.

Zjechali z pagórka i przekroczyli rzekę brodem. Dotarli prawie do miejsca masakry, lecz Jim zdecydował się zawrócić w ostatniej chwili; pragnął oszczędzić Louisie okropnych wspomnień związanych z tym miejscem. W drodze powrotnej zatrzymał się i wyjął lunetę. Chciał się przekonać, czy zauważy jakiś słaby punkt w umocnieniach obronnych, coś, co może wcześniej przeoczył. Louisa tymczasem zsiadła z konia i rozejrzała się, bo chciała odejść na stronę. Teren był odkryty, a trawa została wyjedzona przez stada zwierząt, tak że sięgała teraz Louisie tylko do kolan. Zauważyła jednak rów utworzony przez deszczówkę spływającą do rzeki.

— Niedługo wrócę — powiedziała, podając wodze Jimowi.

Otworzył usta, żeby przypomnieć jej o zachowaniu ostrożności, lecz pomyślał, że lepiej nic nie mówić, by nie urazić dziewczyny.

Zbliżając się do rowu, Louisa uświadomiła sobie, że słyszy dziwny dźwięk, jakby szept czy szmer, który zdawał się drżeć w powietrzu. Zwolniła i szła dalej zaintrygowana, lecz nie przestraszona. Szum narastał jak odgłos płynącej wody lub brzęczenie owadów. Louisa nie była pewna, z której strony dobiega.

Zerknęła na Jima, lecz on spoglądał przez lunetę w inną stronę. Najwyraźniej nie słyszał osobliwego dźwięku. Po chwili wahania podeszła do krawędzi rowu i spojrzała w dół. Szum zamienił się w gniewne buczenie, jak gdyby poruszyła gniazdo szerszeni.

Rów był ciasno wypełniony wojownikami Nguni, siedzącymi tuż obok siebie na tarczach. Każdy trzymał w prawej dłoni *assegai*, kierując ostrze broni w stronę Louisy i potrząsając jednocześnie lekko wojennymi grzechotkami na nadgarstkach. To właśnie ten dźwięk ją zaniepokoił. Lekki ruch ciał wprawiał również w pląs czarne, błyszczące pióra na głowach wojowników. Ich nagie ciała były posmarowane tłuszczem, dzięki czemu połyskiwały jak mokry węgiel. Jedyny kontrast z wszechobecną, pulsującą czernią stanowiły białka oczu wpatrzonych w Louisę. Doznała wrażenia, że spogląda na olbrzymiego węża w legowisku, z lśniącymi łuskami, rozwścieczonego, jadowitego, prężącego się do ataku.

Odwróciła się i rzuciła do ucieczki.

— Jim! Uważaj! Oni tu są!

Spojrzał na nią, przestraszony okrzykiem. Nie widział żadnego niebezpieczeństwa, tylko Louisę pędzącą ku niemu z przerażeniem na twarzy.

— Co się stało? — zawołał, i w tej samej chwili ziemia jakby otwarła się za biegnącą dziewczyną i bluznęła masą czarnoskórych wojowników. Bose stopy dudniły o ziemię, a grzechotki terkotały unisono. Ogłuszającemu bębnieniu *assegai* o czarne tarcze towarzyszyły okrzyki: *Bulala! Bulala amathagati!* Zabić! Zabić czarowników!

Louisa uciekała przed tą płynącą jak fala nawałnicą. Mknęła niczym chart, zwinnie i lekko, lecz jeden z napastników był szybszy.

Rosły i szczupły, wydawał się jeszcze wyższy z powodu nakrycia głowy. Mięśnie brzucha i ramion prężyły się imponująco, kiedy rwał za dziewczyną. Odrzucił tarczę jako zbędny ciężar. Louisa miała jakieś dwadzieścia kroków przewagi, lecz wojownik błyskawicznie ją doganiał. Uchwyt *assegai* spoczywał lekko na jego ramieniu, a długie ostrze mierzyło do przodu, przygotowane do ciosu między łopatki. Jimowi przypomniał się obraz dziewczyny Bakwato, uciekającej właśnie w taki sposób. Ostrze jakby za sprawą czarów wystrzeliło między jej piersiami, umazane jasnoczerwoną krwią.

Popędził Werbla do galopu i trzymając w ręku wodze Śmigłej, skoczył na spotkanie Louisy. Widział jednak, że biegnący na czele wojownik jest już za blisko. Louisa nie zdążyłaby wsiąść. Nie powstrzymał Werbla ani nie zwolnił, kiedy koń mijał ją tak blisko, że podmuch powietrza poderwał jej włosy. Rzucił Louisie wodze Śmigłej.

— Wsiadaj i uciekaj! — krzyknął.

Miał przy sobie tylko jeden muszkiet, bo nie spodziewał się walki. Nie mógł więc sobie pozwolić na zmarnowanie jedynego strzału. Lekka kula z pistoletu mogła zranić przeciwnika i nie zabić go. Nie mógł popełnić błędu. Jim zauważył, że wojownik wyrzucił tarczę. Wyszarpnął kord z pochwy. Uczył się walczyć tą bronią pod okiem Abolego i ojca, aż opanował wszystkie podręcznikowe sztychy. Nie wymachiwał ostrzem, nie chcąc zawczasu ostrzec przeciwnika. Szarżując prosto na niego, dostrzegł, jak tamten zmienia chwyt *assegai*. Jego ciemne oczy wpatrywały się w twarz Jima. Z dumnej miny Jim wywnioskował, że Nguni nie zniży się do ataku na konia, lecz będzie walczył z nim. Pochylił się, obserwując *assegai*. Nguni zaatakował, a Jim opuścił klingę kordu w klasycznej kontrze, odsuwając na bok ostrze broni wroga, a potem odwrócił kord, i mijając Nguni, ciął na odlew. Smallboy dobrze naostrzył stal, była jak rzeźnicki tasak. Jim poczuł, że kord nieruchomieje mu w dłoni, przecinając kręgosłup niczym brzytwa. Wojownik padł, jakby otworzyła się pod nim zapadnia szubienicy.

Pod naciskiem kolan jeźdźca Werbel obrócił się jak kurek na wietrze. Jim ujrzał, że Louisa nie może wsiąść na Śmigłą. Klacz wyczuła Nguni i zobaczyła ich, pędzących całą ławą. Tańczyła, przesuwając się w bok i odrzucając głowę.

Jim wsunął kord w futerał i podjechał od tyłu. Schylił się, chwycił Louisę za luźne bryczesy i podsadził do siodła. Potem przytrzymał ją jeszcze, żeby nie straciła równowagi, gdy galopowali obok siebie, kolano przy kolanie. Jak tylko trochę odsadzili się od pogoni, wyciągnął pistolet i wypalił w powietrze, żeby ostrzec wartowników w obozie. Zobaczywszy, że usłyszeli, odwrócił głowę do Louisy.

— Jedź! Powiedz, żeby wprowadzili zwierzęta do kręgu. Niech Bakkat i Smallboy przyjadą mi pomóc. Opóźnimy atak Nguni.

Ucieszył się, że Louisa ma dość rozsądku, żeby nie protestować; popędziła Śmigłą, zmuszając ją do cwału. Jim zawrócił i stanął twarzą w twarz z szarżującymi wojownikami. Wyjął muszkiet i ruszył w ich stronę. Zauważył na czele prowadzącego *induna*. Tegwane powiedział mu, jak rozpoznawać dowódców. „Są to zawsze starsi mężczyźni, noszą strusie pióra w pióropuszach, a na ramionach białe krowie ogony".

Dotknął boków Werbla czubkami butów; ogier szedł teraz stępa, prosto na *induna*. Nguni musieli już zrozumieć, jak straszliwa jest broń palna, lecz nie okazywali strachu: dowódca przyśpieszył, podnosząc tarczę, by odsłonić rękę trzymającą włócznię. Jego twarz wykrzywiła się we wściekłym wojennym okrzyku:

— *Bulala!* Zabij! Zabij!

Reszta pędziła za nim. Jim pozwolił dowódcy zbliżyć się i dopiero wtedy strzelił. *Induna* runął w biegu, *assegai* wypadł mu z dłoni i potoczył się po trawie. Wystrzelony śrut trafił jeszcze dwóch wojowników za nim, powalając ich.

Z czarnej masy *impi* wyrwał się gniewny okrzyk, gdy zobaczyli, że padł ich dowódca i dwóch towarzyszy, ale Jim już zawrócił i galopował w stronę obozu, żeby załadować broń. Nguni nie mogli dotrzymać mu kroku, więc zwolnili i pobiegli truchtem, lecz wciąż parli naprzód.

Nabiwszy muszkiet, Jim wskoczył na konia i ruszył im na spotkanie. Był ciekaw, ilu ich jest, ale nie sposób było zgadnąć. Przejechał przed linią napastników w odległości dwudziestu kroków i strzelił. Widział, że kilku zatoczyło się i padło, ale ich towarzysze przeskoczyli nad ciałami, zasłaniając je niemal natychmiast. Tym razem żaden krzyk nie potwierdził, że salwa wyrządziła straty w szeregach Nguni.

Wojownicy zwolnili i pobiegli równym, płynnym truchtem. Zaczęli śpiewać. Mieli piękne, głębokie afrykańskie głosy, lecz ich ton, który zdawał się docierać aż do trzewi, sprawił, że Jim dostał gęsiej skórki na szyi. Czarne szeregi posuwały się nieubłaganie ku umocnionym ścianom obozu.

Kończąc ładowanie muszkietu, Jim usłyszał stukot kopyt i podniósł głowę. Bakkat i Louisa galopowali na czele, a za nimi w bramie między wozami ukazał się Zama i woźnice.

— Panie, daj mi siłę! Chciałem, żeby została w obozie i nie narażała się — mruknął, lecz teraz nie pozostało mu nic innego, tylko wykorzystać jak najlepiej obecność Louisy. Zbliżywszy się, podała mu nabity muszkiet. — Tak samo jak przedtem, Jeżu. Przejmujesz dowództwo nad drugim oddziałem. Zama, Bakkat i Muntu trzymają się z tobą, a Smallboy i Klaas ze mną.

Podprowadził swój oddział tuż pod *assegai* wojowników w pierwszym szeregu; oddali salwę, zmienili muszkiety, oddali drugą salwę i odjechali galopem.

— Strzelajcie do *induna*! — krzyknął Jim, mijając się z oddziałem Louisy. — Zabijajcie dowódców.

Płynnie zamieniali się miejscami, kolejne salwy następowały po sobie równomiernie. Z ponurą satysfakcją Jim zobaczył, że większość wojowników w prowadzącym szeregu padła pod ostrzałem.

Nguni odczuli siłę ataku. Zwolnili, a zamiast śpiewu z ich gardeł wydobywało się gniewne, pełne frustracji syczenie. Wreszcie zatrzymali się trzysta kroków od obozu. Jeźdźcy nie zaprzestali ostrzału.

Jim wyjechał na czoło swojej grupy i zauważył zmianę. Niektórzy wojownicy w pierwszym szeregu zniżyli tarcze i oglądali się za siebie. Jim i jego ludzie potraktowali ich salwą z muszkietów, a potem zawrócili i przejechali wzdłuż frontowego szeregu wroga z drugim muszkietem gotowym do strzału. Pióropusze Nguni falowały, pióra trzęsły się jak trawa na wietrze. Następna salwa zasypała nacierających śrutem i kolejni wojownicy zachwiali się i rozciągnęli na trawie.

Echo wystrzałów odbijało się jeszcze od wzgórz, kiedy Louisa pogalopowała naprzód z Zamą, Bakkatem i Muntu. Nguni zobaczyli nadjeżdżających i ich pierwszy szereg załamał się. Wojownicy odwrócili się i zaczęli popychać tarczami tych, którzy byli z tyłu, krzycząc: „*Emuva!* Odwrót, odwrót!", lecz ci z kolei wołali: „*Shikelela!* Naprzód! Naprzód!".

Cały oddział zakołysał się; Nguni zaczęli się przepychać, tarcze zahaczały o *assegai*. Louisa podprowadziła swoich ludzi blisko; wypalili w kłębiącą się masę. Rozległ się rozpaczliwy jęk i tylny szereg dał za wygraną. Wojownicy odwrócili się i rzucili do ucieczki, zostawiając zabitych i rannych w trawie, tam gdzie padli, wśród rozrzuconych tarcz, *assegai* i *kerrie*. Oddział Louisy pogalopował za nimi, strzelając do oddalających się szeregów wroga.

Jim zorientował się, że grozi im wciągnięcie w pułapkę. Popędził Werbla, który szybko dogonił oddział Louisy.

— Stop! Przerwijcie pościg!

Po chwili wszyscy jechali z powrotem. Jak tylko wrócili bezpiecznie do obozu, zaprzęgnięto woły i zatarasowano konarami lukę w ogrodzeniu obozu.

Wydawało się niemożliwe, żeby taka masa ludzi mogła zniknąć tak błyskawicznie, a jednak *impi* nie było; o niedawnej walce świadczyły tylko ciała zabitych i stratowana, zbryzgana krwią trawa przed obozem.

— Zadaliśmy im ciężkie straty — powiedziała Louisa. — Wrócą?

— To pewne jak jutrzejszy wschód i zachód słońca — odparł posępnie Jim, skinieniem głowy wskazując znikającą za horyzontem tarczę. — Prawdopodobnie to tylko oddział zwiadowczy, wysłany przez Manatasee, żeby sprawdzić naszą odwagę.

Zawołał Tegwane, który przyszedł natychmiast, starając się nie pokazywać, że rany mu doskwierają.

— *Impi* zaczaił się nieopodal obozu. Gdyby Welanga nie natknęła się na nich, zaczekaliby do nocy i napadli na nas. Myliłeś się, starcze. Oni walczą w nocy.

— Tylko Kulu Kulu nigdy się nie myli — odparł Tegwane, siląc się na nonszalancję.

— Możesz naprawić swój błąd — rzekł surowo Jim.

— Zrobię, co każesz — powiedział Tegwane, kiwając głową.

— Niektórzy Nguni nie zostali zabici. Kiedy wracaliśmy, widziałem, że przynajmniej jeden się rusza. Bakkat zapewni ci ochronę. Znajdź żywego Nguni. Chcę wiedzieć, gdzie jest ich królowa. I gdzie trzymają swoje bogactwa, bydło i kość słoniową.

Tegwane skinął głową i położył dłoń na nożu, którego używał do zdejmowania skóry ze zwierząt. Jim już miał kazać mu zostawić nóż w obozie, lecz przypomniał sobie o kobietach i dzieciach z jego plemienia, i o tym, jak zginęli.

— Ruszaj natychmiast, wielki wodzu, zanim zapadnie zmrok i zanim hieny znajdą rannych Nguni. — Odwrócił się do Bakkata. — Trzymaj muszkiet w pogotowiu. Nigdy nie wolno ufać Nguni, zwłaszcza martwemu.

Podczas przeglądu zabezpieczeń Jim trzy razy podnosił głowę, słysząc huk muszkietu Bakkata, przetaczający się nad polem bitwy. Wiedział, że mały Buszmen dobija rannych wrogów. Bakkat i Tegwane wrócili tuż przed zapadnięciem zmroku. Obaj wieźli *assegai* i zrabowane ozdoby z kości słoniowej. Ręce Tegwane były umazane świeżą krwią.

— Rozmawiałem z rannym *induna*, zanim umarł. Miałeś rację. To był tylko oddział zwiadowczy. Ale Manatasee jest bardzo blisko, razem z pozostałymi *impi* i bydłem. Będzie tutaj w ciągu dwóch dni.

— Co zrobiłeś z tym, który ci to powiedział?

— Rozpoznałem go — odparł Tegwane. — To był ten, który prowadził pierwszy atak na naszą wioskę. Tego dnia zginęło dwóch moich synów. — Tegwane milczał chwilę, a potem uśmiechnął się nieznacznie. — To byłoby niegodne zostawić hienom takiego wojownika jak on. A ja jestem litościwym człowiekiem.

Po kolacji wszyscy odeszli od swoich ognisk i zebrali się wokół Jima i Louisy, z szacunku zachowując odpowiednią odległość. Woźnice zapalili swoje długie gliniane fajki. Ostra woń mocnego tureckiego tytoniu rozniosła się w słodkim nocnym powietrzu. Była to nieformalna narada, zwana *indaba*, która w ciągu ostatnich miesięcy stała się tradycją obozowego życia. Mimo że większość słuchała, a nie mówiła, każdy z obecnych — od Smallboya, głównego woźnicy, do Izeze, najmłodszego z pasterzy — wiedział, że może wypowiedzieć swoją opinię w najbardziej zdecydowany sposób, jeśli ma taką wolę.

Wszyscy byli podenerwowani. Słysząc najzwyklejsze nocne odgłosy, zrywali się i spoglądali w ciemność za ogrodzeniem obozu. Zawodzenie szakali mogło być nawoływaniem zwiadowców Nguni. Poszept nocnego wiatru w kolczastych zaroślach nad brzegiem rzeki mógł być szmerem ich wojennych grzechotek. Stukot kopyt stada pędzących zwierząt, przestraszonych przez lwy, mógł być dudnieniem *assegai* o skórzane tarcze. Jim wiedział, że jego ludzie przyszli szukać u niego wsparcia.

Mimo że był najmłodszy z nich wszystkich, z wyjątkiem Zamy, przemówił jak ojciec do dzieci. Opowiedział o stoczonych dotąd bitwach, pochwalił każdego za nieugiętość i za to, że zadali wrogom straszliwe straty. Nie zapomniał o roli młodych pasterzy i przewodników zaprzęgów, którzy uśmiechnęli się z dumą.

— Udowodniliście mnie i sobie, że Nguni nie mogą zwyciężyć

w walce przeciwko naszym koniom i muszkietom, jeśli tylko będziemy twardzi i zdecydowani — powiedział na koniec.

Kiedy wszyscy odeszli od ogniska, by ułożyć się do snu, nastrój się zmienił. Jim i Louisa rozmawiali wesoło, a ich śmiech był autentyczny.

— Ufają ci — oświadczyła Louisa. — Pójdą tam, gdzie ich poprowadzisz. — Zamilkła na chwilę, a potem dodała tak cicho, że Jim ledwo usłyszał jej słowa: — I ja też. Chodź! — rzekła, biorąc go za rękę i lekko pociągając. Jej głos był mocny i zdecydowany. Wcześniej zawsze przychodziła do niego ukradkiem, kiedy wszyscy inni już spali. Teraz weszła do wozu Jima, nie kryjąc się. Słyszała szmer głosów i wiedziała, że służący ich obserwują. Nie powstrzymało to jej.

— Podsadź mnie — poprosiła, kiedy stanęli przed schodkami wozu. Jim pochylił się i podniósł ją. Louisa objęła go za szyję i wtuliła w nią twarz. Czuła się mała i lekka, gdy wnosił ją po schodkach. — Jestem twoją kobietą — powiedziała.

— Tak — odparł, kładąc ją na łóżku. — A ja jestem twoim mężczyzną.

Stojąc nad nią, zdjął z siebie ubranie. Płomień lampy jasno oświetlał jego muskularną sylwetkę. Louisa zauważyła, że jest silnie podniecony, i nie poczuła wstrętu. Wyciągnęła rękę i wzięła w dłoń jego męskość; jej kciuk i palec ledwie ją objęły. Była tak twarda, jakby została wyrzeźbiona z drzewa żelaznego. Louisa poczuła, że piéką ją czubki piersi. Usiadła i rozpięła z przodu sukienkę.

— Pragnę cię, Jim. Och jak bardzo cię pragnę — szepnęła, patrząc na niego. Jim śpieszył się, jego pożądanie było większe niż jej. Ściągnął buty i bryczesy. A potem znieruchomiał, spoglądając na jasne, złote kędziory w miejscu, gdzie łączyły się jej uda.

— Dotknij mnie — wyszeptała chrapliwym głosem. Po raz pierwszy położył dłoń tam, gdzie kryło się wejście do jej ciała i duszy. Louisa pozwoliła swoim udom rozsunąć się; była tak gorąca, że Jim omal nie sparzył sobie dłoni. Delikatnie rozchylił mięsiste wargi; poczuł na palcach kropelki wilgoci. — Szybciej, Jim — prosiła, obejmując znowu jego męskość. — Nie mogę już dłużej. — Przyciągnęła go do siebie niecierpliwie i osunął się na nią.

— Tak bardzo cię kocham, mój mały Jeżu — wykrztusił przez ściśnięte gardło.

Trzymając w dłoniach jego męskość, próbowała włożyć ją w siebie.

— Pomóż mi! — wyszeptała, kładąc ręce na jego pośladkach. Przyciągała go rozpaczliwie i poczuła, że twarde, okrągłe mięśnie drgają pod jej dłońmi, kiedy wyrzucał biodra do przodu. Jęknęła, czując, jak ją rozdziera. To była rozkosz granicząca z bólem. Nagle pokonał opór i poczuła całą długość jego śliskiej męskości, przesuwającej się w niej. Krzyknęła, lecz gdy chciał się cofnąć, zacisnęła nogi na jego plecach. — Nie odchodź! — zawołała. — Nigdy ode mnie nie odchodź!

Jima zbudziło pierwsze światło brzasku, rozjaśniające krawędź klapy wozu. Louisa leżała cicho z głową na jego piersi i patrzyła na niego. Widząc, że otwiera oczy, przesunęła palcem po zarysie jego ust.

— Kiedy śpisz, wyglądasz jak mały chłopiec — szepnęła.

— Udowodnię ci, że jestem dużym chłopcem — odpowiedział również szeptem.

— Powinieneś wiedzieć, Jamesie Archibaldzie, że jestem zawsze otwarta na to, co może być dowodem. — Uśmiechnęła się, a potem uniosła i położyła ręce na jego ramionach, przytrzymując go. Jednym zręcznym ruchem usiadła na nim okrakiem.

I ch radość była tak wielka, że rozjaśniła cały obóz i zmieniła nastrój wszystkich. Nawet mali pasterze mieli świadomość, że stało się coś wielkiego; szturchali się i chichotali, patrząc na Jima i Louisę. Wszyscy mieli o czym plotkować, i w ten sposób groźna Manatasee i jej *impi* stali się mniej wyraziści wobec tego nowego, fascynującego zjawiska.

Jim wyczuł niefrasobliwy nastrój ogarniający obóz i robił wszystko, żeby jego ludzie nie stracili czujności. Co rano ćwiczył taktykę ataku i wycofywania się na koniach, odkrytą niemal przypadkowo.

Potem robił kolejny przegląd stanowisk obronnych. Wyznaczył miejsca wszystkim strzelcom i każdemu przydzielił dwóch chłopców do ładowania broni. Razem z Louisą ćwiczyli woźniców i przewodników zaprzęgów w nabijaniu muszkietów. Jim przybił złotego guldena do tylnej deski swojego wozu.

— W niedzielę, kiedy Welanga przeczyta wam fragment z Biblii, urządzimy zawody i wyłonimy najszybciej strzelający zespół — oznajmił, wyciągając z kieszeni duży zegarek z pozytywką, który

Tom i Sarah dali mu na ostatnie urodziny. — Tym zegarkiem będę mierzył czas, a złoty gulden trafi do mistrzów.

Złota moneta stanowiła dla chłopców niewyobrażalną fortunę, więc ćwiczyli zapamiętale i wkrótce ładowali muszkiety niemal równie szybko jak Louisa. Choć niektórzy byli tak mali, że musieli stawać na palcach, żeby wcisnąć ładunek wyciorem w długą lufę, nauczyli się ustawiać broń pod kątem, tak aby łatwiej dosięgać do wylotu. Zamiast manewrować prochownicą, odmierzali ilość prochu garścią, wkładali ładunek śrutu do ust i wypluwali w otwór lufy. Po kilku dniach nabrali takiej wprawy, że nabijali i podawali muszkiety niemal tak szybko, jak mężczyźni z nich strzelali, dzięki czemu ogień z barykady był prawie ciągły. Jim czuł, że warto było poświęcić część prochu i amunicji. Chłopców opanowało podniecenie, gdy zbliżał się dzień zawodów, a mężczyźni zawzięcie obstawiali wynik.

W niedzielę Jim obudził się, kiedy było jeszcze ciemno. Od razu zorientował się, że coś jest nie tak. Nie mógł określić, co go niepokoi, lecz usłyszał poruszające się niecierpliwie konie i bydło krążące po obozie.

Czyżby lwy? — pomyślał, siadając. W tej samej chwili zaszczekał pies, a potem inne. Jim zsunął się z łóżka i sięgnął po bryczesy.

— Co to jest? — spytała Louisa zaspanym głosem.

— Psy. Konie. Nie wiem. — Włożył buty, zeskoczył z wozu i zobaczył, że obóz już się zbudził. Smallboy dorzucał drewna do ogniska, a Bakkat i Zama próbowali uspokajać konie słowami i głaskaniem. Jim podszedł do barykady i odezwał się cicho do dwóch przycupniętych chłopców, drżących w porannym chłodzie.

— Słyszeliście coś tam, na zewnątrz? — Potrząsnęli głowami i spojrzeli w mrok. Wciąż było za ciemno, by zobaczyć wierzchołki drzew na tle nieba. Jim wytężył słuch, lecz słyszał jedynie szum porannego wiatru w trawie. Mimo to był niespokojny tak samo jak konie i cieszył się, że wczoraj o zachodzie słońca kazał przyprowadzić inwentarz do obozu, ogrodzonego i zabarykadowanego.

Louisa podeszła i stanęła koło niego. Była ubrana, miała nawet szal na ramionach i związała sobie włosy chustą. Stali, czekając i nasłuchując. Śmigła zarżała, a pozostałe konie uderzały kopytami o ziemię i potrząsały łańcuchami. Wszyscy już się pobudzili, lecz mówili ściszonymi, przytłumionymi głosami.

Nagle Louisa złapała Jima za rękę i ścisnęła mocno. Usłyszała śpiew wcześniej od niego. Lekka poranna bryza niosła nikłe, lecz głębokie basowe głosy.

Tegwane, który siedział przy ognisku, przykuśtykał i stanął obok Jima; razem słuchali śpiewu.

— To pieśń śmierci — rzekł cicho starzec. — Nguni proszą duchy ojców, żeby przygotowały ucztę na ich przybycie do krainy cieni. Śpiewają, że dziś zginą w boju lub okryją chwałą swoje plemię. — Słuchali przez chwilę w milczeniu. — Śpiewają, że wieczorem kobiety będą wylewać łzy lub radować się, a ich synowie będą dumni.

— Kiedy przyjdą? — zapytała cicho Louisa.

— Jak tylko się rozwidni — odparł Tegwane.

Louisa wciąż trzymała Jima za rękę. Podniosła głowę i spojrzała na niego.

— Nie mówiłam tego jeszcze, ale teraz muszę powiedzieć. Kocham cię, mój mężczyzno.

— Ja mówiłem to wiele razy, ale powtórzę — odparł. — Kocham cię, mój mały Jeżu.

— Pocałuj mnie — poprosiła. Obejmowali się długo, namiętnie. Potem odsunęli się od siebie.

— Wszyscy na swoje miejsca! — zawołał Jim do mężczyzn. — Manatasee nadchodzi.

Pasterze przynieśli śniadanie z kociołków wiszących nad ogniskami. Zjedli soloną owsiankę w ciemności, stojąc przy muszkietach. Brzask nadszedł szybko. Najpierw na tle jaśniejącego nieba ukazały się wierzchołki drzew, a później niewyraźne zarysy wzgórz. Nagle Jim wciągnął głośno powietrze; Louisa drgnęła.

— Wzgórza są ciemne — wyszeptała. Rozwidniało się, a śpiew narastał wraz z nastającym świtem, by wreszcie zabrzmieć jak majestatyczny chór. Jim i Louisa widzieli wojowników, którzy zalegli blady, trawiasty step jak głęboki cień. Jim przyjrzał się im przez lunetę.

— Ilu ich jest? — spytała cicho Louisa.

— Tak jak powiedział Tegwane, mnóstwo. Nie da się ich policzyć.

— A nas jest tylko ośmioro — rzekła drżącym głosem Louisa.

— Nie policzyłaś młodzików — roześmiał się Jim. — Nie zapominaj o nich.

Jim podszedł do chłopców czekających przy rusztowaniach na

muszkiety i przemówił do każdego z nich. Mieli usta napchane śrutem i trzymali wyciory w pogotowiu, lecz uśmiechali się i kiwali głowami. Dzieci są świetnymi żołnierzami, pomyślał. Nie czują lęku, bo wydaje im się, że to zabawa, i słuchają rozkazów.

Potem przeszedł wzdłuż linii mężczyzn stojących przy barykadzie.

— Nguni zobaczą cię z daleka, bo jesteś wielki jak granitowe wzgórze stojące im na drodze i napełniasz strachem ich serca — rzekł do Bakkata. — Trzymajcie w pogotowiu swoje bicze — zwrócił się do Smallboya i pozostałych woźniców. — Po tej drobnej potyczce będziecie musieli doprowadzić do wybrzeża tysiąc sztuk bydła. — Ścisnął Zamę za ramię. — Cieszę się, że stoisz u mego boku, tak jak zawsze. Jesteś moją prawą ręką, stary przyjacielu.

Kiedy wrócił do Louisy, śpiew *impi* osiągnął crescendo, a potem setki twardych stóp uderzyły jednocześnie o ziemię, dudniąc jak salwa artylerii. Cisza, która po chwili nastąpiła, budziła trwogę.

— Zaczyna się — rzekł Jim, podnosząc lunetę.

Czarne szeregi stały niczym skamieniały las. Nic się nie poruszało, nie licząc sępich piór na głowach wojowników, głaskanych porannym wiatrem. Jim zobaczył, że linia otwiera się pośrodku jak kwiat nocnej orchidei i przechodzi przez nią kolumna mężczyzn, wijąca się niczym wąż na zboczu wzgórza i zmierzająca w stronę obozu. Wygląd maszerujących silnie kontrastował z masą pozostałych wojowników: mieli na sobie spódniczki z pasków białej skóry wołu i wysokie pióropusze ze śnieżnobiałych piór czapli. Kolumnę prowadziło dwudziestu mężczyzn z zawieszonymi na biodrach wojennymi bębnami z wydrążonych pni drzew. Drugi szereg niósł trąbki z rogów kudu. W środku kolumny znajdowała się wielka lektyka, osłonięta skórzanymi kotarami. Niosło ją na ramionach dwudziestu mężczyzn, kołysząc się, schylając i obracając.

Jeden z doboszy zaczął wybijać rytm, który zabrzmiał jak puls ziemi; szeregi *impi* zakołysały się. Dobosze przyłączali się jeden po drugim, rytm nabierał rozmachu. Potem trębacze podnieśli rogi i zagrali wojenne fanfary. Kolumna ustawiła się w pojedynczy szereg z lektyką pośrodku i zatrzymała tuż poza zasięgiem ognia z barykady. Rogi zagrały następny akord, który odbił się od wzgórz, i znów zapadła niesamowita cisza.

Pierwsze promienie wschodzącego słońca tańczyły już po zgrupowanych oddziałach, krzesząc iskry światła na ostrzach *assegai*.

— Powinniśmy uderzyć — odezwała się Louisa. — Moglibyśmy zrobić wypad i zaatakować pierwsi.

— Są już za blisko. Oddalibyśmy dwie lub trzy salwy, zanim zapędziliby nas do obozu — odparł łagodnie Jim. — Niech atakują barykadę. Wolę oszczędzać konie na to, co nastąpi później.

Znów zabrzmiały rogi, lektykę zaś postawiono na ziemi. Trębacze wydobyli jeszcze jeden ostry akord z instrumentów, i wtedy z lektyki wysunął się ciemny kształt, niczym szerszeń z gniazda.

— *Bayete!* — krzyknęli wojownicy. — *Bayete!* — Pozdrowienie zagłuszyło dźwięk bębnów i rogów. Jim szybko chwycił lunetę i spojrzał na makabryczną postać.

Kobieta była szczupła i umięśniona, wyższa niż mężczyźni z jej świty w pióropuszach z czaplich piór. Była kompletnie naga, lecz całe jej ciało pokrywały fantastyczne wzory. Wokół oczu bieliły się błyszczące kręgi. Na gardle zaczynała się prosta biała linia, która biegła przez brodę, nos, między oczami i po ogolonej głowie, dzieląc ją na dwie półkule. Jedna połówka była niebieska jak niebo, a druga czerwona jak krew. Kobieta trzymała w prawej dłoni ceremonialny *assegai*, którego rączka zdobiona była wzorem przypominającym koraliki i zwoje lwiej grzywy.

Białe spirale podkreślały piersi i *mons veneris*. Układ rombów i strzał powodował, że jej szczupłe ramiona i nogi wydawały się jeszcze dłuższe niż w rzeczywistości.

— Manatasee! — powiedział cicho Tegwane. — Królowa śmierci.

Kobieta rozpoczęła taniec, powolny i hipnotyczny jak pląs kobry. Schodziła ze wzgórza w stronę obozu, poruszając się z gracją, lecz jej ruchy były zapowiedzią czegoś strasznego. Mężczyźni w obozie patrzyli na nią w osłupieniu, zafascynowani i przerażeni.

Szeregi wojowników ruszyły za królową, jak gdyby ona była głową smoka, a oni jego potwornym cielskiem. Ich broń lśniła w blasku nisko wiszącego słońca, niczym gadzie łuski.

Manatasee zatrzymała się tuż przed linią białych kamieni, wyznaczoną przez Jima. Stanęła z szeroko rozstawionymi nogami i wygiętym grzbietem, wyrzuciwszy przed siebie biodra. Z tyłu znów odezwały się bębny i przenikliwy odgłos rogów.

— Teraz naznaczy nas znakiem śmierci — powiedział głośno Tegwane, tak aby wszyscy usłyszeli. Jim nie był pewien, co ma na myśli, dopóki spomiędzy umalowanych nóg Manatasee nie trysnął łukiem potężny strumień moczu. — Szcza na nas — dodał starzec.

Strumień był coraz słabszy, a kiedy ostatnie żółte krople spadły na ziemię, Manatasee wrzasnęła dziko i skoczyła wysoko w powietrze. Opadając na ziemię, skierowała na obóz ostrze *assegai*.

— *Bulala!* — krzyknęła. — Zabić ich wszystkich! — Z szeregów *impi* wzniósł się ogłuszający ryk, a potem wojownicy ruszyli naprzód.

Jim chwycił londyńską strzelbę i spróbował wziąć królową na cel. Trwało to jednak zbyt długo. Manatasee zahipnotyzowała go, podobnie jak innych. Zanim zdążył wypalić, zasłoniła ją ściana biegnących wojowników. *Induna* w pióropuszu stanął przed królową. Jim omal do niego nie strzelił, lecz w ostatniej chwili powstrzymał ruch palca. Wiedział, że ludzie pójdą za jego przykładem i pierwsza salwa wypali, zanim wróg znajdzie się w zasięgu skutecznego ognia. Opuścił broń i przeszedł wzdłuż barykady, wołając: „Spokojnie! Niech podejdą bliżej. Nie bądźcie łapczywi. Starczy dla wszystkich". Tylko Smallboy zaśmiał się z żartu. Ale był to sztuczny, wymuszony śmiech.

Jim nieśpiesznie, nonszalancko wrócił na miejsce obok Louisy, dając przykład muszkieterom i ich młodym pomocnikom. Pierwszy szereg wojowników zbliżał się do linii białych kamieni. Szli, tańcząc i śpiewając, tupiąc bosymi stopami o ziemię, potrząsając wojennymi grzechotkami i uderzając jasnymi ostrzami broni o czarne tarcze. Między tarczami nie było widać luk.

Pozwoliłem im podejść za blisko, pomyślał Jim. Gdy tak patrzył rozgorączkowanym wzrokiem, wydawało mu się, że obrońcy już są w zasięgu śmiercionośnych ostrzy. Nagle zauważył, że Nguni jeszcze nie dotarli do kamieni. Opanował się i krzyknął:

— Czekać! Jeszcze nie strzelajcie! — Wziął na cel *induna*, który wciąż szedł w pierwszym szeregu. Wojownik miał straszliwą bliznę po ciosie siekiery, biegnącą od czaszki przez oko i po policzku. Skóra na bliźnie była gładka i błyszcząca, a spod krawędzi czarnej tarczy pusty oczodół zdawał się spoglądać prosto na Jima. — Czekać! — zawołał. — Niech podejdą. — Widział już pojedyncze kropelki potu spływające niczym szare perły po policzkach *induna*. Bosa stopa wojownika kopnęła jeden ze stosów białych rzecznych kamieni. — Teraz! Ognia! — Pierwsza salwa rozległa się jak grzmot. Dym zawisł nad barykadą niczym szara chmura.

Z tak małej odległości skórzane tarcze nie dawały żadnej ochrony. Śrut przebijał je, siejąc straszliwe spustoszenie. Ciężkie ołowiane kulki rozrywały mięso i kości, trafiały w tarcze i ciała tych, którzy szli z tyłu. Drugi szereg potykał się o zabitych i umierających. Wojownicy nie mogli się doczekać, kiedy zbliżą się do wroga na odległość *assegai*. Pchali się naprzód z tarczami, tratując tych z pierwszego szeregu, którzy przeżyli i podnosili się oszołomieni.

Jeden z pasterzy wyrwał Jimowi z ręki wystrzelony muszkiet i wcisnął mu nabity. Druga salwa gruchnęła prawie tak samo jak pierwsza, ale następne nie były już tak równomierne — niektórzy strzelali szybciej, bo ich pomocnicy ładowali broń prędzej niż inni.

Przed barykadą rósł stos zabitych i rannych wojowników, a ci, którzy szli z tyłu, musieli się na niego wspinać. Potykali się i przewracali na zwłokach, a z obozu wciąż grzmiały salwy z szybko zmienianych muszkietów.

Najbardziej zdeterminowani Nguni dotarli do barykady i gołymi rękami próbowali wyciągać kolczaste gałęzie, lecz ogień z muszkietów nie słabł ani na chwilę. Wojownicy wdrapywali się po zabitych towarzyszach, aby dotrzeć do ścian wozów. Dosięgły ich strzały z boku i śmiałkowie osuwali się na tych, którzy padli przed nimi.

Wąski klin ziemi między nurtem rzeki i wysokim, glinianym brzegiem strumienia zmuszał *impi* do posuwania się zbitą masą. Niczym machnięcie kosą, każda salwa z muszkietów ścinała ich pokotem.

Wiatr od strony rzeki wiał w twarze atakujących, a dym snuł się nad nimi gęstą chmurą, oślepiając ich i utrudniając atak. Ten sam wiatr odsłaniał przedpole obrońcom.

Jeden z wojowników wykorzystał szprychy koła jak drabinę i zdołał wspiąć się na tył środkowego wozu. Krzyk Louisy zaalarmował Jima zajętego odpieraniem Nguni szturmujących barykadę na wprost niego. Odwracając się, Jim zobaczył, że wojownik próbuje dźgnąć Louisę z góry. Dziewczyna odskoczyła, lecz czubek stalowego ostrza przeciął jej sukienkę.

Jim upuścił wystrzelony muszkiet i chwycił kord, który miał pod ręką, wbity w deskę wozu. Pchnął i klinga weszła głęboko w pierś mężczyzny, pod jego uniesione prawe ramię. Nguni upadł, a Jim wyszarpnął kord i wbił go znowu w drewno. Bez najmniejszej zwłoki wziął od pomocnika nabity muszkiet.

— Dzielny chłopak! — mruknął, kładąc strzałem kolejnego napastnika, który próbował wspiąć się na wóz. Zerknął w prawo i zobaczył, że Louisa wróciła na swoje stanowisko. W miejscu, gdzie *assegai* przeciął sukienkę, widać było delikatną białą skórę.

— Nie jesteś ranna? — zapytał, uśmiechając się dla dodania jej otuchy. Poczerniała od dymu twarz i ręce kontrastowały z przejrzystym błękitem jej oczu. Louisa skinęła bez uśmiechu i przyjęła od pomocnika muszkiet. Poczekała, aż wojownik zacznie wspinać się na barykadę, i wtedy wypaliła. Odrzut zakołysał ją na nogach, lecz Nguni krzyknął, trafiony w twarz i gardło, i osunął się na tego, który biegł za nim.

Jim stracił rachubę czasu. Wyziewy prochu dławiły oddech obrońców, pot zalewał im oczy, a huk salw ogłuszał. Raptem wojownicy, którzy jeszcze przed chwilą kłębili się na przedpolu barykady jak rój pszczół przed ulem, zniknęli.

Obrońcy rozglądali się ze zdumieniem, szukając celu. Tuman dymu rozpłynął się i ujrzeli rozproszonych wojowników, uciekających po zboczu wzgórza i wlokących ze sobą rannych.

— Na koń! Musimy ich ścigać! — zawołała Louisa do Jima.

Zaskoczył go jej wojowniczy duch i zrozumienie taktyki walki.

— Zaczekaj! To jeszcze nie koniec. — Wskazał w stronę uciekających *impi*. — Spójrz! Manatasee wciąż trzyma połowę sił w odwodzie.

Louisa osłoniła oczy przed słońcem. Tuż pod szczytem wzgórza zobaczyła szeregi wojowników siedzących na tarczach i karnie czekających na sygnał do ataku.

Pasterze podbiegli do butelek z wodą. Napili się chciwie, odetchnęli, a potem wzięli drugi łyk, prychając z zadowolenia. Jim przeszedł szybko wzdłuż linii obrońców, pytając każdego, czy wszystko w porządku.

— Jesteś ranny? Wszystko dobrze?

Wydawało się to prawie niemożliwe, lecz nikt nie został nawet draśnięty. W najniebezpieczniejszej sytuacji znalazła się Louisa, gdy ostrze *assegai* rozcięło jej sukienkę.

Wdrapała się od tyłu do swojego wozu. Kiedy z niego wyszła, jej podrapana twarz i ręce były zaróżowione. Miała na sobie świeżą sukienkę, a włosy przewiązała wykrochmaloną i wyprasowaną chustką. Pobiegła pomóc Zamie rozniecić ognisko i przygotować szybko posiłek. Po chwili przyniosła Jimowi miedziany talerz z kromkami chleba, plastrami pieczonej dziczyzny i ogórkami.

— Mieliśmy szczęście — powiedziała, patrząc, jak pochłania jedzenie. — Chwilami wydawało mi się, że nas zaleją.

Jim potrząsnął głową.

— Nawet najdzielniejsi wojownicy nic nie poradzą przeciwko broni palnej. Nie bój się, Jeżu. Jest ciężko, ale przetrwamy.

Widziała, że mówi tak, by dodać jej odwagi, a nie z przekonania, lecz mimo to uśmiechnęła się.

— Cokolwiek się zdarzy, stawimy temu czoło, stojąc ramię przy ramieniu.

Ledwie skończyła zdanie, na wzgórzu znów rozległ się śpiew. Obrońcy, rozciągnięci w cieniu wozów, zerwali się na nogi i wrócili na stanowiska. Świeże oddziały Nguni przesuwały się między rannymi i zabitymi, rozrzuconymi po polu bitwy. Manatasee tańczyła przed swoimi *impi*, w otoczeniu doboszy.

Jim zdjął ze stojaka londyńską strzelbę i sprawdził kurek. Louisa przyglądała mu się.

— Jeśli uda mi się zabić wilczycę, jej stado straci serce do walki — oznajmił.

Podszedł do wozu i spojrzał na pole bitwy. Odległość była duża, nawet do strzału ze strzelby. Wiatr przybrał na sile i wiał podmuchami; mógł znieść ciężką ołowianą kulę. Kurz zasłaniał widok, a Manatasee tańczyła i zwijała się jak wąż. Jim podał lunetę Louisie.

— Powiedz, czy trafiłem — rzekł, podnosząc broń i czekając na odpowiedni moment. Wiatr owionął mu spocone policzki chłodnym powiewem, po czym się uspokoił. Jednocześnie w chmurze pyłu powstała luka, a Manatasee uniosła ramiona nad głowę i zastygła w tej dramatycznej pozie. Jim uchwycił jej smukłą sylwetkę w szczerbince muszki. Nie próbował ustabilizować lufy, tylko płynnie przesunął muszkę po umalowanym ciele. Jednocześnie nacisnął spust, biorąc poprawkę na to, że pocisk zniży lot, pokonując taką odległość.

Przez krótki czas nic nie widział z powodu odrzutu i dymu, lecz po chwili skupił wzrok. Ciężka kula potrzebowała chwili na przebycie dystansu. Jim zobaczył, że Manatasee zakręciła się w miejscu i runęła na ziemię.

— Trafiłeś ją! — zawołała podniecona Louisa. — Przewróciła się!

Z szeregów *impi* wydobył się pomruk przypominający warknięcie rozwścieczonej bestii.

— To złamie im ducha — ucieszył się Jim. Po chwili jęknął, zaskoczony. — Słodki Jezu, nie wierzę własnym oczom!

Manatasee stanęła na nogach. Nawet z tej odległości Jim widział karmazynową plamę na jej umalowanej skórze; krwawy płatek róży rozszerzający się na boku czarnoskórej królowej.

— Kula musnęła jej żebra — powiedziała Louisa, spoglądając przez lunetę. — Jest tylko lekko ranna.

Manatasee wykonała piruet przed *impi*, pokazując im, że żyje. Odpowiedzieli radosnym okrzykiem i zasalutowali tarczami.

— *Bayete!* — ryknęli wojownicy.

— *Zee!* — wrzasnęła królowa. — *Zee, Amadoda!* — Manatasee zaintonowała monotonną pieśń. Jej dźwięk wprowadził *impi* w szał.

— *Zee!* — krzyknęli, zagrzewając się do boju, po czym ruszyli w stronę wozów jak lawa wylewająca się z krateru wulkanu. Manatasee wciąż pląsała na czele szarży.

Jim złapał drugą strzelbę i nacisnął spust, starając się wyłowić smukłą, falującą sylwetkę spośród czarnej fali. *Induna* w pióropuszu na głowie, stojący obok królowej, wyrzucił ręce w górę i padł, trafiony kulą, ale Manatasee tańczyła dalej. Pobudzona gniewem, zdawała się nabierać siły z każdą chwilą.

— Bądźcie gotowi i czekajcie na szansę! — zawołał Jim do swoich ludzi.

Pierwszy szereg napastników przeszedł przez otwarty teren; wojownicy przeskakiwali nad zabitymi i rannymi.

— Teraz! — ryknął Jim. — Ognia! Dajmy im w kość!

Salwa zatrzymała Nguni, lecz ci, którzy biegli z tyłu, nie zważając na zabitych i rannych, parli do przodu, pod ostrzał. Lufy muszkietów parzyły palce. Stal była tak rozgrzana, że mogło dojść do wybuchu prochu wsypywanego do lufy. Chłopcy wkładali muszkiety do beczek z wodą, żeby je ochłodzić, mimo pośpiechu starając się nie zamoczyć zamków i krzemieni.

Konieczność chłodzenia broni zwolniła jednak tempo ładowania; ogień osłabł, a strzelcy wciąż wołali o nabite muszkiety. Niektórzy chłopcy, wyczerpani ciężką, mozolną pracą, zaczynali wpadać w panikę. Louisa starała się ich uspokoić i dodać im odwagi.

— Pamiętajcie, jak ćwiczyliście! Spokojnie, nie śpieszcie się za bardzo!

Przez zasłonę dymu, ponad głowami nacierających wojowników Jim spojrzał na Manatasee. Szła tuż za *impi*, zachęcając ich do boju. Jej dzikie okrzyki i zawodzący śpiew zagrzewały wojowników do jeszcze większego wysiłku. Kolejne zastępy Nguni docierały do barykady. Ich nozdrza wypełniała woń krwi, a twarze miały wyraz rozwścieczonych bestii. Wydawane odgłosy przypominały szczekanie, które mroziło dusze obrońców.

Nie mogąc wspiąć się na barykadę wobec ciągłego ostrzału, wojownicy zaczęli kołysać środkowym wozem. Pięćdziesięciu Nguni uniosło go; zaczął się niebezpiecznie chwiać. Jim zorientował się, że wóz wkrótce może runąć, a wtedy napastnicy wleją się przez wyrwę do środka. Ostrza *assegai* zanurzą się we krwi i w ciągu kilku minut będzie po walce.

Manatasee dostrzegła okazję i poczuła, że zwycięstwo jest w zasięgu ręki. Tuż za ostatnim szeregiem swoich wojowników wspięła się na stos kamieni, żeby lepiej śledzić rozwój wydarzeń.

— *Zee!* — wrzeszczała. — *Zee!*

Wojownicy odpowiedzieli na okrzyk i mocniej zakołysali wozem. Zadrżał i niebezpiecznie się przechylił. Zdawało się, że lada chwila runie, lecz znów opadł na koła.

— *Shikelela!* — krzyknęli *induna*. — Jeszcze raz! — Wojownicy schylili się, by chwycić za osie i podwozie wozu.

Jim spojrzał na Manatasee. Pod stosem kamieni, na którym stanęła, zakopał baryłkę prochu. Zerknął pod przednie koła wozu. Wolnotlący lont, którego koniec był przyczepiony do jednej ze szprych, biegł pod zwałami ciał zabitych Nguni do stosu, na którym stała Manatasee. Jim przykrył zapalnik cienką warstwą ziemi. W niektórych miejscach stopy biegnących napastników odsłoniły lont. Nie można było wykluczyć, że zapalnik wysunął się z otworu w beczce.

— Jest tylko jeden sposób, żeby to sprawdzić — rzekł do siebie ponuro. Złapał naładowany muszkiet, który podawał mu pomocnik, odciągnął kurek i zanurkował pod kołyszący się korpus wozu.

Jeśli się teraz przewróci, zgniecie mnie jak żabę pod kołem, pomyślał; mimo to odszukał koniec lontu i położył na panewce zamka muszkietu. Przytrzymał jedną ręką i nacisnął spust. Krzemień skrzesał snop iskier ze spłonki i proch na panewce zapalił się, puszczając obłoczek dymu. Muszkiet podskoczył Jimowi w dłoni, śrut zrył ziemię pod jego stopami. Lont zajął się od płomienia, zasyczał i sczerniał; płomień przebiegł po nim i zniknął w ziemi niczym wąż wślizgujący się do nory.

Jim wskoczył z powrotem na gwałtownie chyboczący się wóz i wlepił wzrok w Manatasee. Po jej boku płynął strumień krwi z rany po kuli. Królowa dostrzegła Jima i skierowała na niego ostrze *assegai*. Jej groteskowo pomalowana twarz ściągnęła się z nienawiści; kropelki śliny pryskały z ust i błyszczały w słońcu, kiedy rzucała śmiertelne przekleństwa.

Nagle Jim zauważył, że ostatni kawałek lontu przed stosem kamieni, na którym stała Manatasee, został odsłonięty przez stopy wojowników. Mały płomyk sunął błyskawicznie, zostawiając za sobą poczerniały, skręcony sznurek. Jim zacisnął szczęki i czekał na wybuch. Wstrzymał ogień na straszliwie długą chwilę i właśnie wtedy wóz się przewrócił, zostawiając w barykadzie ziejącą wyrwę. Jim spadł z podwyższenia i rozciągnął się na ziemi jak długi, leżąc połową ciała pod deskami wozu. Nacierający wojownicy ryknęli triumfalnie i skoczyli przed siebie.

— Bulala! — zawołali. — Zabić!

W tej samym momencie proch pod stopami Manatasee eksplodował. Ogromny słup kurzu i kamieni wystrzelił wyżej niż wierzchołki drzew. Wybuch rozerwał ciało królowej na trzy części. Jedna noga frunęła w powietrze, a druga, wciąż połączona z torsem, spadła na atakujących wojowników, obryzgując ich krwią. Głowa poszybowała nad barykadą niczym armatnia kula i potoczyła się po ziemi wewnątrz kręgu wozów.

Podmuch przetoczył się po Nguni, skupionych w powstałej wyrwie, i cisnął ich, zabitych i okaleczonych, na stosy wojowników poległych wcześniej.

Przewrócony wóz osłonił Jima przed impetem wybuchu. Na wpół oszołomiony stanął na nogach, myśląc o Louisie. Była przy pasterzach nabijających muszkiety; eksplozja rzuciła ją na kolana. Na widok Jima podniosła się i podbiegła do niego.

— Jesteś ranny! — krzyknęła.

Poczuł coś ciepłego i mokrego, co spływało mu z nosa do ust. Miało słony, metaliczny smak. Odłamek kamienia przeciął mu grzbiet nosa.

— To draśnięcie! — odparł, przygarniając ją do piersi. — Ale, Bogu dzięki, tobie nic się nie stało. — Stojąc w uścisku, spojrzeli przez lukę w barykadzie na rzeź, którą spowodowała eksplozja. Ciała zabitych Nguni tworzyły wał, który sięgał im do pasa. Zastępy Manatasee rzuciły się do ucieczki po trawiastym zboczu. Większość wypuściła z rąk tarcze i broń. Krzyczeli do siebie głosami, w których brzmiał przesądny lęk:

„Czarownicy są nieśmiertelni".

„Manatasee nie żyje".

„Zabił ją piorun czarowników".

„Wielką czarną krowę pożarły czary".

„Uciekajmy! Nie możemy ich pokonać".

„To zjawy, duchy krokodyli".

Jim spojrzał na obóz. Smallboy stał oparty o barykadę, otępiały ze zmęczenia, i gapił się na pierzchających wrogów. Niektórzy usiedli, inni uklękli jak w modlitwie, wciąż nie wypuszczając z rąk rozgrzanych, dymiących muszkietów. Tylko Bakkat był niestrudzony. Wdrapał się na jeden z wozów i wykrzykiwał obelgi za uciekającymi *impi*.

— Sram na wasze głowy, szczam na wasze nasienie. Oby wasi synowie rodzili się z dwiema głowami. Oby waszym żonom wyrosły brody, a mrówki zjadły wam jądra.

— Co ten mały czart mówi? — zaciekawiła się Louisa.

— Żegna ich czule i życzy szczęścia na całe życie — odparł Jim. Śmiech Louisy przywrócił mu wigor.

— Na koń! — krzyknął. — Nadeszła nasza godzina.

Gapili się na niego nieprzytomnie, więc pomyślał, że nie usłyszeli, bo i w jego uszach wciąż dudniło od huku salw.

— Chodź! — powiedział do Louisy. — Musimy ich wyprowadzić.

Razem podbiegli do koni. Bakkat zeskoczył ze swej grzędy i ruszył w ich ślady. Konie były już osiodłane, czekały na tę chwilę. Jim i Louisa dosiedli ich; reszta mężczyzn znalazła się natychmiast przy swoich wierzchowcach.

Bakkat podniósł głowę Manatasee i nadział ją na czubek *assegai*. Uniósł trofeum wysoko, jak rzymskiego orła. Purpurowy język królowej wystawał z kącika ust, jedno oko było zamknięte, a drugie świeciło nienawistnie białkiem.

Oddział wyjechał przez wyrwę zrobioną przez Nguni. Każdy jeździec miał po dwa muszkiety — jeden w ręku, a drugi w olstrze — przewieszony przez ramię pas ze śrutem i prochownicę przymocowaną do łęku siodła. Młodzi pasterze jechali za nimi na oklep, prowadząc każdy po jednym koniu objuczonym prochem, workami z amunicją i butelkami z wodą.

— Trzymać się razem! — zawołał Jim. — Niech nikt się nie odłącza. Nguni są wciąż niebezpieczni jak szakale zapędzone w kąt. — Przeskakując nad zwłokami wojowników i tratując ich tarcze, jeźdźcy dotarli do trawy i popędzili konie. — Powoli! — krzyknął. — Idziemy stępa. Przed nami wiele godzin dnia. Nie zgrzejcie koni!

Przeczesywali sawannę szeroką ławą; muszkiety zadudniły ponownie, gdy konie dogoniły biegnących wojowników. Większość

Nguni porzuciła swoją broń i zgubiła pióropusze. Słysząc stukot końskich kopyt za plecami, biegli dopóty, dopóki wytrzymywały nogi. Potem klękali na trawie i czekali na strzał jak otępiałe zwierzęta.

— Nie mogę tego zrobić! — zawołała rozpaczliwie Louisa.

— Więc jutro wrócą i zrobią to tobie — ostrzegł Jim.

Smallboy i jego podwładni kontynuowali rzeź z lubością. Pasterze wciąż musieli uzupełniać ich prochownice i napełniać woreczki ze śrutem. Bakkat wymachiwał wysoko głową Manatasee i wrzeszczał, podjeżdżając do kolejnych grup przerażonych Nguni.

— Ależ z niego krwiożerczy demon — wymamrotała Louisa, podążając za nim. Na widok głowy swej królowej Nguni zawyli z rozpaczy i rzucili się na ziemię w geście ostatecznej kapitulacji.

Przed oddziałem jeźdźców wyrastał szereg niskich wzgórz; do niego właśnie zmierzały resztki zdziesiątkowanych *impi*. Jim nie pozwalał swoim ludziom przyśpieszać. Gdy zbliżali się do wzniesień, salwy z muszkietów rozlegały się coraz rzadziej: Nguni rozpraszali się na większej przestrzeni, więc trudniej było znaleźć cel.

Jim i Louisa zatrzymali się na grzbiecie wzgórza i przywiązali konie. Przed nimi rozciągała się szeroka, łagodnie opadająca dolina, przez którą wiła się zakolami rzeka. Na jej brzegach rosły wspaniałe drzewa, a między nimi rozpościerały się trawiaste łąki. Niebo zasnuwał dym z ognisk wielkiego obozowiska. Na stepie stały setki krytych strzechą chat, rozmieszczonych z wojskową precyzją. Były puste. Drugim końcem doliny pierzchały niedobitki napastników.

— Obóz Manatasee! — zawołała Louisa. — To tutaj zgromadziła *impi* przed napaścią na nas!

— Tak. A tam jest bydło, jak mi Bóg miły! — krzyknął Jim, wskazując ręką. Pod drzewami, wzdłuż obu brzegów rzeki, rozproszone w trawiastej niecce pasły się różnobarwne stada bydła. — To skarbiec Manatasee. Bogactwo jej ludu. Musimy tylko pogalopować tam i zebrać je. — Oczy Jima zaświeciły się. Każde stado składało się ze zwierząt tej samej maści. Czarne stado, wyglądające jak ciemna plama na złotym stepie, było wyraźnie oddzielone od czerwonobrązowego, a to z kolei od stada nakrapianych zwierząt.

— Jest ich za dużo. — Louisa potrząsnęła głową. — Nie damy sobie z nimi rady.

— Mój słodki Jeżu, są rzeczy, których mężczyźnie nigdy nie jest za wiele, na przykład miłości, pieniędzy i bydła. — Podniósł się w strzemionach i przesunął lunetę po kolorowej masie zwierząt, a potem po resztkach uciekających *impi*. Po chwili odsunął instrument od oka. — Nguni są pobici i złamani. Możemy zakończyć pościg i zacząć liczenie łupów.

Choć ciała wrogów zaścielały trawiasty step, ludzie Jima nie odnieśli ran, z wyjątkiem małego Izeze, który wsadził palec w zamek ładowanego muszkietu i stracił jego część do pierwszego stawu. Louisa opatrzyła palec, a Jim powiedział malcowi, że ta rana przynosi mu zaszczyt. Izeze nosił rękę wysoko i z dumą pokazywał biały turbanik każdemu, kto zechciał patrzeć.

Okiem urodzonego magazyniera Jim taksował łup, jeżdżąc wzdłuż zdobytych stad. Były to mocne, wytrzymałe zwierzęta o grubych garbach na łopatkach i szerokich rogach. Oswojone i ufne, nie okazywały lęku, gdy Jim podjechał na odległość ręki. Wszystkie były w doskonałej kondycji, ich skóra błyszczała, a zady napęczniały od tłuszczu. Przy pierwszych oględzinach Jim nie zauważył ran po muszycy ani zezowatych oczu, świadczących o przebytej oftalmii. Z satysfakcją spostrzegł natomiast zagojone rany po świdrowcach, co świadczyło, że zwierzęta są już uodpornione na chorobę przenoszoną przez muchy tse-tse.

— Te zwierzęta są cenniejsze niż jakiekolwiek bydło sprowadzone z Europy — wyjaśnił Louisie. — Są odporne na infekcje szerzące się w Afryce, a Nguni opiekowali się nimi z miłością. Tak jak wspomniał Tegwane, to plemię kocha swe bydło bardziej niż własne dzieci.

Zama odłączył się od oddziału i zniknął w gąszczu chat. Nagle podjechał do Jima z twarzą zmienioną podnieceniem. Z przejęcia nie mógł wydobyć z siebie słowa, więc tylko dał Jimowi znak ręką, żeby ruszył za nim.

Zaprowadził go do palisady ze świeżo ściętych pni drzew. Odsunęli kłody zagradzające przejście i Jim otworzył szeroko oczy ze zdumienia. Przed nim leżał skarbiec Manatasee. Stosy kości słoniowej wznosiły się tak wysoko, jak mógł sięgnąć rękami dorosły człowiek. Kły posegregowano według długości i grubości. Niedojrzałe ciosy, niektóre grubości ludzkiego nadgarstka, zostały powiązane paskami kory w wiązki, które wół mógł swobodnie nieść. Większe kły też były związane korą, tak aby można je było łatwo przymocować do grzbietu zwierzęcia i przetransportować. Niektóre były ogromne, lecz Jim nie widział żadnego, który dorównywałby wielkością parze siekaczy byka, którego zastrzelił.

Smallboy i pozostali woźnice rozsiodłali konie i zaprowadzili je do rzeki, żeby się napiły wody, a Jim z Louisą przechadzali się po składzie kości słoniowej. Louisa patrzyła na twarz swojego mężczyzny, rozpromienioną w obliczu tak wielkiego bogactwa. Jest jak mały chłopiec oglądający prezenty gwiazdkowe, pomyślała, gdy podszedł i wziął ją za rękę.

— Louiso Leuven — rzekł uroczystym tonem. — Nareszcie jestem bogatym człowiekiem.

— Tak — potwierdziła, próbując powstrzymać uśmiech. — Widzę. Ale mimo swojego bogactwa, jesteś całkiem miłym młodzieńcem.

— Cieszę się, że to zauważyłaś. Skoro już uzgodniliśmy tę kwestię, czy wyjdziesz za mnie, aby dzielić ze mną te bogactwa oraz moje liczne wdzięki?

Śmiech zamarł Louisie na ustach.

— Och, Jim! — szepnęła. Napięcie wywołane bitwą i pościgiem wreszcie z niej opadło i rozpłakała się. Łzy żłobiły kanaliki w prochu i kurzu pokrywającym jej policzki. — Tak, Jim! Nic mnie tak nie uszczęśliwi jak wyjście za ciebie za mąż.

Jim objął ją i uścisnął.

— A więc jest to najszczęśliwszy dzień mojego życia. — Zakręcił nią mocno w powietrzu. — Otrzyj łzy, Jeżu. Jestem pewien, że znajdziemy gdzieś księdza, jeśli nie w tym roku, to w przyszłym.

Z jedną ręką na szyi Louisy, a z drugą na stosie ciosów, Jim spojrzał na zdobyte stada, które zapełniały pół doliny. Powoli wyraz jego twarzy zmieniał się, gdy docierał doń stary jak świat dylemat zamożnego człowieka. Jak, do licha ciężkiego, utrzymamy w rękach bogactwo, które zdobyliśmy, skoro każdy człowiek i każdy zwierz w Afryce zrobi wszystko, żeby je nam odebrać? — zastanawiał się.

D opiero o zachodzie słońca Jim zdołał wyjechać z obozu Nguni. Zostawiwszy na miejscu połowę swoich skromnych sił do strzeżenia kości słoniowej i bydła, ruszył w drogę powrotną do

284

taboru. Roziskrzony baldachim gwiazd oświetlał im drogę. Gdy przejeżdżali obok ciał wojowników, którzy polegli tego dnia, hieny i szakale umykały spod końskich kopyt.

W pobliżu obozowiska zatrzymali konie, by spojrzeć ze zdumieniem na nocne niebo. Nad wschodnim horyzontem unosił się mistyczny blask, oświetlający świat tak wyraźnie, że widzieli swoje zwrócone do góry twarze. Zdawało się, że to słońce pomyliło kierunki. Z oniemieniem patrzyli na olbrzymią kulę, wspinającą się nad horyzontem i przesuwającą w całkowitej ciszy. Niektórzy młodzi pasterze jęknęli i zasłonili sobie głowy kocami.

— To tylko spadająca gwiazda. — Jim uspokajającym gestem ujął dłoń Louisy. — One często goszczą na afrykańskim niebie. Ta jest nieco większa od innych.

— To duch Manatasee! — zawołał Smallboy. — Rozpoczyna podróż do krainy cieni.

— Śmierć królów — jęknął Bakkat. — Upadek plemion. Wojna i śmierć.

— Najgorszy omen — dodał Zama, potrząsając głową.

— Zdawało mi się, że was ucywilizowałem — roześmiał się Jim — ale w głębi serca wciąż jesteście bandą zabobonnych dzikusów.

Gigantyczne ciało niebieskie przesunęło się po zachodniej części nieba, wlokąc za sobą ognisty ogon, i znikło za horyzontem. Rozświetlało niebo przez resztę nocy, a później przez następną i jeszcze wiele kolejnych.

W tym nieziemskim blasku mały oddział dotarł do obozu. Zastali starego Tegwane z włócznią w dłoni i swoją piękną wnuczką. Strzegli razem taboru jak para czujnych psów.

Mimo że wszyscy byli niemal u kresu sił, Jim poderwał ludzi na nogi przed świtem. Za pomocą zaprzęgu wołów, wśród pokrzykiwań i strzelania z batów, podnieśli na koła przewrócony wóz. Mocna konstrukcja nie ucierpiała zbytnio. W ciągu kilku godzin rozsypany ładunek wrócił na swoje miejsce. Jim wiedział, że muszą natychmiast opuścić pole bitwy, gdyż palące słońce sprawi, że trupy szybko zaczną gnić, a wraz z odorem rozkładających się ciał przyjdzie choroba.

Kazał zaprząc woły do wszystkich wozów, a potem Smallboy i pozostali woźnice strzelili z batów i dobytek wytoczył się z krwawego obozowiska na otwartą sawannę.

Tego wieczoru rozbili obóz wśród opuszczonych chat wioski

Nguni, otoczonych wielkimi stadami garbatego bydła; stosy kłów słoniowych spoczywały bezpiecznie w kręgu wozów. Nazajutrz rano po śniadaniu Jim zwołał wszystkich na *indaba*. Chciał im przedstawić swoje plany i powiedzieć, dokąd ich poprowadzi. Najpierw poprosił Tegwane, żeby wyjaśnił, jak Nguni wykorzystywali bydło do transportu ciosów podczas wędrówki.

— Powiedz, jak układają ładunek na grzbietach krów i jak go przymocowują — rzekł.

— Tego nie wiem — przyznał Tegwane. — Widziałem tylko z daleka ich pochód.

— Smallboy sam wymyśli, jak zrobić uprząż — postanowił Jim — ale lepiej byłoby zastosować sposób, do którego zwierzęta są przyzwyczajone. — Potem zwrócił się do grupki młodych pasterzy. — A wy, panowie... — Lubili być tak nazywani i zasłużyli sobie na to podczas walki. — Dacie sobie radę z taką liczbą bydła?

Pasterze spojrzeli na ogromne stada rozproszone na całej długości doliny.

— Nie jest ich aż tak dużo — odrzekł najstarszy z chłopców.

— Moglibyśmy pędzić o wiele więcej — dodał drugi.

— Rozgromiliśmy oddziały Nguni w bitwie — pisnął Izeze, najmniejszy i najśmielszy chłopiec, który jeszcze nie przeszedł mutacji. — Możemy zająć się ich bydłem... i kobietami też, kiedy je złapiemy.

— Może się okazać, Izeze, że ani twój bicz, ani gwizdek nie są na to dość duże — odparł Jim. Imię, które nadał pastuszkowi, znaczyło Pchełka.

Wszyscy gruchnęli śmiechem.

— Pokaż go nam! — krzyczeli, próbując złapać malca, ten jednak był zwinny i nieuchwytny jak jego imienniczka. — Pokaż nam miecz, przed którym zadrżą kobiety Nguni.

Trzymając się za przepaskę, Izeze umknął przed kolegami; bronił swojej godności i skromności.

— Wszystko to jednak nie zbliża nas do rozwiązania problemu — orzekł Jim, kiedy razem z Louisą robili obchód obozu, sprawdzając zabezpieczenia.

Choć wydawało się oczywiste, że pobici doszczętnie Nguni więcej się nie pokażą, Jim wolał nie ryzykować. O zmroku rozstawił warty, a rano wszyscy stanęli pod bronią.

— Wielkie nieba! — krzyknął, gdy się rozwidniło. — Wrócili! — Złapał Louisę za rękę i wskazał szeregi niewyraźnych postaci, siedzących nieopodal obozu, tuż poza zasięgiem strzału z muszkietu.

— Kim są ci ludzie? — szepnęła Louisa, choć w głębi serca dobrze znała odpowiedź.

— A kim, jeśli nie Nguni — odparł ponuro Jim.

— Myślałam, że walka i zabijanie się skończyły. Bóg jeden wie, że było tego dość.

— Wkrótce się dowiemy — rzekł Jim. Zawołał Tegwane. — Przywitaj ich — rozkazał starcowi. — Powiedz, że spuszczę na nich grom, tak jak na Manatasee.

Tegwane wspiął się niepewnie na bok wozu i krzyknął coś do siedzących Nguni. W odpowiedzi rozległ się jakiś głos, po którym nastąpiła długa wymiana zdań.

— Czego chcą? — niecierpliwił się Jim. — Nie wiedzą, że ich królowa nie żyje, a oddziały są rozbite?

— Dobrze wiedzą — odparł Tegwane. — Widzieli jej głowę na *assegai*, gdy uciekali z pola bitwy, i jej ognistego ducha wędrującego po niebie na spotkanie z przodkami.

— Więc czego chcą?

— Chcą rozmawiać z czarownikiem, który raził piorunem ich królową.

— Pertraktacje — wyjaśnił Jim Louisie. — Zdaje się, że to jakieś niedobitki.

— Pomów z nimi, Jim — poprosiła Louisa. — Może uda ci się zapobiec dalszemu rozlewowi krwi. Wszystko byłoby lepsze od tego.

Jim odwrócił się do Tegwane.

— Powiedz ich przywódcy, że musi przyjść do obozu sam i nieuzbrojony. Nie uczynię mu nic złego.

Induna wkroczył do obozu w prostej spódniczce ze skórzanych pasków, bez pióropusza i broni. Był to przystojny mężczyzna w średnim wieku, o sylwetce wojownika i przyjemnej, okrągłej twarzy w czekoladowym kolorze świeżo ściętego drzewa *mabanga*. Rozpoznał Jima natychmiast. Musiał go widzieć na polu bitwy. Przykłęknął na jedno kolano w postawie wyrażającej szacunek, uderzając raz po raz w dłonie i sławiąc Jima pod niebiosa:

— Najpotężniejszy z wojowników! Niezwyciężony czarowniku, który przychodzisz z wielkiej wody! Ty, który pożerasz *impi*! Zabójco Manatasee! Potężniejszy niż wszyscy jej ojcowie!

— Powiedz, że go widzę i że może do mnie podejść — nakazał Jim. Uświadomił sobie właśnie, jak ważne jest to poselstwo, i przyjął wyniosłą postawę.

Induna padł na kolana i ruszył w stronę Jima na czworakach. Wziął w ręce jego prawą stopę i postawił sobie na pochylonej głowie. Zaskoczony Jim omal się nie przewrócił.

— Wielki biały słoniu — ciągnął śpiewnie *induna* — młody wiekiem, lecz wielki siłą i mądrością, bądź dla mnie łaskawy.

Od ojca i stryja Jim nauczył się afrykańskiej etykiety, więc wiedział, jak się zachować w tej sytuacji.

— Twoje nędzne życie należy do mnie — rzekł. — Mogę ci je odebrać lub darować. Czemu nie miałbym cię wysłać w tę samą drogę po niebie, w którą posłałem Manatasee?

— Jestem dzieckiem bez ojca i matki. Jestem sierotą. Zabrałeś mi dzieci.

— O czym on głędzi? — spytał gniewnie Jim, zwracając się do Tegwane. — Nie zabiliśmy żadnych dzieci.

Induna usłyszał ton jego słów i zrozumiał, że obraził wielkiego czarownika. Wcisnął twarz w ziemię. Gdy odpowiadał na pytania Tegwane, kurz w gardle sprawił, że jego głos był chropawy. Jim wykorzystał okazję, żeby zdjąć stopę z głowy *induna*; stanie na jednej nodze było niewygodne i utrudniało przyjęcie godnej postawy.

Wreszcie Tegwane odwrócił się do Jima.

— On był pasterzem królewskiej trzody Manatasee. Nazywa bydło swoimi dziećmi. Błaga cię, żebyś albo go zabił, albo pozwolił mu zajmować się stadami. Będzie to dla niego zaszczyt i honor.

Jim przypatrywał się Nguni ze zdumieniem.

— Chce dla mnie pracować jako główny pasterz?

— Mówi, że żył ze stadami od dziecka. Zna każde zwierzę z imienia, wie, którą krowę pokrywał każdy byk. Zna wiek i temperament tych zwierząt. Zna lekarstwa na wszelkie choroby, na które mogą zapaść. Swoim *assegai* zabił pięć lwów, które atakowały bydło. I jeszcze... — Tegwane zaczerpnął tchu.

— Dość — przerwał mu Jim. — Wierzę w to, co mówi. Ale co z tamtymi? — Wskazał szeregi Nguni za obozowiskiem. — Kim oni są?

— To pasterze. Podobnie jak on. Od dziecka opiekowali się królewskim bydłem. Bez stad ich życie jest pozbawione celu.

— Oni też chcą nam służyć? — Jimowi trudno było uwierzyć w swoje szczęście.

288

— Każdy z nich chce należeć do ciebie.

— Czego ode mnie oczekują?

— Oczekują, że zabijesz ich, jeśli zbłądzą lub nie wypełnią obowiązków — zapewnił Tegwane. — Tak postąpiłaby Manatasee.

— Nie o to pytałem — rzekł po angielsku Jim; Tegwane spojrzał na niego niepewnie. — Czego oczekują w zamian za swoją pracę? — wyjaśnił szybko Jim.

— Pragną ogrzać się w blasku twojego zadowolenia — odparł Tegwane. — Tak jak ja.

Jim dotknął w zamyśleniu ucha, a *induna* przechylił na bok głowę, by obserwować jego twarz; bał się, że biały czarownik odrzuci jego prośbę i zabije go tak, jak zabił królową. Jim tymczasem zastanawiał się, ile będzie go kosztować utrzymanie tak licznej grupy. Nie dostrzegł jednak żadnych dodatkowych kosztów. Na podstawie słów Tegwane wywnioskował, że pasterze Nguni będą się żywić krwią i mlekiem trzody oraz dziczyzną, którą Jim upoluje. Był pewien, że w zamian może oczekiwać bezgranicznej lojalności i oddania. Ci ludzie byli doskonałymi pasterzami i nieustraszonymi wojownikami. Mając pod sobą hotentockich strzelców i włóczników Nguni, nie będzie musiał lękać się niczego na tej dzikiej ziemi. Będzie królem.

— Jak mu na imię? — spytał Tegwane.

— Zwie się Ikunzi, bo jest bykiem wszystkich królewskich trzód.

— Powiedz Ikunzi, że spojrzałem łaskawie na jego prośbę. On i jego ludzie są teraz moimi ludźmi. Ich życie jest w moich rękach.

— *Bayete!* — zawołał Ikunzi, gdy to usłyszał. — Jesteś mym panem i słońcem. — Znów położył stopę Jima na swojej głowie, a jego podwładni, widząc to, zrozumieli, że zostali przyjęci.

Wstali i zadudnili w tarcze swoimi *assegai*.

— *Bayete!* — krzyknęli chórem. — Jesteśmy twoimi sługami! Ty jesteś naszym słońcem!

— Powiedz im, że słońce może ogrzać człowieka, ale może go też spalić na śmierć — ostrzegł surowo Jim. Potem odwrócił się do Louisy i wyjaśnił jej, co się stało.

Louisa spojrzała na budzące grozę szeregi straszliwych wojowników i przypomniała sobie, jak wczoraj zbliżali się ze śpiewem do taboru.

— Czy można im ufać, Jim? — spytała. — Nie powinieneś ich rozbroić?

— Znam tradycje tych ludzi. Jeśli raz przysięgli mi wierność, mogę im powierzyć swoje życie.

— I moje — zauważyła cicho Louisa.

Nazajutrz Jim obserwował położenie słońca w zenicie i naniósł pozycję obozu na mapę ojca.

— Według moich obliczeń jesteśmy tylko kilka stopni na południe od szerokości geograficznej, na której znajduje się faktoria handlowa Courtneyów w Zatoce Narodzenia Pańskiego. Według moich obliczeń faktoria leży mniej niż dwa tysiące mil na wschód, co oznacza trzy miesiące podróży. Możliwe, że spotkamy tam jeden z naszych statków albo przynajmniej znajdziemy pod kamieniem wiadomość od mojej rodziny.

— Czy tam właśnie zmierzamy? — spytała Louisa.

Jim spojrzał znad pergaminowej mapy i uniósł brwi.

— Chyba że masz lepszą propozycję.

— Nie. — Potrząsnęła głową. — Ta pasuje mi jak każda inna.

Nazajutrz rano zwinęli obóz. Ikunzi i jego pasterze przyprowadzili królewskie trzody, a Jim przyglądał się z zaciekawieniem, jak ładują słoniowe kły na grzbiety bydła. Używali prostych uprzęży ze skóry, lecz najwyraźniej Nguni udoskonalili je, żeby pasowały do grubych garbów i dobrze trzymały się za tylnymi nogami. Ładunek był rozłożony po obu bokach każdego zwierzęcia, lecz nie krępował mu ruchów. Pod okiem Ikunzi dopasowywano obciążenie do wielkości i siły dźwigającego je zwierzęcia. Bydło szło w swobodnym tempie, wyznaczonym przez pasterzy, jakby w ogóle nieświadome ładunku; po drodze stado pasło się z zadowoleniem, rozciągnięte na stepie jak rzeka w czasie powodzi. Zanim wszystkie zwierzęta ruszyły w drogę, czoło pochodu było już dobre kilka mil dalej.

Jim określił za pomocą kompasu linię marszu i wskazał Ikunzi punkt na horyzoncie, do którego zmierzali. Przewodnik kroczył na czele stada, owinięty w skórzaną tunikę, z *assegai* i czarną tarczą na plecach. Idąc, grał na trzcinowym flecie przyjemną, choć monotonną melodię, a bydło podążało za nim jak wierne ogary. Wozy stanowiły tylną straż pochodu.

Każdego ranka Jim i Louisa wyjeżdżali z Bakkatem naprzód, żeby zbadać szlak i sprawdzić, czy nie czyha na nich jakieś niebezpieczeństwo i czy nie ma świeżych tropów słoni. Wysuwali się daleko przed kolumnę, znajdując przejścia między wzgórzami i brody na rzekach. Zdumiewał ich widok licznych stad dzikich zwierząt, lecz Nguni ogołocili tę krainę z ludzkiej obecności. Wioski były doszczętnie spalone; zostały z nich tylko poczerniałe kamienie fundamentów, a w trawie bieliły się ludzkie kości. Nigdzie nie było widać żywej duszy.

— *Mefecane* — rzekł Tegwane; słowo to oznaczało wielką rzeź. — Plemiona starte na proch, jak kolby kukurydzy utłuczone kamieniami *impi*.

Dowiódłszy swej wartości i zajawszy wysokie miejsce w hierarchii oddziału, Ikunzi naturalną koleją rzeczy zaczął uczestniczyć w naradach przy ognisku. Straszliwe wydarzenia stanowiły część jego życia, mógł więc opisać je swoim nowym towarzyszom. Opowiedział o tym, że jego lud pochodzi z dalekiej północy kontynentu, z jakiejś mitycznej doliny, którą nazywał Początkiem Wszystkich Rzeczy. Wiele pokoleń temu jego plemię padło ofiarą kataklizmu oraz głodu, który po nim nastąpił. Plemię wraz ze swoimi stadami rozpoczęło długą wędrówkę na południe, wybijając wszystkie plemiona, które stanęły im na drodze, i plądrując ich własność. Wciąż posuwali się dalej, szukając nowych pastwisk dla swych trzód, kolejnych łupów i kobiet. Była to tragiczna saga.

— Nigdy się nie dowiemy, ile istot ludzkich zginęło na tych pięknych dzikich polach — powiedziała cicho Louisa.

Nawet Jima zdumiał ogrom tragedii, która przetoczyła się przez kontynent niczym czarna zaraza.

— To dziki ląd. Żeby mógł rozkwitać, musi być zraszany krwią człowieka i zwierzęcia — dodał.

Podczas rekonesansów Jim wciąż poszukiwał śladów resztek sił Nguni i ćwiczył swój oddział w taktyce obrony, na wypadek gdyby zostali napadnięci.

Szukał też nieuchwytnych tropów słoni, lecz mijały tygodnie, za taborem i stadami zostawały setki mil bezdroży, a on nie napotkał ani wrogich wojowników, ani słoni. Prawie trzy miesiące od dnia, w którym ruszyli na wschód, stanęli nagle nad stromą skarpą, za którą ziała przepaść.

— To wygląda jak koniec świata — westchnęła Louisa. Stali obok siebie i patrzyli jak zahipnotyzowani. W czystym powietrzu w blasku słońca zdawało się, że widać krańce ziemi. Przez lunetę Jim zobaczył, że stapiając się z odległym horyzontem, niebo przybiera niezwykły błękitny kolor, jasny i przejrzysty jak polerowany kamień lapis-lazuli.

Upłynęło trochę czasu, nim się zorientował, na co patrzy. Nagle kąt padania promieni słonecznych zmienił się minimalnie.

— Na wszystko, co piękne i święte, Jeżu, toż to w końcu ocean. — Podał jej lunetę. — Teraz przekonasz się, jaki ze mnie wyśmienity nawigator, bo zaprowadzę cię niezawodnie do plaży w Zatoce Narodzenia Pańskiego w krainie słoni.

Tom i Dorian Courtneyowie podjechali do głównej bramy zamku. Oczekiwano ich, więc sierżant stojący na warcie zasalutował i machnięciem ręki dał znak, że mogą wjechać na dziedziniec. Stajenni podbiegli, żeby wziąć od nich konie.

Bracia byli przyzwyczajeni do takich względów. Jako czołowi obywatele kolonii i najzamożniejsi kupcy często gościli u van de Wittena. Jego sekretarz, ważny urzędnik VOC, osobiście wybiegł ze swojego gabinetu, żeby ich powitać i zaprowadzić do prywatnej kwatery gubernatora.

Nie kazano im czekać w przedsionku, lecz natychmiast wprowadzono do obszernej sali posiedzeń rady. Długi stół i dwadzieścia krzeseł wokół niego wykonano z afrykańskiego drewna o pięknych słojach, pieczołowicie obrobionego przez malajskich stolarzy-niewolników. Podłogi zrobione były z jasnych, żółtych desek pokrytych woskiem, tak że błyszczały niczym szkło. Wnękowe okna zamiast szyb miały podobne do klejnotów witraże, przetransportowane statkami z dalekiej Holandii. Z okien rozpościerał się widok na Zatokę Stołową i monumentalną bryłę góry Lwia Głowa. Zatoka usłana była statkami, a południowo-wschodni wiatr pędził po niej białe grzywacze jak szeregi wierzgających koni.

Na wykładanych boazerią ścianach wisiało siedemnaście portretów członków rady dyrektorów VOC w Amsterdamie, surowych mężczyzn o twarzach buldogów, noszących białe jak papier kapelusze i koronkowe kołnierzyki, które odcinały się ostro od zapiętych pod szyję, czarnych surdutów.

Dwaj mężczyźni siedzący przy stole wstali, by przywitać braci. Pułkownik Keyser miał na sobie zaprojektowany osobiście mundur ze szkarłatnego brokatu, z szarfami na obu ramionach, jedną granatową, a drugą złotą. Jego obszerną talię zdobił pas ze złotymi medalionami, a rączka rapiera inkrustowana była kamieniami półszlachetnymi. Na piersi pyszniły się trzy duże, lśniące, emaliowane gwiazdy, z których największą był Order Świętego Mikołaja.

Cholewy błyszczących butów sięgały mu za kolana. Pułkownik nosił na głowie kapelusz z szerokim rondem, zwieńczony pokaźną wiązką strusich piór.

W odróżnieniu od Keysera, gubernator van de Witten miał na sobie surowy ubiór, który służył niemal jako mundur najwyższym urzędnikom VOC: czarny zamszowy beret, kołnierzyk z flamandzkich koronek i czarny, zapięty pod szyję surdut. Jego cienkie nogi obciągnięte były jedwabnymi czarnymi pończochami, a trzewiki z prostokątnymi czubkami miały sprzączki ze srebra.

— *Mijnheeren*, zaszczycacie nas swoją obecnością — rzekł. Jego blada twarz wyrażała radość.

— To my jesteśmy zaszczyceni. Przyjechaliśmy natychmiast po odebraniu zaproszenia — odparł Tom i obaj bracia ukłonili się jednocześnie. Tom miał na sobie ciemny surdut, lecz z pierwszorzędnego materiału, londyńskiej roboty. Dorian ubrał się w żakiet z zielonego jedwabiu i obszerne bryczesy. Na nogach miał sandały z wielbłądziej skóry, a dobrany do żakietu turban spięty był szmaragdową spinką. Jego krótka, kręcona ruda broda, starannie przystrzyżona, kontrastowała z obfitszym, przetykanym siwizną zarostem Toma. Patrząc na nich, nikt nie zgadłby, że widzi braci. Pułkownik Keyser podszedł, żeby się przywitać. Bracia znów się ukłonili.

— Zawsze do twoich usług, pułkowniku — rzekł Tom.

— *Salam alejkum*, pułkowniku — powiedział cicho Dorian. Kiedy przebywał w High Weald, na łonie rodziny, często o tym zapominał, lecz będąc poza domem, a zwłaszcza podczas oficjalnych spotkań, lubił przypominać światu, że jest adoptowanym synem sułtana Abd Muhammada al-Malika, kalifa Maskatu. — Pokój z tobą, pułkowniku. — Po czym dodał po arabsku, tak że zabrzmiało to jak część pozdrowienia: — Nie podoba mi się mina tego grubasa. Tygrys uśmiecha się podobnie. — Było to skierowane wyłącznie do Toma; Dorian wiedział, że nikt oprócz brata nie zrozumie ani słowa.

Gubernator van de Witten wskazał lśniące krzesła przy ogromnym stole.

— Panowie, spocznijcie proszę. — Klasnął w ręce i w tej samej chwili do sali weszła procesja malajskich niewolników, niosących tace z obfitością wybornych przekąsek oraz karafki z winem i mocniejszymi trunkami.

Częstując się, gubernator i jego goście prowadzili zwyczajową wymianę grzeczności. Tom i Dorian tylko raz spojrzeli na tajemniczy przedmiot leżący na środku drewnianego stołu, przykryty aksamitem zdobionym koralikami. Tom szturchnął lekko kolanem nogę brata, a Dorian, nie spoglądając na niego, przesunął palcem po nosie, na znak, że też to zauważył. Byli ze sobą tak zżyci, że bezbłędnie umieli czytać w swoich myślach.

Niewolnicy w końcu wyszli z sali i gubernator zwrócił się do Toma.

— *Mijnheer* Courtney, rozmawiał pan już z pułkownikiem Keyserem o niepokojącym i godnym potępienia postępowaniu pańskiego syna, Jamesa Archibalda Courtneya.

Tom zesztywniał. Mimo że nie był zaskoczony, z niepokojem oczekiwał na to, co nastąpi. Jaką nową sztuczkę wymyślił Keyser? — zastanawiał się. Jak słusznie zauważył Dorian, pułkownik miał minę człowieka wyraźnie z siebie zadowolonego.

— Tak, panie gubernatorze, przypominam sobie tę rozmowę — potwierdził.

— Zapewnił pan, że nie pochwala postępków syna, jego ingerencji w działanie wymiaru sprawiedliwości, uprowadzenia więźniarki oraz kradzieży własności VOC.

— Pamiętam to doskonale — powiedział szybko Tom, chcąc skrócić wymienianie przestępstw Jima.

Van de Witten jednak ani myślał się streszczać.

— Dał pan słowo, że zawiadomi mnie o miejscu pobytu syna, jak tylko zdobędzie stosowną wiedzę. Obiecał pan, że uczyni wszystko, co w jego mocy, aby zbrodniarka Louisa Leuven została doprowadzona na zamek i odpowiedziała za swoje winy. Czy nie zgodziliśmy się co do tego?

— Jak najbardziej, Wasza Ekscelencjo. Przypominam też sobie, że na znak mojej dobrej woli i intencji, tudzież jako zadośćuczynienie za straty VOC, wpłaciłem panu dwadzieścia tysięcy guldenów w złocie.

Van de Witten zignorował tę uwagę. Nie wystawił oficjalnego pokwitowania na wpłatę, której dziesięć procent trafiło do pułkownika Keysera, a reszta do kieszeni gubernatora. W miarę jak mówił, jego twarz wyrażała coraz większy smutek.

— Mam powody sądzić, *Mijnheer* Courtney, że nie dotrzymał pan umowy. — Tom teatralnym gestem wyrzucił ręce w górę, wyrażając zdziwienie, lecz nie ośmielił się otwarcie zaprzeczyć. — Chce pan, żebym przedstawił dowody potwierdzające moje słowa? — spytał van de Witten. Tom skinął ostrożnie głową. —

Pułkownik Keyser jest oficerem odpowiedzialnym za prowadzenie tej sprawy, więc proszę go, aby opowiedział o tym, co odkrył. — Spojrzał na Keysera. — Czy byłby pan tak uprzejmy i oświecił tych dżentelmenów?

— Oczywiście, Ekscelencjo, jest to mój obowiązek i zaszczyt. — Keyser pochylił się i dotknął tajemniczego przedmiotu pod aksamitną serwetką. Wszyscy spojrzeli na niego. Keyser tymczasem, jakby drażniąc się z braćmi, cofnął rękę i usiadł na krześle.

— Najpierw chciałbym zapytać, *Mijnheer* Courtney, jeśli łaska, czy w ciągu ostatnich trzech miesięcy jakieś wozy należące do pana i pańskiego brata — tu skinął na Doriana — opuszczały kolonię.

Tom zastanawiał się przez chwilę, a potem spojrzał na brata.

— Nie pamiętam nic takiego, a ty, Dorry?

— Żaden z naszych wozów nie otrzymał od VOC pozwolenia na opuszczenie kolonii — odparł zręcznie Dorian.

Keyser pochylił się ponownie, lecz tym razem ściągnął serwetę i wszyscy spojrzeli na złamany trzonek szprychy od koła.

— Czy to znak waszej firmy wypalony w drewnie?

— Gdzie pan to znalazł? — odpowiedział pytaniem Tom.

— Oficer VOC znalazł ten przedmiot obok śladów waszych wozów, które opuściły teren kolonii w okolicy rzeki Gariep i skierowały się na bezludną sawannę.

Tom potrząsnął głową.

— Nie umiem tego wyjaśnić — rzekł, pociągając się za brodę. — A ty, Dorianie?

— W marcu zeszłego roku sprzedaliśmy jeden wóz do transportu drewna hotentockiemu myśliwemu... Jak on miał na imię...? Oompie? Powiedział, że jedzie szukać kości słoniowej w buszu.

— A niech mnie! — zawołał Tom. — Całkiem o tym zapomniałem.

— Wzięliście panowie pokwitowanie tej transakcji? — spytał zbity z tropu Keyser.

— Stary Oompie nie umie pisać — mruknął Dorian.

— Więc wyjaśnijmy to sobie. Nie pojechaliście z czterema ciężko załadowanymi wozami do granic kolonii i nie przekazaliście ich uciekającemu przed wymiarem sprawiedliwości Jamesowi Courtneyowi. Nie pomagaliście uciekinierowi i nie zachęcaliście go do opuszczenia terenu kolonii bez zezwolenia VOC. Czy tak mam to rozumieć?

— Zgadza się. — Tom patrzył mu spokojnie w oczy. Keyser uśmiechnął się triumfalnie i zerknął na van de Wittena, żeby ten pozwolił mu kontynuować. Gubernator skinął głową i Keyser klasnął w dłonie. Dwuskrzydłowe drzwi otwarły się i weszło dwóch umundurowanych kaprali VOC, wlokąc między sobą jakąś postać ludzką.

Przez chwilę ani Tom, ani Dorian nie mogli rozpoznać mężczyzny, ubranego tylko w bryczesy splamione krwią i ekskrementami. Paznokcie z palców rąk i nóg wyrwano mu kowalskimi szczypcami. Od uderzeń bicza jego plecy zamieniły się w krwawą papkę, a twarz napuchła groteskowo. Jedno oko było całkowicie zamknięte, a drugie wyglądało jak szparka w obrzmiałej, purpurowej skórze.

— Przyjemny widok — stwierdził z uśmiechem Keyser. Gubernator podniósł do nosa saszetkę z suszonymi ziołami i płatkami kwiatów. Keyser zauważył ten gest. — Proszę o wybaczenie, Ekscelencjo. Bydlęta należy traktować jak bydlęta. — Odwrócił się do Toma. — Zna pan tego człowieka, rzecz jasna. To jeden z waszych woźniców.

— Sonnie! — zawołał Tom, zrywając się z krzesła, lecz zaraz się zreflektował i usiadł z powrotem. Dorian też okazał wzburzenie. Sonnie był oddanym pracownikiem... kiedy nie pił. Nie pokazał się w High Weald przez ponad tydzień, więc wszyscy myśleli, że urządził sobie hulankę, jak to mu się często zdarzało. Wracał z nich zawsze, cuchnąc haszyszem, tanią brandy i jeszcze tańszymi kobietami, a potem kajał się, przepraszał i przysięgał na grób ojca, że to się więcej nie powtórzy.

— A tak, znacie go! — orzekł Keyser. — Podał nam ciekawe szczegóły dotyczące poczynań waszych i waszej rodziny. Mówi, że we wrześniu zeszłego roku dwa wozy prowadzone przez Mansura, syna *Mijnheer* Doriana Courtneya, wyruszyły na północ drogą wzdłuż wybrzeża. Mogę to potwierdzić, bo poprowadziłem mój oddział w ślad za tymi wozami. Teraz wiem, że miały one odwieść moją uwagę od ważniejszych spraw. — Keyser spojrzał na Doriana. — Przykro mi, że zacny młody człowiek, taki jak Mansur, został uwikłany w tę brzydką aferę. On też musi ponieść konsekwencje swojego postępowania. — Keyser powiedział to lekkim tonem, lecz groźba była bardzo czytelna.

Obaj bracia milczeli. Tom nie chciał patrzeć na Sonniego, żeby nie stracić panowania nad sobą. Sonnie był niespokojnym duchem, lecz mimo swoich licznych przewinień cieszył się jego względami. Tom czuł wobec niego ojcowską odpowiedzialność.

Keyser skierował znów uwagę na Toma.

— Ten człowiek powiedział nam również, że wkrótce po tym, jak dwa wspomniane wozy wyjechały z High Weald, pan i *Mevrouw* Courtney wymknęliście się z czterema załadowanymi wozami, dużą liczbą koni i innych zwierząt i ruszyliście w kierunku rzeki Gariep. Czekaliście tam przez kilka tygodni. Wreszcie pański syn James Courtney i zbiegła więźniarka przeszli przez góry i dołączyli do was. Przekazaliście im wozy i zwierzęta. Oni ruszyli w głąb nieznanych terenów, a wy wróciliście do kolonii, udając niewinność.

Keyser oparł się o krzesło i splótł ręce na klamrze pasa. W sali zapanowała cisza, którą przerwał głos Sonniego.

— Wybacz, Klebe. — Mówił niewyraźnie, bo miał porozcinane wargi, pokryte strupami. W jego ustach ziała dziura, w miejscu, gdzie wybito mu dwa przednie zęby. — Nie chciałem mówić, ale mnie bili. Powiedzieli, że zabiją mnie, a potem moje dzieci.

— To nie twoja wina, Sonnie. Zrobiłeś to, co każdy by zrobił.

Keyser uśmiechnął się i pochylił głowę w stronę Toma.

— Jesteś wielkoduszny, *Mijnheer*. Ja na twoim miejscu nie okazałbym mu tyle wyrozumiałości.

— Czy możemy się pozbyć tego jegomościa, pułkowniku? — wtrącił się zirytowany gubernator. — Śmierdzi okropnie, a poza tym cieknie z niego na moją podłogę krew i inne bardziej nieprzyjemne substancje.

— Proszę wybaczyć, Ekscelencjo. Wykonał już swoje zadanie. — Keyser skinął na strażników i machnął ręką, a ci wywlekli Sonniego i zamknęli za sobą drzwi.

— Jeśli wyznaczy pan kaucję za tego nieszczęśnika, zapłacę i wezmę go do High Weald — oświadczył Tom.

— Zakładając, że panowie wrócą do High Weald — zauważył Keyser. — Ale niestety, nawet gdyby tak było, nie mógłbym pozwolić zabrać świadka. Musi zostać w lochach zamku, dopóki pański syn i zbiegła więźniarka nie zostaną postawieni przed sądem gubernatora. — Rozłożył dłonie i pochylił się. Uśmiech znikł z jego twarzy; mierzył Toma zimnym, okrutnym spojrzeniem. — I dopóki wasz udział w tej sprawie nie zostanie wyjaśniony.

— Aresztuje nas pan? — spytał Tom. — Na podstawie niepopartego dowodami zeznania hotentockiego woźnicy? — Spojrzał na gubernatora van de Wittena. — Wasza Ekscelencjo, zgodnie z artykułem sto pięćdziesiątym drugim Ustawy o Postępowaniu Karnym, przyjętej przez radę gubernatorów w Amsterdamie, żaden niewolnik ani tubylec nie może świadczyć przeciwko wolnemu obywatelowi kolonii.

— Minął się pan z powołaniem, *Mijnheer*. Pańska znajomość prawa jest imponująca. — Van de Witten skinął głową. — Dziękuję za zwrócenie mi uwagi na ten ważny akt prawny. — Wstał i podszedł do witrażowego okna; jego cienkie nogi wydawały się jeszcze chudsze w czarnych pończochach. Splótł ręce na gołębiej piersi i wyjrzał na zatokę. — Widzę, że statki panów wróciły do portu.

Żaden z braci nie odpowiedział na tę uwagę. Było to zbyteczne. Oba statki Courtneyów, stojące na kotwicy, były dobrze widoczne. Wpłynęły do zatoki dwa dni wcześniej i jeszcze nie rozładowały towaru. *Maid of York* i *Gift of Allah* były pięknymi szkunerami, zbudowanymi według projektu Toma w stoczni Trincomalee. Szybkie, zwinne i dobrze uzbrojone, miały niewielkie zanurzenie i doskonale nadawały się do pływania w pobliżu brzegów, handlu w ujściach rzek i na mieliznach niebezpiecznych i wrogich wybrzeży.

Tom nazwał statek na cześć Sarah, która urodziła się w Yorku. Imię dla drugiego szkunera wybrali wspólnie Dorian i Jasmini.

— Owocny rejs? — spytał van de Witten. — Tak w każdym razie słyszałem.

Tom uśmiechnął się lekko.

— Dziękujemy Bogu za te plony, które pozwolił zebrać, choć ciut więcej też by nie zawadziło.

Van de Witten skwitował dowcipną odpowiedź zimnym uśmieszkiem, odszedł od okna i usiadł na krześle.

— Pyta pan, czy jesteście aresztowani. Odpowiedź brzmi nie, *Mijnheer* Courtney. — Potrząsnął głową. — Jest pan filarem naszej społeczności, dżentelmenem o bardzo dobrej reputacji, pracowitym i sumiennym. Płaci pan podatki. Ściśle rzecz biorąc, nie jest pan wolnym holenderskim obywatelem, lecz obcokrajowcem. Uiszcza pan jednak opłaty za prawo do zamieszkania na terenie kolonii, dlatego należą się panu prawa równe jej obywatelom. Nawet mi do głowy nie przyszło aresztować pana. — Wyraz twarzy pułkownika Keysera dobitnie świadczył o tym, że razem z gubernatorem poważnie brali pod uwagę taką możliwość.

— Dziękuję, Wasza Ekscelencjo — rzekł Tom, wstając; Dorian

natychmiast poszedł w jego ślady. — Pańska opinia jest dla nas bardzo istotna.

— *Mijnheeren*, proszę! — Van de Witten powstrzymał ich podniesieniem ręki. — Jest jeszcze kilka drobnych kwestii, które powinniśmy omówić, zanim panowie się oddalą. — Tom i Dorian usiedli.

— Życzę sobie, aby żaden z panów... dotyczy to także członków waszych rodzin... nie opuszczał terytorium kolonii bez mojego wyraźnego zezwolenia, dopóki ta sprawa nie zostanie do końca rozwiązana. Odnosi się to również do pańskiego syna Mansura Courtneya, który odpowiada za umyślne wyciągnięcie oddziału kawalerii VOC na bezowocną eskapadę do północnych granic kolonii. — Popatrzył na Doriana. — Czy wyrażam się jasno? — Dorian skinął głową.

— Czy to wszystko, Wasza Ekscelencjo? — zapytał Tom z przesadną grzecznością.

— Nie, *Mijnheer*. Niezupełnie. Uznałem, że powinniście wpłacić pewną sumę pieniędzy jako gwarancję, że panowie oraz ich rodziny dotrzymacie ustalonych przeze mnie warunków.

— Jaka to suma? — Tom zebrał się w sobie, oczekując na odpowiedź.

— Sto tysięcy guldenów. — Van de Witten wziął karafkę z maderą w kolorze złocistego miodu i obszedł stół, żeby napełnić kieliszki na spiralnych nóżkach. W sali zaległa ciężka cisza. — Biorę pod uwagę fakt, że jesteście panowie cudzoziemcami i mogliście mnie nie zrozumieć. — Van de Witten usiadł z powrotem. — Powtórzę więc. Żądam od was zabezpieczenia w wysokości stu tysięcy guldenów.

— To bardzo duża suma pieniędzy — rzekł wreszcie Tom.

— Tak, uważam, że powinna być wystarczająca. — Gubernator skinął głową. — Stosunkowo jednak skromna, jeśli wziąć pod uwagę zyski z waszego ostatniego rejsu.

— Będę potrzebował trochę czasu, żeby zebrać tyle gotówki — powiedział Tom. Jego twarz nie zdradzała uczuć; tylko lekkie drganie powieki świadczyło o tym, że jest wzburzony.

— Rozumiem to — zgodził się van de Witten. — Kiedy jednak będzie pan czynił te przygotowania, powinien pan wziąć pod uwagę, że za kilka tygodni przypada termin opłaty pozwolenia na pobyt. Byłoby dobrze, gdyby uiścił pan obie te należności jednocześnie.

— Kolejne pięćdziesiąt tysięcy guldenów — powiedział Tom, starając się ukryć oburzenie.

— Nie, *Mijnheer*. W związku z tymi nieprzewidzianymi okolicznościami musiałem ponownie rozważyć wysokość opłaty. Została podniesiona do stu tysięcy guldenów.

— To piractwo — warknął Tom, tracąc na moment panowanie nad sobą. Szybko się jednak zreflektował. — Proszę wybaczyć, Ekscelencjo. Wycofuję tę uwagę.

— Pan wie co nieco o piractwie, *Mijnheer* Courtney. — Van de Witten westchnął ze smutkiem. — Pański dziadek został stracony za to przestępstwo. — Wskazał przez okno. — Tam, na placu defilad, który widać z okien tej sali. Módlmy się, aby żadnego innego członka pańskiej rodziny nie spotkał ten tragiczny los. — Ukryta w tych słowach groźba zaległa w cichym pomieszczeniu jak cień szubienicy.

— Opłata w wysokości stu tysięcy jako dodatek do rękojmii zrujnuje naszą firmę — wtrącił się po raz pierwszy Dorian.

Van de Witten odwrócił się do niego.

— Myślę, że wciąż się nie rozumiemy — rzekł smutno. — Opłata za pobyt rodziny pańskiego brata wynosi sto tysięcy, a za pobyt pańskiej rodziny drugie sto tysięcy. Dopiero do tego należy dodać kwotę stanowiącą rękojmię właściwego postępowania.

— Trzysta tysięcy! — zawołał Tom. — To niemożliwe.

— Nie wątpię, że jest to możliwe — sprzeciwił się van de Witten. — W ostateczności zawsze możecie sprzedać swoje statki i zawartość składu. To z pewnością pozwoli zebrać całą sumę.

— Sprzedać statki? — Tom zerwał się na nogi. — Co to za szaleństwo? One są ciałem i krwią naszej firmy.

— Zapewniam panów, że to nie szaleństwo. — Van de Witten potrząsnął głową i uśmiechnął się do Keysera. — Myślę, że powinien pan wyjaśnić tym dżentelmenom, jaka jest sytuacja.

— Oczywiście, Wasza Ekscelencjo. — Keyser podniósł swój ciężki zadek z krzesła i kołyszącym się krokiem podszedł do okna. — Świetnie! W samą porę.

Na plaży pod zewnętrznym murem zamku ustawiły się dwa plutony żołnierzy VOC. Mieli bagnety na muszkietach i pełne plecaki. Zieleń mundurów odcinała się wyraziście od białego piasku. Tom i Dorian patrzyli, jak brodząc po kolana w wodzie, wchodzą do dwóch lekkich łodzi stojących tuż przy brzegu.

— By mieć pewność, że spełnicie żądania gubernatora van de Wittena, umieszczam straże na pokładach obu waszych statków —

oznajmił Keyser, siadając z powrotem na krześle. — Aż do odwołania obaj będziecie się stawiać przed południem w mojej kwaterze. Oczywiście, jak tylko okażecie panowie pokwitowanie ze skarbca, że wpłaciliście pieniądze, które jesteście winni, i paszport od gubernatora van de Wittena, będziecie mogli wyjechać. Obawiam się jednak, że następnym razem nie będzie łatwo wrócić.

N o cóż, być może zabawiliśmy tutaj za długo — powiedział Tom i rozejrzał się z ożywieniem. Cała rodzina zebrała się w kantorze składu w High Weald.

Sarah Courtney próbowała surową miną okazać dezaprobatę, lecz jej opuszczone powieki zdradzały rezygnację. Mój mąż nigdy nie przestanie mnie zadziwiać, myślała. Czuje się jak ryba w wodzie w sytuacjach, które innych by zdruzgotały.

— Myślę, że Tom ma rację — rzekł Dorian między jednym a drugim pyknięciem z fajki. — My, Courtneyowie, zawsze byliśmy żeglarzami na oceanach i włóczęgami na lądach. Dwadzieścia lat w jednym miejscu na ziemi to za długo.

— Mówicie o moim domu — zaprotestowała Jasmini. — Miejscu, w którym spędziłam połowę życia i gdzie urodził się mój jedyny syn.

— Znajdziemy tobie i Sarah nowy dom i damy wam więcej synów, jeśli to was uszczęśliwi — obiecał Dorian.

— Jesteś nie lepszy od swojego brata — naskoczyła na niego Sarah. — Nie rozumiecie kobiecego serca.

— Ani kobiecego umysłu — zachichotał Tom. — Moje urocze panie, nie możemy tu zostać i pozwolić, żeby van de Witten puścił nas z torbami. Już kiedyś musiałyście zwijać manatki i uciekać. Nie pamiętacie, jak trzeba było się spakować w ciągu pięciu minut i zmykać z Fort Providence, kiedy zjawiły się zbiry Zajna al-Dina?

— Nigdy tego nie zapomnę. Wyrzuciłeś mój klawikord za burtę, żeby statek był lżejszy i żeby mógł się prześlizgnąć przez mieliznę u ujścia rzeki.

— Ale potem kupiłem ci drugi — odparował Tom i wszyscy spojrzeli na trójkątny instrument, stojący przy wewnętrznej ścianie.

Sarah wstała i podeszła do niego. Podniosła wieko klawiatury, usiadła na taborecie i zagrała pierwszy akord „Hiszpańskich dziewczyn". Tom wymruczał refren. Nagle zatrzasnęła wieko instrumentu i wstała. W jej oczach błyszczały łzy.

— To było dawno temu, Tomie Courtneyu, kiedy byłam głupią młodą smarkulą.

— Młodą? Tak! Ale głupią? Nigdy! — Tom podszedł i otoczył ręką jej ramiona.

— Tom, jestem już za stara, żeby zaczynać wszystko od nowa — szepnęła.

— Nonsens, jesteś tak samo młoda i silna jak zawsze.

— Będziemy bez środków do życia — rozpaczała Sarah. — Bezdomni żebracy, włóczędzy.

— Jeśli w ten sposób myślisz, to nie znasz mnie tak dobrze, jak ci się wydaje. — Wciąż obejmując czule żonę, Tom spojrzał na brata. — Pokażmy im, Dorry.

— Nie będzie spokoju, dopóki im nie pokażemy — zgodził się Dorian, wzruszając ramionami. — Te nasze kobiety to straszne sekutnice.

Jasmini przechyliła się i pociągnęła go za kręconą rudą brodę.

— Zawsze byłam dla ciebie posłuszną muzułmańską żoną, al-Salilu. — Użyła jego arabskiego imienia, oznaczającego Nagi Miecz. — Jak śmiesz oskarżać mnie o brak szacunku? Odwołaj wszystko, bo inaczej zostaniesz pozbawiony wszelkich względów i przywilejów aż do następnego ramadanu.

— Jesteś śliczna, księżycu mojego życia. Z każdym dniem stajesz się coraz słodsza i bardziej potulna.

— Uznam to za odwołanie oskarżeń. — Uśmiechnęła i spojrzała nań ciepło wielkimi, ciemnymi oczami.

— Basta! — zawołał Tom. — Ta debata rozdziera naszą rodzinę i nasze serca. — Wszyscy się rozEśmiali, nawet kobiety. Tom wykorzystał okazję. — Wiecie, że Dorian i ja nigdy nie byliśmy tak głupi, by ufać bandzie zdzierców i rzezimieszków, którą jest rada gubernatorów VOC — oznajmił.

— Zawsze wiedzieliśmy, że jesteśmy w tej kolonii tylko tolerowani, i to niechętnie — podjął Dorian. — Holendrzy widzieli w nas mleczne krowy. Przez dwadzieścia lat wyssali nasze wymiona do sucha.

— No, może nie całkiem do sucha — mruknął Tom, podchodząc do regału w końcu pomieszczenia, sięgającego od podłogi do sufitu. — Pomóż mi, braciszku. — Dorian podszedł bez słowa. Regał, pełen ciężkich, oprawionych w skórę woluminów, stał na stalowych kółkach, przemyślnie ukrytych pod płytą z ciemnego drewna. Kiedy bracia pchnęli go razem, przesunął się z piskiem kółek, odsłaniając drzwiczki w ścianie, zabezpieczone żelaznymi sztabami i zamknięte na ogromną brązową kłódkę.

Tom zdjął książkę, której tytuł, napisany na grzbiecie złotymi, wypukłymi literami, brzmiał: „Potwory południowych oceanów". Otworzył księgę. W jej wydrążonym wnętrzu spoczywał klucz do kłódki.

— Przynieś latarnię — powiedział do Sarah, przekręcając klucz w zamku. Zdjął sztaby i otworzył drzwiczki.

— Jak wam się udawało utrzymać to przed nami w tajemnicy przez te wszystkie lata? — zdziwiła się Sarah.

— Z najwyższym trudem. — Tom wziął ją za rękę i wprowadził do maleńkiego pomieszczenia, niewiele większego od szafy. Dorian i Jasmini weszli za nimi. Wewnątrz ledwie wystarczało miejsca dla całej czwórki i małych drewnianych kuferków, ustawionych pod ścianą w równiutki stos.

— Rodzinna fortuna — wyjaśnił Tom. — Zyski z dwudziestu lat. Nie byliśmy tak odważni ani tak pozbawieni zdrowego rozsądku, by powierzać je Bankowi Batawii, którego właścicielami są nasi przyjaciele z VOC w Amsterdamie. — Otworzył pierwszy kuferek, po brzegi wypełniony małymi płóciennymi woreczkami, i wręczył po jednym Sarah i Jasmini.

— Ale ciężki! — zawołała Jasmini, omal nie wypuszczając mieszka z rąk.

— Nie ma nic cięższego — zgodził się Tom.

Otworzywszy woreczek, Sarah westchnęła głośno.

— Złote monety? Wszystkie trzy kufry pełne złota?

— Naturalnie, kwiatuszku. Nasze należności płacimy w srebrze, a zyski trzymamy w złocie.

— Tomie Courtneyu, jesteś jak czarny koń, po którym wszystkiego można się spodziewać. Czemu nawet słowem nie wspomnieliście nam o tym skarbcu?

— Do tej pory nie było powodu — roześmiał się Tom. — Ta wiedza niepokoiłaby was, a teraz zdjęła ciężar z waszych serc.

— Ile tutaj zachomikowaliście? — spytała zdumiona Jasmini.

Tom stuknął kostkami palców w każdą skrzynię po kolei.

— Zdaje się, że wszystkie trzy są wciąż pełne. To większa część naszych oszczędności. Oprócz tego mamy jeszcze bogatą kolekcję szafirów z Cejlonu i diamentów z legendarnej kopalni Kollur nad rzeką Krishna w Indiach. Same duże kamienie najczystszej wody. Jeśli nie można by nimi zapłacić okupu za króla, to przynajmniej za radzę. — Zachichotał wesoło. — Właściwie to jeszcze nie wszystko. Oba nasze statki czekające w zatoce mają wciąż nienaruszony ładunek.

— Nie wspominając o dwóch plutonach żołnierzy VOC na ich pokładach — zauważyła cierpko Sarah, wychodząc ze schowka.

— To stawia nas przed interesującym problemem — przyznał Tom, zamykając drzwi; Dorian pomógł mu przesunąć regał na swoje miejsce. — Ale nie jest on niemożliwy do rozwiązania. — Usiadł na swoim krześle i klepnął w siedzisko sąsiedniego. — Usiądź koło mnie, Sarah Courtney. Będę potrzebował twojej słynnej bystrości i erudycji.

— Wydaje mi się, że czas zaprosić Mansura na rodzinną naradę — zasugerował Dorian. — Jest już dość dorosły, a poza tym jego życie zmieni się tak samo jak nasze, gdy wypłyniemy z Zatoki Stołowej. Pewnie będzie przygnębiony, że musi opuścić dom swojego dzieciństwa.

— Słusznie! — zgodził się Tom. — Teraz jednak liczy się przede wszystkim szybkość działania. Nasz exodus musi zaskoczyć van de Wittena i Keysera. Oni nie mogą się spodziewać, że porzucimy High Weald razem ze wszystkim, co się tu znajduje. Jest wiele spraw, których trzeba dopilnować, lecz musimy sobie wyznaczyć limit czasu. — Spojrzał na Doriana. — Trzy dni?

— Będzie ciężko — odparł Dorian, marszcząc brwi. — Ale owszem, damy radę wypłynąć w ciągu trzech dni.

Owe trzy dni wypełniła gorączkowa aktywność, starannie ukryta przed światem. Nawet najbardziej zaufani słudzy nie mogli wiedzieć o prawdziwych zamiarach rodziny. Lojalność niekoniecznie idzie w parze z dyskrecją: dziewczyny podające do stołu były notorycznymi gadułami, a pokojówki bynajmniej im pod tym względem nie ustępowały. Wiele spośród nich utrzymywało romantyczne kontakty z mężczyznami z miasta, a kilka spoufaliło się nawet z żołnierzami i podoficerami z zamku. W celu odsunięcia podejrzeń Sarah i Jasmini rozpowiedziały, że sortowanie i pakowanie ubrań oraz mebli przeprowadzają w ramach sezonowego porządkowania ogromnego domostwa. Tom i Dorian zaczęli doroczny remanent w składzie trzy miesiące wcześniej niż zwykle.

Na kotwicy w zatoce stał statek angielskiej Kompanii Wschodnioindyjskiej, którego kapitan był starym, zaufanym przyjacielem Toma. Współpracowali ze sobą od dwudziestu lat. Tom zaprosił go na obiad; w czasie posiłku kazał kapitanowi przysiąc, że zachowa dyskrecję, i poinformował go o planach opuszczenia Przylądka

Dobrej Nadziei. Potem sprzedał mu całą zawartość składu High Weald za ułamek rzeczywistej wartości. W zamian za to kapitan Welles przyrzekł, że nie obejmie swej własności w posiadanie, dopóki statki Courtneyów nie wypłyną z zatoki. Zobowiązał się wpłacić należność za towary na rachunek CBTC w banku pana Couttsa przy Piccadilly Circus natychmiast po powrocie do Londynu.

Grunt i budynki High Weald były na stałe wydzierżawione od VOC. *Mijnheer* van de Velde, jeden z najbogatszych obywateli kolonii, od lat nagabywał Toma i Doriana, żeby sprzedali mu prawa do posiadłości.

Po północy obaj bracia, ubrani na czarno, z twarzami ukrytymi pod rondami kapeluszy i podniesionymi kołnierzami, pojechali konno do domu nad brzegiem rzeki i zapukali w okiennice sypialni van de Veldego. Po serii gniewnych okrzyków Holender wyskoczył przed dom w nocnej koszuli, wymachując garłaczem, i zaświecił latarnią w twarze przybyszy.

— Na psa urok, toż to wy! — zawołał i wprowadził ich do swojego kantorka. Gdy pierwszy blask świtu okrył niebo bladością, a gołębie zagruchały w koronach dębów za oknem, kontrahenci uścisnęli sobie dłoń na znak, że dobili targu. Tom i Dorian podpisali umowę przekazania High Weald, a van de Velde z triumfalnym uśmiechem wręczył im nieodwołalny list kredytowy dla Banku Batawii na sumę ponad dwa razy mniejszą, niż jeszcze kilka miesięcy temu gotów był zapłacić braciom za posiadłość.

Wieczorem tego dnia, w którym zaplanowali ucieczkę, Mansur wraz z niewielką załogą wypłynęli łodzią do zakotwiczonych statków. Było już po zachodzie słońca i prawie ciemno; nikt nie mógł ich zobaczyć z plaży ani zamku. Keyser umieścił na każdym statku po sześciu Hotentotów pod dowództwem kaprala. Po pięciu dniach spędzonych na kołysanych południowo-wschodnim wiatrem szkunerach żołnierzy dręczyła choroba morska, a ci, którzy nie chorowali, byli znudzeni i rozczarowani służbą. Na domiar złego, nad wzburzonymi falami widzieli w ciemności światła tawern na nabrzeżach, słyszeli strzępy piosenek i odgłosy zabawy.

Przypłynięcie Mansura było przyjemną odmianą, więc zebrali się przy relingu, żeby trochę podowcipkować. Mansur był ulubieńcem Hotentotów w kolonii. Nadali mu przydomek „Specht", czyli Dzięcioł, ze względu na ognisty czub na głowie.

— Nie wolno ci wejść na pokład, Specht — oznajmił surowo kapral. — Rozkaz pułkownika Keysera. Żadnych gości.

— Nic się nie przejmuj, nie wybieram się na pokład. Na co mi towarzystwo takich nicponi i hultajów! — krzyknął w odpowiedzi Mansur.

— Tak mówisz, Specht! Więc co tutaj robisz? Powinieneś siedzieć w wiosce i dawać dziewczynom lekcje szycia. — Kapral zarechotał ze swojego żartu. Użyte przez niego słowo miało podwójne znaczenie: szyć i uprawiać seks. Ruda czupryna i uroda Mansura sprawiały, że kobiety nie umiały mu się oprzeć.

— Dzisiaj są moje urodziny — rzekł Mansur — więc przywiozłem dla was prezent. — Kopnął czubkiem buta w beczkę *brandewijn* z przylądka, leżącą na dnie łodzi. — Spuście sieć. — Żołnierze nie dali sobie tego dwa razy powtarzać i po chwili beczka stanęła na pokładzie szkunera.

Muzułmański kapitan *Gift of Allah* wyszedł z kabiny, by zaprotestować przeciwko wnoszeniu na pokład diabelskiej mikstury, zakazanej przez Proroka.

— Pokój z tobą, Batula! — zawołał do niego Mansur po arabsku. — Ci ludzie są moimi przyjaciółmi. — Batula był giermkiem ojca Mansura w pierwszych dniach spędzonych przez Doriana na pustyni; przeżyli razem większość życia, a łącząca ich więź była jak ze stali. Batula znał Mansura od urodzenia. Rozpoznał od razu głos syna przyjaciela i jego gniew trochę zmalał. Pocieszył się, że wszyscy jego marynarze są religijni i szatański koktajl nie skusi ich tak, jak żołnierzy *kaffir*.

Kapral wybił szpunt z beczki i nalał sobie trunku do miedzianego kubka. Przełknął alkohol, zaczerpnął tchu i wypuścił głośno powietrze.

— *Yis maar!* — zawołał. — *Dis lekker!* Ale dobre!

Z kubkami w dłoniach żołnierze otoczyli go, czekając na swoją kolejkę. Kapral tymczasem puścił w niepamięć narzucone przez Keysera rygory i zawołał:

— Hej, Specht! Chodź na pokład i napij się z nami!

Mansur machnął przepraszająco ręką, gdy łódź odbijała i kierowała się do drugiego statku.

— Teraz nie mogę, może później. Mam także prezent dla waszych kolegów na *Maid of York*.

S arah i Jasmini dostały od mężów surowy nakaz — każda mogła wziąć ze sobą jedynie dwa kufry podróżne. Tom zapowiedział Sarah, żeby w żadnym wypadku nie próbowała przeszmuglować na statek klawikordu. Gdy tylko mężczyźni zajęli się czym innym, ich żoneczki kazały służbie załadować na czekający wóz dziesięć wielkich skrzyń, a na samym wierzchu tego obfitego ładunku stanął klawikord. Koła wozu aż się ugięły pod ciężarem.

— Sarah Courtney, zadziwiasz mnie. Nie wiem, co powiedzieć — rzekł Tom na widok feralnego instrumentu.

— Więc nie mów nic, ty duży głuptasie. A ja ci zagram „Hiszpańskie dziewczyny" tak pięknie, jak jeszcze nie słyszałeś, kiedy znajdziemy się w nowym domu, który mi zbudujesz. — Była to ulubiona piosenka Toma, więc pokonany, odszedł pilnować załadunku pozostałych wozów.

W tej ostatniej godzinie nie było już możliwe, żeby wieść o ucieczce Courtneyów dotarła na czas do uszu pułkownika Keysera, więc Tom i Dorian zebrali służbę i ogłosili, że rodzina wyjeżdża na zawsze z High Weald. Na pokładzie dwóch statków nie było dość miejsca dla wszystkich służących i wyzwolonych niewolników, mieszkających w posiadłości. Ci, których Courtneyowie postanowili zabrać ze sobą, mieli prawo odmówić i zostać w kolonii. Nikt się na to nie zdecydował. Dostali godzinę na spakowanie się. Ci zaś, którzy mieli zostać, zebrali się w grupkę na końcu rozległej werandy. Kobiety płakały cicho. Członkowie rodziny Courtneyów przeszli wzdłuż szeregu dobrze znanych twarzy, rozmawiając z każdą osobą po kolei i żegnając się czule. Tom i Dorian wręczali wszystkim płócienne sakiewki, akty emancypacji i zwolnienia ze służby, a także doskonałe listy referencyjne.

— Gdzie jest Susie? — zapytała Sarah, kiedy dotarła do końca szeregu i rozejrzała się za jedną ze starszych pokojówek. Susie była żoną woźnicy Sonniego, którego więziono w lochach zamku.

Służący rozejrzeli się ze zdziwieniem.

— Przecież tu była — odpowiedziała jedna z kobiet. — Widziałam ją na werandzie.

— Pewnie bardzo się przejęła na wieść, że odpływamy — zasugerowała Jasmini. — Kiedy się otrząśnie, przyjdzie się pożegnać.

Wciąż było wiele do zrobienia, więc Sarah musiała odsunąć na bok myśl o nieobecności Susie.

— Jestem pewna, że nie pozwoliłaby nam odejść bez słowa — doszła do wniosku, a potem pośpieszyła sprawdzić, czy wóz wiozący jej skarby jest gotowy do wyjazdu na plażę.

Z anim wozy wyjechały z High Weald, wszedł księżyc; w jego świetle Susie śpieszyła drogą do zamku. Na głowie miała chustę, która częściowo skrywała twarz mokrą od łez.

— Nie myślą o mnie i o Sonnim — mówiła do siebie na głos. — Zostawiają mojego męża w rękach Burów, skazując na bicie i śmierć, a mnie z trzema dzieciakami, żebyśmy pomarli z głodu. — Szybko zapomniawszy o tym, że przez dwadzieścia lat Sarah Courtney okazała jej tyle serca, rozszlochała się na myśl o okrucieństwie pracodawców. Przyśpieszyła kroku. — Jeśli nie obchodzi ich Sonnie, ja i dzieci, to dlaczego oni mają mnie obchodzić? — Jej głos powoli twardniał. — Dobiję targu z Burami. Jeżeli wypuszczą Sonniego z lochu, powiem im, co zamierzają dzisiaj zrobić Klebe i jego żona.

Nie traciła czasu na szukanie pułkownika Keysera na zamku, tylko poszła prosto do małego domku za ogrodami holenderskiej kompanii. Społeczność Hotentotów była ze sobą ściśle powiązana; Szala, kochanka pułkownika Keysera, była najmłodszą córką siostry Susie. Związek z pułkownikiem zapewniał jej wielki prestiż w rodzinie.

Susie zapukała w okiennice na tyłach domku. Ze środka dobiegło szuranie i zrzędzenie, a potem gdzieś zapaliło się światło.

— Kto tam? — spytała zaspanym głosem Szala.

— To ja, *Tannie* Susie.

Szala odsunęła okiennicę. Stanęła nago w świetle lampki, którą trzymała; jej ciężkie piersi o barwie miodu otarły się o siebie, kiedy pochyliła się nad parapetem.

— Ciocia? Po co przyszłaś tak późno?

— Dziecko, powiedz mi, czy on tu jest? — Pytanie było zbyteczne, bo z ciemnego pokoju dobiegało chrapanie Keysera, przypominające odległe grzmoty. — Obudź go.

— Zbije mnie, jak to zrobię — zaprotestowała Szala. — I ciebie też.

— Mam dla niego ważną wiadomość — warknęła Susie. — Wynagrodzi nas obie, jak ją usłyszy. Życie twojego wujka Sonniego od tego zależy. Obudź go w tej chwili.

K iedy rząd wozów wyruszył z High Weald w stronę nabrzeża, nawet ci, którzy nie odpływali z rodziną, szli obok. Dotarłszy do plaży, pomogli ładować bagaże na łódki czekające już na wodzie. Zanim wszystkie wozy przejechały przez wydmy, obie łodzie były do pełna załadowane.

— Przy takiej fali, wkładając do łodzi coś jeszcze, ryzykujemy, że się wywróci — oświadczył Tom. — Zawieziemy z Dorianem ten ładunek na szkunery i zajmiemy się strażnikami — powiedział do Sarah i Jasmini. — Jeśli brandy Mansura jeszcze ich nie ukołysała, na pokładzie może dojść do przepychanki. Nie chcę was w to mieszać. Musicie tu poczekać. Popłyniecie następnym kursem.

— Wóz z naszym bagażem jeszcze nie przyjechał — oznajmiła Sarah, spoglądając z zatroskaniem na ciemne wydmy.

— Niedługo będzie — zapewnił ją Tom. — Czekaj tu, proszę, i nie wyciągaj Jassie, żeby włóczyć się nie wiadomo gdzie. — Potem objął ją i szepnął do ucha: — Będę ci głęboko wdzięczny, jeśli choć raz mnie posłuchasz.

— Jak możesz tak źle myśleć o swojej żonie? — spytała cichutko. — No, idź już. Kiedy wrócisz, będę tutaj, masz moje słowo.

— Trzymam cię za nie, moja piękna — powiedział Tom.

Mężczyźni wdrapali się do łodzi i chwycili za wiosła. Załadowane łodzie były głęboko zanurzone i podskakiwały na falach. Woda bryzgała przez burty, przemaczając ich do nitki. Kiedy wreszcie wpłynęli na spokojniejszą wodę tuż przy *Gift of Allah*, z pokładu nie odezwał się żaden krzyk. Tom wdrapał się po sznurowej drabinie, a Dorian i Mansur weszli tuż za nim. Wyciągnęli szpady na wypadek ataku ze strony żołnierzy VOC, lecz zastali tylko kapitana Batulę.

— Pokój Boga niech będzie z wami. — Batula przywitał właścicieli statku z najwyższym szacunkiem. Dorian uścisnął go serdecznie. Przebyli wspólnie tysiące mil lądu, a przepłynęli jeszcze więcej. Walczyli ramię w ramię w bitwach, które pozwoliły zdobyć królestwo. Dzielili się chlebem i solą. Ich przyjaźń była mocna jak skała.

— Gdzie strażnicy, Batula? — przerwał ich powitanie Tom.

— W forkasztelu — odparł Batula. — Pijani w sztok.

Tom podbiegł do otwartej zejściówki i wskoczył do środka. Kabina cuchnęła oparami brandy i innymi, mniej przyjemnymi woniami. Żołnierze VOC leżeli nieprzytomni razem z kapralem w kałużach swoich wymiocin.

Tom wsunął szpadę do pochwy.

— Tym dżentelmenom na razie nie brakuje niczego do szczęścia. Zwiążcie ich i pozwólcie odpoczywać, dopóki nie będziemy gotowi do wypłynięcia. My tymczasem wnieśmy na pokład skrzynie ze złotem i resztą ładunku.

Gdy kufry spoczęły bezpiecznie w głównej kabinie, Tom zostawił Dorianowi i Mansurowi nadzór nad załadunkiem reszty rzeczy. Sam zaś wsiadł do drugiej łodzi i podpłynął z załogą do *Maid of York*. Strażnicy VOC nie byli w lepszym stanie niż ich towarzysze na *Gift of Allah*.

— Słońce wzejdzie za osiem godzin, a my musimy być wtedy z dala od lądu — rzekł Tom do Kumraha, arabskiego kapitana statku. — Zabierzcie ładunek na pokład, najprędzej jak się da.

Załoga uwinęła się z robotą. Kiedy ostatnie pakunki znalazły się na pokładzie, Tom spojrzał na drugi statek i zobaczył, że Dorian kazał wywiesić na maszcie *Gift* pojedynczą latarnię — oznaczało to, że łódź została rozładowana i wraca na plażę, by zabrać kobiety i pozostałą część ładunku.

Tom polecił załodze wynieść żołnierzy VOC z forkasztelu i umieścić ich w łodzi, powiązanych jak kurczaki. Niektórzy odzyskiwali już przytomność, lecz z powodu knebli w ustach i więzów nie byli w stanie wyrazić swego oburzenia inaczej niż przez postękiwanie i przewracanie oczami.

Odbili od burty i skierowali się ku brzegowi. Zbliżając się do plaży, Tom dostrzegł, że łódź Doriana już dopłynęła, lecz nikt nie pracuje przy jej załadunku. Zauważył natomiast tłum podekscytowanej służby, zebrany u podnóża wydm. Wyskoczył z łódki do płytkiej wody i brodząc, wyszedł na brzeg, a potem podbiegł do wydmy. Dorian spierał się z woźnicą.

— Co się stało? — spytał. Właśnie wtedy zauważył nieobecność Sarah i Jasmini. — Gdzie są kobiety? — zawołał.

— Ten idiota pozwolił im wrócić — odparł Dorian zdesperowanym tonem.

— Wrócić? — Tom stanął jak wryty i wlepił wzrok w brata. — Jak to wrócić?

— Wóz z ich bagażami popsuł się na wydmach. Pękła oś. Sarah i Jasmini wzięły jeden z pustych wozów, żeby przywieźć ładunek.

— Zwariowane baby! — wybuchnął Tom, a potem z wielkim wysiłkiem opanował gniew. — Dobrze, musimy to jak najlepiej wykorzystać. Mansur, przetransportuj więźniów poza linię przyboju. Nie rozwiązuj ich. Niech Keyser znajdzie ich rano. Następnie załaduj te rzeczy na pierwszą łódź. — Wskazał pozostałe kufry i skrzynie, ustawione w stos wysoko na plaży. — Niech popłynie z załogą z *Maid*. Bogu dzięki, że kufry ze złotem są już na pokładzie.

— A potem co mam robić? — zapytał Mansur.

— Twój posterunek będzie tutaj. Czekaj tu z drugą łodzią, ale bądź gotów, żeby odbić, jak tylko wrócimy z kobietami. — Mansur skoczył biegiem, żeby wykonać zadanie, a Tom odwrócił się do Doriana. — Chodź, braciszku, pójdziemy po te urocze ptaszki, które uciekły z klatki.

Podbiegli do koni.

— Poluzuj szpadę i sprawdź, czy masz oba pistolety nabite, Dorry. Ten zakręt na drodze wcale mi się nie podoba — mruknął Tom, dosiadając konia. Sam zastosował się do własnej rady; poluźnił szpadę, wyciągnął pistolety z olstrów przy siodle, sprawdził je i włożył z powrotem.

— Ruszajmy! — rzekł i po chwili obaj galopowali piaszczystym traktem. Tom w każdej chwili spodziewał się zobaczyć wóz, lecz przejechali przez wydmy i posuwali się przez padoki w stronę High Weald, a wozu wciąż nie było.

— Jeśli nie zajechał daleko, nie można winić za to woźnicy — mruknął Dorian. — Nie wytrzymał ciężaru babskich bagaży.

— Powinniśmy byli załadować je na większy wóz.

— Nasze damy nie chciały o tym słyszeć — przypomniał mu Dorian. — Nie życzyły sobie, żeby ich skarby doznały uszczerbku, podróżując obok pospolitych bagaży.

— Nie widzę w tym nic zabawnego, bracie. Czas ucieka. — Tom spojrzał na wschód, lecz nie było jeszcze widać oznak brzasku.

— Tam są! — Dostrzegli w mroku blask latarni i ciemny zarys wozu obok mniejszej sylwetki przewróconej furmanki.

Popędzili konie. Widząc nadjeżdżających mężczyzn, Sarah wyszła z latarnią na środek drogi, a Jasmini stanęła koło niej.

— Spóźniłeś się w samą porę, mój mężu — roześmiała się Sarah. — Wszystko zostało przeniesione.

W tej samej chwili Tom zobaczył, że woźnica robi zamach długim biczem i trzaska z niego nad grzbietami wołów.

— Henny, ty matole, powstrzymaj rękę. Nawet w zamku usłyszą twoje trzaskanie. Pułkownik i wszyscy jego ludzie rzucą się na nas jak stado lwów!

Zawstydzony Henny odłożył wielki bicz i zeskoczył z kozła; razem z przewodnikiem zaprzęgu pobiegli obok wołów, popędzając je słowami i poklepywaniem po zadach. Wóz potoczył się w stronę wydm. Klawikord trząsł się i kołysał. Tom spojrzał z goryczą na instrument.

— Oby spadł i roztrzaskał się na tysiąc kawałków! — mruknął.

— Postanawiam zignorować tę uwagę — powiedziała sucho Sarah — bo wiem, że naprawdę tak nie myślisz.

— Siadaj za mną, moja słodka. — Tom wychylił się z siodła i podniósł Sarah. — Zabiorę cię na plażę, a potem na statek, zanim mrugniesz okiem.

— Dziękuję ci, ale nie skorzystam, serce ty moje. Wolę zostać przy wozach, żeby bagażowi nie przytrafiło się kolejne nieszczęście.

Sfrustrowany Tom zdzielił prowadzącego wołu ciężką pochwą szpady. Gdy dotarli do zbocza wydmy, obejrzał się i poczuł pierwszy dreszcz niepokoju. W High Weald, jeszcze kilka minut temu pogrążonym w ciemności, jedno po drugim zapalały się światła.

— Spójrz, bracie — mruknął cicho do Doriana. — Co o tym sądzisz?

Dorian odwrócił się w siodle.

— Jeźdźcy z pochodniami — zawołał. — Wjeżdżają na wzgórze od strony kolonii. Duży oddział jadący w kolumnie. To musi być kawaleria.

— Keyser! — potwierdził Tom. — Stephanus Keyser! To nie może być nikt inny. Jakimś cudem zwęszył, co zamierzamy.

— Jak zobaczy, że nas tam nie ma, przyjedzie prosto na brzeg.

— Dopadnie nas, zanim zdążymy przenieść bagaże na łódź — zgodził się Tom. — Musimy zostawić wóz i pędzić na plażę.

Zawrócił i skoczył do miejsca, gdzie Sarah i Jasmini maszerowały obok zaprzęgu wołów. Wycięły sobie patyki z przydrożnych zarośli i pomagały poganiać zwierzęta.

— Zgaś tę lampkę, Keyser nadchodzi! — krzyknął Tom do Sarah, wskazując w stronę High Weald. — Ruszy za nami lada chwila.

— Zostawcie wóz. Musimy uciekać — dodał Dorian, który zjawił się u boku brata.

Sarah osłoniła zwiniętą dłonią szklany komin latarni i zdmuchnęła płomień, po czym odwróciła się do męża.

— Nie możesz mieć pewności, że to Keyser — rzuciła.

— Któż inny mógłby prowadzić oddział kawalerii do High Weald o tej porze?

— Nie będzie wiedział, że zmierzamy w stronę plaży.

— Jest gruby, ale nie ślepy czy głupi. Oczywiście, że za nami pojedzie.

Sarah spojrzała w stronę brzegu.

— Już niedaleko. Możemy tam dotrzeć przed nim.

— Załadowany wóz i woły przeciwko kawalerii? Nie opowiadaj głupstw, kobieto.

— Więc musisz coś wymyślić — powiedziała Sarah z prostą, niezachwianą wiarą. — Ty zawsze wpadasz na jakiś pomysł.

— Tak, już wymyśliłem. Siadaj za mną i popędzimy, jakby sam diabeł deptał nam po piętach.

— I tak właśnie jest! — dodał Dorian, a potem zwrócił się do Jasmini: — Chodź, kochanie, musimy ruszać natychmiast.

— Możesz jechać, Jassie — powiedziała Sarah. — Ja zostaję.

— Nie mogę cię opuścić, za długo byłyśmy razem. Zostanę z tobą — odparła Jasmini i podeszła bliżej. Stanęły naprzeciw mężczyzn niezłomnym frontem. Tom wahał się jeszcze przez chwilę, a potem odwrócił się do Doriana.

— Jeśli się czegoś w życiu nauczyłem, to tego, że nie da się ich ruszyć z miejsca. — Wyciągnął z olstra pistolet. — Sprawdź kurek, Dorry. — Potem surowym wzrokiem zmierzył Sarah. — Przez ciebie wszyscy zginiemy. Może to cię usatysfakcjonuje. Ruszajcie czym prędzej. Jak dotrzecie na plażę, Mansur będzie tam na was czekał z łodzią. Załadujcie ją i bądźcie gotowi do odbicia. Dorry i ja być może będziemy się nieco śpieszyć. — Już miał odjechać, kiedy coś przyszło mu do głowy. Pochylił się i zdjął zapasowy łańcuch z wozu. Każdy wóz był tak zaopatrzony; łańcuch służył do podwojenia zaprzęgów.

— Co zamierzasz zrobić z tym łańcuchem? — zapytał Dorian. — To dodatkowe obciążenie.

— Może nic — odparł Tom, owijając łańcuch wokół łęku siodła. — A może bardzo dużo.

Jeszcze raz przypomnieli żonom, żeby jechały jak najszybciej, a potem ruszyli z powrotem na wzgórze. W miarę jak zbliżali się do High Weald, światła były coraz silniejsze, a widoczność coraz lepsza. Zatrzymali się na skraju padoku nieopodal składu i odprowadzili konie w cień pod rozłożystymi konarami drzew. Od razu zobaczyli, że niezapowiedziani goście byli umundurowanymi żołnierzami. Wielu zsiadło z koni i biegało po obejściu z wyciągniętymi szablami, przeszukując pomieszczenia. Tom i Dorian wyraźnie widzieli ich twarze.

— Tam jest Keyser! — zawołał Dorian. — Na brodę Proroka, obok niego stoi Susie.

— Więc to jest nasz Judasz! — rzekł ponuro Tom. — Jaki miała powód, żeby nas zdradzić?

— Czasem nie da się wytłumaczyć zdrady tych, których kochaliśmy i darzyliśmy zaufaniem — odparł Dorian.

— Keyser nie będzie tracił czasu na szukanie nas w domu — mruknął Tom, rozwiązując postronek, którym przymocował łańcuch do siodła. — Posłuchaj, co zrobimy, Dorry.

Szybko nakreślił plan. Ledwie zaczął mówić, Dorian pojął, o co chodzi.

— Brama głównej zagrody! — rzekł.

— Kiedy skończysz, zostaw ją otwartą — przypomniał Tom.

— Masz iście szatańskie pomysły, braciszku — zachichotał Dorian. — W takich chwilach cieszę się, że jestem z tobą, a nie przeciw tobie.

— Ruszaj prędko — ponaglił go Tom. — Keyser już zauważył, że stajnia jest pusta, a ptaszki wyfrunęły.

Dorian zostawił brata pod drzewami i pojechał rozgałęzieniem traktu, prowadzącym do głównej zagrody dla bydła nad laguną. Tom zauważył, że trzyma się skraju drogi, gdzie trawa tłumiła odgłos kopyt. Po chwili Dorian zniknął w ciemności, a Tom skupił uwagę na tym, co działo się wokół zabudowań High Weald.

Kawalerzyści zaprzestali poszukiwań i skoczyli do koni. Susie kuliła się przed Keyserem, który krzyczał na nią głośno. Jego wrzaski docierały do miejsca, gdzie czekał Tom, lecz było za daleko, żeby zrozumieć słowa.

Może Susie ruszyło sumienie, pomyślał Tom, widząc, że Keyser smaga kobietę w twarz szpicrutą. Susie upadła na kolana. Keyser uderzył ją jeszcze raz z góry. Krzyknęła przenikliwie i wskazała drogę prowadzącą do wydm.

Kawalerzyści wskoczyli w pośpiechu na konie i ustawili się za Keyserem, który ruszył na czele kolumny. Tom widział wyraźnie, jak oświetlając sobie drogę pochodniami, jadą w stronę wybiegu. Pobrzękiwanie uprzęży i broni stawało się coraz głośniejsze. Gdy zbliżyli się na tyle, że słychać było parskanie ich wierzchowców, Tom wyjechał na środek drogi.

— Keyser, ty podstępna beko świńskiego smalcu! Oby szczezło twoje czarne serce, a twoje skarłowaciałe genitalia pokryły się wysypką! — zawołał. Keyser był tak zaskoczony, że wstrzymał konia. Kawalerzyści jadący za nim wpadali na siebie. Konie kręciły się i rżały, w kolumnie zapanowało zamieszanie.

— Nigdy mnie nie dostaniesz, Keyser, ty bryło zgniłego sera! Nie na tym ośle, którego nazywasz koniem.

Podniósł dwulufowy pistolet i wymierzył nisko nad pióropuszem ze strusich piór w kapeluszu Keysera. Ten schylił głowę, a kula świsnęła mu koło ucha.

Tom zawrócił konia i ruszył galopem w stronę zagrody. Gonił go huk wystrzałów i wściekłe wrzaski Keysera:

— Łapać go! Za nim! Żywego, jeśli się da, albo martwego. Tak czy inaczej chcę go mieć!

Oddział ruszył z kopyta za Tomem. Śrut z kawaleryjskich karabinów zafurkotał wokół niego jak stado kuropatw zrywających się do lotu; Tom położył się płasko na grzywie konia i smagał go po szyi luźnym końcem wodzy.

Spojrzał za siebie pod ramieniem, a widząc, że odsadza się od pościgu, zwolnił nieco, by pozwolić Keyserowi się zbliżyć. Okrzyki rozochoconych kawalerzystów upewniły Toma, że żołnierze mają go w polu widzenia. Co parę sekund rozlegał się huk wystrzału z pistoletu albo karabinu; niektóre pociski przelatywały tak blisko, że je słyszał. Jeden uderzył w siodło tuż koło jego pośladka, odbił się i z wizgiem frunął w ciemność. Gdyby trafił Toma, z pewnością byłby to koniec pościgu.

Tom wiedział dokładnie, gdzie jest brama, i wyglądał jej, a mimo to zaskoczyło go, gdy wyrosła przed nim nagle w ciemności. Od razu zauważył, że Dorian spełnił jego prośbę i zostawił bramę szeroko otwartą. Żywopłot po obu stronach był wysoki i gęsty, najeżony splątanymi kolcami. Tom miał tylko chwilę na to, żeby skierować konia obok bramy. Przygotowując się do skoku, spinając zwierzę kolanami i podciągając wodze, kątem oka dostrzegł błysk stali. Ogniwa łańcucha przywiązanego do grubych drewnianych słupów wisiały na wysokości pasa mężczyzny.

Pozwolił wierzchowcowi wybrać moment odbicia i przesunął ciężar ciała do przodu. Ogier przeleciał nad żywopłotem, lekko szorując brzuchem po jego wierzchołku, i wylądował z drugiej strony. Odzyskawszy równowagę, Tom wyprostował się w siodle i obejrzał. Jeden z kawalerzystów wysforował się przed towarzyszy i próbował pójść w jego ślady. Koń spłoszył się w ostatniej chwili i zaparł nogami, a jeździec pofrunął nad żywopłotem, wymachując bezładnie kończynami. Runął na ziemię z brzękiem i zgrzytem żelaza i legł niczym wór fasoli.

Pułkownik Keyser, widząc, że jego żołnierz spadł z konia, machnął szablą nad głową i krzyknął:

— Za mną! Przez bramę!

Szwadron wykonał zwrot i ruszył za nim z kopyta w stronę bramy. Łańcuch naprężył się z metalicznym szczęknięciem, gdy runęła na niego masa zwierząt i ludzi. W jednej chwili cała kolumna została ścięta z nóg, konie wpadały jeden na drugiego. Kości ich nóg trzaskały jak suche szczapy, uderzając w łańcuch. Brama zapełniła się szamoczącą, rozedrganą masą. Krzyki ludzi uwięzionych pod końmi powiększały tumult.

Nawet Tom, który był sprawcą tego wszystkiego, przeraził się na widok masakry. Odruchowo zawrócił konia pod wpływem przelotnej myśli, żeby pomóc ofiarom. Dorian wysunął się zza ogrodzenia wybiegu, gdzie się ukrył, i stanął obok brata. Patrzyli z przerażeniem na pogrom kawalerzystów. Nagle Keyser wygramolił się niemal prosto pod pyski ich koni.

Jego wierzchowiec pierwszy wpadł na łańcuch i Keyser wyleciał z siodła jak z procy. Spadł na ziemię i potoczył się, lecz jakoś zdołał utrzymać szablę w dłoni. Teraz wstał niepewnie i z niedowierzaniem popatrzył na piramidę szamoczących się ludzi i koni. Wydał ryk wściekłości i rozpaczy, podniósł broń i ruszył na Toma.

— Zedrę z ciebie skórę i wyrwę ci serce! — ryknął.

Szybkim cięciem szpady Tom wybił mu z dłoni szablę, która, kręcąc się w powietrzu, przeleciała z dziesięć jardów i wbiła się w ziemię.

— Nie bądź durniem — rzekł. — Dość już szkód jak na jeden dzień. Zajmij się swoimi ludźmi. — Zerknął na brata. — Jedźmy, Dorry.

Zawrócili konie. Na wpół oszołomiony Keyser powlókł się po swoją szablę.

— To nie koniec, Tomie Courtneyu. Ruszę za tobą z całą potęgą VOC. Nie ujdziesz przed moim gniewem. — Ani Tom, ani Dorian nie odwrócili się, żeby na niego spojrzeć, gdy biegł za nimi, miotając groźby. Wreszcie Keyserowi zabrakło tchu. Zatrzymał się, zdyszany, i cisnął za nimi szablą. — Nie zaprzestanę pościgu, aż wyplenię was i całe wasze nasienie. — Kiedy znikali w ciemności, Keyser wywrzeszczał ostatnią kwestię: — Koots już dopadł twojego bękarta. Wiezie głowę Jima Courtneya i tej dziewki, zakonserwowane w beczce brandy.

Tom zatrzymał konia i popatrzył na Keysera.

— Koots go dopadł! — ryknął z obłąkańczym śmiechem pułkownik.

— On łże, braciszku. Mówi to, żeby cię zranić. — Dorian położył dłoń na ramieniu Toma. — Skąd może wiedzieć, co się tam stało?

— Masz rację, oczywiście — szepnął Tom. — Jim nie dał im szans.

— Musimy jechać do naszych żon i przewieźć je bezpiecznie na statek — przypomniał Dorian.

Ruszyli; po chwili wrzaski Keysera ucichły.

C iężko zdyszany pułkownik wrócił truchtem do skłębionej masy ludzi i koni. Kilku żołnierzy próbowało wstać, inni siedzieli, trzymając się za głowy i oglądając rany.

— Dawać mi tu konia! — wrzasnął.

Jego wierzchowiec, podobnie jak większość innych, połamał nogi, wpadając na łańcuch, lecz kilka spośród tych, które szły na końcu, zdołało się podnieść i stało teraz niepewnie, trzęsąc się i rżąc. Keyser biegał od jednego konia do drugiego, oglądając nogi. Wybrał tego, który wyglądał najlepiej, i wdrapał się na siodło.

— Znajdźcie sobie konie i za mną! — rozkazał. — Możemy ich jeszcze dopaść na plaży.

T om i Dorian dogonili wóz, kiedy zjeżdżał z wydmy na plażę. Obok szły ich żony. Sarah podniosła wysoko latarnię, słysząc galopujące konie.

— Czy ty nie wiesz, co to znaczy pośpiech, babo!? — zawołał z daleka Tom.

— Nie widzisz, że się śpieszymy? — odpowiedziała pytaniem Sarah. — Twój niewyparzony marynarski język nam w tym nie pomoże.

— Powstrzymaliśmy na chwilę Keysera, ale niedługo znów ruszy za nami. — Tom zrozumiał, że popełnił błąd, zwracając się szorstko do żony, i mimo wzburzenia próbował ją udobruchać. — Już widać plażę, a wszystkie twoje rzeczy są bezpieczne. —

Wskazał przed siebie. — Czy pozwolisz mi teraz zabrać się na łódź, moja słodka?

Sarah spojrzała na niego; nawet w słabym świetle latarni było widać, jaki jest zdenerwowany. Złagodniała.

— Podnieś mnie więc. — Uniosła wysoko ręce jak mała dziewczynka do ojca. Kiedy posadził ją za sobą, objęła go mocno i szepnęła w gęste kędziory, spadające na jego szyję: — Jesteś najwspanialszym mężem, jakiego Bóg dał kobiecie na tej ziemi, a ja jestem najszczęśliwszą z żon.

Dorian posadził Jasmini na koniu i ruszyli za Tomem do miejsca, gdzie czekał Mansur. Po chwili obie kobiety siedziały bezpiecznie w łodzi. Wóz zaczął zjeżdżać z wydmy, i w tym samym momencie utknął aż po oś w mokrym piasku. To jednak ułatwiło przeniesienie bagaży. Gdy tylko wóz był pusty, woły zdołały go wyciągnąć z piachu.

Tom i Dorian zerkali tymczasem raz po raz w ciemność, obawiając się, że Keyser spełni swoje najgorsze groźby. W końcu klawikord stanął bezpiecznie w łodzi, przykryty brezentem.

Mansur i marynarze tkwili po pas w wodzie, spychając łódź, gdy z wydm dobiegły gniewne okrzyki i rozległy się huki wystrzałów. Kula trafiła w ławkę łodzi; Mansur wskoczył do środka.

Padł następny strzał i pocisk znów uderzył w kadłub. Tom zepchnął kobiety aż na dno, na którym zebrał się cal wody; chronił je stos pośpiesznie załadowanych bagaży.

— Błagam, żebyście trzymały głowy nisko. Później podyskutujemy o wadach i zaletach tej rady. Zapewniam was jednak, że to są prawdziwe kule.

Spojrzał w stronę plaży; ledwie widział zarys sylwetki Keysera na białym piasku, lecz stentorowe ryki pułkownika dochodziły do jego uszu bardzo wyraźnie.

— Nie umkniesz mi, Tomie Courtneyu. Dopilnuję, żeby cię powieszono i poćwiartowano na tym samym szafocie, na którym zginął ten krwawy pirat, twój dziad. Każdy holenderski port na tym świecie będzie dla ciebie zamknięty.

— Nie zważaj na to, co on mówi — ostrzegł Tom Sarah, bojąc się, że Keyser przerazi ją opowieścią o strasznej śmierci Jima; byłaby to dla niej niewymowna udręka. — Jest zdesperowany i dlatego łże jak pies. Zaśpiewajmy mu na pożegnanie.

By zagłuszyć groźby Keysera, Tom z wielkim sercem, lecz mocno fałszując, zaintonował „Hiszpańskie dziewczyny", a pozostali zawtórowali mu. Dorian śpiewał wspaniałym tenorem, który odziedziczył po nim Mansur. Jasmini wspomagała ich dźwięcznym sopranem. Sarah oparła się o Toma i śpiewała razem z nim.

> Żegnajcie nam dziś, hiszpańskie dziewczyny,
> Żegnajcie nam dziś, marzenia ze snów,
> Ku brzegom angielskim już ruszać nam pora,
> Lecz kiedyś na pewno wrócimy tu znów...

> I smak waszych ust, hiszpańskie dziewczyny
> W noc ciemną i złą nam będzie się śnił,
> Leniwie popłyną znów rejsu godziny,
> Wspomnienie ust waszych przysporzy nam sił...

Jasmini klasnęła w dłonie.

— To pierwsza nieprzyzwoita piosenka, której nauczył mnie Dorry. Tom, pamiętasz, kiedy ci ją pierwszy raz zaśpiewałam?

— Przysięgam, że nigdy tego nie zapomnę — zachichotał Tom, sterując łodzią w stronę *Maid of York*. — To było tego dnia, kiedy zobaczyłem Dorry'ego po tylu latach rozłąki.

Wspiąwszy się na pokład, Tom natychmiast wydał rozkazy:

— Kapitanie Kumrah, w imię Boga, wnieście te wszystkie rzeczy na pokład, byle szybko. — Podszedł do relingu i spojrzał na Doriana, który siedział w łodzi. — Jak tylko staniesz na pokładzie *Gift*, zatop łodzie i podnieś kotwicę. Musimy być z dala od lądu, nim wzejdzie słońce. Nie chcę, żeby Keyser i holenderscy obserwatorzy na zamku wypatrzyli, w którą stronę ruszamy. Niech zgadują, czy idziemy na wschód, czy na zachód, a może na południe... do bieguna.

Ostatnią rzeczą, która miała trafić z łodzi na pokład szkunera, był klawikord. Gdy instrument zawisł nad burtą, Tom krzyknął do zmagających się z ciężarem marynarzy:

— Złota gwinea dla tego, który sprawi, że ten przeklęty grat trafi na samo dno morza. — Sarah szturchnęła go mocno w żebra, a mężczyźni znieruchomieli i spojrzeli po sobie z powątpiewaniem. Nigdy nie mieli pewności, jak rozumieć żarty Toma. On zaś otoczył Sarah ramieniem i dodał: — Oczywiście, kiedy już dostaniecie tę gwineę, z szacunku dla uczuć żony będę musiał wyrzucić was za burtę, w ślad za instrumentem. — Roześmieli się bez przekonania i postawili klawikord na pokładzie. Tom podszedł do burty. — Do zobaczenia, braciszku! — zawołał do Doriana. Załoga odepchnęła łódkę.

— Gdybyśmy się rozdzielili, spotkamy się na Przylądku Igielnym, jak zwykle? — krzyknął Dorian.

— Jak zwykle, Dorry.

Szkunery szły w niewielkiej odległości od siebie i przez godzinę udawało im się trzymać razem. Potem zerwał się porywisty wiatr i wąski sierp księżyca zniknął za chmurami. W ciemności statki straciły ze sobą kontakt.

O świcie *Maid* płynęła sama, pchana południowo-wschodnim wiatrem, który wył w takielunku. Ląd wyglądał jak niebieskawa smuga wisząca nisko nad północnym horyzontem, prawie zasłonięta białymi wierzchołkami bałwanów.

— Holendrzy mają marne szanse na to, żeby nas dojrzeć przy tej pogodzie! — krzyknął Tom do Kumraha. Poły brezentowego płaszcza trzepotały wokół jego nóg, a statek przechylał się, kołysany sztormem. — Zrób zwrot i weź kurs na Przylądek Igielny.

Halsując ostro pod sztormowy wiatr, dotarli do przylądka nazajutrz rano. *Gift* pływał już w tę i z powrotem na miejscu spotkania. Szkunery ruszyły na wschód, by okrążyć przylądek, najbardziej na południe wysunięty punkt Afryki. Dął stały wschodni wiatr. Wiele dni halsowali to w jedną, to w drugą stronę, trzymając się z dala od zdradliwych mielizn, uparcie prąc na wschód. W końcu zdołali opłynąć przylądek i wziąć kurs na północ, wzdłuż poszarpanego, niegościnnego wybrzeża.

Trzy tygodnie po wypłynięciu z Przylądka Dobrej Nadziei szkunery przeszły wreszcie między potężnymi szarymi skałami, które strzegły ogromnej Laguny Słoni. Rzucili kotwicę we wspaniałej, spokojnej wodzie, czystej jak dobry holenderski dżin i obfitującej w ryby.

— To tutaj mój dziad Frankie Courtney stoczył ostatnią bitwę z Holendrami. Tu go pojmali i zabrali na Przylądek Dobrej Nadziei, gdzie zginął na szubienicy — wyjaśniał Tom żonie. — Niech mnie kule biją, jeśli ci moi przodkowie nie byli twardzi jak sto diabłów — oznajmił z dumą.

Sarah uśmiechnęła się do niego.

— Chcesz powiedzieć, że w porównaniu z nimi jesteś miękki jak biszkopt? — Osłoniła oczy przed słońcem i spojrzała na wzgórze wznoszące się nad laguną. — Czy to jest wasz słynny kamień pocztowy?

W połowie stoku sterczał garb z szarego kamienia, wielkości stogu siana, z dużą, przechyloną, szkarłatną literą P, która była widoczna z każdego statku zakotwiczonego w lagunie.

— Zabierz mnie czym prędzej na brzeg. Jestem pewna, że czeka tam na nas list od Jima.

Tom zaś był pewien, że nadzieja żony musi się skończyć rozczarowaniem, lecz mimo to spuścili szalupę i powiosłowali do brzegu. Sarah pierwsza wskoczyła do wody, która sięgała jej do ud. Tom z trudem za nią nadążał, gdy zadarłszy przemoczoną spódnicę do kolan, ruszyła po zboczu w górę.

— Spójrz! — zawołała. — Ktoś ułożył na szczycie stos kamieni. To musi być znak, że tam jest dla nas list.

Pod głazem znajdowała się wydrążona jama, której otwór zastawiony był mniejszymi kamieniami. Sarah rozsunęła je i wydobyła pokaźną paczkę, owiniętą w gruby brezent z pozszywanymi brzegami, które posmarowano smołą.

— Wiedziałam, wiedziałam! — wykrzyknęła śpiewnie, trzymając pakunek w dłoniach. Kiedy jednak przeczytała to, co na nim napisano, mina jej zmarkotniała. Bez słowa oddała zawiniątko Tomowi i ruszyła w dół zbocza.

Tom przeczytał koślawy napis, rojący się od błędów ortograficznych: „Witaj, oty zacna i szlahetna duszo, coś naszła tom paczke. Weś jom z sobom do miasta Londynu i zdaj Nicolasowi Whatt Esquire'owi zamieszkałemu pszy ulicy Wacker numer 51 koło doku Wschodnia India. On ci za to nie pożauje jednej gwinei. Nie otwirej paczki! I mie nie zawieś! Bo ci się nigdy pszyrodzenie nie podniesie, ty bezborżniku jeden!". Wiadomość była podpisana: „Kpt. Noah Calder na pokładzie bryga *Larkspur* w kursie do Bombaju, dnia 21 maja roku naszego Pana Jazusa 1731".

— Sentymenta wyłożone jasno, słowa zacnie dobrane. — Tom uśmiechnął się, odkładając przesyłkę na miejsce i przykrywając ją kamieniami. — Nie płynę do miasta Londynu, więc nie zaryzykuję strasznych konsekwencji niespełnienia tych jakże malowniczo opisanych warunków. Paczka musi poczekać na śmielszą duszę, udającą się we właściwe strony.

Wracając, w połowie zbocza natknął się na Sarah siedzącą smutno na kamieniu. Kiedy przy niej usiadł, odwróciła się, tłumiąc szloch. Tom ujął jej twarz w swoje duże dłonie i odwrócił do siebie.

— Kochanie moje, tak nie można. Naszemu Jimowi nic nie grozi.

— Byłam pewna, że to list do nas, a nie paczka jakiegoś nieokrzesanego żeglarza.

— To było całkiem prawdopodobne, że Jim się tu zjawi. Na pewno kieruje się na północ. Jestem przekonany, że idzie do Zatoki Narodzenia Pańskiego. Znajdziemy go tam, a razem z nim małą

Louisę. Żadne nieszczęście go nie spotka. Nosi nazwisko Courtney, ma dziesięć stóp wzrostu, jest wykuty z żelaza i okryty słoniową skórą.

Sarah roześmiała się przez łzy.

— Tom, ty głuptasie, powinieneś występować na scenie.

— Nawet pana Garricka nie byłoby stać na moją gażę — odparł ze śmiechem Tom. — No chodźmy, moja słodka dzierlatko. Z lania łez nie ma pożytku, a my musimy się brać do roboty, jeśli chcemy dziś spać na lądzie.

Zeszli na plażę, gdzie zastali Doriana i załogę *Gift*. Mansur wyładowywał właśnie beczki z szalupy. Chciał je napełnić wodą ze strumienia wpadającego do laguny. Dorian i jego ludzie budowali na skraju lasu szałasy z młodych gałązek i przykrywali je strzechą z trzciny ściętej na skraju potoku. Słodka woń żywicy rozeszła się w powietrzu.

Po tygodniach spędzonych na morzu, w sztormie, kobiety potrzebowały wygodnej kwatery na suchym lądzie, by odzyskać siły. Od ostatniej wizyty braci w lagunie, podczas rejsu handlowego wzdłuż wybrzeża, upłynął ponad rok. Szałasy zbudowane wówczas spalili przed wypłynięciem, bo do tej pory i tak zagnieździłyby się w nich skorpiony, szerszenie tudzież inne straszne, pełzające stworzenia.

Wszyscy podnieśli głowy, słysząc strzały w głębi laguny, lecz Dorian szybko uspokoił towarzyszy:

— Kazałem Mansurowi postarać się o świeże mięso. Pewnie znalazł zwierzynę.

Mansur wrócił z napełnionymi wodą beczkami i zdobyczą w postaci młodego bawołu. Mięsa było dość, żeby po zasoleniu i uwędzeniu starczyło dla wszystkich na kilka tygodni. Po pewnym czasie przypłynęła druga szalupa z pięcioosobową załogą, której Tom polecił wybrać się na połów. Wrócili ze stosem połyskujących srebrem, rzucających się jeszcze w łodzi ryb.

Sarah i Jasmini czuwały nad przygotowywaniem odpowiedniej uczty dla uczczenia szczęśliwego osiągnięcia celu podróży. Jedli pod gwiazdami, wśród iskier z ogniska, unoszących się snopami w ciemne niebo. Kiedy wszyscy się już nasycili, Tom posłał po Batulę i Kumraha. Kapitanowie przypłynęli na szalupach i zajęli miejsca w kręgu wokół ogniska, siadając ze skrzyżowanymi nogami na matach do modłów.

— Wybaczcie, jeśli was uraziliśmy — zwrócił się Tom do

kapitanów. — Powinniśmy wcześniej wysłuchać waszych wieści. Musieliśmy jednak opuścić przylądek w wielkim pośpiechu, a potem walczyliśmy ze sztormem, więc nie było okazji.

— Nie ma mowy o żadnej urazie, *efendi* — odparł Batula, starszy z kapitanów. — Jesteśmy twoimi ludźmi.

Służący przynieśli kawę w mosiężnych czajnikach; Dorian i Arabowie zapalili nargile. Woda w cybuchach bulgotała z każdym pociągnięciem aromatyzowanego tureckiego tytoniu.

Najpierw mówili o handlu i towarach, które kapitanowie zgromadzili podczas ostatniego rejsu wzdłuż wybrzeża. Jako Arabowie mogli żeglować tam, gdzie żaden chrześcijański statek nie miał prawa wpłynąć. Przepłynęli nawet koło przylądka Ormuz i dotarli na Morze Czerwone aż do świętego miasta Proroka, Medyny.

W drodze powrotnej statki się rozdzieliły; Kumrah na *Maid* wziął kurs na wschód, by zawinąć do portów imperium Mogołów, kupować diamenty z kopalń w Kollurze i jedwabne dywany w Bombaju i Delhi. Batula tymczasem pożeglował wzdłuż Wybrzeża Koromandelskiego i zapełnił ładownie swojego szkunera herbatą i korzeniami. Statki spotkały się znowu w porcie Trincomalee na Cejlonie. Tam kupili goździki, szafran, kawę i najpiękniejsze błękitne szafiry. Potem razem wrócili na Przylądek Dobrej Nadziei i rzucili kotwicę na redzie koło High Weald.

Batula znał na pamięć ilości zakupionych towarów oraz ich ceny. Umiał także przedstawić sytuację na rozmaitych rynkach, które odwiedzili.

Tom i Dorian wypytywali kapitanów dokładnie i wyczerpująco, a Mansur zapisywał wszystko w dzienniku firmy. Informacje te miały kluczowe znaczenie. Każda zmiana sytuacji na rynkach mogła oznaczać dla nich albo wielki zysk, albo jeszcze większą katastrofę.

— Największe profity wciąż przynosi handel niewolnikami — podsumował delikatnie Kumrah; żaden z kapitanów nie ośmielił się w tej chwili spojrzeć Tomowi w oczy. Znali jego pogląd na ten rodzaj handlu, który nazywał „obrazą Boga i człowieka".

Jak należało się spodziewać, Tom zaraz naskoczył na Kumraha.

— Jedynym kawałkiem ludzkiego mięsa, jaki kiedykolwiek sprzedam, będą twoje włochate pośladki, jeśli ktoś zechce zapłacić za nie pięć rupii.

— *Efendi!* — zawołał Kumrah z dramatyczną miną, wyrażającą osobliwe połączenie pretensji i głęboko odczuwanej przykrości. —

Prędzej zgoliłbym brodę i nażarł się świńskiego mięsa, niż kupił na targu niewolników jedną żywą duszę.

Tom już miał przypomnieć kapitanowi, że handel niewolnikami był jego głównym zajęciem, zanim przeszedł na służbę u braci Courtneyów, Dorian jednak wtrącił się zręcznie, kierując rozmowę na bezpieczniejsze tory.

— Łaknę wieści z mojego dawnego domu. Powiedzcie mi, czegoście się dowiedzieli o Omanie i Maskacie, Lamu i Zanzibarze.

— Wiedzieliśmy, że o to zapytasz, więc zostawiliśmy te nowiny na koniec. Na tych ziemiach doszło do wielkich wydarzeń, al-Salilu. — Obaj kapitanowie odwrócili się gorliwie do Doriana, wdzięczni, że powstrzymał wybuch gniewu Toma.

— Zacni kapitanowie, opowiedzcie wszystko — poprosiła Jasmini. Dotąd siedziała w milczeniu za plecami męża, jak przystało na posłuszną muzułmańską żonę. Teraz jednak nie mogła się dłużej powstrzymać, bo mówili o jej ojczyźnie i rodzinie. Mimo że uciekła z Dorianem z wybrzeża Zanzibaru prawie dwadzieścia lat temu, często wracała tam myślami, a jej serce tęskniło do utraconych lat dzieciństwa.

W rzeczy samej, nie wszystkie jej wspomnienia były szczęśliwe. W odizolowanych pomieszczeniach kobiecych, zwanych *zenana*, zdarzały się długie chwile samotności, choć Jasmini była księżniczką, córką sułtana Abd Muhammada al-Malika, kalifa Maskatu. Jej ojciec miał ponad pięćdziesiąt żon. Zainteresowanie okazywał tylko synom. Nigdy nie zadał sobie trudu, żeby pomyśleć o losie córek. Wiedziała, że ledwie był świadom jej istnienia, i nie pamiętała, żeby kiedykolwiek do niej przemówił, dotknął jej czy choćby obdarzył życzliwym spojrzeniem. W istocie widywała go jedynie z daleka podczas wydarzeń państwowych albo w czasie wizyt w haremie. Jasmini drżała wtedy i zasłaniała twarz, oszołomiona jego majestatem i niemal boską prezencją. Mimo to opłakiwała go i pościła przez czterdzieści dni i nocy, zgodnie z nakazem Proroka, gdy wieść o jego śmierci dotarła do niej w afrykańskiej głuszy, dokąd uciekła z Dorianem.

W ogóle nie pamiętała matki, która zmarła, gdy Jasmini była jeszcze małą dziewczynką. Później dowiedziała się, że odziedziczyła po niej przedziwny kosmyk, który srebrzył się nad jej czołem pośród gęstych, czarnych włosów. Spędziła całe dzieciństwo w *zenana* na wyspie Lamu. Matczyną miłością obdarzyła ją Tahi, stara niewolnica, która wychowywała ją i Doriana.

Początkowo Dorian, adoptowany syn jej ojca, przebywał razem z nią w pomieszczeniach dla kobiet. Było tak do czasu, gdy osiągnął dojrzałość płciową i musiał doświadczyć straszliwego bólu obrzezania. Jako przybrany starszy brat, bronił jej, często za pomocą pięści i nóg, przed złośliwością przyrodnich braci. Tym, który najdotkliwiej dręczył Jasmini, był Zajn al-Din. Stając w jej obronie, Dorian uczynił sobie z niego śmiertelnego wroga; przez całe życie mieli trwać w nienawiści. Jasmini po dziś dzień pamiętała z najdrobniejszymi szczegółami starcie między nimi.

Tylko kilka miesięcy dzieliło Doriana i Zajna od dojrzałości, a wiec i opuszczenia *zenana*; wiek męski i służba w wojsku zbliżały się wielkimi krokami. Tego dnia Jasmini bawiła się samotnie na tarasie antycznego grobowca, w samym końcu ogrodu. To była jedna z jej sekretnych kryjówek, w których mogła się schronić przed złośliwością rówieśników i znaleźć ukojenie w marzeniach i dziecięcych fantazjach. Miała ze sobą swoją małpkę Dżinni. Zajn al-Din i Abubaker, jej przyrodni bracia, znaleźli ją tam.

Pulchny, podstępny i złośliwy Zajn był najodważniejszy wtedy, gdy miał u boku któregoś ze swoich lizusów. Wyrwał małpkę z rąk Jasmini i wrzucił ją do zbiornika z deszczówką. Mimo że Jasmini krzyczała z całych sił i wskoczyła mu na plecy, grzmocąc go po głowie piąstkami i drapiąc, nie zwracał na nią uwagi; zaczął powoli topić Dżinni, wpychając jej główkę pod wodę, gdy tylko się wynurzyła.

Zaalarmowany krzykiem Jasmini, Dorian przybiegł schodami z ogrodu. Jednym spojrzeniem objął sytuację, a potem rzucił się na dwóch większych chłopców. Zanim Doriana porwali Arabowie, starszy brat Tom uczył go bić się na pięści, tymczasem Zajn i Abubaker nigdy nie zetknęli się z tego rodzaju walką. Abubaker umknął przed straszliwym atakiem, lecz z nosa Zajna trysnęła szkarłatna krew po pierwszym ciosie, a po drugim przeciwnik Doriana runął ze schodów. Upadek spowodował pęknięcie kości w stopie. Później się okazało, że złamanie źle się zrosło i Zajn miał utykać już do końca swoich dni.

Z biegiem lat, po opuszczeniu *zenana*, Dorian został księciem i sławnym wojownikiem. Jasmini zaś w dalszym ciągu przebywała w pomieszczeniach dla kobiet, zdana na łaskę Kusza, zwierzchnika eunuchów. Nawet po tylu latach żywe było w jej pamięci wspomnienie jego potwornego okrucieństwa. Jasmini wyrosła na piękną kobietę, a Dorian walczył z wrogami przybranego ojca na arabskich pustyniach daleko na północy. Okrywszy się chwałą, wrócił w końcu do Lamu, lecz niemal całkowicie zapomniał o swej przybranej i ukochanej siostrze. Pewnego dnia do pałacu przyszła Tahi, stara niewolnica, jego niania, i przypomniała mu, że Jasmini wciąż cierpi, zamknięta w *zenana*.

Za pośrednictwem Tahi, która wzięła na siebie rolę posłańca, umówili się na niebezpieczne, potajemne spotkanie. Zostawszy kochankami, popełnili podwójne przestępstwo, przed którego konsekwencjami nie mogła ich uchronić nawet wysoka pozycja Doriana. Byli przybranym rodzeństwem i w oczach Boga, kalifa i rady mułłów taki związek był zarazem cudzołóstwem i kazirodztwem.

Kusz odkrył ich tajemnicę i zaplanował dla Jasmini tak niewyobrażalnie okrutną karę, że na myśl o niej drżała nawet po tylu latach, lecz Dorian zdążył ją w ostatniej chwili uratować. Zabił Kusza i pogrzebał go w grobie, który eunuch wykopał dla Jasmini. Potem przebrał ją za chłopca i wyprowadził potajemnie z haremu. Razem uciekli z Lamu.

Wiele lat później, po śmierci Abd Muhammada al-Malika, który został otruty, chromy Zajn zasiadł na Słoniowym Tronie Omanu. Natychmiast wysłał Abubakera, aby pojmał Doriana i Jasmini. Abubaker doścignął kochanków i wywiązała się straszliwa bitwa, w której Dorian zabił wroga. Jasmini i Dorian znów uciekli przed zemstą Zajna i dotarli do Toma. Niestety, Zajn al-Din wciąż zasiadał na wielkim Słoniowym Tronie i był kalifem Omanu. Dorian i Jasmini wiedzieli, że nigdy nie będą całkowicie bezpieczni, póki żyje on i jego nienawiść.

Gdy tak siedzieli przy ognisku na nieznanym, dzikim brzegu, Jasmini wyciągnęła rękę i dotknęła Doriana. Jak gdyby odgadując myśli żony, Dorian ujął jej dłoń i mocno uścisnął. Poczuła, jak płynie od niego uspokajająca siła, niczym delikatny podmuch *kusi*, wiatru wiejącego na Oceanie Indyjskim.

— Opowiedzcie mi więc o tych ważnych nowinach, które przynosicie z Maskatu — polecił Dorian. — Czy słyszeliście coś o kalifie Zajnie al-Dinie?

— Wszystkie nasze nowiny dotyczą jego osoby. Allah świadkiem, że Zajn al-Din nie jest już kalifem Maskatu.

— Co wy powiadacie? — Dorian aż podskoczył. — Czyżby Zajn wreszcie wyzionął ducha?

— Nie, książę. Szatana niełatwo zabić. Zajn al-Din wciąż żyje.

— Gdzież więc jest? Musimy wiedzieć wszystko o tych wydarzeniach.

— Wybacz, *efendi*. — Batula dotknął dłonią ust i serca; gest ten oznaczał najwyższy szacunek. — Jest wśród nas ktoś, kto wie o nich znacznie więcej niż ja. Przychodzi od samego Zajna, a kiedyś był jednym z jego najbardziej zaufanych ministrów.

— Zatem nie jest on moim przyjacielem. Jego pan wielokrotnie usiłował zabić mnie i moją żonę. To przez Zajna musieliśmy uciekać na wygnanie. On jest moim śmiertelnym wrogiem i poprzysiągł nam krwawą zemstę.

— Wiem o tym wszystkim dobrze, panie — odparł Batula — gdyż byłem z tobą od owego szczęśliwego dnia, gdy ten, który był wówczas kalifem, twój świątobliwy przybrany ojciec al-Malik, uczynił z ciebie wojownika. Czyś zapomniał, panie, że stałem u twego boku, kiedy pojmałeś Zajna w bitwie pod Maskatem, przywiązałeś go do swojego konia i prowadziłeś jak zdrajcę, by poznał gniew i sprawiedliwość kalifa?

— Nigdy tego nie zapomnę, tak jak nie zapomnę twojej wiernej służby przez te wszystkie lata. — Twarz Doriana posmutniała. — Szkoda, że gniew mego ojca trwał tak krótko, a nad jego sprawiedliwością wzięła górę litość. Przebaczył al-Dinowi i przyjął go znów na swoje łono.

— Na święte imię Pana! — Gniew Batuli był nie mniejszy niż gniew Doriana. — Ojciec twój zginął przez swoją dobroć. To zniewieściała dłoń Zajna podsunęła mu do ust filiżankę z zatrutym napojem.

— I jego tłuste pośladki rozsiadły się na Słoniowym Tronie, gdy mój ojciec odszedł. — Gniew zniekształcił rysy twarzy Doriana. — A ty mnie prosisz, bym przyjął do obozu sługę i ministra tego potwora?

— Nie, Wasza Wysokość. Powiedziałem, że człowiek ów kiedyś był sługą i ministrem Zajna al-Dina. Ale już nie jest. Tak jak wszyscy, którzy znają al-Dina, znienawidził jego nieludzkie okrucieństwo. Widział, jak Zajn rozdarł na strzępy serce narodu. Patrzył bezsilnie, jak karmi swoje rekiny ciałami zacnych i szlachetnych ludzi, aż bestie tak się obżarły, że nie mogły się zanurzyć. Próbował się przeciwstawić, kiedy Zajn sprzedał swoje prawo pierworództwa Wysokiej Porcie, tureckim tyranom w Konstantynopolu. Został jednym ze spiskowców, którzy obalili jego władzę i wypędzili poza bramy Maskatu.

— Zajn obalony? — Dorian spojrzał ze zdumieniem na Batulę. — Był kalifem przez dwadzieścia lat. Myślałem, że utrzyma się przy władzy tak długo, aż umrze ze starości.

327

— Niektórzy spośród największych nikczemników mają nie tylko zaciekłość wilków, lecz także ich instynkt przetrwania. Ten człowiek, Kadem al-Jurf, dopowie ci resztę historii, jeśli mu pozwolisz.

Dorian spojrzał na Toma chłonącego z zaciekawieniem każde słowo.

— Co o tym sądzisz, bracie?

— Wysłuchajmy tego człowieka — rzekł Tom.

Kadem al-Jurf musiał czekać na wezwanie, gdyż w ciągu kilku minut przyszedł z obozu załogi na skraju lasu. Wszyscy uświadomili sobie, że widywali go wielokrotnie w czasie niespokojnego rejsu z Przylądka Dobrej Nadziei. Mimo że nie znali go z imienia, wiedzieli, że został pisarzem i skarbnikiem Batuli.

— Kademie al-Jurfie — przywitał go Dorian. — Jesteś gościem w moim obozie i biorę cię pod moją ochronę.

— Twoja dobroć rozjaśnia me życie jak wschód słońca, książę al-Salilu, synu al-Malika. — Kadem upadł przed Dorianem na kolana. — Niech pokój Boga i miłość jego ostatniego prawdziwego Proroka towarzyszy ci przez wszystkie dni twego długiego i chwalebnego życia.

— Po raz pierwszy od wielu lat zwrócono się do mnie tym tytułem. — Dorian skinął z wdzięcznością głową. — Wstań, Kademie, i zajmij miejsce w naszej radzie. — Arab usiadł koło Batuli, swojego opiekuna. Służący przynieśli mu kawę w srebrnej filiżance, a Batula podał swoją fajkę z ustnikiem z kości słoniowej. Dorian i Tom przyglądali się uważnie przybyszowi, którego przyjmowali z taką życzliwością i gościnnością.

Kadem al-Jurf był młodym człowiekiem, nie więcej niż kilka lat starszym od Mansura. Miał szlachetną twarz. Jego rysy przypominały Dorianowi zmarłego przybranego ojca. Rzecz jasna, nie było wykluczone, że jest królewskim bękartem. Kalif, krzepki mężczyzna, nie szczędził swojego nasienia. Orał i siał wszędzie, gdzie gleba przypadła mu do gustu.

Dorian uśmiechnął się przelotnie, a potem znów skupił całą uwagę na Kademie. Młodzian miał skórę o barwie pięknie polerowanego drewna tekowego, wysokie i szerokie czoło, wyraziste, ciemne i przenikliwe oczy. Spokojnie reagował na badawcze spojrzenie Doriana, który — mimo że przybysz zachowywał się z szacunkiem i czcią — dostrzegł w jego oczach niepokojący błysk fanatyzmu. Ten człowiek żyje tylko i wyłącznie Słowem

Allaha, pomyślał. Oto jeden z tych, którzy przykładają małą wagę do praw i przekonań innych ludzi. Dorian wiedział, jak niebezpieczni mogą być tacy jak on. Układając następne pytanie, spojrzał na ręce Kadema. Na palcach jego prawej dłoni widoczne były odciski. Dorian rozpoznał stygmaty wojownika, ślady od naciągu łuku i rękojeści szabli. Popatrzył jeszcze raz na jego ramiona i ręce i wiedział już, że takie mięśnie mogły powstać tylko w czasie długich godzin ćwiczeń w posługiwaniu się łukiem i szablą. Dorian nie pozwolił, aby te myśli znalazły odbicie w jego oczach.

— Byłeś na służbie u kalifa Zajna al-Dina? — spytał surowo.

— Tak, panie. Byłem sierotą, a on wziął mnie pod swoją opiekę.

— Złożyłeś mu przysięgę na wierność własną krwią — ciągnął Dorian. Kadem po raz pierwszy lekko odwrócił nieruchome dotąd spojrzenie. Nie odpowiedział. — Złamałeś tę przysięgę — naciskał Dorian. — Batula mówi, że nie jesteś już człowiekiem kalifa. Czy to prawda?

— Wasza Wysokość, złożyłem tę przysięgę prawie dwadzieścia lat temu, w dniu mojego obrzezania. Wtedy nazwano mnie mężczyzną, ale w rzeczywistości byłem dzieckiem i nie znałem prawdy.

— Widzę, że teraz jesteś już mężczyzną — mówił Dorian, mierząc wzrokiem Kadema, który był rzekomo pisarzem, obcującym z piórem i atramentem, lecz na to nie wyglądał. Wyczuwało się w nim przyczajoną drapieżność, jak u jastrzębia siedzącego na gałęzi. Dorian przyglądał mu się z zaintrygowaniem. — Ale czy to, Kademie al-Jurfie, zwalnia cię z przysięgi krwi, złożonej swojemu władcy?

— Panie, wierzę, że przysięga na wierność to sztylet o dwóch ostrzach. Ten, który ją przyjmuje, bierze na siebie odpowiedzialność wobec tego, który ją składa. Jeśli zaniedba ten obowiązek i odpowiedzialność, wówczas dług jest unieważniony.

— To przewrotne wywody, Kademie. Są dla mnie zbyt głębokie. Mój rozum mówi mi, że przysięga jest przysięgą.

— Czy mój pan mnie przeklina? — spytał Kadem aksamitnym głosem, lecz jego oczy były zimne jak obsydian.

— Nie, Kademie. Osąd i potępienie zostawiam Bogu.

— *Bismillah!* — odpowiedział śpiewnie Kadem.

Batula i Kumrah poruszyli się.

— Nie ma Boga poza Bogiem — rzekł Batula.

— Mądrość Boga przekracza nasze pojęcie — dodał Kumrah.

— Wiem, że Zajn al-Din jest twoim śmiertelnym wrogiem — szepnął Kadem. — Właśnie dlatego do ciebie przychodzę, al-Salilu.

— Tak, Zajn jest moim przybranym bratem i moim wrogiem. Wiele lat temu poprzysiągł mi śmierć. Od tego czasu niejeden raz złowieszcza siła tej przysięgi rzuciła cień na moje życie — odrzekł Dorian.

— Słyszałem, jak opowiada dworzanom o tym, że to właśnie tobie zawdzięcza swoje kalectwo — ciągnął Kadem.

— Zawdzięcza mi o wiele więcej. — Dorian uśmiechnął się. — Miałem przyjemność założenia sznura na jego szyję i przyprowadzenia go przed gniewne oblicze kalifa.

— Zajn al-Din i przyszłe pokolenia będą pamiętać także i o tym. — Kadem skinął głową. — To jeden z powodów, dla których postanowiliśmy zwrócić się do ciebie.

— Przedtem mówiłeś „ja", a teraz „my"?

— Nie ja jeden wyrzekłem się przysięgi na wierność Zajnowi. Zwracamy się do ciebie, bo jesteś ostatnim z linii Abd Muhammada al-Malika.

— Jakże to możliwe? — zapytał Dorian, nagle rozgniewany. — Mój ojciec miał bez liku żon, które rodziły mu synów, a oni z kolei mieli synów i wnuków. Nasienie mojego ojca zrodziło wiele owoców.

— Już ich nie ma. Zajn zebrał wszystkie owoce twojego ojca. W pierwszy dzień ramadanu doszło do takiej rzezi, że Bóg odwrócił zawstydzoną twarz, a cały islam zamarł ze zdumienia. Żniwiarze Zajna zgromadzili dwustu twoich braci i bratanków. Wszyscy zginęli. Zabiła ich trucizna, narzędzie tchórzy, albo pozbawiono ich życia za pomocą stali, powrozu i wody. Ich krew zwilżyła piasek pustyni i zabarwiła morze na różowo. Każdy, kto z racji urodzenia miał prawo ubiegać się o Słoniowy Tron Maskatu, zginął w tym świętym miesiącu. Świętokradztwo po tysiąckroć spotęgowało ohydę tego mordu.

Dorian patrzył na Kadema z niedowierzaniem i przerażeniem, a Jasmini stłumiła łkanie; jej bracia i inni krewni musieli być wśród zabitych. Dorian próbował pocieszyć żonę. Pogładził ręką srebrne pasemko, lśniące jak diadem w czarnych włosach, i szepnął jej coś do ucha. Potem odwrócił się znów do Kadema.

— To straszna i gorzka nowina — rzekł. — Trudno mi objąć rozumem takie zło.

— Panie, my także nie umieliśmy się pogodzić z tą potworną zbrodnią. Właśnie dlatego złamaliśmy przysięgę i powstaliśmy przeciwko al-Dinowi.

330

— Czy to ma znaczyć, że wybuchło powstanie? — Batula już o nim wspominał, lecz Dorian chciał, by Kadem potwierdził wiadomość. Wszystko to zdawało się wykraczać poza granice prawdopodobieństwa.

— Bitwa szalała w mieście przez wiele dni. Zajn al-Din i jego sługusi zostali zapędzeni do baszty fortu. Myśleliśmy, że sczezną w murach, lecz niestety, w baszcie był tunel, który prowadził do starej przystani. Zajn umknął do niej tą drogą, a jego statki zabrały go w morze.

— Dokąd uciekł? — zapytał Dorian.

— Popłynął do miejsca swojego urodzenia, na wyspę Lamu. Z pomocą Portugalczyków i wskutek spisku zdradliwych popleczników angielskiej Kompanii Wschodnioindyjskiej w Zanzibarze zdobył wielki fort i wszystkie omańskie osady wzdłuż Wybrzeża Malarycznego. Pod groźbą angielskich dział tamtejsze garnizony oparły się naszym namowom, by obalić tyrana, i pozostały wobec niego lojalne.

— W imię Boga, ty i twoi towarzysze w Maskacie z pewnością szykujecie flotę, aby wykorzystać te sukcesy i zaatakować Zajna w Zanzibarze i na Lamu, czyż nie? — dopytywał się Dorian.

— Panie, nasze szeregi są podzielone. Nie ma wśród nas żadnego następcy tronu, w którego żyłach płynie królewska krew. Dlatego nie mamy poparcia narodu omańskiego. Zwłaszcza plemiona na pustyni wahają się, czy wypowiedzieć wojnę Zajnowi i wstąpić pod nasze sztandary.

Twarz Doriana znieruchomiała, a jego spojrzenie powędrowało w dal, gdy zorientował się, do czego zmierza Kadem.

— Bez przywódcy nasza sprawa jest słabsza z każdym dniem, a Zajn odzyskuje pozycję i siłę. Wybrzeże Zanzibaru należy do niego. Dowiedzieliśmy się, że wysłał posłów do Wielkiego Mogoła, Najwyższego Cesarza w Delhi i Wysokiej Porty w Konstantynopolu. Jego dawni sojusznicy gotowi są go poprzeć. Wkrótce cały islam i całe chrześcijaństwo zjednoczy się przeciwko nam. Nasze zwycięstwo wsiąknie w piach, jak wiosenne deszcze.

— Czego ode mnie oczekujesz, Kademie al-Jurfie? — spytał cicho Dorian.

— Potrzebujemy wodza, który może się poszczycić rzeczywistym prawem do Słoniowego Tronu — odparł Kadem. — Potrzebujemy wypróbowanego w boju wojownika, który dowodził w bitwie pustynnymi plemionami Saar, Dahm i Karab, Bait Kathir i Awamir, lecz przede wszystkim ludem Harasis, panującymi na równinach Maskatu. Bez nich nie będzie ostatecznego zwycięstwa.

Dorian siedział spokojnie, lecz jego serce zabiło szybciej, gdy Kadem przytaczał te dumne nazwy. Oczyma duszy widział błysk stali w bitewnym pyle i powiewające sztandary. Słyszał wojenne okrzyki jeźdźców, *Allahu akbar!*, Bóg jest wszechmocny!, i ryki wielbłądów sunących przez piaski Omanu.

Jasmini poczuła, że jego ręka drży w jej dłoni, i zlękła się. Wierzyłam w głębi serca, że czarne chwile minęły na zawsze, myślała, że nigdy więcej nie usłyszę wojennych bębnów. Miałam nadzieję, że mój mąż na zawsze zostanie przy mnie i już nigdy nie wyruszy na wojnę.

Wszyscy milczeli, pogrążeni w swoich myślach. Kadem wpatrywał się w Doriana błyszczącym, nieustępliwym spojrzeniem.

Dorian wrócił myślami do teraźniejszości.

— Czy to wszystko jest prawdą? — zapytał. — Może to tylko sny zrodzone z pragnień?

— Odbyliśmy naradę z szejkami z pustyni. Ci, którzy tak często byli podzieleni, tym razem przemówili jednym głosem — odparł Kadem, nie spuszczając wzroku. — Powiedzieli: „Niech al-Salil stanie na czele naszych oddziałów, a pójdziemy wszędzie, gdzie nas poprowadzi".

Dorian wstał raptownie i wybiegł z kręgu wokół ogniska. Nikt za nim nie poszedł, nawet Tom i Jasmini. Ruszył wzdłuż brzegu; romantyczna postać w długim płaszczu, wysoka, lśniąca w blasku księżyca.

Tom i Sarah szeptali między sobą, lecz inni milczeli.

— Nie możesz pozwolić mu odejść — powiedziała Sarah do męża. — Ze względu na Jasmini i na nas. Już raz go straciłeś. Nie może pozostać sam.

— Ale nie mogę go też powstrzymać. To sprawa między Dorianem i jego Bogiem.

Batula powtórnie nabił nargile tytoniem i prawie wypalił fajkę, zanim Dorian wrócił do ogniska. Usiadł ze skrzyżowanymi nogami, oparłszy łokcie na kolanach, z brodą wspartą na dłoniach, wpatrując się w skaczące płomienie.

— Panie — szepnął Kadem — daj mi swoją odpowiedź. Wiatry są sprzyjające. Gdybyś wypłynął od razu, mógłbyś zasiąść na Słoniowym Tronie Maskatu, kiedy zacznie się Uczta Świateł. Nie ma lepszego dnia na rozpoczęcie panowania. — Dorian wciąż milczał, a Kadem mówił dalej silnym głosem, z głębokim przekonaniem, lecz nie próbując narzucać swej woli: — Wasza Wysokość, jeśli wrócisz do Maskatu, mułłowie ogłoszą dżihad, świętą wojnę przeciwko tyranowi. Bóg i cały Oman staną po twojej stronie. Nie można się uchylić przed swoim przeznaczeniem.

Dorian uniósł z wolna głowę. Jasmini wciągnęła powietrze i nie wypuściła go. Jej paznokcie wbiły się w twarde mięśnie przedramienia męża.

— Kademie al-Jurfie — rzekł Dorian. — To straszliwa decyzja. Nie mogę jej podjąć sam. Muszę się pomodlić, aby Bóg dał mi wskazówkę.

Kadem padł na piasek przed Dorianem, rozkładając szeroko ręce i nogi.

— Bóg jest wielki! — zawołał. — Nie może być zwycięstwa bez jego dobrej woli. Będę czekał na twoją odpowiedź.

— Dam ci ją jutro wieczorem w tym samym miejscu i o tej samej porze.

Jasmini powoli wypuściła powietrze. Wiedziała, że to tylko zawieszenie wyroku, a nie ułaskawienie.

Nazajutrz wczesnym rankiem Tom i Sarah wdrapali się na szczyt wysokiej skały strzegącej wejścia do laguny i znaleźli zakątek osłonięty od wiatru, lecz zalany blaskiem słońca.

W dole rozpościerał się Ocean Indyjski, pocięty białymi kreskami bałwanów. Morski ptak, wykorzystując wiatr, zawisł nad zielonymi wodami niczym latawiec. Nagle zwinął skrzydła i runął z wysoka, uderzając z pluskiem w wodę, by wynurzyć się niemal natychmiast ze srebrną rybą w dziobie. Nieopodal miejsca, gdzie siedzieli Tom i Sarah, na skałach przycupnął w słońcu góralek, przypominające królika zwierzątko futerkowe, i obserwował ludzi ogromnymi, pełnymi zaciekawienia oczami.

— Chcę z tobą poważnie porozmawiać — rzekła Sarah.

Tom ułożył się na plecach, splatając palce za głową, i uśmiechnął się do żony.

— A ja głupi myślałem, że znalazłem się tu, bo chciałaś mnie zbałamucić i nasycić się moim delikatnym ciałem.

— Tomie Courtneyu, czy ty nigdy nie spoważniejesz?

— Już poważnieję, dzierlatko, i wielkie dzięki za zaproszenie. — Wyciągnął do niej ręce, lecz Sarah odtrąciła je.

— Będę krzyczeć, ostrzegam.

— A więc dobrze, wycofuję się, przynajmniej na razie. O czym to chciałaś ze mną pomówić?

— O Dorrym i Jassie.

— Ciekawe, dlaczego nie czuję się zaskoczony.

— Jassie jest pewna, że Dorry pożegluje do Maskatu, żeby objąć tron.

— A ja jestem pewien, że nie miałaby nic przeciwko temu, żeby zostać królową. Chyba żadna kobieta by się przed tym nie opierała.

— To zrujnuje jej życie. Wszystko mi wyjaśniła. Nie wyobrażasz sobie, ile spisków i intryg otacza orientalny dwór.

— Doprawdy? — Tom uniósł brwi. — Żyję z tobą od dwudziestu lat, serce ty moje, i było to wielce pouczające.

Sarah mówiła dalej, jakby niczego nie usłyszała:

— Jesteś jego starszym bratem. Musisz zabronić mu tam płynąć. Ta propozycja objęcia Słoniowego Tronu to zatruty dar, który zniszczy ich i nas także.

— Sarah Courtney, chyba nie wierzysz w to, że mógłbym czegokolwiek zabronić Dorianowi? To decyzja, którą tylko on może podjąć.

— Znowu go stracisz. Nie pamiętasz, jak to było, kiedy sprzedano go do niewoli? Jak myślałeś, że zginął, a część ciebie umarła razem z nim?

— Pamiętam doskonale. Ale to nie jest niewola i śmierć. To korona i nieograniczona władza.

— Zaczynam myśleć, że podoba ci się ten pomysł — powiedziała oskarżycielskim tonem Sarah.

Tom usiadł raptownie.

— Co ty wygadujesz, kobieto! On jest krwią mojej krwi. Chcę tylko tego, co jest dla niego najlepsze.

— Myślisz, że to może być najlepsze?

— To życie i przeznaczenie, do których go przygotowywano. Został kupcem, tak jak ja, ale wiem od początku, że nie wkłada całego serca w nasze przedsięwzięcie. Dla mnie to chleb i wino, lecz Dorry tęskni do czegoś więcej, niż tutaj mamy. Nie słyszałaś, jak wspominał przybranego ojca i czasy, gdy dowodził armią Omanu? Czy nie widzisz czasami żalu i tęsknoty w jego oczach?

— Dopatrujesz się znaków, których nie ma — zaprotestowała Sarah.

334

— Znasz mnie dobrze, kochanie. — Tom zrobił pauzę, a potem mówił dalej: — Taką mam naturę, że dominuję nad tymi, którzy mnie otaczają. Nawet nad tobą.

Sarah roześmiała się wesoło.

— Przyznaję, że próbujesz.

— Z Dorrym też próbuję i wychodzi mi to lepiej niż z tobą. Jest moim młodszym bratem i przez te wszystkie lata tak właśnie go traktowałem. Może wezwanie z Maskatu jest tym, na co od dawna czekał.

— Znowu go stracisz — powtórzyła Sarah.

— Nie, będzie nas dzielić skrawek wody, a ja mam szybki statek. — Tom położył się na trawie i zsunął kapelusz na oczy, żeby osłonić je przed słońcem. — Poza tym moim interesom nie zaszkodzi, jeśli będę miał brata, który może wydać moim statkom glejt na handel we wszystkich zakazanych portach Orientu.

— Tomie Courtneyu, ty pazerny potworze, nienawidzę cię z całej duszy. — Sarah rzuciła się na męża i zaczęła go młócić pięściami po klatce piersiowej. Tom przetoczył ją bez trudu na plecy i podciągnął jej spódnicę, odsłaniając nogi, wciąż silne i kształtne jak nogi młodej dziewczyny. Sarah skrzyżowała je mocno.

— Sarah Courtney, pokaż mi, jak mocno mnie nienawidzisz. — Przytrzymywał żonę jedną ręką, drugą rozpinając pasek.

— Przestań w tej chwili, niecny rozpustniku. Patrzą na nas. — Sarah szarpała się, ale niezbyt mocno.

— Kto? — spytał Tom.

— One! — wskazała rząd skalnych królików.

— Hu! — krzyknął Tom i zwierzątka pierzchły do swoich kryjówek. — Już nie patrzą!

Sarah rozluźniła nogi.

W ieczorna narada przy ognisku przebiegała w poważnym, pełnym niepewności nastroju. Nikt z rodziny nie wiedział, co postanowił Dorian. Jasmini, siedząca u boku męża, na nieme pytanie Sarah odpowiedziała bezradnym wzruszeniem ramion.

Tylko Tom z premedytacją okazywał dobry humor. Gdy siedzieli przy ognisku, zajadając pieczone mięso z chlebem, opowiadał o tym, jak jego dziad Francis Courtney przejął na Przylądku Igielnym holenderski galeon, należący do VOC, prawie przed sześćdziesięciu laty. Wyjaśnił, że Francis ukrył łup w jaskini u ujścia strumienia wpadającego do laguny, nieopodal miejsca, gdzie wczoraj wieczorem Mansur ubił bawołu. Potem roześmiał się i wskazał zarośnięte krzewami rowy wokół obozu, wykopane przez Holendrów próbujących odzyskać zrabowany skarb.

— Oni klęli tu i pocili się, a nasz ojciec Hal Courtney już dawno zabrał łupy i zniknął jak kamfora. — Żaden z obecnych nie okazał zdziwienia, bo słyszeli tę historię wiele razy. W końcu nawet Tom dał za wygraną, zamilkł i miast próbować ożywiać nastrój, zajął się miską pikantnego gulaszu z bawolego mięsa, który kobiety podały po rybie.

Dorian jadł mało. Zanim przyniesiono srebrny imbryk z kawą, wiszący nad rozżarzonymi węglami, zwrócił się do Toma.

— Jeśli się zgodzisz, bracie, porozmawiam teraz z Kademem i przedstawię mu moją decyzję.

— Jasne, Dorry. Trzeba zakończyć tę sprawę. Nasze panie od wczoraj siedzą jak na mrowisku. — Krzyknął na Batulę: — Powiedz Kademowi, że może przyłączyć się do narady, jeśli ma ochotę!

Al-Jurf nadszedł plażą płynnym krokiem pustynnego wojownika i padł przed Dorianem na piasek.

Mansur pochylił się lekko. Rano wyszli razem z Dorianem z obozu i spędzili wiele godzin w lesie. Tylko oni wiedzieli, o czym mówili. Jasmini spojrzała na błyszczącą twarz syna i serce jej zamarło. Jest taki młody i piękny, bystry i silny, myślała. Oczywiście, że tęskni do przygody, której perspektywa zamajaczyła przed nimi. Zna tylko taką wizję bitwy, jaka wyłania się ze śpiewanych przy ognisku ballad. Śni o sławie, chwale i tronie. Bo jeśli Dorian podejmie dziś taką decyzję, Słoniowy Tron Omanu może pewnego dnia należeć do niego.

Zasłoniła sobie twarz, by nikt nie dostrzegł jej lęku. Mój syn nie rozumie, ile bólu i cierpienia przyniesie mu korona. Nic nie wie o zatrutym napoju i ostrzu skrytobójcy, które kiedyś może odebrać mu życie. Nie rozumie, że kalifat to niewola bardziej dotkliwa niż kajdany niewolnika na galerze, lub te, które krępują nogi robotnika w kopalni miedzi w Monomatapa.

Tok myśli Jasmini został przerwany, gdy Kadem powitał Doriana.

— Niech łaska Proroka będzie z tobą, Wasza Wysokość, i pokój Boga. Oby Allah pobłogosławił wszystkie twoje przedsięwzięcia.

— Za wcześnie mówić o tytułach, Kademie — ostudził jego zapał Dorian. — Poczekaj, aż usłyszysz moją decyzję.

— Decyzja już została podjęta przez Proroka i świętego mułłę al-Allamę, który zmarł w dziewięćdziesiątym dziewiątym roku życia w meczecie na wyspie Lamu, do ostatniego tchnienia chwaląc Boga.

— Nie wiedziałem, że umarł — rzekł ze smutkiem Dorian — choć, prawdę powiedziawszy, trudno oczekiwać, by było inaczej, skoro dożył tak sędziwego wieku. Zaiste świątobliwy był to człowiek. Dobrze go znałem. To jego ręka mnie obrzezała. Był moim roztropnym doradcą i drugim ojcem.

— W ostatnich dniach swego życia myślał o tobie i wypowiedział proroctwo.

Dorian nachylił głowę.

— Możesz powtórzyć słowa świętego mułły.

Kadem był utalentowanym mówcą, miał mocny, lecz przyjemny głos.

— „Sierota z morza, ten, który wywalczył Słonia dla ojca, zasiądzie na jego grzbiecie po odejściu ojca i będzie nosił koronę z czerwonego złota". — Kadem rozłożył ramiona. — Wasza Wysokość, sierotą z morza możesz być tylko ty. Nosisz bowiem czerwoną koronę i zwyciężyłeś w bitwie, która dała Słoniowy Tron twemu przybranemu ojcu, kalifowi Abd Muhammadowi al-Malikowi.

Długa cisza nastąpiła po jego dźwięczących słowach, a Kadem stał z ramionami rozpostartymi, niczym sam Prorok.

Wreszcie Dorian przerwał milczenie.

— Słyszałem twoje prośby i przedstawię ci swoją decyzję, którą musisz zanieść szejkom Omanu. Wpierw jednak muszę ci powiedzieć, jak do niej doszedłem. — Dorian położył dłoń na ramieniu Mansura. — Oto mój syn, jedyny syn. Moja decyzja poważnie na niego wpłynie. Omówiliśmy ją bardzo dokładnie. Jego młode gorące serce pali się do przygody, tak jak moje, gdy byłem w jego wieku. Przekonywał mnie, bym przyjął zaproszenie szejków.

— Roztropność twego syna przyniosłaby zaszczyt o wiele starszemu mężczyźnie — rzekł Kadem. — Jeśli Allah tak zechce, pewnego dnia twój syn zostanie władcą Maskatu.

— *Bismillah!* W imię Boga! — zakrzyknęli śpiewnie Batula i Kumrah.

— Jeśli Bóg zechce! — zawołał po arabsku Mansur, z twarzą pełną uniesienia.

Dorian podniósł prawą dłoń i wszyscy zamilkli.

— Jest jeszcze ktoś, kto bardzo silnie odczuje moją decyzję. — Ujął dłoń żony. — Księżniczka Jasmini była moją towarzyszką i żoną przez wszystkie te lata, od dzieciństwa. Złożyłem jej dawno temu przysięgę. — Dorian odwrócił się do żony. — Czy pamiętasz te śluby?

— Pamiętam, mój panie i mężu — odparła cicho. — Ale myślałam, że ty o nich zapomniałeś.

— Przyrzekłem ci, że jeśli nawet prawo i prorocy pozwolą, nie wezmę innej żony niż ty. Dotrzymałem przysięgi. — Jasmini nie mogła wydobyć słowa, więc tylko skinęła głową. W tej chwili łza, która kołysała się na jej długich rzęsach, oderwała się i spadła na jedwab, zostawiając mokrą plamkę. — Tego samego dnia złożyłem drugą przysięgę, w której ślubowałem, że nie sprawię ci bólu, jeśli tylko będzie w mojej mocy, by temu zapobiec. — Jasmini skinęła głową po raz drugi. — Niech wszyscy tu obecni wiedzą, że gdybym przyjął zaproszenie szejków do objęcia Słoniowego Tronu, sprawiłoby to księżniczce Jasmini ból straszniejszy niż męka konania. — Wibrująca cisza zawisła w powietrzu jak groźba letniej burzy. Dorian wstał i rozłożył ręce. — Oto moja odpowiedź. Niech Bóg usłyszy me słowa. Niech święci prorocy islamu będą świadkami mojej przysięgi.

Tom zdumiał się, widząc zmianę, jaka zaszła w jego młodszym bracie. W tej chwili Dorian wyglądał jak prawdziwy król. Lecz jego następne słowa rozwiały iluzję.

— Powiedz im, że moja miłość i podziw jest wciąż z nimi, tak jak w bitwie o Maskat i każdego dnia później. Mimo to brzemię, które by na mnie nałożyli, jest zbyt ciężkie dla mojego serca i moich ramion. Muszą znaleźć innego kandydata do Słoniowego Tronu. Ja bowiem nie mogę zostać jednocześnie kalifem i dotrzymać przysięgi złożonej księżniczce Jasmini. — Mansur mimo woli wydał cichy okrzyk rozczarowania. Zerwał się i pobiegł w noc. Tom już miał za nim pobiec, lecz Dorian potrząsnął głową. — Niech idzie, bracie. Jego rozczarowanie jest bolesne, ale minie. — Usiadł i odwrócił się z uśmiechem do Jasmini. Jej piękną twarz rozświetlił wyraz uwielbienia. — Dotrzymałem ci obu przysiąg — powiedział.

— Mój panie! — szepnęła Jasmini. — Moje serce.

Kadem wstał z twarzą pozbawioną wyrazu i ukłonił się głęboko Dorianowi.

— Jak książę rozkaże — rzekł cicho. — Och, panie, gdybym

mógł cię nazywać Waszą Wysokością. Zasmuca mnie to, lecz zapewne tak miało być. Spełni się wola Boga. — Odwrócił się i odszedł w ciemność, w przeciwną stronę niż Mansur.

Był czas wieczornej modlitwy; mężczyzna podający się za Kadema al-Jurfa dokonał rytualnego obmycia w słonej wodzie laguny. Oczyszczony, wspiął się wysoko na skałę górującą nad oceanem. Rozłożył modlitewny dywanik, wyrecytował pierwszą modlitwę i złożył pierwszy pokłon.

Ani akt wiary, ani poddanie się woli Boga nie mogły ukoić gniewu, który w nim wrzał. Nigdy dotąd się to nie zdarzyło. Kadem musiał zmobilizować całą swoją samodyscyplinę, żeby dokończyć modlitwy i nie pozwolić, by zmąciły ją nieokiełznane emocje. Skończywszy, rozpalił małe ognisko z patyków zebranych podczas wspinania się na skały. Gdy ogień zapłonął jasnym ogniem, Kadem usiadł przed nim na macie ze skrzyżowanymi nogami i patrzył przez migotliwą kurtynę unoszącego się żaru.

Kołysząc się lekko, jak gdyby jechał przez pustynię na wielbłądzie, wyrecytował dwanaście mistycznych sur Koranu i czekał na głosy. Były z nim od dzieciństwa, od dnia, w którym został obrzezany. Nadchodziły wyraźne po modlitwie lub poście. Wiedział, że są głosami aniołów Boga i jego proroków. Pierwszy przemówił ten, którego najbardziej się lękał.

— Nie wypełniłeś misji. — Kadem rozpoznał głos Gabriela, archanioła-mściciela, i skulił się pod siłą oskarżenia.

— O najwyższy z wysokich, to było niemożliwe, żeby al-Salil odrzucił przynętę tak starannie dla niego przygotowaną — wyszeptał.

— Słyszałeś mnie, Kademie ibn Abubakerze — rzekł anioł. — To twoja nieokiełznana duma doprowadziła cię do klęski. Byłeś zbyt pewny swojej przewagi.

Anioł użył prawdziwego imienia, albowiem Kadem był synem baszy Abubakera, generała zabitego przez Doriana w bitwie na brzegu rzeki Lungi, dwadzieścia lat temu.

Basza Abubaker był przyrodnim bratem i dobrym kompanem Zajna al-Dina, kalifa Omanu. Dorastali razem na wyspie Lamu i tam właśnie po raz pierwszy ich przeznaczenie splotło się z przeznaczeniem Doriana i Jasmini.

Wiele lat później, kiedy ich ojciec i monarcha nie żył, Zajn al-Din, kalif, mianował Abubakera najwyższym dowódcą wojskowym i baszą w służbie kalifatu. Potem wysłał go z armią do Afryki, żeby wytropili i pojmali Doriana i Jasmini, dwoje uciekinierów, którzy dopuścili się grzechu kazirodztwa.

Prowadzący szwadrony kawalerii Abubaker dopędził ich, gdy próbowali uciec rzeką Lungą do morza maleńkim statkiem Toma, *Swallow*. Abubaker zaatakował, kiedy statek utknął na piaszczystej wydmie u ujścia rzeki. Podczas zaciekłej i krwawej bitwy kawaleria ruszyła do szarży po mieliźnie. Lecz statek był uzbrojony w działo; Dorian oddał z armaty salwę kartaczami, które roztrzaskały głowę Abubakera i zmusiły jego wojsko do bezładnej ucieczki.

Mimo że Kadem był wówczas dzieckiem, Zajn al-Din wziął go pod swoją ochronę i darzył względami należnymi synowi, a nie bratankowi. W ten sposób uczynił Kadema swoim oddanym wasalem. Spętał go stalowymi kajdanami, których nie sposób było rozerwać. Wbrew temu, co Kadem powiedział Dorianowi przy ognisku, siła jego przysięgi złożonej al-Dinowi mogła się tylko równać z siłą przekonania, że musi dokonać zemsty na człowieku, który zgładził mu ojca. Był to święty obowiązek, nałożony nań przez Boga i jego własne sumienie.

Zajn al-Din, kochający niewielu ludzi, kochał Kadema, swojego bratanka. Trzymał go blisko siebie, a gdy ten został prawdziwym wojownikiem, mianował go dowódcą straży królewskiej. Kadema, jako jedynego spośród możliwych następców tronu, nie zgładzono w masakrze dokonanej w czasie ramadanu. Podczas rewolty, która po niej wybuchła, Kadem walczył jak lew w obronie swego kalifa i to właśnie on przeprowadził Zajna przez labirynt podziemnych korytarzy pod murami pałacu do statku czekającego na przystani w Maskacie. Potem przewiózł swego pana bezpiecznie do pałacu na wyspie Lamu na Wybrzeżu Malarycznym.

To Kadem był tym generałem, który złamał opór fortów na wybrzeżu, popierających sprzysiężenie buntowników w Maskacie. Wynegocjował sojusz z angielskim konsulem w Zanzibarze i namówił swego pana do wysłania poselstw do Konstantynopola i Delhi, by zyskać poparcie tamtejszych monarchów. W czasie kampanii na Wybrzeżu Malarycznym Kadem pojmał większość przywódców frakcji przeciwnych Zajnowi. Więźniowie zostali później przekazani śledczym, których zadaniem było wydobycie od nich jak najwięcej informacji.

W ten sposób, na skutek wyrafinowanych tortur — bicia pałką po piętach, łamania kołowrotami i duszenia garotą — śledczy zdobyli cenny klejnot: informację o miejscu pobytu al-Salila, mordercy baszy Abubakera i zaprzysięgłego wroga kalifa.

Uzbrojony w tę wiedzę Kadem uprosił Zajna, by ten pozwolił mu stać się narzędziem zemsty. Zajn się zgodził, a Kadem nie powierzył świętego obowiązku żadnemu ze swoich podwładnych. Sam wymyślił, że w celu ściągnięcia al-Salila do królestwa kalifa najlepiej będzie, jeśli poda się za wysłannika buntowników, którzy wciąż trzymali w swoich rękach Maskat, stolicę kraju.

Kiedy ujawnił swój plan al-Dinowi, kalif był zachwycony i pobłogosławił przedsięwzięcie. Obiecał Kademowi godność baszy, którą niegdyś piastował jego ojciec, oraz wszystkie inne nagrody, o jakie Kadem zechce poprosić, jeśli tylko zdoła sprowadzić al-Salila i jego żonę Jasmini do Lamu, by poznali gniew i zemstę kalifa. Kadem poprosił tylko o jedno: gdy nadejdzie czas śmierci al-Salila, on sam chciałby udusić go własnymi rękami. Obiecał Zajnowi, że duszenie garotą będzie powolne i straszliwie bolesne. Zajn uśmiechnął się i przyrzekł mu tę nagrodę.

Kadem dowiedział się od śledczych, że statek handlowy *Gift of Allah*, często zawijający do portów na Wybrzeżu Malarycznym, należy do al-Salila. Gdy szkuner przypłynął następnym razem do Zanzibaru, Kadem wkradł się w łaski Batuli, dawnego giermka al-Salila. Spisek Kadema rozwijał się gładko aż do chwili, gdy nagroda znalazła się w zasięgu ręki — wszystko przez niepojętą odmowę al-Salila, który nie zechciał połknąć przynęty. Teraz Kadem musiał odpowiadać na zarzuty boskiego anioła.

— O najwyższy z wysokich, istotnie dopuściłem się grzechu pychy. — Kadem uczynił znak pokuty, ocierając twarz otwartymi rękami, jakby zmywał grzech.

— Sądziłeś, że sam, bez boskiej interwencji, możesz doprowadzić grzesznika przed oblicze sprawiedliwości. To próżność i głupota.

Oskarżenia dudniły w uszach Kadema tak głośno, że miał wrażenie, iż pękną mu bębenki. Znosił ból po stoicku.

— O litościwy, wydawało się niemożliwe, by śmiertelnik odrzucił propozycję objęcia tronu. — Kadem padł na twarz przed ogniem i aniołem. — Powiedz mi, co powinienem zrobić, aby naprawić szkodę spowodowaną moją arogancją i głupotą. Rozkazuj, o najwyższy z wysokich.

Nie usłyszał odpowiedzi. Rozlegał sie tylko łoskot wysokich fal na skałach i krzyki mew kołujących w górze.

— Przemów do mnie, o święty Gabrielu — błagał Kadem. —
Nie opuszczaj mnie teraz, po tylu latach mej wiernej służby. —
Wyciągnął zza pasa zakrzywiony sztylet, przepiękną broń. Ostrze
wykute było z damasceńskiej stali, a rękojeść zrobiona z rogu
nosorożca, pokryta filigranem z czystego złota. Kadem wbił czubek
sztyletu w kciuk, z którego natychmiast popłynęła krew. — Allahu,
Allahu! — zawołał. — Tą krwią błagam cię, daj mi wskazówkę.

I wtedy dotarł do niego drugi głos — nie grzmiący głos Gabriela,
lecz spokojny, łagodny i melodyjny. Kadem wiedział, że to głos
samego Proroka, przerażający w swojej cichej prostocie. Zadrżał
i słuchał.

— Jesteś szczęśliwcem, Kademie ibn Abubakerze — powiedział
Prorok — bo wysłuchałem twej spowiedzi i wzruszyły mnie twoje
błagania. Dam ci jeszcze jedną, ostatnią szansę zbawienia. —
Kadem padł płasko na ziemię, nie ośmielając się odpowiedzieć
głosowi, który znów usłyszał: — Kademie ibn Abubakerze! Musisz
obmyć swoje dłonie we krwi z serca mordercy twojego ojca, zdrajcy
i heretyka, grzesznika, który pławi się w kazirodztwie, al-Salila.

Kadem bił głową o ziemię, szlochając z radości, że Prorok okazał
mu taką łaskę. Potem usiadł na piętach i podniósł dłoń z rozpostartymi palcami i skaleczonym kciukiem. Krew wciąż sączyła się z rany.

— Bóg jest wielki — szepnął. — Daj mi znak twej łaski,
błagam cię. — Włożył rękę w skaczące płomienie, które ją ogarnęły. — Allah! — zaintonował. — Jeden! Jedyny!

Strumień jasnej krwi skurczył się i wysechł. Potem w cudowny
sposób rana zamknęła się jak morski kwiat. Zagoiła się na oczach
Kadema.

Wyciągnął rękę z płomienia, wciąż śpiewem wychwalając Boga,
i podniósł ją wysoko. Nie było śladu po ranie, najmniejszego
zaczerwienienia ani pęcherzy od płomieni. Skóra była nieskazitelnie
gładka. To był znak, o który prosił Kadem.

— Bóg jest wielki! — krzyknął w uniesieniu. — Nie ma
Boga oprócz Boga, a Mahomet jest jego ostatnim prawdziwym
Prorokiem!

Po zjedzeniu wieczornego posiłku z resztą rodziny Dorian
i Jasmini pożegnali się. Jasmini najpierw uściskała Sarah,
a potem swojego syna Mansura. Ucałowała jego oczy i pogłaskała
po włosach, lśniących w blasku ogniska jak płynna miedź w kadzi.

Tom uścisnął Doriana tak mocno, że aż trzasnęło mu w stawach.

— A niech mnie, Dorianie Courtneyu. Już myślałem, że się ciebie wreszcie pozbędziemy i wyślemy na dobre do Omanu.

Dorian odwzajemnił uścisk.

— Biedaku! Zostanę tu jeszcze trochę, żeby cię podręczyć.

Mansur objął przelotnie ojca, lecz nie odezwał się do niego ani nie spojrzał mu w oczy; jego zaciśnięte usta zdradzały gorzkie rozczarowanie. Dorian potrząsnął smutno głową. Wiedział, że Mansur całym sercem pragnął chwały, a jego własny ojciec mu ją odebrał. Ból był wciąż zbyt dotkliwy, żeby ukoić go słowami. Dorian postanowił, że później przyjdzie czas na pocieszenia.

On i Jasmini poszli plażą. Jak tylko znaleźli się poza kręgiem blasku z ogniska, Dorian otoczył żonę ramieniem. Nic nie mówili, bo wszystko zostało już powiedziane. Fizyczny kontakt wyrażał ich miłość dobitniej niż wszystkie słowa. W miejscu, gdzie plaża skręcała, a woda była głębsza, Dorian zdjął ubranie i turban. Podał je żonie i nago wszedł do wody. Prąd był silny między skałami, a woda niosła ze sobą chłód otwartego oceanu. Dorian zanurkował w głębokim rowie i wynurzył się, wciągając powietrze i prychając z zimna.

Jasmini usiadła na piasku i obserwowała męża; nie podzielała jego upodobania do zimnej wody. Niemal ukradkiem przycisnęła do twarzy jego ubranie i z rozkoszą wciągnęła męski zapach. Nawet po tylu latach jej się nie znudził. Ta woń sprawiała, że Jasmini czuła się spokojna i bezpieczna. Dorian zawsze się uśmiechał, kiedy brała tunikę, którą nosił przez cały dzień, i wkładała ją zamiast nocnej koszuli. „Założyłabym twoją skórę, gdyby to było możliwe — odparła poważnie na jego żartobliwą uwagę. — W ten sposób mogę być blisko ciebie, mogę być częścią twojego ubioru, twojego ciała".

Wreszcie Dorian wyszedł na brzeg. Jego ciało lśniło od drobniutkiego, fosforyzującego planktonu; Jasmini krzyknęła z zachwytem.

— Nawet natura przyozdabia cię diamentami. Bóg cię miłuje, al-Salilu, lecz nie tak bardzo jak ja.

Dorian pochylił się nad nią, pocałował słonymi ustami i wytarł się turbanem. Potem owinął się nim jak przepaską i rozpuścił na plecy swoje długie, mokre włosy.

— Nocna bryza dokończy dzieła, zanim dojdziemy do chaty — rzekł i ruszyli po piasku do obozu. Wartownicy przywitali ich pozdrowieniem. Chata Doriana i Jasmini stała w pewnej odległości od chaty Toma i Sarah. Mansur wolał spać z oficerami ze statków i załogą.

Dorian zapalił latarnie, a Jasmini wzięła jedną i poszła za parawan w końcu pomieszczenia. Udekorowała chatę perskimi dywanami, jedwabnymi draperiami, materacami i poduszkami z puchu dzikich gęsi. Dorian usłyszał plusk wody płynącej z dzbana do miednicy i cichy śpiew myjącej się Jasmini. Poczuł odrętwienie w lędźwiach: to było ulubione miłosne preludium jego żony. Rzucił tunikę i wilgotny turban i rozciągnął się na materacu. Patrzył na zarys sylwetki Jasmini na wzorze przedstawiającym ptaki i kwiaty, zdobiącym chiński parawan. Jasmini rozmyślnie ustawiła w tym miejscu latarnię; wiedziała, że mąż na nią patrzy. Kiedy stanęła w miednicy i schyliła się, żeby obmyć intymne części ciała, odwróciła się, żeby widział, jak starannie przygotowuje dla niego drogę.

Wreszcie wysunęła się zza parawanu i przechyliła niewinnie głowę, pozwalając, aby włosy opadły jej na twarz, jak przetykana srebrem kurtyna. Zakryła łono obiema dłońmi i spojrzała na męża jednym okiem przez zasłonę z włosów. Było wielkie i rozświetlone blaskiem namiętności.

— Ty smakowita, soczysta mała huryso — powiedział Dorian; jego męskość zesztywniała. Jasmini roześmiała się, widząc, co uczyniła mężowi. Opuściła ręce, odsłaniając płeć z pieczołowicie wyskubanym owłosieniem. Nagie, pulchne przecięcie otwierało się pod gładkim jak kość słoniowa, łagodnym łukiem brzucha. Jej piersi były małe i sterczące, dzięki czemu ciało Jasmini wyglądało jak ciało dziewczyny.

— Chodź do mnie! — rzucił Dorian, a Jasmini zbliżyła się ochoczo.

Późno w nocy poczuła, że mąż się porusza, i zbudziła się momentalnie. Zawsze była wyczulona na jego nastroje i potrzeby.

— Dobrze się czujesz? — spytała. — Czy ci czegoś trzeba?

— Śpij, maleńka — szepnął. — To tylko twój przyjaciel i gorący wielbiciel domaga się, żeby wziąć go w rękę.

— Proszę, przekaż memu przyjacielowi wyrazy głębokiego uwielbienia — szepnęła.

Dorian zachichotał sennie i pocałował ją lekko, a potem wstał. Używał nocnika tylko wtedy, gdy było to naprawdę konieczne. Kucanie to kobiecy sposób. Wymknął się tylnymi drzwiami i skierował do wykopanej w ziemi latryny, pięćdziesiąt jardów od chaty, osłoniętej drzewami. Piasek pod jego stopami był chłodny, a łagodne nocne powietrze pachniało leśnym kwieciem i oceaniczną bryzą. Załatwiwszy się, Dorian ruszył w powrotną drogę. Zatrzymał się jednak, nim doszedł do chaty. Noc była piękna, a jasno święcące gwiazdy oczarowały go. Przypatrując się im, czuł, jak powoli ogarnia go głęboki spokój.

Aż do tej chwili targała nim burza niepokoju. Czy odrzucenie oferty objęcia Słoniowego Tronu było czynem egoistycznym i niesprawiedliwym dla Mansura? Czy sprzeniewierzył się narodowi omańskiemu, jęczącemu w jarzmie niewoli pod rządami Zajna al-Dina? W głębi serca wiedział, że Zajn zamordował jego ojca. Czy prawa ludzkie i boskie nie zobowiązywały do zemsty za straszną zbrodnię ojcobójstwa?

Wszystkie te wątpliwości ustąpiły, gdy tak stał pod gwiazdami. Mimo że noc była chłodna, a Dorian nagi jak nowo narodzone dziecko, wciąż czuł ciepło ramion jedynej kobiety, którą kiedykolwiek kochał. Westchnął z satysfakcją. Nawet jeśli zgrzeszyłem, był to grzech zaniechania. Mój najważniejszy obowiązek to ten, który mam wobec żywych, a nie umarłych, Jasmini zaś potrzebuje mnie nie mniej niż inni ludzie, jeśli nie bardziej.

Ruszył w stronę chaty i w tej samej chwili usłyszał krzyk żony. Był to przerażający krzyk, w którym strach mieszał się ze śmiertelnym bólem.

P o wyjściu Doriana Jasmini usiadła i wstrząsnął nią dreszcz. Zrobiło się zimno, zimniej, niż powinno być w nocy. Nie wiedziała, czy to naturalny chłód, czy chłód zła. Może nad nią i Dorianem zawisł jakiś złowieszczy duch. Jasmini wierzyła bez najmniejszej wątpliwości w istnienie innego świata, nakładającego się na świat ludzki, w królestwo aniołów, dżinów i demonów. Zadrżała ponownie, tym razem bardziej ze strachu niż z zimna. Uczyniła kciukiem i palcem znak odczyniający. Potem wstała z materaca i podkręciła knot, żeby po powrocie Dorian miał widno we wnętrzu chaty. Podeszła do parawanu, na którym wisiała tunika Doriana; zarzuciła ją na swoje nagie ciało. Siedząc na materacu, zawinęła sobie na głowie jego turban, który już wysechł, lecz wciąż nim pachniał. Podniosła do twarzy tunikę męża i wciągnęła w nozdrza woń potu. Lęk przed czyhającym złem ustąpił. Pozostał tylko niewyraźny cień niepokoju.

— Gdzie jest Dorry? — szepnęła. — Powinien już wrócić. — Właśnie miała na niego krzyknąć, kiedy usłyszała za sobą szelest. Odwróciła się i zobaczyła wysoką postać odzianą w czerń, w czarnej chuście na głowie, zasłaniającej twarz. Widmo wyglądało raczej jak zły dżin lub demon niż ludzka istota. Musiało wejść drugimi drzwiami, a jego obecność napełniła pomieszczenie duszącym tchnieniem czystego zła. W prawej ręce trzymało długi zakrzywiony sztylet, w którego klindze odbijało się słabe światło latarni.

Jasmini krzyknęła z całej siły i próbowała wstać, lecz widmo skoczyło ku niej i zadało cios tak błyskawiczny, że nawet go nie zauważyła. Miała wrażenie, że ostrze wnika w ciało, które nie stawia prawie żadnego oporu. Czuła tylko dotkliwe pieczenie w głębi piersi.

Skrytobójca stał nad Jasmini, gdy osunęła się na materac, gdyż nogi nagle przestały dawać jej oparcie. Morderca nie wyciągnął długiego noża. Przekrzywił tylko ostrze i trzymał je mocno, tak że skierowało się ku górze. Ostra jak brzytwa klinga wyszła sama, powiększając ranę, przecinając mięsień, żyły i tętnice. Kiedy ostrze wysunęło się z ciała, Jasmini upadła tyłem na materac. Ciemna postać rozejrzała się, szukając mężczyzny, którego nie było, choć powinien być. Dopiero po krzyku skrytobójca zorientował się, że ofiara jest kobietą, lecz wtedy było za późno. Pochylił się i ściągnął turban z twarzy Jasmini. Popatrzył na jej przepiękne oblicze, tak blade i nieruchome, że wydawało się wyrzeźbione w kości słoniowej.

— W imię Boga, to dopiero połowa mego dzieła — szepnął. — Zabiłem lisicę, lecz lis wciąż żyje.

Odwrócił się i skoczył do drzwi, przez które dostał się do chaty. W tej samej chwili nagi Dorian wbiegł do środka.

— Straże, do mnie! — krzyknął.

Kadem ibn Abubaker rozpoznał głos i odwrócił się momentalnie. To była ofiara, której szukał — mężczyzna, a nie kobieta przebrana w jego szaty. Skoczył do Doriana, który zareagował za wolno, lecz zdążył podnieść ramię i zbić cios. Ostrze przecięło mu ramię aż do łokcia. Trysnęła krew; Dorian krzyknął i upadł na kolana. Z ramionami zwisającymi bezwładnie spojrzał na człowieka, który zabijał go z wyrazem litości na twarzy.

Kadem wiedział, że mężczyzna jest dwa razy starszy od niego, że wiek spowolnił jego ruchy i że czuje się bezradny. Widząc szansę błyskawicznego zakończenia sprawy, skoczył do ataku. Zapomniał jednak o wojennej sławie al-Salila. Gdy uderzył, mierząc ostrzem sztyletu w serce, dwie stalowe ręce strzeliły ku niemu

346

z szybkością węża. Dłoń trzymająca sztylet została zablokowana klasycznym chwytem.

Dorian podniósł się, krwawiąc z długiej rany na ramieniu. Zakołysali się. Kadem dążył do przełamania bloku, aby móc zadać kolejny cios. Dorian trzymał go desperacko, nawołując o pomoc.

— Tom! — krzyknął. — Bywaj tu! Do mnie! Do mnie!

Kadem wsunął piętę za stopę Doriana i rzucił się do przodu, próbując zwalić go z nóg, lecz Dorian błyskawicznie przesunął ciężar ciała na drugą nogę i obrócił się, skręcając rękę trzymającą sztylet i naciągając mięśnie i ścięgna Kadema. Ten stęknął i cofnął się, porażony nieznośnym bólem. Dorian naciskał dalej.

— Tom! — ryknął. — Tom, na miłość boską!

Kadem nie wytrzymał nacisku na nadgarstek, ale cofając rękę, zyskał dość miejsca, żeby odwrócić się bokiem do Doriana. Wyrwał się z chwytu i przerzucił Doriana przez biodro na ziemię, po czym skoczył na niego jak fretka na królika; Dorian zdołał ponownie chwycić go za nadgarstek. Znów napierali na siebie pierś w pierś, lecz teraz Kadem był na górze; różnica wieku i bojowej kondycji zaczynały dawać o sobie znać. Napastnik nieubłaganie zbliżał czubek zakrzywionego sztyletu do piersi Doriana. Twarz miał wciąż zakrytą. Tylko jego oczy błyszczały ponad czarnymi lokami, tuż nad twarzą Doriana.

— Na pamięć ojca — wycharczał z wysiłkiem zabójca. — Oto spełniam swój obowiązek.

Całym ciężarem ciała napierał na sztylet. Dorian nie mógł go dłużej powstrzymywać. Nóż przeciął nagą skórę na piersi i wsuwał się coraz głębiej, aż po rękojeść.

— Sprawiedliwość jest moja! — krzyknął triumfalnie Kadem.

Zanim krzyk zamarł mu na ustach, Tom wtargnął do chaty, rozjuszony i silny jak czarnogrzywy lew. Jednym spojrzeniem objął sytuację i zamachnął się ciężkim pistoletem, bojąc się strzelić, żeby nie trafić brata. Stalowa lufa gruchnęła z tyłu w czaszkę Kadema. Skrytobójca osunął się bez słowa na Doriana.

Kiedy Tom się schylił, żeby ściągnąć Araba z nieruchomego ciała brata, do chaty wpadł Mansur.

— Na miłość boską, co się dzieje?

— Ten wieprz chciał zabić Dorry'ego.

Mansur pomógł Tomowi posadzić Doriana.

— Ojcze, jesteś ranny? — Obaj zobaczyli straszną ranę od noża w nagiej piersi Doriana.

Zamarli z przerażenia.

— Jassie! — wykrztusił Dorian. — Zajmijcie się nią.

Tom i Mansur odwrócili się w stronę drobnej postaci skulonej na materacu. Dopiero teraz ją zauważyli.

— Jassie nic się nie stało. Ona śpi — odparł Tom.

— Nie, jest śmiertelnie ranna. — Dorian próbował uwolnić się z uścisku rąk syna i brata. — Pomóżcie mi, muszę się nią zająć.

— Ja zajmę się mamą. — Mansur skoczył do materaca. — Mamo! — zawołał, próbując podnieść Jasmini. Nagle cofnął się, widząc swoje dłonie błyszczące od krwi.

Dorian podczołgał się, wspiął na materac i wziął Jasmini w ramiona. Jej głowa opadła bez życia.

— Jassie, nie opuszczaj mnie, proszę. — Z oczu płynęły mu łzy bezgranicznej rozpaczy. — Nie odchodź, najdroższa.

Błagania były daremne, gdyż dusza Jasmini szybowała już daleko, w stronę drogi bez powrotu.

Głośne okrzyki zbudziły Sarah, która od razu pobiegła za Tomem. Na miejscu natychmiast zorientowała się, że serce Jasmini nie bije i że w żaden sposób nie można jej pomóc. Stłumiwszy rozpacz, odwróciła się do Doriana, który żył, choć i jego życie wisiało na włosku.

Tom wydał lakoniczny rozkaz Batuli i Kumrahowi, którzy wywlekli Kadema z chaty. Skórzanymi rzemieniami skrępowali mu za plecami łokcie i nadgarstki. Potem związali ze sobą nadgarstki i kostki nóg. Kiedy jego plecy wygięły się w łuk, założyli mu na szyję niewolniczą obręcz i przykuli go do drzewa w środku obozu. Jak tylko straszna wieść o skrytobójstwie rozeszła się wśród ludzi, kobiety zebrały się wokół Kadema, przeklinając go i opluwając. Wszystkie uwielbiały Jasmini.

— Pilnuj go. Nie pozwól go zabić, dopóki nie wydam takiego rozkazu — rzekł Tom do Batuli surowym tonem. — To ty sprowadziłeś tu tego zbrodniczego wieprza. Teraz odpowiadasz za niego swoim życiem.

Wrócił do szałasu. Niewiele mógł pomóc, bo Sarah wzięła wszystko w swoje ręce. Nieobce jej były sprawy medyczne, gdyż większą część życia spędziła, opatrując rannych i umierających mężczyzn. Poprosiła tylko Toma o pomoc, kiedy trzeba było zacisnąć ciasno bandaż, aby powstrzymać krwawienie. Później

Tom mógł jedynie krążyć po chacie, przeklinając swoją głupotę; nie przewidział zagrożenia i nie przedsięwziął odpowiednich kroków.

— Przecież nie jestem niewinnym, naiwnym dzieckiem. Powinienem był wiedzieć. — Jego lamenty raczej przeszkadzały, niż pomagały, więc Sarah kazała mu wyjść z chaty.

Opatrzywszy ranę Doriana i ułożywszy go wygodnie, złagodniała i pozwoliła Tomowi wejść do środka. Powiedziała mu, że choć jego brat został ciężko ranny, według jej oceny ostrze minęło serce, ale przebiło lewe płuco, gdyż na ustach Doriana zebrała się krwawa piana.

— Mężczyźni słabsi od niego przeżywali po odniesieniu gorszych ran. Teraz wszystko zależy od Boga i od czasu. — Tylko w ten sposób mogła pocieszyć Toma. Podała Dorianowi podwójną łyżkę laudanum i zostawiła go pod opieką brata i Mansura. Sama zaś zabrała się do bolesnego dzieła przygotowywania ciała Jasmini do pogrzebu.

Pomagały jej w tym malajskie służące, muzułmanki. Zaniosły Jasmini do chaty Sarah na końcu obozu, ułożyły ją na niskim stole i rozstawiły wokół parawan. Zdjęły z niej zakrwawioną tunikę, którą spaliły na popiół w ognisku. Zamknęły powieki przepięknych ciemnych oczu, w których wygasł blask. Obmyły ciało i namaściły je pachnącymi olejkami. Zabandażowały straszliwą ranę, która sięgnęła serca, a potem uczesały włosy; srebrne pasemko lśniło jasno, tak jak zawsze. Ubrały Jasmini w czystą białą szatę i położyły ciało na marach. Wyglądała jak dziecko pogrążone we śnie.

Mansur i Sarah wybrali miejsce pochówku w lesie. Razem z załogą *Gif of Allah* Mansur wykopał grób, gdyż prawo islamu nakazywało, by zmarła została pochowana przed zachodem słońca w dniu śmierci.

Gdy kobiety dźwignęły mary i wyniosły Jasmini z chaty, ich żałobny lament wyrwał Doriana z narkotycznego snu. Zawołał brata, który przybiegł natychmiast.

— Musicie mi przynieść Jasmini — szepnął Dorian.

— Nie, bracie. Każdy ruch może wyrządzić ci ogromną szkodę.

— Jeśli jej nie przyniesiesz, sam do niej pójdę. — Dorian próbował wstać, lecz Tom przytrzymał go łagodnie i krzyknął do Mansura, żeby przyniesiono mary do łóżka Doriana.

Ulegając prośbom Doriana, Tom i Mansur podtrzymali go, by mógł ucałować ostatni raz usta żony. Potem Dorian ściągnął z palca złoty pierścień, symbol jego ślubnej przysięgi. Pierścień zszedł z trudem, gdyż Dorian nigdy przedtem go nie zdejmował. Mansur pomógł ojcu włożyć go na delikatny palec Jasmini. Był za duży, lecz Dorian zwinął palce żony, tak aby pierścień się nie zsunął.

— Idź w pokoju, ukochana. I niech Allah przyjmie cię na swoje łono.

Tak jak przewidywał Tom, wysiłek i żal wyczerpały Doriana, który osunął się na materac. Jasna świeża krew przesiąkła przez bandaż na jego piersi.

Zanieśli Jassie do grobu i ułożyli ją ostrożnie. Tom i Mansur nie dopuścili nikogo do wyczerpującej pracy zasypywania ciała ziemią. Sarah położyła na twarzy Jasmini jedwabny szal i stanęła z boku, czekając, aż skończą. Potem wzięła męża i Mansura za ręce i poprowadziła z powrotem do obozu.

Tom i Mansur udali się prosto do drzewa, do którego przywiązany był Kadem. Tom zmarszczył złowieszczo brwi, stojąc nad więźniem, z rękami na biodrach. Na głowie Kadema widać było duży guz, ślad po uderzeniu lufą pistoletu Toma. Na pękniętej skórze już zaczął się tworzyć strup. Arab jednak odzyskał przytomność i patrzył na Toma nieruchomym spojrzeniem fanatyka.

Zjawił się Batula i padł przed Tomem na twarz.

— Panie, zasłużyłem na twój gniew. Twoje zarzuty są słuszne. To ja wstawiłem się za tą kreaturą i sprowadziłem ją do twojego obozu.

— Tak, Batulo, zawiniłeś. Do końca życia będziesz musiał odkupywać tę winę. Możesz je nawet stracić.

— Twoja wola, panie. Jestem gotów spłacić dług — odrzekł pokornie Batula. — Czy mam teraz zabić tego świniożercę?

— Nie, Batulo. Wpierw musi nam powiedzieć, kim naprawdę jest i kim jest ten, który przysłał go, żeby dokonał tej nikczemnej zbrodni. To może być trudne. Poznaję po oczach, że ten człowiek nie żyje w ziemskiej sferze, tak jak inni ludzie.

— Rządzą nim demony — zgodził się Batula.

— Zmuś go do mówienia, lecz dopilnuj, żeby nie umarł, zanim przemówi — przestrzegł Tom.

— Jak rozkażesz, panie.

— Zabierz go w jakieś odległe miejsce, żeby jego wrzaski nie straszyły kobiet.

— Pójdę z tobą, Batulo — odezwał się Mansur.

— Nie, młodzieńcze. To będzie krwawa robota. Nie chciałbyś na to patrzeć.

— Księżniczka Jasmini była moją matką — odparł Mansur. — Nie tylko będę patrzył, będę rozkoszował się każdym jego wrzaskiem i każdą kroplą krwi, która z niego wypłynie.

Tom spojrzał nań ze zdumieniem. Nie był to już ten beztroski i uroczy chłopiec, którego znał od maleńkości. Miał przed sobą twardego mężczyznę, który w ciągu jednej godziny przekroczył próg dorosłości.

— Idź więc z Batulą i Kumrahem — zgodził się wreszcie. — I słuchaj uważnie, co mówi Kadem al-Jurf.

Zanieśli więźnia do szalupy i popłynęli w górę strumienia, ponad milę od obozu; tam znaleźli drzewo i przywiązali go do niego łańcuchem. Owiązali mu głowę skórzanym rzemieniem, który owinęli ciasno wokół pnia, tak żeby wpił się w skórę i uniemożliwił jakikolwiek ruch. Mansur zapytał go o prawdziwe imię, lecz Kadem tylko na niego splunął. Młodzieniec spojrzał na Batulę i Kumraha.

— To, co musimy teraz zrobić, jest sprawiedliwe. Zaczynajmy, w imię Boga — rzekł.

— *Bismillah!* — odpowiedział Batula.

Mansur został przy więźniu, a kapitanowie poszli do lasu. Wiedzieli, gdzie szukać, więc w ciągu godziny znaleźli gniazdo wojowniczych mrówek. Owady, jasnoczerwone, nie większe od ziarenka ryżu, miały błyszczące głowy uzbrojone w parę jadowitych wyrostków. Uważając, żeby nie zranić mrówek, a jednocześnie unikając ich ukłuć, Batula wyjął owadzich żołnierzy z gniazda bambusowymi szczypcami.

Gdy wrócili, Kumrah ściął pustą w środku trzcinę nad strumieniem i ostrożnie wsunął jeden koniec w ucho Kadema, tak głęboko jak się dało.

— Przyjrzyj się temu małemu owadowi — rzekł Batula, podnosząc szczypce z mrówką. — Ukąszony przez niego lew zwija się z bólu na ziemi, rycząc wniebogłosy. Powiedz mi, ty, który nazywasz się Kademem, kim jesteś i kto cię przysłał, żebyś popełnił tę zbrodnię?

Kadem popatrzył na wiercącego się owada, na którego głowie lśniła maleńka kropelka jadu. Wydzielał ostrą woń, doprowadzającą inne mrówki do szału.

— Jestem prawdziwym wyznawcą Proroka — odparł Kadem — i przysłał mnie Bóg, bym spełnił jego zamierzenie.

Mansur skinął głową na Batulę.

— Niech mrówka wyraźniej uzmysłowi pytanie prawdziwemu wyznawcy Proroka.

Kadem zwrócił oczy na Mansura i chciał znów splunąć, lecz ślina wyschła mu w ustach. Batula umieścił mrówkę w otworze trzciny i zatkał go zaostrzonym drewnianym patykiem.

— Będziesz słyszał, jak mrówka schodzi w głąb — powiedział. — Jej kroki będą dudnić niczym końskie kopyta. Później poczujesz, jak kroczy w jamie bębenkowej. Jej ostre czułki dotkną błony ucha wewnętrznego. A potem cię ukąsi.

Obserwowali twarz Kadema. Jego usta skrzywiły się, a gałki oczu przewróciły, ukazując białka. Mięśnie twarzy drgały straszliwie.

— Allahu! — szepnął. — Uzbrój mnie przeciwko tym świętokradcom!

Pot trysnął z porów skóry jak krople monsunowego deszczu; Kadem próbował trząść głową, słysząc w uchu tysiąckrotnie wzmocnione bębnienie nóg mrówki. Lecz rzemień był niczym imadło.

— Odpowiadaj, Kademie — rzekł Batula. — Mogę jeszcze wypłukać mrówkę wodą, zanim ukąsi. Ale musisz odpowiedzieć szybko. — Kadem zamknął oczy, żeby nie widzieć twarzy Batuli. — Kim jesteś? Kto cię przysłał? — Batula podszedł bliżej i szeptał pytania do drugiego ucha. — Prędzej, Kademie, bo za chwilę poczujesz ból, który przekracza nawet twoje szalone wyobrażenia.

W głębi ucha Kadema mrówka wygięła grzbiet i na jej zakrzywione wyrostki spłynęła okrągła kropelka jadu. Potem zatopiła ich poszarpane ostrza w miejsce, gdzie nerw słuchowy przebiegał tuż pod powierzchnią.

Kademem wstrząsnęły fale niewyobrażalnego bólu, straszniejszego, niż zapowiadał Batula. Wydał tylko jeden krzyk, który zabrzmiał jak w sennym koszmarze. Później ból zmroził mięśnie i struny głosowe, a szczęki zacisnęły się w tak straszliwym spazmie, że pękł jeden ze spróchniałych zębów, napełniając usta Kadema gorzką ropą i odłamkami. Gałki oczu przewróciły się jak u trupa, a plecy wygięły w łuk. Mansur przestraszył się, że Kademowi pęknie kręgosłup, bo ciało trzęsło się spazmatycznie, a rzemienie wpijały głęboko w skórę.

— On umrze — zaniepokoił się.

— Szatana trudno zabić — odparł Batula.

Wszyscy trzej przykucnęli przed Kademem, obserwując jego męki. Mimo że widok był straszny, żaden nie poczuł choćby cienia litości.

— Spójrz, panie! — rzekł Kumrah. — Pierwszy spazm mija. — Nie mylił się. Kręgosłup Kadema rozluźnił się powoli; choć wciąż wstrząsały nim dreszcze, każdy kolejny był słabszy od poprzedniego.

— Koniec — orzekł Mansur.

— Nie, panie. Jeśli Bóg jest sprawiedliwy, niebawem mrówka ukąsi ponownie — odparł cicho Batula. — To nie skończy się tak prędko. — Zanim dokończył zdanie, mrówka ukąsiła.

Tym razem zęby Kadema zacisnęły się, przygryzając język. Krew trysnęła strumieniem na brodę. Kadem zatrząsł się, szarpiąc łańcuchem. Kiszki opróżniły się z głośnym plaśnięciem, i w tej samej chwili pragnienie zemsty Mansura osłabło. Ciemne zasłony nienawiści i rozpaczy rozchyliły się i obudził się w nim dobry instynkt.

— Dość już, Batula. Wypłucz mrówkę.

Arab wyciągnął drewnianą zatyczkę z otworu trzciny, nabrał wody w usta i wpuścił ją silnym strumieniem w ucho Kadema; mrówka spłynęła na wygiętą szyję.

Powoli udręczone ciało Kadema rozluźniło się i zawisło bezwładnie na więzach. Oddychał szybko i gwałtownie, co kilka minut wydając nierównomierne i chrapliwe ni to westchnienie, ni to jęk.

Cała trójka przykucnęła przed nim i uważnie mu się przyjrzała. Późnym popołudniem, gdy słońce dotknęło szczytów drzew, Arab znowu stęknął. Otworzył oczy i powoli skupił wzrok na Mansurze.

— Batula, daj mu wody — rozkazał Mansur.

Usta Kadema były czarne od zakrzepłej krwi. Przegryziony język wystawał z ust jak strzęp zgniłej wątroby. Batula przytknął skórzany bukłak do jego warg; Kadem pił, krztusząc się i dławiąc. W pewnej chwili zwymiotował strugą czarnej, galaretowatej krwi, lecz później znów napił się wody.

Mansur dał więźniowi odpocząć do zachodu słońca, a potem kazał go napoić. Kadem był już silniejszy i śledził wzrokiem ich ruchy. Mansur polecił Batuli i Kumrahowi rozluźnić więzy, żeby krew mogła popłynąć i żeby więzień poruszył rękami i nogami, zanim gangrena zabije żywą tkankę. Ból musiał być okropny, ale Kadem znosił go spokojnie. Po dłuższej chwili ponownie zacisnęli więzy.

Mansur stanął nad więźniem.

— Wiesz, że jestem synem księżniczki Jasmini, którą zamordowałeś — powiedział. — W oczach Boga i ludzi zemsta należy do mnie. Twoje życie jest w moich rękach. — Kadem popatrzył na niego. — Jeśli mi nie odpowiesz, rozkażę Batuli włożyć ci do drugiego ucha następną mrówkę. — Arab zamrugał oczami, lecz jego twarz pozostała niewzruszona. — Kim jesteś i kto cię przysłał do naszego domu? — zapytał Mansur. — Odpowiadaj.

Spuchnięty język Kadema wypełniał jego usta, więc odpowiedź była ledwie zrozumiała.

— Jestem prawdziwym wyznawcą Proroka — odparł — i zostałem posłany przez Boga, aby spełnić jego zamierzenie.

— Powtórzyłeś swoje słowa, ale to nie jest odpowiedź, na którą czekam — rzekł Mansur. — Batula, przygotuj następną mrówkę. Kumrah, włóż trzcinę do drugiego ucha Kadema. — Kiedy wykonali rozkaz, znów zwrócił się do Kadema: — Tym razem ból może cię zabić. Jesteś gotów na śmierć?

— Błogosławiony jest męczennik — wycharczał Kadem. — Całym sercem pragnę stanąć w raju przed obliczem Allaha.

Mansur wziął Batulę na stronę.

— On się nie ugnie — powiedział.

— Nie ma innego sposobu, panie — odrzekł Batula, lecz z jego oczu wyzierała niepewność.

— Myślę, że jest. — Mansur spojrzał na Kumraha. — Trzcina nie będzie potrzebna. Zostańcie z nim. Niedługo wrócę.

Wsiadł do łodzi i popłynął z biegiem strumienia. Było prawie ciemno, kiedy dotarł do obozu, lecz księżyc już zalewał wschodnią część nieboskłonu złotym blaskiem, przesuwając się nad wierzchołkami drzew.

— Nawet księżyc przychodzi nam z pomocą — mruknął, wysiadając z łódki na plażę nieopodal obozowiska. Widział światło lampy w szczelinach chaty ojca. Ruszył szybko w tamtą stronę.

Tom i Sarah siedzieli przy materacu, na którym spoczywał Dorian. Mansur ukląkł obok i pocałował ojca w czoło. Dorian poruszył się, ale nie otworzył oczu.

Mansur nachylił się do Toma.

— Stryju, skrytobójca się nie podda. Potrzebuję twojej pomocy.

Tom wstał i skinieniem głowy dał znak Mansurowi, żeby za nim poszedł. Chłopak wyjaśnił szybko, o co mu chodzi, a na koniec powiedział:

— Zrobiłbym to sam, lecz islam mi nie pozwala.

— Rozumiem. — Tom skinął głową i spojrzał na księżyc. — Pogoda nam sprzyja. Widziałem miejsce niedaleko w lesie, gdzie żerują. Powiedz stryjence Sarah, co zamierzam, żeby się nie martwiła. Nie zabawię długo.

354

Tom poszedł do zbrojowni i wziął czterofuntową niemiecką dubeltówkę. Załadował ją prochem i grubym śrutem na lwy. Następnie sprawdził krzemień i kurek, a potem poluźnił nóż w futerale przy pasie.

Wybrał dziesięciu ludzi i kazał im czekać na wezwanie, lecz wyszedł z obozu sam; całkowita cisza była kluczem do powodzenia wyprawy. Przekraczając strumień, zatrzymał się i posmarował sobie twarz czarną gliną, bo jego blada skóra błyszczała w świetle księżyca, a zwierzyna, na którą polował, była płocha i ostrożna. Stworzenie, choć wielkie, prowadziło nocny tryb życia, dlatego niewielu ludzi miało okazję je zobaczyć.

Tom szedł wzdłuż brzegu strumienia niemal milę. Zbliżając się do grzęzawiska, zwolnił i zatrzymywał się co pięćdziesiąt kroków, żeby uważnie nasłuchiwać. Na skraju mokradeł przykucnął i położył sobie muszkiet na kolanach. Czekał cierpliwie, nie poruszając nawet głową, żeby odtrącić bzyczące komary. Księżyc wspiął się wyżej i jego blask stał się silniejszy, więc kontury cieni drzew i krzaków stały się ostre i wyraziste.

Nagle gdzieś w pobliżu rozległo się chrząkanie i pisk; puls Toma przyśpieszył. Czekał nieruchomo jak martwy pień drzewa, lecz znów zapadła cisza. Potem usłyszał plaśnięcia kopyt w błocie, chrząkanie i odgłos rycia w ziemi oraz kłapanie uzbrojonych w długie kły szczęk.

Przesunął się powoli w stronę odgłosów. Zamilkły niespodziewanie, jak nożem uciął, więc znów znieruchomiał. Wiedział, że takie właśnie są zwyczaje dzikich świń. Całe stado nieruchomieje jednocześnie i nasłuchuje, czy nie zbliża się drapieżnik. Mimo że Tom stał akurat na jednej nodze, zamarł w tej pozycji niczym dziwaczny posąg. Po chwili znów dało się słyszeć chrząkanie.

Tom z ulgą postawił zdrętwiałą nogę na ziemi i powoli ruszył dalej. Wtem ujrzał stado tuż przed sobą: było tam kilkanaście ciemnych, garbatych loch z prosiętami, które grzebały w błocie i baraszkowały, przewracając się na grzbiet. Nigdzie nie było widać dorosłego knura.

Z ogromną ostrożnością podszedł do kopca twardej ziemi na skraju grzęzawiska i przysiadł tam, czekając, aż duże samce odważą się wyjść z lasu. Chmura zasłoniła tarczę księżyca i nagle Tom w kompletnej ciemności wyczuł, że coś się porusza w pobliżu. Skupił wzrok i dostrzegł niewyraźny, lecz potężny kształt tak blisko, że niemal mógłby go dotknąć lufą strzelby. Powolutku oparł kolbę na ramieniu, ale nie odważył się odciągnąć kurka.

Zwierzę było zbyt blisko i usłyszałoby szczęknięcie metalu o metal. Tom wbijał wzrok w ciemność, nie mając pewności, czy coś mu się nie przywidziało. Raptem chmury przesunęły się i światło księżyca padło na ziemię.

Przed Tomem piętrzyła się sylwetka olbrzymiego knura. Jego wielki jak góra grzbiet porastała szczeciniasta, czarna grzywa. Ze szczęk olbrzyma wystawały zakrzywione kły, dość ostre, żeby rozpruć brzuch człowieka lub tętnice na podbrzuszu, tak że wykrwawiłby się w ciągu kilku minut.

Człowiek i dzik zobaczyli się jednocześnie. Tom odciągnął kurek, a knur zakwiczał i rzucił się w jego stronę. Salwa z pierwszej lufy trafiła zwierzę w pierś; ciężki ołowiany śrut wbił się w mięso i kości. Knur zachwiał się i upadł, lecz momentalnie zerwał się na równe nogi i szarżował dalej. Tom wystrzelił z drugiej lufy, a potem trzasnął nienabitą bronią w pysk dzika i uskoczył. Jeden z kłów zahaczył o surdut i rozdarł go jak brzytwa, ale nie przebił ciała. Zwierzę trąciło Toma potężną łopatką, lecz to wystarczyło, żeby cisnąć go w błoto.

Tom zerwał się na nogi z nożem w prawej dłoni, gotów na następny atak. Wszędzie wokół przemykały ciemne sylwetki zwierząt i słychać było kwiczenie przestraszonych świń, zmykających do lasu.

Zniknęły i niemal natychmiast zapanowała cisza. Dopiero wtedy Tom usłyszał znacznie cichszy dźwięk: dyszenie i konwulsyjne szuranie tylnych nóg w trzcinie porastającej trzęsawisko. Podszedł ostrożnie i znalazł knura dogorywającego w błocie.

Pobiegł do obozu po dziesięciu wybranych przez siebie mężczyzn, czekających na rozkaz. Żaden nie był muzułmaninem, więc nie dotyczył ich religijny zakaz dotykania świni. Zaprowadził wszystkich na mokradło, gdzie znaleźli ogromne, cuchnące ścierwo i przywiązali je do grubego drąga. Cała dziesiątka musiała się srodze namęczyć, żeby przenieść ciężar nad brzeg rzeki, gdzie Kadem siedział przywiązany do drzewa. Mansur czekał w pobliżu, razem z Batulą i Kumrahem.

Zaczynało już świtać, więc Kadem widział świńskie truchło, które przed nim położyli. Nic nie powiedział, lecz trudno było nie zauważyć przerażenia i odrazy na jego twarzy.

Tragarze przynieśli ze sobą szpadle. Mansur kazał im zabrać się do kopania grobu, wskazując miejsce tuż obok dzika. Żaden nie odezwał się do Kadema i prawie nie patrzyli w jego stronę. Arab

356

tymczasem był coraz bardziej wzburzony. Znów pocił się i trząsł, ale nie było to następstwem ukąszeń mrówki. Zaczynał się domyślać, jaki los chce mu zgotować Mansur.

Kiedy grób był dość głęboki, mężczyźni na rozkaz Toma odłożyli szpadle i zebrali się wokół ścierwa świni. Dwaj z nich wyjęli noże do oprawiania zwierząt, a pozostali przewrócili knura na grzbiet, rozkładając mu szeroko nogi, żeby ułatwić pracę tym, którzy mieli zedrzeć ze zwierzęcia skórę. Ci zaś znali się wybornie na swojej robocie, więc niebawem gruba, szczeciniasta skóra była oddzielona od różowych i purpurowych mięśni i białego sadła na brzuchu. Rozciągnięto ją na ziemi.

Mansur i dwaj kapitanowie trzymali się z dala, żeby nie spadła na nich ani jedna kropla krwi nieczystego zwierzęcia. Ich odraza była równie widoczna jak odraza pojmanego. Odór mięsa starego knura zawisł w porannym powietrzu. Mansur splunął, czując w ustach paskudny posmak, i odezwał się do Kadema po raz pierwszy, odkąd przyniesiono zabitego dzika.

— Bezimienny, który mienisz się prawdziwym wyznawcą Proroka, posłanego przez Boga, aby wypełnić jego wolę, nie potrzebujemy już ciebie. Twoje życie na tej ziemi dobiegło końca. — Kadem zaczął zdradzać więcej wzburzenia niż po ukąszeniu przez mrówkę. Bełkotał jak człowiek niespełna rozumu, a jego oczy przewracały się to w jedną, to w drugą stronę. Mansur nie zwracał na to wszystko uwagi i ciągnął bezlitośnie: — Na mój rozkaz zostaniesz obleczony w tę mokrą, śmierdzącą skórę świni i pogrzebany żywcem w grobie, który dla ciebie przygotowaliśmy. Ścierwo umieścimy nad tobą, więc gdy będziesz się dusił, krew i tłuszcz będą ci spływały na twarz. Kiedy ty i świnia zaczniecie gnić, cuchnące soki z waszych ciał zmieszają się i staniecie się jednym. Zostaniesz zhańbiony, *harom*, i już na zawsze taki pozostaniesz. Bóg i wszyscy jego prorocy odwrócą się od ciebie na wieki.

Na jego znak czekający w pogotowiu mężczyźni podeszli do Kadema. Mansur rozpiął mu kajdany, lecz nadgarstki pozostawił przywiązane do kostek. Mężczyźni zanieśli więźnia do rozpostartej skóry i położyli go na niej. Żaglomistrz przebił skórę grubą igłą i zaczął zaszywać w nią Araba.

Czując, jak mokra, ciężka skóra zaciska się wokół jego ciała, Kadem wrzasnął niczym potępiona dusza, strącona w wiekuistą ciemność.

— Nazywam się Kadem ibn Abubaker i jestem najstarszym synem baszy Sulejmana Abubakera. Przyszedłem, by szukać zemsty za zamordowanie ojca i spełnić wolę mojego pana, którym jest kalif Zajn al-Din ibn al-Malik.

— Jaka była wola twojego pana? — zapytał Mansur.

— Dokonać egzekucji na księżniczce Jasmini i jej kochanku, z którym żyła w kazirodczym związku.

Mansur odwrócił się do Toma, który przysiadł nieopodal.

— To wszystko, co chcieliśmy wiedzieć, stryjku. Mogę go teraz zabić?

Tom podniósł się i potrząsnął głową.

— Jego życie nie należy do mnie, lecz do twojego ojca. Być może będziemy jeszcze potrzebować tego skrytobójcy, jeśli chcemy pomścić twoją matkę.

Ukąszenie mrówki w ucho wewnętrzne sprawiło, że Kadem nie mógł utrzymać równowagi, więc kiedy przecięto więzy i postawiono go na nogach, zatoczył się i runął na ziemię. Tom kazał przywiązać więźnia do drąga, na którym przyniesiono ścierwo knura. Tragarze zanieśli go do laguny, jak ubitą zwierzynę.

— Ze statku trudniej mu będzie uciec — rzekł Tom do Batuli. — Zabierzcie go na *Gift*. Każ swoim najbardziej zaufanym ludziom przywiązać łajdaka łańcuchem na najniższym pokładzie i strzec dzień i noc.

S pędzili w obozie nad laguną czterdzieści dni żałoby po Jasmini. Przez pierwsze dziesięć dni Dorian trwał zawieszony w czarnej próżni między życiem i śmiercią, to wpadając w delirium, to w śpiączkę, to znów się budząc. Tom, Sarah i Mansur czuwali na zmianę przy jego łóżku.

Dziesiątego dnia rano Dorian otworzył oczy i spojrzał na Mansura.

— Czy twoja matka została pochowana? — zapytał słabym, lecz wyraźnym głosem. — Odmówiłeś modlitwy?

— Jest pochowana. Odmówiłem modlitwy nad jej grobem, za ciebie i za mnie.

— To dobrze, synu. — Dorian pogrążył się we śnie, lecz godzinę później przebudził się i poprosił o coś do jedzenia i picia.

— Wracasz do życia — oznajmiła Sarah, wchodząc z miską rosołu. — Byłeś bardzo blisko kresu, Dorianie Courtneyu, ale będziesz żył.

Tom nie musiał się już niepokoić o stan brata, więc zostawił Sarah i pozostałym kobietom czuwanie przy chorym, a sam zajął się innymi sprawami.

Codziennie kazał przywozić Kadema z pokładu statku; więzień musiał przechadzać się w słońcu, na świeżym powietrzu. Dopilnował, żeby był dobrze nakarmiony i żeby zagoiła się rana na jego głowie. Nie miał dla niego ani krzty współczucia, lecz chciał, żeby nabrał sił, gdyż stanowił ważny element w planach Toma na przyszłość.

Rozkazał natrzeć solą skórę leśnej świni i powiesić na maszcie *Gift of Allah*. Mówił płynnie po arabsku, więc przesłuchiwał co dzień Kadema, każąc mu kucać w cieniu świńskiej skóry, która, trzepocząc nad głową, przypominała skrytobójcy, co go czeka, jeśli nie zechce odpowiadać na pytania.

— Jak się dowiedziałeś, że ten statek należy do mnie i mojego brata? — zapytał.

Kadem wymienił nazwisko kupca z Zanzibaru, który podał mu tę informację, zanim zginął uduszony garotą.

Tom powtórzył to Dorianowi, kiedy ten był dość silny, żeby móc usiąść bez niczyjej pomocy.

— Więc każdy szpieg Zajna we wszystkich przystaniach od Przylądka Dobrej Nadziei do Ormuzu i Morza Czerwonego zna naszą tożsamość.

— Holendrzy też nas znają — dodał Dorian. — Keyser obiecał, że wszystkie porty VOC w Oriencie będą przed nami zamknięte. Musimy zmienić krój naszych żagli.

Tom zajął się organizacją robót niezbędnych do nadania statkom innego wyglądu. Jeden po drugim przetransportowali szkunery na plażę. Wykorzystywano do tego przypływy i odpływy morza. Najpierw zdrapali grubą skorupę porostów i zajęli się świdrakami, które mocno wżarły się w kadłub. Te odrażające stworzenia mogły osiągnąć grubość ludzkiego palca i długość dłoni. Przeżerały drewno, robiąc w nim dziury, aż dno żaglowca wyglądało jak ser i mogło łatwo pęknąć w czasie sztormu. Marynarze nasmarowali poszycie kadłuba smołą i pokryli je od nowa miedzianymi paskami w miejscach, gdzie odpadły, otwierając drogę szkodnikom. To było jedyne skuteczne lekarstwo. Potem Tom polecił zmienić maszty oraz takielunek i umieścić dodatkowy maszt na *Gift*. Rozmawiali już o tym wcześniej z Dorianem. Zmieniało to całkowicie wygląd i dzielność statku. Kiedy wyprowadził żaglowiec w morze, okazało się, że szkuner idzie o cały rumb ostrzej na wiatr i płynie o dwa węzły szybciej. Tom i Batula czym prędzej donieśli o tym z wielką radością Dorianowi, który upierał się, żeby pozwolono mu pokuśtykać na plażę i popatrzeć na statek.

— Na miłość boską, jest znowu świeży jak dziewica.

— Powinien dostać nowe imię, braciszku — zaproponował Tom. — Jakie?

Dorian nie wahał się ani przez chwilę.

— *Revenge*, Zemsta.

Tom widział po jego twarzy, o czym myśli, i nie sprzeciwiał się.

— To doskonałe imię. — Skinął głową. — Nasz prapradziad żeglował z sir Richardem Grenville'em na statku o tym imieniu.

Pomalowali kadłub na błękitny kolor, bo mieli obfite zapasy takiej właśnie farby, a wokół furt działowych zrobili kratę w ciemniejszym niebieskim odcieniu. Dodało to *Revenge* zadziorności.

Następnie przyszła kolej na *Maid of York*, która zawsze miała tendencję do odwracania się burtą do wiatru przy silnym wietrze. Tom wykorzystał okazję, by przedłużyć główny maszt o dziesięć stóp i zwiększyć nachylenie szkunera o pięć stopni. Przedłużył także bukszpryt i przesunął do przodu cały takielunek. Inaczej rozmieścił też kratownice w ładowniach bliżej rufy, dzięki czemu statek lepiej szedł na wiatr, dobrze reagował na ster i nie schodził dziobem w dół.

Tom wybrał dla szkunera odwrotny układ barw — ciemnoniebieski kadłub i błękitne furty działowe.

— Nosił twoje imię — zwrócił się do Sarah. — Więc żeby było sprawiedliwie, ty musisz go teraz nazwać.

— *Water Sprite*, Nimfa Wodna — odpowiedziała momentalnie Sarah. Tom aż zmrużył oczy.

— Jak na to wpadłaś? Toż to przewrotne imię.

— Bo i ja jestem przewrotną damą — roześmiała się Sarah.

— Nie zaprzeczę. — Tom też się roześmiał. — *Sprite* brzmiałoby lepiej.

— Ty wybierasz imię czy ja? — spytała słodko Sarah.

— Powiedzmy, że razem je wybieramy — odparł Tom. Sarah podniosła ręce w geście kapitulacji.

Gdy upłynęło czterdzieści dni żałoby po Jasmini, Dorian wyzdrowiał na tyle, by móc dojść na koniec plaży i wrócić. Choć odzyskał większość dawnych sił, samotność i głęboki smutek odcisnęły na nim piętno. Ilekroć Mansur znalazł chwilę wolną od obowiązków, spędzał czas z Dorianem na cichych rozmowach.

Co wieczór cała rodzina spotykała się przy ognisku i omawiała plany. Wkrótce stało się jasne, że nikt już nie chce, by laguna była ich nowym domem. Nie mieli koni, więc Tom i Mansur nie mogli zapuszczać się daleko w głąb lądu. Nie napotkali żadnego z plemion, które niegdyś zamieszkiwały ten kraj. Stare wioski były spalone i opuszczone.

— Nie ma handlu, jeśli nie ma z kim handlować — zauważył Tom.

— To miejsce jest naznaczone jakąś chorobą — poparła go Sarah. — Miałam wielką nadzieję, że spotkamy tu naszego Jima, ale przez cały ten czas się nie pokazał i nie dał żadnego znaku życia. Musiał pójść dalej na północ. — Mogło być sto innych powodów, dla których Jim się nie pojawił, lecz Sarah nie dopuszczała ich do siebie. — Tam go znajdziemy — rzekła zdecydowanie.

— Ja nie mogę tu zostać z innych względów — oznajmił Mansur. W ciągu ostatnich tygodni naturalną koleją rzeczy zaczął brać udział w rodzinnych naradach. — Mój ojciec i ja mamy święty obowiązek znaleźć człowieka, który rozkazał zabić moją matkę. Wiem, kim on jest. Moje przeznaczenie czeka na północy, w królestwie Omanu. — Spojrzał wyczekująco na ojca.

Dorian skinął powoli głową.

— Okrutny mord wszystko zmienił. Teraz i na mnie spoczywa święty obowiązek dokonania zemsty. Razem wyruszymy na północ.

— A więc ustalone. — Tom przemówił za wszystkich. — Popłyniemy do Zatoki Narodzenia Pańskiego i tam postanowimy, co dalej.

— Kiedy wypływamy? — spytała niecierpliwie Sarah. — Powiedz!

— Statki są prawie gotowe, i my też. Od dziś za dziesięć dni. Dzień po Wielkim Piątku — zaproponował Tom. — Bardzo odpowiednia data.

Sarah ułożyła list do Jima. Zapisała swoim schludnym, ścisłym charakterem dwanaście stron grubego pergaminu. Zaszyła go w płócienną paczkę, którą pokryła niebieską okrętową farbą, i posmarowała złączenia gorącą smołą. Wykaligrafowała nazwisko Jima dużymi, drukowanymi literami: „James Archibald Courtney, Esq". Potem sama zaniosła paczkę na wzgórze i ukryła ją w jamie pod kamieniem pocztowym. Na głazie ustawiła wysoki stos kamieni, żeby Jim wiedział, że czeka na niego list.

Mansur zapuścił się dalej w głąb doliny i zabił jeszcze pięć bawołów. Mięso zostało nasolone, zapeklowane i wysuszone, a potem zrobiono pikantną kiełbasę, odpowiednią na rejs. Pod nadzorem Mansura marynarze uzupełnili zapasy wody na statkach. Tom i arabscy kapitanowie wsiedli na szalupy i opłynęli szkunery, żeby sprawdzić zanurzenie. Oba statki, mimo że mocno obciążone, dobrze trzymały się na wodzie. Wyglądały bardzo elegancko w nowych barwach.

K adema al-Jurfa wyprowadzano codziennie na pokład na kilka godzin, w łańcuchach i pod silną strażą. Tom i Dorian przesłuchiwali go na zmianę, on zaś, siedząc pod świńską skórą, odpowiadał na ich pytania; być może nie robił tego chętnie, ale w każdym razie z szacunkiem. Często pytali o to samo, chcąc przyłapać go na kłamstwie, Kadem jednak udzielał takich samych odpowiedzi, unikając zastawionych pułapek. Musiał wiedzieć, jaki ostatecznie czeka go los. Prawo nie narzucało Dorianowi i Mansurowi litości; kiedy patrzyli na niego, widział śmierć w ich oczach i mógł tylko mieć nadzieję, że gdy nadejdzie czas, oszczędzą mu okropności ćwiartowania i nie zbezczeszczą jego ciała świńską skórą.

Z upływem kolejnych tygodni przymusowym pobytem Kadema na najniższym pokładzie zaczęła rządzić pewna rutyna. Trzech arabskich marynarzy, starannie dobranych przez Batulę, pilnowało go w nocy, zmieniając się na warcie co kilka godzin. Początkowo postępowali zgodnie z wydanymi im rozkazami. W obecności Kadema milczeli i przekazywali Batuli nawet najbardziej zdawkowe słowa więźnia. Noce jednak dłużyły się, a warta stawała się nieznośnie uciążliwa. Kadem pobierał od najsławniejszych mułłów Królewskiego Domu Omanu nauki z dziedziny dialektyki i dyskusji religijnej. Rzeczy, które szeptał w ciemności wartownikom, gdy reszta załogi była na brzegu lub spała na górnym pokładzie, trafiały do uszu głęboko religijnych młodych mężczyzn. Wypowiadane przez więźnia słowa były zbyt ważkie i poruszające, aby donosić o nich Batuli. Nie mogli go nie słuchać, kiedy mówił o prawdzie i pięknie postępowania zgodnie z wolą Boga. Potem wbrew sobie zaczęli odpowiadać szeptem na szept Kadema. Ogień w jego oczach sprawił, że zaczęło im się wydawać, że mają do czynienia ze świętym człowiekiem. Przekonała ich siła jego wiary i niepodważalna logika słów. Powoli stawali się sługami Kadema ibn Abubakera.

Tymczasem pozostałych członków wyprawy ogarniała gorączka zbliżającego się rejsu. Ostatnie sprzęty i rzeczy zostały zabrane z chat na skraju lasu i przewiezione łodziami na pokłady żaglowców. W Wielki Piątek Tom i Mansur podpalili pochodniami puste chaty. Gałęzie i strzechy wyschły na wiór i paliły się jak ogniska. Nazajutrz wcześnie rano wypłynęli, żeby Tom miał dość światła, by wyprowadzić statki z laguny i nie utknąć na mieliźnie. Wiatr od lądu szybko wypchnął małą flotyllę na pełne morze.

Było południe, a ziemia na zachodnim horyzoncie wyglądała jak wąskie, błękitne pasemko, gdy jeden z marynarzy wybiegł spod pokładu przeraźliwie wzburzony. Tom i Dorian znajdowali się w części dziobowej; Dorian siedział na sznurowym krześle, które Tom dla niego zrobił. W pierwszej chwili żaden nie mógł zrozumieć chaotycznych okrzyków majtka.

— Kadem! — zawołał wreszcie Tom i popędził po schodkach na najniższy pokład.

Zamknięty w drewnianej klatce, zbitej dla niego przez cieśli, Arab spał skulony na sienniku. Jego łańcuchy były przytwierdzone do stalowych kółek w podłodze. Tom chwycił za róg koca przykrywającego więźnia od stóp do głów, zerwał go i kopnął leżącą pod spodem kukłę, zręcznie zrobioną z dwóch worków wypchanych pakułami i związanych kawałkami starej liny tak, że tworzyły pod kocem zarys ludzkiej postaci.

Przeszukali statek od dziobu do rufy, ze szpadami w dłoniach, zaglądając do ładowni i najmniejszych kątów.

— Brakuje trzech ludzi — zameldował Batula z zawstydzoną miną.

— Którzy to? — spytał Dorian.

Batula zawahał się, nim odpowiedział.

— Raszud, Pinna i Habban — wykrztusił. — Ci, których wyznaczyłem do pilnowania więźnia.

Tom zmienił kurs i zbliżył się do *Revenge*. Przez tubę krzyknął do Mansura, który dowodził statkiem. Oba szkunery wykonały zwrot i wzięły kurs powrotny na lagunę. Lecz wiatr, który umożliwił im tak łatwe wyjście z zatoki, teraz nie pozwalał do niej wpłynąć. Dwa razy omal nie roztrzaskali się na skałach, gdy Tom próbował za wszelką cenę wprowadzić żaglowce.

Dopiero szóstego dnia po wypłynięciu udało im się ponownie rzucić kotwicę koło plaży w lagunie. W tym czasie spadła rzęsista ulewa, która zmyła wszelkie ślady pozostawione przez uciekinierów.

— Mogli pójść tylko w jedną stronę — stwierdził Tom, wskazując dolinę. — Ale mają nad nami prawie dziewięć dni przewagi. Jeśli chcemy ich dogonić, musimy wyruszyć natychmiast.

Kazał sprawdzić Batuli i Kumrahowi zbrojownie i magazyny. Po dłuższej chwili obaj Arabowie stanęli na brzegu z zasępionymi minami i oznajmili, że brakuje czterech muszkietów, tyluż kordów, worków z amunicją i prochownic. Tom powstrzymał się przed dalszym besztaniem kapitanów, którzy dość się już nasłuchali.

Dorian sprzeciwił się gwałtownie, gdy Tom powiedział mu, że musi zostać i zająć się statkami oraz Sarah, podczas go on z Mansurem będą ścigać zbiegów. W końcu Sarah też zaczęła go przekonywać, że nie jest na razie dość silny na taką wyprawę, wymagającą ciężkich marszów, a być może zakończoną jeszcze cięższą walką. Tom wybrał dziesięciu najlepszych ludzi, biegłych w posługiwaniu się bronią białą, muszkietami i pistoletami.

Godzinę po tym jak zeszli na brzeg, wszystko było gotowe. Tom ucałował Sarah i ruszyli w głąb lądu.

— Jaka szkoda, że nie ma z nami małego Bakkata — mruknął Tom do Mansura. Szli obok siebie, prowadząc oddział. — Wyśledziłby ich, nawet gdyby wyrosły im skrzydła i pofrunęli dziesięć stóp nad ziemią.

— Jesteś słynnym myśliwym, który upolował wiele słoni, stryjku. Opowiadałeś o tym, od kiedy byłem dzieckiem.

— To było więcej niż rok czy dwa lata temu — odparł Tom z markotnym uśmiechem — a ty nie powinieneś pamiętać wszystkiego, co ci mówię. Przechwałki są jak długi i szczenięce miłości: często wracają po latach i nie dają człowiekowi spokoju.

W południe trzeciego dnia stanęli na grzbiecie pasma górskiego, biegnącego z północy na południe. Góry, których stoki porastał purpurowy wrzos, wyznaczały linię dzielącą obszary nadbrzeżne od płyty kontynentalnej. Z tyłu rozpościerały się lasy, niczym zielony kobierzec sięgający do brzegu oceanu. Z przodu zaś wyrastały skaliste wzgórza, a dalej zaczynały się bezkresne równiny, błękitne w oddali, ciągnące się aż po horyzont. Ciepły wiatr porywał małe obłoczki kurzu, wznoszące się spod kopyt wędrujących stad zwierząt.

— Każdy z tych szarych tumanów mógłby wskazać nam drogę do tych, których ścigamy, ale zwierzęce kopyta zmażą ich ślad — rzekł Tom. — Mimo to wątpię, by ruszyli na to ogromne pustkowie.

Przynajmniej Kadem miałby dość rozumu, żeby spróbować znaleźć osiedla ludzkie.

— Kolonia na Przylądku Dobrej Nadziei? — spytał Mansur, spoglądając na południe.

— Raczej arabskie forty na Wybrzeżu Malarycznym albo portugalskie terytorium w Mozambiku.

— To ogromny ląd — rzekł Mansur, marszcząc czoło. — Mogli pójść wszędzie.

— Poczekajmy na powrót zwiadowców, zanim postanowimy co dalej.

Tom wysłał ludzi na północ i na południe, żeby szukali śladów pozostawionych przez Kadema. Nie powiedział tego jeszcze Mansurowi, lecz był przekonany, że ich szanse są znikome. Kadem miał za dużą przewagę nad pościgiem, a ląd, jak słusznie zauważył Mansur, był ogromny.

Wyznaczone przez Toma miejsce spotkania ze zwiadowcami znajdowało się pod charakterystycznym szczytem w kształcie przekrzywionego kapelusza, widocznym z odległości dwudziestu mil. Rozbili obóz na południowym stoku góry, na skraju lasu; zwiadowcy zaczęli się schodzić wieczorem. Żaden nie natrafił na trop.

— Umknęli nam, chłopcze — rzekł Tom do bratanka. — Myślę, że nie pozostaje nic innego, jak zrezygnować z pościgu i wrócić na statki. Ale chciałbym, żebyś wyraził na to zgodę. Twój obowiązek wobec matki podyktuje to, co zrobimy dalej.

— Kadem był tylko wysłannikiem — odparł Mansur. — Moja zemsta musi dosięgnąć jego pana na wyspie Lamu, Zajna al-Dina. Zgadzam się, stryjku. To bezcelowe. Gdzie indziej będziemy mogli lepiej spożytkować naszą energię.

— Weź pod uwagę także i to, młodzieńcze, że Kadem niezawodnie poleci prosto do swojego pana, jak gołąb do gołębnika. Kiedy znajdziemy Zajna, Kadem będzie przy jego boku, jeśli wcześniej nie pożrą go lwy.

Twarz Mansura rozjaśniła się, jego plecy wyprostowały.

— Na Boga, stryju, o tym nie pomyślałem. Oczywiście, że masz rację. Jeśli zaś idzie o to, czy Kadem przeżyje na pustyni, czy zginie, to wydaje mi się, że ma on niebywałą żywotność i fanatyczną wiarę, które pomogą mu przetrwać. Jestem pewien, że jeszcze go spotkamy. Dosięgnie go moja zemsta. Wracajmy czym prędzej.

Przed świtem Sarah wstała z koi w swej małej kabinie na *Sprite*. Jak każdego dnia rano podczas nieobecności Toma wspięła się na szczyt nad laguną. Stamtąd wyglądała powrotu męża. Z daleka rozpoznała jego wysoką, prostą sylwetkę na czele pochodu i kołyszący się chód. Obraz rozmył się w jej oczach, które napełniły się łzami radości i ulgi.

— Dzięki ci, Boże, że wysłuchałeś mych modlitw! — zawołała głośno i zbiegła ze wzgórza prosto w ramiona męża. — Tak się martwiłam, że znów wpakujesz się w jakąś kabałę, a mnie nie będzie, żeby się tobą zaopiekować, Tomie Courtneyu.

— Nie miałem takiej okazji, Sarah Courtney — odparł Tom, ściskając ją mocno. — A szkoda. — Spojrzał na Mansura. — Jesteś szybszy ode mnie, chłopcze. Biegnij powiedzieć ojcu, że wracamy. Niech przygotuje statki do postawienia żagli, jak tylko wejdziemy na pokład. — Mansur przyśpieszył kroku.

Kiedy się trochę oddalił, Sarah powiedziała:

— Chytry z ciebie lis, Thomasie. Nie chciałeś być tym, który przekaże Dorry'emu gorzką nowinę, że śmierć Jassie nie została pomszczona.

— To obowiązek Mansura, nie mój — odparł żywo Tom. — Dorry nie pozwoliłby, żeby to się odbyło inaczej. Jedyny pożytek z tej krwawej rozgrywki jest taki, że ojciec i syn zbliżą się do siebie jeszcze bardziej, a i przedtem byli ze sobą bardzo blisko.

Wyszli w morze z prądem odpływu. Wiatr był mocny; przed zapadnięciem zmroku pokonali sporą odległość. Statki szły w odległości dwóch kabli jeden od drugiego, z wiatrem wiejącym od rufy i nieco z boku, czyli najkorzystniejszym do żeglowania. *Revenge* pokazała swoją wyborną szybkość i zaczęła zostawiać *Sprite* z tyłu. Tom z niechęcią wydał rozkaz skrócenia żagli na noc. Żałował, że nie może w pełni wykorzystać wiatru, który tak rączo niósł ich ku Zatoce Narodzenia Pańskiego.

Wszak to statek handlowy, a nie wojenny, pocieszał się Tom. Wydając rozkaz skrócenia żagli, zobaczył, że Mansur na *Revenge* zwija sztaksel, refuje bezan i główny żagiel. Na obu szkunerach zawieszono latarnie na masztach, żeby łatwiej było utrzymać pozycję względem siebie.

Tom był gotów oddać mostek Kumrahowi i zejść do małej jadalni na kolację, której zapach już czuł; rozpoznał korzenny aromat słynnego gulaszu Sarah i ślinka napłynęła mu do ust. Przez kilka minut sprawdzał jeszcze stan żagli i ster, a potem usatysfakcjonowany ruszył w stronę zejściówki. Nagle stanął jak wryty.

Spojrzał na ciemny horyzont na wschodzie.

— Tam jest wielki pożar — mruknął do siebie. — Czyżby płonął jakiś statek? Nie, to coś większego. Wulkan?

Załoga też zauważyła łunę i podeszła do relingu, rozprawiając głośno. Nagle Tom ze zdumieniem ujrzał nad ciemnym horyzontem gigantyczną kulę ognia, która zalała blaskiem ciemną powierzchnię morza. Żagle *Revenge* lśniły blado w tym nieziemskim świetle.

— Na Boga, toż to kometa! — zawołał Tom i tupnął mocno nogą w deski nad jadalnią. — Sarah Courtney, chodźże tu w tej chwili. Nigdy w życiu czegoś podobnego nie widziałaś i nigdy więcej nie zobaczysz.

Sarah wybiegła po drabince na pokład, a Dorian tuż za nią. Stanęli, oniemiali ze zdumienia i podziwu. Nagle Sarah podeszła do Toma, chroniąc się w bezpiecznym kręgu jego ramion.

— To znak — szepnęła. — Błogosławieństwo dla dawnego życia, zostawionego na Przylądku Dobrej Nadziei, i obietnica na nowe, które nas czeka.

Dorian powoli przeszedł na dziób i padł na kolana. Skierował oczy ku niebu.

— Dni żałoby minęły — rzekł. — Twój czas na ziemi ze mną dobiegł końca. Idź, Jasmini, moja najdroższa, oddaję cię w ręce Boga, lecz wiedz, że moje serce i moja miłość będą ci towarzyszyć.

Mansur też zobaczył kometę; podbiegł do want i wspiął się zręcznie na szczyt głównego masztu. Objął go ręką, wprawnie kompensując kołysanie kadłuba, spotęgowane wysokością sześćdziesięciu stóp, dzielącą go od powierzchni morza. Uniósł twarz ku niebu, a wiatr porwał do tyłu jego gęste włosy.

— Śmierć królów! — zawołał. — Upadek tyranów! Palec Boga wypisuje na niebie wszystkie te niezwykłe wydarzenia. — Potem nabrał powietrza w płuca i krzyknął: — Usłysz mnie, Zajnie al-Dinie! Ja jestem Nemezis, idę po ciebie.

Dwa małe statki żeglowały na północ, a kometa każdej nocy wspinała się coraz wyżej, jakby chciała oświetlić im drogę. Wreszcie marynarze zauważyli wysoki zarys lądu wynurzającego się z ciemnych wód przed dziobami szkunerów niczym grzbiet monstrualnego wieloryba. Na północnym krańcu przylądka paszcza wieloryba otwierała się. Szkunery wpłynęły przez nią do ogromnej, zamkniętej zatoki, o wiele większej niż Laguna Słoni. Z jednej strony brzeg był stromy, a z drugiej schodził w morze gęstymi mangrowcowymi bagniskami, lecz środkiem toczyła swe czyste, słodkie wody rzeka, której łagodne, piaszczyste brzegi stanowiły naturalne miejsce na postój.

— To nie jest nasz pierwszy pobyt w tej zatoce. Zawijaliśmy tu z Dorianem wiele razy. Tubylcy nazywają tę rzekę Umbilo — mówił Tom do Sarah, sterując w stronę brzegu; rzucił kotwicę na głębokości trzech sążni. Spoglądając za burtę, widzieli stalowoszare flądry, zakopujące się w jasnym, piaszczystym dnie, oraz migoczące ławice ryb żerujących na małych krabach i krewetkach, wypłoszonych przez kotwicę z kryjówek.

Kiedy płótno zostało zwinięte, reje opuszczone, a oba statki znieruchomiały, Tom i Sarah stanęli przy relingu i spojrzeli na Mansura spuszczającego szalupę na wodę; chłopak chciał czym prędzej zbadać nowe otoczenie.

— Ach, ta niecierpliwa młodość — rzekł Tom.

— Jeśli niecierpliwość jest oznaką młodości, to jesteś niemowlęciem na ręku, mój panie — odparła Sarah.

— To bardzo niesprawiedliwe — zachichotał Tom — ale niech ci będzie.

Sarah osłoniła oczy ręką i spojrzała na brzeg.

— Gdzie jest kamień pocztowy?

— Tam, u podnóża tej ściany, ale nie rób sobie wielkich nadziei.

— Daj spokój! — burknęła Sarah, myśląc: Niepotrzebnie próbuje oszczędzić mi rozczarowania. Mój niezawodny matczyny instynkt mówi mi, że Jim jest blisko. A jeśli nawet nie ma go tu jeszcze, to wkrótce dotrze. Muszę tylko być cierpliwa, mój syn niebawem do mnie wróci.

Tom pojednawczym tonem zmienił temat:

— Jak ci się podoba to miejsce na ziemi, Sarah Courtney?

— Owszem, podoba mi się. Może spodoba mi się jeszcze bardziej, jeśli pozwolisz mi spędzić tu więcej niż jeden dzień i jedną noc. — Sarah przyjęła z uśmiechem jego propozycję pokojową.

— Wobec tego od razu zaczniemy z Dorianem wyznaczać teren pod nasz nowy fort i siedzibę — rzekł Tom, podnosząc lunetę do oka. Większość tej pracy wykonali razem w czasie poprzedniego pobytu w Zatoce Narodzenia Pańskiego. Tom spojrzał przez perspektywę na miejsce, które wybrali. Znajdowało się na występie skalnym w zakolu rzeki, łatwym do obrony, gdyż wody Umbilo obmywały go z trzech stron. Stały dopływ wody pitnej również był zapewniony, a gdyby zaszła taka konieczność, obrońcy mieliby dobre pole ostrzału na wszystkie strony. Poza tym miejsce leżało w zasięgu ognia dział, więc w razie ataku nieprzyjaznych plemion lub innego wroga można było zapewnić sobie wsparcie z morza.

— Otóż to! — powiedział Tom, kiwając z zadowoleniem głową. — Świetnie się nada do naszych celów. Najpóźniej jutro zabierzemy się do roboty, a ty zaprojektujesz naszą prywatną kwaterę, tak jak w Forcie Providence dwadzieścia lat temu.

— To był nasz miesiąc miodowy — przypomniała z rosnącym entuzjazmem Sarah.

— Nie inaczej, moja ty dzierlatko. — Tom uśmiechnął się do żony. — A teraz nadszedł czas na powtórkę.

Poprzez sawannę sunęła powoli nieliczna grupka jeźdźców, miniaturowa na tle bezkresnego krajobrazu. Towarzyszyły im juczne konie i kilka wierzchowców na zmianę. Zarówno zwierzęta, jak i ludzie byli wychudzeni i znać było po nich trudy podróży. Jeźdźcy mieli zniszczone, połatane ubrania, a dawno znoszone buty zastąpili nowymi, topornie zszytymi ze skór antylopy kudu. Końska uprząż postrzępiła się od ciernistych zarośli, a siodła błyszczały, wypolerowane spoconymi siedzeniami ludzi.

Spalone przez słońce twarze trzech Holendrów były równie ciemne jak oblicza hotentockich żołnierzy. Jechali w milczeniu, rozciągnięci gęsiego za biegnącym w przedzie Buszmenem Xhią. Parli przed siebie, wciąż przed siebie, śladem znaczonym przez koła wozów, wijącym się niczym wąż poprzez równiny i wzgórza.

Żołnierze dawno już porzucili myśl o dezercji. Powstrzymywała ich nie tylko nieugięta determinacja dowódcy, lecz także tysiące mil dzikiej głuszy, które zostawili za sobą. Wiedzieli, że pojedynczy jeździec ma niewielką szansę powrócenia do kolonii. Byli jak stadne zwierzęta, zmuszone trzymać się razem dla przetrwania. Stali się więźniami nie tylko obsesji kapitana Herminiusa Kootsa, lecz także niekończących się pustkowi.

Koots ubrany był w sfatygowaną skórzaną kurtkę i bryczesy, połatane i zaplamione przez pot, deszcze i czerwony kurz. Proste, zbielałe od słońca włosy zwisały mu do ramion, nierówno przycięte myśliwskim nożem. Ściągnięte rysy ogorzałej twarzy i wodniste, wpatrzone w dal oczy nadawały mu w rzeczy samej wygląd człowieka owładniętego obsesją.

Perspektywa nagrody dawno już przestała się dlań liczyć; pragnął jedynie ugasić swą nienawiść krwią wroga. Nic nie mogło go już odwieść od tego ostatecznego spełnienia: ani człowiek, ani zwierzę, ani wyczerpujące fizycznie odległości.

Broda opadała mu na pierś ze znużenia, lecz teraz uniósł głowę i spojrzał w dal, mrużąc oczy pod bezbarwnymi rzęsami. Na horyzoncie rozciągała się ciemna chmura, która wznosiła się coraz wyżej w niebo i sunęła w ich stronę ponad równiną. Koots ściągnął wodze.

— Co to jest, tam na niebie? — zawołał do Xhii. — To nie pył ani nie dym.

Xhia zarechotał i puścił się w wesoły pląs z przytupami. Odległości i trudy wędrówki nie męczyły go, urodził się bowiem do takiego życia. Znękany i rozdrażniony czułby się dopiero w czterech ścianach, otoczony tłumem towarzyszy. Jego domem była dzika natura, a dachem otwarte niebo.

Wybuchnął kolejnym samochwalczym peanem, obrzucając kalumniami swego okrutnego i szalonego pana. Nikt w całym oddziale nie znał języka Xhii.

— Oślizły biały robaku, kreaturo o skórze koloru ropy i skwaśniałego mleka, czyż nie wiesz zupełnie niczego o tej ziemi? Czy dopiero Xhia, potężny myśliwy i pogromca słoni, musi cię niańczyć jak ślepe, kwilące niemowlę? — Buszmen podskoczył i celowo puścił wiatry tak mocno, że poruszył się zwisający skraj jego przepaski biodrowej. Dobrze wiedział, że doprowadza Kootsa do szału. — Czy dopiero Xhia, który jest tak wysoki, że jego cień przeraża wrogów, pod którego potężnym kolcem kobiety piszczą z radości, musi cię poprowadzić za rączkę? Nie pojmujesz niczego, choć jest to wyraźnie wypisane na ziemi; nie rozumiesz, choć obwieszczają to same niebiosa!

— Skończ natychmiast z tym małpim bełkotem! — krzyknął Koots. Nie rozumiał słów, lecz rozpoznawał kpinę w ich tonacji i wiedział, że Xhia puścił bąka celowo, by go sprowokować. — Zamknij swoją brudną jadaczkę i odpowiadaj na pytanie!

— Skoro muszę się zamknąć, to jak mam ci odpowiedzieć, wielki panie? — Xhia przeszedł na używany w kolonii żargon, mieszaninę wszystkich możliwych języków. — Czyż jestem sztukmistrzem? — W ciągu wielu miesięcy, jakie przymusowo spędzili razem, nauczyli się doskonale rozumieć swoje słowa i intencje.

Koots dotknął rękojeści wiszącego u łęku siodła długiego *sjambok*, bicza ze skóry hipopotama. Był to kolejny z dobrze im obu znanych gestów. Ton i wyraz twarzy Xhii się zmienił; tropiciel tańczył teraz tuż poza zasięgiem bicza.

— Panie, to podarunek od Kulu Kulu. Będziemy dzisiaj spać z pełnymi brzuchami.

— Ptaki? — zapytał Koots, obserwując zbliżający się ciemny obłok. Widywał już zadziwiająco liczne stada maleńkich tkaczy, lecz to było dużo rozleglejsze.

— Nie ptaki — odparł Xhia. — To szarańcza.

Koots zapomniał o złości i odchylił się w siodle, by oszacować wielkość nadlatującego roju. Przesłaniał on połowę nieboskłonu, od horyzontu po horyzont. Odgłos skrzydełek przypominał szum wiatru w wierzchołkach drzew, lecz szybko narastał, zmieniając się wpierw w pomruk, a potem w narastający ryk i grzmot. Olbrzymi rój owadów tworzył kurtynę, której końce zamiatały ziemię. Gdy lecące nisko osobniki zaczęły zderzać się z twarzą i piersią Kootsa, jego fascynacja zamieniła się w przestrach. Skulił się i krzyknął, gdyż tylne odnóża szarańczy najeżone były ostrymi czerwonymi kolcami. Twarz kapitana już przecinała krwawa pręga. Jego koń cofnął się i przysiadł nisko. Koots zeskoczył z siodła i chwycił mocno wodze. Odwrócił wierzchowca zadem do nadlatującej szrańczy i krzyknął do ludzi, żeby zrobili to samo

— Trzymajcie juczne i połóżcie luzaki, żeby ich nie spłoszyła ta zaraza!

Zmusili zwierzęta do przyklęknięcia, a potem, pokrzykując i szarpiąc cugle, do tego, żeby przewróciły się na bok i rozciągnęły na trawie. Koots skrył się za ciałem swojego konia, naciągnął nisko na oczy kapelusz i postawił kołnierz skórzanej kurty. Choć koń zapewniał mu częściową osłonę, grad fruwających stworzeń wciąż uderzał o jego ciało z siłą, która nawet przez ubranie sprawiała mu ból.

Reszta oddziału poszła w jego ślady; wszyscy leżeli za wierzchowcami, jakby ukrywali się przed muszkietami wroga. Jedynie Xhia wydawał się nie zwracać uwagi na deszcz twardych pancerzyków. Siedział odsłonięty i chwytał owady oszołomione zderzeniem z jego ciałem. Odrywał im nóżki i głowy o wypukłych oczach i wkładał sobie korpusy do ust. Gdy je rozgryzał, pancerzyki trzeszczały, a po brodzie ściekał mu sok o barwie tytoniu.

— Jedzcie! — zawołał do pozostałych. — Po szarańczy przyjdzie głód!

Rój przelatywał nad nimi od południa do zachodu słońca, hucząc jak wody wielkiej rzeki, wezbrane powodzią. Niebo tak pociemniało, że zmierzch nadszedł wcześniej niż normalnie. Apetyt Xhii wydawał się niewyczerpany. Buszmen pochłaniał owadzie korpusy w takiej ilości, że aż brzuch mu się wydął i Koots pomyślał, że chyba wreszcie pohamuje swą żarłoczność. Mylił się jednak, Xhia bowiem trawił jedzenie podobnie jak dzikie zwierzęta. Gdy jego brzuch zmienił się w twardą, lśniącą kulę, tropiciel dźwignął się na nogi i chwiejnym krokiem odszedł kilka jardów na bok. Następnie, wciąż widoczny dla kapitana i po nawietrznej od miejsca, w którym Koots leżał, uniósł tylną połę przepaski i przykucnął.

Obfitość pożywienia chyba tylko przyśpieszyła pracę jego trzewi, bo wypróżnił się obficie i głośno, nie przestając jednocześnie chwytać kolejnych owadów i zjadać ich.

— Ty obrzydliwy zwierzaku! — wrzasnął na niego Koots, wyciągając pistolet. Przewodnik wiedział jednak, że chociaż kapitan regularnie go chłoszcze, to w tej głuszy, tysiące mil od kolonii i cywilizacji, nie może go zabić.

— Dobre! — wyszczerzył się do Kootsa, zachęcając go gestem, by się przyłączył do uczty.

Kapitan schował broń do kabury i wetknął nos w zgięcie łokcia. Jak już nie będzie mi więcej potrzebny, uduszę tego małpiszona własnymi rękami, przyrzekł sobie w myśli i zakaszlał, krztusząc się smrodem.

O zmroku olbrzymi rój szarańczy opadł niżej i owady zaczęły siadać na wszystkim, czego dotknęły. Ogłuszający szum ich skrzydełek przycichł i Koots wreszcie wstał, żeby się rozejrzeć.

Ziemia wokół, gdzie tylko spojrzeć, usłana była sięgającym do pasa żywym owadzim dywanem, czerwonobrązowym w ostatnich promieniach zachodu. Okryte warstwami szarańczy drzewa wyglądały jak nieforemne bryły, które pęczniały, w miarę jak kolejne owady siadały na tych poprzednich. Grube konary drzew pękały pod ciężarem z hukiem salwy muszkietów i spadały na ziemię, wciąż oblepione przez żerujące na liściach szkodniki.

Ze swoich nor i mateczników zaczęły wychodzić na ucztę mięsożerne zwierzęta. Kootsa zadziwił widok hieny, szakala i lamparta, które rzuciły się na góry owadów, pożerając je zachłannie.

Do biesiady przyłączyło się nawet stado jedenastu lwów. Przeszły w pobliżu Kootsa i jego oddziału, lecz nie zwróciły w ogóle uwagi na ludzi i konie, zainteresowane wyłącznie łatwym żerem. Rozproszyły się po równinie niczym bydło na pastwisku, i z nosami przy ziemi pochłaniały kłębiące się kęsy, mieląc je w potężnych szczękach. Małe lewki, napełniwszy brzuchy, stawały na tylnych łapach i bawiły się, uderzając przednimi wzlatujące w górę owady. Ludzie Kootsa oczyścili spłacheć ziemi i rozpalili na nim ognisko, a potem, używając płazów szpad jako patelni, piekli szarańczę na brązowo. Chrupali kruche korpusiki z równym upodobaniem jak Xhia. Nawet Koots się przyłączył do tego smakowitego posiłku. Kiedy zapadła noc, mężczyźni chcieli udać się na spoczynek, lecz owady nie dawały im spokoju. Siadały na ich twarzach, drapiąc i kłując kolczastymi odnóżami każdy odsłonięty skrawek skóry.

Rankiem wschodzące słońce ukazało dziwny przedpotopowy krajobraz, brunatnoczerwony i monotonny. Ciepło rozgrzało znieruchomiałe od chłodu nocy masy szarańczy, które zaczęły się budzić, falować i brzęczeć jak gigantyczny ul. Nagle cała horda, jak na rozkaz, wzbiła się w powietrze i pofrunęła ku wschodowi, niesiona porannym wiatrem. Ciemne pasma sunęły po niebie całymi godzinami, lecz kiedy słońce dobiegło zenitu, wreszcie zniknęły w oddali, znów odsłaniając czysty błękit w górze.

Jednakże krajobraz, jaki po sobie zostawiła szarańcza, trudno było rozpoznać. Pozostała tylko naga ziemia i skały. Drzewa straciły całe listowie, a obgryzione do cna i odłamane gałęzie leżały w splątanej masie wokół nagich pni. Wyglądało to tak, jakby każdy najmniejszy listek i zieloną głązkę strawił pożar. Złoty dywan traw, falujących na wietrze jak ocean, zmienił się w kamieniste pustkowie.

Konie obwąchały gołą ziemię i kamienie i stały niespokojnie, a w ich pustych brzuchach zaczęły burczeć gazy. Koots wspiął się na najbliższy nagi wzgórek i powiódł lunetą po kamienistej pustyni. Stada antylop i kwag zniknęły. W oddali dostrzegł blady obłok pyłu, wzbijanego kopytami ostatnich zwierząt opuszczających pola głodu. Udawały się na południe, w poszukiwaniu pastwisk niezniszczonych przez szarańczę.

Kapitan zszedł na dół, a kiedy wkroczył do obozowiska, jego ludzie, dyskutujący dotąd z ożywieniem, natychmiast umilkli. Koots rozejrzał się po ich twarzach, nalewając sobie kawy z czarnego kociołka. Cukru nie mieli już od kilku tygodni.

— *Ja*, Oudeman? — rzucił oschle po kilku łykach z kubka. — Cóż to cię tak trapi? Masz taką zbolałą minę jak stara baba, której krwawią hemoroidy.

— Nie mamy paszy dla koni — bąknął sierżant.

Koots udał zdumionego tym odkryciem.

373

— Sierżancie Oudeman, dziękuję, że zwrócił pan na to moją uwagę. Gdyby nie pańska spostrzegawczość, nigdy bym tego nie zauważył.

Oudeman nachmurzył się po tej sarkastycznej uwadze. Nie był dość wygadany ani odpowiednio wykształcony, żeby sprostać Kootsowi w słownej szermierce.

— Xhia mówi, że dzikie zwierzęta wiedzą, gdzie można najbliżej znaleźć pastwiska. Moglibyśmy pojechać za nimi.

— Proszę dalej, sierżancie. Nigdy nie mam dość tych klejnotów pańskiej mądrości.

— Xhia mówi, że stada poszły na południe.

— Tak. — Koots pokiwał głową i siorbnął głośno, pijąc kawę. — Xhia się nie myli. Widziałem to z tamtego wzgórza. — Pokazał kubkiem.

— My też musimy pojechać na południe, żeby znaleźć trawę dla koni — ciągnął uparcie Oudeman.

— Jedno pytanie, sierżancie. W jakim kierunku prowadzą ślady wozów Jima Courtneya? — Dłonią z kubkiem wskazał głębokie koleiny, wyraźniejsze, gdy nie zasłaniała ich już trawa.

Oudeman uniósł kapelusz i podrapał się po łysinie.

— Na północny wschód — burknął.

— A więc czy dogonimy Courtneya, jeśli ruszymy na południe? — zapytał Koots uprzejmym tonem.

— Nie, ale... — Sierżant zawiesił głos.

— Ale co?

— Panie kapitanie, bez koni nie uda nam się wrócić do kolonii. Koots wstał i wytrząsnął fusy z kubka na ziemię.

— Powodem, dla którego się tutaj znaleźliśmy, sierżancie Oudeman, jest pościg za Courtneyem, a nie powrót do kolonii. Oddział na koń! — Spojrzał na Xhię. — A ty, żółty pawianie, ruszaj za tropem i chwytaj wiatr!

W strumieniach i rzekach po drodze płynęła woda, lecz nigdzie nie było źdźbła trawy. Przejechali pięćdziesiąt, a potem sto mil i wciąż nie trafili na roślinność. W większych rzekach szukali pod powierzchnią wodorostów i łodyg nenufarów, ścinali je bagnetami i tą paszą karmili konie. W jednym z głębokich, stromych wąwozów rosły drzewa nie całkiem ogołocone z liści. Żołnierze wspięli się na nie i pościnali gałęzie, które nie złamały się pod ciężarem szarańczy. Wierzchowce pochłonęły zielone liście łakomie, lecz nie była to pasza, do jakiej przywykły, i nie zaspokoiły głodu.

Zwierzęta wykazywały już oznaki wygłodzenia, lecz determinacja Kootsa nie zmalała. Prowadził ich dalej poprzez pustkowia. Konie tak osłabły, że jeźdźcy musieli zsiadać przed każdym wzniesieniem i iść pieszo, żeby oszczędzić ich siły.

Ludzie też czuli głód. Łowna zwierzyna zniknęła razem z trawą, tętniąca życiem sawanna opustoszała. Zjedli ostatnie garście ziarna ze skórzanych worków i zdani byli już tylko na to, co mógł im dać zniszczony step.

Xhia ustrzelił z procy kilka prehistorycznych niebieskogłowych jaszczurek, żyjących wśród skał; rozkopywali też kretowiska i nory myszoskoczków, żywiących się korzeniami. Piekli je nawet nieoskórowane, nie chcąc tracić cennego pożywienia. Rzucali zwierzątka po prostu w całości na ognisko i czekali, aż futro się spali, a skóra poczernieje i popęka. Wtedy palcami wydłubywali na wpół upieczone mięso spomiędzy maleńkich szkieletów. Xhia zaś żuł porzucone kostki jak hiena.

W opuszczonym gnieździe strusia tropiciel znalazł prawdziwy skarb. Wygrzebane w ziemi zagłębienie skrywało siedem kremowej barwy jaj, każde niemal rozmiarów jego głowy. Puścił się w pląs wokół gniazda, piszcząc z ekscytacji.

— Oto sprytny Xhia przynosi wam kolejny dar! To struś, który jest moim totemem, zostawił go tutaj dla mnie! — Zmieniał totemy bez najmniejszych skrupułów, tak jak brał nowe kobiety. — Bez Xhii przepadlibyście już dawno!

Wziął jedno z jajek, ustawił je pionowo na piasku, po czym owinął cięciwę swego łuku wokół drzewca strzały. Przystawił grot do czubka jaja i poruszając szybko łukiem w przód i w tył, kręcił strzałą. Ostrze zagłębiło się w skorupce, a gdy ją przebiło, rozległ się syk uciekającego gazu, po czym w górę wystrzeliła żółta fontanna, jak szampan ze wstrząśniętej mocno butelki. Xhia przywarł otwartymi ustami do otworu i zaczął wysysać zawartość jajka.

Pozostali mężczyźni odskoczyli w tył z okrzykami obrzydzenia. Powietrze wypełnił gryzący siarkowy odór.

— Matko wściekłego psa! — zaklął Koots. — To zbuk!

Xhia przewrócił z upodobaniem oczami, lecz nie oderwał ust od jajka, pijąc łakomie, dopóki ostatnie krople żółtego płynu nie wsiąkły w suchą ziemię.

— Te jaja musiały tutaj leżeć od poprzedniego sezonu lęgowego, jakieś pół roku w słońcu! — Oudeman zakaszlał i odwrócił się. — Są tak zgniłe, że mogłyby zatruć hienę!

Xhia rozsiadł się przy gnieździe i wypił dwa kolejne jaja duszkiem, przerywając tylko, gdy chciał beknąć lub zachichotać z błogości. Pozostałe spakował do skórzanej sakwy, przewiesił ją przez ramię i ruszył dalej śladem kolein karawany Jima Courtneya.

Ludzie i konie z każdym dniem tracili siły i chudli. Tylko Xhia się zaokrąglił, promieniując zdrowiem i żywotnością. Siły dawało mu pożywienie, którego nikt inny by nie strawił — zgniłe jaja strusie, wymiociny sów, gorzkie zioła i korzenie, larwy much mięsnych, os i szerszeni.

Znużony oddział pokonał jeszcze jedno gołe wzgórze i natknął się na pozostałości kolejnego obozowiska Jima Courtneya. Różniło się ono od dziesiątek poprzednich. Wozy stały tutaj na tyle długo, by ludzie zdążyli zbudować szałasy z trawy oraz wędzarnie z długich bali. Z ich dawno wygasłych palenisk wiatr wywiał już większość czarnego, zimnego popiołu.

— Tutaj Somoja zabił swojego pierwszego słonia — oznajmił Xhia po krótkich oględzinach opuszczonego obozu.

— Skąd to wiesz? — zapytał Koots, zsiadając zesztywniały z konia. Stanął, rozcierając pięściami obolały grzbiet, i rozejrzał się.

— Wiem, bo jestem mądry, a ty jesteś głupi — odparł Xhia językiem swego ludu.

— Dość tej małpiej mowy! — warknął Koots, lecz był zbyt zmęczony, żeby uderzyć przewodnika. — Odpowiadaj normalnie!

— Na tych kozłach z bali uwędzili góry mięsiwa, a to są kości słonia, z którego przyrządzili sobie posiłek. — Podniósł z ziemi jedną kość. Wisiały na niej skrawki włókien i Xhia oderwał je zębami. — Zaraz odszukam resztę truchła.

Zniknął po swojemu, niczym obłoczek żółtego dymu, co nieodmiennie zaskakiwało Kootsa. W jednej chwili przewodnik stał na widoku, a w następnej już go nie było. Kapitan opadł na ziemię w marnym cieniu rzucanym przez nagie drzewo, nie czekał jednak długo. Xhia pojawił się równie szybko, jak zniknął, niosąc wielką białą kość udową słonia.

— Olbrzymi samiec! — potwierdził. — Somoja stał się wielkim myśliwym, jak przedtem jego ojciec. Wyciął z czaszki kły, a otwory po nich mówią mi, że były długie jak dwóch ludzi stojących jeden na drugim. A grube jak moja pierś. — Nadął się dla demonstracji.

Kootsa ten temat zbytnio nie interesował.

— Jak długo Somoja tu obozował? — Wskazał głową w stronę chatek z trawy.

Xhia przyjrzał się popiołowi w zagłębieniach ognisk, stosom śmieci i ścieżkom wydeptanym pomiędzy szałasami, po czym pokazał dwukrotnie palce obu dłoni.

— Dwadzieścia dni.

— To znaczy, że tyle nad nim zyskaliśmy — stwierdził Koots z ponurą satysfakcją. — Znajdź nam coś do jedzenia, zanim ruszymy dalej.

Żołnierze pod kierunkiem przewodnika wykopali myszoskoczka i kilkanaście ślepych złotych kretów. Zwabioną tym łupem parę kruków Oudeman upolował pojedynczym strzałem z muszkietu. Krety smakowały trochę jak kurczaki, lecz mięso kruków było ohydne, z posmakiem padliny, którą się żywiły. Tylko Xhia jadł je z przyjemnością.

Żołnierze, chorzy ze zmęczenia i poobcierani od siedzenia w siodłach, natychmiast po jedzeniu zawinęli się w koce i zasnęli przy zachodzącym słońcu. Wkrótce obudził ich jednak przewodnik, wydający okrzyki podniecenia. Koots zerwał się chwiejnie z posłania, z pistoletem w jednej ręce i szpadą w drugiej.

— Alarm! Do mnie! — krzyknął na wpół przytomny. — Bagnet na broń!

Nagle znieruchomiał i spojrzał w niebo na wschodzie. Jaśniała tam dziwna poświata. Hotentoci, zawodząc z zabobonnego lęku, skulili się pod swymi skórzanymi opończami.

— To ostrzeżenie — powtarzali między sobą cicho, żeby Koots nie usłyszał. — To ostrzeżenie, byśmy wrócili do kolonii i zaniechali tego szalonego pościgu.

— To płonące oko Kulu Kulu! — zaśpiewał Xhia, tańcząc dla wielkiego bóstwa, świecącego wysoko na niebie. — On się nami opiekuje. Obiecuje nam deszcz i powrót wielkich stad. Będzie słodka zielona trawa, będzie soczyste czerwone mięso! Wkrótce, już wkrótce!

Trzej Holendrzy instynktownie zbili się w stadko.

— To gwiazda, która prowadziła trzech króli do Betlejem — oświadczył Koots. Sam był ateistą, lecz wiedząc, że dwaj pozostali są wierzący, szybko wykorzystał niezwykłe zjawisko do swoich celów. — Wzywa nas w dalszą drogę.

Oudeman mruknął coś pod nosem, lecz wolał nie prowokować kapitana do sprzeczki. Richter natomiast przeżegnał się ukradkiem, albowiem jako jedyny katolik wśród protestantów i pogan zachowywał swe wyznanie w tajemnicy.

Wszyscy — niektórzy z przerażeniem, inni w radosnym oczekiwaniu — obserwowali stateczny przelot komety na nieboskłonie. Gwiazdy pobladły, a potem zniknęły, przyćmione jej splendorem. Przed świtem ślad komety rozciągał się łukiem od horyzontu po horyzont. Potem przysłoniła go nagle nawała ciemnych chmur nadciągających ze wschodu, od ciepłych wód Oceanu Indyjskiego. Kiedy wstał mroczny dzień, przez wzgórza przetoczył się odgłos gromu, a podbrzusze chmur rozdarło ostrze błyskawicy. Lunął deszcz. Konie odwróciły się zadami do wiatru, a ludzie skulili pod pelerynami przed atakami lodowatego szkwału. Tylko Xhia ściągnął przepaskę biodrową i skakał nago w ulewie, odrzucając głowę i łapiąc strugi wody w otwarte usta.

Padało przez cały dzień i noc bez ustanku. Ziemia pod nimi rozmiękła, jary i rozpadliny zmieniły się w rwące rzeki, a wszystkie zagłębienia w ziemi w stawy i jeziorka. Deszcz siekł ich bezustannie, a grzmoty otumaniały jak kanonada ciężkich dział. Przemoknięci do nitki trzęśli się z zimna pod okryciami, a w skurczonych z głodu trzewiach paliły ich kwaśne soki. Co pewien czas krople zamarzały w powietrzu i opadały w postaci gradu wielkości kostek palców, łomocząc po pelerynach i wprawiając konie w popłoch. Kilka zerwało się z uwięzi i rzuciło do ucieczki przed szarą nawałnicą.

Drugiego dnia chmury wreszcie się rozerwały i odpłynęły w brudnoszarych strzępach, odsłaniając gorejące jasno słońce. Mężczyźni ocknęli się z letargu i dosiedli koni, żeby schwytać wierzchowce, które rozpierzchły się w promieniu wielu mil po stepie. Jednego zabiła para młodych lwów. Wielkie koty wciąż pożywiały się zdobyczą, więc Koots z Oudemanem dogonili je i zastrzelili w mściwej furii. Upłynęły jeszcze trzy dni, nim oddział Kootsa mógł kontynuować pościg. Chociaż ulewa rozmyła, a miejscami całkiem zniszczyła ślady kół, Xhia prowadził ich naprzód bez wahania.

Ziemia odpowiedziała radośnie na deszcz i słoneczne ciepło. W ciągu jednego dnia zarysy wzgórz pokryły się zieloną mgiełką, a drzewa uniosły swe przywiędłe nagie gałęzie. Zanim pokonali kolejne sto mil, końskie brzuchy napełniły się świeżą słodką trawą i napotkali pierwsze stada powracającej płowej zwierzyny.

Xhia dojrzał z daleka stado ponad pięćdziesięciu antylop. Były wielkości kucyka, miały lśniącą czerwonawą sierść i grube rogi z zakręconymi do tyłu końcami. Trzej Holendrzy ruszyli na spotkanie zwierząt. Konie, wzmocnione świeżą paszą, niosły ich szybko. Po równinie rozszedł się huk strzałów z muszkietów.

Oprawili zdobycz tam, gdzie padła, i rozpalili ogniska. Rzucali krwawiące ochłapy na węgle i na wpół przytomni z głodu rzucali się łapczywie na pieczone mięso. Xhia, choć szczupły, dobrze odżywiony i niemal o połowę niższy od wojaków, zjadł najwięcej ze wszystkich. Tym razem nawet Koots nie miał mu tego za złe.

Kadem klęczał za zwalonym pniem, przy wezbranym po deszczu strumyku. Muszkiet oparł na pniu, podkładając pod niego swój turban. Bez tej poduszki broń mogłaby się przy wystrzale odbić od twardego drewna i kula zboczyłaby z toru. Muszkiet zabrali z magazynu broni na *Revenge*. Raszudowi udało się ukraść tylko cztery woreczki z prochem. Większość prochu zamokła i zbryliła się podczas potężnej, trwającej cały dzień i noc ulewy. Kadem pokruszył w palcach i poprzebierał resztki, lecz w końcu udało mu się odzyskać zaledwie jeden woreczek cennej substancji. Dla oszczędności ładował teraz muszkiet tylko połową miarki.

Obserwował przez nadrzeczne krzaki stadko pasących się impal. Była to pierwsza zwierzyna, którą napotkał od przelotu roju szarańczy. Antylopy skubały świeżą trawę, która wyrosła po deszczu. Kadem upatrzył sobie jednego z samców, brązowe stworzenie o rogach w kształcie liry. Muszkietem posługiwał się biegle, lecz broń była naładowana połową prochu, na który wsypał ledwie kilka ołowianych kulek śrutu. Żeby strzał był skuteczny, zwierzęta powinny podejść bliżej. Doczekał się tego momentu i strzelił. Przez obłok wirującego dymu zobaczył, że samiec się chwieje, a potem, becząc żałośnie, kuśtyka w kółko, z przednią nogą zwisającą bezwładnie ze strzaskanego barku. Kadem odłożył muszkiet i pobiegł naprzód z kordem w ręce. Ogłuszył zwierzę ciosem ciężkiej mosiężnej rękojeści, po czym przetoczył szybko na grzbiet i podciął gardło.

— W imię Boga! — pobłogosławił je i odtąd mięso było *halal*, poświęcone, i nadawało się do jedzenia przez wiernych. Gwizdnął cicho i trzech jego towarzyszy wyszło z ukrycia nad brzegiem strumyka. Szybko oprawili zwierzę i upiekli paski mięsa na małym ogniu, który Kadem pozwolił im rozpalić. Gdy tylko pożywienie było gotowe, kazał go zgasić, gdyż nawet w tej rozległej, bezludnej dziczy starał się zawsze pozostawać w ukryciu. Tak go wyszkolono na pustyni, gdzie niemal każde plemię toczyło krwawe walki ze wszystkimi sąsiadami.

Zjedli pośpiesznie i niezbyt obficie, po czym zawinęli resztę wystygłego upieczonego mięsa w turbany, które zarzucili sobie na ramiona i zawiązali w pasie.

— W imię Boga, ruszamy. — Kadem wstał i poprowadził trzech towarzyszy brzegiem strumienia przecinającego pasmo stromych, poszarpanych wzgórz. Burnusy wędrowców były brudne, a ich brzegi tak wystrzępione, jakby objadły je szczury. Ledwo zakrywały im kolana. Sandały sporządzili sobie ze skór zwierząt upolowanych przed nadejściem szarańczy. Grunt był nierówny i kamienisty. Miejscami pokrywały ziemię diabelskie ciernie o trzech kolcach, z których jeden zawsze celował w górę. Taki szpikulec potrafił przebić nawet grubą skórzaną podeszwę.

Dzięki deszczowi zaczęło odżywać wszystko, co zniszczył rój szarańczy. Nie mieli jednak koni i maszerowali ostro, od świtu do zachodu słońca każdego dnia. Kadem zdecydował, że pójdą na północ, żeby dotrzeć do któregoś z omańskich ośrodków handlu na wybrzeżu, poniżej rzeki Pongola, zanim wyczerpie im się proch. Mieli do celu jeszcze dobry tysiąc mil.

W południe zrobili postój, gdyż nawet tacy niestrudzeni wędrowcy jak oni musieli o określonych porach odmówić modlitwę. Nie mieli dywaników modlitewnych, lecz Kadem określił kierunek Mekki według położenia słońca, i pokłonili się na gołej ziemi. Kadem poprowadził modlitwę. Potwierdzili, że Bóg jest jeden, a Mahomet jest jego jedynym Prorokiem. Za swą wiarę nie oczekiwali żadnych łask ani zaszczytów. Kiedy zakończyli tę prostą, surową modlitwę, przykucnęli w cieniu i pożywili się zimną pieczoną dziczyzną. Kadem rozpoczął niegłośną rozmowę i udzielił im religijnych i politycznych wskazówek. W końcu spojrzał na słońce.

— W imię Boga, podejmijmy naszą wędrówkę — rzekł.

Wstali i przypasali broń. Nagle zamarli wszyscy w bezruchu, gdyż dobiegł ich słaby, lecz wyraźny odgłos wystrzału z muszkietu.

— Ludzie! Cywilizowani ludzie z muszkietami i prochem! — szepnął Kadem. — Muszą mieć konie, skoro zapuścili się tak daleko w głąb lądu. Mają wszystko, czego nam potrzeba do przetrwania w tych strasznych ostępach.

Znowu rozległy się strzały. Kadem przechylił głowę i zmrużył oczy, próbując ustalić kierunek, z którego dochodzi dźwięk. Odwrócił się w tę stronę.

— Za mną — polecił. — Poruszajcie się jak wiatr, cicho i szybko. Nie mogą się dowiedzieć o naszym istnieniu.

Po południu Kadem odnalazł ślad wielu koni, podążających ku północnemu wschodowi. Podkute kopyta pozostawiły w wilgotnej ziemi wyraźne odciski. Ruszyli tropem poprzez równinę, pofalowaną i drżącą jak miraż. Późnym popołudniem ujrzeli ciemną smugę dymu z dalekiego ogniska. Szli teraz jeszcze ostrożniej. W nadciągającym zmierzchu dostrzegali już czerwony, migotliwy poblask płomieni. Kiedy podeszli jeszcze trochę, Kadem zobaczył sylwetki poruszających się ludzi. Dzienny wiatr właśnie ucichł i z przeciwnego kierunku powiała wieczorna bryza. Wciągnął nosem powietrze i wyczuł wyraźny, charakterystyczny odór amoniaku.

— Konie! — wyszeptał w podnieceniu.

K oots oparł się o pień akacji i starannie ubił wiórki suchej machorki w swej glinianej fajce. Jego woreczek na tytoń był zrobiony z moszny bawołu, a do zawiązywania go służył sznurek ze ścięgna. Kapciuch był tylko w połowie pełny i kapitan wydzielał sobie po pół fajki dziennie. Zapalił ją węgielkiem z ogniska i cicho odkaszlnął, rozkoszując się wypełniającym płuca mocnym dymem.

Oddział rozlokował się pod najbliższymi drzewami; każdy z żołnierzy wybrał sobie wygodne miejsce do rozłożenia się na futrzanej opończy. Brzuchy wypełniało im mięso upolowanej antylopy i po raz pierwszy od miesiąca czuli się najedzeni do syta. Koots zgodził się nawet tego dnia na wcześniejszy postój, by mogli się nacieszyć pełnią odpoczynku. Do zmierzchu pozostała jeszcze niemal godzina. Zazwyczaj maszerowali, dopóki ślad kół wozów Jima Courtneya nie przestał być widoczny w ciemności.

Koots dostrzegł kątem oka jakiś ruch i rozejrzał się niespokojnie, lecz zaraz się rozluźnił. To był Xhia, który po chwili zniknął, wtapiając się w ciemny step. Jak każdy Buszmen, przez całe życie przywykły strzec się nieprzyjaciół, Xhia nigdy nie kładł się spać, dopóki nie zatarł śladów karawany. Koots wiedział, że przewodnik zatoczy teraz szerokie koło po terenie, który już przebyli. Jeżeli ktoś ich śledził, Xhia musiał przeciąć jego szlak.

Holender wypalił fajkę do ostatniego okruszka, delektując się każdym zaciągnięciem, a potem z żalem wystukał popiół na ziemię. Westchnąwszy ciężko, ułożył się pod opończą i zamknął oczy. Nie wiedział, jak długo spał, gdy obudził go lekki dotyk czyjejś dłoni na policzku. Wzdrygnął się, a Xhia cicho mlasnął językiem, żeby go uspokoić.

— Co się dzieje? — Koots odruchowo mówił szeptem.

— Obcy — odparł tropiciel. — Idą za nami.

— Ludzie? — Koots jeszcze nie otrząsnął się ze snu. Xhia nawet nie raczył odpowiedzieć na tak idiotyczne pytanie. — Kto to? Ilu ich jest? — Kapitan usiadł na posłaniu.

Xhia skręcił kilka źdźbeł suchej trawy i zanim je podpalił, uniósł skraj opończy Holendra jako parawan. Przytknął wiecheć do węgli ogniska i dmuchnął, żeby rozniecić płomień. Zasłaniając światło opończą i własnym ciałem, uniósł coś drugą ręką. Koots ujrzał, że to skrawek zabrudzonej białej tkaniny.

— Ciernisty krzak oderwał to z ich ubrania — wyjaśnił Xhia, po czym pokazał mu swą drugą zdobycz, pasemko ciemnych włosów. Nawet Koots od razu się zorientował, że to włosy człowieka. Były jednak zbyt czarne i szorstkie, by pochodzić z głowy Europejczyka, a zbyt proste, żeby mogły należeć do Buszmena czy innego Afrykanina.

— To materiał z długiej szaty, jaką noszą muzułmanie — powiedział Xhia. — A to są włosy z muzułmańskiej głowy.

— Muzułmanie? — zdziwił się Koots. Xhia mlasnął na potwierdzenie. Holender wiedział, że lepiej się z nim nie spierać.

— Ilu? — zapytał.

— Czterech.

— Gdzie są teraz?

— Zalegli niedaleko. Obserwują nas. — Xhia upuścił dogasający wiecheć i zdusił iskry swą drobną, dziecięcą niemal dłonią.

— A gdzie pozostawili konie? — dopytywał się Koots. — Parskałyby przecież, gdyby zwietrzyły nasze.

— Nie mają koni. Przyszli pieszo.

— Arabowie idą pieszo! W takim razie już wiemy, czego chcą. — Koots naciągnął buty. — Chcą naszych koni. — Podkradł się ostrożnie do miejsca, w którym spał Oudeman, i potrząsnął nim. Sierżant rozbudził się szybko, pojął w lot, co się dzieje, i wysłuchał rozkazów kapitana.

— Nie strzelać — powtórzył Koots. — W tych ciemnościach może to być groźne dla koni. Macie ich załatwić stalą.

Obaj Holendrzy podpełzli kolejno do każdego z żołnierzy, przekazując im szeptem polecenia. Ludzie odrzucali okrycia i pojedynczo przekradali się tam, gdzie stały uwiązane konie. Z wyciągniętymi szpadami zapadli w oczekiwaniu między niskie zarośla.

Koots wybrał miejsce najbardziej oddalone od słabego poblasku z ogniska i przywarł płasko do ziemi. Teraz mógł łatwo zauważyć sylwetkę zbliżającego się człowieka na tle gwiazd i resztek łuny po wielkiej komecie, ledwie już widocznej na zachodnim niebie. Poświata nie przyćmiewała Oriona, który o tej porze roku stał na głowie, poniżej pasma Drogi Mlecznej. Koots przymknął powieki, żeby lepiej widzieć w ciemności, i nasłuchiwał w skupieniu. Otwierał oczy tylko na krótko, żeby nie zmyliło ich światło.

Czas upływał powoli. Koots mierzył go obrotami ciał niebieskich wysoko w górze. Zwyczajny człowiek nie potrafiłby utrzymać tak wyostrzonej koncentracji przez tyle godzin, lecz on był wojownikiem. Starał się zobojętnieć na odgłosy wydawane przez konie, gdy zmieniały pozycję lub skubały trawę.

Wreszcie, gdy poświata wielkiej komety niemal zniknęła na zachodnim niebie, usłyszał stuknięcie. Wszystkie nerwy w jego ciele napięły się jak postronki. Po minucie, i z bliższej odległości, dobiegł go szurgot skórzanego sandała na sypkim podłożu. Nie podnosząc głowy, dojrzał ciemną postać na tle gwiazd.

Jest już blisko, pomyślał. Niech się zabierze do postronków.

Dotarłszy do pierwszych koni, intruz przystanął; Koots zobaczył, jak przekrzywia głowę, nasłuchując. Po dłuższej chwili nachylił się nad liną, do której przyczepili żelaznymi kółkami uzdy wierzchowców. Dwa konie podrzuciły głowami, uwolnione z uwięzi.

Uznawszy, że intruz jest zajęty rozwiązywaniem kolejnych węzłów, Koots wstał i ruszył w jego stronę. Nie widział go jednak, gdyż tamten przykucnął nisko. Znajdował się bliżej, niż Koots sądził, i nagle kapitan potknął się o niego w ciemności. Krzyknął, by zaalarmować swoich ludzi, i rozpoczęła się walka pierś w pierś, zbyt blisko na użycie oręża.

Holender zrozumiał od razu, że siłuje się z nie byle jakim przeciwnikiem. Tamten wił się w jego uścisku jak piskorz, czuło się twardość muskułów i ścięgien. Koots próbował go kopnąć w jądra, lecz niemal rozbił sobie kolano, gdy zamiast w miękkie genitalia trafił w twarde jak stal udo. Mężczyzna w natychmiastowej ripoście trzasnął go prawą pięścią od dołu w szczękę. Głowa Kootsa odskoczyła w tył, jakby złamano mu kark, i runął plecami na ziemię. Ujrzał, że przeciwnik przyskakuje do niego; błysnęło ostrze wzniesione do ciosu w głowę. Kapitan wyrzucił w górę szpadę, parując instynktownie; stal zadźwięczała o stal.

Intruz przerwał atak i zniknął w ciemnościach. Koots dźwignął

383

się oszołomiony na kolana. Wokół rozlegały się krzyki i odgłosy uderzeń. Słyszał, jak Oudeman z Richterem wywrzaskują rozkazy i zagrzewają pozostałych do walki. Nagle huknął strzał z pistoletu. To otrzeźwiło Kootsa.

— Nie strzelać, durnie! Konie! Uważajcie na konie! — Wstał i w tym momencie usłyszał za sobą stukot podkutych kopyt. Obejrzał się i dostrzegł zarys jeźdźca, pędzącego nań w pełnym galopie. Stal błysnęła matowo w świetle gwiazd i Koots skulił się w uniku. Ostrze świsnęło nad jego głową, lecz zdołał dojrzeć głowę w turbanie i brodę galopującego Araba.

Rozejrzał się błyskawicznie. Na tle ciemności zobaczył jaśniejszą plamę, bok siwej klaczy. Była najsilniejsza i najszybsza z ich wierzchowców. W biegu wsunął szpadę do pochwy i sprawdził pistolet w olstrze przy biodrze. Wskoczył na siodło, nasłuchiwał przez moment tętentu kopyt, i zawróciwszy klacz, kolanami zmusił ją do pełnego galopu.

Przez następne godziny co kilka minut musiał się zatrzymywać i nasłuchiwać odgłosu kopyt. Choć Arab często kluczył i nawracał, by zmylić pogoń, kierował się cały czas ku północy. Godzinę przed świtem Koots całkiem przestał go słyszeć. Albo gdzieś zboczył, albo spowolnił konia do stępa.

Północ! Na pewno jedzie na północ, uznał Holender.

Ustawił się plecami do Krzyża Południa i ruszył ku północy równym kłusem, żeby nie zajechać klaczy. Z zaskakującą raptownością wstał świt. Ciemność odeszła i horyzont poszerzył się, a serce Kootsa aż podskoczyło, gdyż w odległości strzału z pistoletu ujrzał poruszający się ciemny kształt. Wiedział, że nie jest to żadna z większych antylop, gdyż na tle jaśniejącej sawanny rysowała się wyraźnie sylwetka jeźdźca. Koots popędził klacz i zbliżał się szybko do niego. Jeździec nie był jeszcze tego świadom i wciąż jechał stępa. Koots poznał gniadego wałacha; był to dobry i silny wierzchowiec, niemal dorównujący siwej klaczy.

— Ach ty, synu wielkiej kurwy! — zaśmiał się głośno Holender. — Wałach okulał, nic dziwnego, że musiałeś zwolnić! — Nawet w tym słabym świetle widać było, że koń oszczędza swoją przednią prawą nogę. Widocznie wbił mu się w strzałkę kopyta kamyk albo cierń i mocno dokuczał. Koots dopędził uciekiniera, a ten wreszcie się obejrzał. Był to Arab o jastrzębiej twarzy, z kędzierzawą brodą. Ujrzawszy Kootsa, natychmiast zmusił konia do galopu.

Holender był na tyle blisko, że mógł zaryzykować strzał z pistoletu i szybko zakończyć sprawę. Wyciągnął broń i strzelił, celując w środek szerokich pleców Araba. Kula musiała go minąć o włos, bo skulił się i zawołał:

— Szpady, niewierny! Twarzą w twarz!

Koots spędził wiele lat w oddziałach VOC w krajach Orientu i posługiwał się dość płynnie kolokwialnym arabskim.

— Słodko brzmią te słowa! — zakrzyknął. — Stań. Niech wepchnę ci ostrze do gardła!

Arab zatrzymał wałacha dwieście jardów dalej. Zsunął się z konia i stanął naprzeciw Kootsa, ściskając w prawej ręce marynarski kord. Holender zdał sobie sprawę, że tamten nie ma broni palnej. Jeżeli zakradł się do obozowiska z muszkietem, musiał go gdzieś zgubić po drodze. Stał na ziemi, uzbrojony jedynie w szablę i oczywiście sztylet. Każdy Arab zawsze nosił przy sobie sztylet. Koots miał więc wielką przewagę i nie zamierzał uprawiać żadnej donkiszoterii, lecz wykorzystać sytuację do maksimum. Ruszył kłusem na przeciwnika, wychylając się z siodła, by siec go szpadą z góry.

Arab był jednak szybszy, niż przypuszczał. Gdy tylko odczytał intencje atakującego, uskoczył z linii szarży, a potem w ostatniej chwili odwrócił się i ciął w bok biegnącej klaczy z gracją toreadora nurkującego pod rogami byka. Jednocześnie drugą ręką sięgnął w górę i chwyciwszy połę skórzanej kurtki Kootsa, uwiesił się na niej całym ciężarem. Stało się to tak niespodziewanie, że zaskoczyło Holendra. Wychylony daleko z nagiego końskiego grzbietu, bez strzemion i wodzy, których mógłby się przytrzymać, został ściągnięty na ziemię.

Był jednak zaprawionym w bojach żołnierzem i wylądował na nogach niczym kot na czterech łapach, z dłonią na rękojeści szpady. Arab znowu próbował trafić go w głowę, lecz natychmiast odwrócił cięcie, celując dołem w ścięgno Achillesa. Koots odparował pierwszy cios skrętem nadgarstka, lecz drugi był tak szybki, że musiał przeskoczyć nad płazem szabli. Opadł, nie tracąc równowagi, i wykonał sztych wprost w ciemne, lśniące oczy Araba. Ten przechylił głowę i ostrze przeszło mu nad ramieniem, tak blisko jednak, że ścięło kępkę włosów z jego brody tuż pod uchem. Odskoczyli od siebie i zaczęli krążyć. Żaden się nawet nie zadyszał; byli wojownikami w szczytowej formie.

— Jak się nazywasz, synu fałszywego proroka? — zapytał Koots kpiącym tonem. — Chcę wiedzieć, kogo zabiję.

— Nazywam się Kadem ibn Abubaker al-Jurf, niewierny — odparł cicho Arab, a oczy rozbłysły mu gniewem z powodu obelgi. — A ciebie jak nazywają, poza Zjadaczem Gówna?

— Jestem kapitan Herminius Koots z armii VOC.

— Ach! — zawołał Kadem. — Twoja sława cię wyprzedza. Ożeniłeś się z ładniutką małą kurewką imieniem Nella, którą chędoży każdy mężczyzna przybywający na Przylądek Dobrej Nadziei. Nawet i ja ulżyłem sobie z nią za parę guldenów pod żywopłotem w ogrodach holenderskiej kompanii. Zapewniam cię, że doskonale zna swój fach i lubi tę robotę.

Obraza była tak jadowita i niespodziewana, że Koots aż otworzył usta ze zdumienia. Ten Arab znał imię jego żony. Szok osłabił rękę ze szpadą i Kadem w okamgnieniu przyskoczył do niego. Koots musiał się cofnąć, żeby uniknąć ataku. Okrążyli się znowu, a potem zwarli; tym razem Kootsowi wyszło trafienie w biceps przeciwnika, lecz zadrasnął go tylko i brudny rękaw bawełnianego burnusa zabarwił się ledwie kilkoma kroplami krwi.

Obeszli się wokół jeszcze kilkakrotnie, bez trafienia, po czym punkt zyskał Kadem, tnąc Kootsa w udo. Krwawiąca rana wyglądała groźnie, ale także była powierzchowna. Niemniej jednak Koots po raz pierwszy musiał ustąpić pola, a ręka ze szpadą zaczęła go już boleć. Żałował zmarnowanej kuli z pistoletu. Usta Kadema zwęziły się i ułożyły w gadzim uśmiechu i nagle, tak jak Holender oczekiwał, w dłoni Araba pojawił się wąski zakrzywiony kord.

Przeciwnik natarł na niego znowu, bardzo szybko, z wykrokiem prawą nogą, a ostrze jego broni zalśniło jak spiczasty promień słoneczny. Koots musiał się znów cofnąć, zawadził piętą o kępkę ostrych traw i niemal się przewrócił. Złapał jednak równowagę, ze skrętem w bok tak gwałtownym, że aż chrupnęło mu w kręgosłupie. Kadem przerwał atak i zatoczył łuk w lewo. Zorientował się już bowiem, że lewa jest słabszą stroną Holendra. Nie wiedział oczywiście, że przed laty, podczas bitwy pod Jaffą, kapitanowi wpakowano kulę w kolano. Rozbolało go teraz i zaczął ciężko dyszeć. Kadem natarł ponownie, nieugięty jak hartowana stal.

Ostrze szpady Kootsa chwiało się lekko, jego sztychy były niepewne i słabe. Własny oddech świszczał mu w uszach. Wiedział, że długo już nie wytrwa. Pot zalewał mu oczy, a twarz przeciwnika rozmazywała się.

Nagle Kadem odskoczył, opuszczając broń i patrząc ponad ramieniem Kootsa. Ten jednak się nie odwrócił, podejrzewając podstęp. Skupił spojrzenie na kordzie Araba, zbierając siły do kolejnego starcia.

Wtem usłyszał za sobą tętent kopyt. Odwrócił się i ujrzał Oudemana i Richtera. Nadjeżdżali w pełnym rynsztunku, prowadzeni przez Xhię. Kadem wypuścił z rąk broń, lecz stał dumnie, z uniesioną brodą.

— Czy mam zabić tego świniaka, kapitanie? — zapytał Oudeman, podjeżdżając. Karabin przełożył w poprzek siodła przed sobą. Koots, roztrzęsiony i wściekły, był już bliski wydania mu rozkazu. Omal przecież nie zginął, a tamten nazwał Nellę kurwą. Nie skłamał wprawdzie, lecz nikt nie mógł mówić tego bezkarnie w jego obecności. Powstrzymał się jednak. Arab wspomniał o Przylądku Dobrej Nadziei. Warto było najpierw dowiedzieć się czegoś od jeńca, a potem zabije go własnymi rękami, co będzie przyjemniejsze niż posłużenie się Oudemanem.

— Chcę go przesłuchać, sierżancie. Przywiąż go do swojego konia.

Do obozu mieli dobre dwie mile. Skrępowali Kademowi ręce w przegubach, a drugi koniec liny przywiązali do pierścienia z boku siodła Oudemana. Sierżant ciągnął Araba, jadąc kłusem, a gdy ten się przewracał, podrywał go znów na nogi. Przy każdym upadku twardy grunt zdzierał skrawki skóry z kolan i łokci jeńca. Kiedy Oudeman dowlókł go wreszcie do obozowiska, Arab był zakrwawiony i oblepiony grubą warstwą pyłu.

Koots zeskoczył z grzbietu siwej klaczy i podszedł do trzech pozostałych jeńców, schwytanych przez Oudemana i Richtera.

— Wasze imiona? — zwrócił się do dwóch, którzy stali o własnych siłach.

— Raszud, *efendi*.

— Habban, *efendi*. — Przyłożyli dłonie do czoła i piersi, w geście szacunku i posłuszeństwa. Koots podszedł do trzeciego, który był ranny i leżał, jęcząc, na boku, zwinięty jak embrion w łonie matki.

— Imię? — warknął Koots i kopnął go w podbrzusze. Ranny zajęczał głośniej, a spod jego ściskających brzuch dłoni trysnęła krew. Koots zerknął na Oudemana.

— To głupi Goffel — wyjaśnił sierżant. — Poniosło go, zapomniał o rozkazie i strzelił. Trafił w brzuch. Nie dożyje do jutra.

— Lepiej on niż któryś z naszych koni — rzucił Koots, wyciągając z olstra pistolet. Odciągnął kurek i przystawił lufę do tyłu głowy rannego jeńca. Padł strzał i więzień zesztywniał, wywracając oczami. Wierzgnął kilka razy spazmatycznie nogami i znieruchomiał.

— Marnowanie dobrego prochu — skwitował Oudeman. — Mogłem z nim skończyć nożem.

— Nie jadłem jeszcze śniadania, sierżancie, a wiecie, jaki potrafię być wrażliwy. — Koots zaśmiał się z własnego żartu i wsunął dymiący pistolet do kabury. — Dajcie im po dziesięć *sjambok* w każdą piętę, żeby ich wprawić w bardziej przyjacielski nastrój — powiedział, wskazując na jeńców. — Po śniadaniu chcę z nimi porozmawiać.

Koots zjadł miskę strawy z mięsa antylopy, a potem przyglądał się, jak Oudeman z Richterem wymierzają chłostę w bose stopy pojmanych Arabów.

— Twardzi z nich ludzie — mruknął z podziwem, jedynym bowiem dźwiękiem wydawanym po każdym uderzeniu było ciche stęknięcie. Wiedział, jaką przechodzą udrękę. Wyczyścił miskę palcem, oblizał go i podszedł znów do Kadema. Mimo obdartej i brudnej szaty oraz poranionych i poobcieranych nóg widać było, że jest przywódcą małej grupki i nie warto tracić czasu na pozostałych. Poszukał wzrokiem sierżanta i wskazał na Raszuda i Habbana.

— Zabierz stąd te świnie — polecił.

Oudeman wiedział, że kapitan chce przesłuchać Kadema tak, żeby tamci nie słyszeli, co mówi ich dowódca. Później wypyta osobno pozostałych dwóch i porówna ich odpowiedzi. Koots zaczekał, aż hotentoccy żołnierze powloką jeńców, kulejących na obrzmiałych stopach, do drzewa i przywiążą ich do pnia.

— A więc powiadasz — zwrócił się do Kadema — że odwiedziłeś Przylądek Dobrej Nadziei, wybrańcu Allaha?

Arab wpatrywał się w niego roziskrzonymi fanatycznie oczami, osadzonymi głęboko w pokrytej kurzem twarzy. Lecz pytanie Kootsa poruszyło jakąś strunę w ospałym umyśle Oudemana. Przyniósł jeden z odebranych Arabom muszkietów i podał go kapitanowi. Ten przyjrzał się pobieżnie broni i niczego nie spostrzegł.

— Na kolbie — podpowiedział sierżant. — Widzi pan znak?

Koots dostrzegł emblemat wypalony w drewnie gorącym żelazem i jego usta zacisnęły się w wąską linię. Znak przedstawiał działo na dwukołowej lawecie, a pod spodem wstęgę z inicjałami CBTC.

— A więc to tak! — Koots wbił wzrok w Kadema. — Jesteś jednym z ludzi Toma i Doriana Courtneyów!

Zdawało mu się, że w głębi ciemnych oczu Araba coś zamigotało. Chociaż nie był pewien, jaka emocja się za tym kryje, z pewnością była silna. Dźwięk nazwiska Courtneyów mógł wywołać w jeńcu poczucie oddania i lojalności albo zupełnie coś innego. Koots wpatrywał się weń bacznie.

— Znasz moją żonę — przypomniał — i mógłbym cię kazać wykastrować za to, co o niej mówiłeś. Lecz znasz także braci Courtneyów, Toma i Doriana, prawda? Jeżeli tak, może zdołasz uratować jaja.

Kadem rzucił mu nienawistne spojrzenie. Koots zwrócił się do Oudemana:

— Sierżancie, proszę podnieść jego suknię, sprawdzimy, jak dużego noża będziemy potrzebowali.

Oudeman wyszczerzył się w uśmiechu i klęknął przed Kademem, nim jednak zdążył go dotknąć, jeniec przemówił.

— Znam Doriana Courtneya, lecz jego arabskie imię brzmi al-Salil.

— Nagi Miecz — przytaknął Koots. — Słyszałem, że go tak nazywają. A jego brat Tom? Ten, którego zwą także Klebe, Jastrząb?

— Znam ich obu — potwierdził Kadem.

— Jesteś ich najmitą, ich pieskiem, ich lokajem, ich lizusem? — Holender celowo dobierał prowokujące słowa.

— Jestem ich nieubłaganym wrogiem! — Kadem dał się wciągnąć w pułapkę, powodowany dumą. — Z łaski Allaha któregoś dnia zostanę ich katem. — Powiedział to z tak płomienną szczerością, że Koots mu uwierzył. Milczał jednak przez dłuższą chwilę, czasami bowiem cisza jest najlepszą metodą przesłuchiwania. — Jestem wykonawcą świętej fatwy — emocjonował się coraz bardziej Kadem. — Tę misję powierzył mi władca Omanu, kalif Zajn al-Din ibn al-Malik.

— Dlaczegóż to ów szlachetny i potężny monarcha miałby posyłać z tak poważną misją taki połeć zjełczałej słoniny jak ty? — Koots zaśmiał się drwiąco. Oudeman, choć nie rozumiał ani słowa po arabsku, wtórował mu jak echo.

— Jestem księciem królewskiej krwi — oznajmił gniewnie Kadem. — Mój ojciec był bratem kalifa, jestem więc jego bratankiem. Kalif mi ufa, bo dowodzę jego legionami i wielokrotnie dowiodłem swego oddania zarówno w walce, jak i w czasie pokoju.

— A jednak nie udało ci się doprowadzić do końca posłannictwa świętej fatwy — drażnił go Koots. — Twoi wrogowie mają się świetnie, a ty jesteś w łachmanach, przywiązany do drzewa i oblepiony brudem. Czy tak wygląda omański ideał dzielnego wojownika?

— Zabiłem kazirodczą siostrę kalifa, co było częścią powierzonego mi zadania. I poraniłem al-Salila tak poważnie, że kto wie, czy się w ogóle wyliże. Jeżeli tak, nie spocznę, póki nie spełnię swojej powinności.

— To majaczenie szaleńca — rzucił kpiąco Koots. — Skoro kieruje tobą święty obowiązek, dlaczego włóczysz się niczym żebrak wśród tej dziczy, w brudnych łachmanach, z muszkietem należącym do al-Salila, próbując nieudolnie ukraść konia, żeby uciec?

Koots zręcznie wydobywał od jeńca kolejne informacje. Kadem przechwalał się, jak sprytnie udało mu się dostać podstępem na pokład *Gift of Allah*. Jak wyczekiwał sposobności i jak uderzył. Opisał dokładnie, jak zabił księżniczkę Jasmini i jaki był bliski zabicia al-Salila. Potem opowiedział, jak z pomocą trzech wspólników z załogi uciekł z pokładu statku kotwiczącego w lagunie, jak potem umknął pościgowi i w końcu natknął się na oddział Kootsa.

Jego relacja zawierała wiele informacji nowych dla Holendra, szczególnie tę o ucieczce Courtneyów z kolonii. Musiało się to zdarzyć sporo czasu po tym, jak on sam wyruszył w poszukiwaniu Jima Courtneya. Cała historia wydała mu się logiczna i nie doszukał się w słowach Kadema żadnego krętactwa. Wszystko pasowało dokładnie do tego, co wiedział o Keyserze i jego zamiarach. Samo przedsięwzięcie Toma i Doriana Courtneyów, tak przemyślnie zorganizowane, również było całkowicie w ich stylu.

Uwierzył więc, choć z zastrzeżeniami. Zastrzeżenia były zawsze. Tak! — cieszył się w duchu, nie okazując radości na zewnątrz. Oto niezwykłe zrządzenie losu. Zesłano mi sprzymierzeńca, którego mogę przywiązać do siebie łańcuchem mocniejszym od stali — religijną fatwą i płomienną nienawiścią, przy której blednie nawet moja determinacja.

Rozważając swoją decyzję, Koots przyglądał się Kademowi. Dość długo mieszkał wśród muzułmanów i walczył zarówno u ich boku, jak i przeciwko nim, rozumiał więc nauki islamu i nieodmiennie z nimi związany kodeks honorowy.

— Ja także jestem zaprzysięgłym wrogiem Courtneyów —

powiedział w końcu. Nieskrywana pasja w oczach Kadema natychmiast przygasła.

Czyżbym popełnił fatalny błąd? — zastanawiał się Koots. Może zbyt szybko przeszedłem do rzeczy i spłoszyłem zwierzynę? Widział, że jego słowa wzmocniły jeszcze podejrzliwość Kadema. Lecz skoro powiedział już A, musi teraz powiedzieć B.

— Rozwiąż go — rozkazał Oudemanowi — i przynieś mu wody do picia i do umycia się. Daj mu coś do jedzenia i niech się pomodli, jeśli chce. Ale obserwuj go bacznie. Nie sądzę, żeby chciał uciekać, lepiej jednak nie dawać mu sposobności.

Oudeman był wyraźnie skonfundowany tymi poleceniami.

— A co z jego ludźmi? — zapytał.

— Mają pozostać związani i pod strażą — odparł Koots. — Pilnuj, żeby Kadem się z nimi nie porozumiewał. Nie wolno mu się do nich zbliżać.

Koots odczekał, aż Kadem się umyje, naje do syta i odprawi z namaszczeniem rytuał południowej modlitwy. Dopiero wówczas kazał go przyprowadzić na dalszy ciąg rozmowy.

Powitał Araba uprzejmymi słowami, zmieniając w ten sposób jego status z więźnia na gościa, ze wszystkimi zobowiązaniami, jakie to nakładało na nich obu.

— Napotkałeś mnie w tej głuszy, tak daleko od cywilizowanych siedzib ludzkich, z tej przyczyny, że ścigam tych samych ludzi co ty. Widzisz te ślady kół? — Kadem spojrzał na koleiny, choć oczywiście zauważył je już wcześniej, gdy się podkradał do obozowiska, by ukraść konie. — Widzisz je? — nalegał Koots. Arab siedział z kamiennym wyrazem twarzy. Zaczął już żałować swojej gadatliwości. Nie powinien był pozwolić, żeby emocje rozwiązały mu język, przez co tak wiele wyjawił niewiernemu. Zorientował się, że Koots to człowiek niebezpieczny i przebiegły. — Te ślady — ciągnął Holender — pozostawiły cztery wozy prowadzone przez jedynego syna Toma Courtneya, znanego ci jako Klebe. — Kadem tylko zamrugał oczami. Koots odczekał chwilę, żeby Arab mógł przetrawić to, co usłyszał, a następnie opowiedział mu, jak Jim Courtney został zmuszony do opuszczenia kolonii. Chociaż Kadem wciąż milczał, a jego oczy wyrażały nie więcej emocji niż oczy kobry, zastanawiał się jednak gorączkowo. Kiedy był jeszcze na szkunerze *Gift of Allah*, udając zwykłego majtka, słyszał, jak jego towarzysze rozmawiają o tych sprawach, i wiedział doskonale o ucieczce młodego Curtneya. — Podążając dalej tym tropem, z pewnością dotrzemy do jakiegoś punktu na wybrzeżu, gdzie ojciec i syn umówili się na spotkanie. — Koots skończył i obaj siedzieli w milczeniu.

Kadem przetrawiał w myśli słowa Holendra. Analizował je z różnych stron, niczym jubiler szukający skaz w cennym klejnocie. Nie dopatrzył się jednak w wersji Kootsa żadnych nieścisłości.

— Czego ode mnie chcesz? — zapytał w końcu.

— Dążymy do tego samego celu — odparł kapitan. — Proponuję ci układ, przymierze. Złóżmy wspólnie przysięgę przed Bogiem i jego Prorokiem. Zjednoczmy wysiłki dla całkowitego zniszczenia naszego wspólnego wroga.

— Zgadzam się — odrzekł Kadem i starannie maskowany płomień obłędu rozgorzał znów w jego oczach. Koots poczuł niepokój; to spojrzenie wydało mu się groźniejsze od broni w rękach Araba podczas ich walki.

Wypowiedzieli przysięgę pod rozłożystymi konarami akacji, która zaczęła się już okrywać świeżą zielenią po nalocie szarańczy. Przysięgli na damasceńską stal kordu Kadema. Każdy umieścił szczyptę grubej soli na języku drugiego, a potem podzielili się kawałkiem dziczyzny. Ostrzem sztyletu otworzyli żyły na swoich prawych przegubach i uciskali rękę, aż krew popłynęła wartkim ciepłym strumieniem do nadstawionej dłoni. Potem złączyli dłonie, żeby zmieszać krew, i nie zmniejszali uścisku, podczas gdy Kadem recytował cudowne imiona Boga. Na koniec objęli się.

— Jesteś teraz moim bratem krwi — rzekł Kadem, głosem drżącym z wrażenia, jakie wywarła na nim wiążąca moc ślubowania.

— Jesteś teraz moim bratem krwi — powtórzył Koots. Choć głos miał dźwięczny i czysty i spoglądał otwarcie w oczy Araba, przysięga nie odcisnęła tak silnego śladu w jego sumieniu. Koots nie uznawał żadnego boga, szczególnie zaś dziwacznego bóstwa tej ciemnoskórej, pośledniej rasy. Przymierze było korzystne przede wszystkim dla niego, albowiem mógł się z niego wycofać w dogodnym momencie, a nawet bez skrupułów zabić swego nowego brata krwi, jeśliby sytuacja tego wymagała. Wiedział, że Kademowi wiąże ręce nadzieja na zbawienie i obawa przed boskim gniewem.

Kadem natychmiast wyczuł w głębi swego serca, jak krucha jest więź, którą właśnie zadzierzgnęli. Wieczorem, kiedy zasiedli do wspólnego posiłku przy ognisku, wykazał się prawdziwą zręcznością. Złożył Kootsowi przyrzeczenie bardziej przemawiające do wyobraźni niż religijne śluby.

— Wspomniałem już, że jestem ulubieńcem mego stryja, kalifa — powiedział. — Znasz także potęgę i bogactwo imperium omańskiego. Jego władza rozciąga się aż nad wielki ocean, a także Morze Czerwone i Perskie. Stryj obiecał sowicie mnie wynagrodzić, jeżeli doprowadzę jego żądanie do udanego finału. Dzisiaj przysięgliśmy poświęcić się wspólnie temu celowi. Kiedy go osiągniemy, wrócimy razem do pałacu kalifa na wyspie Lamu, a on z pewnością okaże nam wdzięczność. Przyjmiesz wiarę islamu, a ja poproszę stryja, żeby postawił cię na czele wszystkich swoich wojsk na kontynencie afrykańskim. Zostaniesz też gubernatorem prowincji Monamatapa, ziemi, z której pochodzą niewolnicy i złoto. Zyskasz niezmierzone bogactwa i władzę.

Życie Herminiusa Kootsa zaczęło płynąć nowym, żywszym nurtem.

Ruszyli śladem kolein, z odnowionym animuszem. Nawet Xhii udzieliło się mocniejsze teraz poczucie celu. Dwukrotnie przecięli trop stada słoni, podążającego z terenów na północy. Być może słonie jakimś tajemniczym sposobem dowiedziały się o obfitości pożywienia, którą przyniosła ulewa. Koots obserwował szare olbrzymy przez lunetę, lecz nie poświęcał im wiele uwagi. Nie chciał, by polowanie na kilka słoniowych kłów odwiodło go od głównego celu wyprawy.

Kazał Xhii prowadzić karawanę z dala od stada i parli naprzód, nie niepokojąc słoni. Zarówno Koots, jak i Kadem starali się nie tracić niepotrzebnie ani godziny i wciąż popędzali konie i ludzi szlakiem uciekinierów.

Wreszcie minęli szeroki pas roślinności przetrzebionej przez szarańczę i zostawili wielką równinę za sobą. Znaleźli się w pięknej krainie rzek i bujnych lasów, gdzie w powietrzu unosiła się słodka woń kwiatów. Napotykali wciąż przepiękne i majestatyczne widoki, a obietnica bogactwa i chwały pchała ich do przodu.

— Wozy są już niezbyt daleko przed nami — obiecywał Xhia — i z każdym dniem się do nich przybliżamy.

Dotarli do miejsca, w którym szeroka i głęboka rzeka spotykała się z mniejszym dopływem. Xhia odkrył coś, co wprawiło go w zadziwienie. Poprowadził Kootsa i Kadema przez pole zasłane gnijącymi szczątkami ludzkimi, objedzonymi już i rozwleczonymi przez hieny i inną padlinożerną zwierzynę. Nie musiał nawet im pokazywać porozrzucanych włóczni i *assegai* oraz tarcz z niewyprawionej skóry, w większości podziurawionych kulami z muszkietów.

— Toczyła się tu wielka bitwa — wyjaśnił przewodnik. — Takiej broni i tarcz używa okrutne plemię Nguni.

Koots skinął głową. Każdy, kto mieszkał w Afryce i podróżował po niej od lat, słyszał o legendarnych, wojowniczych Nguni.

— Bardzo dobrze — stwierdził. — Powiedz nam, co jeszcze widzisz.

— Nguni zaatakowali wozy, które Somoja ustawił tutaj, w poprzek pasa lądu u zbiegu rzek. To najlepsze miejsce do obrony, osłonięte z boków i z tyłu przez wodę. Nguni musieli atakować od frontu i powybijał ich jak kaczki. — Xhia zachichotał i z podziwem pokręcił głową.

Koots podszedł do krateru ziejącego na środku wykarczowanego pola przed linią pozostawioną przez wozy.

— Co to jest? — zapytał. — Co tu się wydarzyło?

Xhia wygrzebał z pyłu poczerniały kawałek zwęglonego sznura i pomachał nim.

Choć widział już nieraz eksplozje z użyciem lontu, nie miał w swoim słowniku słów na ich opisanie. Odegrał więc pantomimę: pokazał, jak podpala lont, po czym, wydając syk, przebiegł kilka kroków śladem wyimaginowanego płomienia, a znalazłszy się przy kraterze, wyskoczył w górę, krzycząc „bum-bum!", by zilustrować wybuch. Następnie padł na ziemię, wierzgając nogami i zanosząc się śmiechem. Przedstawienie było tak obrazowe, że nawet Koots nie mógł powstrzymać wesołości.

— Na zarażoną syfilisem waginę wielkiej kurwy! — zaklął, rechocząc rubasznie. — Szczeniak Courtneyów odpalił minę pod *impi*, gdy szturmowali jego warownię. Kiedy go dogonimy, będziemy musieli bardzo uważać. Zrobił się równie szczwany jak jego ojciec.

Pole bitewne rozciągało się na dużym obszarze sawanny, toteż Xhia odkrywał kolejne jego sekrety aż do końca dnia. Pokazał Kootsowi drogę ucieczki wojowników Nguni i ślad ludzi Courtneya, ścigających wroga konno i strzelających w biegu.

W końcu dotarli do opuszczonego obozowiska Nguni. Xhia zaczął niemal bełkotać z podniecenia, gdy uzmysłowił sobie rozmiary stad zagarniętych przez zwycięzców.

— Jak trawa! Jak szarańcza! — wrzeszczał piskliwie, pokazując pas ziemi zdeptanej przez pędzone na wschód zwierzęta.

— Tysiąc sztuk? — zastanawiał się Koots. — A może pięć tysięcy?

Próbował obliczyć z grubsza zysk, jaki mógł mieć ze sprzedaży, gdyby udało mu się doprowadzić takie stado do Przylądka Dobrej Nadziei.

W całym Banku Batawii nie ma takich pieniędzy, doszedł do wniosku. Jedno jest pewne, jeśli dogonię Courtneya, Oudeman i ci cuchnący Hotentoci nie zobaczą ani centyma. Zanim wydam choćby guldena, najpierw ich zabiję. Jak skończę, gubernator van de Witten będzie w porównaniu ze mną ubogim żebrakiem.

To jednak nie wszystko. Kiedy wkroczyli do obozowiska, Xhia zaprowadził go na sam jego kraniec, gdzie stał dziwny ostrokół z bali powiązanych łykiem.

Koots nie widział nigdy takiej konstrukcji, nawet w wioskach plemion prowadzących osiadły tryb życia. Może to magazyn ziarna, zastanawiał się, zsiadając z konia. Jeszcze bardziej zdumiały go drewniane kozły, które zobaczył wewnątrz ogrodzenia. Mogłyby służyć jako suszarnia lub wędzarnia, lecz nie było pod nimi śladu palenisk i wyglądały na zbyt masywne do takiego prostego celu. Było oczywiste, że musiały dźwigać ciężar o wiele większy niż połcie mięsa.

Xhia usiłował coś mu powiedzieć. Wskoczył na stojaki, powtarzając słowo „kurczak". Kapitan skrzywił się z irytacją. Z pewnością nie był to kurnik ani nawet zagroda dla strusi. Buszmen kontynuował pantomimę, wyciągając jedną rękę przed swoją twarzą niczym długaśny nos, a drugą machając z boku głowy jak wielkim uchem. Koots po chwili namysłu przypomniał sobie, że w języku ludu Sanów słowa oznaczające kurczaka i słonia brzmiały niemal identycznie.

— Słoń? — zapytał, dotykając swego pasa ze słoniowej skóry.

— Tak! Tak, ty głupi człowieku! — Xhia pokiwał żywo głową.

— Czyś oszalał? — fuknął Koots po holendersku. — Przecież słoń nie przeszedłby przez to wejście.

Xhia zeskoczył na ziemię i szukał czegoś przez chwilę pod kozłami. Gdy się wynurzył, pokazał Holendrowi swoje znalezisko — malutki cios, zdjęty z bardzo młodego osobnika. Był długości ludzkiego przedramienia i można go było objąć w najgrubszym miejscu kciukiem i palcem wskazującym. Widocznie przegapiono go przy opróżnianiu magazynu. Buszmen pomachał nim przed twarzą Kootsa.

— Kość słoniowa? — Holender zaczynał rozumieć. Przed pięciu laty, kiedy był adiutantem gubernatora Batawii, ten ostatni złożył oficjalną wizytę sułtanowi Zanzibaru. Islamski władca był bardzo dumny ze swej kolekcji ciosów i zaprosił świtę gubernatora do jej obejrzenia. Kły spoczywały w skarbcu na specjalnych kozłach izolujących je od mokrej ziemi, bardzo podobnych do tych tutaj.

— To magazyn kości słoniowej! — wydyszał Koots. Wyobraził sobie te stosy kłów i próbował oszacować wartość skarbu. — A niech to czarny anioł, toż to druga fortuna, taka sama jak to uprowadzone bydło!

Kapitan odwrócił się i wyszedł z zagrody.

— Sierżancie Oudeman! — ryknął. — Niech ludzie wsiadają na konie. Kopnijcie naszych arabskich przyjaciół w ich brązowe tyłki. Wyruszamy natychmiast. Musimy dogonić Jima Courtneya, zanim dotrze do wybrzeża i znajdzie się pod osłoną dział ze statków jego ojca.

Pojechali na wschód, śladem wydeptanym przez stada. Był to pas ziemi niemal milowej szerokości, o trawie wyskubanej i stratowanej przez zwierzęta.

— Nawet ślepiec w bezksiężycową noc nie zgubiłby takiego tropu — zwrócił się Koots do jadącego przy nim Kadema.

— Ten syn wielkiej maciory będzie świetną przynętą w naszej pułapce — przytaknął z ponurą determinacją Arab. Spodziewali się lada godzina dojrzeć na horyzoncie wozy i zrabowane stada. Jednakże po pierwszym dniu nastał następny, i choć ostro popędzali wierzchowce, a Koots co rusz lustrował sawannę przez lunetę, wciąż nie widział żadnego ruchu w oddali.

Xhia zapewniał ich codziennie, że szybko zmniejszają dzielący ich dystans. Wyczytał także z pozostawionych śladów, że Jim Courtney w trakcie marszu polował na słonie.

— Czy to spowalnia jego karawanę? — zapytał Holender.

— Nie, nie, polują daleko przed wozami.

— W takim razie możemy wziąć karawanę przez zaskoczenie, kiedy on odjedzie i nie będzie mógł jej bronić.

— Najpierw musielibyśmy ich dogonić — zauważył Kadem, przewodnik zaś ostrzegł Kootsa, że jeśli zbyt szybko zbliżą się do karawany, Bakkat natychmiast wykryje ich obecność.

— Tak samo jak ja odkryłem, że te brązowe pawiany — wskazał z pogardą na Kadema i jego ludzi — skradają się za nami. Choć

Bakkat nie może się równać w podkradaniu i czarach z Xhią, wielkim myśliwym, nie jest jednakże głupcem. Widziałem odbicia jego stóp i jego znak w miejscach, gdzie zacierał ślady przed wjazdem wozów do obozowiska.

— Skąd wiesz, że to znak Bakkata? — nie dowierzał Koots.

— Bakkat jest moim wrogiem. Odróżnię jego ślady od każdych innych, pozostawionych przez człowieka na tej ziemi — odparł przewodnik, po czym zwrócił uwagę Holendra na dodatkowe okoliczności, których ten nie brał dotąd pod uwagę. Trop pokazywał wyraźnie, że oprócz stad bydła Jim Courtney dołączył do swej karawany także wielu ludzi. Xhia szacował ich liczbę na około pięćdziesięciu. Ludzie Kootsa mogli się natknąć nawet na setkę obrońców. Przewodnik wysilał cały swój geniusz tropiciela, by określić charakter i siłę dodatkowych przeciwników.

— Są wielcy i dumni — stwierdził. — Widzę to po tym, jak się noszą, po wielkości ich stóp i długości kroku. — To wolni ludzie, którzy niosą broń, nie niewolnicy ani jeńcy. Towarzyszą Courtneyowi z własnej woli, doglądając trzody i strzegąc jej. Wygląda na to, że to Nguni, którzy są wielkimi wojownikami.

Doświadczenie nauczyło już Kootsa, że w tych kwestiach lepiej polegać na zdaniu małego Buszmena, który jak dotąd ani razu się w swoich ocenach nie pomylił. Jim Courtney zyskał więc posiłki o takiej liczbie i zdolności do walki, że wraz z jego konnymi towarzyszami stanowili potężną siłę, której Koots nie ośmieliłby się lekceważyć.

— Mają wielokrotną przewagę liczebną — zwrócił się do Kadema. — Czeka nas ciężki bój.

— Zaskoczenie — odparł Arab. — Pomoże nam element zaskoczenia. Możemy wybrać czas i miejsce ataku.

— To prawda — zgodził się Holender. Miał już teraz znacznie lepszą opinię o zdolnościach bojowych swego sprzymierzeńca. — Nie wolno nam zmarnować tej przewagi.

Po jedenastu dniach dotarli nad skraj stromej skarpy. Na południu widzieli pokryte śniegiem górskie szczyty, lecz teren przed nimi opadał stromo w gmatwaninie wzgórz, dolin i lasów. Koots zsiadł z konia i oparł swoją lunetę na ramieniu Xhii. Nagle krzyknął na cały głos, dojrzawszy w błękitnej dali jeszcze błękitniejszą kreskę oceanu.

— Tak! Tak! Miałem rację! Jim Courtney kieruje się do Zatoki Narodzenia Pańskiego, żeby się spotkać ze statkami ojca. Wybrzeże leży jakieś sto mil stąd. — Zanim w pełni wyraził swoje zadowolenie z powodu doprowadzenia pościgu aż tak daleko, uwagę Kootsa przykuło coś jeszcze bardziej fascynującego.

Wśród szerokich przestrzeni stepów i lasów w dole dostrzegł obłoczki bladego pyłu, unoszące się nad rozległym obszarem. Kiedy przyjrzał się im dokładniej, zobaczył pod nimi poruszające się wielkie masy bydła, rozlewające się powoli, niczym ciemne strużki oleju, po dywanie sawanny.

— Matko szatana! — zakrzyknął. — To oni! Mam ich nareszcie! — Z wielkim wysiłkiem pohamował instynkt wojownika, każący mu natychmiast puścić się za wrogiem. Zamiast tego nakazał sobie jeszcze raz przeanalizować wszelkie okoliczności i możliwości, które roztrząsali tak drobiazgowo z Kademem w ciągu ostatnich dni.

— Idą powoli, w tempie pasącego się bydła — oświadczył. — Możemy dać ludziom i koniom odpocząć i przygotować się do ataku. Tymczasem poślę Xhię naprzód; niech się zorientuje co do zamiarów Courtneya, niech określi sposób jego przemieszczania się, charakter tych nowych ludzi i szyk bojowy jeźdźców.

— Moglibyśmy ominąć ich szerokim łukiem i przygotować zasadzkę — powiedział Arab, przytakując skinieniem głowy. — Najlepiej w jakimś wąskim wąwozie albo przy przeprawie przez rzekę. Każ swemu zwiadowcy poszukać takiego miejsca.

— W żadnym razie nie możemy dopuścić, żeby się połączyli ze statkami, które zapewne już na nich czekają w Zatoce Narodzenia Pańskiego — rzekł Koots. — Musimy zaatakować wcześniej albo przyjdzie nam stawić czoło nie tylko muszkietom i włóczniom, lecz także kartaczom z okrętowych dział.

Opuścił lunetę i chwycił Xhię mocno za kark dla podkreślenia powagi swych rozkazów. Przewodnik słuchał uważnie, rozumiejąc co najmniej co drugie słowo z szorstkiej przemowy Holendra.

— Kiedy wrócę, odnajdę was tutaj — potwierdził, gdy kapitan zakończył orację. Następnie, nie oglądając się za siebie, zbiegł w dół po skarpie i zniknął w lesie. Nie musiał się specjalnie przygotowywać do nowego zadania, wszystko bowiem, co miał, nosił zawsze na własnym twardym grzbiecie.

Wyruszył tuż przed południem, a niedługo przed wieczorem zbliżył się do stada na tyle, żeby móc słyszeć jego odległe porykiwanie. Starannie zacierał swoje ślady i nie podchodził już bliżej, bo mimo bufonady i przechwałek czuł wielki respekt wobec umiejętności Bakkata. Krążył po śladach stada, żeby dokładnie określić pozycję wozów. Bydło mocno zdeptało koleiny i zniekształciło trop, więc nawet tak wytrawny przewodnik jak on nie mógł odczytać z niego tyle, ile by chciał.

Znalazł się na wysokości wozów, milę od nich na północ, gdy nagle się zatrzymał. Serce zaczęło mu dudnić w piersi niczym stado galopujących zebr. Przyjrzał się słabym odciskom niedużych stóp w sypkiej ziemi.

— Bakkat — wyszeptał. — Mój wróg. Poznam twój znak wszędzie, wyryty jest bowiem w moim sercu.

Wszystkie rozkazy i zalecenia Kootsa wyparowały mu z głowy i skoncentrował się w pełni na odczytaniu śladów.

— Idzie szybko i zdecydowanie, po prostej linii, nie namyślając się i nie zatrzymując. Nie zachowuje ostrożności. Jeżeli mam go dopaść przez zaskoczenie, to dzisiaj nadszedł ten dzień.

Nie zastanawiając się dłużej, porzucił swój pierwotny zamysł i ruszył śladem Bakkata, którego nienawidził ponad wszystko na tym świecie.

O świcie Bakkat usłyszał miodowoda. Ptaszek fruwał wśród wierzchołków drzew, poćwierkując i wydając charakterystyczny furkot, który mógł oznaczać tylko jedno. Do ust przewodnika nabiegła ślina.

— Witam cię, mój słodki przyjacielu! — zawołał i podbiegł do drzewa, w którego koronie niepozorny szary ptaszek wykonywał swe uwodzicielskie ewolucje. Ruchy miodowoda stały się bardziej raptowne, gdy dostrzegł, że przyciągnął uwagę człowieka. Zeskoczył z gałęzi, na której się popisywał, i przefrunął na następne drzewo.

Bakkat zawahał się, spoglądając na wozy ustawione w czworoboczny obóz obronny na drugim krańcu polany, jakąś milę od niego. Jeśliby pobiegł tam tylko po to, żeby powiedzieć, dokąd się wybiera, ptak mógł się spłoszyć i odlecieć, zanim powróci. Poza tym Somoja mógłby mu zabronić wycieczki. Bakkat oblizał wargi, niemal czując na nich smak słodkiego, lepkiego miodu.

— Szybko wrócę — uspokoił sam siebie, ogarnięty łakomstwem. — Somoja nawet się nie zorientuje, że odszedłem. Pewnie bawią się z Welangą tymi swoimi drewnianymi laleczkami. — Taka była opinia Bakkata na temat rzeźbionych szachów, które tak często pochłaniały uwagę białej pary, każąc jej zapomnieć o otoczeniu. Przewodnik postanowił pobiec za ptakiem.

Miodowód spostrzegł go i zaćwierkał, przeskakując na następne drzewo i na kolejne. Bakkat zaśpiewał, podążając za nim:

— Prowadzisz mnie do słodyczy i kocham cię za to. Jesteś piękniejszy od cukrzyka, mądrzejszy od sowy, potężniejszy od orła. Jesteś panem wszystkich ptaków. — Oczywiście nie było to prawdą, lecz miało pochlebić małemu przewodnikowi.

Bakkat biegł przez las przez całą resztę poranka, a w południe, gdy nastał największy skwar i wszystkie zwierzęta i ptaki zamilkły, zmożone sennością, miodowód przysiadł wreszcie na wierzchołku drzewa i zaśpiewał nową melodię.

Bakkat zrozumiał, co ptak chce mu przekazać: Oto przybyliśmy. Tutaj znajduje się barć ociekająca złocistym miodem. Teraz obaj najemy się do syta.

Tropiciel stanął pod drzewem i zadarł głowę, patrząc do góry. Dostrzegł pszczoły, migające w słońcu jak kłaczki złotego pyłu, gdy wlatywały do szpary w pniu. Zdjął z ramienia łuk i kołczan, toporek i skórzaną sakwę i złożył je u stóp drzewa. Miodowód na pewno zrozumie to jako znak, że człowiek powróci. Żeby jednak uniknąć nieporozumienia, Buszmen przemówił do ptaka:

— Czekaj tu na mnie, mały przyjacielu. Niedługo wrócę. Muszę tylko znaleźć pnącze, którym uśpię pszczoły.

Potrzebną roślinę znalazł nad brzegiem płynącego nieopodal strumienia. Pnącze wspinało się po pniu drzewa, owinięte wokół niego jak smukły wąż. Miało łezkowatego kształtu liście i szkarłatne kwiaty. Bakkat obszedł się z nim delikatnie, ścinając tylko tyle liści, ile potrzebował, by nie uszkodzić cennej rośliny. Zabicie jej byłoby grzechem wobec natury i jego własnego ludu, plemienia Sanów.

Z garścią liści Bakkat pobiegł dalej, aż natrafił na zagajnik chinowców. Wybrał drzewo o odpowiednim obwodzie, naciął korę wokół pnia i zdarł szeroki pas. Zwinął go następnie w rurkę, którą obwiązał paskami łyka, po czym wrócił pod miodowe drzewo. Ptaszek powitał go histerycznym trylem.

Bakkat przykucnął i we wnętrzu rurki rozpalił maleńki ogień. Potem dmuchnął w jeden jej koniec, by wytworzyć ciąg powietrza. Zawartość rozżarzyła się jaskrawo. Wówczas nasypał do środka trochę kwiatów i liści pnącza. Zatliły się, wydzielając gęsty dym. Bakkat wstał, zawiesił toporek ostrzem na ramieniu i zaczął się wspinać na drzewo. Właził do góry z szybkością małpy, a kiedy tuż pod barcią znalazł odpowiednią gałąź, usadowił się na niej. Wciągnął w nozdrza woskową woń i przez chwilę nasłuchiwał głębokiego pomruku roju skrytego wewnątrz pustego pnia. Przyjrzał się wlotowi barci i zaznaczył toporkiem miejsce pierwszego cięcia, a potem przyłożył jeden koniec rurki do otworu i zaczął delikatnie wdmuchiwać do środka obłoczki dymu. Wkrótce brzęczenie roju ucichło i odurzone pszczoły zasnęły.

Odłożył dymiącą rurkę i zebrał się w sobie, balansując bez trudu na cienkim konarze. Zamachnął się toporkiem, a gdy odgłos uderzenia odbił się echem w pustym pniu, kilka pszczół wyfrunęło i zabrzęczało koło jego głowy. Dym przytępił ich wojownicze instynkty i chociaż jedna czy dwie go ukąsiły, Buszmen je zignorował. Szybkimi, mocnymi ciosami toporka wyciął w pniu prostokątny otwór, odsłaniając zwarte rzędy miodowych plastrów.

Następnie zsunął się na ziemię, by odłożyć toporek i powrócić na konar ze skórzanym workiem, zawieszonym na ramieniu. Nasypał nowych liści do rurki i wdmuchał kilka kłębów gęstego, gryzącego dymu do powiększonego wylotu barci. Kiedy rój znowu się uciszył, Bakkat sięgnął do środka. Wyjmował kolejne plastry i wkładał je ostrożnie do worka, a pszczoły pełzały po jego dłoni i ramieniu. Opróżniwszy ul, podziękował pszczołom za zdobycz i przeprosił je za okrutne traktowanie.

— Niedługo dojdziecie do siebie po moim dymie, będziecie mogły naprawić barć i znów napełnić ją miodem. Bakkat pozostanie na zawsze waszym przyjacielem. Zawsze będzie czuł wobec was wdzięczność i szacunek.

Zszedł na dół i zerwał z drzewa płat kory. Posłużył mu on jako taca, na której złożył część łupu, należną ptasiemu przewodnikowi. Wybrał dla swego małego przyjaciela i wspólnika najlepszy plaster, pełen żółtego smakołyku, który miodowód uwielbiał nie mniej niż on sam.

A potem pozbierał swoje rzeczy i zarzucił pękaty worek na ramię. Po raz ostatni podziękował ptaszkowi i pożegnał go. Gdy tylko odszedł kilka kroków, miodowód sfrunął z drzewa na złocisty plaster i zanurzył dzióbek w jego słodkiej zawartości. Bakkat przyglądał mu się przez chwilę z pełnym zrozumienia uśmiechem. Wiedział, że ptak zje wszystko, łącznie z woskowym plastrem, był bowiem jedynym leśnym stworzeniem zdolnym strawić tę część zdobyczy.

Przypomniał też miodowodowi historię chciwego mężczyzny z plemienia Sanów, który opróżnił barć i nie zostawił nic swemu przewodnikowi. Następnym razem ptak zaprowadził go do otworu w drzewie, gdzie spoczywała wielka czarna mamba. Wąż ukąsił oszusta i zabił go.

— Gdy się spotkamy, pamiętaj, jaki byłem uczciwy i dobry dla ciebie. Kiedyś znów cię odnajdę. Niech Kulu Kulu ma cię w swojej opiece. — Po tych słowach Buszmen ruszył w drogę powrotną. Idąc, sięgał do worka, odłamywał kawałki plastrów i przeżuwał je, pomrukując z wielkiego zadowolenia.

Uszedłszy pól mili, przystanął raptownie na brzegu strumienia, u brodu, i przyjrzał się zdumiony odciskom stóp w gliniastej ziemi. Ludzie, którzy tędy niedawno przechodzili, nie starali się zacierać śladów. Byli z plemienia Sanów.

Serce Bakkata podskoczyło niczym przestraszona gazela. Dopiero teraz, ujrzawszy te ślady, zdał sobie sprawę, jak bardzo tęsknił za swoimi. Zbadał dokładnie trop i uznał, że zostawiło go pięć osób — dwóch mężczyzn i trzy kobiety. Jeden mężczyzna był stary, drugi o wiele młodszy. Wywnioskował to z długości kroków i głębokości odcisków. Jedna z kobiet również była staruszką, kuśtykającą na przykurczonych, koślawych stopach. Druga, w kwiecie wieku, prowadziła idącą gęsiego rodzinę, stawiając długie, zdecydowane kroki.

Wzrok Bakkata padł teraz na ostatni z pięciu śladów; Buszmen poczuł, jak serce ściska mu pragnienie i tęsknota. Stopy idącej były drobne i emanowały wdziękiem, niczym malowidła tworzone przez artystów z jego plemienia. Czuł, że ich piękno mogłoby doprowadzić go do łez. Musiał na chwilę usiąść i, wpatrując się w jeden z odcisków, zaczekać, aż ochłonie. W wyobraźni ujrzał dziewczynę, która pozostawiła ten ślad, żeby on mógł go odnaleźć. Instynkt podpowiadał mu, że jest bardzo młoda, lecz już na wydaniu, gibka i pełna wdzięku. Wstał i ruszył dalej jej tropem przez las.

Po drugiej stronie strumienia trafił na miejsce, w którym obaj mężczyźni odłączyli się od kobiet i poszli w las zapolować. Kobiety zaczęły od tego momentu zbierać dziki plon, który rodziła sawanna. Zauważył miejsca, w których zrywały owoce z gałęzi drzew, widział, gdzie wykopywały z ziemi jadalne cebulki i kłącza za pomocą zaostrzonych palików.

Idąc tropem dziewczyny, mógł się zorientować, jak szybko i pewnie pracowała. Nigdy nie kopała na próżno, nie trwoniła sił, i było jasne, że dobrze znała każdą napotykaną roślinę i drzewo. Omijała te trujące i niejadalne, zbierając tylko słodkie i pożywne.

Bakkat aż zachichotał z admiracji.

— A to ci mała spryciula. Mogłaby nakarmić całą rodzinę tym, co sama zebrała po przejściu strumienia. Byłaby z niej świetna żona.

Nagle usłyszał przed sobą w lesie głosy, żeńskie głosy nawołujące się podczas pracy. Jeden był melodyjny i słodki jak trel wilgi, tej złocistej śpiewaczki z najwyższych pięter lasu.

Głos prowadził go ku sobie nieodparcie, jak przedtem ptaszek miodowód. Bakkat podkradał się cicho i niepostrzeżenie coraz bliżej dziewczyny. Pracowała w kępie gęstych krzewów; słyszał już uderzenia jej palika dziobiącego ziemię. W końcu przybliżył się na tyle, że dostrzegł jej ruchy za gęstą koronką gałązek i liści. Nagle dziewczyna wyszła na otwartą przestrzeń, dokładnie naprzeciw niego. Potężny, świeży przypływ emocji natychmiast wymiótł z pamięci Bakkata, niczym śmieci, wszystkie lata życia w samotności.

Była wyjątkowa; drobna i idealnie zbudowana. Jej skóra połyskiwała w świetle południa. Twarz miała jak złocisty kwiat, którego płatkami były jej pełne usta. Uniosła z wdziękiem jedną rękę i otarła kciukiem krople potu, wiszące nad łukiem brwi. Zaiskrzyły w powietrzu, a Bakkat był tak blisko, że jedna spadła na jego zakurzoną goleń. Dziewczyna, nieświadoma jego obecności, zaczęła się oddalać.

— Chcesz pić, Letee? — dobiegł go głos innej z kobiet. — Pójdziemy nad strumień?

Dziewczyna przystanęła i obejrzała się za siebie. Jej ubiór stanowił tylko niewielki skórzany fartuszek na biodrach, ozdobiony porcelankami i paciorkami z muszli ostryg. Wzór, w jaki się układały, mówił, że jest wciąż dziewicą i żaden mężczyzna nie chciał jej jeszcze dla siebie.

— Usta mam suche jak pustynna skała; chodźmy — odpowiedziała ze śmiechem matce. Zęby miała drobne i bardzo białe.

Ta chwila odmieniła całe życie Bakkata. Kiedy dziewczyna szła, jej małe piersi podskakiwały wesoło, a krągłe, nagie pośladki drgały. Nie próbował jej zatrzymać, wiedział bowiem, że teraz już znajdzie ją zawsze i wszędzie.

Gdy zniknęła w gąszczu, podniósł się powoli ze swojej kryjówki, a potem nagle podskoczył wysoko z wielkiej radości i ruszył, żeby sporządzić miłosną strzałę. Nad strumieniem znalazł doskonałą trzcinę i nie szczędził jej swych artystycznych zdolności. Z rożków z barwnikami wybrał czarny, czerwony, żółty i biały i pomalował strzałę w mistyczne wzory. Zaopatrzył ją w lotki z purpurowych piór, a grot zabezpieczył kulką ze skóry gazeli z powbijanymi piórami cukrzyka, żeby przypadkiem nie zranić Letee i nie sprawić jej bólu.

— Jest piękna! — Zachwycił się własnym dziełem, gdy było ukończone. — Lecz nie tak piękna jak Letee.

Wieczorem odnalazł tymczasowe mieszkanie jej rodziny, niewielką grotę w skalistym klifie nad strumieniem. W ciemnościach podkradł się bardzo blisko i leżał, słuchając ich niewymyślnych pogaduszek. Dowiedział się, że dwoje starszych to dziadkowie dziewczyny, a pozostała dwójka to jej matka i ojciec. Starsza siostra Letee niedawno wyszła za mąż i opuściła klan. Pozostali przekomarzali się z młodszą, wypominając jej, że już przed trzema miesiącami ujrzała swoją pierwszą menstruację, a wciąż jeszcze była niezamężną dziewicą. Letee zwiesiła głowę, zawstydzona tym, że nie udało jej się znaleźć mężczyzny.

Bakkat opuścił kryjówkę u wylotu jaskini i wybrał sobie miejsce do spania w dole strumienia. Wrócił jednak tuż przed świtem i gdy kobiety opuściły obozowisko i poszły do lasu, podążył ostrożnie za nimi. Kiedy zaczęły przetrząsać zarośla, kontaktowały się ze sobą okrzykami i gwizdami, wkrótce jednak Letee oddzieliła się od nich. Bakkat podkradał się ku niej z całą zręcznością, na jaką potrafił się zdobyć.

Wykopywała właśnie wielką bulwę dzikiego manioku. Stała na prostych nogach i pochylona nisko, kołysała się w rytm uderzeń kopaczki. Wydatne wargi jej seksu wyzierały spomiędzy ud, a krągły mały tyłeczek celował w niebo.

Bakkat podpełzł bliżej. Podniósł mały ceremonialny łuk i wycelował miłosną strzałę. Dłonie nieco mu drżały, strzelił jednak pewnie. Letee pisnęła zdumiona i podskoczyła wysoko, gdy strzała trafiła ją w pośladek. Odwróciła się szybko, trzymając bolące miejsce obiema rękami; z jej oczu tryskał gniew. Po chwili spostrzegła leżącą u jej stóp strzałę i zaczęła wpatrywać się w milczące zarośla. Bakkat zniknął niczym obłoczek dymu. Dziewczyna roztarła pośladek i pieczenie zelżało. Po chwili zaczęło ją ogarniać uczucie wstydu.

Bakkat pojawił się nagle tak blisko niej, że aż krzyknęła. Przyglądała mu się szeroko otwartymi oczami. Pierś miał szeroką i wydatną. Nogi i ramiona silne. Zorientowała się od razu, po swobodzie, z jaką nosił broń, że jest znakomitym myśliwym i zdoła zapewnić rodzinie dość jedzenia. Na pasie nosił rożki z barwnikami, co znaczyło, że jest artystą i cieszyć się będzie wysoką pozycją i szacunkiem wszystkich Sanów. Letee spuściła skromnie oczy i wyszeptała:

— Jesteś taki wysoki. Widziałam cię z daleka.

— Ja także widziałem cię z daleka — odparł Bakkat — twoja uroda bowiem rozświetla las jak wschodzące słońce.

— Wiedziałam, że przyjdziesz — wyznała dziewczyna — bo twój wizerunek był namalowany w moim sercu od dnia mych narodzin.

Letee podeszła do niego nieśmiało, wzięła go z rękę i poprowadziła do matki. W drugiej ręce niosła strzałę miłości.

— To jest Bakkat — oznajmiła matce, unosząc strzałę do góry. Kobieta krzyknęła przenikliwie, co sprowadziło z kolei babkę, która przybiegła, gdacząc niczym perliczka. Obie starsze kobiety poprowadziły ich do jaskini, śpiewając, tańcząc i klaszcząc w dłonie. Bakkat i Letee podążali za nimi, trzymając się za ręce.

Tropiciel sprezentował dziadkowi Letee worek dzikiego miodu. Żaden inny podarunek nie spotkałby się z większą wdzięcznością. Lud Sanów był wręcz uzależniony od słodkości; poza tym miód stanowił dowód, że Bakkat potrafi zapewnić byt rodzinie. Urządzili więc sobie ucztę, lecz on sam, jako darczyńca, nie zjadł ani kropli. Letee przy każdym łyku oblizywała usta i uśmiechała się do niego. Rozmawiali przy ogniu do późnej nocy. Bakkat opowiedział im o sobie i o totemie swojego szczepu. Wymienił imiona swoich przodków, a dziadek dziewczyny klaskał w dłonie przy tych, których znał, a było ich całkiem sporo. Letee siedziała na uboczu wraz z pozostałymi kobietami, które nie wtrącały się do rozmowy mężczyzn. W końcu dziewczyna wstała, podeszła do Bakkata i wziąwszy go za rękę, poprowadziła w głąb groty, gdzie rozłożyła swoją matę do spania.

Wczesnym rankiem oboje opuścili obóz. Wszystkie rzeczy Letee zostały zawinięte w jej matę do spania, którą bez wysiłku niosła na głowie. Bakkat szedł przodem. Poruszali się truchtem, w tempie, które potrafili utrzymać bez zmęczenia od rana aż do wieczora. Bakkat biegł, śpiewając pieśni myśliwskie swego plemienia, a Letee przyłączała się do niego swym słodkim, dziecinnym jeszcze głosikiem.

Xhia krył się w gąszczu po drugiej stronie strumienia naprzeciwko groty. Obserwował parę, która wyszła właśnie na poranne słońce. Szpiegował Bakkata podczas całego rytuału zalotów i pomimo nienawiści do niego, zaciekawiony był starym obrządkiem małżeństwa. Gdy obserwował, jak mężczyzna i kobieta odgrywają wyznaczone im role, ogarniała go lubieżna ekscytacja. Pragnął być świadkiem finalnego aktu zaślubin, zanim dokona wreszcie zemsty na Bakkacie.

— Bakkat znów zerwał sobie ładny kwiatuszek — mruknął. To, że Letee była kobietą jego wroga, wzmagało tylko pożądanie Xhii. — Ale nie będzie się nią cieszył zbyt długo.

Ogarnęła go radość. Pozwolił parze odejść w spokoju i nie zamierzał zbliżać się do niej za bardzo. Bakkat, choć zaabsorbowany nową towarzyszką, wciąż był groźnym przeciwnikiem. Xhia się nie śpieszył; był myśliwym, a najważniejszą cechą dobrego myśliwego jest cierpliwość. Wiedział, że nadejdzie moment, gdy Bakkat i dziewczyna rozdzielą się, choćby tylko na krótko. To będzie jego szansa.

Około południa Bakkat natrafił na małe stado bawołów. Xhia obserwował, jak zostawia swoją sakwę i ekwipunek pod opieką Letee, a sam podkrada się dalej. Wybrał młodą jałówkę, o mięsie słodkim i delikatnym, nie zaś twardym i łykowatym jak u starszych sztuk. Zwierzę było poza tym mniejsze od innych, toteż trucizna musiała zadziałać o wiele szybciej. Trzymając się zawietrznej, Bakkat podkradł się zręcznie na stanowisko dokładnie za jałówką. Chciał strzelić w miękką skórę jej zadu, otaczającą odbyt, gdyż grubsza skóra mogłaby zatrzymać niezbyt mocną strzałę. Sieć naczyń krwionośnych wokół otworów ciała zwierzęcia szybko transportowała truciznę do serca. Strzał był pewny i jałówka popędziła galopem wraz z całym spłoszonym stadem. Drzewce strzały ułamało się, lecz zaopatrzony w haczyki zatruty grot utkwił głęboko. Zwierzę przebiegło niewielki dystans, a potem trucizna zaczęła działać i musiało zwolnić kroku.

Bakkat z Letee podążali za nim cierpliwie. Słońce zdążyło przesunąć się ledwie o kilka palców po niebie, gdy jałówka przystanęła i położyła się na ziemi. Tropiciel i jego mała kobieta przykućneli nieopodal. W końcu zwierzę stęknęło i przewróciło się na bok. Para odśpiewała pieśń chwały i dziękczynienia dla stworzenia, które zapewniło im pożywienie, po czym podbiegła do ciała, by je oprawić.

Jeszcze przed zapadnięciem zmroku Bakkat i Letee rozłożyli się na noc przy zwłokach jałówki. Nie zważając na to, że mięso zacznie się wkrótce psuć od gorąca, zamierzali pozostać w tym miejscu, dopóki nie skonsumują wszystkiego, strzegąc zdobyczy przed sępami i innymi padlinożercami. Letee rozpaliła ogień, żeby upiec paski wątroby i mięsa z zadu. Kiedy się najedli, Bakkat zaprowadził ją na matę do spania i zaczęli spółkować. Xhia podkradł się bliżej, żeby dokładnie obserwować ostatni akt rytuału zalotów. Na końcu, gdy Bakkat i Letee, wijąc się we wspólnym spazmie, krzyczeli jednym głosem, on zgiął się wpół i zdjęty dreszczem ejakulował jednocześnie z nimi. Potem, nim Bakkat zdążył dojść do siebie, Xhia wycofał się głębiej w zarośla.

— Dokonało się — szepnął — i teraz Bakkat musi umrzeć. Jest odurzony i osłabiony miłością, trudno by było o lepszy czas.

O świcie Xhia czuwał już, gdy Letee wstała z posłania i uklękła przy ognisku, żeby je na nowo rozniecić. Kiedy buchnęły płomienie, dziewczyna podniosła się z kolan i odeszła w krzaki w pobliżu miejsca, w którym się zaczaił. Letee rozejrzała się uważnie, po czym odwiązała swój skórzany fartuszek, odłożyła go na bok i przykucnęła. Xhia podkradł się jak najbliżej i gdy wstała, skoczył na nią od tyłu. Był szybki i bardzo silny. Dziewczyna nie zdążyła nawet krzyknąć, gdyż błyskawicznie zakrył jej usta i nos jej własną przepaską. Przytrzymał ją bez trudu, zakneblował i skrępował linką z łyka, którą uplótł poprzedniego wieczoru. Potem zarzucił ją sobie na ramię i poniósł, nie starając się nawet zacierać śladów. Dziewczyna miała posłużyć jako przynęta. Gdy Bakkat będzie chciał ją uwolnić, wpadnie w pułapkę.

Xhia przepatrzył teren poprzedniego dnia i doskonale wiedział, dokąd zabrać dziewczynę. Wybrał do swoich celów pojedyncze *kopje* niezbyt odległe od obozowiska. Jego strome, skaliste zbocza umożliwiały obserwowanie z góry, czy ktoś się zbliża. Na wierzchołek prowadziła tylko jedna ścieżka, którą łucznik siedzący na szczycie mógł ostrzeliwać na całej długości.

Letee była drobna i lekka, więc Xhia dźwigał ją bez trudu. Początkowo wierzgała i wykręcała się. Ostrzegł ją ze śmiechem:

— Za każdym razem gdy to zrobisz, zostaniesz ukarana. — Nie przejęła się jednak ostrzeżeniem i kopała go wściekle obiema nogami, wijąc się i wydając zduszone kneblem jęki.

— Xhia kazał ci być cicho — powiedział i uszczypnął ją mocno w sutek paznokciami. Były ostre jak szpic noża i z rany pociekła krew. Dziewczyna próbowała krzyczeć, wykrzywiając się z wysiłku. Szarpała się i walczyła z całych sił, usiłując uderzyć go głową w twarz. Chwycił jej drugi sutek i ścisnął tak mocno, że paznokcie niemal się spotkały w miękkiej tkance. Letee zamarła w udręce i Xhia zaczął się wspinać stromą ścieżką na szczyt wzgórza. Tuż pod szczytem znajdowała się rozpadlina w skałach. Położył w niej dziewczynę. Poprawiwszy zawiązane w pośpiechu węzły na przegubach i kostkach nóg, wyciągnął z ust Letee skórzany knebel. Natychmiast zaczęła wrzeszczeć co sił w płucach.

— Dobrze! — roześmiał się. — Rób tak dalej. To sprowadzi do mnie Bakkata, tak jak kwiki rannej gazeli sprowadzają lamparta.

Letee syknęła i splunęła na niego.

— Mój mąż jest wielkim myśliwym. Zabije cię za to!

— Twój mąż to tchórz i pyszałek. Nim zajdzie słońce, uczynię cię wdową. Dziś będziesz dzielić matę do spania ze mną, a jutro znów zostaniesz żoną. — Wykonał kilka posuwistych tanecznych kroków i uniósł przepaskę, by jej pokazać, że już nabrzmiewa.

Potem wyciągnął ukryty w skałach toporek, łuk i kołczan. Sprawdził cięciwę, naciągając ją do maksimum. Odrzucił skórzany kaptur kołczanu i wyciągnął strzały. Miały kruche drzewce z lotkami z orlich piór. Każdy grot został starannie zabezpieczony kawałkiem skóry, zawiązanym mocno łykiem. Xhia przeciął wiązania i zdjął zabezpieczenie. Zrobione z kości groty były ostre jak igły i zaopatrzone w haczyki. Ich czubki poczerniały od trucizny, sporządzonej z soków larw pewnego żuka; gotowano je tak długo, aż stawały się gęste i lepkie jak miód. Nawet lekkie skaleczenie taką strzałą mogło spowodować śmierć w męczarniach, dlatego Xhia osłonił groty na wypadek, gdyby się sam zadrapał.

Letee znała tę śmiercionośną broń. Widywała, jak jej ojciec i dziadek zabijali zatrutymi strzałami największą zwierzynę. Od dzieciństwa wpajano jej, żeby nie dotykała nawet kołczana. Xhia uniósł jedną ze strzał ku jej twarzy. Wpatrywała się w nią ze zgrozą.

— Tę wybrałem dla twojego Bakkata — powiedział i dźgnął grotem w jej stronę, zatrzymując zabójczy czubek tuż przed policzkiem dziewczyny. Odsunęła się przerażona pod skalną ścianę i znów krzyknęła ze wszystkich sił:

— Bakkat, mój mężu! Niebezpieczeństwo! Wróg czyha na ciebie!

Xhia wstał z łukiem przewieszonym przez muskularne ramię i otwartym kołczanem, gotowy do strzału.

— Jestem Xhia — oznajmił. — Wykrzycz mu moje imię, żeby wiedział, kto na niego czeka.

— To Xhia! — wrzasnęła Letee, a skały odpowiedziały jej echem: — Xhia! Xhia!

Xhia! — Bakkat usłyszał imię, co potwierdziło tylko, że dobrze odczytał zauważone wcześniej znaki. Dźwięk głosu Letee przeszył jego serce radością i trwogą: ucieszyło go, że dziewczyna żyje, i jednocześnie przeraziło, że wpadła w sidła tak strasznego wroga. Przyjrzał się *kopje*, z którego dobiegały jej krzyki. Dostrzegł jedyną drogę prowadzącą na szczyt, i z trudem opanował impuls, by natychmiast nią pobiec. Zacisnął prawą dłoń, wbijając w skórę paznokcie aż do bólu, żeby się uspokoić, i przyjrzał się dokładniej nagim skalnym ścianom.

— Xhia dobrze wybrał teren — powiedział na głos. Ponownie przestudiował ścieżkę na wierzchołek i zorientował się, że to śmiertelna pułapka. Xhia, siedząc na górze, mógłby go ostrzeliwać przez całą drogę.

Bakkat okrążył *kopje* i na przeciwległym zboczu wypatrzył inną trasę. Była trudna i miejscami tak stroma, że mogła się okazać niemal nie do przebycia. Jedno pośliźnięcie i mógł się roztrzaskać o skały w dole. Jednakże drogę zasłaniał przed patrzącym z góry skalny nawis, sterczący pod samym wierzchołkiem. Tylko ostatni odcinek był odsłonięty dla oczu łucznika usadowionego na szczycie.

Bakkat pobiegł z powrotem do obozu. Łuk i kołczan odłożył, uznał bowiem, że na wierzchołku odległość będzie zbyt mała do strzału i prędzej nastąpi bezpośrednie starcie z Xhią. Wziął tylko nóż i toporek, odpowiedniejsze do takiej walki. Następnie rozciągnął na ziemi mokrą skórę bawołu i uformował z niej pelerynę, dającą osłonę głowie i ramionom. Nasączona krwią, niewyprawiona skóra zaczęła już cuchnąć, mogła go jednak osłonić przez cienkimi trzcinowymi strzałami. Bakkat zwinął ciężką skórę i przytroczył ją sobie do pleców. Potem ruszył w stronę wzgórza. Podkradł się ostrożnie przez zarośla do skalnej ściany pod nawisem, niemal pewien, że Xhia nie mógł go zobaczyć. Z takim przeciwnikiem jednak nigdy nie miało się całkowitej pewności.

Odpoczywał krótko, zbierając siły do wspinaczki, lecz zanim zdążył ją rozpocząć, dobiegł go znowu z góry krzyk Letee. Po chwili usłyszał głos Xhii.

— Patrz na mnie, Bakkat! Zobacz, co robię z twoją kobietą. Och tak! Teraz! Moje palce są głęboko w niej. Jest ciasna i mokra!

Bakkat usiłował nie zwracać uwagi na drwiny swego wroga, lecz nie potrafił tego zrobić.

— Posłuchaj swojej kobiety, Bakkat! To tylko moje palce, za chwilę poczuje coś o wiele większego. Wtedy dopiero zacznie piszczeć!

Letee szlochała i krzyczała przeraźliwie, a Xhia chichotał. Skalne ściany odbijały echem zwielokrotnione okropne dźwięki. Bakkat powstrzymywał się siłą, żeby zachować ciszę. Wiedział, że Xhia chce go tak rozwścieczyć, żeby zdradził okrzykiem swoją pozycję. Nie był bowiem pewien, którą drogą przeciwnik spróbuje dostać się na szczyt.

Bakkat stanął pod czerwoną skałą i zaczął się wspinać. Początkowo poruszał się szybko i zwinnie jak gekon. Kiedy dotarł do przewieszki, musiał zawisnąć plecami do ziemi, szukając uchwytów dla dłoni i stóp i podciągając się tylko na rękach. Toporek i zwój mokrej skóry ograniczały jego ruchy i przemieszczał się coraz wolniej. Pod nim ziała przepaść.

Sięgnął do kolejnego uchwytu, lecz gdy się na nim uwiesił, skała się odkruszyła. Z nawisu oderwała się kamienna bryła dwukrotnie większa od człowieka, przeleciała tuż obok jego głowy i grzmotnęła o zbocze poniżej. Huk poniósł się echem po dolinie, a głaz poleciał dalej, sypiąc pyłem i odłamkami przy każdym uderzeniu o skały.

Przez kilka strasznych sekund Bakkat wisiał na jednej ręce, desperacko macając drugą. W końcu znalazł uchwyt i zawisł na chwilę nieruchomo, usiłując dojść do siebie.

Xhia już przestał mu urągać. Wiedział teraz doskonale, gdzie znajduje się przeciwnik, i czekał na niego na wierzchołku, trzymając w pogotowiu łuk z zatrutą strzałą. Bakkat nie miał wyboru. Oderwany kawał skały zmienił kształt nawisu i pozbawił go osłony. Mógł tylko posuwać się w górę, gdzie czyhał na niego wróg.

Powoli zaczął pokonywać ostatni odcinek drogi do zewnętrznej krawędzi nawisu. Za kilka chwil miał ujrzeć wierzchołek i stać się samemu widocznym dla wroga. I nagle z uczuciem ulgi zobaczył tuż pod krawędzią niewielką półkę skalną. Była bardzo wąska, lecz zdołał się na nią wcisnąć. Przycupnął tam skulony i czekał, zdawałoby się przez całą wieczność, aż do odrętwiałych, drżących kończyn powrócą siły. Ostrożnie ściągnął z pleców bawolą skórę i okrył nią głowę i ramiona. Upewnił się, że toporek i nóż wiszą u pasa, a potem wstał i przywarł płasko do skalnej ściany. Stał na palcach, a pięty wystawały mu już poza półkę. Sięgnął rękami do brzegu nawisu i udało mu się po omacku znaleźć szczelinę, która dawała pewny chwyt dla obu dłoni. Podciągnął się i odbił od półki. Przez długą, straszną sekundę jego stopy ślizgały się po skale, nie znajdując oparcia. Udało mu się jednak przerzucić jedną rękę przez krawędź.

Gdy tylko zdołał sięgnąć wzrokiem ponad nawis, spojrzał w stronę niedalekiego wierzchołka. Xhia przyglądał mu się z uśmiechem, zmrużywszy oczy ponad wycelowaną strzałą. Łuk był już naciągnięty do końca, zatruty grot celował w twarz Bakkata. Był tak blisko, że Bakkat mógł policzyć haczyki, ostre niczym zęby drapieżnej ryby tygrysiej. Pomiędzy nimi widać było zaschnięte grudki brązowej jak łajno trucizny.

Xhia wypuścił strzałę. Nadleciała z furkotem jak pikująca jaskółka i Bakkat nie mógł się przed nią uchylić. Wydawało się, że grot znajdzie lukę w skórzanej osłonie i ugodzi go w krtań, a jednak w ostatniej chwili strzała zboczyła z toru i trafiła w ramię. Poczuł szarpnięcie, gdy grot utkwił w grubej fałdzie bawolej skóry. Drzewce ułamało się i odpadło, lecz sam grot pozostał w skórzanej osłonie. Widmo strasznej śmierci przejęło Bakkata zgrozą. Rzutem ciała przebył kilka ostatnich stóp i znalazł się na skraju urwiska. Xhia już założył nową strzałę i składał się do jej wypuszczenia ledwie kilka kroków przed nim.

Bakkat rzucił się naprzód, a Xhia wypuścił strzałę. I ta również utkwiła w grubych fałdach bawolej skóry, i chociaż grot wbił się mocno, drzewce także się odłamało. Xhia sięgnął do kołczanu po następną, lecz Bakkat rzucił się na niego i pchnął go do tyłu. Xhia porzucił łuk i uwięził w uścisku jego ramiona, nim zdążył wyciągnąć nóż zza pasa. Walczyli w zwarciu, obracając się w ciasnym kręgu i usiłując podciąć sobie nawzajem nogi.

Letee leżała tam, gdzie rzucił ją Xhia, gdy usłyszał huk spadającego głazu, który zdradził pozycję Bakkata. Przeguby i kostki wciąż miała skrępowane i krwawiła z ran, które zadał jej oprawca swoimi palcami w najdelikatniejszych miejscach ciała. Patrzyła na walczących bezradnie, nie mogąc pomóc swemu mężowi. Nagle jej wzrok padł na toporek, który Xhia położył nieopodal. Przetoczyła się dwukrotnie po ziemi i już była przy nim. Palcami bosych stóp przekręciła toporek tak, że ostrze skierowane było do góry. Potem, ściskając go mocno stopami, przyłożyła do ostrza więzy krępujące jej ręce i zaczęła trzeć nimi z całych sił.

Co kilka sekund zerkała na walczących. Xhia zdołał zahaczyć stopę o nogę Bakkata i przewrócić go na plecy. Runęli obaj na ziemię, lecz Bakkat znalazł się pod gibkim, muskularnym ciałem przeciwnika. Nie mógł go z siebie zrzucić, a Letee ujrzała, że Xhia sięga do pasa po nóż. W tej samej chwili jednak, zupełnie niespodziewanie, krzyknął przeraźliwie i poluźnił chwyt. Odsunął się od Bakkata i spojrzał na swoją pierś.

Ten ostatni dopiero po chwili zorientował się, o co chodzi. Ułamany grot, tkwiący w skórzanej osłonie, dostał się między nich podczas walki i przeciwnik nadział się na zatrute ostrze całym swoim ciężarem.

Xhia zerwał się na równe nogi i usiłował obiema rękami wyrwać śmiercionośny grot, lecz haczyki trzymały mocno. Przy każdym szarpnięciu po piersi rannego spływały strużki jasnej krwi.

— Jesteś już martwy, Xhia — wychrypiał Bakkat, dźwigając się na kolana.

Z ust jego przeciwnika znów dobył się krzyk, nie przerażenia, lecz wściekłości.

— Zabiorę cię ze sobą do krainy cieni! — zawołał i wyrwawszy zza pasa nóż, rzucił się na klęczącego wciąż Bakkata. Ten chciał się uchylić, lecz nogi zaplątały mu się w fałdach ciężkiej skóry i padł na wznak.

— Umrzesz razem ze mną! — wrzasnął Xhia, kierując cios w pierś leżącego. Bakkat przetoczył się w bok i ostrze drasnęło go w ramię. Xhia zamachnął się do kolejnego ciosu, lecz nagle za jego plecami stanęła Letee. Nogi wciąż miała związane, ale udało jej się uwolnić ręce, w których trzymała toporek. Przyskoczyła krok bliżej i wzięła zamach znad głowy. Ostrze ześlizgnęło się po czaszce Xhii, ścinając płat skalpu i jedno ucho, a potem wbiło w bark ręki trzymającej nóż. Nóż wypadł ze sparaliżowanych palców, a ramię napastnika zwisło bezużytecznie u jego boku. Obrócił się do dziewczyny, przyciskając sprawną dłoń do głowy. Spomiędzy jego palców tryskały fontanny krwi.

— Uciekaj! — wrzasnął Bakkat, podnosząc się z ziemi. — Uciekaj, Letee!

Dziewczyna jednak go nie słuchała. Niepomna na związane nogi rzuciła się na Xhię. Nieustraszona niczym borsuk, zamachnęła się toporkiem w jego twarz. Xhia zatoczył się do tyłu i uniósł obronnym gestem zdrową rękę. Ostrze uderzyło w przedramię tuż pod łokciem i rozległ się trzask łamanej kości.

Xhia zachwiał się, patrząc na swe okaleczone i bezwładne ręce. Letee nachyliła się szybko i przecięła więzy na nogach. Zanim Bakkat zdołał jej przeszkodzić, znowu ruszyła do ataku. Niczym wcielenie furii, drobna, naga i rozjuszona, natarła na stojącego chwiejnie wroga. Xhia próbował się uchylić, stracił równowagę i runął na ziemię. Nie mogąc się niczego chwycić, potoczył się do skraju urwiska, zostawiając na skale krwawe plamy. Po chwili zsunął się bezwładnie za krawędź nawisu i zniknął im z oczu. Usłyszeli przeraźliwy, słabnący krzyk, a potem ciężkie plaśnięcie ciała o ziemię, i w końcu zapadła cisza.

Bakkat podbiegł do Letee. Dziewczyna puściła toporek i rzuciła się w jego objęcia. Stali przytuleni przez długie minuty, aż Letee przestała drżeć i uspokoiła się.

— Zejdziemy na dół, kobieto? — zapytał Bakkat, a ona z zapałem pokiwała głową.

Poprowadził ją do ścieżki i zeszli do podnóża góry. Przystanęli na chwilę przy zwłokach Xhii. Leżał na plecach, jego szeroko otwarte oczy wpatrywały się w przestrzeń. Z piersi wciąż sterczał mu grot własnej strzały, a na wpół odrąbane ramię wykręcone było za plecami pod nieprawdopodobnym kątem.

— Jest z Sanów, tak jak my — powiedziała Letee. — Dlaczego chciał nas zabić?

— Kiedyś opowiem ci tę historię — odrzekł Bakkat — teraz jednak zostawmy go hienom; one były jego totemem.

Odwrócili się i nie oglądając się za siebie już ani razu, ruszyli szybkim truchtem, wspomagani przez wiatr.

Bakkat prowadził swoją nową kobietę tam, gdzie czekali na niego Somoja i Welanga.

Jim Courtney budził się powoli w półmroku, tuż przed wschodem słońca. Przeciągnął się lubieżnie na posłaniu i instynktownie sięgnął ku Louisie. Spała jeszcze, lecz przekręciła się na bok i zarzuciła rękę na jego pierś. Wymamrotała coś, być może słowa czułości lub protestu, że się ją budzi.

Jim uśmiechnął się do siebie, przytulił ją mocniej i nagle otworzył szeroko oczy i usiadł na posłaniu.

— Gdzieżeś ty się podziewał tak długo, na Boga!? — ryknął.

Louisa, wyrwana ze snu, usiadła obok niego i oboje wpatrywali się w dwie małe sylwetki, przycupnięte w nogach łóżka jak dwa wróble na płocie.

Bakkat parsknął wesołym śmiechem. Dobrze było znaleźć się znów wśród swoich i słyszeć, jak Somoja go beszta.

— Widziałem ciebie i Welangę z daleka — wypowiedział słowa powitania.

— Myślałem, że lwy cię pożarły. — Twarz Jima złagodniała. — Pojechałem nawet za tobą, ale zgubiłem trop w górach.

— A więc niczego cię nie nauczyłem o czytaniu śladów — pokręcił smutno głową przewodnik.

Jim i Louisa zwrócili teraz uwagę na jego towarzyszkę.

— Kto to jest? — zapytał Jim.

— To Letee, jest moją kobietą — wyjaśnił Bakkat.

Dziewczyna usłyszała swoje imię i na jej twarzy wykwitł promienny uśmiech.

— Jest piękna i bardzo wysoka — powiedziała Louisa. Od czasu opuszczenia kolonii nauczyła się płynnie mówić żargonem i znała wszystkie odmiany grzecznościowych zwrotów Sanów.

— Nie, Welango — sprzeciwił się Bakkat. — Naprawdę jest bardzo mała. Będzie lepiej dla mnie, żebyś nie przekonywała jej, że jest wysoka. Dokąd by nas zaprowadziło takie myślenie?

— Ale czyż nie jest przynajmniej piękna? — nie ustępowała Louisa.

Bakkat popatrzył na swoją kobietę i pokiwał poważnie głową.

— To prawda, jest piękna jak rajski ptak. Przeraża mnie myśl o chwili, gdy po raz pierwszy ujrzy swoje odbicie w lustrze i sama to zobaczy. Tego dnia zaczną się moje utrapienia.

Letee zaświergotała coś słodkim głosikiem.

— Co ona mówi? — spytała Louisa.

— Że nigdy nie widziała takiej skóry ani włosów jak twoje — odparł Bakkat. — Pyta, czy jesteś duchem. Ale dość tego babskiego gadania. — Zwrócił się do Jima. — Somoja, zdarzyło się coś dziwnego i strasznego.

— Co takiego? — Twarz Jima sposępniała.

— Nasi wrogowie tu są. Odnaleźli nas.

— Mów — rozkazał Jim. — Mamy wielu wrogów. Kogo masz na myśli?

— Xhię — odparł przewodnik. — Skradał się za mną i Letee. Chciał nas zabić.

— Xhia! — Jim zmarszczył brwi. — Pies myśliwski Keysera i Kootsa. Czy to możliwe? Odkąd go ostatnio widzieliśmy, przebyliśmy trzy tysiące mil. Czy mógł nas śledzić przez taki kawał drogi?

— Tak, śledził nas i jest pewne, że prowadził naszym tropem Keysera i Kootsa.

— Czy tych dwóch Holendrów także widziałeś?

— Nie widziałem, Somoja, ale nie mogą być daleko. Xhia nie zapuściłby się za nami aż tutaj, gdyby był sam.

— Gdzie jest teraz?

— Nie żyje. Zabiłem go.

Jim zamrugał zdumiony.

— W takim razie nie odpowie już na żadne ich pytania. Zabierz teraz swoją piękną małą kobietę i wyjdźcie stąd. Ja i Welanga chcemy się ubrać bez waszych spojrzeń. Porozmawiamy znowu, gdy tylko wciągnę na siebie spodnie.

Kiedy po kilku minutach Jim zeskoczył z wozu, Bakkat czekał na niego przy ognisku. Odeszli w las, żeby nikt nie mógł ich podsłuchać.

— Opowiedz mi dokładnie, co się wydarzyło — zażądał Jim. — Gdzie i kiedy Xhia napadł na ciebie? — Wysłuchał w napięciu relacji tropiciela, a gdy dobiegła końca, poczuł ogarniający go niepokój. — Jeśli to ludzie Keysera nas ścigają, musisz ich odnaleźć — powiedział Bakkatowi. — Czy potrafisz odtworzyć szlak, który pokonał Xhia?

— Już to wiem — odparł Buszmen. — Wczoraj, gdy wracaliśmy z Letee do obozu, natrafiłem na stary trop Xhii. Podążał za mną od wielu dni, od chwili kiedy się odłączyłem, żeby pójść za miodowodem do barci.

— A przedtem? — chciał wiedzieć Jim. — Skąd przyszedł, zanim zaczął cię tropić?

— Stamtąd. — Bakkat pokazał na wzniesienie majaczące teraz jako zamglony ciemniejszy pas na niebie. — Przyszedł po śladach naszych wozów, tak jakby skradał się za nami przez całą drogę aż od rzeki Gariep.

— Wróć tam — rozkazał mu Jim. — Dowiedz się, czy byli z nim Keyser i Koots. Jeżeli tak, to chcę wiedzieć, gdzie są teraz.

To już osiem dni, odkąd Xhia odszedł — stwierdził z goryczą kapitan Herminius Koots. — Zaczynam wierzyć, że zdecydował się na ucieczkę.

— Po co miałby to robić? — zapytał rozsądnie sierżant Oudeman. — Teraz, kiedy sukces jest tak blisko, po tylu miesiącach mordęgi? Kiedy nagrodę, którą mu pan obiecał, ma już prawie w zasięgu ręki? — W oczach sierżanta pojawił się wyraz przebiegłości. Nadszedł czas, by znów przypomnieć Kootsowi o jego zobowiązaniu. — Chyba każdy z nas zasłużył na swój udział w łupach — dodał. — Xhia z pewnością nie chciałby zrezygnować ze swojej części.

Koots zmarszczył brwi. Niechętnie podejmował rozmowę na temat łupów. Podczas wielomiesięcznego marszu zastanawiał się wielokrotnie, jakich użyć wybiegów, żeby wykręcić się od dotrzymania swych obietnic w tym względzie.

— Nie możemy już dłużej czekać — zwrócił się do Kadema. — Jeżeli nie chcemy, żeby Courtney odszedł za daleko, musimy go ścigać bez pomocy Xhii. Zgadzasz się ze mną? — Od swego pierwszego spotkania obaj mężczyźni zręcznie udawali sprzymierzeńców, było to bowiem korzystne dla obu. Koots wciąż pamiętał o obietnicy Kadema, że otworzy mu drogę do wysokiego stanowiska w służbie kalifa Omanu, do władzy i bogactwa.

Kadem zaś wiedział, że alians z Holendrem to jego jedyna szansa na ponowne odnalezienie Doriana Courtneya.

— Masz rację, kapitanie — odparł. — Nie potrzebujemy już tego małego barbarzyńcy. Wiemy, gdzie jest wróg, jedźmy więc naprzód i zaatakujmy go.

— A zatem jesteśmy zgodni — orzekł Koots. — Ruszajmy. Musimy wyprzedzić Jima Courtneya i urządzić zasadzkę w takim miejscu, które zapewni nam przewagę.

Zorientowanie się w poruszeniach karawany nie sprawiało Kootsowi trudności. Nie musiał zbliżać się do niej zanadto i ryzykować, że zostanie odkryty, gdyż pył wzbijany przez stada bydła widoczny był na wiele mil wokół. Doszedłszy do przekonania, że Xhia rzeczywiście nie jest już mu niezbędny, kapitan sprowadził oddział ze skarpy w dolinę, a potem wykonał szerokie, ostrożne okrążenie ku południowi, aby znaleźć się dziesięć mil przed ściganymi. Teraz oddział zawracał, by zacząć się na karawanę w dogodnym miejscu. Dzięki temu nie pozostawili śladów, które przewodnik Courtneya mógłby odkryć, zanim zdążą urządzić zasadzkę.

Ukształtowanie terenu sprzyjało zamiarom Holendra. Było jasne, że Jim Courtney zmierza w kierunku oceanu doliną rzeki. Dzięki temu jego stada miały zapewnioną paszę i dostęp do wody. Jednakże w jednym miejscu rzeka przepływała przez wąski wąwóz między dwoma pasmami skalistych wzgórz. Koots z Kademem wspięli się na jeden ze szczytów i przyjrzeli dokładnie temu miejscu.

— Będą musieli przeciskać się tędy z wozami — stwierdził z zadowoleniem Koots. — Jedyne inne przejście przez góry znajduje się cztery dni drogi stąd.

— Przejście przez wąwóz zajmie im kilka dni — zgodził się Kadem. — To znaczy, że będą musieli rozłożyć obóz na tej ciasnej przestrzeni przynajmniej na jeden nocleg. To umożliwi nam atak nocą, przez zaskoczenie. Wojownicy Nguni nie walczą po zmroku. Będziemy niczym lis w kurniku, przed świtem wszystko się skończy.

Zaczekali na wzniesieniu, aż długi, powolny szereg wozów wtoczył się do gardzieli wąwozu i dalej brzegiem rzeki ku jego zwężeniu. Koots poznał Jima Courtneya i jego kobietę, jadących na czele karawany. Na jego twarzy wykwitł okrutny uśmiech. Patrzył, jak rozkładają obozowisko, i z ulgą stwierdził, że nie uformowali wozów w stanowisko obronne, lecz ustawili je luźno między drzewami, jeden od drugiego w sporej odległości. Za wozami wlały się do wąwozu stada. Kiedy zwierzęta napoiły się do syta nad rzeką, pasterze Nguni zabrali się do rozładowywania kości słoniowej z ich grzbietów.

Koots miał okazję po raz pierwszy oszacować wielkość łupu, jaki mógł się stać jego udziałem. Próbował liczyć sztuki bydła, lecz kurz i zamieszanie nie pozwoliły mu na to. Przypominało to próbę liczenia pojedynczych sardynek w ławicy. Skierował więc lunetę na stosy ciosów, złożone na brzegu. Był to skarb, jakiego dotąd nawet nie śmiał sobie wyobrazić.

Stado powoli układało się na nocny spoczynek, pilnowane przez swych opiekunów. Kiedy słońce zaczęło się chować za horyzontem i przygasać, Koots z Kademem opuścili punkt obserwacyjny na wzniesieniu i wrócili do miejsca, gdzie czekał z końmi sierżant Oudeman.

— Jest dobrze, Oudeman — powiedział Koots, wskakując na siodło. — Są w doskonałej pozycji, która ułatwi nam atak. Wróćmy teraz do pozostałych.

Przekroczyli następne pasmo wzgórz i ścieżką wydeptaną przez zwierzynę zjechali do nadrzecznej doliny.

Bakkat przyglądał się, jak odjeżdżają. Potem zaczekał, aż słońce zacznie zachodzić i dopiero wówczas opuścił swoją kryjówkę na jeszcze wyższym wzgórzu ponad wąwozem. Wolał nie ryzykować, że Koots powróci. W zapadającym zmierzchu zbiegł szybko i cicho stromą ścieżką do wąwozu, by złożyć sprawozdanie Jimowi.

Jim słuchał, dopóki Buszmen nie skończył.

— Wszystko jasne — rzekł z satysfakcją. — Koots zaatakuje dziś w nocy. Zobaczył bydło i kość słoniową i nie będzie już mógł opanować swej zachłanności. Obserwuj w dalszym ciągu jego ludzi, Bakkat. Chcę znać ich każdy ruch. Będę nasłuchiwał twoich sygnałów.

Gdy tylko ciemności skryły ich przed wzrokiem ewentualnych obserwatorów, Jim przestawił wozy, formując z nich ciasny obóz obronny w wąskiej dolince wcinającej się między skalne ściany. Powiązane ze sobą, tworzyły doskonałe stanowisko do obrony. Wszystkie luzaki zapędzili do wnętrza obwarowań, a swoje wierzchowce zostawili na zewnątrz wozów, osiodłane, z muszkietami i kordami w pochwach, gotowe do natychmiastowego wypadu.

Potem Jim poszedł porozmawiać z Ikunzi, głównym pasterzem, i jego ludźmi. Wytłumaczył Nguni dokładnie, o co mu chodzi. Niektórzy mruczeli słowa protestu, gdyż troszczyli się o te zwierzęta niemal jak o własne dzieci, dbając, żeby niczego im nie brakowało; Jim jednak ofuknął ich ostro i protesty ucichły.

Stado wyczuwało nastrój swych opiekunów i zachowywało się niespokojnie. Gdy jednak Ikunzi przeszedł się pomiędzy zwierzętami, grając im kołysankę na trzcinowym flecie, większość się uspokoiła i zaczęła układać do snu. Trzymały się blisko siebie, upatrując bezpieczeństwa w bliskości stada.

Jim wrócił do wozów. Upewnił się, że wszyscy jego ludzie zjedli kolację i czekają w gotowości do wyjazdu, obuci i uzbrojeni. Potem wziął ze sobą Louisę i wspięli się na skałę ponad obozem. Z tego miejsca mogli wyraźnie usłyszeć sygnał Bakkata. Siedzieli przytuleni, chroniąc się przed nocnym chłodem pod wełnianą opończą i rozmawiając cicho.

— Nie przyjdą przed wschodem księżyca — przewidywał Jim.

— Kiedy to będzie? — spytała Louisa. Sprawdzili to przedtem wspólnie w almanachu, lecz chciała po prostu słuchać jego głosu.

— Kilka minut przed dziesiątą. Do pełni zostało siedem dni, światła będzie w sam raz.

Wreszcie wschodni horyzont rozjaśnił się księżycowym blaskiem. Jim wyprostował się i odrzucił opończę. Od wzgórz po drugiej stronie wąwozu dobiegło go dwukrotnie pohukiwanie puchacza. Puchacze nigdy nie odzywają się dwa razy pod rząd.

— To Bakkat — rzekł cicho. — Nadchodzą.

— Po której stronie rzeki? — zapytała dziewczyna.

— Skierują się tam, gdzie ostatnio widzieli wozy, na naszym brzegu — odparł. Puchacz krzyknął ponownie, tym razem o wiele bliżej.

— Koots jedzie szybko. — Jim ruszył ścieżką w dół do obozu. — Czas dosiąść koni.

Ludzie czekali przy koniach, ledwie widoczni w mroku. Jim porozmawiał z nimi krótko, wydając każdemu z osobna stosowne rozkazy. Niektórzy z chłopców dorośli już na tyle, by móc jeździć konno i posługiwać się muszkietem. Najmłodsi, pod wodzą Izeze, „Pchełki", będą musieli przyprowadzić juczne konie z prochem, amunicją i bukłakami z wodą, gdyby walka się przedłużała. Tegwane wraz z dwudziestką wojowników Nguni miał zostać na straży przy wozach.

Jego wnuczka Intepe stała obok Zamy, pomagając mu umocować ekwipunek na grzbiecie konia. Ostatnimi czasy oboje byli ze sobą bardzo blisko. Jim podszedł do Zamy i zwrócił się doń cichym głosem:

— Będziesz moją prawą ręką. Jeden z nas musi przez cały czas jechać obok Welangi. Nie oddalaj się od niej ani chwilę.

— Welanga powinna zostać w obozie z resztą kobiet — odparł Murzyn.

— Masz rację, stary druhu — uśmiechnął się Jim. — Powinna zrobić to, co jej poleciłem, ale nie potrafiłem znaleźć odpowiednich słów, żeby ją o tym przekonać.

Puchacz znów się odezwał, tym razem trzykrotnie.

— Są już blisko. — Jim spojrzał na niepełny księżyc, wiszący nad górami.

— Na koń! — rozkazał. Wszyscy dobrze znali swoje zadania i w milczeniu wskakiwali na grzbiety wierzchowców. Jim z Louisą, jadąc na Werblu i Śmigłej, poprowadzili oddział do miejsca, gdzie czekał przy stadach Ikunzi ze swymi wojownikami.

— Jesteś gotowy? — zapytał Jim, podjeżdżając. Ikunzi przewiesił sobie tarczę przez ramię, jego *assegai* połyskiwało w świetle księżyca. Za nim stali w ciasnym szyku Nguni.

— Urządzę dzisiaj waszym wygłodniałym ostrzom prawdziwą ucztę — zwrócił się do nich Jim. — Niech się najedzą i napiją do syta. Wiecie, co do was należy. Ruszajmy.

Wojownicy uformowali się w dwuszereg sprawnie i cicho, w równym i zdyscyplinowanym szyku rozciągniętym przez całą szerokość wąwozu, od brzegu rzeki po skalną ścianę. Jeźdźcy ustawili się za nimi.

— Jesteśmy gotowi, wielki panie! — zakrzyknął śpiewnie Ikunzi. Jim wyrwał pistolet z olstra przy siodle i strzelił w powietrze. Cicha dotąd noc wybuchła zgiełkiem i hałasem. Nguni zaczęli bić w tarcze ostrzami swych oszczepów i wznosić bojowe okrzyki. Jeźdźcy strzelali z muszkietów i wyli niczym nocne widma. Wszyscy ruszyli hurmem ku stadom, a rozbudzone bydło zaczęło się podnosić z ziemi. Byki, reagujące na każdą zmianę nastroju i postawy swych pasterzy, ryczały na trwogę. Cielne samice muczały płaczliwie. Kiedy szeregi wrzeszczących i hałasujących Nguni były już blisko, zwierzęta wpadły w panikę i ruszyły bezładnie przed siebie.

Były to wielkie, ciężkie sztuki, o potężnych garbatych grzbietach i zwisających podgardlach. Rogi niektórych byków miały rozstaw dwukrotnie szerszy od rozłożonych ramion człowieka. Przez stulecia Nguni celowo rozwijali w nich tę cechę, żeby ich stada mogły się skuteczniej bronić przed lwami i innymi drapieżnikami. Potrafiły biec z szybkością antylop, a zagrożone używały swego potężnego poroża. Pędziły teraz w zbitej masie dnem wąwozu. Biegnący wojownicy Nguni i galopujący jeźdźcy trzymali się tuż za nimi.

Kapitan Koots skonstatował z satysfakcją, że udało im się podejść bezgłośnie i nie zostali odkryci przez czujki Jima Courtneya. Księżyc im sprzyjał i poza zwykłymi odgłosami ptaków i żerujących nocą drobnych zwierząt wszystko trwało w ciszy i spokoju.

Jechali z Kademem strzemię w strzemię. Wiedzieli, że pozostało im jeszcze około mili do miejsca, gdzie Courtney rozstawił wozy. Hotentoccy żołnierze i trójka Arabów wiedzieli dokładnie, co trzeba robić. Mieli się dostać pomiędzy wozy, zanim ktokolwiek podniesie alarm, i wystrzelać ludzi Courtneya, w miarę jak będą się pojawiać. Potem dopiero zamierzali rozprawić się z Nguni. Co prawda wojownicy przewyższali ich liczebnie, lecz byli uzbrojeni tylko w dzidy i stanowili mniejsze zagrożenie.

— Nie oszczędzać nikogo — rozkazał im Koots. — Wybić ich do nogi.

— A co z kobietami? — zapytał sierżant Oudeman. — Nie smakowałem tego miodu, odkąd opuściliśmy kolonię. Obiecał pan, że będziemy mogli się dobrać do tej blond dzierlatki.

— Możecie się nacieszyć *poesje*, jeżeli który ma ochotę —

odparł kapitan. — Ale zanim ściągniecie gatki, upewnijcie się, że wszyscy mężczyźni są martwi. W przeciwnym razie może się okazać, że w pompowaniu śmietanki pomoże wam kord wroga, wbity po rękojeść w tyłek.

Ryknęli wszyscy śmiechem. Koots potrafił czasami odezwać się jak człowiek, w języku, który do nich przemawiał.

Oddział ruszył ochoczo naprzód. Kilku wspięło się w ciągu dnia na wzgórza ponad rzeką, by rzucić okiem na stada, stosy kości słoniowej i na kobiety. Opowiedzieli o tym swoim towarzyszom i teraz wszystkich rozpalała myśl o grabieży i gwałtach.

Nagle w ciemności przed nim rozległ się pojedynczy wystrzał z muszkietu i cała kolumna, nie czekając na rozkaz, wstrzymała konie. Ludzie wpatrywali się niepewnie w mrok.

— Na syna wielkiej kurwy! — zaklął szpetnie Koots. — Cóż to było?

Nie musiał długo czekać na odpowiedź. Nocną ciszę zmącił nagle wrzask i potężny łomot. Żaden z nich nie słyszał przedtem odgłosu walenia w tarcze; zdjął ich wielki niepokój. Chwilę później usłyszeli kanonadę z muszkietów, dzikie okrzyki, porykiwanie i muczenie bydła, a potem narastające dudnienie kopyt, zbliżające się ku nim poprzez mrok.

W zwodniczym księżycowym świetle wydawało im się, że to ziemia się porusza. Sunęła na nich czarna masa, niczym lawa rozlewająca się na całą szerokość wąwozu. Tętent kopyt był ogłuszający. Zobaczyli garbate grzbiety zbliżających się coraz szybciej olbrzymich zwierząt i lśniące w poświacie księżyca potężne rogi.

— Stratują nas! — wrzasnął przerażony Oudeman.

— Bydło nas stratuje! — krzyknęli jego towarzysze.

Zwarta grupa jeźdźców obróciła się w miejscu, rozpierzchła i puściła galopem, uciekając przed ścianą rogatych łbów i walących o ziemię kopyt. Koń Goffla po kilkunastu krokach trafił prawą przednią nogą w norę mrówkojada; kończyna pękła i wierzchowiec padł, zrzucając jeźdźca na ziemię. Goffel grzmotnął ramieniem o kamień. Przerażony usiłował się odczołgać, lecz czoło stada było już za blisko. Jeden z byków pochylił głowę i jego róg wbił mu się pod żebra, wychodząc z drugiej strony na wysokości nerki. Bawół podrzucił głową, Goffel wyleciał w powietrze i runął prosto pod kopyta stada, które stratowało go na bezkształtną miazgę. Trzem innym żołnierzom zagrodził drogę występ skalny. Próbowali zawrócić, lecz stado zalało ich błyskawicznie, a ich konie nadziały się na rogi rozwścieczonych byków. Oszalałe wierzchowce stawały dęba, wierzgały i zrzucały jeźdźców, padając razem z ludźmi pod ciosami rogów i kopyt.

Habban i Raszud jechali ramię w ramię. Kiedy koń Habbana złamał sobie nogę w jakiejś dziurze, Raszud zawrócił; zdołał go wciągnąć na swoje siodło tuż przed szarżującym tabunem. Pojechali dalej, ale podwójnie obciążony wierzchowiec nie mógł uciec przed nawałą kołyszących się rogów i ryczących bestii. Jeden z bawołów zahaczył rogiem o udo Habbana i ściągnął go z konia.

— Jedź! — krzyknął do towarzysza, padając na ziemię. — Ze mną koniec! Ratuj się!

Raszud jednak usiłował znów zawrócić i jego koń, przebity kilkakrotnie, runął na ziemię w kłębowisku nóg i spadającego ekwipunku. Raszud poczołgał się ku Habbanowi wśród łomotu kopyt i unoszącego się pyłu. Kopnięty kilkakrotnie w pierś i plecy, czuł, jak pękają mu żebra i rwą się ścięgna. Mimo to zdołał się doczołgać do towarzysza i odciągnąć go za pień grubego drzewa. Leżeli tam skuleni, krztusząc się pyłem, podczas gdy tabun rozszalałych zwierząt galopował dalej.

Nawet gdy stado już ich minęło, nie mogli się ruszyć z kryjówki, bo tuż za zwierzętami pędziła horda wyjących potępieńczo Nguni ze wzniesionymi *assegai*. Kiedy już się wydawało, że dojrzą obu Arabów, z ukrycia wybiegł nagle spieszony hotentocki żołnierz i rzucił się do ucieczki. Nguni popędzili za nim jak gończe psy za lisem i zakłuli go dzidami, nurzając ostrza we krwi.

Koots i Kadem spinali konie ostrogami do pełnego galopu, uciekając przed stadem wzdłuż brzegu rzeki. Oudeman trzymał się tuż za nimi. Znał niemal zwierzęcą zdolność Kootsa do przetrwania i wierzył, że zdoła ich wyprowadzić z opresji. Nagle wjechali pomiędzy kępy ciernistych krzewów i gęste zarośla spowolniły bieg wierzchowców. Czoło stada runęło na oślep za nimi i szybko się zbliżało.

— Do rzeki! — krzyknął Koots. — Tam nas nie dogonią!

Natychmiast skierował swego konia ku wysokiemu brzegowi i spiął go do skoku. Cztery metry w dole koń i jeździec zderzyli się z powierzchnią, wzbijając fontannę wody. Kadem i Oudeman poszli śladem kapitana, a gdy się wynurzyli, Koots był już w połowie nurtu. Płynąc obok koni, dotarli do brzegu niedługo po nim.

Wydostali się na twardy grunt i stali wyczerpani, ociekając wodą i wpatrując się w galopujące drugim brzegiem stado. Po chwili dostrzegli w świetle księżyca jeźdźców pędzących w niewielkiej odległości za zwierzętami. Huknęły strzały z muszkietów. Jeźdźcy dopadli niedobitków holenderskiego oddziału i wybili ich kolejno do nogi.

— Nasz proch zamókł — skwitował głucho Koots. — Nie mam jak do nich strzelać.

— Ja straciłem muszkiet — powiedział Oudeman.

— To koniec — zgodził się Kadem. — Lecz załatwimy sprawę w innym miejscu i w innym czasie.

Dosiedli koni i ruszyli na wschód, oddalając się od rzeki, od rozszalałego stada i strzelców wroga.

— Dokąd zmierzamy? — zapytał po pewnym czasie Oudeman, lecz dwaj pozostali nie odpowiedzieli.

Pasterze Nguni zbierali rozproszone stado przez kilka następnych dni. Okazało się, że trzydzieści dwa wielkie bawoły zostały zabite lub śmiertelnie ranne podczas panicznego biegu. Niektóre wpadły w skalne rozpadliny lub doły, inne porwał bystry nurt rzeki albo zostały rozszarpane przez lwy, kiedy się oddzieliły od stada. Nguni opłakiwali stratę i z miłością zajmowali się tymi sztukami, które udało się sprowadzić z powrotem po tej strasznej nocy. Chodzili między zwierzętami, głaszcząc je i uspokajając, opatrywali rany zadane rogami innych przerażonych bawołów lub odniesione w kolizji z drzewami i skałami.

Ikunzi wyraził swoje oburzenie w rozmowie z pasterzami.

— Zażądam, żebyśmy nie ruszali w dalszą drogę i zostali w tym miejscu, dopóki wszystkie zwierzęta nie wyzdrowieją — zapewnił ich, a oni gremialnie się z nim zgodzili. Pomimo groźnych zapowiedzi Ikunzi użył znacznie oględniejszych słów, a Jim przystał na jego życzenie bez oporów.

O pierwszym brzasku wziął kilku konnych i razem objechali pole bitwy. Znaleźli cztery zabite konie z oddziału Kootsa, przebite rogami, i dwa inne, tak ciężko ranne, że musieli je dobić. Schwytali także jedenaście wierzchowców zupełnie niedraśniętych lub tylko lekko rannych i dołączyli je do swego stada luzaków.

Natrafili na zwłoki pięciu ludzi Kootsa. Trzej mieli twarze zniekształcone nie do poznania, lecz przedmioty znalezione w ich kieszeniach, ekwipunek i książeczki żołdu wskazywały jednoznacznie, że byli to kawalerzyści VOC, ubrani po cywilnemu.

— To ludzie Keysera — zapewnił Jim Louisę. — Sam nie wybrał się w pościg, ale to on ich musiał wysłać.

Smallboy i Muntu ropoznali niektóre z ciał. Kolonia była małą społecznością, w której niemal wszyscy się znali.

— To Goffel! — Smallboy trącił jednego z trupów nogą. — Bardzo zły *kerel*, bardzo zły. — Pokręcił głową, krzywiąc się. — Smallboy sam nie był aniołem, skoro więc wyraził taką opinię, pomyślał Jim, Goffel musiał naprawdę być wcieleniem nikczemności.

— Brakuje jeszcze pięciu — oznajmił Bakkat. — Nie ma śladu Kootsa, jego łysego sierżanta i trzech Arabów. Muszę sprawdzić drugi brzeg rzeki. — Przebrnął przez wodę, a Jim przyglądał się, jak przeszukuje nadrzeczne zarośla, wpatrując się uważnie w ziemię w poszukiwaniu śladów. Nagle tropiciel przystanął, niczym pointer, który zwęszył ptaka.

— Bakkat! Co tam znalazłeś? — zawołał Jim.

— Trzech konnych, jechali galopem — odpowiedział Buszmen.

Jim, Louisa i Zama przedostali się na drugi brzeg i obejrzeli ślady.

— Czy możesz powiedzieć, kim byli ci jeźdźcy? — zapytał Jim. Wydawało się to niemożliwe, przewodnik jednak przykucnął przy tropie i odpowiedział, jak gdyby fakty były zupełnie oczywiste.

— To są dwa konie, na których wczoraj jechali Koots i łysy sierżant. Ten trzeci należy do jednego z Arabów, tego w zielonym turbanie — stwierdził bez wahania.

— Skąd on to wie? — zdumiała się Louisa. — Przecież konie są podkute i ślady muszą być nie do odróżnienia?

— Nie dla Bakkata — odparł Jim. — Potrafi czytać z nierównego zużycia podków, z odprysków i rys w metalu. Dla jego oka każdy wierzchowiec ma inny chód i umie to dostrzec, przyglądając się śladom.

— A więc Koots i Oudeman uciekli. Co teraz zrobisz, Jim? Zamierzasz ich ścigać?

Nie odpowiedział od razu. Żeby odwlec decyzję, kazał Bakkatowi pójść tym tropem i upewnić się, dokąd biegnie. Po przejechaniu mili stało się jasne, że wrogowie skierowali się na północ. Jim zarządził postój, by spytać o opinię Bakkata i Zamę. Debata trwała długo.

— Jadą szybko — powiedział tropiciel. — Mają przewagę niemal połowy nocy i całego dnia. Dopędzenie ich zabrałoby wiele dni, jeżeli w ogóle by się udało. Zostaw ich, Somoja.

— Zostali pokonani — dodał Zama. — Koots na pewno nie

wróci. Ale gdybyśmy go złapali, będzie walczył jak lampart w potrzasku i możemy stracić ludzi.

Louisa zamyśliła się nad tym. Jednym z tych rannych czy zabitych mógł być Jim. Rozważała, czy nie wyrazić swojej opinii w tej sprawie, wiedziała jednak, że mogłoby to przynieść odwrotny skutek. W naturze Jima odkryła wiele takich sprzeczności. Powściągnęła więc chęć błagania go, żeby nie decydował się na pościg.

— Jeśli wyruszysz za nimi, pojadę z tobą — powiedziała jedynie.

Jim spojrzał na nią i wojowniczy blask w jego oczach przygasł. Uśmiechnął się, lecz nie poddał się tak od razu.

— Czuję, że Bakkat ma jak zwykle rację — rzekł. — Koots porzucił swoje wrogie zamiary wobec nas, chociaż z pewnością nie na zawsze. Stracił większość ludzi, ale wciąż dysponuje sporą siłą. Nie doliczyliśmy się pięciu: jego samego, sierżanta Oudemana i trzech Arabów. Jeśli zagonimy ich w ślepy zaułek, będą na pewno walczyć zaciekle. Zama także ma rację. Tym razem nie obejdzie się bez ofiar. Jeśli ich dogonimy, nasi ludzie mogą zostać ranni albo zginąć. Z drugiej strony cała ta ucieczka może się okazać sztuczką, która ma nas odciągnąć od wozów. Koots to szczwany lis. Jeżeli pojedziemy za nim, może zatoczyć koło i zaatakować wozy, zanim zdążymy wrócić. — Odetchnął głęboko i dodał: — Postanowiłem, że podążymy dalej do Zatoki Narodzenia Pańskiego i zobaczymy, co tam zastaniemy. — Przekroczyli z powrotem rzekę i ruszyli do obozowiska gardzielą wąwozu, traktem zrytym przez galopujące bydło.

Pewna, że Jim nie rzuci się w pogoń za Kootsem, Louisa jechała szczęśliwa u boku ukochanego, szczebiocząc z ożywieniem. Zama bardzo chciał już znaleźć się w obozie i jechał sporo przed nimi, niemal zasłonięty przez drzewa.

— Śpieszy mu się do pięknego kwiatuszka — zaśmiała się Louisa.

— A kto to jest? — zapytał Jim.

— Intepe.

— Wnuczka Tegwane? Czyżby Zama...

— Oczywiście — potwierdziła Louisa. — Mężczyźni są czasami całkiem ślepi. Jak mogłeś nie zauważyć?

— Ja zauważam tylko ciebie, Jeżyku.

— To było zgrabnie powiedziane, mój kochany. — Louisa wychyliła się z siodła i nadstawiła usta. — Należy ci się pocałunek w nagrodę.

Jim nie zdążył jednak odebrać nagrody, gdyż przed nimi rozległ się dziki okrzyk i wystrzał z muszkietu. Ujrzeli, jak koń Zamy staje dęba, spłoszony, a jeździec przechyla się w siodle.

— Zama w opałach! — krzyknął Jim i ruszył galopem. Gdy znalazł się bliżej, zobaczył, że przyjaciel jest ranny. Chwiał się bezwładnie w siodle, mocno przechylony na jedną stronę, a tył jego kurtki nasiąkał krwią. Zanim zdążył podjechać, Zama zsunął się z konia i runął na ziemię.

Jim krzyknął i ruszył ku niemu, lecz w tej samej chwili dostrzegł kątem oka jakieś poruszenie. Odwrócił konia w stronę niebezpieczeństwa. Arab w poszarpanym, brudnym od pyłu i zaschniętej krwi ubraniu klęczał za pniem drzewa chinowego i gorączkowo przeładowywał muszkiet, wpychając kulę wyciorem do lufy. Spojrzał na jeźdźca i w tym momencie Jim go rozpoznał.

— Raszud! — krzyknął. Był to jeden z marynarzy pływających na szkunerze *Gift of Allah*. Żeglowali razem nie raz, nie dwa i dobrze się znali. A jednak Arab znalazł się wśród nieprzyjaciół, którzy ich zaatakowali, a teraz postrzelił Zamę.

Raszud również poznał Jima. Porzucił muszkiet, zerwał się na nogi i zaczął uciekać. Jim wyciągnął z pochwy kord i skierował Werbla za nim. Arab zrozumiał, że mu nie umknie, i padł na kolana, unosząc ręce w geście poddania.

Jim uniósł się w strzemionach.

— Ty zdradziecki sukinsynu! Morderco! — zakrzyknął w gniewie. Zamierzył się, gotów rozpłatać mu czaszkę, ale w ostatniej chwili zdołał się opanować i uderzył Raszuda płazem w skroń. Stal trzasnęła o kość z taką siłą, że obawiał się, iż mimo wszystko zabił Araba. Raszud padł twarzą w piasek.

— Zabraniam ci umierać! — ryknął Jim, zsiadając z konia. — Dopóki nie odpowiesz na moje pytania. Potem urządzę ci królewskie pożegnanie.

Zjawiła się Louisa.

— Zajmij się Zamą, jest poważnie ranny — krzyknął do niej. — Dołączę do was, jak tylko skrępuję tego świniaka.

Louisa posłała Bakkata po pomoc do obozu i mężczyźni ponieśli Zamę na noszach. Kula trafiła go niebezpiecznie pod ostrym kątem w pierś i dziewczyna obawiała się o życie rannego. Starała się jednak ukryć niepokój. Kiedy dotarli na miejsce, Intepe przybiegła, żeby pielęgnować ukochanego.

— Jest ranny, ale przeżyje — zapewniła ją Louisa, gdy ułożyły Zamę na pryczy w pustym wozie. Korzystając z książek i skrzynki medycznej, otrzymanych od Sarah Courtney, a także dzięki własnej praktyce i doświadczeniu, Louisa w ciągu kilku miesięcy wędrówki nabrała biegłości w leczeniu. Kiedy dokładniej obejrzała ranę, spostrzegła z ulgą, że kula wyszła z drugiej strony. — To bardzo pomyślna okoliczność — stwierdziła. — Nie będzie trzeba ciąć, żeby ją wyjąć, i niebezpieczeństwo gangreny też będzie mniejsze.

Jim zostawił Zamę z kobietami i poszedł wyładować swój gniew i niepokój na jeńcu. Jego ludzie przywiązali Raszuda, rozkrzyżowanego niczym rozgwiazda, do wielkiego tylnego koła jednego z wozów, po czym podparli tył, żeby nie dotykał ziemi. Jim zaczekał, aż Arab odzyska przytomność.

Tymczasem Smallboy przyciągnął ciało drugiego Araba, które znaleźli blisko kryjówki Raszuda. Człowiek ten zmarł z upływu krwi; róg bawołu wbił się w jego podbrzusze i uszkodził aortę. Kiedy go odwrócili twarzą do góry, Jim się zorientował, że to również marynarz ze szkunera ojca.

— To Habban — powiedział.

— W rzeczy samej, to Habban — potwierdził Smallboy.

— Coś mi w tym wszystkim śmierdzi — orzekł Jim. — Nie wiem co, ale ten człowiek nam wytłumaczy. — Rzucił gniewne spojrzenie na Raszuda, wciąż wiszącego bez świadomości na wielkim kole. — Oblejcie go kubłem zimnej wody — polecił. Musieli zużyć nie jedno, lecz trzy wiadra, żeby docucić jeńca.

— *Salam*, Raszudzie — przywitał go Jim, gdy Arab otworzył oczy. — Piękno twojego oblicza rozświetla moje serce. Jesteś sługą mojej rodziny, dlaczego więc napadłeś na nasze wozy i chciałeś zabić Zamę, którego znasz jako mojego przyjaciela?

Raszud strząsnął wodę z brody i długich prostych włosów. Wpatrywał się w Jima w milczeniu, lecz wyraz jego oczu mówił wiele.

— Musimy rozwiązać ci język, ulubieńcu Proroka. — Jim cofnął się o krok i skinął na Smallboya. — Zaaplikujcie mu sto obrotów kołem.

Smallboy wraz z Muntu popluli w dłonie, chwycili z dwóch stron za obręcz i zaczęli nią kręcić. Ten pierwszy liczył obroty. Koło nabierało szybkości i wkrótce obraz rozkrzyżowanego Araba zaczął się rozmazywać przed ich oczami. Smallboy po pięćdziesięciu zgubił rachubę i musiał zacząć od początku. Gdy wreszcie obwieścił setkę i zatrzymali koło, Raszud szarpał się słabo w więzach, a jego brudna szata nasiąkła potem. Wzrok miał niezborny i stękał głucho.

— Raszudzie, dlaczego byłeś z Kootsem? Kiedy się przyłączyłeś do jego bandy? Kim był ten dziwny Arab w zielonym turbanie?

Więzień pomimo swego opłakanego stanu usiłował skupić spojrzenie na pytającym.

— Niewierny! — wybełkotał. — *Kaffir!* Moimi czynami kieruje moc świętej fatwy i kalif Zajn al-Din, władca Maskatu. Walczę pod rozkazami jego baszy, generała Kadema ibn Abubakera. Basza to wielki i święty mąż, waleczny wojownik ukochany przez Boga i jego Proroka.

— A więc ten w zielonym turbanie to basza? Jakie są zasady tej twojej fatwy? — zapytał Jim.

— Są zbyt święte, by o nich głośno mówić w obecności niewiernego.

— Raszud stał się bardzo pobożny. — Courtney pokręcił smutno głową. — Nigdy nie słyszałem, żeby wygadywał takie fanatyczne i jadowite bzdury, gdy służył u nas. — Skinął znów na Smallboya. — Dajcie mu jeszcze sto obrotów, żeby ostudzić ten religijny zapał.

Koło rozpędziło się znowu, lecz zanim doliczyli do setki, Raszud zwymiotował długim, gęstym strumieniem.

— Nie przerywaj — rzucił Smallboy do Muntu.

Po chwili kiszki Raszuda nie wytrzymały i z obu otworów jego ciała trysnęły ekskrementy.

Po setnym obrocie zatrzymali koło, lecz zamroczone zmysły jeńca nie odnotowały różnicy. Odczucie gwałtownego ruchu jeszcze się w nim spotęgowało, jęknął i wymiotował, aż całkowicie opróżnił się jego żołądek. Potem wydał ciężkie westchnienie i wstrząsnęły nim suche torsje.

— Co nakazuje ci fatwa? — powtórzył Jim.

— Śmierć cudzołóżcom. — Głos Araba był ledwie słyszalny; po brodzie ściekała mu struga żółci. — Śmierć al-Salilowi i księżniczce Jasmini.

Słysząc imiona najbliższych mu osób, Jim zesztywniał.

— Mojego stryja i stryjenki? Czy zostali zabici? Gadaj, czy żyją, albo wycisnę twoją czarną duszę z tego plugawego ciała!

Raszud doszedł już trochę do siebie i ponownie próbował opierać się przesłuchaniu, lecz działanie koła stopniowo kruszyło jego determinację. W końcu zaczął odpowiadać na pytania Jima.

— Księżniczkę Jasmini zgładził basza — oznajmił. — Zginęła od ciosu prosto w swoje serce cudzołożnicy. — Pomimo opłakanego stanu Arab wyraźnie delektował się własnymi słowami. — Al-Salil został ranny i walczył ze śmiercią.

Gniew i smutek podziałały na Jima tak obezwładniająco, że odechciało mu się dalszych indagacji do końca tego dnia. Raszud został odcięty od koła i zakuty na noc w łańcuchy.

— Przepytam go znowu rano — powiedział Jim i poszedł przekazać straszne wieści Louisie.

— Moja stryjenka Jasmini była uosobieniem łagodności i dobroci. Tak bardzo żałuję, że już jej nie poznasz — wyznał, gdy leżeli, tuląc się w ramionach. Jej koszula nasiąkała jego łzami. — Dzięki Bogu, że chociaż stryjowi Dorianowi udało się uniknąć śmierci z rąk tego fanatyka Kadema.

N azajutrz Jim rozkazał przetoczyć wóz daleko poza obóz, żeby Louisa nie słyszała krzyków Raszuda. Przywiązali go znowu, lecz zanim jeszcze zaczęli kręcić kołem, Arab się poddał.

— Litości, *efendi*! Wystarczy, Somoja! — zawołał. — Powiem wszystko, co chcesz wiedzieć, tylko każ mnie zdjąć z tego przeklętego koła.

— Nie zdejmiemy cię, dopóki nie odpowiesz na wszystkie moje pytania. Jeżeli się zawahasz albo spróbujesz kłamać, wprawimy koło w ruch. Kiedy ta kreatura Kadem zamordował księżniczkę? Gdzie to się stało? Co z moim stryjem? Gdzie jest teraz moja rodzina?

Raszud odpowiadał na kolejne pytania tak gorliwie, jakby zależało od tego jego życie. Zresztą zależy, pomyślał gorzko Jim.

Kiedy wysłuchał całej opowieści o tym, jak Tom z Dorianem uciekli na dwóch szkunerach z Przylądka Dobrej Nadziei i jak potem pożeglowali z Laguny Słoni na północ, żal po stracie Jasmini zelżał nieco, zmieszany z nadzieją na niedalekie połączenie się z rodziną.

— Teraz już jestem pewien, że spotkam w Zatoce Narodzenia Pańskiego moich rodziców, a także stryja Doriana i Mansura — rzekł. — Będę liczył dni do tego spotkania. Jutro o świcie ruszymy w dalszą drogę.

Pragnienie Jima, by jak najszybciej znaleźć się w Zatoce Narodzenia Pańskiego, wciąż kazało mu wyprzedzać powolną karawanę wozów i pasących się stad. Powodowany nadzieją i tęsknotą chciał je zostawić i natychmiast ruszyć galopem w stronę wybrzeża. Namawiał Louisę, żeby mu towarzyszyła, lecz ranny Zama wciąż wymagał pielęgnacji i dziewczyna wolała nie pozbawić go swojej opieki.

— Jedź sam — powiedziała. Choć Jim był pewien, że wcale nie chciała, żeby ją opuścił, i liczyła na to, że się nie zgodzi, zastanawiał się poważnie, czy nie pójść za jej sugestią. Potem jednak przypomniał sobie, że Koots z Oudemanem i mordercą Kademem wciąż grasują na swobodzie i mogą czaić się gdzieś niedaleko. Postanowił nie zostawiać Louisy samej. Każdego ranka wypuszczał się z Bakkatem na zwiady daleko przed czoło karawany i starał się wracać przed zachodem, żeby strzec ukochanej.

Wyjechali z drugiego krańca wąskiego wąwozu i znaleźli się w krainie bujnej zieleni. Trawiasta sawanna przeplatała się z łagodnymi wzgórzami i gęstymi lasami. Bakkat znajdował codziennie ślady stad słoni, lecz nie na tyle świeże, żeby decydowali się za nimi pójść. Było tak do piątego dnia. Tropiciel jechał jak zwykle nieco przed Jimem, wypatrując śladów i znaków, gdy raptem skierował konia w bok i ściągnął wodze. Jim podjechał do niego.

— Co tam masz? — Bakkat bez słowa wskazał na odbity w mokrej glebie głęboki trop. Puls chłopaka przyśpieszył. — Słonie! — zawołał z ekscytacją.

— Trzy wielkie samce — potwierdził przewodnik. — Ślad jest bardzo świeży. Przechodziły tędy nie wcześniej niż dziś o świcie.

Jim wpatrywał się w trop i czuł, jak słabnie w nim pragnienie dotarcia jak najszybciej do Zatoki Narodzenia Pańskiego.

— Są ogromne — powiedział cicho.

— Jeden z nich jest królem wszystkich słoni — orzekł Bakkat. — Może być większy od pierwszego, którego upolowałeś.

— Chyba nie są zbyt daleko? — zapytał Jim z nadzieją w głosie. Od czasu bitwy nad rzeką z wojownikami Manatasee miał za sobą wiele udanych polowań na słonie. Każde spotkanie z ogromnymi samcami wzbogacało jego doświadczenie i wiedzę o zwyczajach tych zwierząt. Nabrał biegłości w polowaniu, a niebezpieczna i fascynująca pogoń za tą najszlachetniejszą z myśliwskich zdobyczy działała nań jak narkotyk.

— Ile czasu zabrałoby nam dogonienie ich? — zapytał Bakkata.

— Idą powoli, pasąc się po drodze — odparł tropiciel, wskazując na obdarte z kory gałęzie, którymi pożywiły się samce. — I kierują się ku wybrzeżu, w tę samą stronę co my. Nie musielibyśmy więc nadkładać drogi, żeby je wytropić. — Bakkat splunął w zamyśleniu i spojrzał w niebo. Uniósł dłoń z rozczapierzonymi palcami i zmierzył położenie słońca na niebie. — Jeśli bogowie polowania będą łaskawi, być może uda nam się dogonić je do południa i jeszcze zdążymy wrócić na noc do obozu — stwierdził. Ostatnimi czasy mały Buszmen starał się, równie pilnie jak Jim, wracać na noc do obozowiska i wdzięków swojej Letee.

Jim czuł się rozdarty. Pomimo myśliwskiej pasji jego miłość i troska o Louisę były silniejsze. Wiedział, że przebieg polowania jest zawsze wielką niespodzianką i pościg za słoniami może przedłużyć marsz ku wybrzeżu o dzień lub więcej. Mogli także nie wrócić przed nastaniem nocy. Z drugiej strony, od pamiętnych wydarzeń w wąwozie nie natknęli się na żaden ślad Kootsa i jego arabskiego kompana, choć Bakkat starannie przepatrywał teren na wiele mil wokół. Wyglądało na to, że ze strony Holendra nie grozi im już niebezpieczeństwo. Mimo wszystko obawiał się jednak zostawić Louisę bez opieki na tak długo.

A przecież rozpaczliwie pragnął iść tropem słoni. Polując od wielu miesięcy, nauczył się odczytywać ślady tak dobrze, że potrafił sobie wyobrazić zwierzęta, które je zostawiły. Wiedział, że samce są wyjątkowo wspaniałe. Rozważał to wszystko w myślach przez jakiś czas, a Bakkat siedział cierpliwie obok wielkich owalnych wgłębień, czekając na decyzję swego pana.

Jim pomyślał o ludziach, którzy jechali z wozami i mogli bronić karawany. Siły Kootsa zostały zredukowane do trzech osób, więc z pewnością nieprędko wróci, uznał w końcu. Teraz był już przekonany, że Holender skieruje się ku terytorium portugalskiemu lub do Omanu i nie zaatakuje ich ponownie.

— Z każdą minutą, gdy ja tu deliberuję, słonie odchodzą coraz dalej — zwrócił się do Bakkata. — Ruszajmy chyżo.

Popędzili kłusem, szybko zmniejszając dystans. Ślad prowadził w prostej linii poprzez pagórkowaty, lesisty teren ku morskiemu wybrzeżu. Miejscami gołe pnie drzew objedzonych z kory przez słonie świeciły z daleka bielą, co zachęcało jeźdźców do przejścia do galopu. Niedługo przed dwunastą natrafili na wielką pryzmę żółtych gąbczastych ekskrementów, złożoną głównie z na wpół przetrawionej kory. Otaczała ją kałuża uryny, która jeszcze nie zdążyła wsiąknąć w ziemię. Odchody obsiadł rój motyli o pięknych białych, żółtych i pomarańczowych skrzydełkach.

Bakkat zsiadł z konia i wepchnął w mokrą masę palec prawej stopy, żeby zbadać jej temperaturę. Motyle otoczyły go barwną chmurą.

— Gówno jest jeszcze gorące. — Tropiciel wyszczerzył się w uśmiechu. — Samiec jest tak blisko, że cię usłyszy, jeśli zawołasz do niego.

Ledwie Bakkat wypowiedział te słowa, gdy obaj zamarli i nadstawili ucha.

— Ha! — mruknął Jim. — Usłyszał, co mówiłeś.

Słoń znów zatrąbił niczym myśliwski róg w lesie, gdzieś niedaleko od nich. Bakkat wskoczył na siodło zwinnie jak konik polny.

— Co mogło je zaalarmować? — zastanawiał się Jim, wyciągając z futerału pod prawym kolanem potężną niemiecką strzelbę, ćwierćfuntówkę. — Dlaczego on trąbi? Czyżby nas zwęszył?

— Wiatr wieje w naszą stronę — odrzekł Bakkat. — Nie wyczuły nas, coś innego musiało je zaniepokoić.

— Jezusie słodki! — wykrzyknął Jim. — To ogień z muszkietów!

Potężny huk wystrzałów poniósł się wśród wzgórz, odbijając się od nich echem.

— Czy to Koots? — spytał Jim i sam sobie odpowiedział: — Nie, to nie może być. Koots nigdy by się nie zdradził w ten sposób, wiedząc, że jesteśmy w pobliżu. To jacyś obcy, i atakują nasze słonie! — Ogarnął go gniew; uważał już zwierzęta za swoją zdobycz i intruzi nie mieli prawa zakłócać mu polowania. Miał wielką ochotę popędzić na spotkanie z nimi, lecz zdołał się powstrzymać przed tym nierozsądnym krokiem. Nie wiedział przecież, kim są tamci. Sądząc po kanonadzie, musiało ich być kilku, a każdy napotkany w tej głuszy obcy mógł stanowić śmiertelne zagrożenie. Nagle rozległ się inny dźwięk: trzask gałęzi łamanych przez wielkie cielsko sunące ku nim poprzez gęste poszycie lasu.

— Przygotuj się, Somoja! — ostrzegł go Bakkat. — Spłoszyli jednego i biegnie w naszym kierunku. Może być ranny i niebezpieczny.

Jim zdążył tylko skierować Werbla w stronę dźwięku, gdy ściana zieleni rozerwała się i wypadł stamtąd potężny słoń, szarżujący wprost na niego. W takich chwilach nagłego zagrożenia czas zdawał się zwalniać swój bieg, jakby to wszystko rozgrywało się w sennym koszmarze. Ujrzał zakrzywione ciosy, tak masywne jak łuki sklepienia katedry, zobaczył uszy, które rozpościerały się niczym żagle wojennego okrętu, poszarpane w bliskim starciu z wrogiem. Bok zwierzęcia był zakrwawiony, a w jego małych błyszczących oczach, skupionych na Jimie, gorzała furia.

Bakkat się nie mylił: olbrzym był ranny i rozwścieczony. Jim uzmysłowił sobie, że jest w pułapce, gdyż Werbel nie mógł w leśnej gęstwinie rozwinąć pełnej prędkości, natomiast słoń parł naprzód bez trudu, miażdżąc wszystko swym cielskiem. Nie dało się też złożyć do celnego strzału, bo koń kręcił się w kółko i podrzucał nerwowo łbem. Jim uniósł ciężką strzelbę wysoko nad głowę, żeby nie uderzyła go w twarz przy skoku, i przerzuciwszy jedną nogę przez łęk siodła, opadł na ziemię jak kot, gotowy do walki.

Odbezpieczył broń, gdy tylko jego stopy dotknęły ziemi. Lęk gdzieś wyparował i Jim doznał dziwnego wrażenia — poczuł się tak, jak gdyby stał obok tego, co się dzieje, i patrzył na strzelbę unoszącą się do strzału.

Wiedział instynktownie, że jeśli pośle kulę w serce olbrzyma, słoń nawet nie zwolni biegu i rozerwie go na sztuki niczym rzeźnik oprawiający kurczaka, a potem przejdzie jeszcze milę, zanim padnie.

Po swoim pierwszym doświadczeniu ze strzałem w głowę zwierzęcia, gdy sam omal nie zginął, poświęcił wiele godzin na studiowanie czaszek kolejnych upolowanych przez siebie słoni. Potrafił teraz dokładnie wyobrazić sobie położenie mózgu w potężnym czerepie, jakby to była szklana powłoka, a nie gruba kość. Gdy oparł kolbę na ramieniu, wydawało mu się, że widzi nie metal lufy i muszki, lecz miękką tkankę miejsca, w które miał trafić.

Huknął strzał. Odrzut zachwiał Jimem, a gęsty dym zasłonił mu widoczność. Nagle zza tej zasłony runęła wprost na niego szara lawina i uderzyła weń swą bezwładną masą.

Ciężka strzelba wypadła mu z rąk i poleciał do tyłu. Przekoziołkował dwukrotnie i zatrzymał się na jakimś krzaku. Gdy stanął na nogi, wiatr rozwiewał już siwą dymną kurtynę i Jim ujrzał przed sobą słonia. Samiec klęczał na przednich nogach, a jego potężne siekacze opierały się o ziemię i celowały szpicami w niebo. Wyglądał tak, jakby czekał, aż ktoś go dosiądzie. Słoń trwał w zupełnym bezruchu, jak granitowy głaz. Nisko między jego oczami widniał ciemny okrągły otwór. Głowa zwierzęcia była tak blisko, że Jim mógł wyciągnąć rękę i wepchnąć do środka palec. Ważąca ćwierć funta kula, odlana ze stopu cyny z ołowiem, przebiła twardą kość czołową i wwierciła się w mózg. Gdy wyciągnął palec, oblepiony był on żółtawą mazistą tkanką.

Jim wstał i oparł się o jeden z kłów. Teraz, gdy niebezpieczeństwo już minęło, zaczął oddychać ciężko i nierówno, a kolana miał tak miękkie, że ledwie trzymał się na nogach. Uczepiony słoniowego siekacza stał chwiejnie, dopóki nie zjawił się Bakkat. Tropiciel najpierw podjechał do Werbla i chwycił go za cugle, żeby nie uciekł. Podprowadził konia do Jima i podał mu wodze.

— Moje nauki zaczęły przynosić owoce — zaśmiał się Buszmen. — Teraz powinieneś okazać swojej zdobyczy wdzięczność i szacunek.

Zanim Jim doszedł do siebie na tyle, żeby móc dopełnić starodawnego myśliwskiego rytuału, upłynęło jeszcze kilka minut. Pod aprobującym okiem Bakkata zerwał gałązkę krzewu o słodkich liściach i wsunął ją do pyska zwierzęcia.

— Zjedz swój ostatni posiłek, niech da ci siłę na drogę do krainy cieni — powiedział. — Niechaj towarzyszy ci w tej drodze mój szacunek. — Następnie odciął ogon, jak przedtem robił to jego ojciec.

Jim nie zapomniał jednak o strzałach, które słyszeli wcześniej. Kiedy schylił się po leżącą na ziemi strzelbę, jego wzrok padł na zalany krwią bok słonia, a potem dostrzegł dziurę po kuli wysoko na prawej łopatce.

— Bakkat, ten samiec był już ranny, kiedy do niego strzelałem — zaalarmował przewodnika.

Nim Bakkat zdążył odpowiedzieć, rozległ się inny głos. Gdzieś w pobliżu ktoś wykrzyczał jakąś pogróżkę lub zapytanie. Jim, choć zaskoczony, wychwycił w tym głosie coś znajomego. Wyprostował się i stał nieruchomo, wpatrując się szeroko otwartymi oczami w wysoką, barczystą postać, przedzierającą się ku niemu przez zarośla. Był to biały, ubrany po europejsku w kurtkę i bryczesy, wysokie buty z cholewami i szerokoskrzydły słomkowy kapelusz.

— Słuchaj no, człowieku. Cóż ty sobie, u diabła ciężkiego, wyobrażasz? — zawołał obcy. — Ja wytoczyłem pierwszą krew i ten słoń jest mój.

Głos rozbrzmiewał w uszach Jima radośnie jak kościelny dzwon. Dostrzegł kędzierzawą brodę, czerwoną jak płonący busz. Natychmiast odzyskał rezon i krzyknął równie buńczucznie, z trudem powstrzymując się od śmiechu:

— Słuchaj no, bezczelny łobuzie! Będziesz musiał tu przyjść

i walczyć o niego, a ja roztrzaskam ci łeb, jak to robiłem już pięćdziesiąt razy w przeszłości!

Bezczelny łobuz stanął jak wryty, wbijając wzrok w adwersarza, a potem wydał dziki okrzyk i ruszył ku niemu biegiem. Jim rzucił strzelbę i też popędził na spotkanie. Zderzyli się tak gwałtownie, że aż zdzwoniły im zęby.

— Jim! Co za radość! Myślałem, że już nigdy cię nie znajdziemy!

— Mansur! Ledwie cię poznałem pod tym rudym krzakiem, który masz na twarzy. Gdzieżeś ty się podziewał, u diabła ciężkiego?

Pokrzykiwali tak bez ładu i składu przez dłuższą chwilę, obejmując się, poklepując po plecach i ramionach, szarpiąc za włosy na głowie i zarost na twarzy. Bakkat przyglądał im się, kręcąc z rozbawieniem głową i klepiąc się rękami po bokach.

— A ty, mały chuliganie? — zawołał Mansur. Podniósł Buszmena do góry, wetknął sobie pod pachę i znów przylgnął do Jima. Potrwało jakiś czas, zanim zaczęli się zachowywać jak ludzie rozsądni, lecz w końcu zdołali jako tako nad sobą zapanować. Mansur postawił z powrotem Bakkata na nogach, a Jim wypuścił kuzyna z kleszczowego uścisku.

Siedzieli potem ramię przy ramieniu, oparci o bok słoniowego cielska, które dawało im cień, i rozmawiali z wielkim ożywieniem. Wchodzili sobie w słowo i przerywali nawzajem niecierpliwymi pytaniami, nie pozwalając nawet dokończyć odpowiedzi. Mansur co rusz szarpał Jima za brodę, a ten z kolei dźgał go pięścią w pierś lub klepał po zarośniętym policzku. Choć żaden o tym nie wspomniał, obaj zdumieni byli zmianami, jakie w nich zaszły w ciągu miesięcy rozłąki. Stali się mężczyznami.

Później zjawił się oddziałek, który towarzyszył Mansurowi w polowaniu. Byli to służący z High Weald albo marynarze ze szkunerów. Wszyscy bardzo się zdumieli i ucieszyli na widok Jima, który po serdecznym powitaniu zaprzągł ich do pracy. Pod kierunkiem Bakkata mieli wyciąć olbrzymie ciosy padłego samca. On zaś kontynuował wymianę wieści z Mansurem. W ciągu minut próbowali opowiedzieć sobie o wszystkim, co przydarzyło się im samym i ich rodzinom, od kiedy się rozstali przed dwoma niemal laty.

— A co się stało z Louisą, tą dziewczyną, z którą uciekłeś? Czy miała dość rozumu, żeby cię przepędzić na cztery wiatry?

— Na Boga, kuzynku, to perła, a nie dziewczyna! Wyjedziemy razem na spotkanie mojej karawany i oficjalnie was sobie przedstawię. Nie uwierzysz własnym oczom, jaka piękność z niej wyrosła. — Nagle Jim zamilkł i spoważniał. — Nie wiem, jakimi słowami ci to powiedzieć — rzekł — lecz przed paroma tygodniami schwytałem dezertera z *Gift of Allah*. Na pewno pamiętasz tego rzezimieszka, ma na imię Raszud. Gdy tylko udało mi się rozwiązać mu język, opowiedział mi dziwną i przerażającą historię.

Z twarzy Mansura odpłynęła krew i przez minutę nie mógł wykrztusić słowa. W końcu wybuchnął:

— Zapewne był w kompanii dwóch innych naszych marynarzy, zdrajców i dezerterów, i jeszcze jednego dziwnego Araba!

— Który nazywa się Kadem ibn Abubaker al-Jurf, kuzynie? Mansur zerwał się na równe nogi.

— Gdzie on jest? Zamordował moją matkę i ciężko zranił ojca!

— Wiem. Wydusiłem z Raszuda wszystko, co wiedział — uspokajał go Jim. — Omal mi serce nie pękło. Kochałem stryjenkę Jassie niemal równie mocno jak ty. Ale zabójca zdołał się wymknąć.

— Opowiedz mi o wszystkim — poprosił Mansur. — Nie oszczędzaj żadnego szczegółu.

Było tak wiele do opowiedzenia, że siedzieli pogrążeni w rozmowie, dopóki słońce nie zaczęło się chylić ku zachodowi. Wówczas Jim wstał.

— Powinniśmy wrócić do obozu przed zmrokiem — powiedział. — Inaczej Louisa będzie umierać z niepokoju.

L ouisa zawiesiła na drzewach latarnie, żeby wskazać Jimowi drogę do domu. Gdy tylko usłyszała konie, wybiegła z wozu, w którym wraz z Intepe pielęgnowały rannego Zamę. Uwolniwszy się w końcu z objęć Jima, uświadomiła sobie, że jest z nim jakiś nieznajomy, który przygląda się tej nieskrywanej demonstracji uczuć.

— Kto z tobą przyjechał? — zapytała, zgarniając luźne pasma włosów pod czepek i wygładzając zgniecioną przez Jima suknię.

— Nie obawiaj się — odparł. — To mój kuzyn Mansur, o którym ci opowiadałem i którego już raz spotkałaś. Mansurze, to Louisa Leuven. Jesteśmy zaręczeni.

— Sądziłem, że przechwaliłeś jej zalety — rzekł Mansur, skłaniając się przed dziewczyną i przyglądając w świetle latarni jej twarzy — lecz jest jeszcze piękniejsza, niż mówiłeś.

— Jim wiele mi opowiadał o tobie — powiedziała nieśmiało

Louisa. — Kocha cię jak brata. Kiedy widzieliśmy się krótko na pokładzie *Het Gelukkige Meeuw*, nie było możliwości, żeby poznać się bliżej. Mam nadzieję, że w przyszłości to nadrobimy.

Louisa podała mężczyznom posiłek. Gdy zjedli, zostawiła ich samych, żeby mogli rozmawiać bez przeszkód. Dopiero po północy Jim wrócił do ich wozu i położył się obok niej na szerokiej pryczy.

— Wybacz, Jeżyku — rzekł — że tak cię zaniedbałem tej nocy.

— Nie śmiałabym mieć pretensji, bo wiem, ile on dla ciebie znaczy i jak jesteście sobie bliscy — szepnęła, wyciągając ku niemu ręce. — Lecz teraz czas, żebym ja była jeszcze bliższa.

P rzebudzili się wszyscy dobrze przed wschodem słońca. Louisa zajęła się przygotowaniem uroczystego śniadania z okazji spotkania z Mansurem, a ten ostatni poszedł do chorego Zamy. Jim przyłączył się do nich i we trójkę oddali się wspomnieniom i pogawędce. Zamę tak ożywiło zjawienie się Mansura, że oznajmił, iż jest gotów wstać z łóżka.

Smallboy i Muntu zaprzęgli wozy i karawana ruszyła w drogę. Louisa powierzyła Intepe opiekę nad Zamą i po raz pierwszy, odkąd został ranny, mogła dosiąść Śmigłej i jechać u boku Jima i Mansura. Kiedy mijali stada, Mansur podziwiał ich liczebność oraz ładunek kości słoniowej, unieszczony na grzbietach zwierząt.

— Chociaż stryj Tom z moim ojcem zdołali ujść z kolonii z większością rodzinnego majątku, twoje zdobycze pomnożyły go po wielekroć — oświadczył. — Opowiedz mi, jak to się stało. Opowiedz, jak pokonałeś wojska Manatasee, królowej Nguni.

— Opowiadałem ci już zeszłej nocy — bronił się Jim.

— To zbyt dobra historia, żeby ją opowiadać tylko raz — nalegał kuzyn. — Chcę ją usłyszeć ponownie.

Tym razem Jim uwypuklił rolę Louisy podczas bitwy, chociaż protestowała, że przesadza.

— Ostrzegam cię, kuzynie, nie wchodź tej kobiecie w drogę. To istna walkiria, kiedy się rozjuszy. Nie na darmo jest znana wszem wobec jako Przerażający Jeżyk.

Wjechali na grzbiet kolejnego wzgórza i spojrzeli w stronę oceanu. Był już tak blisko, że dostrzegali białe grzywy fal tańczących na horyzoncie.

— Jak daleko jeszcze do Zatoki Narodzenia Pańskiego? — zapytał Jim.

— Piechotą szedłem tutaj trzy dni — odparł Mansur. — Teraz, mając pod sobą dobrego wierzchowca, byłbym tam przed zmrokiem.

Jim spojrzał tęsknym wzrokiem na Louisę.

— Wiem, o czym myślisz, Jamesie Courtneyu — rzekła z uśmiechem.

— A co ty myślisz o tym, o czym ja myślę, Jeżyku?

— Myślę, że moglibyśmy zostawić Zamę, wozy i bydło; niech się posuwają swoim tempem. A my pojedźmy tam co koń wyskoczy.

— A więc za mną, ukochana! — zakrzyknął radośnie Jim. — Do Zatoki Narodzenia Pańskiego!

Trwało to nawet krócej, niż przewidywał Mansur. Słońce wisiało jeszcze nad horyzontem, gdy zatrzymali się na wzgórzach ponad rozległą, lśniącą zatoką. U ujścia rzeki Umbilo stały na kotwicach oba szkunery. Jim przysłonił oczy kapeluszem przed rażącymi refleksami zachodzącego słońca na wodzie.

— Oto Fort Auspice, Fort Pomyślności — powiedział Mansur, pokazując nowo wzniesione budynki na brzegu rzeki. — Nazwę wymyśliła twoja matka. Chciała go nazwać Fort Good Auspice, ale stryj Tom się nie zgodził. „To za długie — powiedział — a poza tym nie ma czegoś takiego jak »zła pomyślność« i wszyscy o tym wiemy". No i zostało Fort Auspice.

Gdy podjechali bliżej, dojrzeli palisadę z zaostrzonych bali, otaczającą wyniesienie gruntu, na którym zbudowano fort. Wokół stanowisk dla dział, strzegących warowni ze wszystkich stron, ziemia się jeszcze nie uleżała.

— Przenieśliśmy na ląd większość dział ze statków — wyjaśnił Mansur. — Nasi ojcowie zabezpieczyli się, jak mogli, przez napaścią Keysera lub innych wrogów.

Ponad ostrokół wystawały dachy budynków fortu.

— Są czworaki dla służby, a nasze rodziny mają osobne kwatery mieszkalne — tłumaczył Mansur, w miarę jak zjeżdżali ze wzgórza. — Tam są stajnie, tam magazyny, a na lewo to skład i kantor.

Dachy jaśniały jeszcze świeżą, niepociemniałą strzechą.

— Ojcu chyba się zdaje, że jest jakimś Neronem — roześmiał się Jim. — Toż to prawdziwe miasto, a nie faktoria handlowa.

— Stryjenka Sarah wcale go od tego nie odwodziła — odparł Mansur. — Wręcz przeciwnie, była aktywną wspólniczką. O, to właśnie ona! — zawołał, zrywając z głowy kapelusz i wywijając nim nad głową.

W bramie warowni pojawiła się kobieca postać, idąca w kierunku grupki jeźdźców. Kiedy Jim do niej pomachał, porzuciła wszelką stateczność gospodyni i puściła się biegiem, niczym zwolniona z lekcji uczennica.

— Jim! Jimmy, mój chłopcze! — Jej radosne okrzyki odbijały się echem od skał cypla. Jim spiął Werbla do ostrego galopu. Zeskoczył z siodła, gdy koń był jeszcze w ruchu i pochwycił matkę w objęcia.

Dorian i Tom Courtneyowie usłyszeli tętent kopyt ogiera i też wybiegli przed bramę fortu. Mansur i Louisa usunęli się na bok, żeby przeczekać pierwszą gorączkę powitania.

Wozy i stada bydła dotarły do Frotu Auspice dopiero pięć dni później. Cała rodzina obserwowała je z platformy strzelniczej na palisadzie. Na przedzie szło stado luzaków; Tom z Dorianem ucieszyli się na ich widok.

— Dobrze będzie poczuć znowu pod sobą koński grzbiet — stwierdził Tom. — Bez porządnego wierzchowca czułem się jak pół człowieka. Teraz będę mógł objechać okolicę i objąć całą tę ziemię w posiadanie.

Patrzyli w niemym zdumieniu, jak ze wzgórz spływają ciemną rzeką stada. Kiedy Ikunzi ze swymi Nguni zaczął rozładowywać na placu przed bramą kość słoniową, Tom zszedł po drabince na dół. Przechadzał się wśród stosów kłów, podziwiając zarówno ich liczebność, jak i wielkość, a potem wrócił na platformę.

— A niech mnie licho, chłopcze — przemówił karcącym tonem do Jima, marszcząc brwi. — Czy ty w ogóle nie znasz umiaru? I gdzie my teraz to wszystko pomieścimy? Przez ciebie trzeba będzie zbudować nowy magazyn! — Jego twarz się rozpogodziła i roześmiawszy się z własnego dowcipu, zamknął syna w niedźwiedzim uścisku. — Wniosłeś do majątku naszej kompanii taki wkład, że nie pozostaje mi nic innego, jak uczynić cię wspólnikiem.

W ciągu następnych miesięcy roboty nie zabrakło dla nikogo. Wiele rzeczy należało zaplanować i ustalić. Główne prace przy budowie fortu zostały już ukończone, łącznie ze wzniesieniem dodatkowego magazynu, w którym złożono zdobyczną kość słoniową. Sarah mogła wreszcie kazać przenieść na ląd swoje meble. Klawikord ustawiła w głównym pomieszczeniu, służącym obu familiom za jadalnię i pokój do wypoczynku. Tego wieczoru odegrała wszystkie ulubione melodie, a pozostali przyłączyli się do niej w rodzinnym chórze. Tom, któremu słoń nadepnął na ucho, nadrabiał to siłą swego głosu, aż w końcu Sarah odwiodła go od śpiewu taktownie, prosząc o przewracanie stronic z nutami w śpiewniku.

W bezpośrednim otoczeniu fortu nie starczyłoby pastwisk dla wielkiej liczby bydła, jakie teraz mieli. Jim podzielił więc stado na siedem mniejszych i kazał Ikunziemu popędzić zwierzęta w głąb lądu, nawet dwadzieścia mil od warowni, tam gdzie mogły znaleźć dość paszy i wody. Nguni pobudowali w pobliżu pastwisk swoje wioski.

— To będzie świetne ochronne przedpole wokół fortu — wyjaśnił Jim Tomowi i Dorianowi. — Będą nas mogli ostrzec zawczasu przed zbliżającym się wrogiem... Ma się rozumieć — dorzucił jakby po namyśle — że będę musiał dość regularnie jeździć tam do nich na inspekcję.

— A przy okazji wyprawić się zupełnie niechcący na słonie. — Tom z miną mędrca pokiwał głową. — Twoje oddanie sprawom kompanii jest poruszające, chłopcze.

Po kilku takich wyprawach słonie zareagowały na zainteresowanie Jima, wynosząc się z jego terenów łowieckich gdzieś dalej w głąb interioru.

W miesiąc po przybyciu do Fortu Auspice Jim z Louisą odwiedzili Sarah w kuchni. Po długiej, emocjonalnej rozmowie obie kobiety zalały się łzami radości, a starsza z nich natychmiast poszła omówić całą sprawę z Tomem.

— Na Boga, Sarah Courtney, nie wiem, co powiedzieć — rzekł jej mąż. Wiedziała, że te słowa stanowią wyraz jego najwyższego zdumienia. — Na pewno nie ma pomyłki?

— Louisa jest pewna. Kobiety rzadko się mylą w takich sprawach.

— Będzie nam więc potrzebny ktoś, kto ich połączy węzłem małżeńskim, żeby wszystko było legalnie i po bożemu — zmartwił się Tom.

— Jesteś, mój mężu, kapitanem statku — zauważyła rzeczowo Sarah — więc dysponujesz taką władzą, jeśli nie ma księdza.

Myśl o pojawieniu się wnuka wprowadziła Toma w świetny nastrój.

— Wygląda na to, że Louisa doskonale się spisała — rzekł w końcu z dobrze skrywaną ekscytacją.

Sarah ujęła się pod boki, zaciskając dłonie w pięści, co zwiastowało burzę.

— Jeśli to miał być żart, Tomie Courtneyu, to trafiłeś jak kulą w płot. Jeżeli chodzi o mnie, o ciebie i całą resztę świata, Louisa Leuven stanie do ślubu jako dziewica.

— To oczywiste — przyznał natychmiast — i każdy, kto by twierdził inaczej, będzie miał ze mną do czynienia. Jak dobrze wiesz, przedwczesne porody zdarzają się w naszej rodzinie dość często. Poza tym Louisa to dobra dziewczyna i odpowiednia kandydatka na żonę. Śmiem nawet twierdzić, że nasz Jim daleko by musiał żeglować, żeby znaleźć lepszą.

— A więc uczynisz to? — chciała mieć pewność Sarah.

— Przypuszczam, że gdybym nie uczynił, długo nie zaznałbym spokoju — odparł.

— I chociaż raz przypuszczasz słusznie — skwitowała Sarah.

Tom wziął ją w objęcia i ucałował w oba policzki.

Po kilku dniach udzielił Jimowi i Louisie ślubu na pokładzie *Sprite*. Nie wszyscy gapie pomieścili się na szkunerze, część więc patrzyła, stojąc przy burcie *Revenge* lub spoza palisady fortu. Narzeczeni wypowiedzieli słowa przysięgi i złożyli podpisy w dzienniku okrętowym. Gdy wreszcie pan młody sprowadził swą wybrankę na ląd, Mansur dał rozkaz i huknął salut dwudziestu jeden dział warowni. Wojownicy Nguni rozpierzchli się zdezorientowani, a mała Letee wpadła w taką histerię, że Bakkat długo musiał jej tłumaczyć, iż to nie niebo wali im się na głowy.

— No! — skonstatował z zadowoleniem Tom. — To powinno im wystarczyć, dopóki nie znajdą jakiegoś klechy, który dopełni formalności jak należy. — Po czym zdjął z głowy kapitański graniasty kapelusz i z urzędnika przedzierzgnął się w barmana, wybijając szpunt w beczce przedniej brandy z Przylądka Dobrej Nadziei.

Smallboy zaszlachtował wołu i upiekli go w całości na ustawionym na plaży rożnie. Biesiada trwała do późnej nocy, aż mięso zostało skonsumowane, a beczka osuszona do dna.

Nazajutrz Jim z Louisą rozpoczęli wznoszenie osobnego domu dla siebie w obrębie fortu. Mając do dyspozycji wiele pomocnych rąk, już po tygodniu mogli się przenieść z wozu, który przez tyle miesięcy był ich domem, pod dach i między solidne ściany z suszonej na słońcu cegły.

Musieli zająć się także mniej przyjemnymi sprawami. Z piwnicy pod fortem, zamienionej na celę, przyprowadzono Raszuda. Dorian i Mansur, którzy na mocy islamskiego prawa byli zarówno sędziami, jak i wykonawcami wyroku, zabrali więźnia poza kolonię, z dala od ludzkich oczu i uszu. Kiedy po kilku godzinach wrócili, oblicza mieli posępne, a Raszuda już z nimi nie było.

Następnego ranka Tom zwołał rodzinę na naradę. Po raz pierwszy uczestniczyła w niej Louisa Courtney. Tom, jako najstarszy członek rodzinnego klanu, przedstawił pozostałym swoje propozycje:

— Dzięki Jimowi i Lousie zyskaliśmy wielkie zapasy kości słoniowej. Najlepsze rynki to wciąż Zanzibar, faktorie na Wybrzeżu Koromandelskim oraz Bombaj w imperium Wielkiego Mogoła. Zanzibar znajduje się we władaniu kalifa Zajna al-Dina, a więc jest dla nas zamknięty. Ja zostanę w Forcie Auspice i z pomocą Jima będę prowdził sprawy kompanii na miejscu. Dorian poprowadzi statki na północ. Załadujemy na nie tyle kości, ile zdołają unieść, choć będzie to z pewnością zaledwie jedna czwarta wszystkiego, co posiadamy. Doriana czekają jeszcze pilniejsze sprawy w Maskacie. — Spojrzał na młodszego brata. — Proszę, wyjaśnij wszystkim, o co chodzi.

Dorian wyjął kościany ustnik fajki spomiędzy zębów, które wciąż były białe, równe i bez szczerb, i powiódł spojrzeniem po kochanych twarzach.

— Wiemy, że Zajn al-Din musiał opuścić Maskat — rozpoczął. — Batuli i Kumrahowi udało się częściowo potwierdzić tę informację podczas ich ostatniej bytności w Omanie. Kadem ibn Abubaker — rysy mówiącego stężały, gdy wypowiedział nazwisko mordercy Jasmini — rzekomo był upoważniony przez radę wojenną do zaproponowania mi miejsca na Słoniowym Tronie i poprowadzenia wojska przeciwko Zajnowi. Nie wiemy jednak, czy tak było rzeczywiście, czy też Abubaker posłużył się kolejnym kłamstwem, żeby mnie zwabić w szpony swego mocodawcy. Tak czy inaczej, odmówiłem ze względu na Jasmini. I wyszło na to, że pragnąc ją chronić, skazałem na śmierć.

Głos Doriana zadrżał i przycichł, Tom zaś rzucił szorstko:

— Jesteś dla siebie zbyt surowy, bracie. Nikt na świecie nie mógłby przewidzieć takiego rozwoju wypadków.

— Niemniej Jasmini zginęła z rozkazu Zajna i z krwawej ręki Kadema. Nie ma lepszego sposobu pomszczenia jej, jak tylko pożeglować do Omanu i przyłączyć się do rebeliantów w Maskacie.

Mansur podniósł się z taboretu u szczytu stołu i podszedł do Doriana.

— Jeżeli się zgodzisz, pożegluję z tobą, ojcze — powiedział — i zajmę miejsce po twojej prawicy.

— Nie tylko się zgodzę — odparł Dorian — lecz powitam cię całym sercem.

— A więc to zostało ustalone — rzekł Tom. — Jim i jego małżonka zostaną do pomocy Sarah i mnie, dzięki czemu nie zbraknie nam rąk do pracy, a Mansur będzie mógł wyruszyć z Dorianem. Kiedy zamierzasz wypłynąć, bracie?

— Pasaty ustąpią monsunowi za jakieś sześć tygodni. Stały wiatr powinien się utrzymać do końca następnego miesiąca. To da nam czas na przygotowanie się do wyprawy.

— Zdejmiemy ze szkunerów wszystkie pozostałe działa, żebyś mógł zabrać więcej kości — powiedział Tom. — Przy okazji wzmocnimy naszą obronę w forcie. Nie ma pewności, czy Keyser w końcu nas nie wywęszy. Poza tym po interiorze grasują Nguni. Jim rozbił wprawdzie oddziały pod wodzą Manatasee, lecz wiemy od tych, którzy się do nas przyłączyli, że inne grupy wciąż sieją spustoszenie w głębi lądu. Kiedy już sprzedasz kość, Dorianie, będziesz mógł wyposażyć statki w nowe działa w Indiach. W Pendżabie są bardzo zdolni rusznikarze; widziałem ich dzieła. Robią doskonałe dziewięciofuntowce, o ciężarze i długości lufy w sam raz dla naszych statków.

Kiedy zdemontowano wszystkie armaty ze szkunerów, przewieźli je na brzeg barkasami wraz z całą amunicją i prochem, a potem wciągnęli na wzgórze za pomocą wołów i osadzili w ziemnych umocnieniach wokół fortu.

— No, to już jest coś. — Tom przyjrzał się nowym szańcom z zadowoleniem. — Teraz trzeba by całej armii z machinami oblężniczymi, żeby nas pokonać. Sądzę, że zabezpieczyliśmy się wystarczająco przez agresywnymi tubylcami, a także przed siłami, które mógłby nasłać Keyser, jeśli się zorientuje, gdzie jesteśmy.

Uwolnione od obciążenia szkunery kołysały się lekko na kotwicach, ukazując sporo poszycia dna, obitego miedzianą blachą.

— Zaraz znajdziemy dla nich balast, który je świetnie ustabilizuje — rzekł Dorian i zarządził załadunek kości oraz napełnianie kadzi zapasem słodkiej wody.

Od czasu śmierci Jasmini Dorian popadał w częste zmiany nastroju, pogrążając się w głębokiej melancholii. Wyglądał na przedwcześnie postarzałego od zgryzoty; w jego rudozłotych włosach i brodzie pojawiły się srebrne pasemka, a czoło przeorały głębokie zmarszczki. Teraz jednak, mając nowy cel do osiągnięcia, a u swego boku Mansura, wydawał się młodnieć i odzyskiwać wigor i determinację.

Zaczęli więc zapełniać ładownie kością słoniową, a magazyny i kadzie żywnością i wodą na podróż. Gdy na koniec zamknięto beczki z peklowanym bawolim mięsem, oba szkunery osiągnęły odpowiednie zanurzenie. Dorian i jego dwaj kapitanowie, Batula i Kumrah, starali się ustalić jak najlepszy trym, by uzyskać maksymalną szybkość i dobrą sterowność żaglowców.

— Dopóki nie ustawimy nowych dział na pokładzie, jedyną naszą obroną przez napastnikami będzie szybka ucieczka — stwierdził Dorian. — Pomimo najlepszych wysiłków naszych ojców, a potem Toma przed dwudziestu laty, po wodach Oceanu Indyjskiego wciąż grasują piraci.

— Trzymajcie się jak najdalej od wybrzeża afrykańskiego — poradził Tom. — Tam są ich główne kryjówki. Kiedy złapiecie dobrze monsun w żagle, nie dogoni was żaden piracki *dhow*.

Wszyscy mieli mnóstwo zajęcia. Kobiety zajmowały się gospodarstwem i urządzały mieszkania, Tom z Jimem doglądali koni i trzody, a Dorian z Mansurem gotowali do drogi statki. Dni mijały niepostrzeżenie i szybko.

— Aż trudno uwierzyć, że upłynęło sześć tygodni — powiedział Mansur, gdy wraz z Jimem stali na plaży, przyglądając się dwóm małym szkunerom. Reje zostały już skrzyżowane i wszystko było gotowe do żeglugi wraz z porannym odpływem.

— Ostatnimi czasy jakoś tak się dzieje, że ledwie się spotkamy, trzeba znowu się rozstawać — zauważył Mansur.

— Czuję, że tym razem rozstanie potrwa o wiele dłużej, kuzynie — rzekł ze smutkiem Jim. — Za tym błękitnym horyzontem zapewne czeka cię przygoda i nowe życie.

— Ty już je rozpocząłeś, Jim. Masz kobietę, niedługo będziesz miał syna, a ta ziemia stała się twoją własnością. Ja na razie jestem sam. Nie wiem jeszcze, gdzie poprowadzi mnie serce.

— Nieważne, jakie będą nas dzielić morza czy lądy — powiedział Jim. — W głębi duszy będę czuł twoją bliskość.

Mansur wiedział, ile wysiłku kosztowało kuzyna wygłoszenie tak sentymentalnej deklaracji. Wziął go w objęcia i uściskał mocno. Jim odwzajemnił uścisk z równą siłą.

O świcie, wraz z odpływem, oba szkunery pożeglowały do ujścia zatoki. Cała rodzina odpłynęła na *Revenge* milę od brzegu, a potem Tom, Sarah, Jim i Louisa zeszli do barkasu i patrzyli, jak szkunery oddalają się i maleją na horyzoncie. W końcu zniknęły im z oczu i Tom zawrócił łódź ku brzegowi.

Bez Doriana i Mansura fort wydawał się dziwnie pusty, a podczas wieczornych śpiewów przy klawikordzie brakowało wszystkim ich dźwięcznych głosów.

Podróż poprzez Ocean Indyjski minęła szybko i bez większych przeszkód. Oba szkunery, *Sprite* pod dowództwem Mansura, a *Revenge* pod Dorianem, trzymały się blisko siebie, monsun zaś wspomagał ich żeglugę. Ominęli szerokim łukiem wyspę Cejlon, pomni na słowa Keysera, że zawiadomi holenderskiego gubernatora w Trincomalee o ich poczynaniach na Przylądku Dobrej Nadziei. Pożeglowali dalej, żeby dopłynąć przed zmianą pory roku do Wybrzeża Koromandelskiego w południowo-wschodnich Indiach. Odwiedzili konkurujące ze sobą faktorie handlowe Brytyjczyków, Francuzów i Portugalczyków, nie ujawniając swej prawdziwej tożsamości. Dorian z Mansurem ubierali się w arabskie stroje i wśród obcych rozmawiali wyłącznie w języku arabskim. Dorian starał się w każdym porcie dokładnie oszacować popyt na kość słoniową, żeby nadmiernie nie zaspokoić rynku, co skutkowałoby obniżką ceny w przyszłości. Poszło im znacznie lepiej, niż wyliczył to Tom. Gdy szkatuły na statkach zapełniły się srebrnymi rupiami i złotymi mohurami, a jedna czwarta kości słoniowej wciąż czekała w ładowniach na sprzedanie, zawrócili na południe. Okrążyli południowy kraniec Indii i płynęli wzdłuż zachodniego wybrzeża, by dotrzeć do terytoriów Wielkiego Mogoła. Sprzedali resztę kości w Bombaju, gdzie miała swą główną siedzibę angielska Kompania Wschodnioindyjska, a także na innych rynkach w zachodnich portach kruszącego się powoli wielkiego imperium.

Potężne i kwitnące niegdyś państwo Wielkiego Mogoła, najbogatsze i najświetniejsze na kontynencie, popadało teraz w ruinę i rozproszenie, nękane walkami pomniejszych władców, takich jak Babur czy Akbar, o dominację. A jednak pomimo tych politycznych niepokojów nowe, perskie wpływy na dworze w Delhi zaowocowały korzystnym klimatem dla handlu. Persowie bowiem byli urodzonymi kupcami i ceny kości słoniowej przewyższały to, co udało się Dorianowi uzyskać w faktoriach na wschodzie.

Mogli już teraz uzbroić szkunery na nowo, zapełnić ładownie prochem i amunicją i przekształcić statki z handlowych w wojenne. Popłynęli dalej na północ i zarzucili kotwice w delcie pod Hajdarabadem, gdzie Indus wpada do Morza Arabskiego. Dorian i Mansur zeszli na ląd z małym zbrojnym oddziałem pod dowódz-twem Batuli. Na głównym suku wynajęli powóz i przewodnika, który miał ich zaprowadzić na obrzeża tego rozległego, kipiącego życiem miasta. Na płaskiej, nieciekawej aluwialnej równinie znaj-dowała się odlewnia jednego z najsławniejszych w Pendżabie, a co za tym idzie w całych Indiach, wytwórcy dział. Właścicielem był sikh o manierach imperatora, niejaki Pandit Singh.

W ciągu następnych tygodni Dorian i Mansur wybrali z jego składu baterię armat, po dwanaście na każdy statek. Były to działa o długich, jedenastostopowych lufach, których otwór wylotowy miał cztery cale średnicy. Przy otworze tak wąskim w stosunku do długości lufy wystrzeliwały one żelazne dziewięciofuntowe kule z dużą precyzją na sporą odległość.

Dorian starannie mierzył średnicę każdej lufy, żeby mieć pew-ność, że kula tego samego kalibru będzie pasować do wszystkich i że odlewy są takie same. Następnie, ku oburzeniu Pandita Singha, który uznał to za brak zaufania do jego kunsztu, kazał wystrzelić na próbę z wybranych dział, żeby sprawdzić, czy metal nie ma ukrytych wad. Dwie lufy pękły przy pierwszym odpaleniu. Pandit Singh wyjaśnił jednak, że nie ma to nic wspólnego z jego manufak-turą, a sprawcą jest niewątpliwie złośliwy *goppa*, najbardziej szkodliwa postać szatana.

Dorian zamówił u miejscowych cieśli lawety, zbudowane według jego własnego projektu. Armaty zaciągnięto następnie do portu zaprzęgami wołów, a potem przewieziono galarami na szkunery. Pandit Singh odlał kilkaset żelaznych pocisków odpowiedniego kalibru, a także wielką liczbę kartaczy i kul łańcuchowych. Mógł również zaopatrzyć statki w dowolną ilość prochu, na którego wysoką jakość dawał osobistą gwarancję. Dorian otwierał każdą beczkę i sprawdzał jej zawartość. W rezultacie odrzucił niemal połowę towaru i dopiero wtedy kazał przetransportować resztę na statki.

Teraz mógł się zająć poprawą wyglądu swej flotylli, co na tych morzach miało równie wielkie znaczenie jak siła ognia. Wysłał więc na brzeg Mansura w celu zakupienia na sukach Hajdarabadu najlepszego gatunku płótna w kolorach zielonym i bordowym. Żaglomistrze uszyli z nich komplety olśniewających żagli, które zastąpiły stare, spłowiałe i zszargane w sztormach. Dorian zatrudnił także krawców z bazaru do zaopatrzenia marynarzy w nową odzież, bryczesy o szerokich nogawkach i kurtki pasujące kolorami do nowego ożaglowania. Efekt zaiste robił wrażenie.

Hajdarabad, leżący niedaleko od Omanu, był istnym tyglem plotek na temat sytuacji politycznej i militarnej. Targując się z kupcami, Dorian i Mansur przesiadywali w kawiarniach i słuchali wszelkich pogłosek. Dowiedzieli się, że rada wojenna wciąż sprawuje władzę w Maskacie, lecz kalif Zajn al-Din umocnił swoje wpływy na Lamu i w Zanzibarze, a także w pozostałych portach Omanu. Powszechnie uważano, że planuje atak na Maskat, by obalić rządy rebeliantów i odzyskać tron. Wspomagać go miały w tym przedsięwzięciu angielska Kompania Wschodnioindyjska i Wysoka Porta w Konstantynopolu, stolicy tureckiego imperium Osmanów.

Dorianowi udało się także dowiedzieć, kim są nowi rządcy Maskatu. Radę stanowiło dziesięciu ludzi, z których większość znał. Byli to żołnierze, z którymi dzielił się chlebem i solą, uczestnicząc wspólnie z nimi w licznych bitwach przed dwudziestu laty. Teraz, gdy wszystko było gotowe do dalszej żeglugi, dusza rwała mu się do czynu.

Kiedy wyruszyli, nie obrał jednak od razu kursu na Maskat, leżący około siedmiuset mil na zachód, na wysokości Zwrotnika Raka w Zatoce Omańskiej. Zamiast tego pływali zakosami poza zasięgiem ciekawskich oczu z lądu, a załoga obu statków ćwiczyła w tym czasie obsługę nowych dział. Dorian nie żałował prochu ani pocisków na ten cel i trenował ich ostro, dopóki nie nabyli biegłości i szybkości równej marynarzom Królewskiej Marynarki Brytyjskiej.

Wpływając wreszcie do portu w Maskacie, flotylla przedstawiała imponujący widok. Na masztach wydymały się dumnie barwne żagle, a załoga uwijała się na rejach w nowych uniformach. Na szczytach masztów szkunerów wywieszono złoto-błękitne kolory Omanu, a Dorian rozkazał opuścić górne żagle i oddać salwę burtową jako salut dla pałacu i fortecy. Kanonierom tak się spodobał huk dział, że kontynuowali z entuzjazmem kanonadę w nieskończoność, aż trzeba było ich powstrzymać przed dalszym marnowaniem prochu i kul, uciekając się do razów, szczodrze zadawanych końcem grubej liny.

Wszystko to wywołało na brzegu wielkie poruszenie. Dorian obserwował przez lunetę śpieszących w różne strony posłańców oraz artylerzystów zajmujących stanowiska przy bateriach na murach fortecy. Wiedział, że trochę to potrwa, zanim rada zadecyduje, jak zareagować na przybycie tej dziwnej, uzbrojonej po zęby flotylli. Stał więc spokojnie na kotwicy, oczekując na rozwój wypadków.

Mansur przepłynął wiosłową łodzią na żaglowiec ojca. Stanęli przy relingu, przyglądając się statkom w wewnętrznym porcie. Ich uwagę zwrócił zgrabny, okazały trójmasztowiec pod flagą Unii i z proporcem konsula generalnego korony brytyjskiej na topie grotmasztu. W pierwszej chwili sądził, że tak świetny statek musi należeć do Kompanii Wschodnioindyjskiej. Jednak błękitna bandera wskazywała, że jest własnością prywatną, tak jak oba szkunery.

— Właściciel musi być bogaczem — orzekł Dorian. — Taka zabawka jest warta co najmniej pięć tysięcy funtów. *Arcturus* — odczytał nazwę na rufie. — No jasne, żaden statek Kompanii Wschodnioindyjskiej nie wpłynąłby do Maskatu, skoro otwarcie zawarli przymierze z kalifem Zajnem al-Dinem w Zanzibarze — klarował synowi.

Odziani w niebieskie mundury oficerowie na *Arcturusie* skierowali swe lunety na przybyszów. Większość wyglądała na Hindusów bądź Arabów, byli bowiem ciemnoskórzy i niemal każdy nosił brodę. Dorian rozpoznał kapitana statku po graniastym kapeluszu i złotych wyłogach munduru. Był wyjątkiem, miał bowiem rumianą, gładko ogoloną twarz Europejczyka. Mansur przesunął lunetę z nadbudówki na dziób i znieruchomiał zdumiony.

— Na tym statku są białe kobiety — oznajmił.

Dwie damy spacerowały po pokładzie w towarzystwie modnie odzianego dżentelmena w surducie, wysokim białym kołnierzyku i spiczastym czarnym kapeluszu. Mężczyzna trzymał w ręku laseczkę ze złotą główką i wskazywał nią coś dla zilustrowania swojego wywodu.

— Masz swojego bogacza, ojcze — rzekł Mansur. — Ubrany jak dandys i bardzo z siebie kontent.

— Widzisz to wszystko z tak daleka? — zapytał z uśmiechem Dorian, lecz przyjrzał się mężczyźnie dokładniej. Było niemal wykluczone, żeby go spotkał kiedykolwiek przedtem, a jednak nie mógł się oprzeć wrażeniu, że jest w tej sylwetce coś dziwnie znajomego.

Mansur parsknął śmiechem.

— Nie widzisz, jak on stąpa... niczym pingwin z zapaloną świeczką w tyłku? Założę się, że ta beka budyniu, która drepce koło niego, cała w gipiurach i falbankach, to jego żona. Świetna z nich para, daję... — Mansur przerwał raptownie.

Dorian opuścił swoją lunetę i spojrzał na syna. Młodzieniec zmrużył oczy, a jego opalone policzki powlekły się ciemniejszym brązem. Dorian rzadko widywał, jak jego syn się rumieni, ale to właśnie przydarzyło się Mansurowi w tej chwili. Ojciec przyłożył znów do oka lunetę i przyjrzał się drugiej damie, która bez wątpienia była przyczyną nagłej zmiany nastroju syna. Raczej jeszcze dziewczyna niż kobieta, pomyślał, chociaż dosyć wysoka. Talię ma jak w klepsydrze, ale zapewne stać ją na francuskie gorsety. Nosi się wdzięcznie i ma gibki chód.

— A co sądzisz o tej drugiej? — zapytał syna.

— Której? — udawał obojętność chłopak.

— Tej chudej, w sukni koloru ogórka.

— Nie jest wcale chuda, a suknię ma szmaragdową — odparł żywo Mansur i zmieszał się, bo zrozumiał, że został złapany. — Zresztą, co mnie to właściwie obchodzi — dorzucił szybko.

Mężczyzna w wysokim kapeluszu wyglądał na oburzonego tak obcesową obserwacją z ich strony. Przez chwilę wpatrywał się w nich gniewnie, a potem wziął tłustą damę pod rękę i przeszli na przeciwległą burtę. Dziewczyna w szmaragdowozielonej sukni zawahała się i spojrzała w ich stronę.

Mansur przyglądał się jej zachłannie. Słomkowy kapelusz o szerokim rondzie osłaniał jej twarz przed tropikalnym słońcem. Pomimo to policzki miała opalone na brzoskwiniowy kolor. Choć było zbyt daleko, żeby dojrzeć szczegóły, widział, że rysy ma regularne i doskonałe w proporcjach. Jasnobrązowe włosy zebrała w węzeł na karku. Były gęste i lśniące. Czoło miała wysokie, a twarz łagodną i inteligentną. Widok niemal odbierał mu dech i żałował, że nie może dostrzec koloru oczu dziewczyny. Ona jednak podrzuciła z irytacją głową i zebrawszy zielone spódnice, podążyła w ślad za starszą parą na drugą stronę statku.

Mansur opuścił lunetę, czując się tak, jakby go czegoś pozbawiono.

— Na razie koniec występów — rzekł Dorian. — Schodzę na dół. Gdyby się coś działo, zawiadom mnie.

Minęła godzina, a potem druga, zanim Mansur wsunął głowę przez świetlik kabiny na rufie.

— Od nabrzeża pałacowego odbiła łódź! — zawołał.

Była to mała feluka o łacińskim ożaglowaniu, z sześcioosobową załogą. Na jej rufie stał samotny pasażer. Ubrany był w śnieżnobiały burnus i turban, a u pasa miał bułat w złotej pochwie. Kiedy łódź się zbliżyła, Dorian dostrzegł lśniący czerwienią na turbanie duży rubin. Ten człowiek był ważną osobistością.

Feluka ustawiła się wzdłuż burty *Revenge* i jeden z marynarzy zacumował ją do łańcucha kotwicznego. Po chwili na pokład szkunera wspiął się nieznajomy gość. Był nieco starszy od Doriana. Miał ostre, wyraziste rysy typowe dla ludów pustyni i otwarte, śmiałe spojrzenie człowieka, wpatrującego się często w daleki horyzont. Przeszedł przez pokład ku Dorianowi długim, stanowczym krokiem.

— Pokój z tobą, bin-Szibam — powitał go Dorian poufałym tonem, jakim mogliby się zwracać do siebie towarzysze broni. — Wiele lat upłynęło od czasu, kiedy stałeś u mego boku na Przełęczy Bystrej Gazeli, odpierając ataki wroga. — Wysoki mężczyzna zatrzymał się w pół kroku, kompletnie zaskoczony. — Widzę, że Bóg był dla ciebie łaskawy — ciągnął Dorian. — Nic nie straciłeś ze swej młodzieńczej siły. Czy wciąż dzierżysz wysoko lancę przeciwko tyranowi i ojcobójcy?

— Al-Salil! — Mężczyzna z głośnym okrzykiem przypadł do jego stóp. — Prawdziwy książę królewskiego domu kalifa Muhammada al-Malika! Bóg wysłuchał w końcu naszych modlitw. Proroctwo mułły al-Allamy wypełniło się. Powróciłeś do swego ludu, gdy pogrążony jest w wielkim smutku i potrzebuje ciebie jak nigdy dotąd.

Dorian podniósł bin-Szibama z klęczek i uścisnął go.

— Co robisz, stary pustynny jastrzębiu, w miejskich pieleszach? — zapytał, odsuwając go na długość ramienia. — Ubrany jesteś niczym basza, ty, który byłeś niegdyś walecznym szejkiem Saarów, najdzikszego plemienia w całym Omanie.

— Moje serce tęskni za otwartą przestrzenią, al-Salilu, i marzę o tym, żeby poczuć pod sobą galopującego wielbłąda — wyznał zapytany. — Zamiast tego jednak trawię tu czas na niekończących się debatach, choć powinienem pędzić po pustyni z długą lancą u boku.

— Chodź, stary druhu. Porozmawiamy tam, gdzie nas nikt nie usłyszy. — Dorian wziął go pod ramię i poprowadził do swojej kabiny.

Rozsiedli się na grubych dywanach, a służący podał im maleńkie mosiężne tygielki ze słodką jak syrop kawą.

— Należę teraz, ku mej zgryzocie i niewygodzie, do rady wojennej — zaczął bin-Szibam. — Jest nas dziesięciu, po jednym z każdego plemienia Omanu. Odkąd zrzuciliśmy ze Słoniowego Tronu tego potwora i mordercę Zajna al-Dina, siedzę w Maskacie i gadam, aż mi drętwieją szczęki i obwisa brzuch.

— Opowiedz mi o tych rozmowach — poprosił Dorian. Przez następną godzinę wysłuchiwał relacji, która potwierdziła wszystko, o czym dowiedział się wcześniej sam.

Bin-Szibam opowiedział mu, jak Zajn zamordował wszystkich potomków i spadkobierców przybranego ojca Doriana, kalifa al--Malika. Opisał niezliczone, zupełnie niepojęte zbrodnie i represje wobec ludu omańskiego.

— W końcu plemiona powstały, w imię Boga, przeciwko tyranowi. Spotkaliśmy jego pachołków w bitwie i pokonaliśmy ich. Zajn uciekł z miasta i znalazł schronienie na Wybrzeżu Malarycznym. Powinniśmy byli doprowadzić do końca kampanię przeciwko niemu, lecz podzieliła nas niezgoda co do przywództwa. Żaden z dziedziców kalifa al-Malika nie pozostał przy życiu. — Po tych słowach bin-Szibam skłonił się przed Dorianem. — Niechaj nam Bóg wybaczy, al-Salilu, lecz nie znaliśmy miejsca twojego pobytu. Dopiero w ostatnich latach zaczęły docierać do nas pogłoski, że jednak żyjesz. Wysłaliśmy posłańców do wszystkich portów Oceanu Indyjskiego, żeby cię odnaleźć.

— Wasze prośby dotarły do mnie, chociaż w niezbyt jasny sposób. Przybyłem, żeby przyłączyć się do walki o wspólną sprawę.

— Niech spłynie na ciebie łaska Boga, jesteśmy bowiem w opłakanym położeniu. Każde z dziesięciu plemion chce, żeby to jego szejk objął kalifat. Zajn, uciekając, zabrał większość floty, nie możemy więc ścigać go w Zanzibarze. Naradzając się w nieskończoność, słabliśmy, Zajn zaś rósł w siłę. Jego rozproszeni przez nas poplecznicy, widząc naszą opieszałość, połączyli się na powrót i zgromadzili przy nim. Zajn podbił porty w środkowej części kontynentu afrykańskiego i dokonał rzezi tych, którzy opowiadali się tam po naszej stronie.

— To pierwsza zasada wojny — stwierdził Dorian. — Nigdy nie wolno dać przeciwnikowi czasu na odzyskanie sił.

— Jest tak, jak mówisz, al-Salilu. Zajn al-Din zjednuje sobie potężnych sprzymierzeńców. — Bin-Szibam wstał, podszedł do iluminatora i odsunął zasłonkę. — Tam jest jeden z nich — pokazał na stojącego w porcie *Arcturusa*. — Przybył do nas z całą arogancją, udając negocjatora pokoju, lecz w istocie przywożąc nam ultimatum i śmiertelne zagrożenie.

— Kto jest na pokładzie tego statku? — zapytał Dorian. — Widzę, że wywiesił flagę konsula generalnego.

— To przedstawiciel króla Anglii, jego konsul generalny na cały Orient, jeden z najpotężniejszych ludzi na tych morzach.

Pozornie przybył jako mediator pomiędzy nami a Zajnem, ale my dobrze go znamy. Tak jak niektórzy kupcy handlują dywanami, on handluje narodami, armiami i wszelaką bronią. Przemieszcza się potajemnie z narad angielskiej Kompanii Wschodnioindyjskiej w Bombaju na dwór Wielkiego Mogoła, z Wysokiej Porty na spotkanie gabinetu cesarskiego w Pekinie. Majątkiem może się równać z nimi wszystkimi, a zgromadził go wskutek nadużywania władzy, podżegania do wojny i frymarczenia życiem ludzkim. — Bin-Szibam rozłożył wymownie ręce. — Jakże my, dzieci piasków, moglibyśmy sprostać komuś takiemu?

— Czy znacie już jego warunki? Z jakim przesłaniem tutaj przybył?

— Jeszcze się z nim nie spotkaliśmy. Obiecaliśmy to uczynić pierwszego dnia ramadanu, ale boimy się. Wiemy, że traktat z tym człowiekiem może być dla nas tylko niekorzystny. — Arab znów padł przed Dorianem na klęczki. — W sercach chyba czekaliśmy na ciebie, al-Salilu, żebyś nas poprowadził do bitwy jak tyle razy przedtem. Udziel mi swego pozwolenia, błagam, żebym powrócił teraz do rady dziesięciu i powiedział, kim jesteś i w jakim przybyłeś celu.

— Idź, stary druhu. Powiedz im, że al-Salil chce przemówić do rady.

Bin-Szibam wrócił po zmroku i zaraz po wejściu do kajuty skłonił się przed Dorianem.

— Przybyłbym wcześniej — rzekł — lecz rada nie chce, żeby angielski konsul widział, jak schodzisz na ląd. Zobowiązali mnie, bym przekazał ci wyrazy ich najgłębszego szacunku i lojalności wobec twojej rodziny. Oczekują teraz w sali tronowej pałacu. Proszę, byś poszedł ze mną. Od nich dowiesz się więcej, ku swej wielkiej korzyści i naszej także.

Dorian przekazał Mansurowi dowództwo flotylli i narzuciwszy na głowę i ramiona opończę z wielbłądziej wełny, zszedł z bin--Szibamem do feluki. Po drodze do nabrzeża przepływali w pobliżu *Arcturusa*. Kapitan stał na pokładzie i Dorian mógł dojrzeć jego twarz w świetle odbitym od szkła kompasu. Wydawał rozkazy oficerowi wachtowemu. Miał akcent z zachodniej Anglii, lecz brzmiał on w uszach Doriana jakoś dziwnie. Powracam właśnie, pomyślał, do związków i zobowiązań wczesnej młodości. Gdyby tylko Jasmini mogła dzielić ze mną ten moment powrotu do domu.

Kiedy zeszli na kamienne nabrzeże, czekały już na nich straże.

Żołnierze poprowadzili Doriana przez ciężkie żelazne wrota i kręconymi schodami do labiryntu wąskich przejść i korytarzy. Unosiła się tu woń stęchlizny i gryzoni, a ściany z kamiennych bloków oświetlały pochodnie. W końcu dotarli do zawartych na głucho drewnianych drzwi. Jeden z eskortujących zastukał w nie drzewcem lancy i kiedy się otworzyły, poszli szerszymi korytarzami o wysokim kolebkowym sklepieniu. Podłogę zakrywały tu plecione maty, a na ścianach wisiały gobeliny. Dotarli pod kolejne drzwi, pilnowane przez zbrojnych strażników. Żołnierze skrzyżowali lance, zagradzając przejście.

— Kto pragnie uzyskać wstęp do rady wojennej Omanu? — padło pytanie.

— Książę al-Salil ibn al-Malik.

Strażnicy odsunęli się, składając głęboki pokłon.

— Proszę przechodzić, Wasza Wysokość. Rada oczekuje na twoje przybycie.

Drzwi otworzyły się powoli, skrzypiąc zawiasami, i Dorian wkroczył do znajdującej się za nimi sali. Oświetlały ją setki ceramicznych lampek o knotach zanurzonych w wonnym olejku. Ich blask nie rozpraszał jednak mroku w dalekich kątach komnaty i pod wysokim sufitem.

Wokół niskiego stołu siedziała na poduszkach grupa mężczyzn. Blat stołu odlany był z czystego srebra i ozdobiony rytym geometrycznym ornamentem o religijnych islamskich motywach. Na widok Doriana wszyscy wstali, a najstarszy wystąpił naprzód. Miał białą brodę i szedł statecznym krokiem, jak na seniora przystało. Spojrzał Dorianowi w twarz.

— Niechaj cię Bóg! błogosławi, Mustafo Zindaro, zaufany doradco mego ojca — powitał go Dorian.

— To on! W imię Boga, to zaiste on! — zawołał starzec, padł na kolana i ucałował skraj jego szaty. Dorian podniósł go z klęczek i uściskał.

Kolejno podchodzili pozostali, a Dorian witał niemal każdego po imieniu, pytając o rodziny i przypominając wspólne wyprawy przez pustynię, i bitwy, które toczyli jako towarzysze broni.

Następnie każdy wziął do ręki lampę, otoczyli Doriana i poprowadzili poprzez długą komnatę. Gdy znaleźli się na przeciwległym jej końcu, zajaśniało przed nimi perłowo coś wysokiego i masywnego. Dorian wiedział, co to jest, albowiem ostatnim razem, gdy widział to miejsce, siedział na nim jego przybrany ojciec.

Wprowadzili go teraz po stopniach i posadzili na tygrysich skórach i jedwabnych, wyszywanych złotem i srebrem poduszkach, okrywających siedzisko wysokiego mebla. Wykonano go trzysta lat temu ze stu pięćdziesięciu wielkich ciosów, i stał się odtąd sławny jako Słoniowy Tron Kalifa Omanu.

W ciągu następnych dni i tygodni Dorian od świtu do nocy odbywał narady ze swymi doradcami i ministrami. Przedstawiali mu szczegółowo wszelkie aspekty spraw królestwa, od nastrojów wśród ludu i plemion pustynnych poprzez zawartość skarbca aż do stanu floty i możliwości armii. Opowiedzieli o niemal całkowitym załamaniu się handlu i objaśnili dyplomatyczne i polityczne dylematy wymagające rozwiązania.

Dorian w lot pojął rozpaczliwą sytuację. Flota, dzięki której Oman był niegdyś morską potęgą, odpłynęła wraz z Zajnem al-Dinem na Wybrzeże Malaryczne. Wiele plemion, zniechęconych niekończącymi się debatami rady, odeszło na pustynię, a ich oddziały rozpłynęły się na jej rozległych połaciach niczym mgła. Skarbiec był niemal pusty, Zajn bowiem ograbił go przed swą ucieczką.

Dorian wysłuchał ich, a potem zaczął wydawać rozkazy. Były zwięzłe i konkretne. Przychodziło mu to z taką łatwością i naturalnością, jakby było to jego codziennym zajęciem. Wieści o jego geniuszu wojskowym i politycznym, pomnożone dziesięć razy, obiegły ulice i bazary miasta. Otaczająca go aura przywódcy harmonizowała z przystojną sylwetką i szlachetnym wyglądem. Jego pewność siebie i wewnętrzna moc udzielały się innym. Kazał zamrozić aktywa, które pozostały jeszcze w skarbcu, a na niezapłacone od dawna długi wystawił weksle gwarantowane własnym podpisem. Następnie dokonał inspekcji spichlerzy, podzielił żywność na racje i zaczął przygotowywać miasto do oblężenia.

Do szejków na pustyni wysłał posłańców na szybkich wielbłądach, a gdy przybyli do Maskatu złożyć mu przysięgę na wierność, wyjechał na pustynię, aby przywitać ich osobiście. Potem kazał im wracać i przygotować swoje wojska do bitwy.

Dowódcy w mieście, zainspirowani jego przykładem, zabrali się z nowym animuszem do planowania obrony. Niekompetentnych zastąpił ludźmi, których pamiętał z przeszłości jako godnych zaufania.

Kiedy objeżdżał mury, nakazując ich natychmiastowe wzmocnienie i reperację, mieszkańcy witali go radosnymi wiwatami, dotykając jego szaty i podnosząc w górę dzieci, by mogły spojrzeć na legendarnego al-Salila.

Dorian trzykrotnie wysłał wiadomość na *Arcturusa*, prosząc konsula o wyrozumiałość. Tłumaczył, że objął kalifat tak niedawno, iż nie zdążył się jeszcze zaznajomić ze stanem spraw państwowych. Odwlekał nieuniknione spotkanie, jak najdłużej się dało. Każdy dzień zwłoki umacniał bowiem jego własną pozycję.

W końcu do pałacowego nabrzeża dopłynęła łódź z listem od przedstawiciela angielskiej korony. Napisany był po arabsku, kształtnie i kaligraficznie. Mansur, widząc w tym kobiecą rękę, domyślił się, kto pisał wiadomość. List zaadresowano do stojącego na czele tak zwanej Rady Wojennej w Omanie, zupełnie pomijając osobę i tytuł kalifa al-Salila ibn al-Malika, chociaż angielski konsul z pewnością dowiedział się już od swoich szpiegów o wszystkich wydarzeniach w Maskacie.

Wiadomość była zwięzła i pozbawiona kwiecistych dyplomatycznych zwrotów. Konsul generalny korony brytyjskiej w Oriencie żałował, że rada niezdolna była go wysłuchać. Teraz inne niecierpiące zwłoki sprawy wzywały go do Zanzibaru i nie był pewien, czy jeszcze powróci do Maskatu.

Zawoalowana groźba zawarta w liście nie przestraszyła Doriana, lecz kiedy zobaczył podpis u dołu pisma, na jego twarzy pojawił się wyraz szoku. Bez słowa podał list Mansurowi, wskazując na wykaligrafowane po angielsku nazwisko.

— On się nazywa tak samo jak my! — zdumiał się Mansur. — Sir Guy Courtney.

— Nazywa się tak samo — odparł Dorian ze ściągniętą i pobladłą twarzą — i w jego żyłach płynie ta sama krew. Czułem, że jest w nim coś znajomego, gdy tylko go zobaczyłem. Guy Courtney to brat bliźniak twojego stryja Toma i mój brat przyrodni. Możesz sobie dodać jeszcze jednego stryja do kolekcji.

— Nigdy do tej pory o nim nie słyszałem! — Mansur był poruszony. — Nic z tego wszystkiego nie rozumiem.

— Są wszelkie powody ku temu, żebyś nie wiedział o istnieniu Guya Courtneya. Podłe uczynki i złą krew skrywa się głęboko na dnie duszy.

— Ale teraz chyba mogę już wiedzieć? — zapytał Mansur.
Dorian milczał przez dłuższą chwilę.

— To ponura historia zdrady i podstępu, zazdrości i nienawiści — odrzekł w końcu z ciężkim westchnieniem.

— Opowiedz mi ją, ojcze — poprosił cicho Mansur.

— Będę musiał, choć w ujawnieniu tych brudnych spraw nie znajduję przyjemności. Ale należy ci się wyjaśnienie. — Żeby się nieco odprężyć, sięgnął po nargile i przemówił dopiero, gdy fajka zapłonęła żarem, a poprzez szklany zbiornik z pachnącą wodą popłynął błękitny dym. — Trzydzieści lat upłynęło już od czasu, gdy Tom, Guy i ja, trzej bracia, wypłynęliśmy z Plymouth, kierując się na Przylądek Dobrej Nadziei, na starym *Seraphie* pod dowództwem twojego dziadka Hala. Ja byłem wówczas jeszcze dzieckiem, ledwie dziesięciolatnim, lecz Tom i Guy wyrastali już na mężczyzn. Na pokładzie znajdowała się jeszcze jedna rodzina. Pan Beatty płynął do Bombaju wraz z żoną i córkami, aby objąć tam wysokie stanowisko w angielskiej Kompanii Wschodnioindyjskiej. Najstarszą z jego córek była szesnastoletnia Caroline, prawdziwa piękność.

— Nie mówisz chyba o tej beczce budyniu, którą widzieliśmy na pokładzie *Arcturusa*!? — wykrzyknął Mansur.

— Chyba tak — pokiwał głową Dorian. — Lecz wtedy była ślicznotką. Czas wszystko zmienia.

— Wybacz, ojcze, nie powinienem był ci przerywać. Chciałeś powiedzieć o pozostałych córkach.

— Najmłodsza, słodka i przemiła dziewczyna, miała na imię Sarah.

— Sarah? — Mansur spojrzał nań pytająco.

— Wiem, co pomyślałeś. Jest to słuszne domniemanie. To twoja stryjenka Sarah, lecz powiem ci o wszystkim po kolei, jeżeli dasz mi dojść do słowa. — Mansur zrobił skruszoną minę, a Dorian mówił dalej: — Kiedy statek wypłynął w morze, Guy zakochał się beznadziejnie w Caroline. Ona jednak robiła maślane oczy do Toma. Twój stryj nie byłby sobą, gdyby nie wykorzystał okazji. Ostrzelał z flanki słabą fortecę, rozpalił w jej piecyku, porozrzucał polana i w końcu upiekł swoje wielkie owocowe ciastko w jej małym gorącym piekarniku.

— Jestem zdumiony, słysząc tak wulgarną mowę, płynącą z ust własnego ojca! — Mansur zachichotał mimo powagi sprawy.

— Wybacz, jeżeli uraziłem twoje wrażliwe uczucia, ale idźmy dalej. Guy wściekł się na Toma, że potraktował w ten sposób obiekt jego westchnień, i wyzwał własnego brata na pojedynek.

Tom był już wybornym szermierzem, a Guy nie. Tom nie chciał zabić brata, lecz z drugiej strony wolał nie mieć już nic wspólnego z owocowym ciastkiem. Dla niego była to po prostu zabawa i rozrywka. Ja miałem wtedy ledwie dziesięć lat i nie całkiem rozumiałem, co się dzieje, lecz dobrze pamiętam burzę, która zatrzęsła rodziną i podzieliła nas. Nasz ojciec nie dopuścił do pojedynku, na szczęście dla Guya.

Mansur widział, jak bardzo jego ojciec cierpi, wspominając to wszystko, choć usiłował pokryć zgryzotę nonszalanckim tonem. Czekał na dalszy ciąg w milczeniu, szanując uczucia Doriana. Ten w końcu podjął opowieść:

— W rezultacie Guy rozstał się z nami. Ożenił się z Caroline i przyjął nieślubne dziecko Toma jako swoje. Potem popłynął z rodziną Beattych do Indii. Nigdy go już nie zobaczyłem, aż do momentu, w którym wypatrzyliśmy go na pokładzie *Arcturusa*. — Znów umilkł, otoczony błękitnym obłokiem dymu z nargile. — To jeszcze nie koniec — powiedział po chwili. — W Bombaju Guy pod okiem swego teścia dochrapał się stanowiska konsula. Kiedy mnie, jako dwunastolatka, porwali handlarze niewolników, Tom udał się do niego z prośbą o pomoc w poszukiwaniach. Guy odmówił i próbował aresztować Toma za morderstwo i inne przestępstwa, których ten nie popełnił. Twemu stryjowi udało się uciec, lecz przedtem spotkał się z Sarah i zabrał ją ze sobą. To jeszcze bardziej rozpaliło nienawiść Guya. Sir Guy Courtney, konsul generalny Jego Królewskiej Mości w Oriencie, potrafi nienawidzić. Jest moim bratem, lecz tylko z nazwy. W rzeczywistości to nasz wróg i sprzymierzeniec Zajna al-Dina. Będę cię teraz prosił o pomoc w napisaniu listu do niego.

Ułożenie pisma zabrało im sporo czasu i wysiłku. Napisali je w arabskim stylu, pełnym kwiecistych komplementów i zapewnień o dobrej woli. Kolejny raz przeprosili szczerze za wszelkie niezamierzone afronty, jakie mogły zostać przypadkiem wyrządzone. Wyrazili najgłębszy szacunek dla autorytetu i godności urzędu konsula generalnego. Na koniec skierowali do niego błagalną prośbę o spotkanie się z kalifem w dowolnie wybranym czasie, najlepiej jednak przy pierwszej nadarzającej się sposobności.

— Poszedłbym sam na *Arcturusa* — powiedział Dorian — lecz to nie byłoby zgodne z protokołem dyplomatycznym. Ty będziesz musiał dostarczyć ten list. W żadnym razie nie pozwól mu się domyślić, że jesteśmy rodziną i że mówisz po angielsku. Chcę, żebyś wyczuł jego nastawienie i zamiary. Zapytaj, czy możemy zaopatrzyć jego statek w wodę, mięso i świeżą żywność, i zaoferuj załodze gościnę w mieście. Gdy zejdą na brzeg, nasi szpiedzy wyciągną z nich wiele pożytecznych informacji. Musimy starać się zatrzymać go w porcie jak najdłużej, aż będziemy gotowi do konfrontacji z Zajnem.

Mansur wybrał starannie strój na wizytę u konsula, w stylu odpowiednim dla najstarszego syna kalifa Omanu. Nałożył zielony turban ze szmaragdową spinką, jednym z nielicznych klejnotów pozostałych po ogołoceniu skarbca przez Zajna. Na białą szatę wdział kamizelkę z wielbłądziej skóry, wyszywaną złotą nicią. Sandały, pas i pochwę z mieczem ozdobili filigranem najlepsi złotnicy w mieście.

Kiedy Mansur wspinał się po drabince na pokład *Arcturusa*, jego płomiennoruda broda jarzyła się w słońcu; wyglądał tak wspaniale, że kapitan żaglowca i jego marynarze wpatrywali się w niego szeroko otwartymi oczami, oniemiali ze zdumienia.

— Witam pana, jestem William Cornish, kapitan statku — przemówił po chwili Anglik o czerwonej twarzy, z powodu której we flocie Kompanii Wschodnioindyjskiej otrzymał przydomek „Ruby". Mówił po arabsku słabo i z ciężkim akcentem. — Czy mogę wiedzieć, do kogo mam zaszczyt się zwracać?

— Książę Mansur ibn al-Salil al-Malik — odparł płynną arabszczyzną przybyły, dotykając serca i ust w powitalnym geście. — Przybywam jako emisariusz mego ojca, kalifa al-Salila ibn al-Malika. Mam honor dostarczyć list kalifa do Jego Ekscelencji konsula generalnego Jego Królewskiej Mości.

Ruby Cornish wyglądał na zakłopotanego. Zrozumienie słów gościa przyszło mu z pewną trudnością, a poza tym przykazano mu surowo nie uznawać żadnych tytułów królewskich, którymi mogliby się posługiwać omańscy rebelianci.

— Proszę, panie, żeby twoja eskorta pozostała w łodzi — powiedział w końcu. Mansur odprawił swoich ludzi gestem dłoni. — Zechce pan pójść za mną. — Cornish poprowadził go na śródokręcie, gdzie nad wydzielonym fragmentem pokładu rozpostarto żagiel jako osłonę przed słońcem.

Sir Guy Courtney siedział w wygodnym fotelu wyścielonym skórą lamparta. Graniasty kapelusz położył na stole obok, a szpadę trzymał między kolanami. Na widok Mansura nawet nie wstał z miejsca. Ubrany był w surdut w kolorze burgunda, z najlepszego

458

sukna, ze złotymi guzikami i wysokim kołnierzem. Buty o ściętych czubkach miały srebrne klamry, a białe jedwabne pończochy sięgały kolan, gdzie podtrzymywały je podwiązki w kolorze surduta. Obcisłe spodnie, również białe, zaopatrzone były w klapkę spłaszczającą męskość. Piersi zdobiły wstęgi i gwiazdy Orderu Podwiązki i kilka wschodnich medali.

Mansur wykonał uprzejmy powitalny gest.

— Jestem zaszczycony pańską łaskawością, Wasza Ekscelencjo — powiedział.

Guy Courtney pokręcił z irytacją głową. Mansur wiedział już, że jest bliźniakiem Toma, musiał więc mieć niemal pięćdziesiątkę; wyglądał jednak młodziej. Choć włosy już mu się przerzedzały, sylwetkę miał szczupłą, a brzuch płaski. Wiek zdradzały jednak sinawe worki pod oczami, a jeden z jego przednich zębów był poczerniały. Konsul miał kwaśną minę i nieprzyjazne spojrzenie.

— Moja córka będzie tłumaczyć — powiedział po angielsku, wskazując stojącą za fotelem dziewczynę. Mansur udał, że nie zrozumiał. Od momentu wejścia na pokład żaglowca był w pełni świadom jej obecności, lecz teraz dopiero spojrzał po raz pierwszy wprost na nią.

Zachował nieporuszony wyraz twarzy, chociaż z najwyższym trudem. Najpierw zwrócił uwagę na jej oczy — duże, zielone, żywe i przenikliwie patrzące. Ich białka były czyste, a rzęsy długie, gęste i podwinięte.

Mansur oderwał wzrok od córki konsula i zwrócił się wprost do niego.

— Proszę wybaczyć moją ignorancję, ale nie mówię po angielsku. Nie zrozumiałem słów Waszej Ekscelencji.

Dziewczyna odezwała się piękną, klasyczną arabszczyzną, zmieniając słowa w muzykę.

— Mój ojciec nie zna arabskiego. Za pańskim pozwoleniem będę jego tłumaczką.

— Proszę przyjąć wyrazy uznania, pani. — Mansur skłonił się lekko. — Władasz naszym językiem doskonale. Jestem książę Mansur ibn al-Salil al-Malik i przybywam jako wysłannik mojego ojca, kalifa Omanu.

— A ja jestem Verity Courtney, córka konsula generalnego. Mój ojciec wita cię, panie, na pokładzie *Arcturusa*.

— Wizyta emisariusza tak potężnego monarchy i takiego znamienitego narodu to dla nas prawdziwy zaszczyt — odparł Mansur.

Wymiana uprzejmości i wyrazów szacunku trwała jeszcze przez jakiś czas, lecz Verity Courtney starała się nie reagować na królewskie tytuły wymieniane przez gościa. Szacowała go wzrokiem równie starannie jak on ją. Z bliska była o wiele atrakcyjniejsza niż wtedy, gdy widział ją przez oko lunety. Miała idealną cerę Angielki, lekko złotawą od słońca, a rysy twarzy, chociaż mocne i stanowcze, nie sprawiały wrażenia ani zbyt ostrych, ani topornych. Jej kształtna głowa osadzona była na długiej, smukłej szyi. Pełne wargi układały się w uprzejmym uśmiechu. Dwa przednie górne zęby troszkę wystawały, lecz ta drobna niedoskonałość przydawała tylko dziewczynie wdzięku i atrakcyjności.

Mansur zapytał, czy nie potrzeba im czegoś, w co mógłby ich zaopatrzyć.

— Kończy nam się woda — rzekł sir Guy do córki — ale nie mów mu tego wprost.

— Na statku zawsze przyda się woda, *efendi* — wyłuszczyła prośbę po arabsku. — To nic pilnego, lecz mój ojciec doceni waszą szczodrość. — Następnie przełożyła ojcu odpowiedź gościa. — Książę mówi, że natychmiast każe przysłać beczki ze słodką wodą.

— Nie nazywaj go księciem — syknął konsul. — To mały nędzny rebeliant i Zajn nakarmi nim rekiny. Woda, którą nam przyśle, na pewno będzie zmieszana ze szczynami wielbłądów.

Verity nawet nie mrugnęła, słysząc ordynarne słowa z ust ojca, najwyraźniej przyzwyczajona do jego sposobu wysławiania się. Zwróciła się znów do Mansura.

— Oczywiście przyślesz nam czystą i nadającą się do picia wodę, *efendi*? Nie będzie zmieszana ze szczynami wielbłądów? — zapytała, jednak nie po arabsku, lecz po angielsku. Zrobiła to w sposób tak niewymuszony, tonem tak naturalnym i z tak szczerym spojrzeniem zielonych oczu, że Mansur prawie dał się zwabić w pułapkę. Zachował czujność, ale wulgarne słowa zaskoczyły go do tego stopnia, że z trudnością utrzymał obojętny i uprzejmy wyraz twarzy. Przechylił głowę w niemym pytaniu. — Mój ojciec dziękuje za twoją szczodrość — Verity po tym sprawdzianie jego językowych umiejętności przeszła na arabski.

— Jesteście naszymi honorowymi gośćmi — odparł Mansur.

— Nie mówi po angielsku — powiedziała dziewczyna do konsula.

— Dowiedz się, czego chce ten obwieś. Oni są śliscy jak piskorze, ci wogowie. — To ostatnie określenie było skrótem,

460

utworzonym niedawno przez któregoś z dostojników rządowych od słów Worthy Oriental Gentleman, którym to mianem angielscy urzędnicy nazywali mieszkańców Wschodu w służbie kolonizatorów.

— Mój ojciec pyta o zdrowie twojego ojca. — Verity starannie unikała zakazanego słowa „kalif".

— Kalif cieszy się zdrowiem i wigorem dziesięciu zwykłych ludzi. — Mansur z kolei celowo uwypuklał tytuł ojca. Podobała mu się ta walka na słowa, toczona przez dwie inteligentne osoby. — To cnota przynależna synom królewskiej krwi Omanu.

— Co on mówi? — dopytywał się sir Guy.

— Usiłuje mnie zmusić, żebym przyjęła do wiadomości, że jego ojciec jest nowym władcą — odparła z uśmiechem Verity.

— Odpowiedz mu jak należy.

— Mój ojciec ma nadzieję, że twój ojciec cieszyć się będzie jeszcze setką takich wiosen w dobrym zdrowiu i w blasku bożej przychylności, a także, że jego sumienie będzie go zawsze prowadziło drogą lojalności i honoru.

— Kalif, mój ojciec, życzy twojemu ojcu setki szlachetnych i silnych synów i oby wszystkie jego córki wyrosły na tak piękne i mądre jak ta, która stoi teraz przede mną. — Było to stwierdzenie dość obcesowe, graniczące z impertynencją, lecz oczywiście Mansur jako książę mógł sobie pozwolić na taką swobodę. W głębi zielonych oczu dojrzał cień poirytowania.

Aha, pomyślał, hamując uśmiech triumfu. Pierwsza krew dla mnie. Riposta Verity była jednak szybka i celna.

— Oby wszyscy synowie twojego ojca cieszyli się dobrymi manierami i potrafili okazywać szacunek i kurtuazję wobec niewiast — odparła — jeżeli nawet nie leży to w ich prawdziwej naturze.

— O co znów chodzi? — niecierpliwił się konsul.

— On się troszczy o twoje zdrowie.

— Dowiedz się, kiedy ten łobuz jego ojciec chce się ze mną widzieć. Przestrzeż ich, że nie będę już tolerował następnych bzdurnych pism.

— Mój ojciec zapytuje, kiedy będzie mógł złożyć wyrazy uznania i uszanowania twojemu znamienitemu ojcu.

— Takie spotkanie niezmiernie ucieszyłoby kalifa. Będzie to również okazja, by się dowiedział, jakim sposobem córka konsula generalnego posługuje się tak miodopłynnie językiem Proroka.

Verity niemal się uśmiechnęła. Przybysz był pięknym mężczyzną. Nawet jego impertynencje mile ją łechtały, a obejście miał tak ujmujące, że nie potrafiła, nawet wbrew sobie, poczuć urazy. Odpowiedź na jego niewypowiedziane pytanie była prosta. Dziewczyna od wczesnego dzieciństwa fascynowała się wszystkim, co orientalne. Spędziła je w Zanzibarze, gdzie stacjonował wtedy jej ojciec. Pokochała również język arabski z jego poetyckim i pełnym wyrazu słownictwem. Jednakże teraz po raz pierwszy w życiu poczuła jakikolwiek pociąg do mężczyzny Wschodu.

— Gdy twój czcigodny ojciec przyjmie mojego ojca i mnie, z przyjemnością odpowiem na jego pytania osobiście zamiast za pośrednictwem jego potomka.

Mansur skłonił głowę, uznając tym razem jej przewagę. Powściągnął uśmiech, lecz oczy mu błyszczały, gdy wyjął z rękawa swojej szaty list i podał go dziewczynie.

— Przeczytaj — polecił sir Guy.

Verity przetłumaczyła pismo, wysłuchała ojca i zwróciła się znów do Mansura. Przestała się już przejmować kobiecą skromnością i patrzyła mu teraz prosto w oczy.

— Konsul generalny życzy sobie, żeby na spotkaniu byli obecni wszyscy członkowie rady — powiedziała.

— Kalif z ochotą spełni tę prośbę, albowiem wysoko ceni zdanie swoich doradców — odparł Mansur.

— Ile czasu potrzebujecie, żeby zwołać spotkanie? — zapytała Verity.

— Trzy dni — odpowiedział Mansur po krótkim namyśle. — Kalif byłby jeszcze bardziej zaszczycony, gdybyś zgodził się, panie, towarzyszyć mu na pustynię, by zapolować na dropie z sokołem.

— Przywódca rebeliantów chce cię zabrać na polowanie z sokołem. Nie jestem pewna, czy będziesz bezpieczny na pustyni, ojcze — powiedziała Verity.

— Chłopina musiałby być niespełna rozumu, żeby próbować wobec mnie przemocy — odparł sir Guy. — Najpewniej chce porozmawiać na osobności, żeby zdobyć moje poparcie. Można być pewnym, że pałac to rojowisko intryg i gniazdo pełne szpiegów. Gdy wyjedziemy na pustynię, może wyciągnę z niego coś, co nam się przyda. Powiedz, że przystaję na propozycję.

Mansur wysłuchał okraszonego uprzejmościami tłumaczenia, jakby nie pojął ani słowa z przemowy konsula, po czym dotknął ust.

— Osobiście dopilnuję, aby wszystko było przygotowane na tę

wyjątkową okazję — rzekł. — Jutro rano przyślę barkas, który zabierze wasze rzeczy. Zawieziemy je do obozu myśliwskiego i będą tam do waszego przybycia.

— Zgadzamy się na to — przekazała Verity akceptację ojca.

— A my jesteśmy zaszczyceni — odparł Mansur, po czym dodał: — Już tęsknię do dnia, kiedy znów będę mógł zobaczyć twoją twarz, tak jak zgoniony ogier tęskni za łykiem świeżej wody. — Cofnął się z wdzięcznym pożegnalnym ukłonem.

— Zarumieniłaś się. — Konsul wyraził zatroskanie wyglądem córki. — Tutaj jest za gorąco. Twoją matkę także to wyczerpuje.

— Czuję się doskonale, ale dziękuję ci, ojcze, za twoją troskę — odparła gładko Verity. Mimo że potrafiła zachować zimną krew w najtrudniejszych okolicznościach, nagle poczuła, że nie panuje nad swymi emocjami.

Kiedy młody książę skierował się do burty statku, żeby zejść na królewską felukę, usiłowała na niego nie patrzeć. Musiała jednak, gdyż ojciec ujął ją pod ramię i poprowadził do relingu.

Mansur spojrzał na nią z dołu tak niespodziewanie, że nie zdążyłaby odwrócić głowy bez zwrócenia na siebie uwagi. Wytrzymała jego spojrzenie, a po chwili żagiel łodzi wypełnił się wiatrem i oddzielił ich od siebie niczym kurtyna.

Verity czuła gniew zapierający dech w piersiach, lecz jednocześnie przeniknęło ją dziwne poczucie uniesienia i dumy. Nie jestem jakąś bezmyślną, wdzięczącą się orientalną hurysą, pomyślała; nie jestem zabawką, z którą można igrać do woli. Jestem Angielką i należy mnie odpowiednio traktować. Wzięła głęboki oddech dla uspokojenia i zwróciła się do ojca:

— Może lepiej będzie, jeśli zostanę z matką, kiedy ty będziesz pertraktował z rebeliantami? Ona kiepsko się czuje. Cornish może tłumaczyć.

Naprawdę chciała uniknąć uczuć, jakie w niej wywoływały te tańczące zielone oczy i tajemniczy uśmieszek.

— Nie bądź głuptasem, dziecko. Cornish nie wiedziałby nawet, jak zapytać o godzinę. Będziesz mi potrzebna. Schodzisz ze mną na ląd, i koniec dyskusji.

Jego upór jednocześnie zirytował Verity i sprawił jej ulgę. Przynajmniej będę miała okazję jeszcze raz skrzyżować szpady z tym ładnym książątkiem, uznała. Jeszcze zobaczymy, kto tym razem będzie miał ostrzejszy język.

Trzeciego dnia przed świtem królewska feluka przewiozła gości na pałacowe nabrzeże. Czekał tam Mansur ze zbrojną świtą i służbą. Po zwyczajowej wymianie grzeczności poprowadził sir Guya do arabskiego ogiera o lśniącej czarnej maści. Po chwili parobcy przyprowadzili kasztanową klaczkę dla Verity. Wyglądała na posłuszne zwierzę, chociaż szeroka pierś i nogi zdradzały jej szybkość i wytrzymałość. Dziewczyna dosiadła wierzchowca z wdziękiem i swobodą wytrawnej amazonki. Gdy wyjeżdżali przez miejską bramę, było jeszcze ciemno i kilku konnych wysforowało się naprzód, by oświetlać drogę pochodniami. Mansur trzymał się blisko sir Guya, ubranego w elegancki angielski strój do polowania. Verity jechała po lewicy ojca.

Miała na sobie ciekawą kombinację angielskiego i orientalnego ubioru myśliwskiego. Jej wysoki jedwabny kapelusz przytrzymywany był długim błękitnym szalem, którego końce przerzuciła przez jedno ramię. Niebieski płaszcz sięgał za kolana, lecz poły miał fałdziste, co zapewniało swobodę ruchów bez obrazy skromności. Nogi dziewczyny okrywały luźne bawełniane spodnie i miękkie buty z cholewami. Mansur wybrał dla niej ozdobne siodło o wysokim przednim i tylnym łęku. Po wyjściu z łodzi powitała go lodowato i niemal nie zwracała nań uwagi, gawędząc z ojcem. Młody książę mógł więc przyglądać się dziewczynie dość otwarcie. Należała do tego niezwykłego gatunku angielskich kobiet, które wręcz rozkwitają w tropikach. Zamiast się pocić, męczyć i usychać od skwaru i duchoty, była chłodna i zrównoważona. Nawet strój, który na innej wydawałby się krzykliwy i bez gustu, przydawał jej atrakcyjności.

Początkowo jechali wśród daktylowych gajów i pól uprawnych za murami miasta. W pierwszym świetle brzasku kobiety z zasłoniętymi twarzami nabierały wody ze studni i niosły ją do domów w trzymanych na głowie dzbanach. Nad kanałami irygacyjnymi pojono wielbłądy i piękne konie. Na skraju pustyni minęli obóz wojowników jednego z plemion, które przybyły z dziczy na wezwanie swego kalifa. Ludzie wychodzili z namiotów, wznosząc radosne okrzyki i strzelając na wiwat na widok swego władcy.

Wkrótce małą karawanę otoczyła na dobre pustynia. Kiedy nad wydmami wstał dzień, wszystkich zachwycił majestat dzikiej przyrody. Obłoki drobnego pyłu, wiszące w powietrzu, odbijały promienie słońca, rozpłomieniając cały wschodni horyzont. Verity, choć jechała z głową odrzuconą lekko do tyłu, by podziwiać te wspaniałości na niebie, w pełni zdawała sobie sprawę, że książę spogląda na nią. Jego natarczywość już jej tak bardzo nie irytowała, a nawet, wbrew sobie, dostrzegała w niej zabawność. Zarazem jednak zachowywała się z rezerwą, żeby go w najmniejszym stopniu nie zachęcać.

W oddali pojawił się oddział konnych, którzy wyjechali im na spotkanie. Prowadził ich główny łowca. Rząd każdego z wierzchowców był przepysznie ozdobiony złotem i błękitem, barwami kalifatu, a jeźdźcy trzymali na przegubach zakapturzone sokoły. Za myśliwymi jechali muzykanci z przytroczonymi do siodeł lutniami, rogami i wielkimi basowymi bębnami, a na końcu parobkowie prowadzący luzaki i juczne konie z wodą i całym zaopatrzeniem wyprawy. Karawana powitała konsula generalnego okrzykami i strzelaniem na wiwat, fanfarami i waleniem w bębny, po czym dołączyła do książęcego orszaku.

Po kilku godzinach dalszej jazdy Mansur poprowadził ich poprzez rozległą, jałową równinę do miejsca, gdzie głęboka dolina opadała nad koryto wyschniętej rzeki. Na wysokim urwisku wznosiło się dziwne skupisko masywnych skalnych bloków. Gdy podjechali bliżej, Verity zobaczyła, że nie są to skały, lecz ruiny starożytnego miasta, które przed wiekami strzegło dawno już zapomnianego szlaku handlowego.

— Co to za ruiny? — zawróciła się po raz pierwszy tego dnia do młodego księcia.

— Nazywamy je Isakanderbad, Miasto Aleksandra. Macedończyk przejeżdżał tędy trzy tysiące lat temu i jego armia zbudowała tu fortecę.

Mijali zburzone mury i budowle, wśród których potężne starożytne armie świętowały wiele stuleci temu swoje zwycięstwa. Teraz mieszkały tu jedynie skorpiony i jaszczurki.

Jednakże przed kilkoma dniami do Isakanderbadu przybyła ekspedycja ludzi kalifa, którzy na dziedzińcu, gdzie niegdyś sprawował swą władzę zdobywca, wznieśli myśliwski obóz. Stała tu setka kolorowych namiotów wyposażonych we wszystkie luksusy i udogodnienia królewskiego pałacu. Na powitanie przybyłych wyszła służba. Ze złotych dzbanów polano perfumowaną wodę, żeby goście mogli zmyć z siebie kurz drogi i odświeżyć się.

Następnie Mansur zaprowadził ich do największego namiotu. Kiedy weszli, oczom Verity ukazały się draperie ze złotego i błękitnego jedwabiu oraz cenne dywany i poduszki pokrywające podłogę.

Kalif i jego doradcy powstali na powitanie gości. Verity mogła sprawdzić swe umiejętności tłumaczki przy wymianie kwiecistych zwrotów powitalnych i życzeń. Jednocześnie wykorzystała ten moment, żeby się dobrze przyjrzeć al-Salilowi.

Był przystojny i rudobrody, podobnie jak jego syn, lecz twarz znaczyły głębokie bruzdy smutku i zgryzoty, a srebrnych nitek w brodzie nie ufarbował henną. Było w nim coś jeszcze, coś czego nie potrafiła uchwycić. Kiedy spojrzała w jego oczy, ogarnęło ją poczucie *déjà vu*. Czy chodziło tylko o to, że książę Mansur tak bardzo był podobny do ojca? Uznała, że nie, że jest to coś więcej. Na dodatek coś dziwnego działo się także z jej ojcem i kalifem. Al-Salil i sir Guy wpatrywali się w siebie z wyraźnym napięciem, jakby nie byli nieznajomymi, którzy spotykają się pierwszy raz w życiu. Było tak, jak wówczas, gdy zbiera się na letnią burzę, kiedy powietrze jest ciężkie od wilgoci i lada moment ma uderzyć pierwszy grom.

Al-Salil poprowadził konsula na środek pawilonu i posadził na stosie poduszek. Sam zajął miejsce naprzeciw gościa. Służący przynieśli zaprawiony anyżem sorbet w złotych pucharach oraz kandyzowane daktyle i granaty do pojadania w trakcie rozmowy.

Jedwabne draperie izolowały ich od najgorszego pustynnego skwaru. Konwersacja była nieśpieszna i uprzejma. Kucharze podali południowy posiłek. Al-Salil częstował sir Guya z wielkich półmisków z górami szafranowego ryżu, jagnięciny i pieczonych ryb, a potem kazał wynieść resztę jedzenia dla swej świty, siedzącej na zewnątrz namiotu.

Rozmowa przybrała teraz poważniejszy obrót. Sir Guy skinął na Verity, żeby usiadła między nim a al-Salilem. Słońce stało w zenicie i zalało świat na zewnątrz swym żarem, a oni konwersowali dalej, przyciszonymi głosami. Sir Guy przestrzegł al-Salila przed kruchością przymierza pustynnych plemion, które go popierały.

— Zajn al-Din zapewnił sobie poparcie Wysokiej Porty w Konstantynopolu — oznajmił. — W Zanzibarze jest już dwadzieścia tysięcy tureckich żołnierzy, a statki czekają na zmianę wiatru, żeby ich przetransportować do tutejszych brzegów.

— A co z Kompanią Wschodnioindyjską? — zapytał kalif. — Czy Anglicy sprzymierzą się z Zajnem?

— Jeszcze się nie opowiedzieli w tej kwestii — odparł konsul. — Jak się zapewne domyślasz, panie, gubernator Bombaju podejmie decyzję po wysłuchaniu moich rekomendacji.

Równie dobrze zamiast „rekomendacji" sir Guy mógł powiedzieć „rozkazów". Al-Salil i jego doradcy nie mieli wątpliwości, w czyich rękach znajduje się tak naprawdę władza.

Verity tak była pochłonięta pracą tłumaczki, że Mansur znowu mógł się jej przyglądać z bliska. Po raz pierwszy uświadomił sobie istnienie jakichś dziwnych niedopowiedzianych podtekstów w jej relacji z ojcem. Czy to możliwe, żeby ona się go bała? — zastanawiał się. Nie był pewien, lecz czuł, że jest to coś mrocznego i przejmującego dreszczem.

Kiedy tak rozmawiali w popołudniowym skwarze, Dorian uważnie słuchał, kiwał głową i udawał, że przemawia doń logika sir Guya. W rzeczywistości jednak starał się wyłuskać prawdziwe znaczenie jego słów, ukryte pod tłumaczonymi przez Verity kwiecistymi zwrotami. Powoli zaczynał rozumieć, w jaki sposób jego przyrodni brat doszedł do takiego majątku i władzy.

Jest niczym wąż, skonstatował; wije się i wykręca, w każdej chwili gotowy strzyknąć jadem. Na koniec Dorian pokiwał poważnie głową.

— Wszystko, co mówisz, panie, przyjmuję za prawdę. Mogę się tylko modlić do Boga, by twoja mądrość i życzliwe zainteresowanie żywotnymi dla Omanu sprawami pomogły nam znaleźć sprawiedliwe i trwałe rozwiązanie. Zanim będziemy kontynuować, chciałbym zapewnić Waszą Ekscelencję o głębokiej wobec niego wdzięczności, zarówno mojej osobiście, jak i mojego ludu. Mam nadzieję, że będziemy mogli dowieść naszych uczuć w bardziej konkretny sposób niż tylko samymi słowami. — Dorian dojrzał chciwy błysk w oczach brata.

— Nie przybyłem tutaj w poszukiwaniu materialnej nagrody — oświadczył sir Guy — lecz mamy w naszym kraju powiedzenie, że dobry robotnik jest wart swego wynagrodzenia.

— W moim kraju doskonale rozumiemy znaczenie tej sentencji — odparł Dorian. — Lecz upał już zelżał. Porozmawiamy więc znowu nazajutrz, a teraz możemy wyruszyć z sokołami.

Myśliwska wyprawa, licząca dobrą setkę jeźdźców, opuściła Isakanderbad i ruszyła wzdłuż brzegu urwiska, opadającego sto stóp w dół do wyschniętego koryta rzeki. Zachodzące powoli słońce rzucało tajemnicze niebieskawe cienie wśród imponującego chaosu zburzonych ścian, stromych skał i wijącego się serpentynami wąwozu.

— Dlaczego Aleksander wybrał to dzikie i opuszczone miejsce na zbudowanie warownego miasta? — zastanawiała się głośno Verity.

— Przed trzema tysiącami lat w dole płynęła rwąca rzeka, a dno wąwozu porastała bujna zieleń — odparł Mansur.

— Jakie to smutne, że tak niewiele pozostało z tak wielkiego przedsięwzięcia. Tak dużo zbudowano, a potem w ciągu jednego pokolenia doprowadzili wszystko do ruiny dziedzice Aleksandra, którzy nie dorównywali mu geniuszem.

— Nie wiadomo nawet, gdzie jest jego grobowiec — rzekł Mansur. Stopniowo udawało mu się wciągać Verity w rozmowę; jej obronna postawa słabła i dziewczyna coraz chętniej mu odpowiadała. Zachwyciło go, że znalazł w niej towarzyszkę o podobnym umiłowaniu historii, lecz w miarę jak ich dyskusja nabierała głębi, odkrywał, że Verity jest wykształcona i przewyższa go poziomem wiedzy. Zadowalał się więc raczej słuchaniem niż wyrażaniem własnych opinii. Podobało mu się brzmienie jej głosu i sposób, w jaki posługiwała się arabskim.

Myśliwi kalifa w ciągu poprzednich dni spenetrowali okolicę i mogli teraz poprowadzić ich do miejsc, gdzie powinna znajdować się zwierzyna. Wokół rozciągała się rozległa równina, poznaczona kępami niskich krzewów. Sięgała aż po horyzont. Powietrze, znacznie teraz chłodniejsze, było słodkie i czyste jak górski strumień. Verity czuła się rześka i pełna życia. Jednakże w głębi serca czaił się jakiś niepokój, jak gdyby miało się wkrótce wydarzyć coś nieoczekiwanego, coś, co mogło odmienić na zawsze jej życie.

Nagle al-Salil zawołał, żeby ruszyli galopem. Rozbrzmiały myśliwskie rogi i jeźdźcy ruszyli pędem jak szwadron kawalerii. Końskie kopyta dudniły po spieczonej ziemi, a w uszach Verity świszczał wiatr. Kasztanka biegła lekko, wydając się ledwie muskać ziemię, jak jaskółka w lecie. Dziewczyna wybuchnęła radosnym śmiechem. Obejrzała się na jadącego obok Mansura i śmiali się razem, bez żadnej innej przyczyny poza tą, że byli młodzi i pełni życia.

Wtem rogi zagrały jeszcze przenikliwiej, a wśród myśliwych poniósł się okrzyk podniecenia. Tętent kopyt wypłoszył z kępy krzaków ukrytą tam parę dropów. Ptaki pobiegły z wyciągniętymi szyjami, trzymając głowy nisko nad ziemią. Były pokaźnych rozmiarów, większe od dzikich gęsi. Chociaż w ich jasnobrązowym upierzeniu występowała także czerwień i błękit, tak doskonale wtapiały się w pustynne tło, że chwilami robiły wrażenie fantomów.

Na odgłos rogu jeźdźcy się zatrzymali. Konie przestępowały

niecierpliwie z nogi na nogę i gryzły wędzidła, rwąc się do dalszego biegu, lecz utrzymały linię, podczas gdy al-Salil wyjechał naprzód z sokołem na przegubie. Był to raróg pustynny, najpiękniejszy i najbardziej ceniony z sokołów.

W ciągu krótkiego czasu spędzonego w Omanie Dorian zdążył szczególnie sobie upodobać tego ptaka. Był to samczyk, a więc piękniej upierzony okaz od samiczki tego gatunku. Jako trzylatek był w rozkwicie swych sił i sprawności. Otrzymał imię Khamsin, od nazwy porywistego pustynnego wiatru.

Gdy szereg konnych się zatrzymał, dropie nie poderwały się do lotu, lecz wróciły pod osłonę krzewów, gdzie zapewne przylgnęły płasko do ziemi, z głowami wyciągniętymi przed siebie. Trwały tak nieruchomo, jak otaczające ich pustynne skałki, niewidoczne dla myśliwych dzięki maskującemu upierzeniu.

Al-Salil podjechał stępa do kępy zarośli, w których ostatnio widzieli ptaki. Wśród myśliwych narastało podniecenie. Verity, chociaż nie czuła pasji prawdziwego sokolnika, oddychała szybko, a jej trzymająca wodze dłoń lekko drżała. Zerknęła spod oka na Mansura, który patrzył na ojca jak urzeczony. Po raz pierwszy poczuła, że doskonale rozumie młodego księcia.

Nagle rozległ się ostry, chrapliwy krzyk i niemal spod kopyt ogiera al-Salila poderwało się do lotu duże ptaszysko. Verity zdumiała się, jak szybko drop potrafił wzbić się w powietrze. Poszum jego skrzydeł niósł się wyraźnie w ciszy. Miały rozpiętość równą rozłożonym ramionom człowieka, były zaokrąglone na końcach, a ptak bił nimi mocno, wznosząc się coraz wyżej.

Kalif ściągnął kaptur ze wspaniałej głowy sokoła. Samczyk zamrugał żółtymi oczami i spojrzał w niebo. Widzowie rozpoczęli cichy, rytmiczny zaśpiew. Bęben bił do taktu, a jego powolne, basowe dudnienie niosło się przez równinę, wprawiając w ekscytację myśliwych i ptaka.

— Khamsin! Khamsin! — śpiewali. Sokół dojrzał sylwetkę dropia, odcinającą się wyraźnie na tle ciemnego błękitu, i naparł na przytrzymujące go postronki. Przez chwilę wisiał na nich głową w dół, trzepocąc skrzydłami i próbując się uwolnić. Kalif podniósł go w górę, zwolnił pęta i wypuścił w powietrze.

Sokół szybko uderzał ostro zakończonymi skrzydłami, wzbijając się po okręgu coraz wyżej. Przekrzywiał głowę na boki, obserwując wielkiego ptaka, lecącego w dole poprzez równinę. Bębniarz przyśpieszył rytm, a widzowie zaśpiewali głośniej:

— Khamsin! Khamsin!

Samczyk wzleciał bardzo wysoko, zmieniając się w maleńką czarną kulkę na sierpowatych skrzydłach na tle błękitu i wypatrując swej masywnej ofiary w dole. Nagle złożył skrzydła i śmignął w dół, nurkując ku ziemi niczym ciśnięta mocno dzida. Bęben łomotał w dramatycznym crescendo i raptem umilkł.

W tej ciszy usłyszeli świst wiatru wokół skrzydeł sokoła, który pikował tak szybko, że ledwie mogli nadążyć za nim spojrzeniem. Uderzył w swą ofiarę z odgłosem przypominającym zderzenie rogów walczących jeleni. Drop zamienił się w chmurę piór, porwanych natychmiast przez wiatr.

Z setek gardeł podniósł się triumfalny okrzyk. Verity odkryła, że dyszy ciężko, jak gdyby wypłynęła na powierzchnię morza po długim nurkowaniu.

Sokół powrócił do al-Salila, który nakarmił go wątrobą dropia i głaskał, podczas gdy samczyk pożywiał się smakołykiem. Potem kalif zażądał kolejnego ptaka i kiedy ten usiadł na jego przegubie, pojechał naprzód wraz z sir Guyem i swymi doradcami. Ożywiająca ich wszystkich myśliwska pasja nie zostawiała miejsca na rozmowy, nawet nie potrzebowali już Verity jako tłumaczki. Dziewczyna trzymała się więc blisko Mansura, który subtelnie powściągał swego wierzchowca, żeby jej nie wyprzedzać. Pogrążeni w konwersacji, nie zauważyli, że zostają coraz dalej w tyle za oddziałem kalifa.

Im więcej rozmawiali, tym bardziej rozwiewał się antagonizm między nimi i oboje czuli się ożywieni bliskością drugiego. Mansur zachwycał się ujmującym śmiechem Verity, a jej dość surowa, ale niebrzydka twarz wydawała mu się niemal piękna.

Zapomnieli powoli o wielkiej barwnej kawalkadzie, z którą jechali, i czuli się sami pośród tej mnogości ludzi. Daleki okrzyk i bicie bojowego bębna przypomniały im nagle o polowaniu. Mansur uniósł się w strzemionach.

— Spójrz! Widzisz je? — zawołał. Ludzie naokoło nich wrzeszczeli, grały myśliwskie rogi, bębny warczały szaleńczo.

— Co mam widzieć? Co się stało? — Dopytywała się Verity. Eksytacja Mansura była zaraźliwa i dziewczyna przysunęła się bliżej do niego. Teraz wreszcie dostrzegła, co było przyczyną tego pandemonium. Na odległym zboczu doliny myśliwi pod wodzą al-Salila jechali pełnym galopem. Goniąc za dropiami, natknęli się na zwierzynę o wiele bardziej niebezpieczną.

— Lwy! — krzyknął Mansur. — Dziesięć, może więcej! Jedź za mną, nie możemy tego przegapić.

Dziewczyna spięła konia ostrogami, żeby za nim nadążyć, i popędzili poprzez dolinę.

Zwierzęta, które ścigali al-Salil i reszta myśliwych, były bardzo szybkie. Brązowopłowe sylwetki śmigały poprzez rzadkie zarośla, wskakiwały i wyskakiwały ze stromych rozpadlin, przecinających pustynny teren.

Kalif przekazał swego sokoła jednemu z myśliwych. Wszyscy dzierżyli już długie lance, podane im przez pomocników. Pościg osiągnął najwyższe tempo; okrzyki łowców rozbrzmiewały słabo z powodu odległości. Nagle rozległ się straszliwy ryk bólu i wściekłości, gdy al-Salil uniósł się w siodle i dosięgnął lancą szybko poruszającej się sylwetki. Verity zobaczyła, jak impet uderzenia zwala zwierzę z nóg. Lew przetoczył się bezwładnie po ziemi w obłoku białawego pyłu. Kalif wprawnym szarpnięciem wyciągnął zeń lancę i popędził za kolejną ofiarą. Lew dogorywał, z pyska wypływały mu pieniste strumienie krwi. Następni jeźdźcy dobili go ciosami swoich lanc.

Kolejny myśliwy trafił lwa, potem jeszcze jeden i wszystko zmieniło się w kłębowisko pędzących koni i uciekających wielkich płowych kotów. Myśliwi potwierdzali okrzykami każde trafienie. Wierzchowce rżały i kwiczały, doprowadzane do szaleństwa wonią świeżej lwiej krwi i rykami ranionych zwierząt. Rogi grały, bębny dudniły, a wszystko spowijały chmury pyłu.

Mansur chwycił lancę z rąk jadącego za nim giermka i puścił się cwałem za ojcem. Verity dotrzymywała mu tempa, lecz myśliwi i zwierzyna zdążyli już zniknąć za grzbietem wzgórza.

Przejechali obok dwóch zabitych lwów, rozciągniętych w zaroślach. Ich zwłoki pokryte były licznymi ranami kłutymi i konie spłoszyły się, wystraszone zapachem krwi. Zanim Mansur z Verity przekroczyli grzbiet wzgórza i mogli się rozejrzeć, polowanie oddaliło się już o dobrą milę. Dostrzegli charakterystyczną postać al-Salila, jadącego na przedzie w rozwianej białej szacie, lecz nigdzie nie było już widać lwów. Zniknęły niczym brunatny dym rozwiany wiatrem po pustyni.

— Za późno — rzekł Mansur rozczarowany, wstrzymując konia. — Są za daleko, próbując ich dogonić, zmęczylibyśmy tylko niepotrzebnie nasze wierzchowce.

— Wasza Wysokość! — Verity nie zauważyła w podnieceniu,

że zwraca się do niego w tej formie. — Widziałam, jak lew odłączył się od reszty i pobiegł tam — wskazała na lewo. — Chyba skierował się z powrotem w stronę rzeki.

— Więc jedźmy tam, moja pani. — Mansur zawrócił konia. — Pokaż mi, gdzie go widziałaś.

Poprowadziła go grzbietem wzniesienia, a potem zboczyła w dół. Po przejechaniu około czterystu jardów stracili z oczu resztę towarzystwa i jechali przez ostępy samotnie. Wciąż mocno podekscytowani, co rusz wybuchali bez powodu śmiechem. Wiatr zerwał Verity kapelusz z głowy i Mansur chciał zawrócić, żeby go podnieść. Dziewczyna jednak powstrzymała go.

— Zostaw! Znajdziemy go później. — Rzuciła za siebie swój błękitny szal. — Pomoże nam odszukać to miejsce.

Podczas jazdy potrząsnęła głową i uwolniła włosy zebrane dotąd pod jedwabną siateczką. Mansura zdumiała ich długość, gdy zalśniły w miękkim świetle zachodu, opadając na ramiona gęstą, ciemnomiodową chmurą. Rozpuszczone włosy kompletnie zmieniły wygląd Verity. Przeistoczyła się w dziką, wolną istotę, nieskrępowaną towarzyskimi nakazami i konwenansami.

Mansur został nieco z tyłu, lecz cieszyło go, że może się przyglądać jadącej przodem dziewczynie. Czuł, jak w jego wnętrzu wzbiera głęboka tęsknota. To jest moja kobieta, pomyślał. To jest ta, na którą tak czekałem. W tym momencie dostrzegł jakiś ruch przed wierzchowcem Verity. Mógł to być trzepoczący skrzydełkami szary drozd, przeskakujący z krzaka na krzak.

Przyjrzał się uważniej i szybko zrozumiał, że to był lew przyczajony w płytkim jarze, dokładnie na drodze Verity. Zdradziło go machnięcie ogonem. Drapieżnik przylgnął do ziemi o tej samej barwie co jego gładka sierść. Uszy położył płasko i wyglądał jak monstrualny wąż zwinięty przed atakiem. Oczy lwa połyskiwały złoto, a z pyska toczyła się różowa piana. Na wysokości łopatki sterczała lanca, która zapewne przebiła mu płuco.

— Verity! — krzyknął Mansur. — Przed tobą, uważaj! Zawracaj! Na miłość boską, zawracaj!

Dziewczyna obejrzała się przez ramię z wyrazem zdumienia w zielonych oczach. Mansur w gorączce chwili zawołał do niej po angielsku; być może tak ją to zaskoczyło, że nie dotarło do niej znaczenie słów. Nie próbowała powściągnąć swojej klaczy i pędziła prosto na zaczajonego lwa.

Mansur zmuszał swojego konia do najwyższego wysiłku, lecz

472

został zbyt daleko, żeby ją dogonić. Klacz w ostatniej chwili zwietrzyła drapieżnika i rzuciła się raptownie w bok, niemal zrzucając Verity z siodła. Dziewczyna zdołała chwycić się łęku i utrzymać, lecz bardzo niepewnie, z jedną nogą wysuniętą ze strzemienia. Po chwili objęła szyję konia ramionami, lecz gdy klacz podrzuciła głową, czując woń krwi, wodze wypadły z rąk Verity i straciła kontrolę nad wierzchowcem.

Lew zaatakował klacz z boku. Wydawał głębokie pomruki, przy których z pyska tryskała krwawa piana. Klacz obróciła się, a Verity zsunęła się na jedną jej stronę i wisiała z nogą uwięzioną w strzemieniu. Lew skoczył z wyciągniętymi przednimi łapami, wystawiając pazury niczym wielkie żółte haki, które potrafiły rozorać skórę i mięśnie aż do kości.

Opadł na konia z takim impetem, że ten aż przysiadł na tylnych nogach. Pazury lwa wbiły się w zad klaczy, która zarżała z bólu i przerażenia i wierzgnęła tylnymi nogami. Verity znalazła się w pułapce między walczącymi zwierzętami. Jej krzyki przejmowały Mansura zgrozą. Brzmiały tak, jakby dziewczyna była śmiertelnie ranna.

Jego ogier był w pełnym galopie. Mansur kierował nim piętami, trzymając w gotowości lancę i wychylając się mocno z siodła. Grot lancy tańczył w rytm biegu konia jak srebrny owad. Lew wisiał wczepiony potężnymi przednimi łapami w grzbiet wierzgającej klaczy, rycząc donośnie. Pod jego napiętą skórą znaczyły się węzły muskułów i równoległe łuki żeber. Mansur cisnął lancę, celując w punkt tuż ponad naprężonym ramieniem. Trafił dokładnie w miejsce, które wybrał. Stal grotu zagłębiła się w ciele drapieżnika z siłą wzmocnioną impetem biegnącego konia. Nie wymagało to niemal wysiłku; Mansur poczuł tylko lekkie szarpnięcie, gdy lanca zetknęła się z kością, a potem wśliznęła głębiej, przebijając lwa na wylot. Zwierzę wygięło się w łuk w przedśmiertnej udręce, a drzewce broni pękło jak cienka trzcina. Klacz Verity uwolniła się z pazurów drapieżnika i popędziła przed siebie, brocząc krwią z ran na zadzie. Lew runął w zarośla, zwijając się w agonii.

Verity wisiała niemal pod brzuchem klaczy, uczepiona jej szyi, z jedną nogą wciąż w strzemieniu. Gdyby się nie utrzymała, koń ciągnąłby ją po ziemi; tłukłaby głową o kamienie, dopóki jej czaszka nie roztrzaskałaby się jak skrupka jajka. Dziewczyna już nawet nie krzyczała, ze wszystkich sił starając się nie spaść z pędzącego wierzchowca.

Klacz mimo krwawiących ran biegła galopem. Oszalała z przerażenia, wywracała dziko oczami i toczyła srebrne strużki śliny z otwartego pyska. Verity próbowała się wciągnąć na siodło, lecz jej wysiłki pobudziły tylko konia do szybszego biegu, jak gdyby strach dodawał mu świeżych sił.

Mansur odrzucił złamane drzewce i popędzał swego ogiera, uderzając go piętami po bokach i siekąc końcami cugli po grzbiecie. Nie mógł jednak dogonić klaczy. Zjechali po zboczu w dolinę, gdzie klacz skierowała się ku wyschniętej rzece. Mansur pognał za nią.

Galopowali tak przez pół mili, lecz dystans między nimi się nie zmniejszał. W końcu jednak straszliwe rany zaczęły dawać się klaczy we znaki. Jej krok odrobinę się skrócił.

— Trzymaj się, Verity! — dopingował dziewczynę Mansur. — Zaczynam cię doganiać! Nie poddawaj się!

Wtem dojrzał krawędź urwiska na wprost przed nimi i ścianę litej skały, opadającą dwieście stóp w dół. W wyobraźni widział już, jak klacz razem z dziewczyną znikają w przepaści i roztrzaskują się o kamienie. Ogarnęła go czarna rozpacz.

Poganiał ogiera z całą siłą ramion i nóg, i wściekłą determinacją w sercu. Klacz wyraźnie słabła i odległość między nimi malała, jednak zbyt powoli. Koń Verity w ostatniej chwili dostrzegł przepaść i próbował zawrócić, lecz jego przednie kopyta trafiły na kruchy nawis, który załamał się pod ciężarem. Klacz szarpnęła się i balansowała przez chwilę na skraju urwiska w dzikiej panice.

W tym momencie Mansur zeskoczył z konia i rzuciwszy się ku krawędzi wąwozu, chwycił Verity za kostkę. Omal nie został ściągnięty w przepaść, ale na szczęście strzemię pękło i druga noga dziewczyny została uwolniona. Ciężar był ogromny, lecz utrzymał go, leżąc płasko na brzuchu. Klacz przeleciała pięćdziesiąt stóp, odbiła się od skalnego występu i kwicząc przeraźliwie, runęła w otchłań.

Verity kołysała się niczym wahadło, wisząc głową w dół, z jedną nogą w żelaznym uścisku prawej ręki Mansura. Płaszcz opadł jej na głowę, lecz nie śmiała się ruszyć, wiedząc, że może to osłabić chwyt. Do jej uszu dochodził ciężki, chrapliwy oddech, ale nie podnosiła głowy.

— Nie wykonuj żadnego ruchu — usłyszała. — Wciągnę cię na górę. — Głos miał zduszony od wysiłku.

Nawet w tych przerażających okolicznościach zwróciła uwagę, że on wciąż mówi czystą angielszczyzną bez śladu obcego akcentu.

Ojczysty język rozbrzmiewał w jej uszach słodyczą. Jeżeli mam umrzeć, pomyślała, niech będzie to ostatni dźwięk, jaki usłyszę. Nie mogła jednak wydobyć głosu, żeby mu odpowiedzieć. Zamglonym wzrokiem patrzyła w majaczące daleko w dole dno doliny. Kręciło jej się w głowie, lecz wisiała spokojnie, czując przez cholewkę buta jego palce, wbijające się twardo w kostkę. Mansur stęknął z wysiłku i Verity poczuła, że jej biodro szoruje o skałę, gdy udało mu się ją podciągnąć o kilka cali w górę.

Chłopak pomacał nogą grunt za sobą i trafił na wąską rozpadlinę w skale. Zaczepił o nią kolanem i udem, dzięki czemu mógł uwolnić rękę, którą się przytrzymywał. Sięgnął za skraj urwiska i chwycił kostkę nogi Verity drugą dłonią.

— Trzymam cię już obiema rękami — oznajmił głosem ochrypłym z wysiłku. — Odwagi, dziewczyno! — Poczuła, że znów podjeżdża do góry. Mansur przerwał dla nabrania oddechu.

— No i tygrys! — krzyknął po chwili, pragnąc dodać sobie i jej odwagi tym starym marynarskim zawołaniem.

Chciała wrzasnąć, żeby się zamknął i porzucił tę dziecinadę, skupiając wszystkie siły na ratowaniu jej. Wiedziała, że najtrudniejsze dopiero nadejdzie, gdy będzie musiał ją dźwignąć ponad krawędź przepaści. Mansur pociągnął znowu i podjechała jeszcze kawałek do góry. Zatrzymał się i czuła, jak zmienia pozycję, przesuwając się ruchami bioder do tyłu i starając zaczepić drugą nogą o szczelinę w skale. Kiedy mu się to udało, mógł znowu podciągnąć Verity wyżej.

— Niech cię Bóg za to kocha — szepnęła ledwie słyszalnie, a Mansur dźwignął ją tak zdecydowanie, jakby miał zamiar wyrwać jej nogę ze stawu biodrowego.

— Jeszcze trochę, Verity — powiedział, ciągnąc, lecz tym razem bez efektu. W skalnym zagłębieniu rósł mały krzak i bryczesy dziewczyny zaczepiły się o jego gałązki. Mansur spróbował ponownie, jednak nie mógł jej uwolnić, gdyż rosochate gałęzie trzymały mocno.

— Nie mogę cię ruszyć — stęknął. — Coś trzyma.

— To krzak. Zaczepił się o spodnie — szepnęła.

— Spróbuj go dosięgnąć.

— Trzymaj mocno — poprosiła i zgięła się w pasie, wyciągając w górę obie ręce. Poczuła pod palcami prawej gałęzie i szybko je uchwyciła.

— Masz? — zapytał Mansur.

— Tak! — odparła. Lecz chwyt jedną ręką był bardzo niepewny.

Nagle serce zamarło jej w piersi, poczuła bowiem, że but, który ściska Mansur, zaczyna powoli zsuwać się jej z nogi.

— But mi spada! — zakwiliła.

— Spróbuj podać mi rękę! — jęknął. Zanim zdążyła zaprotestować, poczuła, jak jedna jego dłoń puszcza kostkę i sięga niżej. Stopa znów przesunęła się odrobinę w miękkiej skórzanej cholewce.

— Daj rękę! — ponaglił ją. Palce drapały niecierpliwie jej udo, wyciągając się ku miejscu, gdzie krzak zahaczył o spodnie.

— But spada! Zaraz polecę!

— Na miłość boską, dawaj rękę!

Podciągnęła się trochę i ich palce się spotkały. Drugą ręką trzymała krzak. Mansur wciąż ściskał jej kostkę, lecz prawe dłonie mieli już splecione. Suknia Verity opadła w dół i wreszcie mogła coś zobaczyć. Twarz młodzieńca ponad nią była czerwona i obrzmiała. Poczuła na policzkach krople skapujące z nasiąkniętej potem brody Mansura. Żadne nie odważyło się poruszyć.

— Co mam zrobić? — zapytała, lecz nim zdążył odpowiedzieć, los zadecydował za nich. But ześliznął się z nogi dziewczyny i zawisła w odwrotnej pozycji, z rękami wyciągniętymi w górę. Chociaż szarpnięcie osłabiło jej chwyt, nie puściła krzaka ani dłoni Mansura.

Oboje byli już mocno spoceni i ich skóra stawała się śliska. Mansur czuł, jak palce Verity zaczynają się wysuwać z jego dłoni.

— Nie utrzymam się — jęknęła.

— Za żadne skarby nie puść gałęzi! — ostrzegł ją.

Chociaż miała wrażenie, że jego uścisk miażdży jej palce, ich dłonie rozdzieliły się niczym pęknięte ogniwa łańcucha; zawisła teraz na jednej ręce. Krzak zatrzeszczał i wygiął się pod jej ciężarem.

— Już nie mogę! — krzyknęła.

— Jesteś za nisko, nie dosięgnę! — Mansur wyciągał do niej obie ręce, a ona wyprostowała wolne ramię, unosząc je w górę, lecz ich dłonie nie mogły się spotkać.

— Podciągnij się! Musisz się trochę podciągnąć! — wychrypiał. Verity czuła, jak martwieją jej mięśnie. Wiedziała, że to koniec. Mansur ujrzał rozpacz w jej oczach, widział, jak słabnie dłoń ściskająca krzak. Była już bliska rezygnacji.

— Podciągaj się, głupie babsko! — wrzasnął, próbując wykrzesać z niej resztki energii. — Do góry, ty beznadziejo!

Inwektywy okazały się skuteczne. Zmobilizowały ją do ostatniego wysiłku. Wiedziała jednak, że to i tak na nic. Nawet gdyby ich dłonie się spotkały, były śliskie od potu i musiały się znów rozłączyć. Złapała się więc krzaka także drugą ręką i w tym momencie poczuła, że korzenie zaczęły się wysuwać ze skalnej szczeliny.

— Lecę! — zakwiliła.

— Nie! Niech cię diabli! Nie! — wrzasnął, lecz było za późno. Krzak puścił i Verity poczuła, że spada. Nagle coś chwyciło ją mocno za oba nadgarstki i powstrzymało upadek z taką siłą, że aż zatrzeszczały stawy ramion.

Mansur zdobył się na jeszcze jeden desperacki wysiłek. Wyrwał nogi ze szczeliny i rzucił się ku krawędzi urwiska. Wyciągnięty na całą długość, zdołał w ostatniej chwili dosięgnąć rąk dziewczyny. Zwisał teraz połową tułowia poza skrajem urwiska, zaczepiony o szczelinę w skale tylko czubkami butów. Musiał jednak podnieść Verity jak najszybciej, nim znów się wyśliźnie z jego uchwytu. Zaparł się łokciami o ścianę klifu i powoli zgiął ręce, unosząc ją, aż znaleźli się niemal twarzą w twarz. Jego usta wykrzywiły się z wysiłku, a do głowy napłynęła krew.

— Wyżej już nie dam rady — stęknął, z ustami prawie przy jej ustach. — Musisz się wspiąć po moim ciele. Tak jak po drabinie.

Verity zdołała zahaczyć zgiętą w łokciu rękę o jego ramię, dzięki czemu miał wolną dłoń. Udało mu się chwycić ją za pasek i podciągnąć jeszcze trochę wyżej. Złapała się sprzączki jego pasa i podciągnęli się razem. Mansur sięgnął niżej i uchwycił ją za materiał bryczesów, a ona, trzymając rękę między jego nogami, znów podsunęła się wyżej. Twarz Verity znalazła się teraz na wysokości talii Mansura i mogła wyjrzeć ponad krawędź urwiska. On opuścił ręce i splótł dłonie, na które postawiła nieobutą stopę. Dzięki tej podpórce mogła już się bezpiecznie położyć na ziemi.

Natychmiast odwróciła się do swego wybawcy.

— Możesz się wydostać? — zapytała zdyszana. On jednak był tak daleko wysunięty do przodu, że nie miał możliwości wciągnięcia się z powrotem na brzeg urwiska.

— Biegnij do konia. — Ledwie wydobywał z siebie słowa. — Lina na siodle. Wyciągnij mnie stąd koniem.

Verity obejrzała się i zobaczyła ogiera kłusującego przez dolinę ćwierć mili dalej.

— Koń uciekł — powiedziała.

Mansur sięgnął do tyłu, próbując znaleźć jakiś uchwyt dla palców, lecz skała w tym miejscu była gładka. Rozległ się cichy chrzęst; czubek jego buta poruszył się w skalnej szczelinie. Mansur przesunął się o cal w stronę przepaści, ale na szczęście jego stopa znów się zaklinowała. Verity zamarła z przerażenia. Chwyciła go obiema rękami za kostkę; wiedziała jednak, że to na nic. Nie byłaby w stanie utrzymać tak potężnego mężczyzny. Próbowała zebrać się w sobie, lecz w tym momencie stopa Mansura wysunęła się ze szczeliny i chłopak, straciwszy punkt zaczepienia, zaczął zsuwać się w dół. Jego kostka wyrwała się z uchwytu dziewczyny.

Krzyknęła i rzuciła się przerażona na skraj urwiska. Nie wierząc własnym oczom, zobaczyła, że biały burnus Mansura zaczepił się o ostry występ skały pod samą krawędzią przepaści. To go uratowało. Kołysał się teraz wahadłowym ruchem nad przepastną otchłanią. Verity wyciągnęła ku niemu rękę.

— Złap się! — krzyknęła.

— Nie utrzymałabyś mnie. — Odchylił głowę, spoglądając na nią z dołu. W jego oczach nie było strachu. Poruszyło ją to do głębi.

— Spróbujmy — błagała.

— Nie — odparł. — Niech jedno spadnie, nie oboje.

— Proszę! — szepnęła. Materiał burnusa zaczął się z trzaskiem rozrywać. — Nie przeżyję tego, jeśli zginiesz z mojego powodu.

— Jesteś tego warta — wyszeptał, a Verity omal serce nie pękło. Obejrzała się za siebie z rozpaczą i nagle wstąpiła w nią nadzieja. Przesunęła się trochę do tyłu i zaklinowała nogami w rozpadlinie, którą przedtem wykorzystywał Mansur. Sięgnęła za plecy i obiema dłońmi zebrała włosy, sięgające jej poniżej talii. Skręciła je w rodzaj luźnego sznura i rzuciwszy się płasko na skałę, opuściła go ku Mansurowi. Poza skraj urwiska wystawała tylko jej głowa.

— Złap moje włosy! — zawołała.

Uniósł głowę i włosy połaskotały go po twarzy.

— Masz jakieś oparcie? Utrzymasz mnie?

— Tak, zaklinowałam się w szczelinie. — Starała się, by w jej głosie brzmiała pewność, lecz jednocześnie pomyślała: Jeżeli nawet nie utrzymam, to zginiemy razem.

Mansur owinął sobie jej włosy wokół nadgarstka i w tym momencie jego burnus rozerwał się z trzaskiem. Verity poczuła nagłe szarpnięcie, które niemal pozbawiło ją przytomności. Uderzyła policzkiem o skałę, aż zadzwoniły jej zęby. Była unieruchomiona. Słyszała cichy trzask kręgów szyjnych.

Mansur wisiał na linie z włosów tylko przez kilka sekund, po czym wspiął się szybko wyżej, na samych rękach, jak wprawny majtek wchodzący na top po wantach. Verity wrzasnęła, czując się tak, jakby zrywano jej z głowy skalp. On jednak już był na górze, złapał się krawędzi urwiska i wciągnął na skałę obok niej.

Odwrócił się natychmiast, odciągnął Verity od przepaści i zamknął w bezpiecznym uścisku swych ramion. Przyciągnął ją do piersi i przycisnął policzek do jej głowy, wiedząc, jaki straszliwy ból musiała znieść. Dziewczyna leżała bezwładnie w jego objęciach, łkając żałośnie. Kołysał ją łagodnie, jakby była dzieckiem, mrucząc nieskładne słowa pociechy i wdzięczności. Po pewnym czasie poruszyła się, więc pomyślał, że chce się uwolnić z jego objęć. Puścił ją, lecz się nie odsunęła, tylko otoczyła ramionami jego szyję. Przytuliła się do niego na powrót i ich ciała, niczym gorący wosk, zdawały się stapiać w jedno poprzez nasiąknięty potem materiał ubrań. Przestała popłakiwać i, nie odsuwając się, uniosła ku niemu twarz.

— Uratowałeś mi życie — szepnęła, patrząc mu z bliska w oczy.

— A ty uratowałaś moje — odpowiedział. Po twarzy dziewczyny wciąż spływały łzy, a jej usta drżały. Pocałował ją i poddała się temu bez oporu. Łzy były słone, a usta smakowały wonnymi ziołami. Jej długie włosy okryły ich oboje niczym namiot. Pocałunek był długi; przerwali go dopiero, gdy zabrakło im tchu.

— Nie jesteś Arabem — szepnęła Verity — lecz Anglikiem.

— Wydało się — odparł i znów ją pocałował.

— Nie wiem, co myśleć — powiedziała, gdy przestali. — Kim jesteś naprawdę?

— Wszystko ci opowiem — obiecał. — Ale później, dobrze? — Nachylił się i ich usta ponownie się złączyły.

Po dłuższej chwili położyła ręce na jego ramionach i odepchnęła go łagodnie.

— Mansurze, proszę, musimy przestać. Nie chcę, żeby stało się coś, co wszystko popsuje, zanim cokolwiek się zacznie.

— Już się zaczęło, Verity.

— Wiem.

— Zaczęło się w chwili, gdy pierwszy raz cię zobaczyłem na pokładzie *Arcturusa*.

— Wiem — powtórzyła, wstając szybko. Obiema rękami odrzuciła wspaniałą kurtynę włosów na plecy. — Nadjeżdżają — pokazała w głąb doliny, skąd galopowała w ich stronę grupka konnych.

W drodze powrotnej do Isakanderbadu Verity zrelacjonowała niedoszłą tragedię al-Salilowi i swojemu ojcu. Kiedy kalif poprosił z kolei Mansura o jego wersję wypadków, młodzieniec odpowiedział mu po arabsku i dziewczyna zmuszona była udawać przed sir Guyem, że Mansur nie zna angielskiego. Przetłumaczyła więc ojcu wszystkie pochwały na temat własnej odwagi i dzielności. Wiedząc, że młody książę rozumie każde słowo, nie mogła pominąć żadnej z jego wzniosłych metafor.

W końcu sir Guy uśmiechnął się kwaśno i skinął głową Mansurowi.

— Powiedz mu, że jesteśmy jego dłużnikami — zwrócił się do córki. Nagle jego twarz sposępniała. — To twoja wina. Nie powinnaś była znaleźć się sama w jego towarzystwie, dziewczyno. Zachowałaś się skandalicznie. Żeby mi się to więcej nie powtórzyło.

Mansur dostrzegł w jej oczach lęk.

Wrócili do obozowiska długo po zachodzie słońca. Verity zastała swój namiot oświetlony lampkami, których knoty zanurzono w pachnącym olejku. Jej rzeczy przeniesione ze statku zostały rozpakowane. Czekały na nią trzy arabskie służebne, które przygotowały kąpiel. Kiedy się rozebrała, zaczęły ją polewać ciepłą perfumowaną wodą, chichocząc przy tym i zachwycając się pięknem jej nagiego białego ciała.

Pustynne powietrze się ochłodziło i kolację podano pod rozgwieżdżonym niebem. Siedzieli ze skrzyżowanymi nogami na poduszkach, a muzykanci przygrywali im cicho. Po posiłku służący podali kalifowi i sir Guyowi nargile, lecz skorzystał tylko al-Salil. Konsul wolał zapalić długie czarne cygaro ze złotej skrzynki, którą podsunęła mu Verity. Poczęstowała także Mansura, lecz ten odmówił.

— Dziękuję, pani, lecz palenie tytoniu jakoś nigdy nie przypadło mi do gustu.

— Zgadzam się z tym w pełni. Ja także uważam odór tytoniowego dymu za wyjątkowo nieprzyjemny. — Chociaż mówili po arabsku, dziewczyna instynktownie zniżyła głos.

Mansur był już pewien, że Verity boi się swego ojca. Kryło się za tym coś więcej niż tylko fakt, że sir Guy był człowiekiem nieprzystępnym, zimnym i nieustępliwym. Młodzieniec nabrał pewności, że to, co teraz zamyśla, musi przeprowadzić z wielką ostrożnością. Zwrócił się do Verity, nie zmieniając tonu.

— Na końcu tej ulicy stoi starożytna świątynia Afrodyty. Księżyc wzejdzie dziś niedługo przed północą. Choć poświęcone pogańskiej bogini, miejsce to w świetle księżyca wygląda wyjątkowo pięknie.

Verity nie zreagowała na jego słowa, jakby w ogóle ich nie usłyszała. Skupiła się na przetłumaczeniu uwagi, którą jej ojciec wypowiedział do al-Salila. Obaj mężczyźni rozmawiali z ożywieniem. Dyskutowali o liczbach, w jakich powinna się wyrazić wdzięczność kalifa dla sir Guya za jego interwencję w Kompanii Wschodnioindyjskiej i na dworze angielskim. Al-Salil zapytał właśnie, w jaki sposób mógłby najlepiej się zrewanżować konsulowi generalnemu. Sir Guy zasugerował delikatnie, że pięć lakhów złotych rupii powinno wystarczyć, przy czym należy do tego dodać stałą roczną płatność w wysokości jednego lakha.

Kalif rozumiał już, w jaki sposób jego brat doszedł do tak ogromnego majątku. Ta ilość złota ledwie by się zmieściła na dwóch wozach zaprzężonych w woły. W skarbcu Maskatu nie było nawet dziesiątej części tej sumy, lecz o tym oczywiście konsula nie poinformował. Starał się zmienić temat.

— Wrócimy zapewne do naszej dyskusji — zwrócił się do sir Guya — mam bowiem nadzieję cieszyć się waszym towarzystwem jeszcze przez wiele dni. Lecz teraz, skoro zamierzamy znowu wstać przed wschodem słońca, powinniśmy się udać na spoczynek. Oby nawiedziły cię przyjemne sny, panie.

Verity ujęła ojca pod ramię i ten odprowadził ją do namiotu. Służący oświetlali im drogę przez obóz pochodniami. Mansur spoglądał za odchodzącą dziewczyną, niepewny, czy zastosuje się do jego sugestii i przybędzie na schadzkę.

Później, niedługo przed północą, czekał na nią w świątyni Afrodyty, okryty czarną peleryną. Księżyc świecący przez dziurę w zburzonym sklepieniu wydobywał z mroku posąg bogini. Perłowy marmur połyskiwał, jakby figurę rozświetlało wewnętrzne życie. Afrodycie brakowało obu rąk, niszczała bowiem przez wiele stuleci. Cała postać była jednak pełna wdzięku, a na obtłuczonej twarzy igrał uśmiech wieczystej ekstazy.

Mansur postawił na straży Istafa, swego zaufanego sternika ze *Sprite*. Ukryty na dachu Arab zagwizdał cicho. Młodzieniec wziął głęboki oddech, a jego puls przyśpieszył. Wstał z kamiennego bloku, na którym siedział, i przeszedł na środek pomieszczenia, żeby dziewczyna spostrzegła go od razu i nie przestraszyła się, kiedy nagle wyjdzie z ciemności. Dostrzegł nikłe światełko jej lampy, gdy nadchodziła wąskim pasażem wśród gruzowiska sprzed trzech tysięcy lat.

Verity przystanęła przy wejściu i spojrzała na niego, po czym postawiła lampę w niszy drzwi i ściągnęła kaptur. Włosy miała splecione w jeden warkocz, przerzucony przez ramię, a jej twarz w księżycowej poświacie przypominała kamienne oblicze bogini. Mansur odrzucił swoją pelerynę na plecy i ruszył jej na spotkanie. Zauważył, że dziewczyna ma poważny i nieco nieobecny wyraz twarzy.

Kiedy dzieliła ich już tylko długość ramienia, Verity wyciągnęła rękę, żeby nie podchodził bliżej.

— Jeśli mnie dotkniesz, będę musiała natychmiast stąd pójść — oznajmiła. — Słyszałeś reprymendę, jakiej mi udzielił ojciec. Nie wolno mi przebywać z tobą sam na sam.

— Słyszałem i rozumiem twoje zastrzeżenia — zapewnił ją. — Dziękuję, że przyszłaś.

— To, co się dzisiaj stało, było złe.

— Z mojej winy — odparł Mansur.

— Żadnego z nas nie można winić. Otarliśmy się o śmierć. W tych okolicznościach było naturalne, że chcieliśmy okazać sobie nawzajem uczucie wdzięczności i ulgi. Ja jednak mówiłam głupstwa i chcę, żebyś zapomniał moje słowa. Spotykamy się sam na sam po raz ostatni.

— Zastosuję się do twego życzenia.

— Dziękuję, Wasza Wysokość.

— Czy nie mógłbyś przynajmniej — przeszedł na angielski — traktować mnie jak przyjaciela i nazywać Mansurem, a nie używać tytułu, który tak niemiło jest słyszeć z twoich ust?

Verity uśmiechnęła się i odpowiedziała w tym samym języku.

— Jeśli to naprawdę twoje imię. Wygląda na to, że jesteś kimś zupełnie innym, niż się wydaje, Mansurze.

— Przyrzekłem ci to wyjaśnić, Verity.

— W rzeczy samej. Dlatego tu przyszłam — odparła, po czym dodała, jak gdyby chcąc upewnić samą siebie: — I z żadnego innego powodu.

Odwróciła się i usiadła na kamiennym bloku, na którym zmieścić się mogła tylko ona sama, a Mansurowi wskazała inny, w odpowiedniej odległości.

— Może usiądziesz sobie wygodnie? Wygląda na to, że twoja opowieść zabierze trochę czasu — powiedziała. Usiadł naprzeciw niej, a Verity nachyliła się, opierając łokieć na kolanie i podpierając brodę dłonią. — Słucham cię z całą uwagą.

Mansur zaśmiał się i pokręcił ze śmiechem głową.

— Od czego mam zacząć? Co zrobić, żebyś mi uwierzyła? — Przerwał dla zebrania myśli. — Zacznijmy od czegoś najbardziej nieprawdopodobnego. Jeżeli cię przekonam w tej kwestii, to reszta będzie już łatwiejsza do przełknięcia.

Verity pochyliła głowę w oczekiwaniu, a Mansur wziął głęboki oddech.

— Noszę nazwisko Courtney, tak samo jak ty — oznajmił. — Jestem Anglikiem i twoim kuzynem.

Dziewczyna wybuchnęła śmiechem.

— No tak, uczciwie mnie ostrzegłeś. Jednakże to lekarstwo naprawdę jest nazbyt gorzkie. — Zaczęła podnosić się z miejsca. — Rozumiem, że to dowcip i że bierzesz mnie za idiotkę.

— Zaczekaj! — zawołał błagalnie. — Wysłuchaj mnie do końca. — Verity usiadła z powrotem. — Czy słyszałaś o Thomasie i Dorianie Courtneyach? — Uśmiech spełzł z jej ust i pokiwała milcząco głową. — Co o nich wiesz?

Namyślała się przez chwilę ze ściągniętą twarzą.

— Tom Courtney był strasznym łotrem — odparła. — Mój ojciec i on byli bliźniakami. Tom zamordował ich starszego brata Williama i musiał uchodzić z Anglii. Umarł gdzieś w afrykańskiej głuszy; nikt nie wie, gdzie jest jego grób, i nikt go nie opłakiwał.

— To wszystko, co o nim wiesz?

— Nie, jest jeszcze coś — przyznała. — Tego człowieka obciąża znacznie bardziej haniebny czyn.

— Co może być gorszego od zabicia własnego brata?

Verity pokręciła głową.

— Nie znam szczegółów, ale był to uczynek tak podły, że nazwisko jego sprawcy powinno być wymazane na zawsze z ludzkiej pamięci. Nie wiem dokładnie, jakie okropieństwo popełnił, lecz od dzieciństwa zabraniano nam nawet wymawiać jego imię.

— Mówisz „nam", Verity. Kim jest ta druga osoba?

— To mój starszy brat Christopher.

— Boli mnie, że właśnie ja muszę ci to wyjaśnić — rzekł

Mansur — lecz wszystko, co powiedziano ci na temat Toma Courtneya, to jedynie smutna parodia prawdy. Zanim jednak pójdziemy dalej, powiedz mi jeszcze, co słyszałaś o Dorianie Courtneyu.

— Niewiele — wzruszyła ramionami — gdyż mało o nim wiadomo. Był najmłodszym bratem mojego ojca. Nie, to nieścisłe, był jego przyrodnim bratem. Na skutek tragicznego splotu wypadków dostał się w ręce arabskich piratów jeszcze jako dziecko, dziesięcio- czy dwunastoletnie. Tom Courtney, ten nikczemnik, był winien tego porwania i nie zrobił niczego, żeby temu zapobiec lub odnaleźć brata. Dorian zmarł na malarię, opuszczony i ze złamanym sercem w jakiejś pirackiej kryjówce.

— Skąd wiesz to wszystko?

— Ojciec nam opowiedział, a grób Doriana widziałam na własne oczy na starym cmentarzu na wyspie Lamu. Położyłam na nim kwiaty i pomodliłam się za tę nieszczęsną duszyczkę dziecka. Pociechą są dla mnie słowa Chrystusa: „Pozwólcie dziatkom przyjść do mnie". Wiem, że mały Dorian powędrował do Pana Jezusa. — W świetle księżyca Mansur dojrzał łzę połyskującą na jej dolnej powiece.

— Proszę, nie opłakuj małego Doriana — rzekł cicho. — Dzisiaj polowałaś z sokołem w jego towarzystwie i nie tak dawno wieczerzałaś przy jego stole.

Verity wyprostowała się tak raptownie, że łza potoczyła się po policzku. Patrzyła na niego zaskoczona.

— Nie rozumiem.

— Dorian to kalif.

— Jeśli to prawda, co jest niemożliwością, to bylibyśmy kuzynami.

— Brawo, kuzyneczko! Wróciłaś do miejsca, od którego zaczęliśmy naszą rozmowę.

— To nie może być... — kręciła z niedowierzaniem głową — a jednak jest w tobie coś... — Przerwała na chwilę. — Podczas naszego pierwszego spotkania poczułam coś, jakieś powinowactwo, więź, której nie potrafiłam sobie wytłumaczyć. Jeżeli to żart, to bardzo okrutny — dodała z niepewną miną.

— Przysięgam, że to nie jest żart.

— To nie wystarczy, żeby mnie przekonać.

— Faktów jest więcej, całe mnóstwo. Możesz pytać o wszystko, o co tylko chcesz. Mogę ci opowiedzieć, jak Dorian został sprzedany przez piratów kalifowi al-Malikowi i jak kalif pokochał go tak bardzo, iż zdecydował się usynowić chłopca. Mogę opowiedzieć, jak później Dorian zakochał się w swojej przybranej siostrze, księżniczce Jasmini, i jak razem uciekli. Jak urodziła mu syna, którego nazwali Mansurem. Jak przyrodni brat al-Malika, Zajn al-Din, został kalifem po jego śmierci. Jak niespełna rok temu nowy kalif wysłał zabójcę, który zamordował moją matkę. Co chcesz wiedzieć?

— Mansurze! — Twarz Verity pobladła jak marmurowe oblicze Afrodyty. — Zajn al-Din zamordował twoją matkę?

— Głównie z tego powodu przybyliśmy do Omanu, ojciec i ja. Chcemy pomścić śmierć matki i uwolnić nasz lud od tyranii. Lecz muszę ci jeszcze powiedzieć prawdę o moim stryju, Tomie Courtneyu. Nie jest takim potworem, jakim go przedstawiłaś.

— Ojciec powiedział...

— Ostatnio widziałem stryja Toma jakiś rok temu. Był krzepki i w dobrym zdrowiu. To bardzo dobry człowiek, odważny i szczery. Ożenił się z twoją ciotką Sarah, młodszą siostrą twojej matki, Caroline.

— Sarah nie żyje! — wykrzyknęła Verity.

— Żyje i ma się całkiem dobrze. Gdybyś ją znała, pokochałabyś ją tak samo jak ja. Jest silna i dumna, podobna w tym do ciebie. Nawet z wyglądu jesteście dość podobne. Ona też jest taka wysoka i piękna jak ty. — Uśmiechnął się i dodał łagodnie: — Masz jej nos.

Dziewczyna dotknęła swego nosa i uśmiechnęła się słabo.

— Jeśli ma taki nos jak ja, to nie jest wcale tak piękna. — Jej uśmiech zgasł. — Przecież mówili... moi rodzice powiedzieli, że oni wszyscy nie żyją; Dorian, Tom i Sarah... — Verity zakryła dłonią oczy, usiłując przyswoić sobie wszystko, co jej powiedział Mansur.

— Tom Courtney popełnił w życiu dwa błędy — rzekł Mansur. — Zabił swojego brata Williama dopiero w otwartej walce, gdy Czarny Billy próbował go zamordować.

— Z tego, co wiem, Tom zakłuł Williama szpadą, kiedy ten spał. — Dziewczyna opuściła dłoń i spojrzała na niego.

— Drugim błędem Toma było spłodzenie twego brata Christophera. To dlatego twoja matka i ojciec tak go nienawidzą.

— Nie! — zerwała się na równe nogi. — Christopher nie jest bękartem! Moja matka nie jest dziwką!

— Twoja matka poczęła z miłości. To nie jest nierząd — odparł Mansur. Verity usiadła. Pochyliła się w jego stronę i położyła mu dłoń na ramieniu.

— Och, Mansurze! To dla mnie za wiele! Twoje słowa burzą cały mój świat.

— Nie mówię ci tego wszystkiego, by cię dręczyć, Verity, lecz dla dobra nas obojga.

— Nie rozumiem.

— Zakochałem się w tobie, dziewczyno — odrzekł. — Zapytałaś mnie, kim jestem, a ponieważ cię kocham, musiałem wyjawić ci prawdę.

— Zwodzisz sam siebie i mnie także — wyszeptała. — Miłość to nie jest coś, co spada z nieba jak manna. To coś, co wzrasta między dwojgiem ludzi...

— Powiedz, że niczego do mnie nie czujesz, Verity.

Zamiast odpowiedzieć, dziewczyna zerwała się z miejsca i spojrzała w nocne niebo, jak gdyby tam szukała ucieczki.

— Zaraz świt — powiedziała. — Mój ojciec nie może się dowiedzieć, że byłam z tobą. Muszę w tej chwili wracać do namiotu.

— Zanim odejdziesz, odpowiedz na moje pytanie — nie ustępował. — Powiedz tylko, że niczego nie czujesz, i już nie będę cię więcej kłopotał.

— Co mam ci powiedzieć, skoro sama nie wiem, co czuję? Zawdzięczam ci życie, lecz nic ponadto nie potrafię dodać.

— Daj mi choć jedno małe ziarenko nadziei.

— Nie, Mansurze. Muszę iść! Już ani słowa.

— Czy przyjdziesz znów na spotkanie jutrzejszej nocy?

— Ty nie znasz mojego ojca... — przerwała nagle. — Niczego ci nie mogę obiecać.

— Mam ci jeszcze bardzo wiele do opowiedzenia.

Parsknęła śmiechem, który zaraz się urwał.

— Czyż nie opowiedziałeś już tyle, że starczy mi na całe życie?

— Przyjdziesz?

— Postaram się. Ale tylko po to, by usłyszeć resztę twojej historii. — Chwyciła lampę i zarzuciła sobie kaptur na głowę, zasłaniając twarz, po czym wybiegła ze świątyni.

O świcie kalif znów wyjechał ze swymi gośćmi i całą asystą na polowanie z sokołem. Zabili trzy dropie, nim słońce wzeszło tak wysoko, że skwar zmusił ich do schowania się w cieniu namiotów.

Podczas tej południowej przerwy sir Guy przemówił do rady, wyjaśniając, w jaki sposób może ocalić Oman przed tyranem i przed zakusami Turków oraz Wielkiego Mogoła.

— Musicie oddać się pod zwierzchnictwo króla Anglii i angielskiej Kompanii Wschodnioindyjskiej — brzmiała konkluzja.

Szejkowie wysłuchali go i podjęli dyskusję między sobą. Byli wolnymi ludźmi, pełnymi godności i dumy. W imieniu wszystkich przemówił Mustafa Zindara.

— Udało nam się odpędzić szakala od naszych owiec — powiedział. — Czy mamy teraz wpuścić na jego miejsce lamparta? Skoro angielski monarcha chce z nas uczynić swoich poddanych, czy zjawi się także w naszym kraju, żebyśmy zobaczyli, jak galopuje z lancą w dłoni? Czy poprowadzi nas do bitwy tak jak al-Salil?

— Król Anglii osłoni was swoją tarczą i będzie strzegł od nieprzyjaciół — odpowiedział sir Guy wymijająco.

— A ile wyniesie cena w złocie za tę ochronę? — zapytał Mustafa Zindara.

Al-Salil widział doskonale, że gniew Mustafy narasta jak upał na zewnątrz namiotu. Spojrzał na Verity i powiedział łagodnym głosem:

— Proszę twego ojca o wyrozumiałość. Musimy przedyskutować jego propozycję, a ja muszę wytłumaczyć moim ludziom, co ona oznacza, żeby uśmierzyć ich obawy. — Wskazał na zgromadzonych doradców. — Upał już zelżał, a tropiciele wypatrzyli mnóstwo zwierzyny na wyżynie za rzeką. Wróćmy do naszej rozmowy nazajutrz.

M ansur zauważył, że Verity unika go z wielką starannością. Ani razu nawet nie spojrzała w jego stronę. Kiedy tylko zbliżał się do niej, skupiała całą uwagę na swoim ojcu lub na kalifie. Wiedząc, że jest jej stryjem, patrzyła teraz na Doriana w zupełnie inny sposób. Obserwowała uważnie jego twarz i spoglądała w oczy, gdy mówił. Śledziła z uwagą każdy jego gest, lecz na Mansura nawet nie rzuciła okiem. Podczas popołudniowych łowów trzymała się blisko ojca, nie pozwalając, by młodzieniec znów ją oddzielił od reszty kawalkady. Musiał się więc pogodzić z losem aż do wieczornego posiłku. Zupełnie stracił apetyt; miał wrażenie, że na zawsze. Raz tylko udało mu się pochwycić spojrzenie Verity i lekkim przekrzywieniem głowy wyrazić nieme pytanie. Dziewczyna enigmatycznie uniosła brwi, i nie uzyskał odpowiedzi.

Gdy w końcu kalif pożegnał towarzystwo, Mansur oddalił się z ulgą do swego namiotu. Czekał, aż obóz się uspokoi. Wiedział bowiem, że jeśli Verity zdecyduje się przyjść na spotkanie, uczyni to dopiero, kiedy wszyscy zasną. Tej nocy w obozie panowało jakieś wyjątkowe ożywienie; ludzie chodzili w tę i z powrotem, trwały głośne rozmowy i śmiechy. Mansur mógł opuścić namiot i przekraść się do świątyni dopiero dobrze po północy. Istaf już czekał na niego przy kamiennych odrzwiach.

— Czy wszystko w porządku? — zapytał młodzieniec.

Arab przybliżył się i odezwał szeptem.

— Dzisiejszej nocy kręcą się tu obcy.

— Co to za jedni?

Dwóch ludzi przyszło z pustyni, kiedy kalif jadł kolację z gośćmi. Ukryli się wśród koni. Potem, gdy angielski *efendi* i jego córka opuścili towarzystwo, dziewczyna nie wróciła do siebie tak jak wczoraj, lecz poszła do namiotu ojca. Ci dwaj obcy także przekradli się do namiotu konsula.

— Czy mogą mieć złe zamiary? — Mansura zdjął lęk o Verity. Może miała zginąć z rąk zabójcy, jak Jasmini?

— Nie — zapewnił go szybko Istaf. — Słyszałem, jak *efendi* ich witał. W dalszym ciągu są u niego.

— Czy jesteś pewien, że nigdy dotąd nie widziałeś tych ludzi?

— To obcy. Nie znam ich.

— Jak są ubrani?

— W arabskie szaty, lecz tylko jeden jest Omańczykiem.

— A ten drugi? Jak wyglądał?

Istaf wzruszył ramionami.

— Widziałem go przez chwilę. Trudno ocenić człowieka tylko po jego twarzy, ale to *ferengi*.

— Europejczyk? — zdumiał się Mansur. — Jesteś pewien?

— Pewności nie mam. — Arab rozłożył ręce. — Ale tak mi się wydawało.

— I wciąż są w namiocie konsula? Czy kobieta także jest z nimi?

— Kiedy odchodziłem, wszyscy jeszcze tam byli.

— Chodź ze mną, lecz tak, żeby nas nikt nie zobaczył — rzekł Mansur zdecydowanym tonem.

— Straże są tylko na obrzeżach obozu — odparł Istaf.

— Wiem, gdzie stoją; możemy je łatwo obejść. — Mansur odwrócił się i ruszył wąską uliczką, którą przyszedł do świątyni. Kierował się tak, jakby wracał do swojego namiotu, lecz w pewnej chwili zanurkował w cień starożytnej ruiny. Upewniwszy się, że nikt ich nie śledzi, przekradł się razem z Istafem na tył pawilonu konsula. Wewnątrz paliło się światło i słychać było głosy. Właśnie Verity mówiła coś do ojca.

— Powiedział, że reszta dotrze w ciągu tygodnia — wyjaśniła.

— Tygodnia! — głos sir Guya był donośniejszy. — Mieli być gotowi już na początku tego miesiąca!

— Mów ciszej, ojcze. Chyba nie chcesz, żeby cię usłyszano w całym obozie.

Przez jakiś czas ich głosy docierały do niego tylko jako ciche pomruki. Mówiący z trudem powściągali swą ekscytację. Potem ktoś przemówił po arabsku. Chociaż ten głos też był stłumiony i Mansur nie mógł rozróżnić słów, wiedział, że już go kiedyś słyszał. Nie mógł się jednak zorientować, kiedy to było i gdzie.

Verity przetłumaczyła coś ojcu ledwie słyszalnym szeptem i sir Guy nagle znów podniósł głos.

— Niech nawet o tym nie myśli w tej chwili! Powiedz mu, że to mogłoby zniweczyć cały nasz plan. Jego prywatne sprawy muszą zaczekać. Niech powściągnie swoje wojownicze zapędy, dopóki nie zostanie zakończona najważniejsza kwestia.

Mansur wytężył słuch, lecz docierały do niego tylko strzępki rozmowy. W pewnej chwili sir Guy oświadczył:

— Musimy zapędzić do naszej sieci całą ławicę. Nie może nam się wyślizgnąć ani jedna rybka.

Potem przybysze nagle zebrali się do odejścia. Znajomy arabski głos znów odezwał się echem w pamięci młodzieńca. Tym razem wypowiedział słowa formalnego pożegnania.

Znam tego człowieka. Mansur był tego pewien, lecz wciąż nie potrafił skojarzyć osoby z imieniem. Drugi z przybyszów odezwał się po raz pierwszy. Istaf miał rację, był to Europejczyk, który mówił po arabsku z gardłowym, niemieckim lub holenderskim akcentem. Mansur raczej nie przypominał sobie tego głosu, toteż zignorował go, koncentrując się na wymianie uprzejmości między Arabem i konsulem. Zapadła cisza i zdał sobie sprawę, że obcy opuścili namiot sir Guya równie niepostrzeżenie, jak się w nim zjawili. Zerwał się z miejsca, w którym się przyczaił, i podbiegł do narożnika namiotu. Natychmiast jednak musiał się cofnąć, bo konsul wraz z córką stali niespełna dziesięć kroków dalej u wejścia do pawilonu, rozmawiając cicho i spoglądając za odchodzącymi gośćmi. Ani Mansur, ani Istaf nie mogli śledzić przybyszów, bo zostaliby zauważeni. Sir Guy i Verity stali tak jeszcze przez kilka minut, zanim wrócili do środka. W tym czasie tajemniczy nieznajomi zdążyli już zniknąć między ciasno rozstawionymi namiotami obozu.

Mansur odwrócił się do Istafa, który trzymał się tuż za nim.

— Nie możemy pozwolić im tak odejść. Sprawdź, czy nie poszli na drugi koniec obozu, w kierunku rzeki. Ja przeszukam północną stronę.

Ruszył biegiem. Wspomnienie głosu dziwnego Araba nie dawało mu spokoju i napełniało złym przeczuciem. Muszę odkryć, kim on jest, pomyślał.

Kiedy dotarł do ostatnich zrujnowanych budynków miasta, spostrzegł dwóch nocnych wartowników, stojących w cieniu pod murem. Rozmawiali cicho, oparci na muszkietach.

— Czy nie przechodziło tędy dwóch ludzi!? — zawołał do nich.

Poznali jego głos i podeszli bliżej.

— Nie, Wasza Wysokość, nikt tędy nie szedł — odparł jeden z nich. Nie wyglądali na zaspanych, więc musiał im uwierzyć.

— Czy podnieść alarm? — zapytał strażnik.

— Nie — odparł Mansur. — To nic takiego. Wracajcie na stanowisko.

A zatem obcy musieli się skierować ku rzece. Mansur pobiegł z powrotem przez ciemny obóz i wkrótce w świetle księżyca ujrzał Istafa biegnącego mu na spotkanie. Przyśpieszył i z daleka zawołał:

— Znalazłeś ich!?

— Tam, Wasza Wysokość. — Głos Araba był ochrypły z wysiłku. Zbiegli po zboczu w stronę rzeki, po czym Istaf skręcił ku kępie drzew.

— Mają wielbłądy — rzucił.

W tej samej chwili spomiędzy drzew wyskoczyło dwóch jeźdźców. Mansur zatrzymał się, dysząc ciężko, i patrzył, jak zjeżdżają ukosem w dół zbocza. Przejechali w odległości nie większej niż strzał z pistoletu. Mieli piękne wyścigowe wielbłądy, objuczone bukłakami z wodą i torbami przy siodłach, dobrze przygotowane do długiej jazdy po bezdrożach. Wyglądali upiornie w srebrzystej

490

poświacie, oddalając się w niesamowitej ciszy w kierunku otwartej pustyni.

— Stójcie! — ryknął Mansur w desperacji. — W imieniu kalifa nakazuję wam się zatrzymać!

Na dźwięk głosu obaj jeźdźcy odwrócili się szybko w siodłach i spojrzeli w jego stronę. Rozpoznał teraz obydwu. Tego, którego Istaf nazwał *ferengi*, nie widział już od paru lat. Ale to Arab przyciągnął całą jego uwagę. Mężczyzna odrzucił kaptur opończy i przez chwilę jasny księżycowy promień oświetlił jego twarz. Wpatrywali się w siebie nawzajem przez jedno uderzenie serca. Potem tamten nachylił się nad karkiem wielbłąda i klepnął go szpicrutą; wierzchowiec pognał długim, eleganckim krokiem, ze zdumiewającą szybkością pokonując dystans. Arab pomknął w dolinę; długi, ciemny płaszcz unosił się za nim na wietrze. Jego towarzysz, *ferengi*, dotrzymywał mu kroku.

Mansur miał nogi jak z waty; szok niewiarygodnego odkrycia niemal go sparaliżował. Opadły go czarne myśli, krążąc po głowie niczym stado sępów i przyćmiewając zmysły. W końcu otrząsnął się z tego odrętwienia. Muszę wrócić do ojca, pomyślał, ostrzec go, co się szykuje. Odczekał jednak, aż jeźdźcy zmaleją w oddali, migocząc na tle krajobrazu jak ćmy w księżycowej poświacie, a potem całkiem znikną.

Puścił się teraz biegiem i przystanął dopiero pod murami, dla złapania oddechu. Po chwili ruszył szybkim krokiem między namiotami, stąpając cicho, żeby nie podnieść alarmu. U wejścia do pawilonu ojca stali wartownicy, lecz rzucił im słowo i, chowając broń, zrobili mu przejście. Mansur przeszedł do wewnętrznej komnaty namiotu. Paliła się tu jedna oliwna lampa na metalowym trójnogu, rzucając przyćmione światło.

— Ojcze! — zawołał.

Dorian natychmiast usiadł na posłaniu. Miał na sobie tylko przepaskę biodrową. Jego nagie ciało było szczupłe i muskularne.

— Kto tam? — zapytał.

— To ja, Mansur.

— Co cię sprowadza o takiej porze? — Dorian wychwycił ton niepokoju w głosie syna.

— W obozie było tej nocy dwóch obcych. Spotkali się z sir Guyem.

— Co to za jedni?

— Rozpoznałem obu. Jeden to kapitan Koots z garnizonu na

Przylądku Dobrej Nadziei, ten, który ścigał Jima przez kilka miesięcy.

— Koots w Omanie? — Dorian już całkiem się rozbudził. — To raczej niemożliwe. Jesteś pewien?

— Tak. A jeszcze bardziej jestem pewien co do tego drugiego. Ta twarz będzie wyryta w mojej pamięci już do końca życia.

— Mów!

— To był zabójca Kadem ibn Abubaker. Świnia, która zamordowała moją matkę.

— Gdzie są teraz? — Głos Doriana stwardniał.

— Odjechali na pustynię, nim zdążyłem ich zatrzymać.

— Musimy natychmiast ruszyć w pościg. Kadem nie może znów nam się wymknąć. — Dorian sięgnął po ubranie i w świetle lampy na jego piersi zajaśniała gładka różowa blizna po nożu.

— Mają wyścigowe wielbłądy — powiedział Mansur. — Kierowali się ku diunom. Nie mamy szans na dogonienie ich wśród piasków.

— Tak czy inaczej musimy chociaż spróbować. — Dorian, już w pełni ubrany, zawołał na straże.

Na wschodnim niebie podnosiła się żółtopomarańczowa poświata jutrzenki, gdy oddział pościgowy, składający się z wojowników pustynnych bin-Szibama, dosiadł koni, gotowy wyruszyć w pościg. Wyjechali z obozu w kierunku rzeki, w stronę, gdzie ostatnio Mansur widział zbiegów. Kamienisty, spieczony słońcem grunt nie odbijał śladów kopyt, lecz nie było czasu, żeby doświadczeni tropiciele dokładniej przebadali okolicę.

Mansur poprowadził oddział tam, gdzie Kadem zniknął mu w nocy z oczu. Po dwugodzinnej jeździe ujrzeli w oddali diuny o płynnych, fantastycznych kształtach. Ich zbocza, po których osypywał się piasek, były błękitne i purpurowe w świetle świtu, a ostre granie odcinały się faliście na tle nieba, niczym grzbiet gigantycznej iguany.

Odkryli tu tropy dwóch wielbłądów; głębokie zagłębienia w sypkim piasku, prowadzące w górę pierwszej wydmy i znikające za jej krawędzią. Próbowali jechać za nimi, lecz konie zapadały się przy każdym kroku po pęciny i w końcu nawet Dorian musiał się pogodzić z porażką.

— Dość, bin-Szibamie — rzucił do starego, posiwiałego wojownika. — Nie damy rady jechać dalej. Zaczekajcie tu na mnie.

Wjechał na następną diunę, nie pozwalając nawet Mansurowi, żeby mu towarzyszył. Zmęczony wierzchowiec musiał wysilać się przy każdym kroku i dobrnął na górę z wielkim trudem. Dorian zsiadł z konia. Mansur obserwował ojca z dna piaskowej doliny. Wysoka, samotna postać w rozwiewanej porannym wiatrem szacie stała wpatrzona w pustynną dal. Dorian trwał długo bez ruchu, a potem opadł na kolana. Mansur wiedział, że ojciec modli się za Jasmini. Jego własny smutek po stracie matki podszedł mu dławiącą falą do gardła.

W końcu Dorian wskoczył z powrotem na siodło i zjechał w dół. Koń zsuwał się po sypkim zboczu na podkurczonych tylnych nogach i wyprostowanych sztywno przednich. Kalif nie odezwał się, przejeżdżając obok nich z głową zwieszoną na piersi. Oddział podążył za nim w kierunku Isakanderbadu.

Dorian zsiadł z wierzchowca przy zagrodzie dla koni i stajenni odprowadzili jego ogiera. Poszedł prosto do namiotu sir Guya, a Mansur wraz z nim. Zamierzał przeprowadzić ostateczną konfrontację z przyrodnim bratem, ujawnić swoją prawdziwą tożsamość i rzucić mu w twarz dawne wspomnienia o tym, jak podle potraktował Toma, Sarah i jego samego, a także zażądać wytłumaczenia potajemnej nocnej wizyty Kadema ibn Abubakera w obozie.

Dochodząc na miejsce, zorientowali się, że coś się podczas ich nieobecności zmieniło. Przed wejściem do namiotu stała grupa uzbrojonych ludzi w marynarskich ubiorach, z kapitanem Williamem Cornishem z *Arcturusa* na czele. Dorian był tak wściekły, że omal nie odezwał się do niego po angielsku. Wysiłkiem woli powściągnął gniew, który jednak płonął niebezpiecznie w jego oczach.

Mansur wszedł tuż za nim do namiotu konsula. Sir Guy i Verity stali pośrodku, w strojach do jazdy, pogrążeni w rozmowie. Oboje spojrzeli zaskoczeni na dwóch nieoczekiwanych gości o posępnych, gniewnych obliczach.

— Zapytaj, czego chcą — mruknął do córki. — Daj im do zrozumienia, że takie zachowanie jest dla mnie obraźliwe.

— Mój ojciec wita was i ma nadzieję, że nic niefortunnego się nie wydarzyło — powiedziała po arabsku Verity. Twarz miała bladą i była wyraźnie speszona.

Dorian wykonał zdawkowy gest powitania i obrzucił wnętrze spojrzeniem. Służące kończyły pakowanie rzeczy konsula.

— Wyjeżdżasz, panie? — zwrócił się do niego.

— Mój ojciec otrzymał wieści najwyższej wagi — tłumaczyła Verity. — Musi natychmiast powrócić na *Arcturusa* i wypłynąć w morze. Prosi, bym przekazała ci, panie, jego najszczersze przeprosiny. Zamierzał powiadomić cię o tej nagłej zmianie planów, lecz został poinformowany, że opuściłeś wraz z synem Isakanderbad.

— Ścigaliśmy bandytów — wyjaśnił Dorian. — Jesteśmy jednak strapieni, że twój czcigodny ojciec musi wyjechać, zanim osiągnęliśmy pełne porozumienie.

— Mego ojca także to zmartwiło. Prosi, żeby przekazać ci wyrazy wdzięczności za szczodrość i gościnność, jakiej tu doświadczył.

— Zanim wyjedzie, byłbym mu niezmiernie zobowiązany za pomoc w pewnej sprawie. Dowiedzieliśmy się, że tej nocy zjawiło się w obozie dwóch niebezpiecznych bandytów. Arab i Europejczyk, prawdopodobnie Holender. Czy twój ojciec rozmawiał z tymi ludźmi? Doniesiono mi, że widziano ich wychodzących z tego namiotu.

Usłyszawszy pytanie, sir Guy uśmiechnął się, lecz jego oczy pozostały zimne.

— Mój ojciec pragnie cię zapewnić, panie, że ci dwaj ludzie, którzy przybyli nocą do obozu, nie byli bandytami. To właśnie oni dostarczyli wiadomość, która go zmusiła do nagłej zmiany planów. Byli tu krótko i zaraz odjechali.

— Czy twój ojciec dobrze ich zna? — Nie ustępował Dorian.

Odpowiedź sir Guya była prosta, pozbawiona jego zwykłej przebiegłości.

— Mój ojciec nigdy przedtem ich nie widział — przetłumaczyła Verity.

— Jak brzmiały ich nazwiska?

— Nie przedstawili się, a on nie zapytał. Nie miało to dla niego znaczenia; to byli tylko posłańcy.

Mansur przyglądał się dziewczynie uważnie, gdy mówiła. Twarz miała spokojną, lecz w jej głosie dało się wyczuć napięcie, a w oczach czaiły się cienie, jak gdyby mroczne myśli przebiegały jej przez głowę. Wyraźnie unikała jego wzroku. Zrozumiał, że kłamie, zmuszona do tego przez ojca, a może i z własnej woli.

— Wasza Ekscelencjo, czy mogę zapytać o naturę doręczonej wiadomości? — bez ogródek rzucił pytanie Dorian.

Sir Guy pokręcił z udawanym żalem głową. Z wewnętrznej kieszeni wyciągnął złożony pergamin z wytłoczonym królewskim herbem z dewizą Orderu Podwiązki: *Honi soit qui mal y pense* —

Niechaj się wstydzi ten, kto źle o tym myśli — oraz dwiema czerwonymi woskowymi pieczęciami.

— Jego Ekscelencja żałuje, lecz jest to oficjalny, szczególnej wagi dokument. Władze innego państwa, które usiłowałyby go przejąć, doprowadziłyby tym samym do wojny.

— Proszę zapewnić Jego Ekscelencję, że nikt nawet nie rozważa podjęcia takiego wrogiego działania. — Dorian nie odważył się już dalej drążyć tej kwestii. — Wyrażam szczery żal z powodu nagłego wyjazdu Jego Ekscelencji — rzekł. — Życzę bezpiecznej drogi i szczęśliwego dotarcia do Maskatu. Czy mogę mieć nadzieję, że będę mógł mu towarzyszyć podczas pierwszej mili jego podróży?

— Mój ojciec będzie tym wielce zaszczycony.

— Opuszczę was teraz, byście mogli dokonać ostatnich przygotowań. Będę oczekiwał wraz z gwardią honorową na obrzeżach obozu.

Mężczyźni wymienili ukłony i kalif wyszedł. W ostatniej chwili Verity posłała Mansurowi krótkie, pełne niepokoju spojrzenie. Wiedział już teraz, nareszcie, że rozpaczliwie pragnie z nim porozmawiać.

Niedługo potem sir Guy z córką, w eskorcie kapitana Cornisha i jego marynarzy, zjawili się przy wyjeździe z miasta od strony wschodniej, gdzie czekali na nich Dorian z Mansurem i eskortą. Kalif całą siłą woli powstrzymywał gniew. Wyruszyli w drogę, jak gdyby nic się nie wydarzyło. Mansur jechał w pobliżu Verity, lecz dziewczyna trzymała się blisko ojca, tłumacząc uprzejmą, choć zdawkową wymianę zdań między nim a kalifem. Kiedy dotarli na grzbiet pierwszego wzniesienia, poczuli na twarzach wiatr od morza, chłodny i odświeżający. Verity, udając, że chce poprawić jedwabny szal, przytrzymujący jej wysoki kapelusz, poluźniła go i wiatr zerwał jej nakrycie z głowy. Kapelusz sfrunął na zbocze i potoczył się w dół na swym sztywnym rondzie.

Mansur zawrócił konia i popędził za zgubą. Wychylił się mocno z siodła, nie zwalniając biegu konia, i porwał kapelusz z ziemi, a gdy Verity podjechała do niego, oddał go jej z ukłonem. Dziewczyna skłoniła się w podziękowaniu i nakładając kapelusz z powrotem na głowę, zasłoniła sobie na chwilę twarz jedwabnym szalem. Znajdowali się w odległości stu kroków od reszty kawalkady.

— Mamy tylko moment, zanim mój ojciec nabierze podejrzeń — powiedziała szybko. — Nie było cię ostatniej nocy. Czekałam.

— Nie mogłem... — odparł, pragnąc się wytłumaczyć, lecz przerwała mu obcesowo.

— Zostawiłam list pod cokołem Afrodyty.

— Verity! — dobiegł ich ostry głos sir Guya. — Wracajże, dziewczyno, potrzebuję tłumacza!

Zawiązawszy wreszcie kapelusz, zsunięty teraz zawadiacko z czoła, Verity spięła swoją klacz do kłusa i podjechała do ojca. Na Mansura nie spojrzała już ani razu, nawet gdy obie grupy rozdzielały się po zwyczajowej wymianie pożegnalnych uprzejmości. Sir Guy ruszył dalej do Maskatu, kalif zaś ze swą eskortą zawrócił do Isakanderbadu.

W bezlitosnym słońcu południa spojrzenie bogini nabrało melancholii, a piękno jej oblicza szpeciły zniszczenia poczynione przez czas. Mansur rozejrzał się po raz ostatni, sprawdzając, czy nikt go nie obserwuje, i przyklęknął przy posągu. Pod jedną ścianę cokołu wiatr nawiał górkę piasku. Obok leżało pięć małych kawałków białego marmuru, ułożonych w kształt strzałki. Wskazywała miejsce, w którym ktoś niedawno rozgrzebał piasek, a potem wygładził go starannie na nowo.

Mansur odgarnął piasek. Między marmurową podstawą posągu a kamiennymi płytami posadzki była wąska szpara. Kiedy przysunął do niej oko, dostrzegł złożony pergamin, wsunięty głęboko pod cokół. Żeby go wyciągnąć, musiał posłużyć się sztyletem. Rozłożył kartkę i zobaczył, że obie strony pokryte są eleganckim, kobiecym pismem. Złożył pergamin z powrotem, schował go do rękawa i pośpieszył do swojego namiotu. Zaszył się w wewnętrznej komnacie i rozpostarł list na macie do spania. Zaczynał się bez zwrotów powitalnych.

Mam nadzieję, że przyjdziesz tam, gdzie wczoraj. Jeżeli nie, zostawię Ci ten list. Niedawno słyszałam, jak ogłoszono alarm i jak wyjeżdża oddział, w którym zapewne się znajdowałeś. Przypuszczam, że ruszyliście w pościg za dwoma ludźmi, którzy przybyli dziś do mojego ojca. To generałowie z armii Zajna al-Dina. Jeden nazywa się Kadem ibn Abubaker. Ten drugi to holenderski renegat, którego nazwiska nie znam. Obaj dowodzą turecką piechotą, która poprowadzi atak na Maskat. Przynieśli mojemu ojcu wiadomość, że flota i tabory armii Zajna al-Dina nie znajdują się już w Zanzibarze. Statki wypłynęły stamtąd przed dwoma tygodniami i stoją na kotwicy u brzegów wyspy Bumi. Mój ojciec i ja mamy wrócić na pokład *Arcturusa* z ludźmi i całym ekwipunkiem, żebyśmy nie zostali uwięzieni w mieście, gdy zaatakują Turcy. Ojciec zamierza dołączyć do floty Zajna, żeby być obecnym przy jego wkroczeniu do Maskatu.

Serce Mansura zamarło z przerażenia. Wyspa Bumi leżała ledwie dziesięć mil morskich od wejścia do portu w Maskacie. Wróg podszedł ich po kryjomu i miastu groziło straszne niebezpieczeństwo. Czytał szybko dalej.

Zajn przypłynął osobiście na okręcie flagowym. Ma pod sobą pięćdziesiąt wielkich *dhow* i siedem tysięcy tureckiej piechoty. Planują dopłynąć do półwyspu i podejść do miasta od strony lądu, żeby zaskoczyć obronę i uniknąć ostrzału z nadbrzeżnych baterii. Możliwe, że kiedy to czytasz, oni już rozpoczęli atak. W ciągu następnego tygodnia do sił Zajna ma dołączyć kolejne pięćdziesiąt *dhow* z wojskiem i amunicją.

Mansur był tak poruszony, że ledwie zdołał się zmusić do przeczytania listu do końca, zanim pobiegnie powiadomić o wszystkim Doriana.

Z wielkim smutkiem i poczuciem winy muszę Cię powiadomić, że propozycja pomocy, którą mój ojciec złożył Waszej radzie, była jedynie wybiegiem dla uśpienia Waszej czujności i utrzymania szejków pustynnych w mieście, aż Zajn będzie gotowy do napaści i pochwycenia ich wszystkich jednocześnie. Nie będzie miał dla nich żadnej litości, podobnie jak dla Twojego ojca i dla Ciebie. Nie miałam o tym wszystkim pojęcia, dowiedziałam się dopiero godzinę temu. Szczerze wierzyłam, że ojciec naprawdę oferuje wam protektorat korony angielskiej. Wstyd mi także za to, co przed laty uczynił swoim braciom, Tomowi i Dorianowi. O tym także nie wiedziałam, dopóki Ty mi nie powiedziałeś. Zawsze znałam ojca jako człowieka o nadmiernej ambicji, nie zdawałam sobie jednak sprawy, jak daleko sięga jego bezwzględ-

ność i podłość. Chciałabym, żeby istniał jakiś sposób, dzięki
któremu mogłabym naprawić choć część wyrządzonych
przez niego krzywd.

— Istnieje, Verity. O tak, istnieje — szepnął Mansur i czytał dalej.

To jeszcze nie wszystko, chociaż pisanie o tym przejmuje
mnie bólem nie do zniesienia. Dowiedziałam się dziś, że
Kadem ibn Abubaker to zbrodniarz, który zabił Twoją matkę,
księżniczkę Jasmini. Przechwalał się tym ohydnym morder-
stwem i chciał dziś w nocy zabić także Ciebie i Twojego
ojca. Mój ojciec odwiódł go od tego, lecz nie kierowało nim
współczucie, a jedynie przeświadczenie, że mogłoby to to
zaszkodzić intrydze, którą uknuł wraz z Zajnem. Wiąże się
ona z planem opanowania miasta. Jeżeli ojcu by się nie
udało, przysięgam na nadzieję zbawienia dla mnie, że wy-
myśliłabym coś, żeby Was ostrzec. Nawet nie wiesz, jak
głębokie obrzydzenie odczuwam z powodu uczynków popeł-
nionych przez ojca. W ciągu jednej krótkiej godziny zniena-
widziłam go całkowicie. I odczuwam przed nim lęk silniejszy
niż do tej pory. Błagam o przebaczenie, Mansurze, z powodu
bólu, jaki Ci sprawiliśmy.

— Nie ma w tym twojej winy — szepnął. Odwrócił kartkę
i przeczytał kilka ostatnich linijek.

Zapytałeś mnie zeszłej nocy, czy niczego do Ciebie nie
czuję. Nie odpowiedziałam Ci wtedy, ale odpowiem teraz.
Czuję, Mansurze.
Jeśli mielibyśmy już nigdy się nie spotkać, mam nadzieję,
że będziesz zawsze pamiętał, iż w żadnym momencie nie
chciałam Ci zaszkodzić. Twoja kochająca kuzynka Verity
Courtney.

L udzie al-Salila wyciskali z koni ostatnie poty, galopując co sił
z powrotem do Maskatu. Przybyli jednak za późno. Kiedy
w zasięgu ich wzroku znalazły się wieże i minarety miasta, usłyszeli
wystrzały z armat i ujrzeli ciemny dym bitwy, przesłaniający niebo
nad portem.

Z Dorianem na czele mknęli na wyczerpanych koniach przez gaje daktylowe. Do ich uszu docierały strzały z muszkietów i krzyki spod miejskich murów. Pędzili dalej. Droga pełna była kobiet, dzieci i starców uciekających z miasta, jechali więc na przełaj. Bitewny zgiełk narastał w ich uszach i w końcu zobaczyli błyski lanc, zakrzywionych bułatów i mosiężnych tureckich hełmów, sunących ku bramom Maskatu.

Wydobywając z wierzchowców resztki szybkości, pogalopowali zwartą kolumną w stronę bramy. Turcy biegli już przez gaj palmowy, żeby odciąć im drogę. Wielkie wrota powoli się zamykały.

— Zamkną nam bramę przed nosem! — zawołał do ojca Mansur.

— Ujawnijmy się! Niech zobaczą, kim jesteśmy! — krzyknął Dorian i zerwał z głowy turban. Mansur zrobił to samo i pędzili dalej, a długie rude włosy powiewały za nimi jak proporce.

Z miejskich murów podniosły się okrzyki:

— To al-Salil! Nasz kalif wraca!

Mężczyźni przy kołowrocie naparli na ramiona urządzenia i wrota zaczęły z powrotem się uchylać.

Turcy zorientowali się, że nie zdołają odciąć im drogi na piechotę. Ich kawaleria jeszcze nie dotarła, miała przypłynąć z drugą flotą. Przystanęli więc i sięgnęli po krótkie, podwójnie wygięte łuki. Na tle nieba wzleciała w powietrze ciemna chmura strzał i, sycząc jak kłębowisko węży, opadła pomiędzy jeźdźców. Jeden z koni został trafiony i runął na ziemię, jakby wpadł w pełnym galopie na przeciągnięty w poprzek drogi drut. Mansur zawrócił, ściągnął Istafa z siodła padającego konia i pomógł mu wskoczyć na kłąb swojego wierzchowca. Gdy tylko kalif przemknął przez bramę, wrota zaczęły z powrotem się zamykać. Mansur krzyknął na ludzi przy kołowrocie, galopując wśród gradu tureckich strzał. Nie słyszeli go jednak i wrota nieuchronnie musiały się zamknąć tuż przed nim.

Nagle Dorian zawrócił i osadził konia tuż przed jednym z wielkich mahoniowych skrzydeł. Wrota zatrzymały się ze skrzypnięciem i Mansur wpadł do środka, niemal się o nie ocierając. Brama zatrzasnęła się w chwili, gdy dotarła pod nią pierwsza fala atakujących Turków. Obrońcy na murach strzelali do nich z muszkietów i łuków i napastnicy musieli się wycofać pod osłonę gajów palmowych.

Dorian popędził natychmiast wąskimi uliczkami do meczetu i wspiął się kręconymi schodami na balkon najwyższego minaretu.

Z jednej strony miał stąd rozległy widok na port i półwysep, z drugiej na pola uprawne, gaje i sady. Ustalił już wcześniej system sygnałów flagowych do porozumiewania się z kanonierami na blankach i z kapitanami obu statków, żeby móc koordynować ich działania.

Z tej wysokości dostrzegał przez lunetę las masztów floty Zajna al-Dina, sterczących zza wyniosłości półwyspu. Opuścił lunetę i spojrzał na Mansura.

— Nasze szkunery są jeszcze bezpieczne — powiedział, wskazując stojące na kotwicy żaglowce — ale gdy wojenne *dhow* Zajna opłyną półwysep, *Sprite* i *Revenge* znajdą się w niebezpieczeństwie. Musimy przyprowadzić je bliżej, żeby znalazły się pod ochroną baterii z murów od strony morza.

— Jak długo wytrzymamy, ojcze? — Mansur zadał pytanie półgłosem i po angielsku, żeby nie zrozumieli go bin-Szibam i Mustafa Zindara, którzy także weszli na wieżę.

— Nie zdążyliśmy dokończyć prac przy południowym murze — odparł Dorian. — Wróg wkrótce odkryje nasze słabe miejsca.

— Zajn już z pewnością o nich wie. W mieście aż roi się od jego szpiegów. Spójrz! — Mansur pokazał ciała wywieszone niczym pranie na zewnętrznym murze. — Chociaż Mustafa Zindara wyłapuje tylu, ilu tylko zdoła, jednego czy dwóch zapewne zdarzyło mu się przeoczyć.

Dorian przyjrzał się przerwom w fortyfikacjach, które załatano pośpiesznie, używając do tego grubych drewnianych bali i koszów szańcowych, wypełnionych piaskiem. Była to prowizorka, która nie mogła przetrwać zdecydowanego ataku zaprawionych w boju wojsk. Dorian przyjrzał się teraz przez lunetę gajom palmowym na południe od miasta. Nagle zesztywniał i podał lunetę Mansurowi.

— Zbierają się do pierwszego szturmu — powiedział. Pośród palmowych liści migały ostre refleksy, rzucane przez hełmy i lance tureckich żołnierzy. — Mansurze, chcę, żebyś przedostał się na pokład *Sprite* i objął komendę nad oboma szkunerami. Podprowadź je jak najbliżej brzegu. Niech działa bronią podejścia do południowego muru.

Po pewnym czasie Dorian zobaczył, jak Mansur płynie barkasem w stronę *Sprite*. Kiedy tylko znalazł się na pokładzie, na obu żaglowcach podniesiono kotwice i odwróciły się dziobami do lądu, a potem popłynęły na górnych żaglach w głąb zatoki. Prowadziła *Sprite*, a za nim sunęła *Revenge* pod dowództwem Batuli.

Przy słabej bryzie ledwie osiągali prędkość manewrową. Na kadłubach igrały turkusowe plamy, rzucane przez refleksy słońca, które odbijało się w białym piasku dna laguny. Dorian spojrzał na południe i ujrzał pierwsze oddziały tureckiego wojska, mrowiące się na otwartej przestrzeni przed murami miasta. Kazał zawiesić na iglicy minaretu czerwoną flagę; znak dla flotylli, że atak nastąpi niebawem. Ujrzawszy, że Mansur spogląda na sygnał, pomachał do niego i wskazał ku południowi. Syn odmachnął mu w odpowiedzi. Szkunery płynęły bez przeszkód dalej.

Pod samymi murami oba żaglowce kolejno zawróciły. Dorian obserwował, jak otwierają się furty działowe i wysuwają lufy armat, niczym kły szczerzącego się potwora. Widział wysoką postać Mansura, przemierzającego w tę i z powrotem pokład. Młodzieniec zatrzymywał się przy działach, wymieniając ostatnie uwagi z kanonierami, gdy zajmowali stanowiska przy lawetach.

K amienne obwałowania zasłaniały częściowo południowy mur i podejście do niego, gdy jednak *Sprite* przepłynęła jeszcze kawałek dalej i skierowała się ku plaży, oczom Mansura ukazał się cały widok.

Turcy szli w ciasnych szeregach, niosąc drabiny oblężnicze. Kiedy dwa zgrabne, nieduże szkunery wyłoniły się zza narożnika cytadeli, niektórzy rzucali w ich stronę zaciekawione spojrzenia poprzez wąski pas wody. Wielu machało do nich i Mansur kazał załogom odmachiwać, żeby uśpić czujność żołnierzy wroga.

Wypadki rozwijały się powoli, niczym we śnie. Mansur miał czas, by obejść pokład działowy i osobiście wycelować każdą armatę. Z niejaką trudnością udało mu się przekonać niektórych kanonierów, że siła ognia nie wzrasta wtedy, gdy śruba służąca do podnoszenia lufy jest przykręcona do oporu. Podpływali coraz bliżej plaży. Mansur słuchał jednym uchem odczytów zanurzenia, podawanych przez marynarza przy sondzie.

— Pięć sążni!

— Wystarczy — rzucił i zwrócił się do Kumraha przy sterze: — Odbij o rumb. — *Sprite* ustawiła się na nowym kursie, równolegle do brzegu. — Damy wam teraz posmakować najlepszych wyrobów pana Pandita Singha — mruknął, nie odejmując lunety od oka. Lufy dział zaczęły się obracać w stronę dziobu, lecz on wciąż czekał z wydaniem rozkazu. Wiedział, że pierwsza salwa burtowa powinna wyrządzić jak najwięcej szkód, żeby żołnierze wroga rozproszyli się w poszukiwaniu osłony.

Byli tak blisko, że mógł odróżnić przez lunetę pojedyncze ogniwa w kolczugach najbliższych Turków i policzyć pióra na hełmach oficerów.

Opuścił lunetę i przeszedł wzdłuż baterii. Każde działo ustawione było na cel, a kanonierzy wpatrywali się w niego, oczekując rozkazu. Mansur podniósł wysoko nad głowę szkarłatny jedwabny szal, trzymany w prawej ręce.

— Ognia! — krzyknął i machnął szalem w dół.

K adem ibn Abubaker i Herminius Koots, dziwni sprzymierzeńcy, stali na skalistym wzniesieniu i spoglądali ponad otwartym terenem ku południowym obwarowaniom miasta. Wokół zgromadził się ich sztab, łącznie z tureckimi oficerami, od których przejęli dowództwo po otrzymaniu awansów z rąk Zajna-Dina.

Obserwowali atakujące oddziały, które posuwały się naprzód w trzech kolumnach, po trzystu ludzi każda. Żołnierze nieśli drabiny oblężnicze, a na plecach mieli przytroczone okrągłe mosiężne puklerze, mające ich ochronić przed gradem różnorakich pocisków, który posypie się z murów, gdy tylko podejdą bliżej. Za nimi podążały uformowane w czworoboki bataliony. Ich zadaniem było wykorzystać wszelkie przyczółki utworzone przez oddziały szturmowe na blankach.

— Warto zaryzykować utratę kilkuset ludzi, jeśli zyskamy w ten sposób szansę szybkiego zrobienia wyłomu w murach — stwierdził Koots.

— Możemy sobie pozwolić na taką stratę — zgodził się Kadem. — Reszta floty przybędzie za kilka dni; to da nam dodatkowo dziesięć tysięcy ludzi. Jeżeli nie powiedzie nam się dzisiaj, możemy jutro rozpocząć regularne oblężenie.

— Musisz nakłonić swego czcigodnego stryja, żeby przeprowadził statki za cypel. Trzeba zarządzić blokadę zatoki i portu.

— Kalif wyda odpowiednie rozkazy, gdy tylko zobaczy rezultat pierwszego ataku na mury — zapewnił go Kadem. — Miej wiarę, generale. Mój stryj to doświadczony dowódca. Prowadził liczne wojny przeciwko swoim wrogom, od pierwszego dnia gdy zasiadł na Słoniowym Tronie. Zdradziecka rebelia tej żrącej wieprzowinę świni — wskazał ku murom miasta i jego obrońcom — była jedyną porażką, jakiej kiedykolwiek doznał, i to tylko na skutek zdrady i wiarołomstwa na własnym dworze. To się już nigdy więcej nie stanie.

— Kalif to wielki człowiek, nigdy nie uważałem inaczej — zapewnił go pośpiesznie Koots. — Powiesimy tych zdrajców na murach miasta na ich własnych flakach.

— Z bożą pomocą. Bogu niech będą dzięki — zaintonował Kadem.

W ciągu dwóch lat, które spędzili ze sobą, ich początkowo nietrwała więź nabrała twardości hartowanej stali. Straszna tułaczka, do której zmusił ich Jim Courtney podczas pamiętnego nocnego ataku, dla kogoś mniej odpornego skończyłaby się śmiercią. Maszerowali przez setki mil dzikich ostępów, walcząc z chorobami i głodem. Ich konie zdechły, powalone zarazą i wyczerpaniem, albo zostały zabite przez wrogie plemiona z dżungli. Zanim dotarli znów do wybrzeża, musieli przebyć szmat drogi na piechotę przez mokradła i lasy mangrowe. W końcu trafili do rybackiej wioski. Zaatakowali ją nocą i wyrżnęli najpierw w pień wszystkich mężczyzn i dzieci. Pięć kobiet i trzy małe dziewczynki zabili dopiero po tym, jak Koots i Oudeman wyładowali na nich swą długo powstrzymywaną chuć. Kadem ibn Abubaker trzymał się z daleka od tej orgii. Modlił się na plaży, słysząc wrzaski i płacz kobiet, a potem ich ostatni przeraźliwy krzyk, gdy obaj Holendrzy podrzynali im gardła.

Wsiedli do rybackiej łodzi, będącej zaledwie większym kanoe o marnym ożaglowaniu. Po kolejnej mordędze, tym razem na morzu, dotarli wreszcie do portu na Lamu i pokłonili się przed Zajnem al-Dinem w sali tronowej jego pałacu.

Zajn powitał swego bratanka wylewnie, uważał go już bowiem za nieżyjącego. Wiadomość o śmierci Jasmini wprawiła kalifa w zachwyt. Zgodnie z obietnicą Kadema, Zajn spojrzał także przychylnym okiem na nowego towarzysza i z uwagą słuchał opowieści o jego rozlicznych żołnierskich talentach.

Na próbę wysłał Kootsa z niewielkim oddziałem, by stłumił ostatnie ogniska oporu rebeliantów w głębi afrykańskiego lądu. Spodziewał się porażki Holendra, tak jak się to stało z jego poprzednikami. Jednakże Koots potwierdził swoją reputację i po dwóch miesiącach powrócił na Lamu, prowadząc wszystkich przywódców buntu zakutych w kajdany. Następnie własnoręcznie, w obecności kalifa, rozpruł im żywcem brzuchy. Zajn nagrodził go połową lakha złotych rupii ze zdobytych przez kapitana łupów oraz kilkoma kobietami spośród pojmanych w niewolę. Następnie mianował go generałem i oddał pod dowództwo cztery bataliony armii, szykowanej do podbicia Maskatu.

— Kalif właśnie się do nas zbliża — powiedział Kadem. — Gdy tylko się tu znajdzie, możesz wydać rozkaz do ataku. — Odwrócił się i wyszedł naprzeciw lektyktyce, którą dźwigało pod górę ośmiu niewolników. Nakryta była złoto-niebieskim baldachimem, chroniącym od słońca. Kiedy tragarze postawili lektykę, wysiadł z niej Zajn al-Din.

Kalif dawno już przestał być tym pucołowatym chłopakiem, z którym Dorian walczył w haremie na wyspie Lamu i którego później okulawił, ratując Jasmini od strasznych tortur szykowanych jej przez Zajna. Wciąż kulał, lecz jego sylwetka straciła chłopięcą pulchność, a życie wypełnione intrygami i konfliktami nadało twarzy twardość i wyostrzyło inteligencję. Spojrzenie miał bystre i przenikliwe, a sposób bycia władczy. Gdyby nie okrutne linie ust i dziki, przebiegły wyraz oczu, można by go nawet uznać za przystojnego. Kadem i Koots złożyli przed nim pokłon. Holendra początkowo odrzucało od tej formy wyrażania szacunku, a jednak, podobnie jak orientalny strój, który teraz nosił, zwyczaj ten stał się częścią jego nowego życia.

Zajn dał obu generałom znak, żeby powstali. Przeszli wszyscy na grzbiet wzgórza, skąd rozciągał się widok na szykujące się do ataku wojska. Zajn zlustrował rozmieszczenie oddziałów doświadczonym okiem, po czym skinął głową.

— Ruszać — powiedział. Głos miał wysoki, niemal dziewczęcy. Gdy Koots usłyszał go po raz pierwszy, od razu poczuł niechęć do Zajna, lecz potem przekonał się, że była to jedyna jego cecha niewieścia. Kalif spłodził sto dwadzieścioro troje dzieci, w tym zaledwie szesnaście dziewczynek. Wrogów wyrzynał tysiącami, częstokroć własnym mieczem.

— Czerwona rakieta. — Koots skinął na swego adiutanta. Rozkaz został natychmiast przekazany w dół wzgórza, do sygnalistów. Rakieta rozbłysła na niebie jak rubin, wzbijając się wysoko na srebrnym ogonie dymu. Z doliny doleciały ich słabe wiwaty i ludzka masa ruszyła w stronę murów fortecy. Przed Zajnem stanął niewolnik, służący mu jako żywy statyw, i kalif oparł na jego ramieniu długą mosiężną lunetę.

Pierwsze szeregi Turków dotarły już do rowu pod murami, gdy nagle zza kamiennych obwałowań wyłoniły się *Sprite*, a zaraz za nią *Revenge*. Zajn z oficerami skierowali lunety na szkunery.

— To żaglowce, na których zdrajca al-Salil przypłynął do Maskatu — warknął Kadem. — Nasi szpiedzy donosili o ich obecności.

Zajn się nie odezwał, lecz na dźwięk znajomego imienia jego rysy stężały. Poczuł w okulawionej stopie ukłucie bólu, a w gardle kwaśny posmak wzbierającej nienawiści.

— Wysunęli działa — powiedział Koots, patrząc przez lunetę. — Mogą ostrzelać nasze oddziały z flanki. Poślij konnego, żeby ich ostrzegł — rzucił do adiutanta.

— Nie mamy koni — przypomniał mu tamten.

— To biegnij sam! — krzyknął Koots i pchnął go mocno w dół zbocza. — Ruszaj się, ty bezużyteczny psie, albo każę cię wystrzelić z armaty! — Jego arabski z każdym dniem nabierał płynności. Arab popędził w dolinę, wrzeszcząc, wymachując rękami i pokazując na małą bojową flotyllę. Lecz żołnierzy porwał już szał natarcia i żaden nawet się nie obejrzał.

— Może dać sygnał do odwrotu? — zastanawiał się głośno Kadem. Wiedzieli jednak, że jest już za późno, i patrzyli przed siebie w milczeniu. Nagle prowadzący żaglowiec eksplodował obłokiem białego dymu. *Sprite* przechyliła się nieco na burtę, najeżoną długimi czarnymi lufami, i zaraz powróciła do pionu, lecz kłęby dymu spowijały ją w całości. Z tej chmury wystawały tylko wysokie maszty. Po sekundzie czy dwóch w uszy uderzył ich huk salwy burtowej i przetoczył się gasnącym echem po odległych wzgórzach.

Obserwatorzy na wzniesieniu skierowali znów swoje lunety na gęstą ludzką ciżbę na równinie w dole. Rozmiary spustoszenia zaszokowały nawet tych zaprawionych w boju wojaków, zobojętniałych już na okrucieństwa pola walki. Kartacze rozpryskiwały się i każdy strzał wycinał w szeregach atakujących pokos szerokości dwudziestu stóp. Jak sierp koszący łan pszenicy, rozprysk nie pozostawiał na swej drodze ani jednego stojącego żołnierza. Łańcuszkowe kolczugi i brązowe zbroje dawały im ochronę nie lepszą od arkusza pergaminu. W powietrze wzlatywały oderwane głowy, brodate i wciąż nakryte miskowatymi hełmami. Na ziemię padały korpusy pozbawione rąk i nóg. Krzyki umierających i rannych niosły się wyraźnie do patrzących ze wzgórza mężczyzn.

Na *Sprite* przerzucono ster i szkuner wypłynął na otwarte wody zatoki. Jego miejsce zajęła milcząca dotąd *Revenge*. Na lądzie ci, którzy przeżyli, stali zdjęci zgrozą, niezdolni pojąć rozmiarów spustoszenia, które zdziesiątkowało ich szeregi. Kiedy *Revenge* skierowała na nich swoje armaty, krzyki rozpaczy żywych zagłuszyły jęki umierających. Niewielu tylko starczyło przytomności umysłu, żeby przypaść płasko do ziemi. Większość porzucała niesione drabiny, odwracała się plecami do niebezpieczeństwa i uciekała w popłochu.

Revenge oddała salwę burtową. Kartacze przeczesały pole i szkuner podążył łukiem za bratnim żaglowcem. *Sprite* dokończyła hals pod wiatr i podpłynęła do brzegu od drugiej strony, wystawiając na pierzchających Turków baterię z lewej burty. Działa na prawej ładowano tymczasem ponownie kartaczami, a kanonierzy stali gotowi do następnej salwy.

Niczym tancerze w statecznym menuecie z figurami, oba żaglowce wykonały serię ósemek po wodach zatoki. Po każdej salwie burtowej okrywały się dymną zasłoną, a kartacze siały zniszczenie w szeregach na lądzie.

— Nie ma już do czego strzelać. — Po drugim przejściu Mansur zatrzasnął lunetę i zwrócił się do Kumraha. — Pochować działa i wracać w głąb zatoki.

Żaglowce odpłynęły spokojnie, by rzucić kotwice pod murami fortecy i znaleźć się pod osłoną jej artylerii.

Zajn i jego generałowie przyjrzeli się przedpolom miasta. Martwe ciała zaścielały je grubą warstwą, niczym jesienne liście.

— Ilu zostało? — odezwał się swoim cienkim głosem kalif.

— Nie więcej niż trzystu — podsunął Kadem.

— Mniej. — Koots pokręcił głową. — Stu pięćdziesięciu, najwyżej dwustu.

— To tylko Turcy. Przed końcem tygodnia setka *dhow* przywiezie następne tysiące. — Zajn pokiwał beznamiętnie głową. — Trzeba zacząć kopać podejścia i ułożyć wzdłuż brzegu wał z koszów szańcowych, wypełnionych piaskiem, żeby chronił naszych ludzi przed ostrzałem z morza.

— Czy Wasza Wysokość rozkaże flocie ustawić się w blokadzie u wejścia do zatoki? — zapytał z szacunkiem Kadem. — Musimy odciąć odwrót tym dwóm żaglowcom al-Salila i odebrać miastu możliwość zaopatrzenia się w żywność drogą morską.

— Już wydałem odpowiednie rozkazy — odparł wyniośle Zajn. — Statek angielskiego konsula stanie na czele floty. Jako jedyny może się równać szybkością ze statkami wroga. Sir Guy dopilnuje, żeby tamci nie przerwali blokady i nie wydostali się na otwarte morze.

— Al-Salil i jego bękart nie mogą nam uciec. — Oczy Kadema rozjarzyły się hipnotycznie, gdy wypowiadał to imię.

— Moja nienawiść do niego przewyższa twoją. Abubaker był moim bratem, a al-Salil go zamordował. Mam z nim jeszcze inne, nie mniej pilne rachunki do wyrównania — przypomniał mu Zajn. — Pomimo tej początkowej porażki wciąż trzymamy pętlę na jego szyi. I teraz mocno ją zaciśniemy.

P rzez następne tygodnie Dorian obserwował postępy oblężenia ze stanowiska dowodzenia na wieży minaretu. Nieprzyjacielska flota opłynęła półwysep i rozstawiła się w wejściu do zatoki, tuż poza zasięgiem baterii z murów czy nawet długich dziewięciofuntówek z obu szkunerów. Niektóre z większych, mniej sterownych *dhow* zakotwiczono na linii dwudziestu sążni, gdzie dno morskie się wypiętrzało. Zwinniejsze łodzie patrolowały obszar na głębszych wodach, by nie dopuścić do portu statków z zaopatrzeniem albo zagrodzić drogę szkunerom, gdyby próbowały się wyrwać z zatoki.

Arcturus, ze swym zgrabnym kadłubem i eleganckimi masztami, majaczył w oddali, czasami zasłonięty przez wysoki ląd półwyspu lub zakrzywienie horyzontu. Raz na jakiś czas Dorian słyszał dudnienie dział, gdy wrogi żaglowiec dopadł jakiejś pechowej mniejszej jednostki, próbującej przedostać się do Maskatu z zaopatrzeniem. Potem *Arcturus* pojawiał się znowu w innej części akwenu. Mansur z Dorianem obserwowali go przez lunety i dyskutowali nad jego możliwościami.

— W przeciwieństwie do każdego *dhow*, *Arcturus* dobrze idzie pod wiatr, gdy płynie ostrym bajdewindem — orzekł ten ostatni. — Powierzchnię żagla ma niemal o połowę większą od naszych szkunerów. Ma osiemnaście dział, przeciwko naszym dwunastu. Piękna jednostka, nie ma co — podsumował.

Mansur zastanawiał się głównie nad tym, czy Verity przebywa na żaglowcu. Skoro sir Guy tam jest, domyślił się, to ona musi mu towarzyszyć. Jest przecież jego ustami; bez niej by sobie nie poradził. W wyobraźni widział, że przyszło mu skierować działa na *Arcturusa*, gdy Verity stoi na jego pokładzie. Ach, będę się tym martwił, kiedy przyjdzie czas, uznał w końcu i odpowiedział ojcu.

— *Sprite* i *Revenge* idą pod wiatr jeszcze lepiej i wspólnie dysponują dwoma tuzinami armat — zauważył. — Zarówno Kumrah, jak i Batula znają te wody jak własną kieszeń; Ruby Cornish to w porównaniu z nimi niemowlę w powijakach. — Mansur uśmiechnął się z junacką determinacją, właściwą młodości. — Poza tym utrzymamy miasto. Zajn i jego Turcy będą zmykali jak kundle z rozżarzonymi węglami pod ogonem.

— Chciałbym mieć twoją pewność. — Dorian zwrócił lunetę na ląd, przyglądając się armii oblężniczej, która nieubłaganie przysuwała się coraz bliżej fortecy. — Zajn zna się na tej robocie i nie popełni zbyt wielu błędów. Widzisz, jak się przybliżają? Te okopy i szańce z koszów będą chronić jego żołnierzy, aż znajdą się pod samymi murami. — Codziennie wtajemniczał syna w arkana starożytnej sztuki oblężniczej. — Spójrz, jakie zbudowali stanowiska artyleryjskie dla swoich najcięższych dział. Kiedy już zaczną strzelać na dobre, skupią się na słabych miejscach w naszych obwarowaniach i będą je ostrzeliwać szybciej, niż nadążymy z naprawami. Przez te wyłomy zaatakują nas oddziały z okopów.

Patrzyli, jak zaprzęgi wołów ciągną wielkie armaty na wyznaczone stanowiska. Kilka tygodni wcześniej dopłynęła z Lamu następna część floty Zajna al-Dina. Po drugiej stronie półwyspu wyładowano resztę wojsk wraz z końmi i zwierzętami pociągowymi. Konne patrole wroga przepatrywały teraz gaje daktylowe na przedpolach miasta oraz pogórze na skraju interioru. Wciąż widać było wzbijany przez nie pył.

— Co możemy zrobić? — Mansur nie był już taki pewny rezultatu bitwy.

— Niewiele — odparł Dorian. — Możemy urządzać wypady i atakować ich w okopach. Ale wróg się tego spodziewa i ponieślibyśmy ciężkie straty. Możemy w kilku miejscach rozbić ich szańce, lecz zdążą naprawić zniszczenia w ciągu kilku godzin.

— Słyszę zwątpienie w twoim głosie, ojcze — rzekł z pretensją Mansur. — Nie przywykłem do tego.

— Zwątpienie? Bynajmniej, w każdym razie nie co do ostatecznego wyniku — odparł Dorian. — Ale nie powinienem był dopuścić, żeby Zajn zamknął nas w mieście jak w pułapce. Nasi ludzie niezbyt dobrze walczą spoza murów fortecy. Kochają atak w otwartym polu i zaczynają już tracić ducha. Mustafa Zindara i bin-Szibam z trudem utrzymują ich na miejscu. Oni sami też zresztą woleliby znaleźć się na pustyni, gdzie nie mają sobie równych w walce.

Jeszcze tej samej nocy setka jeźdźców bin-Szibama wydostała się za mury. Przemknęli w ciasnym szyku przez tureckie linie i bez strat wydostali się na pustynię. Straże z ledwością zamknęły wrota, nim atakujący zdążyli wykorzystać tę sposobność.

— Dlaczego ich nie powstrzymałeś? — zwrócił się Mansur z pretensją do bin-Szibama, gdy się o tym dowiedział. Arabski dowódca wzruszył tylko ramionami w odpowiedzi na taki brak zrozumienia.

— Dla ludu Saar nie ma wiążących rozkazów, Mansurze — wyjaśnił Dorian. — Słuchają szejka tylko dopóty, dopóki zgadzają się z jego poglądem. Jeśli się nie zgadzają, odchodzą.

— Gdy raz się zaczęło, inni będą próbowali zrobić to samo — dodał Mustafa Zindara. — Damowie i Awamirowie także są niespokojni.

Następnego dnia o świcie nieprzyjacielskie baterie zaczęły ostrzeliwać południowy mur miasta ze swych silnie ufortyfikowanych stanowisk. Dorian z Mansurem, licząc rozbłyski i obłoki dymu po każdym odpaleniu, doszli do wniosku, że oblegający mają jedenaście dział olbrzymiego kalibru. Strzelały one kamiennymi kulami, każda o wadze co najmniej stu funtów. Lot tych masywnych pocisków można było zaobserwować gołym okiem. Mansur zmierzył też częstotliwość strzałów. Wyczyszczenie lufy, załadowanie, podsypanie prochu, wytoczenie na pozycję, wycelowanie i odpalenie zabierało niemal dwadzieścia minut. Kiedy nieprzyjacielscy artylerzyści wstrzelali się już w cel, potężne pociski trafiały weń z zastraszającą dokładnością. Kule padały w zasięgu kilku stóp jedna od drugiej. Pojedyncza kula naruszała strukturę muru, a kolejna rozbijała go w tym miejscu całkowicie. Drewniane bale, użyte przez obrońców do naprawy obwarowań, rozpadały się po takim trafieniu na tysiące drzazg wielkości wykałaczek. Do wieczora w murze fortecy powstały dwa duże wyłomy. Zaraz po zmroku ekipy robotników pod komendą Mansura zabrały się do ich łatania.

O świcie kanonada rozpoczęła się na nowo i do południa po reperacjach nie było śladu. Kolejne pociski coraz bardziej powiększały wyłom. Artylerzyści Doriana przeciągnęli na południową flankę część dział z muru od strony portu i starali się odpowiadać ogniem na ogień. Armaty Zajna były jednakże doskonale ukryte w głębokich wykopach wzmocnionych koszami z piaskiem. Widać było tylko otwory ich luf, które z tej odległości stanowiły nieosiągalny cel. Kiedy pociski obrońców trafiały w trzcinowe kosze, wypełnione piaskiem, grzęzły w nich, nie wyrządzając niemal żadnej szkody.

A jednak wczesnym popołudniem udało im się zaliczyć pierwsze poważne trafienie. Dwudziestofuntowa żelazna kula uderzyła dokładnie w lufę armaty na lewej flance wroga. Brąz zadzwonił jak kościelny dzwon i ciężkie działo potoczyło się w tył, miażdżąc stojących za nim kanonierów. Wielka lufa zaklinowała się, celując pionowo w górę, a z murów fortecy poniósł się triumfalny krzyk obrońców. Choć podwoili wysiłki, do wieczora nie udało im się już powtórzyć sukcesu, a w murze ziały szerokie wyłomy.

Zaraz po wejściu księżyca Mansur i bin-Szibam poprowadzili wypad do nieprzyjacielskich szańców. Każdy z nich zakradł się z dwudziestką ludzi do stanowisk wrogiej artylerii. Choć Turcy spodziewali się takiego ataku, grupie Mansura udało się dotrzeć pod same obwarowania. Dopiero wtedy któryś z żołnierzy się obudził i strzelił do nich z muszkietu. Kula świsnęła Mansurowi koło ucha.

— Za mną! — krzyknął do swoich ludzi.

Przecisnął się przez otwór strzelniczy, wskoczył na lufę wielkiej armaty i biegnąc po niej, dźgnął w gardło Turka, który doń strzelił. Ten upuścił muszkiet i chwycił obiema rękami za nagą klingę szabli. Mansur pociągnął ją do siebie i ostrze przecięło skórę i ścięgna palców mężczyzny aż do kości. Teraz Mansur przeskoczył nad jego skulonym ciałem i rzucił się na tureckich artylerzystów, którzy na wpół jeszcze otępiali wygrzebywali się z koców. Zabił kolejnego i ranił trzeciego, a pozostali, wyjąc z przerażenia, rzucili się do ucieczki. Jego wojownicy zajęli się nimi, a Mansur tymczasem wetknął do otworu zapałowego armaty żelazny kołek, który miał w sakwie u boku. Jeden z jego ludzi wbił go do samego końca kilkoma potężnymi uderzeniami młota.

Pobiegli teraz okopem do następnego stanowiska. Tu jednak obsada działa, w pełni rozbudzona, czekała na nich z pikami i toporami. Po chwili kotłowali się w walczącej, rozwrzeszczanej ludzkiej masie. Mansur zrozumiał, że nie uda im się zaczopować drugiej armaty, okopem bowiem nadbiegali już na pomoc swoim kolejni żołnierze wroga.

— Odwrót! — ryknął i przedostali się na drugą stronę wału, gdzie przyprowadził ich konie Istaf wraz z innymi stajennymi. Pogalopowali z powrotem za mury. Bin-Szibam ze swym oddziałem także zdążyli się wycofać.

Po zatrzaśnięciu bramy okazało się, że stracili pięciu ludzi, a kilkunastu zostało lżej lub ciężej rannych. W świetle jutrzenki ujrzeli, że Turcy wywiesili obnażone zwłoki na zewnątrz swoich szańców. Mansur z bin-Szibamem zaczopowali w sumie tylko dwa działa, a pozostałe ponownie zaczęły ostrzał fortecy. I znowu w ciągu kilku godzin zniszczone zostały prowizoryczne umocnienia, wzniesione nocą przez obrońców. Po południu jedna z kamiennych kul uderzyła tak nieszczęśliwie, że rozwaliła aż sześciometrowy odcinek muru, który zamienił się w kamienne rumowisko. Dorian szacował rozmiary zniszczeń z minaretu.

— Jeszcze najwyżej tydzień i Zajn będzie mógł ruszyć do ataku — stwierdził.

Tej nocy dwustu Awamirów i Damów osiodłało konie i opuściło miasto. Nazajutrz, jak co dzień, rozległo się z minaretu głównego meczetu w mieście jękliwe zawodzenie muezina, wzywającego wiernych do modłów. Odpowiedziały na to wezwanie obydwie strony. Wielkie działa umilkły, a Turcy, zdjąwszy hełmy, uklękli wśród gajów palmowych, podczas gdy obrońcy na blankach murów uczynili to samo. Klękając wraz z innymi do modlitwy, Dorian uśmiechnął się ironicznie na myśl, że jedni i drudzy modlą się o zwycięstwo do tego samego Boga.

Po zakończonym rytuale heroldowie Zajna przejechali pod murami Maskatu, wykrzykując ostrzeżenie pod adresem obrońców:

— Słuchajcie słów prawdziwego kalifa! Ci spośród was, którzy chcą opuścić to przeklęte miasto, mogą to uczynić bez obaw. Daruję wam życie mimo popełnionej zdrady. Możecie zabrać ze sobą konia i broń i powrócić do swych namiotów i kobiet. A jeśli któryś przyniesie mi głowę tego plugawego uzurpatora al-Salila, zostanie nagrodzony lakhem złotych rupii!

Obrońcy obrzucali heroldów wyzwiskami. Tej samej nocy jednak kolejny tysiąc wojowników opuścił miasto. Przedtem jeszcze dwóch pomniejszych szejków przyszło do Doriana.

— Nie jesteśmy tchórzami ani zdrajcami — tłumaczyli się — ale to nie jest walka dla mężczyzny. Na pustyni możemy jechać wraz z tobą nawet na śmierć. Kochamy cię tak samo, jak kochaliśmy twojego ojca, ale nie chcemy tu umierać jak psy w klatce.

— Idźcie więc z moim błogosławieństwem — odpowiedział Dorian — i oby Bóg zawsze patrzył na was łaskawym okiem. Wiedzcie, że z pewnością znów do was przybędę.

— Będziemy cię oczekiwać, al-Salilu.

Nazajutrz, kiedy przed poranną modlitwą umilkły działa, heroldowie znowu objechali mury fortecy.

— Prawdziwy kalif Zajn al-Din ogłasza, że miasto zostanie wydane na pastwę zdobywców — obwieścili. — Wszyscy, którzy zostaną pojmani w obrębie murów po wkroczeniu wojsk kalifa, zginą straszliwą śmiercią w torturach.

Tym razem rozległo się o wiele mniej szyderczych głosów, a w nocy odeszła niemal połowa pozostałych obrońców. Turcy stali wzdłuż drogi i przyglądali się, lecz nie próbowali nikogo zatrzymać.

W yglądasz na niespokojną, kochanie — Caroline Courtney przyglądała się badawczo twarzy córki. — Czy powiesz mi, co cię tak gnębi?

Verity, poza zdawkowym powitaniem, nie odezwała się do matki od chwili, kiedy wyszła na pokład *Arcturusa* po opuszczeniu kabiny ojca. Spotkanie sir Guya z dowódcą wojsk kalifa Kademem ibn Abubakerem trwało przez większość poranka. Verity stała teraz przy burcie i patrzyła na szybką felukę, odwożącą generała z powrotem na brzeg. Przetłumaczyła ojcu raport Kadema i przekazała mu polecenie kalifa, by zacieśnić blokadę, tak żeby żaden statek wroga nie przedostał się przez nią, gdy miasto w końcu zostanie odebrane uzurpatorowi.

— To już ostatnia faza oblężenia, matko — odpowiedziała wymijająco dziewczyna. Obie kobiety nigdy nie zbliżyły się do siebie. Caroline była osobą nerwową, wręcz histeryczną. Zdominowana przez męża, nie znajdowała dość czasu ani energii na pełnienie powinności matki. Zupełnie jak dziecko, nie potrafiła się skupić na jednej sprawie przez dłuższy czas; jej umysł przeskakiwał ciągle z tematu na temat niczym motyl fruwający w wiosennym ogrodzie.

— Naprawdę poczuję ulgę, kiedy twój ojciec rozprawi się już z tym łajdakiem al-Salilem — powiedziała z westchnieniem. — Będziemy mogli skończyć z tą okropną historią i wrócić nareszcie do domu. — Dla Caroline domem był konsulat brytyjski w Delhi. Czuła się bezpieczna i chroniona przed okrutnym, obcym dla niej światem Orientu tylko za kamiennym murem posiadłości, wśród wypielęgnowanych ogrodów i chłodnych dziedzińców z fontannami. Podrapała się w szyję i cicho jęknęła. Na białej skórze wykwitł szkarłatny rumień. Wilgotne powietrze tropików i zamknięcie w małej dusznej kabinie spowodowało nasilenie się potówek.

— Czy mogę ci pomóc? Może posmarować kojącym płynem? — zapytała Verity. Nie rozumiała, dlaczego matka tak łatwo wzbudza w niej poczucie winy. Podeszła do Caroline spoczywającej w szerokim hamaku, który kapitan Cornish kazał dla niej rozwiesić w kącie nadbudówki. Płócienna płachta osłaniała ją tutaj od słońca, a jednocześnie pulchne, spocone ciało mogło się nieco ochłodzić w powiewach pasatu.

Verity przykucnęła przy niej i skropiła zaognioną, swędzącą skórę białym płynem. Caroline machnęła słabo ręką. Pierścienie z diamentami wrzynały się głęboko w jej ciastowate palce. Smukła hinduska pokojówka o brązowej skórze, ubrana w piękne jedwabne sari, uklękła po drugiej stronie hamaka i podsunęła swej pani talerz ze słodkościami. Caroline wybrała różową kostkę cukrowanej galaretki. Gdy służąca zaczęła wstawać, Caroline pstryknęła rozkazująco palcami i wzięła jeszcze dwie galaretki o kwiatowym aromacie, po czym wepchnęła sobie obydwie do ust. Przeżuwała je z nieskrywaną przyjemnością, a biały cukrowy puder lepił się do warg.

— Jak myślisz, matko, co się stanie z al-Salilem i jego synem Mansurem, jeśli zostaną pojmani przez Kadema? — spytała pozornie obojętnym tonem Verity.

— Nie wątpię, że będzie to coś wyjątkowo ohydnego — odparła bez większego zainteresowania Caroline. — Kalif zachowuje się wobec wrogów jak prawdziwa bestia, każe ich tratować słoniami, wystrzeliwać z armat... — Wzruszyła ramionami i sięgnęła po szklankę miodowego sorbetu, który podała jej służąca. — Naprawdę nie mam ochoty poruszać tego tematu. — Siorbnęła łyk i nagle się rozpromieniła. — Jeśli to wszystko zakończy się przed upływem miesiąca, zdążymy wrócić do Delhi na twoje urodziny! Chcę urządzić bal z tej okazji. Przyjdą wszyscy kawalerowie Kompanii Wschodnioindyjskiej. To najwyższy czas, żeby cię wydać za mąż, moja droga. Ja w twoim wieku byłam mężatką już od czterech lat i miałam dwójkę dzieci.

Verity nagle poczuła wobec tej pustej, otyłej kobiety taką niechęć, jak jeszcze nigdy dotąd. Traktowała zawsze Caroline z pełnym znużenia respektem, okazując pobłażanie wobec jej obżarstwa i innych słabości. Aż do rozmowy z Mansurem nie zdawała sobie sprawy z głębi służalczej uległości, jaką matka okazywała ojcu. I z poczucia winy, które oddało ją pod jego pełną władzę. Teraz jednak, widząc jej kołtuńskie, bezmyślne samozadowolenie, poczuła wściekłość. Wyładowała swój gniew, zanim zdążyła go stłumić.

— Oczywiście, matko — odparła z przekąsem. — A pierwszym z tych dzieci był bękart Toma Courtneya. — Ledwie wypowiedziała te słowa, już żałowała, że nie potrafiła powściągnąć języka.

Caroline wpatrywała się w nią szeroko otwartymi, półprzytomnymi oczami.

— Ty niegodziwe, podłe dziecko! Nigdy mnie nie kochałaś! — zakwiliła i na jej bluzkę z żabotem kapnęła mieszanina sorbetu z na wpół przeżutym kandyzowanym owocem.

Cały respekt Verity wobec rodzicielki nagle wyparował.

— Pamiętasz jeszcze Toma Courtneya, matko!? — zawołała. — Pamiętasz, jak się zabawialiście we dwoje, kiedy płynęłaś do Indii na *Seraphie*, żaglowcu dziadka?

— Ty nigdy... Skąd to wiesz? Kto ci powiedział? To nieprawda! — bełkotała histerycznie Caroline.

— A Dorian Courtney? Pamiętasz, jak razem z ojcem zostawiliście go na pastwę handlarzy niewolników, gdy był jeszcze dzieckiem? Jak okłamaliście stryja Toma? Powiedzieliście mu, że Dorian zmarł na malarię, a mnie nakarmiliście tym samym kłamstwem. Pokazałaś mi nawet grób na wyspie Lamu, gdzie rzekomo został pochowany.

— Przestań natychmiast! — Caroline zakryła uszy dłońmi. — Nie będę wysłuchiwać tego plugastwa!

— Bo to jest plugawe, nieprawdaż, matko? — odparła zimno Verity. — A jak myślisz, kim jest ten al-Salil, którego chciałabyś zobaczyć stratowanego przez słonie albo wystrzelonego z armaty? Może cię zaciekawi, że to jest właśnie Dorian Courtney?

Caroline wpatrywała się w nią z twarzą pobladłą jak kreda, a jej zaogniona egzema jeszcze bardziej poczerwieniała.

— Łgarstwa! — wyszeptała. — To wszystko niegodziwe łgarstwa.

— A syn al-Salila to mój kuzyn Mansur Courtney — ciągnęła Verity. — Chcesz mi znaleźć męża? Już nie musisz szukać. Jeżeli tylko Mansur zaszczyci mnie propozycją ożenku, nie zawaham się ani chwili. Gotowa jestem pofrunąć, by stanąć u jego boku.

Caroline wydała zduszony okrzyk i runęła z hamaka na deski pokładu. Służąca i dwaj oficerowie podbiegli, żeby pomóc się jej podnieść. Gdy tylko wstała, wyrwała się im i ruszyła do zejściówki prowadzącej do głównej kajuty. Fałdy tłuszczu przelewały się przy każdym kroku pod jej obszywaną koronką i perłami suknią.

Sir Guy usłyszał jej wrzaski i pojawił się w drzwiach w samej koszuli. Chwycił małżonkę za ramię i wprowadził do środka.

Verity stała samotnie przy relingu, oczekując na awanturę, która niechybnie musiała nastąpić. Patrzyła ponad blokadą wojennych *dhow* w stronę wejścia do Zatoki Omańskiej i odległych minaretów miasta.

Przypomniała sobie raz jeszcze straszliwe wieści przyniesione przez Kadema ibn Abubakera, które musiała przetłumaczyć ojcu. Przed końcem miesiąca Maskat miał się znaleźć w rękach sił Zajna al-Dina. Mansur był w wielkim niebezpieczeństwie, a ona nie mogła mu pomóc. Frustracja z powodu tej bezradności i lęk o niego doprowadziły ją do wybuchu i wygarnięcia wszystkiego matce.

— Błagam cię, Boże — szepnęła. — Nie pozwól, żeby mu się stało coś złego.

Po godzinie zjawił się steward i wezwał ją do kajuty ojca.

Matka siedziała na kanapce pod iluminatorem. Przyciskała do twarzy mokrą, pomiętą chusteczkę, ocierając nią zaczerwienione oczy i wydmuchując głośno nos.

Ojciec stał na środku kabiny, w dalszym ciagu tylko w koszuli. Twarz miał ściągniętą, spojrzenie twarde i zimne.

— Cóż to za jadowite kłamstwa opowiadasz swojej matce? — zapytał szorstko.

— To nie są kłamstwa, ojcze — odparła hardo. Wiedziała, jakie mogą ją czekać konsekwencje za taki bunt, lecz była gotowa brnąć do końca.

— Powtórz to teraz mnie — zażądał sir Guy.

Verity opowiedziała mu cichym, monotonnym głosem wszystko, co usłyszała od Mansura. Kiedy skończyła, zapadła cisza. Konsul podszedł do okna i stał tam, wpatrując się w niskie fale, marszczące lazur morza. Na żonę nawet nie spojrzał. Milczenie się przeciągało. Verity wiedziała dobrze, że ojciec celowo usiłuje w ten sposób wzbudzić w niej poczucie niepewności, by ją zastraszyć i skruszyć jej opór wobec niego.

— Ukryłaś to przede mną — odezwał się w końcu. — Dlaczego nie wyjawiłaś mi od razu, czego się dowiedziałaś? To było twoim obowiązkiem, córko.

— Nie zaprzeczasz niczemu, ojcze? — odpowiedziała pytaniem na pytanie.

— Nie muszę przed tobą zaprzeczać ani potwierdzać niczego. To nie ja jestem tu sądzony, lecz ty.

Znów zapadło milczenie. W kajucie było gorąco i duszno, a statek kołysał się lekko na niewysokich, rozlanych falach, przyprawiąjąc o mdłości. Verity brakowało tchu i było jej niedobrze, lecz starała się tego nie okazać.

— Te szalone historie wpędziły twoją matkę w stan poważnego szoku — przemówił znów sir Guy. Caroline zaszlochała dramatycznie i wysmarkała nos w mokrą chustkę. — Dziś rano przybył z Bombaju szybki statek pocztowy. Odsyłam ją z powrotem do konsulatu.

— Ja z nią nie pojadę — oznajmiła beznamiętnie Verity.

— Nie — zgodził się sir Guy. — Zatrzymam cię tutaj. To będzie doskonała nauczka dla ciebie, żebyś stała się świadkiem egzekucji tych buntowników, których obdarzyłaś tak niezdrowym zainteresowaniem. — Przerwał na chwilę, zastanawiając się, jak wiele Verity może wiedzieć o jego sprawkach. Uznał, że jej wiedza jest na tyle obszerna, iż może stanowić dlań zagrożenie, gdyby chciała to wykorzystać przeciwko niemu. Wolał więc mieć ją na oku.

— Ojcze — przerwała ciszę dziewczyna — ci buntownicy, jak ich nazywasz, to twój własny brat i jego syn.

Sir Guy nie zareagował na te słowa.

— Ze słów twojej matki wynika — ciągnął cichym, złowieszczym głosem — że wyprawiałaś wszeteczeństwa z młodszym z tych Arabów. Czy zapomniałaś już, że jesteś Angielką?

— Poniżasz się tym oskarżeniem, ojcze.

— To ty poniżyłaś mnie i naszą rodzinę swoim niegodziwym zachowaniem. Już tylko za to należy ci się kara. — Konsul podszedł do biurka i wziął leżącą tam szpicrutę z kości wieloryba, po czym odwrócił się do córki. — Zdejmij ubranie — rozkazał. Verity stała nieruchomo z kamiennym wyrazem twarzy.

— Rób, co ci ojciec każe — odezwała się Caroline. — Ty nierządne ladaco. — Nie płakała już i słychać było w jej głosie, że napawa się zemstą.

— Rozbieraj się natychmiast — powiedział sir Guy — albo zawołam marynarzy, żeby ci pomogli.

Verity uniosła ręce do szyi i rozwiązała wstążkę bluzki. Kiedy stanęła w końcu przed nimi naga, podniosła buńczucznie brodę i potrząsnęła głową, aż jej włosy opadły, zasłaniając dumne, młode piersi i zakrywając łono.

— Kładź się na kanapie! — rozkazał jej ojciec.

Podeszła do zielonej, skórzanej kanapy pewnym krokiem i położyła się na brzuchu. Linie jej ciała miały słodycz i gładkość marmurowych rzeźb Michała Anioła. Nie będę płakać, postanowiła

516

w myśli, lecz jej mięśnie skurczyły się konwulsyjnie, kiedy pejcz świsnął i opadł na obnażone pośladki. Nie dostarczę mu tej satysfakcji, obiecała sobie i zacisnęła mocno powieki, gdy szpicruta siekła ją przez tył ud. Bolało jak po ugryzieniu skorpiona. Verity zagryzła usta tak mocno, że aż poczuła w ustach metaliczny, słony smak krwi.

W końcu sir Guy wyprostował się, zdyszany od wysiłku.

— Możesz się ubrać, ty bezwstydna wywłoko — wychrypiał.

Verity podniosła się powoli, usiłując ignorować ból, który palił ogniem jej plecy i uda. Przód bryczesów ojca znalazł się na wysokości jej oczu i uśmiechnęła się z zimną pogardą, widząc wypukłość, świadczącą o jego podnieceniu.

Konsul odwrócił się szybko i rzucił szpicrutę na biurko.

— Okazałaś się nielojalna i nieuczciwa wobec mnie — powiedział. — Nie mogę ci już ufać. Zostaniesz zamknięta w kajucie aż do czasu, gdy zdecyduję o dodatkowych karach za twoją niegodziwość.

Dorian i Mansur stali wraz z szejkami na balkonie minaretu. Patrzyli na pióropusze i brązowe tureckie hełmy o kształcie misek, gdy oblężnicze oddziały wydostawały się jeden za drugim z okopów i ruszały do ataku na fortecę. Masy wojska zgromadziły się pod murami, a ciężkie baterie Zajna al-Dina zdwoiły tempo ostrzału. Zmieniła się też amunicja. Zamiast kamiennych kul Turcy zasypywali teraz blanki i wyłomy w murze ładunkami kamieni wielkości pięści i pociskami z lanego metalu. W końcu działa umilkły i rozległ się naglący łomot werbli. Masa nieprzyjacielskiego wojska popędziła z dzikim wrzaskiem przed siebie, pokonując ostatnie jardy, dzielące ją od wyłomów. Obrońcy na murach blankowych usiłowali ich powstrzymać ogniem z dział, a łucznicy wypuszczali całe roje strzał.

Pierwsze szeregi napastników pokonały otwartą przestrzeń, zanim kanonierzy zdążyli załadować ponownie. Pozostawiali na zrytej pociskami ziemi swych zabitych i rannych, lecz ich miejsce zajmowały natychmiast kolejne fale żołnierzy.

Przedostawali się przez rumowisko strzaskanych bloków kamiennych i wpadali hurmą do wnętrza fortecy przez wyłomy w murach. Dopiero będąc w środku, odkrywali, że znajdują się w labiryncie wąskich uliczek i ślepych przesmyków. Dorian kazał

517

zbudować barykady w poprzek każdej ulicy i Turcy musieli brać je kolejno szturmem, dostając się pod grad kul z muszkietów z niedużej odległości. Kiedy już udało im się pokonać przeszkodę, obrońcy wycofywali się do następnej i wszystko powtarzało się od nowa. Była to istna mordęga, srogo okupiona krwią, lecz w końcu przerzedzone siły Doriana i bin-Szibama zostały wyparte na główny suk. Tutaj już Turcy mogli atakować z flanki i w końcu dostali się pod główną bramę. Zaszlachtowali tych, którzy próbowali bronić kołowrotów, i wkrótce wrota zostały szeroko otwarte. Po drugiej stronie czekali Kadem i Koots na czele dwóch tysięcy ludzi, którzy natychmiast przystąpili do szturmu.

Dorian widział z minaretu, jak wlewają się niczym fale powodzi w wąskie ulice miasta. Ulgę przynosiła mu jedynie myśl, że w ciągu minionych miesięcy większości kobiet i dzieci udało się wymknąć z Maskatu i przedostać na pustynię, gdyż byliby teraz jak jagnięta wobec tej wilczej zgrai. Gdy tylko brama do miasta została otwarta, rozkazał wywiesić flagę, która stanowiła umówiony uprzednio sygnał dla załóg szkunerów. Następnie zwrócił się do swoich doradców i kapitanów.

— To koniec — powiedział. — Dziękuję wam za waszą lojalność i odwagę. Zbierzcie swoich ludzi i uciekajcie, jeśli to tylko możliwe. Któregoś dnia znowu staniemy razem do walki.

Podchodzili kolejno, żeby go uścisnąć. Bin-Szibam był pokryty pyłem i czarny od dymu; jego szatę plamiła zaschnięta krew z kilku powierzchownych ran. Zmieszana była z krwią Turków, których zabił.

— Będziemy oczekiwać twojego powrotu — powiedział.

— Wiecie, gdzie mnie szukać — odrzekł Dorian. — Przyślij posłańca, gdy wszystko będzie gotowe. Powrócę natychmiast, jeśli Bóg pozwoli. Chwalmy Boga.

— Bóg jest wielki — odpowiedzieli chórem.

Konie czekały w uliczce przy małej północnej bramie. Otwarto ją i bin-Szibam, Mustafa Zindara oraz pozostali członkowie rady wyjechali na czele swoich oddziałów. Przebili się przez szeregi atakujących, którzy usiłowali odciąć im drogę, i pogalopowali poprzez gaje daktylowe i uprawne pola. Dorian obserwował ich odwrót. Usłyszawszy kroki na marmurowych schodach, odwrócił się z szablą w dłoni. Po chwili z trudem rozpoznał własnego syna, pokrytego od stóp do głów brudem i sadzą.

— Chodź już, ojcze — rzekł Mansur. — Musimy się pospieszyć.

Zbiegli razem po schodach do meczetu, gdzie czekał na nich Istaf z dziesięcioma ludźmi.

— Tędy — z cienia wyszedł imam, który gestem kazał im iść za sobą. Poprowadził ich labiryntem przejść do niewielkiej żelaznej bramy. Przekręcił klucz w zamku, a Mansur otworzył drzwi na oścież.

— Niech błogosławieństwo Boga zostanie z tobą — pożegnał imama Dorian.

— Idźcie z błogosławieństwem Boga i oby sprowadził was znów szybko do Omanu — odparł duchowny.

Po drugiej stronie bramy znaleźli się w ciemnej alejce, tak wąskiej, że balkony na górnych piętrach opuszczonych domów niemal się stykały z tymi naprzeciwko.

— Tędy, Wasza Wysokość! — Istaf urodził się w Maskacie, a te uliczki były terenem zabaw jego dzieciństwa. Pobiegli za nim i znowu wydostali się na słońce. Przed nimi rozciągały się otwarte wody portu, a w zatoce czekał spuszczony ze *Sprite* barkas. Mansur krzyknął i pomachał do Kumraha stojącego przy sterze. Marynarze chwycili za wiosła i łódź pomknęła do brzegu.

W tej samej chwili usłyszeli za sobą gniewne okrzyki. Z wylotu jednej z uliczek wybiegła na nabrzeże zgraja Turków i Arabów. Pędzili ku nim, a pierwszy szereg wymachiwał długimi lancami i lśniącymi klingami szabel. Dorian obejrzał się przez ramię. Barkas był jeszcze w znacznej odległości od brzegu.

— Trzymać się razem! — krzyknął. Uformowali zwarty krąg przy zejściowych schodkach z nabrzeża nad samą wodę, ramię przy ramieniu, twarzami na zewnątrz.

— Al-Salilu! — zakrzyknął Arab prowadzący napastników. Wysoki i szczupły, miał ruchy lamparta. Jego długie proste włosy powiewały na wietrze, a kędzierzawa broda sięgała piersi. — Al-Salilu! — powtórzył. — Przyszedłem po ciebie!

Dorian rozpoznał te pełne żaru, fanatyczne oczy.

— Kadem. — Mansur w tej samej chwili też rozpoznał Araba i w jego głosie zadźwięczała nienawiść.

— Po ciebie też przyszedłem, szczeniaku, spłodzony przez tego psa i jego kazirodczą sukę! — krzyknął znów tamten.

— Najpierw musisz mnie pokonać. — Dorian wystąpił o krok i Kadem rzucił się ku niemu z uniesioną szablą. Ich klingi się spotkały, gdy Dorian zablokował cięcie w głowę, po czym ripostował sztychem w krtań. Stal zadzwoniła o stal. Walczyli ze sobą po raz pierwszy, lecz Dorian zorientował się natychmiast, że przeciwnik jest groźny. Prawą rękę miał mocną i szybką, w lewej dzierżył zakrzywiony sztylet, gotów wykorzystać każdą lukę w obronie.

— Zamordowałeś moją żonę! — warknął Dorian, atakując z wypadu.

— Dziękuję Bogu, że mogłem wypełnić ten święty obowiązek — odpowiedział Kadem. — Ciebie też powinienem był zabić, składając hołd pamięci ojca.

Mansur walczył po prawej, a Istaf po lewej ręce Doriana. Osłaniali go z dwóch stron, uważając jednak, żeby nie zablokować mu swobody ruchów. Krok za krokiem ustępowali pola, cofając się w stronę schodów, a przeciwnik napierał twardo.

Dorian usłyszał, jak dziób barkasu uderza o kamienną ścianę poniżej. Rozległ się okrzyk Kumraha:

— Chodź, al-Salilu!

Schody oblepione były zielonymi wodorostami. Kadem, widząc, że Dorian może po raz drugi ujść przed jego zemstą, podjął wściekły atak. Dorian musiał się cofnąć na górny stopień i jego prawa noga poślizgnęła się na mazistej powierzchni. Dla złapania równowagi przyklęknął na jedno kolano i na moment trochę się odsłonił. Kadem nie przegapił szansy. Wykonał szybki wypad, przenosząc ciężar ciała na prawą nogę i celując w serce przeciwnika.

W chwili gdy ojciec przyklęknął, Mansur w lot pojął zamiar Araba. Zwrócił się ku niemu w pełnej gotowości. Kadem wyciągnął się do przodu i atakując, odsłonił na moment lewy bok. Mansur wykonał sztych pod jego uniesione ramię, wkładając w ten cios cały swój gniew, nienawiść i rozpacz po stracie matki. Spodziewał się poczuć kleisty opór ciała ustępującego przed stalą, gdy ostrze zagłębi się w boku przeciwnika. Jednakże jego ręka ze szpadą zadrżała, a nadgarstek lekko się skręcił, trafił bowiem Kadema w żebro. Klinga rozorała mu bok klatki piersiowej w kierunku łopatki. Żaden ważny organ nie został uszkodzony, lecz impet ciosu zepchnął Araba z linii ataku na Doriana. Kadem się zachwiał, a Mansur uwolnił szablę i zaatakował ponownie. Przeciwnik zdołał z wielkim wysiłkiem sparować cios.

Dorian tymczasem zdążył wstać i obaj, ojciec z synem, natarli na Kadema, żądni jego śmierci. Z rany pod pachą Araba lała się krew, spływając po jego boku. Szok po ciosie i świadomość śmiertelnego zagrożenia sprawiły, że jego twarz nabrała wyblakłej barwy brudnej melasy.

— Wasza Wysokość — zawołał z barkasu Kumrah. — Do łodzi, błagam, bo za chwilę nie będzie odwrotu!

Z wylotu uliczki wypadały kolejne grupki Turków, którzy biegli w stronę nabrzeża. Dorian zdał sobie sprawę z trudnego położenia i zawahał się. To wystarczyło Kademowi, który natychmiast wycofał się ze starcia. Do walki wkroczyło dwóch śniadych żołnierzy. Natarli natychmiast na Doriana. Jego szabla ześliznęła się po łańcuszkowej kolczudze pierwszego z napastników.

— Dosyć! — stęknął. — Do łodzi! — Mansur ciął w brodatą twarz drugiego z Turków, a gdy ten odskoczył, wysunął się przed ojca, żeby go osłaniać.

— Uciekaj! — rzucił i Dorian zbiegł po schodkach.

Istaf z resztą ludzi byli już na łodzi i Mansur został na nabrzeżu zupełnie sam. Nacierał nań rząd pik i bułatów. W drugiej linii mignęła mu wykrzywiona twarz Kadema ibn Abubakera. Rana bynajmniej nie przyćmiła nienawiści Araba.

— Zabijcie go! — wrzasnął. — Nie dajcie tej świni uciec!

— Mansurze! — zawołał stojący na dziobie barkasu Dorian. Chłopak wiedział jednak, że kiedy zacznie zbiegać ze schodów, zostanie dźgnięty w odsłonięte plecy. Odwrócił się i skoczył, wybijając się z samej krawędzi nabrzeża. Przeleciał trzy jardy i wylądował nogami na jednej z ławeczek wioślarskich. Gruba deska pękła i runął naprzód. Barkas zakołysał się gwałtownie i Mansur byłby wypadł za burtę, lecz Dorian przytrzymał go i pomógł złapać równowagę.

Marynarze naparli na wiosła i łódź śmignęła do przodu. Dorian obejrzał się za rufę, w chwili gdy Kadem stanął chwiejnie na skraju nabrzeża. Odrzucił broń i trzymał się za ranę pod pachą. Spomiędzy jego palców spływała krew.

— Nie uciekniesz przed moją zemstą! — wrzasnął. — Masz krew mojego ojca na rękach i na sumieniu! Poprzysiągłem na Allaha, że cię zabiję! Pójdę za tobą choćby do bram piekła!

— On nie rozumie, co naprawdę znaczy nienawiść — wyszeptał Dorian. — Któregoś dnia mam nadzieję mu to wytłumaczyć.

— Wypełnię to zobowiązanie razem z tobą — rzekł Mansur — ale teraz musimy wrócić na nasze żaglowce i wydostać się na otwarte morze, mając przeciwko sobie cała flotę Zajna.

Dorian wzdrygnął się; ciążyło mu brzemię rozpaczy i nienawiści.

Spojrzał ku wyjściu z zatoki. Stały tam na kotwicy cztery duże wojenne *dhow*, a dwa kolejne płynęły nieco dalej pod żaglami.

— *Arcturusa* nie widać? — zapytał Mansura.

— Nie, i to już trzeci dzień — odparł młodzieniec. — Ale z pewnością nie odpłynął daleko, lecz czai się tuż za horyzontem.

Gdy Dorian stanął na pokładzie *Revenge*, zawołał do syna, który został w łodzi:

— Starajmy się trzymać w zasięgu wzroku! Na pewno jednak dojdzie do walki i może trzeba będzie się rozdzielić. Pamiętasz, gdzie mamy się spotkać?

Mansur pomachał ręką na potwierdzenie.

— Wyspa Sawda, północny cypel. Będę tam czekał na ciebie.

Nagle rozległ się huk wystrzału z armaty. Spojrzeli ku murom miasta ponad portem. Na blankach wykwitł pióropusz dymu, szybko rozwiany przez wiatr. Po kilku sekundach w pobliżu burty *Sprite* trysnęła w górę fontanna morskiej wody.

— Nieprzyjaciel zajął nasze baterie! — krzyknął Dorian. — Musimy natychmiast stąd odpłynąć!

Zanim Mansur dotarł do swego żaglowca, huknął kolejny strzał. Choć również był niecelny, chłopak wiedział, że kanonierzy wkrótce zaczną trafiać do celu.

— Wiosłować! — ryknął do obsady łodzi. — Co sił, bo będziecie musieli płynąć wpław!

Załoga *Sprite*, ponaglona kanonadą, wciągnęła już kotwicę i opuściła z bloków liny, na których miał zostać wciągnięty barkas. Natychmiast po wejściu na pokład Mansur kazał postawić kliwer, żeby odwrócić żaglowiec dziobem do wyjścia z zatoki. Gdy szkuner ustawił się do wiatru, Kumrah rozwinął wszystkie górne żagle.

Wiał już wieczorny wiatr od lądu, o stałym kierunku zachodnim. Dawało im to najlepszy kurs i sunęli szybko w stronę otwartego morza. Kiedy dogonili *Revenge*, Dorian polecił zwinąć grot, żeby *Sprite* mogła objąć prowadzenie. Ujście zatoki było zdradliwe i pełne podwodnych skał, a Kumrah znał te wody lepiej od Batuli i wiedział, jak omijać pułapki.

Mansur aż do tej chwili nie zdawał sobie sprawy, jak szybko minął dzień. Słońce stało już nad samymi górami, zalewając świat złotym blaskiem. Baterie na blankach Maskatu wciąż grzmiały i któryś celny strzał wyrwał zgrabną dziurę w sztakslu bezanmasztu, lecz wkrótce znaleźli się poza zasięgiem dział. Mogli się teraz uważniej przyjrzeć jednostkom tworzącym blokadę. Dwa wielkie wojenne *dhow* podniosły kotwicę, postawiły łacińskie żagle i sunęły w stronę kanału na spotkanie obu żaglowców. W porównaniu z mniejszymi od siebie szkunerami pokonywały odległość ospale i wyraźnie nie dotrzymywały im tempa, choć nie szły wcale ostro pod wiatr. W przeciwieństwie do nich oba szkunery pruły szybko wody zatoki na wszystkich żaglach.

Mansur spojrzał wzdłuż pokładu. Wszyscy kanonierzy znajdowali się na stanowiskach, chociaż nie wytoczyli jeszcze dział załadowanych żelaznymi kulami. Wolnotlące lonty kopciły się już w pojemnikach z piaskiem, a marynarze rozmawiali, śmiejąc się, podekscytowani bliskim starciem. Czas intensywnych ćwiczeń i późniejszy udany atak na turecką piechotę dodał im pewności siebie. Byli już znużeni długim oczekiwaniem w porcie, gdzie stali na kotwicy przez kilka tygodni. Teraz, kiedy Mansur i al-Salil objęli znów dowodzenie flotyllą, wszyscy aż rwali się do walki.

Kumrah przestawił odrobinę ster. Mansur, choć ufał jego umiejętnościom, poczuł lekkie ukłucie niepokoju. Płynąc tym kursem, musieli znaleźć się w białej, spienionej kipieli tuż pod skalistym klifem, strzegącym wyjścia z zatoki.

Najbliższy *dhow* dostosował swój kurs, jak tylko manewr Kumraha stał się oczywisty. Tory obu jednostek musiały się zbiec w jednym punkcie. Mansur przyjrzał się wrogiej jednostce przez lunetę. Przy jej nawietrznym relingu tłoczyło się mnóstwo żołnierzy potrząsających bronią. Działa też już zostały wytoczone na pozycje.

— Jest uzbrojony w krótkolufowe bombardy — wyjaśnił Kumrah.

— Nigdy takich nie widziałem.

— Nic dziwnego, pamiętają jeszcze pewnie twojego dziadka — zaśmiał się kapitan. — Mają o wiele mniejszą siłę rażenia od naszych dział.

— W takim razie bardziej niebezpieczne są dla nas te skały — rzucił Mansur. Płynęli wprost na skalisty klif.

— Powinieneś ufać Allahowi, panie.

— Pokładam wiarę w Allahu. Moje wątpliwości dotyczą tylko kapitana tego szkunera.

Kumrah uśmiechnął się i dalej trzymał ten sam kurs. Z *dhow* wystrzelono pierwszą nierówną salwę ze wszystkich piętnastu armat prawej burty. Jednak dystans był wciąż jeszcze o połowę za długi. Mansur dojrzał rozbryzg tylko od jednego pocisku, a i ten wpadł do wody w odległości niezagrażającej *Sprite*. Niemniej dobiegły ich niesione wiatrem wiwaty marynarzy na *dhow*.

Wielka arabska łódź i dwa małe szkunery wciąż płynęły po torach, które musiały się przeciąć. W miarę jak zbliżali się do spienionego przyboju, okrzyki na *dhow* milkły, załoga zaś przestawała zawadiacko wywijać bronią.

— Przeraziłeś wroga tak samo jak mnie — zwrócił się do Kumraha Mansur. — Czyżbyś zamierzał nas roztrzaskać o skały?

— Łowiłem na tych wodach jako dziecko, tak jak przedtem mój ojciec, a przed nim jego ojciec — zapewnił go kapitan. Skały wciąż mieli na wprost przed dziobem i zbliżali się do nich bardzo szybko. *Dhow* oddał następną salwę, lecz było jasne, że kanonierów rozpraszała bliskość niebezpieczeństwa. Tylko jedna z kamiennych kul przeleciała nad szkunerem i uszkodziła reję bezanmasztu. Kumrah wysłał dwóch ludzi, żeby ją wymienili.

Następnie, nie redukując żagli, wprowadził statek do wąskiego kanału pomiędzy rafami, którego Mansur wcześniej nie zauważył. Szkuner z ledwością mieścił się w nim na szerokość. Wyglądając za burtę, Mansur z fascynacją i zgrozą patrzył na wielkie grzebienie korali, przesuwające się pod spienioną powierzchnią na głębokości niecałego sążnia. Każdy z nich mógł łatwo rozerwać poszycie na podbrzuszu *Sprite*.

Nerwy kapitana *dhow* tego nie wytrzymały. Stojąc na rufie, krzyczał coś i żywo gestykulował. Jego marynarze porzucili stanowiska przy działach i zabrali się do ściągania wydętego łacińskiego żagla, żeby postawić *dhow* w przeciwnym halsie. Potem musieli jeszcze przerzucić bom, by jego koniec, okrążywszy maszt, znalazł się po lewej burcie. Była to ciężka robota i kiedy się nad nią trudzili, ich łódź kołysała się bezradnie na falach.

— Przygotować się do zwrotu na wiatr! — wydał komendę Kumrah i marynarze pobiegli do lin. Kapitan patrzył przed siebie; ocieniając oczy dłonią, starannie wybierał moment. — Ster na prawo! — krzyknął do sternika, który obrócił kołem tak szybko, że stało się ono na moment prawie niewidoczne. *Sprite* wykonała piruet, pokonała ostry zakręt kanału i wydostała się na głęboką wodę. *Dhow* kołysał się na wprost nich z żaglami w nieładzie i działami pozostawionymi bez obsługi.

— Wytoczyć działa z prawej burty! — rozkazał Mansur i klapy furt działowych otworzyły się z trzaskiem. Przeszli tak blisko za rufą przeciwnika, że mógłby rzucić kapelusz na pokład.

— Ognia!

Działa huknęły szybko, jedno po drugim. Kule trafiały kolejno w rufę *dhow*. Strzaskane belki zamieniały się w chmury fruwających szczap drewna. Jedna z nich, długości ramienia, przeleciała Mansurowi koło ucha i wbiła się w maszt niczym strzała. Z tej odległości żelazne pociski przeczesały *dhow* od rufy po dziób. Przy akompaniamencie krzyków i jęków nieprzyjacielskiej załogi *Sprite* minęła łódź i wydostała się na otwarte morze.

Teraz do zdruzgotanego *dhow* zbliżyła się *Revenge*, płynąca blisko za nimi. Z jej pokładu także padła salwa. Pojedynczy maszt arabskiej jednostki przewrócił się i wpadł do morza.

Droga była wolna. Żaden z pozostałych *dhow* nie zdążyłby już odciąć im drogi. Niemal samobójczy manewr Kumraha zaskoczył wszystkich.

— Wycofać działa! — rozkazał. — Zamknąć furty i zaciągnąć wiązania.

Odwrócił się i ujrzał *Revenge* zaledwie pół kabla za rufą. Daleko za nimi okaleczony *dhow* dryfował na rafy, spychany wiatrem. Uderzył o nie i przechylił się mocno. Mansur zobaczył przez lunetę, jak załoga w panice opuszcza łódź. Ludzie wyskakiwali za burtę, wzbijając małe białe fontanny wody i płynąc wpław do brzegu. Zastanawiał się, ilu przeżyje w wartkich prądach pod skałami i między ostrymi zębiskami raf.

Wypchnął grotżagiel na wiatr, żeby *Revenge* mogła się ustawić równolegle do *Sprite*.

— Powiedz Kumrahowi, żeby już nigdy nie próbował takich sztuczek! Poprowadził nas przez bramy piekielne! — zawołał Dorian przez tubę.

Kumrah skłonił się głęboko, z udawaną skruchą, a Dorian opuścił tubę i zasalutował mu, w dowód uznania dla jego zdolności i zimnej krwi.

— Za godzinę się ściemni! — krzyknął. — Zostawię pojedynczą latarnię na rufie, żebyś mógł się trzymać za mną. Gdybyśmy się jednak rozdzielili w nocy, spotkamy się zgodnie z umową przy wyspie Sawda.

Revenge popłynęła naprzód, a *Sprite* trzymała się za nią. Dorian już wiele tygodni wcześniej zdecydował, dokąd w razie czego się udadzą. Na całym Oceanie Indyjskim był tylko jeden port, do którego mogli bezpiecznie zawinąć. Wybrzeże Malaryczne i porty Omanu znajdowały się pod butem Zajna al-Dina. Holendrzy mieli Cejlon i Batawię. Wybrzeże Indii kontrolowała angielska Kompania Wschodnioindyjska, a więc i sir Guy. Jedynym schronieniem pozostawał dla nich Fort Auspice w Zatoce Narodzenia Pańskiego. Tam mogli odbudować zapasy i ustalić plany na przyszłość. Dorian zaznaczył to miejsce na mapie i poinstruował Mustafę Zindarę oraz bin-Szibama, jak mają żeglować do Frotu Auspice. Mieli przysłać po niego statek, gdy tylko zjednoczą na powrót pustynne plemiona i przygotują wszystko do objęcia przezeń przywództwa. Będzie potrzebował złotych rupii i silnych sprzymierzeńców. Nie wiedział, gdzie znajdzie pieniądze i ludzi, lecz teraz odłożył te kwestie na później i zajął się żeglowaniem.

Obrał kurs na południowy wschód ku wschodowi, żeby opuścić Zatokę Omańską. Znalazłszy się na pełnym morzu, zamierzał płynąć wprost na Madagaskar, gdzie Prąd Mozambicki poniesie ich dalej na południe. Mansur podążał za nim. Zachodziło słońce i widok był oszałamiający. Wysoko wypiętrzone burzowe chmury maszerowały po ciemniejącym horyzoncie do wtóru odległych grzmotów, a zapadający w morze słoneczny krąg zabarwiał je złotawym różem i lśniącym kobaltowym błękitem.

Całe to piękno nie pomagało Mansurowi zrzucić z barków ciężaru melancholii, która go nagle opadła. Musiał porzucić kraj i ludzi, których zdążył już pokochać. Odebrano mu nadzieję na królestwo i Słoniowy Tron. Wszystko to jednak było mało ważne w porównaniu z myślami o kobiecie, którą utracił, zanim jeszcze ją zdobył. Z wewnętrznej kieszeni szaty wyjął list, który nosił przez cały czas na sercu, i przeczytał kolejny raz jej słowa: *Zapytałeś mnie zeszłej nocy, czy niczego do Ciebie nie czuję. Nie odpowiedziałam Ci wtedy, ale odpowiem teraz. Czuję, Mansurze.*

Dla niego były to najpiękniejsze słowa, jakie kiedykolwiek napisano w języku angielskim.

Noc zapadła z dramatyczną raptownością, właściwą jedynie tropikom. W prześwitach wysokiego baldachimu burzowych chmur pokazały się gwiazdy, lecz w niedługim czasie cumulonimbusy całkiem zakryły niebo i otoczyła ich ciemność, w której jedynym jasnym punktem był świetlik latarni, tańczący na rufie *Revenge*.

Mansur siedział oparty o szafkę kompasową, oddając się romantycznym fantazjom. Przedrzemał tak pół nocy, nie kładąc się nawet na koi. Nagle niebo rozjaśniła rozwidlona błyskawica, która wystrzeliła z powały chmur ku powierzchni morza. Zaraz potem rozległ się ogłuszający grzmot, od którego zdawało się drżeć niebo. Z mroku przed nimi wyłoniła się *Revenge*. Każdy detal jej takielunku i żagli rysował się niezwykle ostro i wyraźnie w jasnobłękitnym świetle. Potem znowu zapała ciemność, jeszcze głębsza niż poprzednio.

Mansur zerwał się na równe nogi i podbiegł do lewej burty. Wydawało mu się, że w tym oślepiającym rozbłysku dostrzegł coś jeszcze, jakieś mignięcie odbitego światła daleko na horyzoncie.

— Widziałeś to? — zapytał Kumraha, który stanął obok niego przy relingu.

— *Revenge*? — odparł zdziwiony kapitan. — Oczywiście, widziałem, Wasza Wysokość. Jest niecały kabel przed nami. O tam, można dojrzeć światełko na jej rufie.

— Nie, nie! — zakrzyknął młodzieniec. — Nie przed dziobem, tylko na naszym trawersie! Coś tam jest.

— Nie, panie. Niczego nie widziałem.

Obaj mężczyźni wytężyli wzrok i wkrótce następna błyskawica rozdarła ciemność, a grom ogłuszył ich i wydawało się, że potężne wyładowanie rozbiło na drobne kawałeczki powierzchnię morza. W tym krótkim mgnieniu ostrej jasności Mansur zobaczył to znowu.

— Tam! — Chwycił Kumraha za ramię i potrząsnął nim gwałtownie. — Tam! Widziałeś teraz?

— Statek! Inny statek! — krzyknął Arab. — Widziałem wyraźnie!

— Jak daleko od nas?

— Ze dwie mile morskie. Duży żaglowiec rejowy, nie *dhow*.

— To *Arcturus*! Czeka na nas w zasadzce. — Mansur z rozpaczą spojrzał ku szkunerowi ojca. Sygnalizacyjna latarnia wciąż połyskiwała na jego rufie. — Na *Revenge* nie zauważyli niebezpieczeństwa.

— Musimy ich dogonić i ostrzec — stwierdził Kumrah.

— Nawet gdybyśmy rozwinęli wszystkie żagle i tak nie dojdziemy do nich na odległość głosu przed upływem godziny, a wtedy może już być za późno. — Mansur namyślał się chwilę. — Postaw na nogi załogę — zdecydował w końcu. — Odpal działo, żeby zaalarmować załogę na *Revenge*, a potem pójdź prawym halsem, by przeciąć drogę wrogowi. Nie zapalaj latarni bojowych, dopóki nie wydam rozkazu. Jeżeli Bóg pozwoli, weźmiemy ich przez zaskoczenie.

W ciemności rozległo się dudnienie bojowych werbli, a gdy

załoga wysypywała się na pokład ze swoich kwater, huknął pojedynczy strzał z armaty. *Sprite* wykonała zwrot, a Mansur wypatrywał oczy w stronę szkunera ojca, chcąc się przekonać, czy zgaszono na nim latarnię, lub upewnić się w jakiś inny sposób, że tamci odebrali ostrzeżenie. Akurat w tym momencie rozerwały się chmury i lunął rzęsisty deszcz. Wszystko rozmyło się w ciepłych strugach spadającej kaskadami wody. Zdawała się wypełniać powietrze, którym oddychali, nie dopuszczając najmniejszych przebłysków światła i tłumiąc wszelkie dźwięki poza dudnieniem ciężkich kropel o płótno żagli w górze i drewno pokładu w dole.

Mansur podbiegł do kompasu, żeby choć z grubsza określić położenie *Sprite*. Wiedział jednak, że nie zdoła ustalić tego dokładnie, a nieprzyjacielski statek też mógł w tym czasie zmienić kierunek i kurs. W takiej ulewie mieli niewielkie szanse na spotkanie z *Arcturusem*. Mogli znaleźć się obok siebie na odległość strzału z pistoletu, nie będąc nawzajem świadomi swojej obecności.

— Odwróć klepsydrę i zaznacz deskę trawersową — polecił sternikowi. Miał nadzieję, że może uda się przeciąć kurs wrogiego statku na podstawie samych obliczeń. — Postaw przy kole dwóch doświadczonych ludzi — rzucił do Kumraha.

Przeszedł szybko na dziób i poprzez wodną kurtynę wypatrywał błysku latarni na rufie *Revenge*. To, że niczego nie zobaczył ani nie usłyszał, sprawiło mu niewielką ulgę.

W Bogu nadzieja, że ojciec jest świadom zagrożenia i że zgasił latarnię, pomyślał. W przeciwnym razie sir Guy mógłby zauważyć światło i podejść go znienacka.

Mansur rozważał przez chwilę, czy nie strzelić powtórnie z działa dla podkreślenia wagi niebezpieczeństwa, lecz zaraz porzucił ten pomysł. Drugi wystrzał spowodowałby tylko zamieszanie. Ojciec mógłby uznać, że załoga *Sprite* już wdała się w walkę, a *Arcturus* zostałby ostrzeżony o ich obecności. Pożeglowali więc dalej w ciemność, pod potokami ciepłego jak krew deszczu.

— Wyślij najlepszych obserwatorów na bociane gniazdo — polecił Kumrahowi. — Kanonierzy niech będą gotowi do wytoczenia dział w każdej chwili. Kiedy trafimy na wroga, nie będzie czasu na przygotowania.

Klepsydra została odwrócona dwukrotnie. Marynarze wytężali wszystkie zmysły, by w tych nieprzeniknionych ciemnościach pochwycić najdrobniejszą oznakę bliskości *Arcturusa*. A ulewa nie traciła na sile.

Mansur rozważył możliwości, jakie mu pozostały. Wróg mógł popłynąć dalej, nie zauważywszy ich. Mógł też zawrócić, żeby przeciąć im drogę i przepłynąć w pobliżu. Było możliwe, że właśnie podkrada się do nieświadomej niczego załogi *Revenge*.

Podjął decyzję.

— Postawić statek w dryf pod żaglami! Niech ludzie mają oczy szeroko otwarte i wytężają słuch! — krzyknął do Kumraha.

Sprite leżała na wodzie ciemna i cicha. Minęła następna godzina, mierzona powolnym osypywaniem się piasku w klepsydrze. Ulewa zelżała, a odświeżająca bryza zmieniła kierunek na północny, przynosząc ze sobą korzenne wonie nieodległej pustyni. W końcu deszcz ustał. Mansur zamierzał właśnie dać rozkaz do podjęcia żeglugi, kiedy migotliwy blask rozjaśnił ciemność daleko za rufą. Zaigrał jak światło świecy na podbrzuszu nisko wiszących chmur. Mansur wstrzymał oddech. Policzył powoli do pięciu i usłyszał dźwięk — charakterystyczne dudnienie baterii dział.

— *Arcturus* prześliznął się koło nas i dopadł *Revenge*! — zawołał. — Obrócić statek i iść prawym halsem.

Mając nocny wiatr od baksztagu, *Sprite* sunęła w ciemności, a Mansur z Kumrahem dokładali wszelkich wysiłków, żeby wycisnąć z żaglowca maksimum szybkości. W miarę jak się zbliżali, migotliwe rozbłyski były coraz jaśniejsze, a dudnienie dział coraz głośniejsze.

— Boże, spraw, żebyśmy zdążyli na czas — szepnął Mansur, wpatrując się w dal. W jego oczach zalśniły łzy — może od wiejącego w twarz wiatru, a może od jakiejś nienazwanej emocji. Dwie najukochańsze osoby znalazły się wśród tej kanonady i ognia, a on wciąż nie mógł nic zrobić. Chociaż jego szkuner sunął szybko z wiatrem jak goniony przez ogary jeleń, wydawało mu się, że to zbyt wolne tempo.

A jednak dystans między nimi stopniowo się zmniejszał i w końcu, stojąc na dziobie i balansując, Mansur dojrzał oba żaglowce. Prowadziły walkę, oświetlane rozbłyskami z luf swoich dział.

Spostrzegł, że płyną przeciwnym halsem niż jego szkuner, pod ostrym kątem w stosunku do siebie. Kazał Kumrahowi zmienić kurs o dwa rumby, żeby przeciąć im drogę. Teraz dystans zaczął się zmniejszać szybciej i mógł dokładniej zaobserwować szczegóły bitwy.

Dorianowi na *Revenge* udało się jakoś zyskać przewagę nad kapitanem Cornishem; wyprzedzał go, nie pozwalając *Arcturusowi* podpłynąć burta w burtę i zaatakować abordażem. Cornish z kolei blokował *Revenge*. Szkuner nie mógł się ustawić maksymalnie z wiatrem i umknąć większej jednostce. Oba żaglowce szły niemal dokładnie z tą samą szybkością, lecz nie mogło to trwać w nieskończoność. W tym pojedynku musiała w końcu przeważyć szalę większa siła ognia.

Sprite jednakże zbliżała się do nich szybko. Jeżeli zdążyłaby dojść, zanim *Arcturus* zarzuci haki na *Revenge* i rozpocznie abordaż, zyskaliby przewagę. Mansura korciło, żeby natychmiast zaatakować *Arcturusa*, lecz powściągnął swe wojownicze zapędy i manewrował w poprzek linii wiatru.

Wiedział, że skrywa go noc i jest niewidoczny dla marynarzy z walczących jednostek. Musiał więc jak najlepiej wykorzystać element zaskoczenia. Miało upłynąć jeszcze wiele minut do momentu, w którym jego szkuner będzie mógł wyskoczyć z ciemności, żeby przepłynąć za rufą *Arcturusa*, a potem iść do abordażu z prawej burty.

Mansur obserwował przebieg bitwy przez lunetę. Choć działa obu stron grzmiały bez przerwy, dzieląca ich odległość była jeszcze zbyt duża, żeby mogły dokonać poważniejszych zniszczeń. Dostrzegł, że kilka pocisków wystrzelonych z *Revenge* wybiło dziury w kadłubie przeciwnika powyżej linii wodnej. Rozłupane belki jaśniały świeżą bielą. Żagle też były gdzieniegdzie porwane i podziurawione, a w omasztowaniu brakowało kilku drzewc, lecz wszystkie działa sir Guya grzmiały bez ustanku.

Revenge przynajmniej nie była w gorszym stanie. W rozbłyskach wystrzałów Mansur dojrzał postać ojca w wyróżniającej się zielonej szacie. Kierował ogniem, a Batula stał obok niego przy sterze, starając się wycisnąć ze szkunera jeszcze więcej szybkości.

Zwrócił obiektyw lunety na pokład *Arcturusa*, ze ściśniętym sercem wypatrując smukłej sylwetki Verity. Poczuł niewielki przypływ ulgi, kiedy jej nie zobaczył, mimo że przypuszczał, iż sir Guy kazał jej zostać pod pokładem, gdzie miała choć częściową ochronę przed nieustanną kanonadą.

Zauważył twarz Cornisha, gniewną i czerwoną w poblasku ognia. Kapitan kroczył po pokładzie z ociężałym dostojeństwem, co rusz spoglądając ku statkowi przeciwnika i wydając rozkazy swoim ludziom przez tubę. Nagle na oczach Mansura udany strzał z *Revenge* utrącił górną część głównego masztu *Arcturusa* i grotżagiel, falując, opadł na pokład, unieruchamiając oficerów i sternika pod fałdami ciężkiego płótna.

Nastąpiło kilka minut rozgardiaszu, podczas których marynarze rzucili się do cięcia żagla nożami. Ogień z baterii *Arcturusa* osłabł, a kapitan Cornish, zajęty wygrzebywaniem się z pułapki, pozwolił swemu statkowi odpaść nieco od wiatru. Mansur dostrzegł, że z drugiego końca pokładu nadbiega sir Guy i przejmuje komendę. Chwilami słychać było z oddali jego krzyki i po niedługim czasie sytuacja na *Arcturusie* zaczęła się powoli normować. Trzeba było jak najszybciej wykorzystać moment słabości wroga. Mansur krzyknął do Kumraha, który już czekał w gotowości na rozkaz. *Sprite* wykonała nagły zwrot, jak koń tresowany do gry w polo, i wyskoczyła z ciemności. Przechodziła tuż za rufą *Revenge*. Mansur wspiął się na wantę.

— Ojcze! — krzyknął. Dorian odwrócił się, zaskoczony widokiem *Sprite*, która wyłoniła się z mroku jakby za sprawą czarów. — Przejdę przed jego dziobem i ostrzelam go — poinformował Mansur — a potem zajdę go od prawej burty! Podejdź z drugiej strony, to weźmiemy drania w dwa ognie!

Twarz Doriana rozjaśnił bitewny zapał i wyszczerzył się w uśmiechu do syna, machając na potwierdzenie, że zrozumiał, o co chodzi.

Mansur rozkazał wytoczyć działa i pomknął śmiałym manewrem przed dziób *Arcturusa*. Przez pięć długich minut, które wydawały się ciągnąć w nieskończoność, byli narażeni na bezpośredni ogień wroga. Na szczęście kanonierzy Cornisha nie zdołali się jeszcze pozbierać i tylko trzy kule upadły na pokład *Sprite*. Choć rozłupały grube deski, rozrzucając wokół roje drzazg, nikt z załogi nie doznał szwanku. Szkuner zdołał się tymczasem ustawić na wprost dziobu większego żaglowca i był już poza linią strzału jego dział.

Mansur sprawdził baterię, upewniając się, że każde z dział wycelowano jak należy. Na jego rozkaz długie spiżowe lufy pluły kolejno ogniem i pociskami, szarpiąc się w tył na przytrzymujących je rzemiennych pasach. Każda z kul trafiła w cel.

Atak był jednak nieco zbyt śmiały. Przeszli tak blisko dziobu nieprzyjacielskiego żaglowca, że bukszpryt *Arcturusa* zahaczył o wanty bezanmasztu *Sprite*. Na szczęście kadłuby obu żaglowców minęły się na odległość ludzkiego ramienia i szkuner Mansura zdołał przedostać się na drugą stronę.

Mansur natychmiast wykonał zwrot i postawił *Sprite* równolegle do wrogiej jednostki. Furty działowe na tej burcie *Arcturusa* wciąż były zamknięte, nie spodziewano się bowiem ataku z tego trawersu.

Gdy marynarze Mansura zarzucili haki abordażowe na żaglowiec wroga, oba kadłuby zostały połączone. Mansur odpalił jeszcze jedną salwę burtową z bliskiej odległości, po czym poprowadził swoich ludzi do szaleńczego ataku. Załoga *Arcturusa* rzuciła się odeprzeć napastników, lecz zanim desperacka walka rozgorzała na dobre, *Revenge* znalazła się przy lewej burcie wroga. Działa z tej strony nie zostały jeszcze załadowane po poprzedniej salwie, a kanonierzy porzucili je, żeby przyłączyć się do starcia. *Arcturus* znalazł się w potrzasku, jak w szczękach wielkiej barakudy.

Walka szalała na całym głównym pokładzie, lecz połączone siły obu szkunerów były liczebniejsze niż załoga *Arcturusa* i powoli szala zwycięstwa zaczęła się przechylać na ich stronę. Mansur odszukał Cornisha i natychmiast skrzyżowali klingi. Próbował zepchnąć kapitana do defensywy i przygwoździć go do want. Ruby Cornish był jednak starym, przebiegłym wilkiem morskim. Odparł atak szybko i zdecydowanie i zaczęli okrążać się nawzajem.

D orian zabił kolejnego przeciwnika szybkim sztychem i rozejrzał się za Guyem. Nie wiedział, co uczyni, kiedy go znajdzie. Być może gdzieś w głębi serca skrywał tęsknotę za braterskim pojednaniem na polu bitwy, na razie jednak nie dostrzegł Guya w kłębowisku walczących, spostrzegł natomiast, że załoga *Sprite* zyskuje wyraźną przewagę. Ludzie z *Arcturusa* zaczęli oddawać pole. Zobaczył, jak dwaj majtkowie rzucają broń i przemykają niczym spłoszone zające ku najbliższej zejściówce. Gdy marynarze wycofywali się pod pokład, oznaczało to ich pewną klęskę.

— W imię Boga, bitwa jest nasza! — zawołał do otaczających go ludzi. — Na nich! — Jego głos dodał im nowych sił i rzucili się z animuszem na słabnących nieprzyjaciół. Dorian rozejrzał się za Mansurem i ujrzał go po przeciwnej stronie pokładu, toczącego zacięty pojedynek z Cornishem. Na ubraniu syna była krew, miał jednak nadzieję, że to krew przeciwnika. Nagle Ruby Cornish wycofał się ze starcia i pobiegł zagrzewać do walki uciekających podkomendnych. Mansur był zbyt zmęczony, żeby za nim pogonić. Stał oparty na szabli, oddychając z wysiłkiem, a jego twarz lśniła od potu w świetle latarni bojowych.

— Co z Guyem? — zawołał do niego przez pokład Dorian. — Widziałeś mojego brata?

— Nie, ojcze! — odkrzyknął chrapliwie chłopak. — Widocznie uciekł na dół z innymi.

— Pokonaliśmy ich! — triumfował Dorian. — Jeszcze jedna szarża i *Arcturus* będzie nasz! Do ataku!

Jego marynarze z okrzykami entuzjazmu ruszyli naprzód, lecz zaraz zastygli w miejscu, gdy przez bitewny zgiełk przedarł się przeraźliwy krzyk Guya Courtneya. Stał przy relingu na pokładzie rufowym. W jednej ręce trzymał kawałek wolnotlącego lontu, a na drugim ramieniu dźwigał baryłkę z czarnym prochem strzelniczym. Pokrywa baryłki była zdjęta i proch sypał się na pokład.

— Ta prochowa wstęga prowadzi prosto do głównego magazynu amunicji na statku! — zawołał. Chociaż posłużył się angielskim, jego przesłanie było jasne także dla arabskich marynarzy. Wszelka walka ustała i wszyscy wpatrywali się weń z przerażeniem. Na pokładzie *Arcturusa* zaległa śmiertelna cisza. — Wysadzę ten statek w powietrze i was wszystkich razem z nim! — wrzasnął Guy, unosząc w górę tlący się z sykiem lont. — Zrobię to, niech mi Bóg będzie świadkiem!

— Guy! — zakrzyknął Dorian. — To ja, twój brat, Dorian Courtney!

— Wiem to doskonale! — odpowiedział tamten tonem twardym i pełnym goryczy. — Verity przyznała się do swej zdrady. Ale to cię nie uratuje.

— Nie, Guy! Nie rób tego! — próbował go powstrzymać Dorian.

— Twoje zaklęcia na nic się zdadzą — padła odpowiedź i Guy rzucił baryłkę na deski pokładu. Rozbiła się i proch rozsypał się naokoło. Guy opuścił powoli rękę trzymającą lont.

Przez ciżbę marynarzy poniósł się jęk przerażenia. Jeden z majtków z *Revenge* nie wytrzymał; podbiegł do burty, wspiął się na nią i przeskoczył na pozornie bezpieczny pokład szkunera.

Jego przykład okazał się zaraźliwy i inni też rzucili się do ucieczki. Po znalezieniu się na pokładzie swoich żaglowców zaczynali natychmiast ciąć kordami i nożami liny abordażowe, łączące ich ze skazanym na zagładę *Arcturusem*.

Przy Dorianie i Mansurze pozostali jedynie Batula i Kumrah wraz z kilkoma najbardziej lojalnymi oficerami.

— To podstęp! On tego nie zrobi — przekonywał ich Dorian. — Za mną! — Gdy jednak podbiegł do stóp schodków prowadzących na kasztel rufowy, Guy Courtney cisnął palący się lont na rozsypany proch. Buchnął gęsty dym i płomień pomknął wzdłuż prochowej ścieżki przez pokład, aż dotarł do zejściówki i zeskoczył w dół, do wnętrza statku.

W tym momencie nawet najdzielniejszych oficerów opuściła odwaga i ruszyli biegiem ku burtom. Ostatnie liny już puszczały, pękając pod ciosami ostrej broni jak bawełniane nici. Za kilka minut dwa szkunery miały uwolnić się od *Arcturusa* i podryfować w noc.

— Jeśli nawet to podstęp, to i tak utkwimy tutaj w pułapce! — zawołał Mansur do ojca. Znaleźli się w otoczeniu nieprzyjacielskich marynarzy i ich położenie stawało się fatalne.

— Nie ma chwili do stracenia! — odkrzyknął Dorian. — Uciekaj, Mansurze!

Obaj pobiegli w przeciwne strony i obu udało się przeskoczyć na pokład swojego żaglowca w momencie, gdy zerwały się ostatnie liny i szkunery zaczęły odpływać. Guy Courtney stał samotnie na rufie *Arcturusa*. Spowijały go kłęby czarnego dymu i wyglądał jak wcielenie szatana. Płomienie z palącego się prochu przeskakiwały już na takielunek i biegły po wantach w górę.

P ierwsza salwa z dział wstrząsnęła kadłubem i wyrwała Verity ze snu. *Arcturus* zajął pozycję do bitwy tak cicho, że zamknięta w kajucie dziewczyna nie wiedziała aż do tej chwili, że coś się dzieje na pokładzie. Zsunęła się z koi i podkręciła knot wiszącej u sufitu lampy. Sięgnęła po ubranie: bawełnianą koszulę i bryczesy, które wolała od halek i sukni, kiedy zależało jej na tym, by mieć swobodę ruchów.

Zawiązywała buty, gdy statek przechylił się mocno przy następnej salwie burtowej. Podbiegła do drzwi i zaczęła walić w nie pięściami.

— Wypuśćcie mnie! Otwórzcie! — krzyczała. Lecz nikt jej nie słyszał.

Złapała ciężki srebrny kandelabr i próbowała rozłupać nim drzwi, żeby sięgnąć do zasuwy po drugiej stronie. Lecz grube tekowe deski oparły się jej wysiłkom. Zrezygnowała więc i przeszła na drugi koniec kajuty. Otworzyła iluminator i wyjrzała na zewnątrz. Zastanawiała się nad tą drogą ucieczki, od chwili gdy została tu uwięziona, i wiedziała, że to beznadziejne. W dole pieniła się morska kipiel, a do relingu w górze było ponad sześć stóp. Verity wpatrywała się w mrok, próbując odtworzyć przebieg bitwy na podstawie rozbłysków i huku detonacji. Raz po raz pojawiał się w jej polu widzenia szkuner, z którym walczył *Arcturus*, i zorientowała się szybko, że to *Revenge*. Żaglowca Mansura nie było nigdzie widać.

Kuliła się za każdym razem, gdy z pokładu nad jej głową grzmiały działa i gdy kule przeciwnika uderzały w kadłub. Bitwa zdawała się trwać w nieskończoność i zmysły dziewczyny były już otępiałe od huku. Krztusiła się gryzącym dymem, a swąd palonego prochu wypełniał jej kajutę jak jakieś okropne kadzidło, palone na cześć boga wojny Marsa.

Wtem spostrzegła, że z mroku wyłania się jak ciemna zjawa drugi szkuner.

— To *Sprite* — szepnęła i serce skoczyło jej do gardła. — Szkuner Mansura! — Myślała już, że go nigdy więcej nie zobaczy. Po chwili odezwały się działa na *Sprite*, lecz była tak podekscytowana, że wcale nie czuła strachu, mimo że żelazne kule jedna za drugą uderzały w *Arcturusa*.

Nagle silniejszy od innych wstrząs rzucił ją na podłogę. Jeden z pocisków rozbił gródź przy drzwiach kajuty, wypełniając pomieszczenie dymem i pyłem drzewnym. Kiedy się przejaśniło, Verity ujrzała, że drzwi już nie ma. Zerwała się na równe nogi i brnąc przez zwałowisko belek, dotarła na korytarz. Słyszała z pokładu odgłosy walki wręcz po udanym abordażu załogi *Sprite*. Krzyki i wrzaski mieszały się z brzękiem stali o stal i wystrzałami z pistoletów i muszkietów. Rozejrzała się za jakąś bronią dla siebie, lecz niczego nie było pod ręką. Nagle dostrzegła otwarte drzwi kajuty ojca i wbiegła do środka. Wiedziała, że w szufladzie biurka powinien leżeć pistolet.

Stała teraz dokładnie pod świetlikiem w suficie i głos jej ojca docierał wyraźnie do jej uszu.

— Ta prochowa wstęga prowadzi prosto do głównego magazynu amunicji na statku! — zawołał sir Guy. Na pokładzie *Arcturusa* zaległa śmiertelna cisza, a Verity zamarła z przerażenia. — Wysadzę ten statek w powietrze i was wszystkich razem z nim! — wrzasnął Guy, unosząc w górę płonący lont. — Zrobię to, niech mi Bóg będzie świadkiem!

— Guy! — poznała głos, który mu odpowiedział. — To ja, twój brat Dorian Courtney!

— Wiem to doskonale! — odkrzyknął konsul. — Verity przyznała się do swej zdrady. Ale to cię nie uratuje.

— Nie, Guy! — zawołał Dorian. — Nie rób tego!

— Twoje zaklęcia na nic się zdadzą! — usłyszała odpowiedź ojca.

Verity nie czekała ani chwili dłużej. Wypadła na korytarz i od razu spostrzegła szeroki pas czarnego prochu, biegnący po stopniach zejściówki i dalej na dolny pokład, gdzie był magazyn amunicji.

— On nie udaje! — zakrzyknęła do siebie. — Naprawdę chce wysadzić statek w powietrze!

Nie wahając się, chwyciła wiadro gaśnicze, stojące pod zejściówką. Na żaglowcu pożar był zawsze śmiertelnym zagrożeniem i wiadra z morską wodą rozstawiano we wszystkich możliwych kątach, gdy tylko statek angażował się w walkę. Verity polała wodą rozsypany proch, zmywając go w tym miejscu.

Zdążyła w ostatniej chwili. Płomień przemknął po schodkach, skwiercząc i strzelając iskrami, dotarł do przerwy w prochowej ścieżce i zatrzymał się, buchając kłębami niebieskiego dymu. Verity skoczyła na rozżarzone ziarenka, żeby je przydeptać. Potem złapała następne wiadro z wodą i oblała podłogę i schodki. Upewniwszy się, że ogień został zdławiony co do iskierki, wybiegła zejściówką na otwarty pokład.

— Ojcze! To szaleństwo! — krzyknęła, wyłaniając się za jego plecami z obłoków dymu.

— Zabroniłem ci opuszczać kajutę! — wrzasnął na nią. — Znów mnie nie posłuchałaś!

— Gdybym posłuchała, wyprawiłbyś mnie i siebie na tamten świat! — rzuciła mu w twarz, wciąż zdjęta zgrozą na myśl o tym, jak blisko otarli się o śmierć.

Sir Guy ujrzał, że jej ubranie ma powypalane dziury i ocieka wodą.

— Ty zdradziecka, nikczemna kobieto! — krzyknął. — Przeszłaś na stronę moich wrogów!

Uderzył ją prosto w twarz zaciśniętą pięścią. Dziewczyna zatoczyła się do tyłu i upadła pod relingiem. Spojrzała na ojca przerażona, ale i wściekła z oburzenia. Od dziecka przywykła do bicia szpicrutą po udach i pośladkach, gdy był z niej niezadowolony. Lecz tylko dwa razy w życiu uderzył ją pięścią. Ten był trzeci, i wiedziała, że będzie ostatni, że nigdy więcej nie pozwoli mu tego zrobić. Otarła usta wierzchem dłoni i spojrzała na szeroką smugę krwi z rozbitej wargi. Potem odwróciła się, żeby popatrzeć na pokład *Sprite*.

Ostatnie liny abordażowe zostały już odcięte, żagle szkunera wypełnił wiatr i kadłuby obu żaglowców zaczęły się od siebie oddalać. Pociski wroga zmieniły pokład *Sprite* w pobojowisko. Część marynarzy była ranna, inni śpieszyli na stanowiska przy działach, a wielu przeskakiwało dopiero z burty *Arcturusa* przez coraz szerszy pas wody.

Nagle dostrzegła na pokładzie Mansura. Serce załomotało jej gwałtownie w piersi. Przez wiele tygodni i miesięcy od ich rozstania próbowała walczyć ze swoimi uczuciami. Nie oczekiwała, że kiedykolwiek go jeszcze zobaczy, toteż udało jej się w końcu przytłumić wspomnienie ich spotkania. Teraz jednakże, kiedy ujrzała go w łunie płonącego takielunku, wysokiego i przystojnego, przypomniała sobie wszystkie tajemnice, które Mansur jej wyjawił, a także dowody jego uczuć wobec niej. Nie mogła już dłużej zaprzeczać samej sobie.

W tym momencie Mansur podniósł głowę i zobaczył Verity. Zdumienie natychmiast ustąpiło miejsca ponurej determinacji. Skoczył przez pokład do steru, odepchnął na bok sternika, złapał za koło i obrócił je w przeciwną stronę. Statek wyhamował zwrot na prawą burtę i reagując na ruch płetwy sterowej, powoli zawrócił. Bok jego dziobu ponownie zderzył się z kadłubem *Arcturusa*, nie odbił się jednak, gdyż Mansur mocno dociskał ster. *Sprite* zaczęła się przesuwać wzdłuż burty większego żaglowca.

— Skacz, Verity! — wrzasnął Mansur. — Skacz do mnie! — Dziewczyna stała w kamiennym bezruchu i za chwilę mogło już być za późno na skok. — Verity, na miłość Boga, nie możesz mnie odrzucić! Ja ciebie kocham! Skacz!

Dziewczyna przestała się wahać. Zerwała się na nogi miękko niczym kot, wskoczyła na nadburcie i balansowała tam przez chwilę z rozpostartymi rękami. Jej ojciec jednak pojął, co się dzieje, i natychmiast znalazł się przy niej.

— Zabraniam ci! — krzyknął, chwytając ją za kostkę. Odtrąciła jego rękę kopnięciem. Złapał ją więc za koszulę i chociaż próbowała się wyrwać, trzymał mocno. Mansur tymczasem zostawił ster i podbiegł do relingu. Stanął dokładnie naprzeciwko Verity, rozpościerając zapraszająco ręce.

— Skacz! — zawołał. — Złapię cię!

Verity rzuciła się z burty w dół. Sir Guy nie puścił jej koszuli; bawełna się rozerwała i w jego ręce pozostał kawał materiału. Dziewczyna wylądowała w ramionach Mansura. Impet jej skoku rzucił go na kolana, lecz zaraz się podniósł i na moment przytulił ją do piersi, a potem odciągnął w bezpieczniejsze miejsce. Marynarze ułożyli wzdłuż relingu wał ze zwiniętych hamaków jako ochronę przed fruwającymi drzazgami i ogniem z muszkietów, i Mansur kazał jej się schować za tą barykadą. Potem przyskoczył do steru i obrócił kołem w prawo.

Oba żaglowce znowu się rozdzieliły. *Revenge* także płynęła już pod żaglami. Na *Arcturusie* wciąż szalał ogień, lecz Ruby Cornish krążył po pokładzie, kierując akcją ratowniczą. Jego majtkowie hurmem wybiegali spod pokładu i wkrótce zrzucili z rej palące się żagle i ugasili je wodą z pomp. Padł rozkaz załadowania i wysunięcia dział, gdyż zamierzano ruszyć w pogoń za *Sprite*. Niestety ożaglowanie okazało się mocno zniszczone, a Cornish nie zdążył jeszcze wciągnąć nowych żagli na gołe, nadpalone reje. Statek płynął więc z trudem, oba szkunery natomiast szybko się oddalały.

Nocny wiatr ustał równie nagle, jak się pojawił. Chmury rozstąpiły się, jakby w przewidywaniu świtu, odsłaniając blednące gwiazdy. Nad oceanem zaległa cisza, a powierzchnia niespokojnych wód wygładziła się niczym lśniąca tafla lodu. Wszystkie trzy znękane bitwą żaglowce zwolniły i w końcu znieruchomiały. Nawet w przyćmionym świetle gwiazd każdy miał pozostałe dwa w zasięgu wzroku. Kołysały się lekko i bez kierunku na cichych prądach płynących pod szklistą płachtą morza. *Sprite* i *Revenge* stały jednak poza zasięgiem głosu i Dorian z Mansurem nie mogli się porozumieć co do dalszych działań.

— Niech ludzie zjedzą śniadanie w trakcie pracy — polecił Mansur swemu kapitanowi. — Musimy jak najszybciej naprawić uszkodzenia, bo ta cisza nie potrwa długo. — Po wydaniu rozkazów poszedł odszukać Verity. Stała samotnie przy burcie, wpatrując się w niewyraźną sylwetkę *Arcturusa*. — Jesteś ze mną — powiedział, gdy odwróciła się na dźwięk jego kroków.

— Bo mnie wołałeś — odpowiedziała cichym głosem i wyciągnęła do niego rękę. Ujął ją i zadziwiło go, jaka zimna i gładka jest jej skóra, jak wąską i giętką ma dłoń.

— Tak wiele rzeczy chciałbym ci powiedzieć — rzekł.

— Mamy na to całe życie przed sobą — odparła — lecz daj mi się najpierw nacieszyć tą chwilą. — Spojrzeli sobie nawzajem w oczy.

— Jesteś piękna.

— Nie jestem. Ale moje serce śpiewa, gdy to mówisz.

— Chciałbym cię pocałować.

— Teraz nie możesz — pokręciła głową. — Nie na oczach swoich marynarzy. To by się im nie spodobało.

— Na szczęście na to także mamy całe życie.

— I będę się cieszyła każdą jego chwilą.

Nastał świt. Pierwsze promienie słońca przedarły się przez chmury i zabarwiły wody oceanu połyskliwym ametystem. Światło wydobyło z mroku sylwetki trzech żaglowców. Stały w bezruchu, niczym zabawki pozostawione przez chłopców na wioskowym stawie. Gładką jak szkło powierzchnię morza ożywiały tylko wyskakujące z wody latające ryby oraz wiry, tworzone przez wielkie złotosrebrzyste tuńczyki, które za nimi goniły. Poszarpane pociskami żagle oklapły, a z każdego statku niosły się odgłosy pił i młotków cieśli, którzy w pośpiechu reperowali uszkodzenia po walce. Żaglomistrze rozpostarli porwane płótna na pokładzie i przykucnęli nad nimi, zaszywając szybkimi ruchami długich igieł dziury i rozdarcia. Wszyscy wiedzieli, że ten spokój jest tylko chwilowy, że w końcu powieje poranna bryza i rozpocznie się kolejna faza konfliktu.

Mansur obserwował przez lunetę, jak załoga *Arcturusa* dogasza pożar i mocuje nowe drzewce na miejscu złamanego bukszprytu oraz spalonych lub odstrzelonych rej.

— Czy twoja matka jest na pokładzie? — zapytał Mansur.

— Ojciec odesłał ją przed sześcioma tygodniami z powrotem do konsulatu w Bombaju — odparła dziewczyna. Nie chciała wcale myśleć teraz o Caroline i wydarzeniach, które towarzyszyły ich rozstaniu. — Czy podejmiesz znów walkę? — zapytała, żeby zmienić temat.

— Boisz się? — odpowiedział pytaniem Mansur.

Verity zwróciła wprost na niego spojrzenie swych zielonych oczu.

— To pytanie jest niemiłe.

— Wybacz — odparł natychmiast. — Nie wątpię w twoją dzielność, dowiodłaś jej dziś w nocy. Chcę tylko wiedzieć, co czujesz.

— Nie obawiam się o siebie. Ale na tamtym statku jest mój ojciec, a na tym ty.

— Przecież on cię uderzył.

— Bił mnie już przedtem, niejeden raz, lecz to przecież mój ojciec. — Opuściła wzrok. — Ważniejsze jednak jest to, że ty jesteś moim mężczyzną. Boję się o was obu. Lecz nie mrugnę nawet okiem, jeżeli nie da się uniknąć bitwy.

Mansur dotknął jej ramienia.

— Zrobię, co w mojej mocy, żeby nie doszło do walki — zapewnił ją. — Uczyniłbym tak również wczorajszej nocy, ale z kolei mój ojciec był wtedy w niebezpieczeństwie. Nie miałem wyboru, musiałem pośpieszyć mu z pomocą. Wątpię jednak w to, że Guy pozwoli nam uciec razem. Będzie robił wszystko, żeby nas zatrzymać i rozdzielić. — Skinął ponuro ku odległemu *Arcturusowi*.

— Poranna bryza już się zrywa — powiedziała Verity. — Zaraz się przekonamy o intencjach mojego ojca.

Wiatr poznaczył lazurową gładź drobnymi falami, które nazywali „kocimi pazurkami". Żagle *Arcturusa* się wypełniły i zaczął z wolna sunąć naprzód. Miał już na masztach wszystkie reje, a większość nadpalonych i porwanych żagli zastąpiły nowe. Po kilku minutach wiatr zamarł i statek płynął coraz wolniej, aż w końcu znowu stanął. Powiew dotarł teraz do obu szkunerów, przeniósł je kawałek dalej i także porzucił.

Na trzech żaglowcach znów zaległa cisza i pozostały w bezruchu. Wszystkie żagle były postawione, a majtkowie na rejach czekali w gotowości, żeby je wytrymować, kiedy wiatr się ustali.

Tym razem nadszedł od wschodu, mocny i pewny. Najpierw pochwycił *Arcturusa* i popchnął go do przodu. Gdy tylko żaglowiec uzyskał sterowność, wziął kurs na oba szkunery. Działa miał wytoczone na pozycje; jego zamiary były oczywiste.

— Obawiam się, że twój ojciec szykuje się do bitwy — rzekł Mansur.

— I ty tak samo — orzekła.

— Źle mnie osądzasz — pokręcił głową. — Ja dostałem swoją nagrodę. Sir Guy nie ma już niczego, co mógłbym chcieć mu odebrać.

— Miejmy więc nadzieję, że wiatr dotrze do nas szybciej niż do *Arcturusa*. — Mówiąc to, dziewczyna poczuła na policzku powiew, który rzucił długie pasmo jej włosów na oczy. Zgarnęła je z powrotem do jedwabnej siateczki. — Na szczęście już jest.

Silny poryw bryzy dopadł *Sprite* i szkuner się przechylił. Płótno załopotało, bloczki zaterkotały i żagle zaczęły się wybrzuszać.

Poczuli pod stopami radosne drżenie pokładu. Verity nie mogła opanować ekscytacji mimo powagi sytuacji.

— Płyniemy! — zakrzyknęła i na chwilę przylgnęła do ramienia Mansura. Dostrzegła jednak karcące spojrzenie Kumraha i odsunęła się. — Na tym statku nie potrzebuję przyzwoitki, bo mam ich tutaj setkę — mruknęła.

Sprite pomknęła w stronę *Revenge*, która stała jeszcze spokojnie. Po chwili wiatr dotarł także do niej i oba szkunery popłynęły równym tempem. *Revenge* prowadziła o dwa kable. Mansur spojrzał za rufę, by sprawdzić, jak rozwija się pościg.

— Przy wietrze z tego trawersu twój ojciec nigdy nas nie dojdzie — ucieszył się. — Jeszcze przed nocą znikniemy mu za horyzontem. — Wziął Verity pod rękę i poprowadził łagodnie ku zejściówce. — Mogę zostawić statek Kumrahowi, a my chodźmy poszukać dla ciebie odpowiedniej kwatery.

— Tu jest zbyt wiele oczu — zgodziła się i poszła z nim bez oporu.

U stóp schodków odwrócił ją twarzą ku sobie. Była tylko trochę niższa od niego, a grube, lśniące zwoje jej włosów czyniły tę różnicę jeszcze mniej widoczną.

— Tu nikt nas nie widzi — powiedział.

— Okazałam się chyba zbyt łatwowierna. — Jej policzki powlekły się rumieńcem. — Ale ty przecież nie wykorzystałbyś niewinnej młodej dziewczyny, prawda, Wasza Wysokość?

— Obawiam się, panno Courtney, że przeceniła pani moją rycerskość. Właśnie zamierzam to uczynić.

— I nic mi nie pomoże, jak sądzę, jeżeli zacznę krzyczeć?

— Obawiam się, że zupełnie nic — odparł.

Skłoniła ku niemu głowę.

— Muszę więc oszczędzać oddech — szepnęła — bo może mi się bardziej przydać do czego innego.

— Masz spuchniętą wargę. — Dotknął jej łagodnie. — Nie będzie cię bolało?

— My, Courtneyowie, należymy do twardych sztuk — oświadczyła.

Pocałował ją, lecz delikatnie.

Verity sama przyciągnęła go mocniej i rozchyliła wargi pod jego ustami.

— W ogóle nie boli — wyszeptała, gdy wziął ją na ręce i poniósł do swojej kajuty.

K umrah tupnął trzy razy w deski pokładu nad koją Mansura. Ten natychmiast usiadł na posłaniu.

— Jestem potrzebny na pokładzie — powiedział.

— Nie tak bardzo jak tutaj — wymruczała sennie, przeciągając się z zadowoleniem. — Ale wiem, że skoro obowiązek wzywa, muszę cię na razie wypuścić.

Wstał, a dziewczyna przyglądała mu się z rosnącym zainteresowaniem, szeroko otwartymi oczami.

— Jeszcze nigdy nie widziałam mężczyzny nagiego — stwierdziła. — Dopiero teraz rozumiem, że byłam czegoś pozbawiona, bo widok ten bardzo mi się podoba.

— Znam lepsze widoki — odparł i nachylił się, żeby ją pocałować w brzuch. Był gładki jak śmietanka, ze zgrabnym dołkiem pępka w jędrnym mięśniu. Wsunął do tego dołka czubek języka.

Westchnęła i przeciągnęła się lubieżnie.

— Przestań natychmiast, bo cię w ogóle nie wypuszczę.

Mansur wyprostował się i nagle jego oczy rozszerzył niepokój.

— Na prześcieradle jest krew. Czy cię zraniłem? — zapytał.

Uniosła się na łokciu i spojrzawszy na czerwoną plamę, uśmiechnęła się wyrozumiale.

— To kwiat mojego dziewictwa, Mansurze — wyjaśniła. — Dowód na to, że zawsze należałam tylko do ciebie.

— Moja kochana. — Przysiadł na brzegu koi i okrył jej twarz pocałunkami.

— Ruszaj do swoich obowiązków. — Odepchnęła go delikatnie. — Lecz wróć do mnie, jak tylko wszystko załatwisz.

Mansur wbiegł po zejściówce tak lekko, jakby miał skrzydła u stóp. Na górze zatrzymał się zaniepokojony. Spodziewał się zobaczyć *Revenge* przed dziobem, *Sprite* bowiem nie dorównywała jej szybkością. Szkuner Doriana jednak szedł tuż obok. Mansur zdjął lunetę z uchwytu przy szafce kompasowej i podbiegł do burty. Od razu spostrzegł, że *Revenge* siedzi nisko na wodzie i że pracują na niej wszystkie pompy. Z otworów odpływowych w kadłubie lała się morska woda. Bardzo go to zaniepokoiło. Wtem z luku nad główną ładownią wyłonił się Dorian. Mansur chwycił tubę i krzyknął do niego. Ojciec podszedł do relingu.

— Co jest z wami? — zawołał Mansur.

— Trafili nas poniżej linii wodnej i bierzemy wodę tak szybko, że pompy nie nadążają. — Odpowiedź Doriana niosła się słabo, tłumiona przez wiatr.

Różnica szybkości obu szkunerów była tak duża, że w ciągu kilku minut pobytu Mansura na pokładzie przybliżyli się do *Revenge* o kilka jardów. Głos ojca dobiegał teraz o wiele wyraźniej. Młodzieniec spojrzał za rufę i przekonał się, że podczas nocnych godzin, spędzonych z Verity pod pokładem nie uzyskali zbyt wielkiej przewagi nad *Arcturusem*. Z pewnością zaś nieprzyjacielski statek płynął teraz szybciej od okaleczonej *Revenge*.

— Czy mogę ci jakoś pomóc!? — krzyknął. Nastąpiła długa cisza.

— Biorę namiar na grotmaszt *Arcturusa* co godzina — odpowiedział wreszcie Dorian. — Przy tym tempie zbliży się do nas na odległość strzału przed wieczorem. Nawet w ciemności nie zdołamy mu umknąć.

— Kiedy naprawisz uszkodzenie?

— Otwór jest w trudno dostępnym miejscu. — Dorian pokręcił głową. — Jeśli staniemy w dryf, tamci nas dopadną, zanim zdążymy załatać kadłub.

— Co wobec tego możemy uczynić?

— Jeżeli nie zdarzy się coś nieprzewidzianego, będziemy zmuszeni znów walczyć.

Mansur pomyślał o Verity śpiącej w jego kajucie i wyobraził sobie jej piękne białe ciało rozerwane na krwawe strzępy przez pocisk. Natychmiast wyrzucił ten obraz z głowy.

— Zaczekaj! — krzyknął w stronę Doriana i odwrócił się do Kumraha. — Czy masz jakiś pomysł, stary przyjacielu? — zapytał. Rozmawiali szybko i z przejęciem, lecz w tym czasie *Revenge* znów pozostała z tyłu. Mansur był zmuszony zrefować grotżagiel, żeby *Sprite* zwolniła i nie oddaliła się od bratniego szkunera. Potem ponownie zawołał do ojca: — Kumrah ma plan! Trzymajcie się blisko za nami, na ile się da. Będę redukował szybkość, jeśli zaczniecie odpadać.

Kumrah przesunął dziób *Sprite* o trzy rumby ku zachodowi i płynęli teraz prosto na Ras al-Hadd, przylądek znaczący przejście Zatoki Omańskiej w otwarty ocean.

Przez resztę przedpołudnia załoga *Sprite* naprawiała uszkodzenia. Na polecenie Mansura ludzie zajęci byli przy czyszczeniu i oporządzaniu dział, wynoszeniu kul z magazynu na dolnym pokładzie i uzupełnianiu zapasu woreczków z prochem, którymi nabijano armaty. Potem za pomocą wielokrążka i lin przeciągnęli jedną z armat z głównego pokładu na kasztel rufowy, gdzie cieśle przygotowali tymczasowe stanowisko strzeleckie. Górujące nad rufą działo mogło teraz powstrzymywać *Arcturusa*, kiedy zacznie ich doganiać i znajdzie się w zasięgu strzału.

Pomimo wysiłków ludzi przy pompach, walczących z napływem wody przez przedziurawiony kadłub, *Revenge* powoli osiadała coraz niżej i traciła szybkość. *Sprite* podeszła bliżej i zdołano przerzucić linę, dzięki czemu na szkuner Doriana mogło się przedostać dwudziestu marynarzy i zastąpić jego ludzi, utrudzonych nieprzerwaną pracą. Razem z nimi Mansur posłał Barisa, jednego z młodych oficerów Kumraha. Był on, podobnie jak kapitan, Omańczykiem i znał niemal tak samo dobrze wszystkie skały i rafy zatoki. Szkunery płynęły teraz blisko siebie i Mansur mógł wyłuszczyć ojcu plan.

Dorian natychmiast dostrzegł w nim szansę powodzenia i bez wahania zaaprobował pomysł Kumraha.

— Tak właśnie zrobimy! — zawołał do syna przez tubę.

Po godzinie Mansur był zmuszony zrefować kolejny żagiel, żeby nie oddalić się zbytnio od *Revenge* w ciągu nocy. Przed zapadnięciem zmroku przyjrzał się jeszcze *Arcturusowi* i oszacował, że wrogi żaglowiec zmniejszył dystans między nimi do zaledwie dwóch mil.

Do swojej kajuty udał się dopiero tuż przed północą, lecz oboje z Verity długo nie mogli zasnąć. Kochali się, a potem leżeli nadzy w swoich objęciach, spoceni w tropikalnym gorącu, i rozmawiali cicho. Czasami się śmiali, a raz czy dwa Verity zapłakała. Mogliby tak rozmawiać bez końca, opowiadając sobie nawzajem całe życie. W końcu jednak nowo narodzona miłość przegrała ze zmęczeniem i zasnęli spleceni w uścisku.

Godzinę przed świtem Mansur ześliznął się z koi i wrócił na pokład. Verity jednak po kilku minutach też pojawiła się na zejściówce i przysiadła w kącie pod kasztelem rufowym, gdzie mogła być blisko ukochanego, nie przeszkadzając mu.

Mansur kazał kucharzom wydać załodze śniadanie i kiedy marynarze się pożywiali, chodził między nimi, rzucając słowa otuchy i żartując. Wielu się uśmiechało lub nawet wybuchało śmiechem, chociaż wiedzieli, że *Arcturus* płynie gdzieś blisko za nimi i wkrótce znów rozpocznie się bitwa.

Kiedy niebo na wschodzie zaczęło blednąć, Mansur z Kumrahem stanęli przy rufowym relingu, obok zamontowanego działa. Niedaleko za rufą widzieli latarnię na maszcie *Revenge*, lecz wpatrywali się poza nią, próbując dostrzec pierwsze oznaki obecności *Arc-*

turusa. Niespodzianki nie było. Gdy tylko trochę pojaśniało, zauważyli na ciemnym jeszcze horyzoncie jego sylwetkę. Mansur musiał się powstrzymać, by głośno nie wyrazić swego rozczarowania. Żaglowiec Guya nadrobił w ciągu nocy dobrą milę i znajdował się już niemal w zasięgu strzału z długolufowego działa. Kiedy przyglądał mu się przez lunetę, na dziobie *Arcturusa* ujrzał rozbłysk i biały obłok dymu.

— Twój ojciec strzela do nas z działa dziobowego — poinformował Verity. — Ale na razie dystans jest jeszcze za daleki, żeby mógł nam zaszkodzić.

W tym momencie rozległ się okrzyk z bocianiego gniazda:
— Ziemia!

Natychmiast opuścili rufę i przeszli na dziób, żeby popatrzeć na horyzont przez lunetę.

— Przeszedłeś sam siebie, kapitanie — zwrócił się Mansur do Kumraha. — Jeżeli się nie mylę, mamy na wprost przed sobą Ras al-Hadd.

Podeszli razem do mapy rozpostartej na stole przy desce trawersowej i pochylili się nad nią. Ten majstersztyk sztuki kartograficznej był dziełem Kumraha; zawarł w nim doświadczenie całego życia spędzonego na morzu.

— Gdzie jest ten Kos al-Him? — zapytał Mansur. Nazwa ta oznaczała w dialekcie wybrzeża Omanu „Zdrajcę".

— Nie umieściłem go na mapie — odrzekł kapitan. — Niektóre rzeczy lepiej jest ukryć przed ciekawskimi oczami. Lecz znajduje się tutaj — dziobnął nawoskowaną skórę mapy czubkiem cyrkla.

— Jak to jeszcze daleko?

— Jeżeli wiatr się utrzyma, dopłyniemy tam około pierwszej.

— Ale do tego czasu *Arcturus* dogoni *Revenge*! — Mansur spojrzał ku statkowi ojca.

— Jeżeli taka jest wola Boga — odparł Kumrah. — Albowiem Bóg jest wielki.

— Musimy osłaniać *Revenge* przed ogniem sir Guya, aż dopłyniemy do Zdrajcy — postanowił Mansur. Wydał rozkazy kapitanowi i wrócił na rufę, gdzie wokół działa zebrała się już jego obsługa.

Kumrah znów skrócił żagle i *Sprite* zwolniła na tyle, że znalazła się między dwoma statkami. W tym czasie *Arcturus* dwukrotnie wystrzelił z działa dziobowego. Oba pociski wpadły do morza. Kolejny jednak wzbił fontannę wody bardzo blisko burty *Revenge*.

— A więc dobrze — pokiwał głową Mansur. — Sprawdzimy, czy nasz dziewięciofuntowiec go dosięgnie.

Wybrał żelazną kulę i potoczył ją chwilę pod stopą, żeby sprawdzić symetrię. Kazał kanonierom dokładnie usunąć resztki osadu z lufy za pomocą wyciora na długim kiju. Sam tymczasem odmierzył starannie odpowiedni ładunek prochu.

Działo zostało załadowane i wytoczone. Mansur stanął przy relingu, żeby zaobserwować, jak rufa unosi się i opada na falach. Wyliczył kąt strzału na podstawie tych obserwacji i z tlącym się lontem w ręce stanął przy armacie, czekając na kolejną falę. Gdy *Sprite* zadarła do góry rufę niczym zalotna dziewczyna spódnicę, wetknął płonący koniec lontu do prochu w otworze zapałowym. Takie ustawienie statku dawało pociskowi większy zasięg.

Długie działo ryknęło i szarpnęło się w wiązaniach. Verity i Kumrah wypatrywali miejsca upadku kuli.

Po kilku sekundach dostrzegli mały pióropusz bieli, który wykwitł na ciemnej powierzchni wody.

— O sto jardów za blisko i trzy stopnie w lewo — zawołała żywo Verity.

Mansur skrzywił się i przekręcił śrubę wznoszenia lufy do maksimum. Odpalili działo ponownie.

— Wciąż za krótko, ale po linii.

Strzelali dalej, a wkrótce przyłączyła się do nich załoga *Revenge*. *Arcturus* powoli się przybliżał, grzmocąc z dział dziobowych. Jednakże do połowy przedpołudnia żadnemu ze statków nie udało się zaliczyć trafienia, choć kilka kul padło bardzo blisko celu. Mansur i jego kanonierzy rozebrali się do pasa; w rosnącym upale ich ciała błyszczały od potu, a twarze poczernił dym i sadza. Lufa armaty była już tak gorąca, że nie dało się jej dotknąć. Mokry wycior syczał i puszczał kłęby pary, przesuwając się wewnątrz otworu. Wytoczyli długi dziewięciofuntowiec po raz dwudziesty trzeci tego dnia i Mansur przyłożył się znów starannie do celowania. *Arcturus*, gdy patrzył na niego zmrużonym okiem przez szczerbinę, wydawał się niezwykle wysoki. Odczekał, aż pokład pod jego stopami przechyli się ku dziobowi, i odpalił.

Laweta skoczyła gwałtownie w tył i szarpnęła rzemienne postronki. Tym razem, choć wytężali zmęczony wzrok przez lunetę, nie dostrzegli rozbryzgu wody. Zamiast tego Verity zobaczyła, jak na dziobie *Arcturusa* eksplodują odłamki desek i jedno z dział dziobowych wywraca się lufą na sztorc.

546

— Trafienie! Bardzo dokładne trafienie! — zakrzyknęła.

— Tako rzecze panna Verity, nasz statkowy wieszcz — roześmiał się Mansur. Łyknął wody z czerpaka i zabrał się do przygotowania następnego strzału.

Arcturus, jakby w odwecie, wypuścił pocisk z drugiego działa i trafił tak blisko za rufą *Sprite*, że fontanna wody wzbiła się wysoko ponad pokład, a potem opadła na nich, mocząc wszystkich do nitki.

Przez cały ten czas skalisty przylądek Ras al-Hadd wyrastał coraz wyżej z morza, a nieprzyjacielski żaglowiec powoli doganiał oba szkunery.

— Gdzie ten twój Kos al-Him? — zapytał niecierpliwie Mansur kapitana.

— Dojrzysz go dopiero, gdy niemal się już z nim zderzymy — odpowiedział Kumrah. — Dlatego nazwano go Zdrajcą. Ale widać już pewne znaki. Dostrzegasz te białe smugi na klifie? I tę jajowatą skałę na lewo od nich, o tam?

— Przejmij już teraz ster, Kumrahu — rzekł młodzieniec. — Wyostrz bardziej na wiatr i wybrasuj żagle. Chcę, żeby *Arcturus* jeszcze się do nas przybliżył, ale Guy nie może się domyślić, że to celowe.

Pojedynek pomiędzy trzema żaglowcami trwał. Mansur liczył na odwrócenie uwagi Cornisha od czyhającego niebezpieczeństwa, a także na to, że *Revenge* wysforuje się bardziej naprzód. Wróg gonił ich zawzięcie i po upływie kolejnej godziny był już tak blisko, że rozpoznawali przez lunetę krępą sylwetkę i wyrazistą twarz kapitana.

— Jest też sir Guy. — Mansur o mały włos nie powiedział „twój ojciec", lecz w ostatnim momencie użył innych słów, nie chcąc przypominać o związku łączącym jego wroga z ukochaną kobietą.

W zestawieniu z Cornishem, Guy Courtney wyróżniał się szczupłą i elegancką sylwetką. Nawet w tym upale miał na głowie trójgraniasty kapelusz i przebrał się w niebieski surdut ze szkarłatnymi wyłogami, a do tego włożył obcisłe bryczesy i czarne buty z cholewami. Stał przy relingu i patrzył w ich stronę. Ściągnięte, twarde rysy jego twarzy wyrażały śmiertelną determinację, która przejmowała Verity chłodem. Dobrze znała ten nastrój swego ojca i bała się go jak zarazy.

— Kumrah! — zawołał Mansur do kapitana. — Gdzie jest

Zdrajca? Gdzie Kos al-Him? A może to miejsce z twojej imaginacji po wypaleniu fajki haszyszu?

Kumrah spojrzał na *Revenge*, która przebijała się wolno przez fale. Statek Doriana wysforował się już o ćwierć mili morskiej przed nich.

— Kalif, twój czcigodny ojciec, jest już prawie przy samym Zdrajcy — odpowiedział.

— Niczego tam nie widzę. — Mansur studiował bacznie morze przed szkunerem, lecz fale maszerowały przed siebie w równym szyku; nie widział między nimi żadnej przerwy ani załamania, żadnego wiru ani spienionej bieli, świadczących o bliskości skał.

— Dlatego właśnie nazywamy go Zdrajcą — przypomniał Kumrah. — Kos al-Him dobrze strzeże swojej tajemnicy. Zgładził już kilka setek statków, włącznie z galerą Ptolemeusza, generała i ulubieńca wielkiego Isakandera. Tylko dzięki bożej pomocy Ptolemeuszowi udało się przeżyć katastrofę.

— Bóg jest wielki — mruknął Mansur automatycznie.

— Chwalmy Boga — zgodził się kapitan. W tym momencie na *Revenge* raptownie podniesiono ster i szkuner zwrócił się do wiatru. Żagle obwisły i załopotały, a statek stanął w dryfie.

— Aha! — zakrzyknął Kumrah. — Baris spostrzegł Zdrajcę i pokazuje nam to miejsce.

— Wytoczyć działa z prawej burty i przygotować się do przejścia w lewy hals — wydał rozkaz Mansur. Majtkowie obsadzili stanowiska bojowe, a on przyjrzał się nadpływającemu *Arcturusowi*.

Żaglowiec konsula doganiał ich żwawo, niemal radośnie, a każdy szew jego żagli był naprężony. Na oczach Mansura otworzyły się furty działowe na obu burtach i wysunęły się z nich groźne pyski luf armatnich. Podszedł bliżej dziobu, żeby mieć lepszy widok na *Revenge* dryfującą dokładnie na ich kursie. Dorian również wytoczył działa, szykując się do bitwy.

Mansur wrócił do steru. Z kąta pod kasztelem rufowym patrzyła na niego Verity. Twarz miała spokojną i nie okazywała cienia lęku.

— Wolałbym, żebyś zeszła na dół, moja kochana — powiedział do niej. — Zaraz znajdziemy się pod ogniem.

Dziewczyna pokręciła głową.

— Drewniane ściany nie chronią przed dziewięciofuntowymi pociskami. Doświadczyłam tego — w jej oczach zamigotał przekorny błysk — kiedy ty sam strzelałeś do mnie.

— Jeszcze cię nie przeprosiłem za ten niegodny uczynek — uśmiechnął się do niej. — To było niewybaczalne. Ale wynagrodzę ci to wielokrotnie, obiecuję.

— Tak czy inaczej, od tej chwili moje miejsce jest u twego boku i nie zamierzam nigdy kryć się pod koją.

— Twoja obecność to dla mnie wielki skarb — odpowiedział i zwrócił znów spojrzenie ku *Arcturusowi*, który znalazł się nareszcie w zasięgu łatwego strzału. Teraz należało ściągnąć całą uwagę sir Guya na *Sprite* i naprowadzić nieprzyjacielski żaglowiec na pułapkę. Kumrah już czekał na rozkazy.

— Ster w górę — rzucił Mansur i szkuner obrócił się jak tancerz, ustawiając się błyskawicznie w dryfie, burtą ku *Arcturusowi*.

— Kanonierzy, gotów do strzału! — krzyknął przez tubę. — Cel! — Celowniczy jeden po drugim podnosili prawą rękę na znak, że dobrze wymierzyli.

— Pal! — ryknął Mansur i detonacja salwy burtowej huknęła jak pojedyncze uderzenie pioruna. Przez pokład popłynął siwy obłok dymu, lecz zaraz rozwiał go wiatr i mogli sprawdzić rezultat strzału. Przed *Arcturusem* ujrzeli rozbryzg wody, ale reszta pocisków trafiła w dziób, wyrywając dziury w poszyciu. Żaglowiec aż się zatrząsł od potężnego ciosu, lecz płynął dalej z tą samą szybkością.

— Wrócić na kurs! — rozkazał Mansur. *Sprite* natychmiast posłuchała steru i pomknęli w kierunku stojącej w dryfie *Revenge*. *Arcturus*, ustawiony do nich dziobem, nie mógł odpowiedzieć salwą z burty. Lecz manewr zajął trochę czasu i mieli teraz wroga niecały kabel za sobą. Huknęło jego działo dziobowe i kula trafiła w rufę *Sprite*, wybijając dziurę w kadłubie.

Kumrah wpatrywał się przed siebie zmrużonymi oczami, lecz Mansur nie dostrzegał ani śladu Zdrajcy. Kapitan podał poprawkę sternikowi, który obrócił ster nieco na prawo. Ten ruch oczyścił pole ostrzału dla *Revenge*; mogła teraz odpalić salwę burtową bez ryzyka trafienia w bratni szkuner. Grzmotnęły wszystkie działa i statek Doriana zniknął w jednej chwili za kurtyną dymu.

Arcturus był już tak blisko *Sprite*, że Mansur słyszał, jak żelazne kule uderzają w jej kadłub, niczym ciosy gigantycznego młota.

— To już na pewno zajmie całą uwagę Cornisha — odezwała się Verity. Jej głos rozległ się wyraźnie w ciszy, która zapadła po detonacji. Mansur nie odpowiedział, lecz wpatrywał się przed siebie z grymasem zaniepokojenia na twarzy.

— Gdzież jest ten przeklęty Zdrajca... — przerwał, gdyż nagle dostrzegł w wodzie przed dziobem połyskujące jasno cętki, jak spadające płatki śniegu. Tak go to zaskoczyło, że na chwilę zaniemówił. Potem zrozumiał. — Fizyliery! — zakrzyknął. Te maleńkie, lśniące rybki żerowały zawsze wokół raf, nawet w płytkich wodach przy krańcu szelfu kontynentalnego. Ławica rozpierzchła się przed dziobem szkunera i Mansur dostrzegł dokładnie na kursie statku złowrogie spiczaste cienie, sterczące pod wodą jak czarne kły. Kumrah odsunął sternika i sam ujął koło sterowe pewną, kochającą dłonią, żeby przeprowadzić *Sprite* przez niebezpieczny rejon.

Ciemne kształty nabierały wyrazistości, w miarę jak się zbliżali. Były to trzy granitowe iglice, sterczące z głębiny i kończące się zaledwie sążeń pod powierzchnią morza. Były tak ostro zakończone, że nie stawiały prawie żadnego oporu morskim prądom i falom. Dlatego woda ponad nimi pozostawała niezmącona.

Mansur instynktownie wstrzymał oddech, gdy Kumrah posterował prosto w środek tej okrutnej kamiennej korony. Poczuł na ramieniu dłoń Verity, szukającej otuchy; jej paznokcie wbiły się boleśnie w jego skórę.

Sprite zetknęła się ze skałą. Mansur miał takie odczucie, jakby jechał pełnym galopem przez las i nagle szarpnął go za rękaw ciernisty krzak. Pokład zadygotał lekko i usłyszał, jak granitowy róg trze o poszycie dna statku. Po chwili *Sprite* przeszła ponad przeszkodą i byli wolni. Mansur wypuścił z płuc długo wstrzymywane powietrze, a Verity aż krzyknęła.

— Nie chciałabym czegoś takiego przeżyć po raz drugi — powiedziała drżącym głosem.

Młodzieniec wziął ją za rękę i podbiegli do rufowego relingu. *Arcturus* szedł pełną szybkością wprost w pułapkę. Pomimo zniszczeń bitewnych i osmalonego takielunku prezentował się pięknie. Wszystkie żagle miał postawione, a przed sobą pędził wysoką, białą falę dziobową, spienioną i skrzącą się w słońcu.

Po kilku minutach wielki żaglowiec wpłynął na kamienne szpikulce i zatrzymał się raptownie w miejscu. W jednej chwili zmienił się z pełnej wdzięku istoty we wrak. Jego przedni maszt pękł i runął na pokład, a z pozostałych pospadała połowa rej. Dno *Arcturusa* rozerwało się z trzaskiem pękających belek i statek zawisł nieruchomo na skałach, jak gdyby stał się częścią rafy. Granitowe kolce Zdrajcy wbiły się głęboko w jego podbrzusze.

Majtkowie na najwyższych rejach zostali wyrzuceni w powietrze, jak kamyki z procy, i runęli do wody tuż przed dziobem. Impet uderzenia miotał ludźmi na pokładzie o maszty i ściany nadbudówek. Armaty zgruchotały tych, których siła bezwładu rzuciła na twardy metal. Ręce, nogi i żebra pękały jak suche gałązki, a czaszki rozbijały się z trzaskiem, niczym jajka ciskane o kamienną posadzkę. Załogi obu szkunerów obległy burty, przyglądając się dziełu zniszczenia ze zgrozą. Nikt nie miał nawet ochoty wiwatować na widok tragedii wroga.

Sprite stanęła w dryfie obok *Revenge*.

— Co teraz, ojcze? — zawołał.

— Nie możemy zostawić Guya w takim stanie! — odkrzyknął Dorian. — Musimy mu udzielić wszelkiej pomocy. Popłynę tam barkasem.

— Nie, ojcze! — zaprotestował Mansur. — Nie możesz tu zostać ani chwili dłużej. *Revenge* też jest zagrożona. Musisz dotrzeć jak najszybciej do wyspy Sawda i naprawić uszkodzenie, zanim szkuner nabierze tyle wody, że zatonie.

— A co z Guyem i jego ludźmi? — wahał się Dorian. — Co będzie z nimi?

— Ja się tym zajmę — przyrzekł mu syn. — Możesz być pewien, że nie zostawię twojego brata i ojca Verity na zatracenie.

Dorian naradził się szybko z Batulą, po czym zawołał znów przez tubę:

— Niech tak będzie! Batula zgadza się, że powinniśmy dotrzeć w bezpieczne miejsce, zanim pochwyci nas kolejna burza. Nie możemy w tym stanie żeglować po otwartym morzu.

— Zabiorę rozbitków z *Arcturusa* i popłynę za tobą na pełnych żaglach! — odkrzyknął Mansur.

Dorian postawił znów *Revenge* na kursie z wiatrem i pożeglował ku kontynentowi. Mansur przekazał dowodzenie Kumrahowi i zszedł do barkasu. Stanął na rufie łodzi i marynarze powiosłowali ku uwięzionemu i przechylonemu mocno *Arcturusowi*. Kiedy znaleźli się w zasięgu głosu, kazał obsadzie zatrzymać wiosła.

— *Arcturus*! — zawołał. — Mam ze sobą medyka! Jakiej pomocy potrzebujecie?

Nad relingiem ukazała się czerwona twarz Ruby'ego Cornisha.

— Wielu ma połamane kończyny — odpowiedział. — Trzeba odtransportować rannych do szpitala, bo inaczej poumierają.

— Wchodzę na pokład! — oznajmił Mansur.

— Ani mi się waż, ty plugawy bandyto! — rozległ się nagle gniewny głos. Sir Guy trzymał się wantów jedną ręką, a drugą wsunął w zanadrze surduta, służącego mu jako prowizoryczny temblak. Zgubił kapelusz, a krew z ran na głowie zlepiła mu włosy i zalała policzek. — Jeśli spróbujesz wejść na mój statek, każę cię zastrzelić!

— Stryju! — krzyknął Mansur. — Jestem synem twojego brata! Zgódź się, żebym mógł pomóc tobie i twoim ludziom!

— Na święte imię Boga, dla mnie nie jesteś żadną rodziną, ale pogańskim bękartem! Uprowadziłeś niewinną angielską niewiastę i zbrukałeś jej cześć.

— Twoi ludzie potrzebują lekarza. Ty także jesteś ranny. Pozwól, żebym was zawiózł do portu w Bombaju!

Guy nie odpowiedział, lecz pokuśtykał po przechylonym pokładzie do najbliższego działa. Wyciągnął tlący się lont z wiadra z piaskiem. Ciężka spiżowa lufa wciąż sterczała z furty, gotowa do strzału, lecz Mansur się nie przestraszył, gdyż przy tym nachyleniu statku armata była wycelowana w wodę.

— Okaż rozsądek, stryju! — krzyknął. — Mój ojciec i ja nie chcemy twojej zguby! Jesteśmy jednej krwi. Spójrz, przybyłem nieuzbrojony! — Mansur uniósł ręce na dowód, że mówi prawdę. Spostrzegł jednak z przerażeniem, że Guy wcale nie zamierza strzelić z wielkiego działa. Zamiast tego złapał za długi uchwyt tak zwanego mordercy, przymocowanego na linie do nadburcia. Był to ręczny falkonet, używany do odpierania abordażu i załadowany ołowianymi siekańcami. Przydomek nadany mu przez marynarzy dobrze określał makabryczne dokonania tej broni podczas walki z niewielkiej odległości.

Barkas znajdował się dość blisko burty *Arcturusa*. Guy obrócił lufę „mordercy" w kierunku łodzi i spojrzał przez prymitywny celownik na Mansura. Otwór lejkowato rozszerzonej lufy falkonetu zdawał się ziać oleśnie w ich stronę.

— Ostrzegłem cię uczciwie, ty rozpustna świnio — warknął, — przytykając płonący lont do otworu zapałowego.

— Padnij! — wrzasnął Mansur, rzucając się na dno łodzi. Jego wioślarze zareagowali zbyt wolno i kartacz rozprysnął się pośród nich. Przy wtórze krzyków rannych Mansur podniósł się i rozejrzał szybko. Przód koszuli miał zbryzgany mózgiem swego sternika, a pod burtą barkasu leżało trzech martwych ludzi. Dwóch innych zaciskało kurczowo dłonie na ranach, brocząc obficie krwią. Przez wybite siekańcami dziury w poszyciu tryskała woda.

— Do wioseł! — krzyknął do tych, którzy ocaleli. — Wracamy! — Majtkowie naparli na wiosła ze wszystkich sił. Mansur stanął na rufie i odwrócił się ku postaci wciąż uczepionej uchwytu dymiącego działa.

— Niech twoja czarna dusza zgnije, Guyu Courtneyu! — zawołał. — Ty rzeźniku! To byli nieuzbrojeni ludzie, którzy przypłynęli z misją miłosierdzia!

Kiedy kilkanaście minut później wszedł na pokład szkunera, twarz miał pobladłą i ściągniętą gniewem.

— Kumrah — warknął. — Zabierz zabitych i rannych na statek, a potem załaduj wszystkie działa kartaczami. Dam posmakować tej zwyrodniałej świni jej własnego gówna!

Kumrah postawił żaglowiec w lewym halsie i zgodnie z rozkazem popłynął tak, by minąć uwięziony wrak *Arcturusa* w odległości stu kroków, optymalnej dla poczynienia największych zniszczeń kartaczami.

— Przygotować się do odpalenia! — zawołał Mansur do kanonierów. — Zamiećcie ich pokład do czysta, chłopcy! Zabijcie wszystkich! Jak skończycie, podpalimy go i niech spłonie cały aż do linii wodnej. — Wciąż dygotał z oburzenia.

Załoga *Arcturusa* ujrzała nadchodzącą śmierć i rozpierzchła się po statku. Niektórzy kryli się pod pokładem, inni w panice wyskakiwali za burtę i młócili bezradnie wodę rękami. Tylko kapitan Cornish i jego pan, sir Guy Courtney, stali nieruchomo, wpatrzeni w naszpikowaną lufami burtę *Sprite*.

Mansur poczuł lekki dotyk na ramieniu i odwrócił głowę. Obok niego stała Verity. Twarz miała bladą i nieruchomą.

— To będzie morderstwo — powiedziała.

— Twój ojciec jest mordercą.

— Tak. I jest moim ojcem. Jeśli to zrobisz, nigdy już nie zmyjesz jego krwi ze swojego ani z mojego sumienia, choćbyśmy żyli sto lat. Ten jeden uczynek może zniszczyć naszą miłość.

Jej słowa ukłuły go w serce jak sztylet. Podniósł głowę i ujrzał, że pierwszy kanonier już trzyma kopcący lont nad otworem zapałowym.

— Wstrzymać ogień! — krzyknął Mansur i mężczyzna opuścił rękę z lontem. Ludzie przy wszystkich działach spojrzeli na swego dowódcę. On zaś wziął Verity za rękę i podszedł z nią do relingu. Uniósł do ust tubę.

— Guyu Courtneyu! — zawołał. — Zawdzięczasz życie wyłącznie wstawiennictwu własnej córki!

— Ta wiarołomna suka nie jest moją córką! — Twarz konsula posiniała z furii, a plamy krwi kontrastowały z nią ciemną czerwienią. — To zwyczajna uliczna dziewka! Śmieć ze śmieciem spotkały się w kloace! Bierz ją i niech was oboje pożre syfilis!

Mansurowi udało się powściągnąć emocje, choć zachowanie się wbrew naturze kosztowało go wiele wysiłku.

— Dziękuję, sir, za rękę pańskiej córki — odpowiedział. — Tak szczodrze przekazanego daru będę strzegł do końca moich dni. — Następnie zwrócił się do Kumraha. — Zostawimy ich tutaj, niech zgniją. Kurs na wyspę Sawda.

Gdy odpływali, Ruby Cornish pozdrowił ich z pokładu *Arcturusa* salutem, dotykając dłonią czoła. Uznał w ten sposób swoją porażkę w bitwie i podziękował Mansurowi za wstrzymanie ognia.

O dnaleźli *Revenge* w małej zatoczce, zamkniętej z trzech stron skalistym klifem. Posępna czarna skała wyrastała pionowo z wody na trzysta stóp w górę. Wyspa Sawda znajdowała się sześć mil od wybrzeża Półwyspu Arabskiego, na skraju szelfu kontynentalnego. Kumrah wybrał ją nie bez powodu. Wyspa była niezamieszkana i odizolowana od kontynentu, nie groziło im tutaj przypadkowe odkrycie przez wroga, a zatoczka chroniła statki przed wschodnim wiatrem. Wody zatoki były spokojne, a wąska plaża z czarnym wulkanicznym piaskiem dawała możliwość wyciągnięcia *Revenge* na brzeg. Było tu nawet źródełko słodkiej wody, tryskające ze skalnej szczeliny u podnóża klifu.

Mansur i Verity natychmiast po rzuceniu kotwicy popłynęli barkasem na *Revenge*. Dorian czekał przy burcie, żeby ich powitać.

— Ojcze, nie muszę ci chyba przedstawiać twojej bratanicy Verity — powiedział Mansur. — Już się przecież doskonale znacie.

— Witam Waszą Wysokość i składam wyrazy szacunku — rzekła Verity z głębokim dworskim ukłonem.

— Cieszę się, że nareszcie możemy rozmawiać po angielsku i mogę cię powitać jako twój stryj — odparł Dorian i uścisnął ją. — Witaj w rodzinie, Verity. Wiem, że będziemy mieli jeszcze niejedną sposobność, żeby poznać się bliżej.

— Mam nadzieję, stryju. Rozumiem, że ty i Mansur macie teraz co innego na głowie.

Nie schodząc nawet pod pokład, ojciec z synem opracowali szybko plan działania, który natychmiast został wprowadzony w życie. Mansur podprowadził *Sprite* do szkunera ojca. Kadłuby związano razem linami, dzięki czemu pompy obydwu statków mogły jednocześnie wypompowywać wodę z wnętrza *Revenge*, pod której dnem przeciągnięto płachtę najgrubszego płótna, aby zatkać dziurę, wykorzystując do tego ciśnienie wody. Teraz w ciągu kilku godzin mogli osuszyć wnętrze statku.

Następnie wyciągnęli z uszkodzonego szkunera najcięższy ładunek — armaty, proch i kule, zapasowe żagle, maszty i drzewce — i przerzucili to wszystko na *Sprite*. Uwolniona od ciężaru *Revenge* unosiła się na wodzie lekko jak korek. Przyholowali ją potem łodziami do brzegu i w czasie przypływu wyciągnęli na plażę, gdzie cieśle mogli się zabrać do naprawy.

Pracowali dwa dni i dwie noce — przy świetle latarni bojowych — aż wreszcie dziura została załatana. Wymieniona część poszycia była teraz mocniejsza od reszty. Przy okazji oskrobali kadłub z wodorostów, uszczelnili złącza i odnowili miedziane pokrycie, chroniące podwodną część statku przed atakami świdraków. Spuścili szkuner na wodę, mocny i suchy, przeciągnęli z powrotem na głębię, przeładowali zapasy i zamontowali na nowo działa. Do wieczora napełnili też wszystkie kadzie obu statków słodką wodą ze źródła. Byli wreszcie gotowi do żeglugi. Dorian zadecydował jednak, że załogom należą się dwa dni odpoczynku. Nadeszło bowiem muzułmańskie święto Id, podczas którego w radosnym nastroju składano zwykle ofiary ze zwierząt i dzielono mięso między świętujących.

Tego wieczoru zgromadzili się wszyscy na brzegu i Dorian zabił jedną z mlecznych kóz, które trzymali w klatkach na pokładzie. Chudego mięsa starczyło tylko po kawałeczku dla każdego, ale uzupełnili posiłek świeżymi rybami, pieczonymi na węglach. Marynarze grali na instrumentach, śpiewali i tańczyli, dziękując Bogu za udaną ucieczkę z Maskatu i zwycięstwo nad *Arcturusem*. Verity siedziała między Mansurem i Dorianem na jedwabnych dywanikach modlitewnych, rozłożonych na piasku.

Podobnie jak większość ludzi, którzy znali Doriana, dziewczynę ujmowało emanujące z niego ciepło i niewymuszone poczucie humoru. Współczuła mu z powodu tragicznej śmierci Jasmini i smutku, jakim ta strata go naznaczyła.

Dorianowi również spodobała się błyskotliwa inteligencja Verity, odwaga, którą okazała tyle razy, i bezpośredni, miły sposób bycia. Przyglądając się dziewczynie w świetle ogniska, doszedł do wniosku, że Verity odziedziczyła po swoich rodzicach wszystkie ich zalety — urodę matki, gdy nie przyćmiło jej jeszcze obżarstwo, i bystry umysł Guya. Na szczęście nie przejęła jednocześnie ich złych stron — zarozumialstwa i płytkości Caroline oraz chciwości i niegodziwości wypranego z człowieczeństwa ojca. Odegnał jednak te poważne myśli i dał się porwać atmosferze święta. Dowcipkowali i śpiewali razem, klaszcząc w dłonie i kołysząc się w rytm muzyki.

Kiedy mężczyźni mieli już dość koncertowania, Dorian odprawił ich z podziękowaniem i złotą monetą za ich trud. Trójka Courtneyów była jednak zbyt ożywiona, żeby udać się na spoczynek. Nazajutrz mieli pożeglować do Fortu Auspice. Mansur opisywał Verity życie, jakie będą wiedli w Afryce, i opowiadał jej o krewnych, których miała tam zobaczyć po raz pierwszy.

— Pokochasz stryjenkę Sarah i stryja Toma — zapewniał ją.

— Tom jest najlepszym z nas, trzech braci — powiedział Dorian. — Zawsze we wszystkim nam przewodził, podczas gdy Guy i ja... przerwał, uzmysławiając sobie, że wzmianka o Guyu może zepsuć ich świąteczny nastrój. Zapadło niezręczne milczenie i żadne z nich nie wiedziało, jak je przerwać.

Wreszcie odezwała się Verity.

— Tak, stryju Dorianie — rzekła cicho. — Mój ojciec niestety nie jest dobrym człowiekiem. Jest bezwzględny, i nie sądzę, bym mogła mu wybaczyć morderstwo, jakie popełnił, strzelając do bezbronnych marynarzy. Chyba potrafię wytłumaczyć, dlaczego tak postąpił. — Obaj mężczyźni milczeli zakłopotani, wpatrując się w dogasający ogień i unikając jej wzroku. Verity po chwili podjęła: — Za wszelką cenę nie chciał dopuścić, żeby ktoś odkrył ładunek, jaki złożono w głównej ładowni *Arcturusa*.

— A cóż to za ładunek, moja droga? — Dorian podniósł głowę.

— Zanim odpowiem, muszę wyjaśnić, w jaki sposób mój ojciec zgromadził tak olbrzymią fortunę, którą przewyższają chyba tylko bogactwa Wielkiego Mogoła i Wysokiej Porty w Konstantynopolu — odparła. — Posługuje się swoim stanowiskiem konsula generalnego, by wynosić na trony i zrzucać z nich królów. Wykorzystuje potęgę monarchii i angielskiej Kompanii Wschodnioindyjskiej, by kupczyć armiami i narodami, tak jak inni handlują bydłem i ziarnem.

— Te potęgi, o których mówisz, korona angielska i kompania handlowa, nie podlegają jednak jego władzy — zauważył Dorian.

— Mój ojciec jest mistrzem iluzji. Potrafi sprawić, żeby inni uwierzyli w jego słowa, chociaż nie umie nawet mówić językami władców, z którymi negocjuje.

— Do tego służysz mu ty — wtrącił Mansur.

— Tak, byłam jego ustami — skłoniła głowę — ale to on ma polityczne wyczucie. Rozmawiałeś z nim, stryju — zwróciła się do Doriana — i zapewne dostrzegłeś, jaki potrafi być przekonujący i jak niesamowitą ma intuicję. — Dorian skinął milcząco głową, a ona mówiła dalej: — Gdybyś nie został ostrzeżony, ty także zabiegałbyś o jego towar, choć cena była zupełnie niebotyczna. No cóż, Zajn al-Din zapłacił mu o wiele więcej. Geniusz mojego ojca polegał na tym, że nie tylko wyłudził pieniądze od Zajna, lecz także Wysoka Porta i Kompania Wschodnioindyjska zapłaciły mu prawie tyle samo za usługi emisariusza. Za swoją działalność tutaj, w Arabii, w ciągu ostatnich trzech lat ojciec otrzymał piętnaście lakhów w złotej monecie.

Mansur aż zagwizdał.

— To prawie ćwierć miliona gwinei — rzekł cicho Dorian z poważną miną. — Bajońska suma.

— Tak. — Verity zniżyła głos. — I wszystko to znajduje się w ładowni *Arcturusa*. Dlatego ojciec wolałby raczej umrzeć niż wpuścić was na pokład i dlatego zamierzał wysadzić w powietrze własny statek, gdyby ładunek został zagrożony.

— Święci anieli w niebie — wyszeptał Mansur — dlaczego nam nie powiedziałaś wcześniej, kochana?

Spojrzała im odważnie w oczy.

— Z jednego tylko powodu. Spędziłam całe życie z człowiekiem, którego pożera chciwość. Znam aż za dobrze skutki tej podstępnej zarazy i nie chciałam, żeby dopadła ona także człowieka, którego kocham.

— Nie doszłoby do tego! — obruszył się Mansur. — Osądzasz mnie niesprawiedliwie.

— Najdroższy — odparła dziewczyna — szkoda, że nie widzisz w tej chwili własnych oczu.

Mansur zawstydzony opuścił wzrok. Strzała trafiła bardzo blisko celu, gdyż rzeczywiście poczuł, jak rodzą się w nim emocje, przed którymi przestrzegała Verity.

— Moja droga — odezwał się Dorian — czyż nie byłoby sprawiedliwie posłużyć się unurzanym we krwi złotem Zajna al-Dina, aby go zrzucić ze Słoniowego Tronu i uwolnić nasz lud spod tyranii?

— O tym właśnie rozmyślałam bez końca, odkąd złączyłam swój los tak nieodwołalnie z tobą i Mansurem — odparła. — Powiedziałam wam o ładunku *Arcturusa*, ponieważ doszłam do tych samych wniosków. Jeżeli zdobędziemy te zbrukane krwią pieniądze, będę błagała Boga, byśmy mogli ich użyć w szlachetnym celu.

Już z daleka widzieli, że na *Arcturusie* naprawiono lub wymieniono większość zniszczonego takielunku. Ale było też jasne, że statek wciąż tkwi nadziany na granitowe zęby Zdrajcy, niczym ofiara mamony. Gdy podpłynęli bliżej, dostrzegli na mocno przechylonym pokładzie grupkę ludzi stojących przy grotmaszcie. Dorian wypatrzył wśród nich przez lunetę krępą sylwetkę i wyrazistą twarz Ruby'ego Cornisha.

Arcturus nie stanowił już zagrożenia. Był całkowicie unieruchomiony, a przechył kadłuba czynił jego baterie bezużytecznymi. Armaty na lewej burcie celowały w wodę, a te z prawej w niebo. Dorian jednak wolał nie ryzykować: rozkazał wytoczyć działa na obu szkunerach i postawił załogi w stan pełnej gotowości. *Sprite* i *Revenge* stanęły w dryfie po obu stronach większego żaglowca, celując w niego dwoma rzędami luf.

— Czy podda pan statek, kapitanie!? — krzyknął przez tubę Dorian.

Ruby Cornish był zaskoczony tym, że zbuntowany kalif zwraca się do niego w czystej angielszczyźnie, pobrzmiewającej miłym sercu akcentem z Devon. Szybko jednak się otrząsnął i, zdjąwszy kapelusz, podszedł do relingu, balansując na pochyłości pokładu.

— Nie dajesz mi wyboru, Wasza Wysokość — odpowiedział. — Czy zabierzesz mi także szpadę?

— Nie, kapitanie. Walczyłeś dzielnie i zachowałeś się honorowo. Możesz zatrzymać broń. — Dorian liczył na pozyskanie Anglika do współpracy.

— Bardzo pan łaskaw, Wasza Wysokość. — Komplementy wyraźnie obłaskawiły kapitana. Nałożył z powrotem kapelusz i poprawił pas ze szpadą. — Oczekuję pańskich poleceń.

— Gdzie jest sir Guy Courtney? Czy w swojej kajucie?

— Sir Guy przed dziewięcioma dniami zabrał łodzie i wraz z moimi najlepszymi ludźmi opuścił statek. Popłynął do Maskatu, żeby uzyskać pomoc kalifa. Ma wrócić jak najrychlej, gdyż pragnie uratować *Arcturusa*. Tymczasem kazał mi strzec statku i jego ładunku. — Wypowiedź była długa i kiedy Cornish opuścił tubę, twarz miał czerwoną jak rubin, zgodnie ze swoim przydomkiem.

— Wysyłam ludzi na pokład — zawołał Dorian. — Zamierzam ściągnąć statek z rafy i uratować go. Czy będzie pan współpracował z moimi oficerami?

Cornish kręcił się przez chwilę niespokojnie, jak gdyby nie był do końca zdecydowany.

— Wasza Wysokość — odpowiedział w końcu — skoro poddałem statek, zastosuję się do twoich rozkazów.

Ustawili *Sprite* i *Revenge* burta w burtę z *Arcturusem* po obu jego stronach i rozładowali go, przenosząc działa, amunicję i kadzie z wodą na mniejsze żaglowce. Potem przeciągnęli pod kadłubem *Arcturusa* najgrubsze liny kotwiczne i naciągnęli je kołowrotami, aż stały się sztywne i twarde jak żelazne drągi. *Arcturus* zaczął się powoli podnosić. Rozległ się trzask pękającego drewna i granitowe kolce poluźniły swój chwyt. Brakowało tylko dwóch dni do najwyższego przypływu, a na tych wodach różnica pływów wynosiła niemal trzy sążnie. Przed podjęciem ostatecznej próby Dorian zaczekał na odpływ i wówczas zaprzągł wszystkich zdolnych do pracy ludzi do pompowania. Woda z wnętrza *Arcturusa* wylewana była za burty szybciej, niż napływała przez wybite dziury. Statek zrobił się jeszcze lżejszy i sam próbował uwolnić się z pułapki. W końcu wspomógł go podnoszący się przypływ i *Arcturus* z trzaskiem rozdzieranego poszycia dźwignął się z rafy, wyprostował i stanął swobodnie na wodzie.

Na wszystkich trzech żaglowcach natychmiast postawiono grotżagle. Złączone ze sobą kadłubami odeszły na bezpieczny dystans od szponów Zdrajcy. Mając pod kilem pięćdziesiąt sążni wody, Dorian ustawił powiązane żaglowce na kursie na wyspę Sawda. Przy pokrywach luków głównej ładowni *Arcturusa* postawił straż, nakazując nie wpuszczać nikogo.

Sterowało się tym dziwnym pływającym obiektem dość niewygodnie. Trzy żaglowce brnęły przez morze jak trzech pijanych kompanów, wracających do domu po całonocnej hulance. O świcie zobaczyli jednak na horyzoncie czarny masyw wyspy i do południa zdążyli rzucić kotwice w zatoce.

Najpierw musieli przeciągnąć grube żagle pod kadłubem *Arcturusa*, żeby okryć okropne rozdarcia w jego poszyciu i zatamować napływ wody. Dopiero wtedy pompy ze wszystkich trzech statków mogły osuszyć wnętrze. Przed wyciągnięciem *Arcturusa* na brzeg w celu dokonania napraw Dorian, Mansur i Verity udali się na pokład żaglowca.

Verity poszła prosto do swojej kajuty. Zatrwożył ją rozmiar zniszczeń. Jej ubrania walały się podarte i mokre. Flakoniki perfum i słoiczki z pudrami potłukły się, a zawartość rozlała i rozsypała na halkach i pończochach. Te rzeczy można jednak było kupić. Dziewczyna niepokoiła się głównie o los swoich książek i manuskryptów. Najcenniejsze były w tej kolekcji tomy rzadkiego i starego, pięknie ilustrowanego wydania „Ramajany". Był to osobisty podarunek od Muhamada Szaha, Wielkiego Mogoła, wręczony w uznaniu jej umiejętności tłumaczki podczas negocjacji z sir Guyem. Verity przełożyła już na angielski pięć pierwszych tomów tej hinduskiej epopei.

Wśród jej skarbów znajdował się także egzemplarz Koranu. Ten z kolei otrzymała od sułtana Obieda podczas ostatniej wizyty, którą złożyła z ojcem w jego pałacu w Konstantynopolu. Dar został jej wręczony pod warunkiem, że zostanie również przetłumaczony. Księga uważana była za jeden z egzemplarzy ostatecznej wersji tekstu, sporządzonej na polecenie kalifa Utmana między rokiem 644 a 656, dwanaście lat po śmierci Mahometa. Znana była jako Redakcja Utmana. Zgodnie ze złożoną sułtanowi obietnicą, Verity niemal już ukończyła przekład tego fundamentalnego dzieła. Rękopisy były owocem ponad dwuletniej wytężonej pracy. Czując, jak serce podchodzi jej do gardła, dziewczyna wydobyła skrzynkę z manuskryptami spod stosu drewna i innego śmiecia. Uchyliła wieko i wydała okrzyk radości, widząc, że wszystko jest nienaruszone.

D orian z Mansurem przeszukiwali tymczasem wielką kajutę sir Guya. Otworzyli ją kluczem otrzymanym od Ruby'ego Cornisha.

— Niczego tam nie ruszałem — oświadczył kapitan, i jego słowa okazały się prawdą. Dorian zarekwirował dzienniki pokładowe *Arcturusa* i inne dokumenty statku. W zamkniętej szufladzie biurka znaleźli prywatne papiery i zapiski Guya.

— To nam dostarczy bardzo wartościowych dowodów działalności mojego brata — rzekł Dorian z ponurą satysfakcją — a także jego interesów z Zajnem al-Dinem i Kompanią Wschodnioindyjską.

Wyszli następnie na pokład i złamawszy pieczęcie na lukach głównej ładowni, zdjęli pokrywy i zeszli do środka. Ładownia wypełniona była muszkietami, bronią białą i grotami do lanc, zupełnie nowymi i pokrytymi jeszcze ochronnym smarem. Przechowywano w niej także tony prochu i kul, dwadzieścia lekkich polowych dział i wiele innego sprzętu bojowego.

— Wystarczy, żeby poprowadzić wojnę albo dokonać przewrotu — zauważył z przekąsem Dorian.

— Co zresztą było celem stryja — dorzucił Mansur.

Wiele z tego dobra zostało nadwerężone przez morską wodę. Opróżnienie ładowni zajęło im wiele godzin, w końcu jednak dotarli do desek jej dna. Po złocie, o którym mówiła im Verity, nie było najmniejszego śladu.

M ansur wyszedł z dusznego, rozgrzanego wnętrza i udał się na pokład, żeby poszukać swej wybranki. Zastał Verity w kajucie. Zatrzymał się w wejściu, zaskoczony tym, jak szybko doprowadziła zdewastowane pomieszczenie do porządku. Siedziała przy mahoniowym biurku pod świetlikiem. Nie była już odziana jak sierota w pożyczone od niego za duże ubranie, lecz miała na sobie niebieską atłasową suknię z bufiastymi rękawami, obszytą delikatną koronką. Na szyi połyskiwał sznur pereł. Czytała książkę w srebrnej, zdobionej klejnotami oprawie, a w innym tomie, ze zwykłą welinową okładką, robiła notatki. Mansur zobaczył, że stronice zapisane są gęsto znajomym mu już, drobnym, eleganckim pismem. Dziewczyna podniosła głowę i uśmiechnęła się na jego widok.

— Och, Wasza Wysokość, raczyłeś mnie przez chwilę obdarzyć swoim zainteresowaniem? Czuję się zaszczycona.

Mansur, choć wciąż rozczarowany pustką w ładowni, spoglądał na nią z admiracją.

— Nie mam nawet cienia wątpliwości — rzekł — że jesteś najpiękniejszą z kobiet, na których kiedykolwiek spoczęło moje oko. — W jego głosie brzmiał autentyczny zachwyt. Wydawała mu się prawdziwym klejnotem.

— Natomiast ty, panie, jesteś brudny i spocony — parsknęła śmiechem. — Z pewnością jednak nie to chciałeś ode mnie usłyszeć.

— Nie znaleźliśmy ani złamanego szeląga — oznajmił ponuro młodzieniec.

— A czy przyszło wam może do głowy, żeby zajrzeć pod podłogę, a może powinnam powiedzieć „pod pokład"? Nie czuję się w marynarskiej terminologii jak ryba w wodzie.

— Kocham cię z każdą godziną coraz bardziej, moje ty mądre kochanie! — zawołał i popędził z powrotem do ładowni, krzycząc po drodze do cieśli, żeby szli za nim.

Verity zaczekała, aż z ładowni przestanie dobiegać łomot i trzask zrywanych desek. Wówczas odłożyła „Ramajanę" i wyszła na pokład. Stanęła nad otwartym lukiem akurat w chwili, kiedy ze zmyślnej kryjówki wyciągano z wielkim nabożeństwem pierwszą skrzynię. Była tak ciężka, że musiało ją dźwigać wraz z Mansurem pięciu krzepkich majtków. Gdy jeden z cieśli zaczął odkręcać śruby wieka, z wnętrza popłynęła woda, gdyż po nadzianiu się *Arcturusa* na Zdrajcę część pomieszczenia została zalana.

Kiedy Mansur odsunął wieko, rozległy się okrzyki zdumienia i podziwu. Zanim mężczyźni w dole stłoczyli się przy skrzyni, zasłaniając jej widok, Verity dojrzała blask czystego złota. Potem przeniosła wzrok na obnażony grzbiet Mansura. Jego muskuły grały pod lśniącą od potu skórą, a gdy sięgał po jedną z żółtych sztabek, ukazała się kępka miedzianych włosów pod jego pachą.

Widok złota zupełnie nie poruszył dziewczyny, lecz widok męskiego ciała wprost przeciwnie. Poczuła dziwną miękkość w lędźwiach i żeby przytłumić to odczucie, wróciła do swojej księgi. Wcale jej to nie pomogło. Ciepłe, przyjemne doznanie jeszcze narastało.

— Stałaś się bezwstydną, lubieżną kobietą, Verity Courtney — szepnęła z afektacją, lecz igrający na jej wargach uśmieszek zadawał kłam karcącemu tonowi.

Mansur z Dorianem wyciągnęli z wnętrza *Arcturusa* piętnaście wielkich skrzyń wypełnionych złotem. Po ich zważeniu okazało się, że zgodnie ze słowami Verity każda zawierała lakh cennego kruszcu.

— Mój ojciec to człowiek systematyczny i skrupulatny — oznajmiła dziewczyna. — Całe to złoto przekazywano mu ze skarbców Omanu i Konstantynopola w najróżniejszych monetach z różnych epok i dynastii, w sztabkach, bryłkach i zwojach. Ojciec kazał je przetopić i odlać z nich równe sztabki o wadze dziesięciu funtów każda, z wybitym jego herbem i puncą określającą próbę.

— To olbrzymia fortuna — mruknął Dorian, kiedy opuszczano skrzynie do ładowni *Revenge*, gdzie mógł je mieć pod stałym nadzorem. — Mój brat był bardzo bogatym człowiekiem.

— Nie musisz czuć skrupułów ani go żałować, stryju — rzekła Verity. — W dalszym ciągu posiada wielki majątek, to tylko część jego bogactw. O wiele większe znajdują się w sejfie konsulatu w Bombaju. Strzeże ich bardzo pilnie mój brat Christopher, który przywiązuje do pieniędzy jeszcze większą wagę niż ojciec.

— Daję ci moje słowo, Verity — odparł Dorian — że to, czego nie zużyjemy na uwolnienie Omanu spod jarzma Zajna al-Dina, zostanie zwrócone do skarbca w Maskacie, skąd w dużej części zostało zrabowane. Posłuży dobru mego ludu.

— Wierzę ci, stryju. Jednakże mdli mnie na myśl, iż przyłożyłam rękę do zdobycia tej fortuny przez człowieka, który ceni ją bardziej od swego człowieczeństwa.

Kiedy już wydobyli z *Arcturusa* skrzynie ze złotem, mogli go wreszcie wyciągnąć na brzeg i położyć na boku. Tym razem usuwanie uszkodzeń poszło im szybciej dzięki doświadczeniu zdobytemu podczas pracy przy *Revenge*. Mogli poza tym skorzystać z wiedzy Ruby'ego Cornisha. Kapitan hołubił swój żaglowiec niczym piękną kochankę, nie skąpiąc im rady ani pomocy. Dorian nabierał do niego coraz większego przekonania, choć według litery prawa Cornish był jego jeńcem wojennym.

Kapitan był także na swój jowialny i prostoduszny sposób wytrwałym wielbicielem Verity. Wciąż wypatrywał sposobności, żeby znaleźć się z nią sam na sam. Możliwość taka nadarzyła się wreszcie, kiedy dziewczyna siedziała sama na plaży, szkicując scenkę z marynarzami pracującymi przy *Arcturusie*. Wzór lin i sznurów, rozciągniętych ponad kadłubem statku, przypominał jej pajęczą sieć, a kontrast białych, świeżo heblowanych desek poszycia z poszarpanymi czarnymi skałami pobudzał wyobraźnię.

— Czy mogę pani zająć chwileczkę, panno Courtney? — zagadnął ją Cornish. Stał przed nią, przyciskając do piersi kapelusz. Verity oderwała wzrok od sztalugi i odłożyła ołówki.

— Kapitan Cornish, cóż za miła niespodzianka! — ucieszyła się szczerze. — Myślałam już, że pan o mnie zapomniał.

Ruby Cornish spąsowiał tak mocno, jak jeszcze nigdy dotąd.

— Przyszedłem prosić panią o przysługę.

— Proszę tylko wyłożyć swoją sprawę, kapitanie, a zrobię wszystko, co będzie w mojej mocy.

— Panienko, otóż jestem obecnie bez pracy, ponieważ mój statek został zdobyty przez kalifa al-Salila, będącego jednocześnie, jak rozumiem, Anglikiem i krewnym pani.

— Trudno to wszystko pojąć, zgadzam się. Lecz kalif w rzeczy samej jest moim stryjem.

— No właśnie. Wyraził zamiar odesłania mnie do Bombaju albo Maskatu. Straciłem statek pani ojca, sir Guya, znajdujący się pod moim dowództwem. — Cornish brnął dalej wytrwale. — Ojciec panienki zaś nie jest, za przeproszeniem, człowiekiem, który łatwo wybacza takie rzeczy. Uzna mnie za winnego straty.

— W istocie, sądzę, że tak będzie.

— Wolałbym raczej nie być tym, który mu zakomunikuje o utracie *Arcturusa*.

— Mogłoby to rzeczywiście odbić się niekorzystnie na pańskim dobrym zdrowiu.

— Panienko Verity, znała mnie pani, będąc małą dziewczynką. Czy sumienie pozwoliłoby pani zarekomendować mnie swemu stryjowi kalifowi, abym mógł w dalszym ciągu pełnić funkcję kapitana na *Arcturusie*? Na pewno pani rozumie, że w tych okolicznościach okażę się lojalny wobec nowego pracodawcy. Byłoby wyjątkowo przyjemnie myśleć, że nasza długoletnia znajomość nie skończy się w taki nieciekawy sposób.

Znali się rzeczywiście od kilku dobrych lat. Cornish był świetnym żeglarzem i lojalnym sługą. Verity także darzyła go szczególną sympatią, bo niejednokrotnie okazał się jej wiernym, choć dyskretnym, sprzymierzeńcem. Kiedy tylko mógł, osłaniał ją przed chorobliwie podłymi zachowaniami ojca.

— Zobaczę, co się da zrobić, kapitanie Cornish — odpowiedziała.

— Jest pani bardzo uprzejma — odburknął nieco speszony, nasadził kapelusz na głowę i zasalutował. Potem odwrócił się i odszedł, zapadając się w piasku plaży.

Dorian nie zastanawiał się długo nad odpowiedzią na prośbę Cornisha. Kiedy *Arcturus* został naprawiony i ściągnięty z powrotem na wodę, powierzył mu dowództwo. Tylko dziesięciu z marynarzy nie chciało pozostać pod jego komendą. Flotylla trzech żaglowców opuściła wyspę Sawda i skierowała się na południowy zachód, żeby poddać się ciepłym, łagodnym wodom

Prądu Mozambickiego, które wraz z monsunowym wiatrem miały ich ponieść wzdłuż Wybrzeża Malarycznego.

Kilka tygodni później napotkali duży *dhow* handlowy, idący wschodnim kursem. Zbliżyli się do niego na taką odległość, żeby Dorian mógł porozumieć się z kapitanem. Okazało się, że *dhow* płynie z towarami do odległych portów Cathayu. Kapitan arabskiej jednostki był zachwycony, że może wzmocnić swoją załogę dziesięcioma majtkami, którzy nie chcieli zostać z Cornishem. Dorian natomiast był zadowolony z tego, że upłynie rok lub więcej, zanim wieść o ostatnich wydarzeniach dotrze do Maskatu lub do angielskiego konsulatu w Bombaju.

Postawili tyle żagli, na ile pozwalał im monsun, i wyruszyli na południe kanałem między wyspą Madagaskar a kontynentem afrykańskim. Po prawej stronie mieli dzikie, niezbadane wybrzeże. Płynąc wzdłuż niego, dotarli w końcu do urwistego cypla o kształcie grzbietu wieloryba, strzegącego wejścia do Zatoki Narodzenia Pańskiego. Przeszli wąskim pasażem i wpłynęli do zatoki.

Był środek dnia, lecz fort nie zdradzał oznak ludzkiej obecności. Z kominów nie leciał dym, nie widać było prania na sznurach ani bawiących się dzieci. Dorian zaniepokoił się o los rodziny. Odkąd stąd wypłynęli, minęły trzy lata i wiele mogło się w tym czasie zdarzyć. Mieli przecież wrogów, którzy mogli wkroczyć do fortu i go opanować. Nie można też było wykluczyć głodu lub zarazy. Sunąc ku plaży, wystrzelił z działa i z ulgą spostrzegł nagłe ożywienie. Nad parapetem palisady ukazały się głowy, a po chwili otwarto bramę i wybiegła z niej czereda dzieci i służby. Dorian przyjrzał się scenie przez lunetę. Serce podskoczyło mu z radości w piersi, gdy dojrzał zwalistą, niedźwiedziowatą sylwetkę swego brata Toma, który skierował się ścieżką od bramy na plażę. Tom szedł, wymachując kapeluszem. Nim dotarł na brzeg, z bramy wybiegła Sarah i popędziła za nim. Dogoniła go i wzięła pod ramię. Jej radosne powitalne okrzyki poniosły się z wiatrem aż do rzucających kotwice statków.

— Miałeś rację — zwróciła się Verity do Mansura. — Jeżeli to jest stryjenka Sarah, to już mi się podoba.

C zy możemy zaufać temu człowiekowi? — zapytał Zajn al-Din swoim wysokim, kobiecym głosem.

— To jeden z moich najlepszych kapitanów, Wasza Wysokość.

Ręczę za niego własnym życiem — odpowiedział *muri* Kadem ibn Abubaker. Został *muri*, czyli admirałem, po zdobyciu Maskatu.

— Lepiej, żeby tak było. — Zajn gładził brodę, przyglądając się człowiekowi, o którym rozmawiali, a który złożył właśnie pokłon przed tronem, dotykając czołem kamiennej posadzki. Potem skinął na przybysza kościstym palcem.

Kadem wyjaśnił znaczenie gestu:

— Podnieś głowę i pokaż kalifowi swoją twarz.

Mężczyzna podniósł się i przysiadł na piętach, lecz wzrok miał opuszczony, bo nie odważył się patrzeć wprost w oczy Zajna al-Dina.

Kalif przyglądał się badawczo jego obliczu. Mężczyzna był jeszcze na tyle młody, że nie brakowało mu wigoru i zapału wojownika, lecz miał dość lat, by zrównoważyć te cechy doświadczeniem i rozsądkiem.

— Jak się nazywasz? — zapytał.

— Jestem Laleh, Wasza Wysokość.

— Dobrze więc, Lalehu. Chcę usłyszeć twoją relację.

— Mów — rozkazał Kadem.

— Na rozkaz *muri* Kadema pożeglowałem przed sześcioma miesiącami wzdłuż wybrzeża Afryki, aż dotarłem do zatoki, zwanej przez Portugalczyków Zatoką Narodzenia Pańskiego. *Muri* posłał mnie tam, żeby się upewnić, czy to miejsce jest w istocie, jak donosili nasi szpiedzy, kryjówką al-Salila, zdrajcy i wroga kalifa i ludu omańskiego. Przez cały czas starałem się, żeby mojego *dhow* nie zauważono z brzegu. W ciągu dnia trzymałem się za horyzontem i tylko nocą podchodziłem do wejścia do zatoki. Za pozwoleniem Waszej Wysokości. — Laleh znowu się skłonił, przyciskając czoło do podłogi.

Mężczyźni siedzący na poduszkach wokół tronu słuchali go uważnie. Najbliżej przy kalifie siedział sir Guy Courtney. Mimo utraty statku i zmagazynowanej na nim fortuny władza i wpływy konsula bynajmniej nie zmalały. W dalszym ciągu pełnił funkcję emisariusza zarówno angielskiej Kompanii Wschodnioindyjskiej, jak i króla Jerzego.

Sir Guy znalazł nowego tłumacza, który zastąpił Verity. Jego wybór padł na pisarza zatrudnionego od dawna w bombajskim biurze kompanii handlowej. Był to chuderlawy, łysiejący mężczyzna o twarzy pokrytej dziobami po ospie. Nazywał się Peter Peters. Mimo że znał doskonale z pół tuzina języków, konsul nie mógł mu ufać w takim stopniu jak przedtem córce.

Miejsce poniżej sir Guya zajmował basza Herminius Koots. On także otrzymał nowy tytuł po odebraniu miasta al-Salilowi. Koots przeszedł nawet na islam, gdyż rozumiał, że bez Allaha i jego Proroka nigdy nie zyska w pełni łask kalifa. Obecnie był najwyższym dowódcą armii Zajna. Wszyscy trzej, Kadem, sir Guy i Koots, mieli ważne polityczne i osobiste powody, żeby uczestniczyć w tej wojennej naradzie.

Zajn al-Din gestem okazał zniecierpliwienie i *muri* Kadem trącił Laleha stopą.

— Mówże dalej, w imię kalifa — ponaglił go.

— Oby Allah obdarzał go zawsze swoim uśmiechem i zapewniał szczęśliwą fortunę — zaintonował Laleh i podniósł się. — Nocą wyszedłem na brzeg i ukryłem się na cyplu ponad zatoką. Mój statek odesłałem, żeby nie wypatrzyli go ludzie al-Salila. Potem przez cały dzień obserwowałem z tego miejsca warownię nieprzyjaciela. Za pozwoleniem Waszej Wysokości.

— Gadaj szybciej! — Tym razem Kadem nie czekał już na znak kalifa, lecz dał Lalehowi kuksańca w żebra.

Arab stęknął i mówił dalej:

— Dostrzegłem trzy żaglowce stojące na kotwicy. Jednym z nich był wielki statek, ukradziony angielskiemu *efendi*. — Laleh odwrócił się w stronę konsula, a sir Guy zmarszczył posępnie brwi na wspomnienie straty. — Pozostałe dwa to szkunery, na których al-Salil uciekł, gdy został pokonany przez znamienitego kalifa Zajna al-Dina, umiłowanego przez Proroka. — Laleh znów złożył pokłon, a Kadem kopnął go z rozmachem twardym sandałem. Mężczyzna wyprostował się jak struna i kontynuował, sapiąc raz po raz z powodu obolałego boku. — Pod wieczór zobaczyłem małą łódź rybacką, która wypłynęła poza zatokę i zakotwiczyła przy rafie. Kiedy zapadł zmrok, trzej mężczyźni na łodzi zaczęli łowić przy świetle latarni. Wróciłem na mój *dhow* i posłałem ludzi, żeby schwytali tamtych. Jednego musieli zabić, bo stawiał opór, ale dwóch wzięli do niewoli. Odholowałem łódkę wiele mil w morze, a potem napełniłem kamieniami i zatopiłem. Dzięki temu al-Salil pomyśli, że łódź porwało morze, a jego ludzie utonęli.

— Gdzie są jeńcy? — zapytał kalif. — Przyprowadzić ich tutaj.

Kadem klasnął w dłonie i dwaj strażnicy wprowadzili pojmanych. Mieli na sobie tylko brudne przepaski biodrowe, a ich wychudzone ciała nosiły ślady bicia. Jeden stracił oko; w poczerniałym, jątrzącym się oczodole połyskiwały metalicznym błękitem żerujące tam muchy. Więźniowie powłóczyli nogami, gdyż na kostkach mieli ciężkie żelazne kajdany.

Strażnicy cisnęli ich na posadzkę przed tronem.

— Ukorzcie się przed ulubieńcem Proroka, władcy Omanu i wszystkich wysp Oceanu Indyjskiego, kalifem Zajnem al-Dinem — nakazali.

Nieszczęśnicy kulili się pokornie, mamrocząc jękliwie zapewnienia o swej lojalności i poddaństwie.

— Wasza Wysokość, oto ludzie, których pojmałem — oznajmił Laleh. — Na nieszczęście ten jednooki stracił już rozum, ale ten drugi, imieniem Omar, jest twardszy i może odpowiedzieć na wszystkie pytania, jakie zechcesz mu zadać. — Odpiął wiszący w zwoju u pasa długi bicz ze skóry hipopotama i rozwinął go. Gdy tylko nim poruszył, zidiociały więzień zaczął bełkotać i kwilić z przerażenia. — Dowiedziałem się, że obaj byli marynarzami na statku al-Salila — ciągnął. — Służyli mu przez wiele lat i sporo wiedzą o sprawkach tego zdrajcy.

— Gdzie jest al-Salil? — zapytał Zajn.

Laleh strzelił z bicza i jednooki więzień wypróżnił się pod siebie ze strachu. Kalif odwrócił się z obrzydzeniem.

— Wyprowadzić go i zabić — rozkazał strażnikom. Kiedy wywlekli mamroczącego w panice jeńca z sali tronowej, kalif powtórzył swoje pytanie: — Gdzie jest al-Salil?

— Wasza Wysokość — odpowiedział Omar — ostatnio widziałem go w Zatoce Narodzenia Pańskiego, w forcie zwanym Auspice, Fortem Pomyślności. Był z nim jego syn i starszy brat oraz ich kobiety.

— Jakie ma zamiary? Jak długo chce pozostać w tym miejscu?

— Wasza Wysokość, jestem tylko prostym marynarzem — odparł Omar. — Al-Salil nie omawia ze mną takich kwestii.

— Czy byłeś z nim, gdy został zajęty żaglowiec o nazwie *Arcturus*? Czy widziałeś skrzynie ze złotem, będące częścią ładunku?

— Wasza Wysokość, byłem z al-Salilem, kiedy zwabił *Arcturusa* na skały zwane Zdrajcą. Należałem też do tych, którzy wyciągali skrzynie ze złotem z ładowni i przenosili je na *Revenge*.

— *Revenge*? — powtórzył ze zdziwieniem kalif.

— Tak się nazywa statek flagowy al-Salila — pośpieszył z wyjaśnieniem Omar.

— Gdzie teraz są te skrzynie?

— Zabrano je na ląd, gdy tylko statek zakotwiczył w zatoce. Znów pomagałem je wyładowywać. Umieściliśmy je w specjalnie wzmocnionej skrytce pod fundamentami warowni.

— Ilu ludzi ma al-Salil? Ilu z nich jest szkolonych do walki i potrafi się posługiwać szablą i muszkietem? Iloma działami dysponuje zdrajca? Czy ma tylko te trzy statki, o których mówiłeś, czy może jeszcze jakieś? — Zajn wypytywał jeńca metodycznie swym piskliwym głosem, często powtarzając te same pytania. Gdy tylko Omar się zawahał albo zwlekał z odpowiedzią, Laleh smagał go biczem po grzbiecie. Kiedy wreszcie kalif skończył, kiwając z zadowoleniem głową, plecy więźnia ociekały krwią ze świeżych ran.

Zajn skupił teraz swoją uwagę na trzech mężczyznach, siedzących u stóp tronu na jedwabnych poduszkach. Przyjrzał się ich twarzom i na jego ustach zaigrał domyślny uśmieszek. Byli jak stadko wygłodniałych hien, czekających, aż się pożywi czarnogrzywy lew, by mogły same się rzucić na resztki jego uczty.

— Być może zapomniałem zadać temu nieszczęśnikowi jakieś pytania, na które chcielibyście poznać odpowiedź? — zapytał retorycznie, zwracając się głównie do sir Guya.

Peters przetłumaczył, a konsul przed odezwaniem się skłonił się lekko kalifowi.

— Pytania Waszej Wysokości świadczyły o jego głębokim wglądzie i zrozumieniu sprawy — rzekł. — Jednakże jest jeszcze kilka drobiazgów, raczej osobistej natury, o których może wiedzieć ta plugawa kreatura. Wasza Wysokość pozwoli? — skłonił się ponownie.

Zajn dał mu znak, żeby kontynuował. Peters przetłumaczył Omarowi pierwsze pytanie. Przesłuchanie było mozolne, lecz w końcu konsul wyciągnął z niego wszystkie szczegóły na temat skarbu i miejsca, w którym go przechowywano. Wreszcie z zadowoleniem uznał, że w Forcie Auspice znajduje się całość utraconego złota i nic nie zostało przeniesione do jakiejś innej kryjówki. Teraz musiał się tylko zatroszczyć o to, jak odzyskać skarb, a jednocześnie uniknąć wypłacenia wygórowanych kwot ludziom, którzy mieli mu w tym dopomóc i dlatego siedzieli wraz z nim u tronu kalifa. Zostawił tę kwestię na później, a na razie przesłuchiwał dalej Omara. Wypytał go drobiazgowo o każdego *ferengi*, przebywającego w warowni Courtneyów. Jeniec wymawiał nazwiska i imiona, straszliwie je przekręcając, lecz w końcu sir Guy nabrał pewności, że Tom i Sarah są w Forcie Auspice razem z Dorianem i Mansurem.

Wszystkie minione lata niewiele złagodziły jego zapiekłą nienawiść do brata bliźniaka. Pamiętał żywo swoją młodzieńczą admirację wobec Caroline i udrękę, gdy wyśledził, jak spółkowała z Tomem w magazynie prochu na starym *Seraphie*. Oczywiście w końcu wyszła za niego, lecz tylko dlatego, że nie mogła być z Tomem, mimo że nosiła jego bękarta w brzuchu. Guy przez wszystkie lata życia z Caroline usiłował wymazać upokorzenie subtelnymi udrękami, jakie jej zadawał. Choć czas odebrał jego nienawiści żar, przetrwała skrzepnięta i zimna jak lawa z wygasłego wulkanu.

Zaczął następnie wypytywać jeńca o Mansura i Verity. Córka była drugą wielką miłością jego życia, ale miłością mroczną i wykoślawioną. Pragnął mieć ją na wszelkie możliwe sposoby, nawet te sprzeczne z prawem i naturą. Jej głos i uroda były pożywką dla głębokiego głodu, który czaił się na dnie jego duszy. Jednakże nic nie mogło się równać z uniesieniem, jakiego doświadczał, chłostając szpicrutą jej ponętne białe ciało i widząc czerwone pręgi na nieskazitelnej skórze. Miłość do niej pochłaniała go wówczas w sposób dziki i niepohamowany. A teraz Mansur Courtney ukradł mu ten nieporównywalny z niczym przedmiot pożądania.

— Co się stało z kobietą *ferengi*, która została uprowadzona przez al-Salila podczas bitwy na morzu? — Głos sir Guya drżał z bólu, jaki wywoływało w nim to pytanie.

— Czy *efendi* ma na myśli swoją córkę? — zapytał Omar z dziecięcą naiwnością. Konsul nie był w stanie wykrztusić odpowiedzi i tylko skinął głową. — Jest teraz kobietą Mansura, syna al-Salila — wyjaśnił więzień. — Dzielą ze sobą to samo mieszkanie, często rozmawiają tylko we dwoje i śmieją się. — Zawahał się chwilę przed wyjawieniem kwestii tak delikatnej natury, lecz zaraz mówił dalej: — Traktuje ją jak równą sobie, chociaż to tylko kobieta. Pozwala, żeby szła przed nim i żeby przerywała mu, gdy mówi. Obejmuje ją i pieści na oczach innych. Choć jest muzułmaninem, zachowuje się wobec niej jak niewierny.

Sir Guy czuł, jak żołądek go pali od wzbierających kwasów zazdrości i nienawiści. Przypomniał sobie ciało Verity, jakże białe i piękne. Nie mógł już zapanować nad własną wyobraźnią. Nie potrafił powstrzymać napływających obrazów obscenicznych, występnych aktów, dokonywanych przez Verity z Mansurem. Zadrżał z obrzydzenia i perwersyjnego pobudzenia, które ścisnęło mu lędźwie grzeszną udręką. Kiedy już ją odzyskam, obiecał sobie, będę ją chłostał, aż jej biała skóra porwie się na strzępy! A ta świnia, która ją sprowadziła na manowce, będzie kwiczeć w mękach, błagając o łaskę śmierci.

Wyobrażenia były tak wyraziste, że zaczął się obawiać, czy pozostali mężczyźni czegoś nie wyczuli. Nie był w stanie tego znieść.

— Skończyłem już z tym śmieciem, Wasza Wysokość. — Konsul opłukał dłonie w stojącej obok misie z wodą posypaną płatkami kwiatów, jak gdyby chciał zmyć z nich brud kontaktu z człowiekiem wroga.

Zajn al-Din spojrzał na Kootsa.

— Czy chciałbyś także wypytać o coś więźnia? — zapytał.

— Za łaskawym pozwoleniem Waszej Wysokości — skłonił się Holender. Początkowo zadawał Omarowi pytania dotyczące spraw wojskowych. Chciał wiedzieć, z ilu marynarzy składała się załoga każdego z trzech statków, jak liczna była obsada fortu i w jakim stopniu sprawna w boju i lojalna wobec Courtneyów. Wypytywał o uzbrojenie i rozmieszczenie ciężkich armat oraz polowych dział, wyniesionych z ładowni *Arcturusa*, a także o zapasy prochu i muszkietów w magazynach warowni. Potem treść pytań się zmieniła.

— Czy dobrze znasz Toma Courtneya, tego *ferengi*, którego nazywasz Klebe, czyli Jastrząb? — zapytał Koots.

— Tak, znam go dość dobrze — potwierdził Omar.

— Czy znasz też jego syna?

— Tak. Nazywamy go Somoja, bo jest jak wichura — odparł więzień.

— Gdzie on teraz jest? — Pod maską kamiennego spokoju Kootsa płonął żywy ogień gniewu.

— W forcie mówiono, że wybrał się na wyprawę w głąb interioru.

— Czy poszedł polować na słonie?

— Powiadają, że Somoja to wielki myśliwy. Zgromadził wielkie zapasy kości słoniowej.

— Czy widziałeś je na własne oczy?

— Widziałem pięć magazynów w forcie, zapełnionych kłami aż po strop.

Koots pokiwał z zadowoleniem głową.

— Na razie to wszystko, co chciałem wiedzieć — rzekł — lecz później będę miał do niego więcej pytań.

Kadem skłonił się kalifowi.

— Wasza Wysokość, proszę zezwolić, żeby więzień znajdował się pod moją osobistą pieczą.

— Możecie go zabrać — powiedział Zajn, kiwając głową. — Dopilnujcie, by pozostał przy życiu, przynajmniej dopóki jest przydatny dla naszych celów.

Strażnicy poderwali Omara z klęczek i wyprowadzili przez wielkie brązowe drzwi z sali tronowej. Zajn spojrzał na Laleha, który wycofywał się za nimi, przemykając wśród cieni w głębi pomieszczenia.

— Dobrze się spisałeś — pochwalił go. — Teraz idź przygotować swój statek do wyjścia w morze. Będziesz nam potrzebny jako zwiadowca. Poprowadzisz flotę do kryjówki al-Salila w Zatoce Narodzenia Pańskiego.

Laleh wyszedł tyłem, skłaniając się pokornie przy każdym kroku.

Kiedy straże i służący opuścili salę, wśród uczestników narady zaległa cisza. Wszyscy czekali na kolejne słowa kalifa. On zaś wydawał się zatopiony w głębokiej zadumie, niczym palacz *bhangu*. Wreszcie otrząsnął się z tego stanu i spojrzał na Kadema ibn Abubakera.

— Jesteś zobowiązany przysięgą krwi do pomszczenia śmierci twego ojca, który zginął z rąk al-Salila — powiedział.

— Ta przysięga jest mi droższa niźli życie — odparł Kadem z głębokim pokłonem.

— Brat al-Salila, Tom Courtney, zbezcześcił twoją duszę. Zawinął cię w świńską skórę i groził pochowaniem w jednym grobie z tym obrzydliwym zwierzęciem.

Kadem zazgrzytał zębami na wspomnienie tej chwili. Nie przeszłoby mu przez gardło przyznanie się do tego, jak bardzo został splugawiony i upokorzony. Padł przed kalifem na kolana.

— Błagam cię, kalifie i bracie mego ojca, byś mi pozwolił odpłacić za te okropieństwa wyrządzone przez szatańskich braci!

Zajn al-Din pokiwał głową i zwrócił się do sir Guya.

— Konsulu generalny, twoją córkę uprowadził syn al-Salila. Zabrano ci wspaniały statek i ukradziono wielki majątek, który się na nim znajdował.

— To prawda, Wasza Wysokość — przytaknął Guy Courtney.

Zajn przemówił na koniec do baszy Herminiusa Kootsa.

— Ta sama rodzina i tobie nie oszczędziła upokorzeń. Twój honor został zbrukany przez Jima Courtneya.

— W istocie, Wasza Wysokość — odrzekł Holender.

— Jeżeli chodzi o mnie, mam niewyrównane rachunki z al-Salilem jeszcze od dzieciństwa — powiedział Zajn. — Lista jest zbyt długa i bolesna, bym ją tu przypominał. Mamy więc wspólny cel, którym jest wyczyszczenie tego gniazda jadowitych żmij i zjadaczy świńskiego mięsa. Wiemy, że Courtneyowie zgromadzili wielkie zapasy złota i kości słoniowej. Niechaj to będzie tylko przyprawa, która wyostrzy nasz apetyt. — Przerwał i spojrzał kolejno po twarzach swoich generałów. — Ile czasu wam trzeba, żeby ustalić plan działania? — zapytał.

— Potężny kalifie, przed którym wszyscy wrogowie obracają się w popiół i proch — odrzekł Kadem — basza Koots i ja nie będziemy tracić czasu nawet na jedzenie i spanie, dopóki nie przedłożymy ci do akceptacji planu bitwy.

— Oczekiwałem od was właśnie takiego poświęcenia — odparł. — Spotkamy się tutaj jutro po wieczornej modlitwie, żeby usłyszeć, co wymyśliliście.

— Będziemy gotowi dokładnie o tym czasie — zapewnił go Kadem.

Narada wojenna toczyła się przy świetle pięciuset lamp, których knoty zanurzono w pachnących olejkach, żeby odpędzić chmary moskitów, zlatujących się znad mokradeł i dołów kloacznych za murami miasta, gdy tylko słońce chowało się za horyzont.

Peter Peters zajął swoje stałe miejsce za plecami sir Guya Courtneya, gdy szli labiryntem korytarzy rozległego pałacu w stronę królewskiego haremu. Mury cuchnęły stęchlizną, grzybem i dwustuletnim zaniedbaniem. Przed niosącymi pochodnie służącymi czmychały szczury, a po kopułach i przepastnych salach niosły się echem ciężkie kroki straży, która odprowadzała kalifa do jego sypialni.

Zajn al-Din wygłaszał swym piskliwym głosem monolog, a Peters tłumaczył jego słowa na bieżąco i równie szybko przekładał odpowiedzi sir Guya, gdy kalif robił przerwę. W końcu dotarli pod drzwi haremu, gdzie czekała już eskorta uzbrojonych eunuchów, ponieważ innym mężczyznom poza kalifem nie wolno było wchodzić dalej.

Zza parawanów z kości słoniowej dolatywały kadzidlane zapachy, zmieszane ze zmysłową wonią młodych kobiecych ciał. Peters nadstawił ucha i wydawało mu się, że słyszy odgłos drobnych bosych stóp na kamiennej posadzce i dziewczęcy śmiech, dźwięczący jak złoty dzwoneczek. Całe zmęczenie nagle go opuściło, gdy kocie pazurki żądzy dopadły jego męskości. Peters wcale nie zazdrościł kalifowi jego rozkoszy, gdyż wezyr obiecał mu tej nocy coś szczególnego.

— To córka rodu Saarów — powiedział — najdzikszego z omańskich plemion. Choć liczy sobie ledwie piętnaście wiosen, jest wyjątkowo utalentowana. To dziecię pustyni, prawdziwa gazela o dojrzewających piersiach i długich smukłych nogach. Ma buzię dziecka, a skłonności ladacznicy. Lubuje się w tajemnicach i cudach miłości. Otworzy dla twojej rozkoszy wszystkie swoje trzy wejścia. — Wezyr zachichotał. Znajomość osobistych upodobań mieszkańców pałacu należała do jego obowiązków i wiedział doskonale, w czym gustuje Peter Peters. — Przyjmie cię nawet do zakazanego tylnego wejścia. Będzie cię traktowała jak wielkiego pana, którym w istocie jesteś, *efendi*. — Arab był w pełni świadom, jak temu podrzędnemu urzędniczynie imponuje, gdy się zwraca do niego tym tytułem.

Kiedy sir Guy w końcu go zwolnił, Peters pośpieszył do swojej kwatery. W Bombaju mieszkał na tyłach siedziby Kompanii Wschodnioindyjskiej w trzech pokoikach pełnych karaluchów. Ze swej nędznej pensyjki mógł sobie pozwolić co najwyżej na kobiety z ulicy, odziane w tanie sari w krzykliwych kolorach. Miały miedziane bransolety, a usta i dziąsła zabarwione czerwonawo od ciągłego żucia betelu. Czuć było od nich kardamonem, czosnkiem, curry i piżmową wonią niemytych genitaliów.

W pałacu kalifa w Maskacie traktowano go z wszelkimi honorami. Zwracano się doń *efendi*. Miał dwóch służących, gotowych na każde jego skinienie. Przydzielono mu obszerne mieszkanie, a wezyr przysyłał mu młode, słodkie i uległe dziewczęta i mógł zawsze zażądać kolejnej, gdy poprzednia mu się znudziła.

W pierwszej chwili po wejściu do sypialni Peters poczuł sunący w dół kręgosłupa dreszcz rozczarowania, pokój bowiem był pusty. Potem dotarła do niego jej woń, zapach cytrusowego sadu w porze kwitnienia. Stanął na środku pokoju i szukał jej wzrokiem, czekając, aż się pokaże. Przez pewien czas nic się nie poruszało i słychać było tylko poszum liści tamaryszka, rosnącego na tarasie pod balkonem.

Peters wyrecytował cicho wersy perskiego poety: „Jej pierś lśni jak ośnieżone zbocza góry Tabor; jej pośladki są krągłe niczym wstający księżyc. Skryte pomiędzy nimi ciemne oko spogląda uparcie w głąb mojej duszy".

Poruszyły się zasłony przy wyjściu na balkon i doleciał go stłumiony chichot. Był to śmiech młodziutkiej dziewczyny. Peters zrozumiał, nawet jej nie widząc, że wezyr mówił prawdę. Kiedy wyłoniła się zza kotary, przez cienki materiał jej szaty prześwietlony blaskiem księżyca zobaczył zarys niedojrzałego jeszcze ciała. Podeszła i zaczęła ocierać się o niego jak kotka. Pogłaskał jej krągły tyłeczek przez cienką tkaninę, a dziewczyna zamruczała.

— Jak masz na imię, moja śliczna? — zapytał.

— Zwą mnie Nazin, *efendi*.

Wezyr poinstruował ją dokładnie co do szczególnych upodobań Petersa. Wielokrotnie w ciągu tej nocy sprawiła, że kwilił i skamlał jak nowo narodzone szczenię.

O świcie Nazin ułożyła się na podołku mężczyzny, który siedział na środku materaca z gęsiego puchu. Wybrała dojrzały owoc niesplika ze srebrnej misy stojącej przy łóżku, rozgryzła go na pół i po wypluciu lśniącej brązowej pestki wsunęła słodycz do ust Petersa.

— Tak długo musiałam na ciebie czekać tej nocy — szepnęła. — Myślałam, że serce mi pęknie. — Wydęła żałośnie usta.

— Byłem aż do północy z kalifem i jego generałami. — Tłumacz nie oparł się próżności i chęci zaimponowania dziewczynie.

— Z samym kalifem? — Spojrzała na niego z podziwem. Oczy miała wielkie i ciemne. — Czy rozmawiał z tobą?

— Oczywiście.

— Musisz być bardzo ważnym człowiekiem w swoim kraju. Czego chciał od ciebie nasz władca?

— Pragnął wysłuchać mojej opinii w kwestiach szczególnej wagi i tajności. — Nazin poruszyła się podekscytowana na jego udach i roześmiała się, czując, jak nabrzmiewa i sztywnieje pod jej ciałem. Uniosła się na klęczki i sięgnęła obiema rękami za plecy. Rozchyliła jędrne brązowe pośladki i opadła z powrotem na mężczyznę.

— Kocham tajemnice — szepnęła, wsuwając mu język do ucha.

Nazin spędziła z Petersem pięć kolejnych nocy. Kiedy nie byli akurat zajęci sobą, rozmawiali sporo, czy też raczej on mówił, a dziewczyna słuchała.

Piątego ranka wezyr przyszedł po nią, gdy jeszcze było ciemno.

— Wieczorem znowu przyjdzie do ciebie — obiecał Petersowi. Wziął dziewczynę za rękę i poprowadził do bocznej bramy pałacu, gdzie czekał starzec z plemienia Saarów, klęczący cierpliwie przy równie wiekowym wielbłądzie. Wezyr okrył Nazin ciemnym szalem z wielbłądziej wełny i posadził na sfatygowanym siodle.

O wschodzie słońca otwarto bramy Maskatu. Jak co dzień ruszyła przez nie ludzka ciżba. Mieszkańcy pustyni przybywali do miasta lub je opuszczali po załatwieniu swoich spraw. Jedni chcieli sprzedać jakieś towary, inni powracali do dzikich ostępów; byli wśród nich wędrowcy, pomniejsi wodzowie, kupcy i pielgrzymi. W tłumie wychodzących znajdowała się dwójka jeźdźców na starym wielbłądzie, niewyróżniająca się niczym szczególnym. Nazin wyglądała jak wnuk lub wnuczka starca, gdyż pod spowijającym ją od stóp do głów szalem trudno było rozpoznać płeć. Oddalili się drogą poprzez palmowe gaje i żaden strażnik przy bramie nawet się za nimi nie obejrzał.

Około południa wędrowcy dostrzegli pasterza kóz, siedzącego na skałce pośród jałowych pagórków. Na zboczu poniżej pasło się stadko pstrokatych zwierząt, skubiąc wyschnięte gałązki karłowatych krzaków. Pastuch wygrywał smętną melodię na trzcinowej fujarce. Starzec zatrzymał wielbłąda i dźgał laską jego kark tak długo, aż w końcu zwierzę prychnęło, zarżało z irytacją i uklękło na ziemi. Nazin zsunęła się z siodła i pobiegła do skałki, odrzucając z głowy zasłonę.

Następnie skłoniła się przed pasterzem i ucałowała skraj jego szaty.

— Potężny szejku bin-Szibamie, ojcze mojego plemienia, oby Allah osładzał każdy dzień twego życia wonią kwitnących jaśminów — powiedziała.

— Nazin! Usiądź, moje dziecko. Nawet na tym pustkowiu mogą wypatrzyć nas oczy wroga.

— Mam ci wiele do opowiedzenia, mój panie — pochwaliła się. Jej ciemne oczy błyszczały z ekscytacji. — Zajn chce wysłać co najmniej piętnaście bojowych *dhow*!

— Odetchnij głęboko, dziewczyno, a potem opowiedz wszystko po kolei, nie pomijając najdrobniejszego szczegółu. Powtórz mi każde słowo, jakie usłyszałaś od *ferengi* Petersa.

Kiedy mówiła, twarz bin-Szibama chmurzyła się coraz bardziej. Mała Nazin miała wyjątkowo dobrą pamięć i potrafiła wydobyć od Petersa wszystko, co wiedział. Wymieniała teraz bez wahania liczebność oddziałów i nazwiska kapitanów *dhow*, które miały przetransportować wojsko na południe. Podała dokładną datę wyjścia floty w morze i wysokość pływów w tym czasie, a także planowany dzień przybycia statków do Zatoki Narodzenia Pańskiego. Kiedy skończyła, słońce chyliło się już ku zachodowi. Bin-Szibam zadał jej ostatnie pytanie:

— Powiedz mi, dziecko, czy Zajn al-Din ogłosił, kto zostanie dowódcą ekspedycji? Czy będzie to Kadem ibn Abubaker, czy może *ferengi* Koots?

— Potężny szejku, Kadem ma dowodzić statkami, a Koots wojownikami po ich zejściu na ląd. Jednakże Zajn al-Din będzie sprawował osobiste dowództwo nad całą wyprawą i popłynie na największym *dhow*.

— Jesteś tego pewna, Nazin? — dopytywał się. Byłby to aż nazbyt pomyślny obrót spraw.

— Jestem pewna. Peters powtórzył mi dokładnie słowa, jakimi kalif zwrócił się do swej rady wojennej. „Dopóki żyje al-Salil, mój tron nie będzie nigdy bezpieczny. Chcę być obecny przy jego śmierci i obmyć dłonie we krwi wypływającej z jego serca. Tylko wówczas uwierzę, że jest wreszcie martwy".

— Twoja matka miała rację, Nazin. Zaiste, jesteś warta tuzina wojowników w naszej wojnie przeciwko tyranowi.

Dziewczyna skłoniła się z pokorą.

— Jak się ma moja matka, wielki szejku? — zapytała.

— Jest pod dobrą opieką, tak jak przyrzekłem. Mam ci od niej przekazać, że bardzo cię kocha i jest dumna z tego, co robisz.

Oczy Nazin rozbłysły radością i zadowoleniem.

— Powiedz jej, proszę, że modlę się za nią codziennie.

Matka dziewczyny była niewidoma; pod jej powiekami złożyły jajka muchy, a potem larwy wyjadły jej gałki oczne. Bez pomocy Nazin już dawno by umarła, gdyż życie na pustyni nie znało litości. Teraz jednak znalazła się pod osobistą pieczą szejka.

Bin-Szibam patrzył, jak dziewczyna zbiega po zboczu, dosiada znów wielbłąda za plecami starca i ruszają oboje w drogę powrotną do miasta. Szejk nie czuł wyrzutów sumienia z powodu wykorzystywania Nazin jako szpiega. Wiedział, że kiedy to wszystko się skończy i al-Salil powróci na Słoniowy Tron, znajdą dla niej dobrego męża. Jeżeli będzie tego chciała, dodał w myśli i pokręcił z uśmiechem głową. Wyczuwał, że dziewczyna ma wrodzony talent i zamiłowanie do swego zajęcia. Przypuszczał, że nie będzie już chciała zamienić atrakcji miejskiego życia na surowe i ascetyczne bytowanie na pustyni. Nie należała do kobiet, które się chętnie poddawały dominacji swych małżonków.

— Ta mała potrafiłaby zadowolić i setkę mężczyzn — mruknął do siebie. — Może lepiej się jej przysłużę, opiekując się jej starą matką i pozwalając pójść za własnym przeznaczeniem. Odejdź w pokoju, mała Nazin, i bądź szczęśliwa.

Sylwetki wielbłąda i jeźdźców wtopiły się w końcu w czerwonawą mgiełkę dogasającego dnia. Szejk zagwizdał i z kryjówki pośród skał wyszedł prawdziwy pastuch, ukłąkł przed nim i pocałował w obutą w sandał stopę. Bin-Szibam ściągnął wypłowiały burnus i podał go mężczyźnie.

— Niczego nie widziałeś, niczego nie słyszałeś — rzekł.

— Jestem ślepy, głuchy i niemy — zgodził się pasterz. Szejk wręczył mu monetę, która została przyjęta ze łzami wdzięczności.

Bin-Szibam zszedł do dolinki, w której uwiązał swojego wielbłąda. Dosiadł go, skierował się ku południowi i jechał przez całą noc i następny dzień bez przerwy. Pożywił się tylko garścią daktyli i kilkoma łykami zsiadłego wielbłądziego mleka ze skórzanego bukłaka przy siodle. Nie zsiadał z wierzchowca nawet do modlitwy.

Przed wieczorem poczuł w powietrzu smak morskiej soli. Jechał dalej przez kolejną noc i w końcu o świcie ujrzał przed sobą srebrzystą, niezmierzoną taflę oceanu. Z wierzchołka wzgórza dostrzegł też szybką felukę, zakotwiczoną niedaleko brzegu. Tasuz, jej kapitan, był człowiekiem sprawdzonym już wielokrotnie. Mała wiosłowa łódka przewiozła bin-Szibama na pokład statku.

Szejk zabrał ze sobą materiały do pisania. Nie tracąc czasu na odpoczynek, usiadł na pokładzie i rozwinąwszy przed sobą zwój pergaminu, spisał wszystko, czego dowiedział się od Nazin. Zakończył słowami: „Wasza Wysokość, oby Bóg zapewnił Ci zwycięstwo i chwałę. Gdy do nas powrócisz, będę Cię oczekiwał wraz ze wszystkimi plemionami". Kiedy zapieczętował pismo, było już popołudnie. Wręczył zwój Tasuzowi.

— Możesz oddać ten list tylko kalifowi al-Salilowi do rąk własnych — rozkazał mu. — Lepiej, byś stracił życie, niż miał przekazać go komuś niepowołanemu.

Tasuz nie umiał czytać ani pisać, więc raport był pod jego pieczą całkowicie bezpieczny. Otrzymał już dokładne wskazówki, jak ma żeglować do Zatoki Narodzenia Pańskiego. Podobnie jak wielu analfabetów, miał znakomitą pamięć i było pewne, że nie zapomni żadnego szczegółu.

— Idź z Bogiem i niechaj wypełni On twoje żagle swym świętym oddechem — pożegnał go bin-Szibam.

— Zostań z Bogiem i niech anioły rozpościerają nad tobą swoje skrzydła, wielki szejku — odpowiedział kapitan.

Po stu trzech dniach żeglugi Tasuz zobaczył cypel ze wzniesieniem o kształcie grzbietu wieloryba, który opisano mu w instrukcjach. Gdy wpłynął do laguny, ujrzał trzy znane sobie żaglowce, które ostatnio widział zakotwiczone w porcie Maskatu.

Cała rodzina Courtneyów zebrała się w jadalni, centralnym pomieszczeniu głównego kompleksu warowni, gdzie spędzali razem większość wolnego czasu. Urządzenie pokoju, tak by stał się naprawdę wygodny i przytulny, zabrało Sarah cztery lata. Podłogę i wszystkie meble zrobili stolarze. Z wielką pieczołowitością dobierali mahoń, heban i różne inne gatunki drewna, które były pięknie wysłojowane, pokryte pszczelim woskiem i wypolerowane tak, aż uzyskały ciepły połysk. Kobiety uszyły pufy i wypchały je włóknem dzikiego puchowca. Na podłodze położono wyprawione zwierzęce skóry, a ściany ozdobiono obrazami w ramach. Większość namalowały Sarah i Louisa, ale Verity w ciągu swego niedługiego pobytu w forcie też znacząco uzupełniła galerię. Na honorowym miejscu pod ścianą stał oczywiście klawikord Sarah. Od powrotu Doriana i Mansura rodzinny chór znów zyskał siłę i pełnię brzmienia.

Tego wieczoru jednak nie śpiewali. Zajmowały ich o wiele poważniejsze sprawy i atmosfera była napięta. Siedzieli w milczeniu i słuchali Verity, która tłumaczyła na angielski raport przywieziony przez Tasuza od bin-Szibama z północy. Tylko jednego członka rodziny zupełnie ta lektura nie interesowała.

George Courtney miał już prawie trzy lata. Był wyjątkowo ruchliwy i wymowny, doskonale wiedział, czego chce i pożąda i nie miał żadnych oporów przed wyrażaniem tych pragnień. Okrążył stół, świecąc pulchnymi pośladkami spod kusej koszulki, która była jego jedynym ubiorem. Nieobrzezany penis kołysał się pod brzuszkiem chłopca jak mały biały robaczek. George przywykł być w centrum zainteresowania wszystkich dorosłych, od najpośledniejszych czarnych służących po tę niemalże boską istotę, jaką był jego dziadek Tom.

— Uelity! — Malec szarpnął Verity za suknię. Wciąż jeszcze nie potrafił wymówić jej imienia. — Opowiadaj mi też!

Dziewczyna zawiesiła głos. George'a niełatwo było zbyć byle czym. Przerwała wyliczanie liczby ludzi, statków i armat i spojrzała na chłopca. Miał złote włosy po matce i zielone oczy po ojcu. Jego anielski wygląd chwytał ją za serce i budził instynkty tak głęboko ukryte, że dopiero od niedawna była świadoma ich istnienia.

— Później opowiem ci bajkę — uciekła się do obietnicy.

— Nie! Teraz! — zawołał George.

— Nie bądź niegrzeczny — upomniał go Jim.

— Kochanie, chodź do mamy — powiedziała Louisa.

George zignorował oboje.

— Teraz, Uelity, teraz! — podniósł głos. Sarah sięgnęła do kieszeni fartucha i wyjęła kawałek kruchego placka. Podała ciasto chłopcu pod stołem. Dzieciak natychmiast stracił zainteresowanie bajką, opadł na czworaki i przelazł pomiędzy nogami dorosłych, by chwycić okup z babcinej ręki.

— Jak ty cudownie potrafisz obchodzić się z dziećmi, Sarah Courtney — roześmiał się Tom. — Wystarczy je tylko rozpuścić jak dziadowski bicz, i już, prawda?

— Nauczyłam się tej sztuki, żyjąc z tobą, mój drogi — odcięła się. — Ty jesteś największym dzieciakiem ze wszystkich.

— Zostawcie te bzdurne przepychanki — odezwał się Dorian. — Oboje jesteście gorsi od George'a. Możemy stracić imperium i przy tym nasze życie, a wy tu odgrywacie dziadunia i babunię.

Verity podjęła tłumaczenie od miejsca, w którym je przerwała. Podniosła głos i wszyscy znów spoważnieli. Na koniec odczytała pozdrowienie przesłane kalifowi: „Wasza Wysokość, oby Bóg zapewnił Ci zwycięstwo i chwałę. Kiedy do nas powrócisz, będę Cię oczekiwał wraz ze wszystkimi plemionami".

— Czy możemy ufać temu człowiekowi? — zapytał Tom po chwili milczenia. — Skąd się dowiedział takich szczegółów?

— Ufam mu w pełni, bracie — odparł Dorian. — Nie wiem, jak zdobył te informacje, lecz jestem pewny, że gdy bin-Szibam coś mówi, to tak jest.

— Wobec tego nie możemy siedzieć w forcie i czekać, aż nas zaatakuje flota wojennych *dhow* i armia zahartowanych w boju Omańczyków. Musimy się znać ruszyć.

— Nawet o tym nie myśl, Tomie Courtneyu — wtrąciła się Sarah. — Przez całe nasze wspólne życie ciągle jesteśmy w drodze. Tu jest mój dom, a ta kreatura Zajn nie ruszy mnie stąd. Ja zostaję.

— Kobieto, czy nie możesz choć raz w życiu pójść za głosem rozsądku?

— Niechętnie staję po czyjejś stronie w takich rodzinnych sporach — rzekł Dorian — ale tym razem muszę przyznać rację Sarah. Nigdy nie uciekniemy dość daleko, żeby się uchronić przed atakami Zajna al-Dina i jego zauszników. Ich nienawiść będzie nas ścigać na wszystkich lądach i oceanach.

Tom zasępił się, skubiąc swe wielkie ucho, po czym westchnął ciężko.

— Może i masz rację, Dorry. Nienawiść, jaką Zajn żywi do naszej rodziny, sięga zbyt daleko w przeszłość. Prędzej czy później będziemy musieli stawić mu czoło.

— Właściwie to nadarza nam się właśnie teraz wyjątkowa sposobność — powiedział Dorian. — Dzięki bin-Szibamowi znamy plan Zajna ze wszystkimi szczegółami. Tamci przyjdą walczyć z nami na naszym własnym terenie, którego nie znają. Dopłyną tu po dwóch tysiącach mil żeglugi i większość ich koni na pewno nie przetrwa trudów podróży. My natomiast będziemy wypoczęci, dobrze przygotowani i uzbrojeni, a nasze wierzchowce w pełni sprawne. — Dorian położył dłoń na ramieniu brata. — Wierz mi, Tom, to nasza wielka szansa. Druga taka już się nam nie trafi.

— Ty rozumujesz jak żołnierz — odrzekł Tom — podczas gdy ja myślę jak kupiec. Uważam, że powinniśmy powierzyć dowództwo tobie. Jim z Louisą, Mansur z Verity i oczywiście ja także, będziemy wykonywać twoje rozkazy, jak w wojsku. Chciałbym móc powiedzieć to samo o mojej drogiej żonie, ale wykonywanie rozkazów nigdy nie było mocną stroną Sarah.

— Doskonale, Tom, podejmuję się tego zadania. Mamy niewiele czasu na obmyślenie planu działania, dlatego nie marnujmy ani chwili. Przede wszystkim chciałbym obejrzeć teren, żebyśmy mogli wybrać miejsca, w których jesteśmy najsilniejsi, żeby uniknąć walki w tych najsłabszych.

Tom pokiwał z aprobatą głową. Podobało mu się, że Dorian tak zdecydowanie objął przywództwo akcji obronnej.

— Mów, bracie, słuchamy — rzekł.

— Wiemy od bin-Szibama — zaczął Dorian, puszczając kłęby dymu z nargile — że Zajn wpłynie do zatoki i zacznie ostrzeliwać fort tylko dla zmylenia nas. Główne jego siły pod dowództwem Kootsa zejdą na ląd gdzieś w górze wybrzeża i pomaszerują na południe, żeby nas otoczyć i odciąć drogę ucieczki w głąb interioru.

Najpierw powinniśmy więc znaleźć to miejsce, w którym wylądują oddziały Kootsa, i ustalić drogę, którą będą zmuszone się przemieszczać w kierunku fortu.

Następnego dnia Dorian z Tomem popłynęli *Revenge* na północ wzdłuż wybrzeża, studiując uważnie linię brzegową i porównując ją z mapą, żeby przypomnieć sobie wszystkie charakterystyczne miejsca.

— Koots będzie chciał wylądować jak najbliżej fortu — mruknął Dorian. — Każda mila marszu to dodatkowe trudności.

Wybrzeże było w tej części zdradliwe i niebezpieczne — strome plaże i urwiste skalne cyple, wystawione na ostre wiatry i wysokie fale przyboju. Zatoka stanowiła właściwie jedyną bezpieczną przystań na przestrzeni stu mil. Drugie miejsce, gdzie można było ewentualnie przybić do brzegu, znajdowało się u ujścia dużej rzeki, nazywanej przez miejscowe plemiona Umgeni. Wpadała ona do morza zaledwie kilka mil na północ od wejścia do laguny. Większe wojenne *dhow* nie pokonałyby wprawdzie płycizny przy jej ujściu, lecz mniejsze łodzie mogły to zrobić bez trudu.

— Koots musi zejść na ląd właśnie tutaj — stwierdził stanowczo Dorian. — Barkasami będzie mógł w ciągu kilku godzin wysłać w górę rzeki z pięciuset ludzi.

Tom pokiwał głową.

— Niemniej jednak, kiedy już wylądują, będą mieli jeszcze przed sobą całe mile marszu przez dzikie ostępy, żeby się dostać do fortu.

— Dobrze by było, żebyśmy również sprawdzili, w jakim stopniu te ostępy rzeczywiście są dzikie — zauważył Dorian.

Zawrócili i popłynęli tak blisko brzegu, jak tylko to było możliwe przy tym wietrze i fali. Stojąc przy relingu z prawej burty, przepatrywali uważnie teren przez lunety.

Wzdłuż całej linii brzegowej ciągnęła się plaża z brązowym piaskiem, niestrudzenie atakowana przez fale przyboju.

— Jeśliby chcieli iść plażą, to będą grzęźli w piasku, obciążeni bronią, ekwipunkiem i zapasami — orzekł Tom. — Poza tym przez cały czas byliby narażeni na ostrzał z naszych statków.

— Skoro Koots chce nas podejść przez zaskoczenie — dodał Dorian — nie pójdzie otwartym terenem, bo wie, że od razu byśmy zauważyli taką masę wojska. Musi znaleźć jakąś drogę w głębi lądu. Powiedz mi, bracie, czy te zarośla ponad plażą są rzeczywiście tak niedostępne, na jakie wyglądają?

— To gęsty busz, ale nie jest nie do przebycia — odparł Tom. — Są tam również obszary bagien i mokradeł. W buszu zamieszkują bawoły i nosorożce, a na mokradłach roi się od krokodyli. Dalej jednak, jakieś dwa kable od plaży, biegnie grzbiet długiego wzniesienia, równoległego do lądu. Prowadzą tamtędy ścieżki zwierzyny. Ziemia jest tam sucha i twarda o każdej porze roku.

— Musimy w takim razie sprawdzić, jak biegną te ścieżki — zadecydował Dorian.

Wrócili do zatoki, a następnego ranka wraz z Jimem i Mansurem pojechali konno plażą do ujścia rzeki Umgeni.

— Łatwo poszło — stwierdził Mansur, wyjmując z kieszeni zegarek. — Pokonaliśmy dystans w niecałe trzy godziny.

— Zgadza się, ale na koniach, wróg zaś będzie spieszony — zauważył Jim. — Do tego bez trudu dosięgłyby go kartacze z naszych statków.

— To prawda — zgodził się Dorian. — Już ustaliliśmy z Tomem, że ludzie Kootsa będą musieli wejść głębiej w ląd. Sprawdźmy teraz, którędy pomaszerują.

Pojechali południowym brzegiem Umgeni w górę rzeki. Około mili dalej teren zaczął się wznosić i coraz trudniej było im pokonywać strome nadrzeczne urwiska.

— Nie, oni nie pojadą aż tak daleko — uznał Dorian. — Będą chcieli dotrzeć do fortu w jak najkrótszym czasie. Poszukają przejścia przez nadmorskie mokradła.

Zawrócili więc w dół rzeki i Jim pokazał im początek niskiej grobli, biegnącej przez bagna. Drzewa wzdłuż tej drogi były wyższe niż otaczający je las. Ruszyli tamtędy i niemal natychmiast konie zaczęły się zapadać w podmokłej czarnej ziemi. Musieli zsiąść i poprowadzić je kawałek do miejsca, gdzie teren nieco się podnosił, lecz również trafiali na zagłębienia wypełnione zdradzieckim szlamem, pokryte niewinnie wyglądającym zielonym kożuchem. Zarośla były tu tak gęste, że konie z trudem posuwały się naprzód. Skręcone pnie wiekowych mlekowców stały zwartymi szeregami niczym zbrojni wojownicy, a ich gałęzie zwisały w dół, splątując się z krzewami *amatimgoola*, których potężne kolce potrafiły przebić skórę buta i spowodować głębokie, bolesne rany.

Mogli się poruszać tylko wąskimi ścieżkami, wydeptanymi przez zwierzynę. Były to właściwie tunele przebite w zielonym gąszczu przez bawoły i nosorożce. Kolczaste gałęzie wisiały tutaj tak nisko, że znowu trzeba było zsiąść z koni i je prowadzić. Miejscami wierzchowce musiały nisko schylać głowy, a ciernie drapały po pustych siodłach, zostawiając na skórze poszarpane rysy. Z błotnistych kałuż podnosiły się czarne chmary moskitów i gryzących muszek, rojąc się wokół spoconych twarzy ludzi i wchodząc im do nosów i uszu.

— Kiedy Kadem z Kootsem obmyślali swój plan, nie przyszło im do głowy, że będą się musieli przedzierać przez coś takiego — stwierdził Tom. Zdjął kapelusz i otarł rękawem twarz i lśniącą łysinę.

— Zapłacą nam drogo za każdy zrobiony krok — rzekł Jim, który milczał, odkąd opuścili plażę. — To będzie walka z bliska, być może jeden na jednego. Muszkiety i działa nic tu nie zdziałają przeciwko dzidom i łukom.

— Dzidom i łukom? — zdziwił się Dorian, bardzo tym zaintrygowany. — A kto się nimi posłuży?

— Mój dobry przyjaciel i towarzysz broni, król Beszuajo ze swymi żądnymi krwi dzikimi wojownikami — odparł z dumą Jim.

— Powiedz mi o nim coś więcej.

— To długa historia, stryju. Musi zaczekać, aż wrócimy do fortu. Oczywiście jeżeli uda nam się znaleźć drogę powrotną przez tę piekielną gęstwinę.

Tego wieczoru po kolacji cała rodzina pozostała w jadalni. Sarah stanęła za krzesłem Toma, otoczywszy szyję męża ramieniem. Co pewien czas pocierała lekko bąble po ugryzieniach moskitów na jego łysinie, a on przymykał oczy z cichej błogości. Przy drugim końcu stołu siedział Dorian, mając po jednej stronie Mansura, a po drugiej nargile.

Verity nie uważała nigdy siebie za domatorkę, lecz od przybycia do Fortu Auspice znajdowała głębokie zadowolenie w zajmowaniu się domem i Mansurem. Chociaż różniły się od siebie z Louisą niemal we wszystkim, od pierwszego spotkania poczuły obopólną sympatię. Krążyły teraz cicho po wielkim pokoju, zbierając brudne naczynia, podając swoim mężczyznom niezliczone filiżanki kawy albo przysiadając przy nich na trochę, żeby przysłuchać się rozmowie lub dorzucić do niej swoją opinię. Louisę bardzo poza tym absorbował mały George. Tę część dnia wszyscy lubili najbardziej.

— Opowiedz mi o tym Beszuaju — poprosił Dorian.

— Aha, nie zapomniałeś jednak! — roześmiał się Jim. Podniósł synka z podłogi i posadził go sobie na kolanach. — Już dosyć dzisiaj narozrabiałeś, jak na jeden dzień, chłopcze — rzekł. — Teraz będzie opowieść.

— Opowieść! — George natychmiast się uciszył. Oparł złocistą główkę na ramieniu ojca i zaczął ssać kciuk.

— Kiedy wy z Mansurem pożeglowaliście na *Revenge* i *Sprite*, Louisa i ja załadowaliśmy wozy i wyruszyliśmy w głąb interioru. Chcieliśmy zapolować na słonie i nawiązać kontakty handlowe z tamtejszymi plemionami.

— Jim mówi o tym tak, jakbym z nim pojechała na ochotnika — zaprotestowała Louisa.

— Dajże spokój, Jeżyku. Przyznaj uczciwie, że zaraziłaś się miłością do wędrówki równie mocno jak ja — uśmiechnął się Jim. — Ale daj mi kontynuować. Wiedziałem, że z północy nadciągają duże oddziały Nguni wraz ze stadami.

— Skąd to wiedziałeś? — dopytywał się Dorian.

— Powiedział mi Ikunzi, a potem posłałem na północ Bakkata, żeby odszukał ślady.

— Bakkata znam doskonale, ale kim jest ten Ikunzi? Pamiętam tylko imię...

— Przypomnę ci, stryju. Był on głównym pasterzem królowej Manatasee. Kiedy zdobyłem jej stada, wolał przyłączyć się do mnie, niż rozstać z ukochanymi zwierzętami.

— Ach, rzeczywiście, chłopcze! Jak mogłem o tym zapomnieć! Cóż za historia!

— Ikunzi razem z Bakkatem poprowadzili nas w głąb lądu, żeby odszukać grasujące tam plemiona Nguni. Niektóre z nich okazały się wrogo usposobione i groźniejsze od jadowitej kobry albo mięsożernego lwa. Mieliśmy parę niezłych potyczek z nimi, wierz mi. W końcu spotkaliśmy Beszuaja.

— Gdzie to było?

— Jakieś dwieście mil stąd na północny zachód — odparł Jim. — Właśnie miał sprowadzić swoich ludzi i zwierzęta w dolinę. Nasze spotkanie nastąpiło w bardzo sprzyjającym momencie. Ja wytropiłem akurat trzy wielkie słonie, lecz nie wiedziałem, że Beszuajo obserwuje nas z pobliskiego wzgórza. Nigdy przedtem nie widział ani człowieka na koniu, ani muszkietu. Polowanie było bardzo udane. Zdołałem wypłoszyć słonie z gęstego lasu na otwartą sawannę. Potem ustrzeliłem je po kolei z siodła, podczas gdy

Bakkat przeładowywał i podawał mi broń. Zabiłem wszystkie trzy w czasie dwumilowego galopu na Werblu. Beszuajo widział to wszystko ze swojej kryjówki. Później powiedział mi, że zamierzał zaatakować wozy i pozabijać nas, lecz gdy zobaczył, jak jeżdżę i strzelam, zrezygnował z tego pomysłu. Szczery nicpoń z tego króla, ot co.

— To prawdziwy potwór, a nie człowiek — poprawiła go Louisa. — Dlatego tak dobrze się dogadują z Jimem.

— Nieprawda — zachichotał Jim. — To nie ja mu się spodobałem, ale Louisa. Nie widział nigdy takich włosów ani takiego dziecka jak to, które właśnie powiła. Beszuajo kocha swoje bydło i synów.

Oboje spojrzeli z czułością na chłopca. George nie wytrwał długo. Ciepło ojcowskiego ciała i spokojny głos Jima okazywały się zawsze najlepszym środkiem nasennym, i tym razem także go uśpiły.

— Znałem już wówczas język Nguni na tyle, żeby móc osobiście rozmówić się z królem. Kiedy w końcu powściągnął wojownicze zapędy i zabronił swoim ludziom napaści na wozy, urządził kraal tuż przy nas i obozowaliśmy razem przez kilka tygodni. Pokazałem mu tkaniny, szklane paciorki, lusterka i inne atrakcje handlowe. Bardzo mu się podobały, lecz bał się naszych koni. Za nic nie mogłem go przekonać, żeby któregoś dosiadł. Beszuajo jest nieustraszony, chyba że się go namawia do jazdy konnej. Natomiast zafascynowała go moc prochu strzelniczego i musiałem mu ją demonstrować przy każdej sposobności, jakby chciał wciąż na nowo potwierdzać to, co widział podczas polowania.

Louisa próbowała wyjąć George'a z objęć ojca, żeby go zanieść do łóżeczka, lecz malec natychmiast się obudził i zaprotestował głośnym płaczem. Potrwało kilka minut, zanim udało się go znowu uspokoić i Jim mógł podjąć swą opowieść.

— Kiedy się lepiej poznaliśmy, Beszuajo zwierzył mi się, że jest w konflikcie z innym plemieniem Nguni, nazywającym się Amahin. Była to banda przebiegłych łotrów, którzy popełnili niewybaczalny grzech — skradli kilkaset sztuk bydła ze stad króla. W dodatku w czasie rabunku zabili kilkunastu pastuchów, w tym dwóch synów Beszuaja. Król nie zdołał do tego momentu odzyskać zwierząt i pomścić synów, ponieważ członkowie ludu Amahin kryli się w niezdobytej naturalnej fortecy, wyrzeźbionej w ciągu wieków przez erozję w ścianie pionowego urwiska. Zaoferował mi dwieście sztuk najlepszego bydła, jeśli pomogę mu zdobyć ich warownię. Odpowiedziałem, że uważam go teraz za swojego przyjaciela i chętnie udzielę mu wsparcia za darmo.

— Jeśli nie liczyć prawa wyłączności do handlu z jego plemieniem oraz polowania bez ograniczeń na słonie na terytoriach pod zwierzchnictwem króla, a na dodatek zawarcia sojuszu wojskowego po wsze czasy — dodała Louisa.

— Może powinienem był powiedzieć „za drobną opłatą" zamiast „za darmo", ale nie bądźmy drobiazgowi — odrzekł Jim. — Wziąłem Smallboya, Muntu i resztę ludzi, a Beszuajo zaprowadził nas do matecznika tych Amahinów. Okazało się, że jest to olbrzymi fragment skalnej ściany, który się oderwał, ze wszystkich stron otoczony urwiskiem. Jedyne dojście prowadziło tam przez wąski mostek skalny, którym mogło się przedostać tylko czterech ludzi naraz. Strzegący go wojownicy siedzieli wyżej po drugiej stronie i mogli zasypać strzałami i kamieniami każdego, kto by próbował sforsować przejście. Beszuajo stracił już koło setki ludzi, których zabito strzałami z trucizną albo roztrzaskano im głowy odłamkami skały. Znalazłem w głównym masywie takie miejsce, z którego moi wojownicy mogli ostrzeliwać warownię z muszkietów, ale niewiele to pomogło. Amahinowie to twarde sztuki. Nasze kule trochę ostudziły ich zapał, a jednak nie odebrały im możliwości skutecznego atakowania każdego śmiałka, który wszedł na odsłonięty mostek.

— Jestem pewien, że wówczas, jako sławny wojskowy geniusz, wymyśliłeś rozwiązanie tego nierozwiązywalnego zadania — wtrącił ze śmiechem Mansur.

Jim także się roześmiał.

— Wcale nie, kuzynie — odparł. — Zabrakło mi już konceptu, więc zrobiłem to, co się zwykle w takich razach robi. Posłałem po moją żonę! — Wszystkie trzy kobiety powitały ten klejnot męskiej mądrości śmiechem tak serdecznym, że mały George znowu się obudził i dołączył swój płacz do ogólnego zgiełku. Louisa wzięła go na ręce, pomogła znaleźć kciuk i chłopczyk z powrotem zapadł w sen.

— Nigdy przedtem nie słyszałem o rzymskim żółwiu, szyku stosowanym przy obleganiu twierdz — ciągnął Jim. — Dopiero Louisa mi o tym powiedziała. Chociaż wielu ludzi króla miało skórzane tarcze, on patrzył na ich używanie krzywym okiem, gdyż członkowie plemienia Amahinów uważają, że to niegodne wojownika. Każdy z nich walczy indywidualnie, a nie jako część formacji, a w chwili największego zagrożenia oczekuje się od niego, żeby odrzucił tarczę i natarł na wroga bez ochrony, polegając jedynie na furii swego ataku. Ma pokonać przeciwnika i wyjść bez szwanku dzięki własnej nieustraszoności. Dlatego początkowo Beszuajo sprzeciwiał się tej tchórzliwej taktyce. W jego opinii za tarczą mogła się kryć tylko kobieta. Jednakże rozpaczliwie pragnął pomścić synów i odzyskać skradzione bydło, więc w końcu się zgodził. Jego wojownicy szybko się nauczyli, jak trzymać tarcze nad głową, żeby zachodziły jedna na drugą i osłaniały ich podczas ataku, na podobieństwo skorupy żółwia. Moi ludzie kontynuowali ostrzał wojowników z plemienia Amahinów, a *impi* króla Beszuaja, osłonięci tarczami, podjęli szarżę przez most. Gdy tylko zajęli przyczółek po drugiej stronie, pogalopowaliśmy tam na koniach, strzelając z siodła. Amahinowie nigdy nie widzieli konia ani ataku kawalerii i teraz poznali siłę naszego ognia. Rozpierzchli się od razu, a tym, którzy sami nie skoczyli z urwiska, pomogli wojownicy króla.

— Na pewno ucieszy was to, że kobiety z tego plemienia nie skakały — dorzuciła Louisa pod adresem Sarah i Verity. — Zostały, by chronić swoje dzieci, i po skończonej bitwie znalazły mężów wśród ludzi króla Beszuaja.

— Rozsądne stworzenia — mruknęła Sarah, klepiąc lekko Toma po łysinie. — Ja bym zrobiła to samo.

Tom puścił oko do Jima.

— Nie zwracaj uwagi na matkę — rzekł. — Tak naprawdę ma dobre serce, tylko nie potrafi pohamować języka. Opowiadaj dalej, chłopcze. Znam już tę historię, ale jest znakomita.

— Ten dzień okazał się korzystny dla wszystkich uczestników wydarzeń, z wyjątkiem, oczywiście, ludu Amahinów — ciągnął Jim. — Odzyskaliśmy większość stada poza sztukami, które tamci zdążyli zjeść. Król był zachwycony. Wypiliśmy piwo z prosa z jednego dzbana, lecz najpierw zmieszaliśmy je z naszą własną krwią. Moi wrogowie są teraz jego wrogami.

— Po wysłuchaniu tej opowieści nie pozostaje mi nic innego, jak tylko powierzyć obronę przejścia przez mokradła tobie i twemu bratu krwi, królowi — stwierdził Dorian. — I niech Bóg ma w opiece Herminiusa Kootsa, kiedy będzie próbował tędy się przedostać.

— Natychmiast po załadowaniu wozów towarami wyruszę poszukać Beszuaja i jego wojowników i zwrócę się do niego o pomoc — zgodził się Jim.

— Mam nadzieję, mężu, że nie zamierzasz zostawić mnie samej, podczas gdy ty znowu powędrujesz sobie w nieznane? — zapytała słodkim głosikiem Louisa.

— Jak możesz tak źle o mnie myśleć? Poza tym Beszuajo nie przyjąłby mnie zbyt serdecznie, gdybym się zjawił w jego kraalu bez ciebie i George'a.

Bakkat udał się w góry, żeby sprowadzić Ikunziego. Główny pasterz i jego pomocnicy wędrowali swobodnie ze stadami, toteż nikt nie wyśledziłby miejsca ich pobytu szybciej od małego Buszmena. Smallboy tymczasem zajął się nasmarowaniem osi wozów i przygotowaniem wołów pociągowych. Po pięciu dniach Ikunzi zjawił się w forcie z dwoma tuzinami Nguni i mogli wyruszać w drogę.

Reszta rodziny stała na podeście za palisadą fortu, patrząc, jak sznur wozów kieruje się ku odległym wzgórzom, prowadzony przez Jima i Louisę, jadących na Werblu i Śmigłej. George siedział w skórzanym nosidle na plecach ojca i machał do wszystkich pulchnymi rączkami.

— Pa, pa, dziadku! Pa, pa, babciu! Pa, stryjku Doui! Pa, Mansi i Uelity! — wołał, a jego złote loki podskakiwały w takt spokojnego kłusa Werbla. — Nie płacz, babciu, Georgie szybko wróci!

— Słyszałaś, co powiedział twój wnuk — mruknął ochryple Tom. — Przestań beczeć, kobieto.

— Wcale nie beczę — fuknęła Sarah. — Mucha wpadła mi do oka i tyle.

B in-Szibam ostrzegł Doriana w swoim raporcie, że Zajn al-Din zamierza wyruszyć z Maskatu niezwłocznie, gdy tylko południowo-wschodni wiatr *kusi* zmieni kierunek o sto kilkadziesiąt stopni i stanie się *kaskazi*, wiejącym od północnego wschodu. Moment tej zmiany zbliżał się nieuchronnie i już za kilka tygodni flota Zajna miała pożeglować w dół wybrzeża Afryki. W dodatku pojawiły się niepokojące oznaki. Na cypel przyleciały czarnogłowe mewy, które zakładały tu swoje kolonie. Wielkie stada tych ptaków zwiastowały bliską zmianę pór roku, tak więc mogło się okazać, że Zajn już jest na morzu.

Dorian z Mansurem wezwali do siebie kapitanów, łącznie z Tasuzem, dowódcą feluki. Wspólnie przestudiowali mapę. Tasuz, chociaż analfabeta, potrafił odczytywać kształty wysp i lądów oraz strzałki oznaczające kierunek wiatru i prądów morskich; zależała od tego jego egzystencja.

— Po opuszczeniu Omanu nieprzyjaciel skieruje się najpierw daleko od wybrzeża, na otwarty ocean, żeby złapać w żagle *kaskazi* i główny nurt Prądu Mozambickiego — powiedział z przekonaniem Dorian. — Trudno by było go znaleźć na tak rozległym obszarze. — Rozpostarł dłoń na mapie. — Możecie się na nich zasadzić tylko w tym miejscu. — Przesunął dłoń na podobną kształtem do ryby wyspę Madagaskar. — Flota Zajna będzie musiała przepłynąć kanałem między wyspą a kontynentem, niczym piasek przesypuje się przez klepsydrę. A wy będziecie obserwować to przejście. Trzy statki wystarczą, bo taka liczba wojennych *dhow* rozciągnie się na wiele mil. Będziecie także mogli liczyć na pomoc miejscowych rybaków.

— Czy mamy zaatakować flotę Zajna, gdy już ją zauważymy? — zapytał Batula.

— Wiem, że to by ci się podobało, stary szatanie — odrzekł ze śmiechem Dorian. — Ale niestety wróg nie może was zobaczyć. Trzymajcie się przez cały czas za linią horyzontu, żeby Zajn się nie domyślił, że jego zamiary zostały odkryte. Gdy tylko go zauważycie, macie natychmiast się oddalić i wrócić do zatoki tak szybko, jak pozwoli na to wiatr i morze.

— A co z *Arcturusem*? — zapytał Ruby Cornish, nieco poirytowany. — Czy ja też będę psem tropiącym?

— Nie zapomniałem o panu, kapitanie. Pański statek jest najsilniejszy, lecz nie tak szybki jak *Revenge* i *Sprite* czy nawet mała feluka Tasuza. Wolałbym, żeby *Arcturus* pozostał w Zatoce Narodzenia Pańskiego, a kiedy nadejdzie odpowiednia chwila, na pewno będzie pan miał sporo roboty. — Cornish wyglądał na uspokojonego, a Dorian mówił dalej: — Chciałbym teraz omówić plan naszego działania od momentu, gdy wróg pokaże się na morzu w zasięgu wzroku. Nasza flota jest tak mała, a nieprzyjaciel tak liczny, że sukces zależeć będzie od zgodnej współpracy wszystkich jednostek — tłumaczył. — Nocą będę się posługiwał latarniami, a za dnia dymem i chińskimi racami. Sporządziłem listę sygnałów kodowych, a Verity przetłumaczyła ją na arabski dla Batuli i Kumraha.

Całą resztę dnia i część nocy spędzili na naradzie, rozpatrując wszystkie możliwości rozwoju wypadków. O świcie *Revenge*, *Sprite* i mała feluka, korzystając z odpływu i wiatru od lądu, pożeglowały na morze. W lagunie pozostał na kotwicy tylko *Arcturus*.

Beszuajo przeniósł swój kraal pięćdziesiąt mil dalej w dół rzeki, lecz Bakkat bez trudu wytropił jego siedzibę, wszystkie bowiem ścieżki wydeptane przez wojowników i bydło rozchodziły się z wioski jak nitki pajęczyny, z królem siedzącym w centrum niczym pająk. Na zielonej fałdzistej sawannie, przez którą jechali, co rusz napotykali jego stada.

Bydła pilnowali wojownicy, z których wielu walczyło u boku Jima przeciwko plemieniu Amahinów. Wiedzieli, że ich króla łączy z nim braterstwo krwi, i witali go teraz okrzykami radości. Każdy *induna* wyznaczył pięćdziesięciu swoich ludzi, żeby eskortowali wozy aż do królewskiego kraalu. Najszybsi biegacze popędzili przodem, żeby powiadomić króla o ich rychłym przybyciu.

Kiedy przekroczyli ostatni grzbiet górski i spojrzeli w dolinę, w której Nguni założyli swój nowy obóz, orszak Jima liczył już dobre kilkaset ludzi. Obóz założono na planie olbrzymiego koła, podzielonego wewnętrznie na coraz mniejsze kręgi, jak tarcza strzelecka. Jim oszacował, że nawet na szybkim wierzchowcu okrążenie zewnętrznej palisady zabrałoby mu prawie pół godziny.

Ostrokół otaczający obóz był wyższy od człowieka, a serce tymczasowej wioski stanowiła zagroda, w której mogło się zmieścić całe królewskie bydło. Beszuajo lubił przebywać blisko swoich zwierząt; wyjaśnił też Jimowi, że takie zamknięte miejsca służą jako pułapka na muchy. Musze jajka, składane w świeżych odchodach, były rozgniatane kopytami i nic nie mogło się z nich wykluć.

W zewnętrznych kręgach kraalu stały ciasno chaty, w których mieszkali członkowie królewskiego otoczenia. Straż króla zajmowała mniejsze chaty, a jego liczne żony zamieszkiwały nieco większe, otoczone dodatkowo płotem ze splecionych ciernistych gałęzi. Osobny wydzielony obszar zajmowało około pięćdziesięciu bardziej rozbudowanych pomieszczeń, zamieszkanych przez *induna* — doradców i dowódców króla Beszuaja wraz z ich rodzinami.

Wszystko to nie mogło się jednak równać z królewską siedzibą, której żadną miarą nie można by nazwać chatą. Była wysoka jak wiejski kościółek w Anglii i wydawało się niemożliwe wzniesienie takiej konstrukcji z drągów i trzciny, żeby się nie zawaliła przy pierwszym podmuchu wiatru. Elementy konieczne do budowy zostały starannie wybrane przez mistrzów budowniczych, a całość miała kształt idealnej półkuli.

— Wygląda jak jajo ptaka olbrzyma! — wykrzyknęła Louisa. — Patrzcie, jak się świeci w słońcu.

— Mamo, a co to jest ptak olbrzym? — chciał wiedzieć mały George, siedzący w nosidle na plecach ojca. — Tu *nima* żadnego ptaka. — Wymawiał „nie ma" tak samo jak jego dziadek, i choć Louisa z tym walczyła, uparcie trzymał się tej formy.

— To jest bardzo duży ptak z bajki — wyjaśniła chłopcu.

— Ja chcę mieć takiego!

— Poproś tatę. — Uśmiechnęła się słodko do Jima.

— Dziękuję ci bardzo, Jeżyku. Teraz nie będę miał spokoju przez miesiąc.

Dla odwrócenia uwagi syna trącił Werbla piętami i puścili się kłusem w dół zbocza. Wojownicy zaintonowali pieśń powitalną, wysławiając króla. Rytmiczna melodia i wspaniały chór głębokich męskich głosów chwytały za serce. Długa kolumna ludzi, koni i wozów spływała w dół poprzez złociste trawy. Wojownicy szli równym krokiem, a przybrania ich głów kołysały się unisono w takt marszu. Każdy oddział miał własny totem — jastrzębia, sępa, orła czy sowę — i nosił pióra tych ptaków, symboli swego klanu. Wielu miało zawiązane na ramionach ozdobne kity, honorowe odznaki przyznawane przez króla za zabicie wroga w walce. Tarcze były dobrane kolorem do ozdób; cętkowane, czarne, czerwone i białe — należące do najbardziej elitarnych oddziałów. Maszerując przez plac paradny przed wejściem do obozu, wojownicy bili w tarcze swymi *assegai*. Na skraju rozległego udeptanego pola czekał na nich Beszuajo, imponująca postać, na rzeźbionym, hebanowym królewskim stolcu. Był całkiem nagi, demonstrując całemu światu dowód, że jego przyrodzenie nie ma sobie równego rozmiarami wśród poddanych. Ciało miał nasmarowane tłuszczem wołowym i błyszczał w słońcu jak latarnia. Za nim zgromadzili się przywódcy poszczególnych oddziałów, z opaskami, symbolami władzy, na wygolonych głowach. Wraz z nimi stały ich żony oraz plemienni szamani.

Jim ściągnął wodze i wystrzelił w powietrze z muszkietu. Beszuajo uwielbiał, gdy mu salutowano w ten sposób, i ryknął basowym śmiechem.

— Widzę cię, Somoja, mój bracie! — zakrzyknął, a jego potężny głos poniósł się wyraźnie przez trzysta jardów placu paradnego.

— Ja też cię widzę, wielki czarny byku! — odkrzyknął Jim i spiął Werbla do galopu. Louisa na Śmigłej trzymała się jego prawej strony. George szarpał się i wierzgał z podniecenia w swoim nosidle, chcąc, żeby go uwolniono.

— Beszi! — wrzeszczał. — Mój Beszi!

— Lepiej go zdejmij — poradziła Louisa — bo jeszcze obaj spadniecie.

Jim osadził konia w miejscu, aż ten przysiadł na kłębie. Wyciągnął malca z nosidła jedną ręką i, wychyliwszy się z siodła, postawił go na klepisku. George puścił się biegiem w stronę Wielkiego Byka Ziemi i Czarnego Gromu Niebios.

Król Beszuajo wyszedł mu naprzeciw, porwał na ręce i podrzucił wysoko w górę. Louisa stłumiła okrzyk przestrachu, zakrywając usta dłonią, a George zapiszczał z zachwytu. Król złapał go w locie i posadził sobie na lśniącym muskularnym ramieniu.

Tego wieczoru Beszuajo kazał zabić pięćdziesiąt tłustych wołów i wydał wielką ucztę. Jedli, popijając pienistym piwem z wielkich glinianych dzbanów. Jim z królem rozmawiali, śmiejąc się i opowiadając sobie nawzajem o swoich wyczynach i przygodach.

— Chcę posłuchać o Manatasee! — zażądał kacyk. — Opowiedz jeszcze raz, jak ją zabiłeś i jak jej głowa pofrunęła w powietrze niczym ptak. — Zademonstrował to, wyrzucając w górę ramiona.

Była to jego ulubiona historia. Louisa słyszała ją już tyle razy, że wymówiła się opieką nad George'em i opuściła królewską kompanię. Wzięła protestującego sennie synka na ręce i zaniosła do wozu.

Król delektował się opowieścią Jima jeszcze bardziej niż za pierwszym razem.

— Żałuję, że nie spotkałem nigdy tej wielkiej czarnej krowy — oświadczył na koniec. — Spłodziłbym jej wspaniałego syna. Wyobrażasz sobie, jaki to byłby potężny wojownik, z takiego ojca i takiej matki?

— Ale wówczas musiałbyś wziąć za żonę Manatasee, tę wściekłą lwicę.

— Nie, Somoja. Kiedy już dałaby mi syna, posłałbym jej odciętą głowę w powietrze jeszcze wyżej, niż ty to zrobiłeś! — Król ryknął śmiechem i wcisnął kolejny dzban piwa w ręce swego gościa.

Kiedy Jim dowlókł się w końcu do wozu, Louisa musiała mu pomóc wdrapać się na posłanie, a potem ściągnąć z nóg buty. Nazajutrz trzeba było dwóch kubków mocnej kawy, zanim mógł oznajmić słabym głosem, że jeśli będzie się nim dobrze opiekowała, może jakoś przeżyje ten dzień.

— Mam nadzieję, mój mężu — odparła — bo jak zapewne pamiętasz, król zaprosił cię dzisiaj na Święto Pierwszych Kwiatów.

Jim skwitował to jękiem.

— On wypił dwa razy więcej tego piekielnego trunku ode mnie. Może będzie miał na tyle rozsądku, żeby odwołać święto? — zapytał z nadzieją.

— Raczej nie — uśmiechnęła się anielsko. — Właśnie nadchodzą jego *induna*, żeby nas eskortować na miejsce.

Przywódcy zaprowadzili ich na plac paradny. Otaczały go rzędy młodych wojowników, siedzących na własnych tarczach. Przystrojeni w najpiękniejsze ozdoby z piór i spódniczki ze skór, trwali nieruchomo, jak figury wyrzeźbione w antracycie. Przy bramie wielkiego kraalu ustawiono rzeźbione stołki dla Jima i Louisy, tuż obok pustego jeszcze krzesła dla króla. Z tyłu siedziały w dwóch rzędach jego żony. Były to w większości młode i piękne kobiety w różnych stadiach brzemienności — od lekko uwydatnionego brzucha aż po zaokrąglony w pełni, z wystającym pępkiem — o piersiach ciężkich od obfitości pokarmu. Wymieniały porozumiewawcze spojrzenia z Louisą i przyglądały się wybrykom małego George'a, a ich ciemne oczy przepełniała siła macierzyńskich uczuć.

Louisa westchnęła i nachyliła się do męża.

— Czy nie uważasz, że uroda kobiet nabiera szczególnego blasku, kiedy mają dać życie dziecku? — zapytała niewinnie.

— Wybierasz sobie najdziwniejsze momenty na takie delikatne aluzje — jęknął Jim. — Nie sądzisz, że jeden George to aż nadto radości dla tego świata?

— To mogłaby być dziewczynka — zauważyła Louisa.

— Czy byłaby podobna do ciebie? — Choć słońce raziło go niemiłosiernie w oczy, otworzył je nieco szerzej.

— Prawdopodobnie.

— No to może warto się nad tym zastanowić — zgodził się, lecz w tym momencie zza ostrokołu rozległo się dęcie w fanfary z rogów kudu i bicie w bębny. Wojownicy natychmiast zerwali się na nogi i po wzgórzach poniósł się echem ich jednobrzmiący królewski salut:

— *Bayete! Bayete!*

Przez bramę wyszli muzykanci, szereg za szeregiem, kołysząc się i pochylając, potrząsając pióropuszami na głowach, jak w tańcu żurawi koroniastych, tupiąc o ziemię, aż pył spowijał po kolana ich nogi. Nagle zamarli w pół kroku; poruszały się tylko pióra w ozdobach ich głów.

Na plac paradny wkroczył król Beszuajo. Ubrany był w prostą spódniczkę z białych krowich ogonów i miał bojowe grzechotki na kostkach i przegubach. Skórę gładko wygolonej głowy nasmarował mieszaniną łoju i czerwonej glinki. Kroczył statecznie, emanując niemal boskim blaskiem.

Dotarł do swego miejsca i spojrzał na poddanych z tak straszliwym grymasem, że aż się skurczyli pod jego wzrokiem. Nagle cisnął pionowo w powietrze swoją włócznię. Siła muskularnego ramienia posłała ją w górę na niebywałą wysokość. Osiągnąwszy szczyt, wdzięcznym łukiem opadła z powrotem i wbiła się lśniącym ostrzem w wysuszone klepisko placu.

W dalszym ciągu nikt się nie poruszył i nie wydał dźwięku. Ciszę przerwał pojedynczy głos, słodki i łagodny, niosący się znad brzegu rzeki płynącej jarem na końcu pola. Z ust zgromadzonych wojowników wyrwało się westchnienie i pióra na ich głowach zatańczyły, gdy odwrócili się w kierunku dźwięku.

Znad krawędzi jaru zaczął się wysuwać długi rząd dziewcząt. Każda trzymała ręce na biodrach idącej przodem i precyzyjnie powtarzała jej ruchy. Miały na sobie bardzo krótkie spódniczki z wyczesanej trawy i wianki z dzikich kwiatów na głowach. Ich obnażone piersi lśniły od olejku. Wąż dziewczęcych postaci sunął równym rytmem, jakby nie składał się z pojedynczych osób, ale był żywym organizmem.

— Oto pierwsze kwiaty plemienia — rzekła cicho Louisa. — Każda z nich po raz pierwszy zobaczyła swoją miesięczną krew i są teraz gotowe do zamążpójścia.

Dziewczyna prowadząca tancerki odśpiewała wers pieśni i dołączyły do niej chórem pozostałe. Ich niezwykle czyste głosy wznosiły się wysoko i opadały, zamierały i znów rozbrzmiewały z mocą, chwytając za serca słuchaczy. Sznur tańczących dziewic zatrzymał się przed szeregiem młodych wojowników. Odwróciły się do nich twarzami i pieśń zmieniła charakter. Melodia nabrała ostrego, szybkiego rytmu, niczym akt miłosny, a słowa stały się lubieżnie sugestywne.

— Jak ostre są wasze włócznie? — pytały dziewczęta. — Jak długie mają drzewce? Jak głęboko potraficie je wbić? Czy dosięgniecie aż do serca? A kiedy wyciągniecie ostrze z rany, czy popłynie krew?

Młode kobiety znów podjęły taniec, najpierw kołysząc się jak długie trawy na wietrze, a potem odrzucając głowy do tyłu i śmiejąc się głośno, błyskając bielą zębów i białek oczu. Ujęły w dłonie swoje piersi i podsunęły je ku młodym wojownikom, lecz zaraz się cofnęły i zawirowały szybko, aż ich spódniczki uniosły się wysoko. Pod nimi nie miały niczego. Wyskubały sobie owłosienie i nie-osłonięta płeć każdej rozchylała się w wyraźną szczelinę. Po chwili stanęły tyłem do młodzieńców i pochyliły się, dotykając czołami kolan, kręcąc i podrzucając biodrami.

Wojownicy podjęli taniec do rytmu pieśni, wzniecając w sobie burzę pożądania. Tupali, aż drżała ziemia pod ich stopami. Potrząsali ramionami. Wywracali oczami, a na ich wykrzywionych ustach pojawiła się spieniona ślina. Wyrzucali przed siebie biodra niczym kopulujące psy, aż spomiędzy pasków ich spódniczek wysuwały się wyprężone sztywno członki.

Nagle król Beszuajo zeskoczył z tronu i wylądował przed nimi na sztywnych nogach, mocnych i prostych jak pnie drzew.

— Dosyć! — ryknął potężnym basem.

Wszyscy tancerze, dziewczęta i młodzieńcy, rzucili się równo-cześnie na ziemię w pokłonie i znieruchomieli jak nieżywi. Drżały jedynie pióra na ich głowach i spódniczki z traw; słychać było tylko przyśpieszone oddechy.

Beszuajo przeszedł wzdłuż szeregu dziewcząt.

— Oto są moje najświetniejsze jałówki! — zakrzyknął. — Oto prawdziwe skarby króla Beszuaja! — Obrzucił je dzikim spoj-rzeniem dumnego posiadacza. — Są w pełni kobietami, pięknymi i silnymi. To moje córki! Ich gorące łona wydadzą na świat wojowników, którzy podbiją całą ziemię! Ich synowie będą wy-krzykiwać moje imię aż pod niebiosa. Przez nich moje imię będzie żyć wiecznie. — Król odrzucił głowę i wydobył z głębi swej piersi donośny okrzyk, który odbił się dźwięcznym echem od wzgórz.

— Beszuajo!

Nikt nawet nie drgnął, a echo powoli umilkło i zapadła cisza. Beszuajo zawrócił i przedefilował teraz wzdłuż rzędu zastygłych w pokłonie wojowników.

— Kim oni są? — rzucił pytanie tonem podszytym pogar-dą. — Czy ci, którzy płaszczą się przede mną w pyle, to męż-czyźni? — ryknął, śmiejąc się szyderczo. — Nie! — odpowiedział sam sobie. — Mężczyźni stoją wyprostowani i pełni dumy. Ci tutaj to małe dzieci. Czy są wojownikami? — zawołał w niebo i zaśmiał się z absurdalności takiego przypuszczenia. — Nie, to nie wojownicy. Wojownik unurzałby ostrze włóczni we krwi nieprzyjaciół swojego króla. A oni to tylko mali chłopcy. — Szedł, trącając ich po kolei nogą. — Wstawać, dzieciaki ze smarkami pod nosem! — krzyczał.

Podrywali się ze zręcznością akrobatów o ciałach wyćwiczonych do perfekcji przez lata żmudnego treningu. Beszuajo pokręcił z dezaprobatą głową. Odszedł ku szeregowi dziewcząt. Nagle wyskoczył wysoko w powietrze i wylądował miękko jak pantera.

— Wstańcie, moje córki! — zawołał. Dziewczęta wyprostowały się i zakołysały przed nim jak łan ciemnych lilii. — Spójrzcie, jak ich uroda przyćmiewa blask słońca. Czy król może pozwolić, żeby nieodstawione jeszcze od cycka cielaki pokryły jego najlepsze jałówki? — szydził. — Nie, cielaki bowiem nie mają między nogami niczego godnego uwagi. Te wspaniałe krowy potrzebują potężnego byka! Ich łona pragną nasienia wielkich wojowników! — Przemaszerował znowu między rzędami dziewcząt i młodzieńców. — Widok tych cielaków jest mi tak przykry, że odsyłam je stąd! Niechaj nie ważą się nawet spojrzeć na moje jałówki, dopóki nie staną się dorosłymi bykami! Idźcie! — ryknął. — Idźcie i nie wracajcie, dopóki nie unurzacie swoich włóczni we krwi wrogów króla Beszuaja! Idźcie i wróćcie dopiero wtedy, gdy zabijecie nieprzyjaciela i założycie na prawe ramię kitę zwycięzcy. — Przerwał i spojrzał na nich pogardliwie. — Wasz widok jest mi przykry — powtórzył. — Odejdźcie!

— Bayete! — zakrzyknęli jednym głosem młodzieńcy — Bayete! Usłyszeliśmy głos Czarnego Gromu Niebios i wypełnimy jego wolę!

Odeszli ciasną kolumną, perfekcyjnie równym krokiem, wyśpiewując hymn pochwalny dla Beszuaja. Czarny wąż postaci wpełzł na wzniesienie i zniknął po drugiej stronie. Król zajął z powrotem swoje miejsce na rzeźbionym tronie. Twarz wciąż wykrzywiał mu okropny grymas, lecz nie zmieniając miny, powiedział cicho do Jima:

— Widziałeś ich, Somoja? To młode lwy żądne krwi. Jeszcze nigdy podczas moich rządów doroczne obrzezanie nie przyniosło tak wspaniałych owoców. Żaden wróg nie dotrzyma im pola. — Odwrócił się do Louisy. — Widziałaś ich, Welango? W całym moim królestwie nie ma panny, która mogłaby się im oprzeć, prawda?

— To wspaniali młodzi mężczyźni — zgodziła się Louisa.

— Teraz brakuje mi tylko wroga, z którym mogliby walczyć. — Król zrobił jeszcze straszniejszą minę. — Przeszukałem okolicę na dwadzieścia dni marszu w każdym kierunku i nie znalazłem żeru dla moich włóczni.

— Ja jestem twoim bratem — rzekł Jim — i nie mogę pozwolić, byś cierpiał taki niedostatek. Mam wroga i podzielę się nim z tobą, ponieważ ty jesteś moim bratem.

Beszuajo przyglądał mu się przez dłuższą chwilę, a potem ryknął śmiechem tak donośnym, że wszystkie ciężarne żony oraz *induna* także zaczęli się śmiać, naśladując go niewolniczo.

— Pokaż mi swego wroga, Somoja. Pożremy go wspólnie, ty i ja, jak para czarnogrzywych lwów polujących na gazelę.

Trzy dni później wozy ruszyły w drogę powrotną. Towarzyszył im Beszuajo, który intonował wojenne hymny, idąc na czele swych nowych regimentów i zahartowanych w boju *induna*.

Zgodnie z rozkazami Doriana, *Sprite* i *Revenge* rozdzieliły się natychmiast po wejściu do Kanału Mozambickiego. Kumrah popłynął wzdłuż zachodniego wybrzeża Madagaskaru, a Batula trzymał się wschodniego wybrzeża kontynentu afrykańskiego. Zawijali do każdej wioski rybackiej po drodze, aby kupić od wodzów feluki i inne małe łodzie. Płacili paciorkami, zwojami miedzianego drutu, linami i brązowymi gwoździami. Kiedy spotkali się ponownie przy północnym cyplu wyspy, żaglowce wyglądały jak kaczki prowadzące za sobą po wodzie nierówny szereg kacząt. Łodzie w większości były stare i sfatygowane; niektóre trzymały się na powierzchni tylko dzięki nieustannemu wylewaniu wody.

Batula i Kumrah ustawili je w luźnym łańcuchu między kontynentem a wyspą, sami zaś odpłynęli na południe tak daleko, jak to tylko było możliwe, żeby utrzymywać kontakt. W momencie pojawienia się na północnym horyzoncie konwoju Zajna al-Dina mogli otrzymać od rybaków odpowiednie sygnały, nie będąc widzianymi przez wroga. Liczyli na to, że obserwatorzy Zajna, jeśli nawet zauważą czujki, wezmą je za niewinne łodzie rybackie, jakich wiele krążyło po tych wodach.

Dni mijały im powoli, spędzane w bezczynności. Wśród załóg małych łodzi panowało ciągłe niezadowolenie. Ludzie ci nie przywykli bowiem do tak długiego pobytu na morzu i narzekali na swoje obowiązki, niewygodę i nudę. Niektóre łodzie zaczynały się po prostu rozpadać. W końcu szpiegowska sieć tak się przerzedziła, że nawet liczna flota Zajna mogła się prześliznąć niezauważona przez jej oka, szczególnie przy tak rozkołysanym morzu.

W najbardziej newralgicznym punkcie obserwacyjnym Batula ustawił zwinną felukę Tasuza. Łódź dryfowała najdalej na północy, mając w zasięgu wzroku błękitną linię kontynentu. Domyślali się, że Zajn będzie zawijał po drodze do omańskich osad handlowych, które od stuleci znajdowały się przy każdym ujściu rzeki i w każdej lagunie wzdłuż tej części wybrzeża. Mógł tam uzupełniać zapasy żywności i zaopatrywać się w świeżą wodę.

Batulę też irytowała monotonia. Codziennie o pierwszym brzasku wdrapywał się na bociane gniazdo i wśród rozpraszających się ciemności wypatrywał feluki Tasuza. Nie rozczarował się ani razu. Tasuz utrzymywał się wytrwale na pozycji nawet w najgorszą pogodę, gdy inne łodzie musiały szukać schronienia przy brzegu. Chociaż chwilami jego stateczek zdawał się ginąć wśród wysokich, łamiących się fal Prądu Mozambickiego, brudny łaciński żagiel zawsze się w końcu wyłaniał z szarości morza.

Tego ranka wiatr osłabł i wiał zaledwie lekki zefir. Horyzont przesłaniała biaława mgiełka, a od północy maszerowały kanałem długie, rozlane fale. Batula wypatrywał niespokojnie feluki, lecz był zupełnie nieprzygotowany na to, że łaciński żagiel wychynie niczym duch z mgły zaledwie milę przed dziobem *Revenge*.

— Wywiesili błękit! — zakrzyknął podniecony. Długi niebieski proporzec wił się jak latający wąż, uczepiony masztu łodzi. Miał barwę nieba, królewski kolor al-Salila. — To znak, że Tasuz wypatrzył nieprzyjacielską flotę.

Batula zdawał sobie sprawę z niebezpieczeństwa. Mgła rozproszy się wkrótce w promieniach wschodzącego słońca. W jasnym świetle dnia widoczność będzie sięgała aż do horyzontu, a nie wiedzieli przecież, jak daleko za feluką znajduje się konwój Zajna.

Ześliznął się po wantach tak szybko, że szorstkie liny poobcierały mu dłonie. Gdy tylko dotknął stopami pokładu, dał rozkaz zawrócenia statku i skierowania go ku południowi. Feluka popłynęła jego śladem, lecz szybko zmniejszała dystans i w ciągu godziny znalazła się tak blisko, że Tasuz mógł wykrzyczeć swą relację przez tubę.

— Pięć dużych *dhow* wpłynęło do kanału! Za nimi mogą być następne. Nie jestem pewien, ale chyba widziałem na horyzoncie białe punkciki.

— Jak dawno temu widziałeś statki? — zapytał Batula.

— Wczoraj, tuż przed zmierzchem.

— Czy któryś próbował cię zatrzymać?

— W ogóle nie zwrócili na mnie uwagi. Chyba wzięli mnie za rybaka albo kupca. Nie zmieniałem kursu, dopóki zmrok nie ukrył mnie przed ich oczami.

Tasuz zachował się mądrze. Udało mu się wyśliznąć z zasięgu wzroku nieprzyjaciela i bez wzbudzania podejrzeń ostrzec większe jednostki.

— Mgła się podnosi, kapitanie! — zawołał majtek z bocianiego gniazda. W istocie, opary zaczęły się rozrzedzać i rwać na strzępy. Batula wziął lunetę i wspiął się z powrotem na maszt. Ledwie się usadowił, gdy mgła rozwiała się na boki i przebiło się przez nią poranne słońce.

Przeszukał szybko wzrokiem północny horyzont. Za feluką rozciągał się tylko bezmiar błękitu i kanał wydawał się pusty. Madagaskaru na wschodzie nie było widać, a na zachodzie ledwie majaczył zarys wybrzeża Afryki. W jego tle dojrzał górne żagle *Sprite*; szkuner trzymał się na pozycji. Innych statków nie dostrzegł.

— Czyżbyśmy oddalili się od wroga w ciągu nocy? — Poczuł ulgę w sercu, lecz postanowił przyjrzeć się jeszcze raz bardzo uważnie przez lunetę wyraźnej linii horyzontu.

— Ach! — stęknął po chwili. — Tak, tak, to oni. — Dostrzegł białe punkciki, które migały przez chwilę w oku lunety jak skrzydła mew i zaraz znikały. Statki Zajna skrywał horyzont i widać było tylko same czubki ich żagli.

— Tasuz, płyń jak najszybciej do *Sprite*! — krzyknął przez tubę do kapitana feluki. — Daj mu znak! Możesz wystrzelić z działa... — Przerwał i spojrzał ku drugiemu szkunerowi. — Nie! — krzyknął. — Już nie musisz. Kumrah się zorientował. Płynie przed nami.

Kapitan *Sprite* albo też dostrzegł żagle wroga, albo zaalarmowało go zachowanie *Revenge*. Niezależnie od powodu, także zawrócił i płynął na południe pod pełnym ożaglowaniem.

W ciągu dnia siła wiatru wzrastała, aż w końcu *kaskazi* wiał znowu ze swym zwykłym wigorem i siłą, pchając szybko żaglowce w kierunku Zatoki Narodzenia Pańskiego. Na pustym morzu za nimi nie było już ani śladu floty Zajna. Późnym popołudniem Kumrah postawił *Sprite* na zbieżnym kursie i wkrótce oba żaglowce płynęły blisko siebie. Natomiast feluka Tasuza idąca przed nimi niemal zniknęła im z oczu. Jej łaciński żagiel robił się coraz mniejszy, aż w końcu rozpłynął się w szarości zmierzchu. Batula pochylił się nad mapą i ponownie przeanalizował sytuację.

— Przy tym wietrze Tasuz dotrze do Zatoki Narodzenia Pańskiego za siedem dni — mruknął. — My za dziesięć, a Zajn trzy dni po nas. Zdążymy ostrzec al-Salila.

Z ajn al-Din siedział ze skrzyżowanymi nogami na stosie jedwabnych dywaników modlitewnych i poduszek, rozłożonych dla niego na pokładzie statku flagowego. Nad głową miał rozpostarty płócienny baldachim, który osłaniał go od słońca, a także od wiatru i rozbryzgów wody, gdy dziób *Sufi* rozcinał zielone fale. Nazwa flagowego *dhow* nawiązywała do mistycyzmu obecnego w głównym nurcie myśli islamskiej. Była to najwspanialsza jednostka w całej flocie Omanu. Rahmad, kapitan *Sufi*, został wybrany do tego zadania osobiście przez kalifa.

— Wasza Wysokość — skłonił się teraz przed nim — widać już cypel o kształcie wielorybiego grzbietu. Strzeże wejścia do zatoki, w której postawił swoją warownię zdrajca al-Salil.

Zajn pokiwał z zadowoleniem głową i odesłał go. Następnie zwrócił się do siedzącego naprzeciwko sir Guya Courtneya.

— Jeżeli Rahmad doprowadził nas prosto do miejsca przeznaczenia, chociaż od dwudziestu dni nie widzieliśmy lądu, to zaiste doskonale się spisał. Sprawdźmy, czy tak jest rzeczywiście.

Mężczyźni wstali i podeszli do nawietrznej burty. Rahmad i Laleh skłonili się przed nimi z szacunkiem.

— Czy rozpoznajesz ten brzeg? — zapytał kalif Laleha. — Czy to istotnie jest zatoka, w której odkryłeś statki al-Salila?

— Ta sama, wielki panie. Matecznik al-Salila. To właśnie z tego wzniesienia w kształcie wieloryba obserwowałem jego warownię i kotwiczące w lagunie statki.

Rahmad z głębokim ukłonem podał Zajnowi swoją lunetę. Kalif bez trudu balansował ciałem, radząc sobie z przechyłami statku. W ciągu miesięcy na morzu wyćwiczył to doskonale. Przyłożył okular do oka i przyjrzał się odległemu jeszcze wybrzeżu. Po chwili zatrzasnął przyrząd i na jego twarz wypłynął uśmiech.

— Możemy teraz być pewni, że nasze przybycie zasieje lęk w sercu twojego brata — powiedział do sir Guya — zdrajcy i odwiecznego wroga. Nie musieliśmy błądzić po omacku wzdłuż wybrzeża, dzięki czemu nie został ostrzeżony, i zjawimy się przed nim nagle, w wielkiej liczbie i sile. Zapewne czuje już w głębi serca, że wreszcie spotka go zasłużona odpłata za jego zbrodnie.

— Nie zdąży ukryć zagrabionego złota — dorzucił uszczęśliwiony konsul. — Jego statki stoją w lagunie i przy tym wietrze będą tam uwięzione aż do chwili naszego ataku.

— Angielski *efendi* ma rację — potwierdził Rahmad, spoglądając na główny żagiel flagowego *dhow*. — Wiatr wieje stale od wschodu. Dopłyniemy do zatoki jednym halsem; do południa powinniśmy się znaleźć u wylotu przesmyku, który do niej prowadzi.

— Gdzie jest rzeka Umgeni, do której ma wpłynąć basza Koots ze swoim wojskiem?

— Z tej odległości niezbyt dobrze widać, Wasza Wysokość — odrzekł kapitan. — O, tam, trochę na północ od cypla... — Rahmad urwał nagle i zmrużył oczy. — Statek! — pokazał ręką. Zajn al-Din dopiero po dłuższym wpatrywaniu się w zarys lądu dojrzał na jego tle plamkę żagla.

— Co to jest? — zapytał.

— Nie jestem pewien. Zdaje się, że feluka. Jest nieduża, ale z tych bardzo szybkich i zwinnych. Spójrzcie, robi zwrot i ucieka na otwarte morze!

— Czy nie możemy posłać któregoś z naszych statków, żeby ją zatrzymał? — zapytał Zajn.

Rahmad pokręcił z powątpiewaniem głową.

— Wasza Wysokość, żaden z naszych *dhow* nie dogoni tego stateczku, szczególnie że dzieli nas wiele mil morskich. Za godzinę zniknie nam z oczu za horyzontem.

Zajn po chwili namysłu machnął ręką.

— I tak nie może nam zaszkodzić — rzekł. — Czujki na cyplu z pewnością już zaalarmowały wroga, a ta feluka nie stanowi zagrożenia nawet dla najmniejszego z naszych statków. Niech sobie płynie. — Zajn al-Din spojrzał za rufę na swoją flotyllę. — Dajcie znak *muri* Kademowi ibn Abubakerowi — rozkazał.

Konwój był podzielony na dwie części. Kalif objął osobiste dowództwo nad jedną z nich, składającą się z pięciu największych *dhow* wojennych, wyposażonych w potężne baterie dział. Drugą dowodził Kadem.

Od wypłynięcia z Omanu Kadem i Koots przy każdej nadarzającej się okazji przechodzili na pokład *Sufi*, żeby odbyć naradę wojenną. W swych planach brali pod uwagę najdrobniejsze okruchy informacji, jakie udało im się zebrać w portach po drodze. Teraz, przed rozpoczęciem bitwy, Zajn nie musiał już wzywać swych dowódców na kolejną rozmowę, gdyż każdy wiedział dokładnie, co ma robić. Jak większość dobrych planów i ten był bardzo prosty.

Eskadra Zajna miała popłynąć prosto do Zatoki Narodzenia Pańskiego i zaatakować kotwiczące tam szkunery al-Salila. Dysponując przewagą liczebną i ogniową, a także czynnikiem zaskoczenia, powinna dopaść wroga z bliska i szybko go unieszkodliwić. Następnie statki miały skierować całą swoją artylerię przeciwko fortowi. Tymczasem Kadem miał wysadzić piechotę u ujścia rzeki Umgeni, skąd pod dowództwem Kootsa przemaszeruje do fortu i zaatakuje go od tyłu. Wówczas sir Guy zamierzał poprowadzić drugi atak od strony wybrzeża, wspierany przez działa z *dhow*. Konsul chciał dowodzić tymi siłami osobiście, zależało mu bowiem, żeby być obecnym przy otwieraniu skarbca warowni, gdzie złożono jego piętnaście skrzyń ze złotem. Wolał dopilnować, żeby żołnierze niczego nie zrabowali.

W tym planie była tylko jedna niejasność. Zajn al-Din nie miał pewności, czy żaglowce al-Salila rzeczywiście stoją w lagunie. Nie chciał podejmować decyzji pochopnie i jego szpiedzy przez kilka miesięcy zbierali informacje w portach Oceanu Indyjskiego, nawet na Cejlonie, a także na Morzu Czerwonym. Od czasu zagarnięcia przez braci Courtneyów *Arcturusa* nikt nie widział żadnego z ich szkunerów. Zniknęły bez śladu.

— Gdyby znajdowały się na morzu, ktoś musiałby je w końcu zauważyć — rozumował Zajn. — To oczywiste, że się ukrywają w jedynym dostępnym im miejscu, w Zatoce Narodzenia Pańskiego.

Pomimo to wciąż nękały go wątpliwości, dokuczliwe niczym ugryzienie pchły, swędzące gdzieś pod koszulą. Chciał mieć całkowitą pewność.

— Poślijcie po świętego mułłę — rozkazał w końcu. — Niech się pomodli do Boga o wskazówki dla nas, a potem Kadem ibn Abubaker może otrzyma znak.

Mułła Khaliq był mężem świątobliwym, o wielkiej duchowej mocy. Jego modlitwy chroniły Zajna przed nieszczęściem od wielu lat, a jego wiara oświetlała mu drogę do zwycięstwa w najczarniejszych chwilach.

Kadem z kolei miał dar prorokowania, dlatego między innymi kalif tak wysoko go cenił. Wielokrotnie już opierał swoje działania na objawieniach doznawanych przez bratanka.

Cała trójka, kalif, mułła i admirał, modliła się długo w noc w wielkiej kajucie *Sufi*. Twarz Khaliqa promieniała uniesieniem, a jego jedyne oko błyszczało, gdy recytował święte teksty nosowym, melodyjnym głosem.

Słuchając go i intonując odpowiedzi, Kadem ibn Abubaker zapadał w znajomy, podobny do snu trans. Wiedział, że anioł Gabriel, wysłannik Boga, już się zbliża. Przed samym świtem Kadem pogrążył się nagle w głębokim śnie i wówczas anioł się zjawił. Uniósł go na swych białych skrzydłach poza ciało, na wysoki skalisty cypel o kształcie grzbietu wieloryba.

Gabriel pokazał w dół, a w głowie Kadema odbił się dziwnym echem jego głos:

— Spójrz, statki stoją w zatoce!

Pofrunęli ponad lśniącą taflą wody. Na pokładzie największego żaglowca stała wysoka, znajoma postać. Gdy Kadem ją ujrzał, w jego żyłach popłynął jad nienawiści. Al-Salil podniósł gołą głowę i spojrzał na niego; włosy i brodę miał złotorude.

— Zniszczę cię! — krzyknął mu w twarz Kadem i nagle głowa al-Salila stanęła w płomieniach jak pochodnia. Ogień przeskoczył na takielunek i rozprzestrzenił się błyskawicznie, pożerając statki i samotnego mężczyznę. Wody zatoki zagotowały się i uniósł się z nich wielki obłok pary, który przesłonił wizję.

Kadem wychodził z transu w poczuciu wielkiego religijnego uniesienia. Po chwili znalazł się znów w kabinie wraz z oczekującymi znaku Zajnem i Khaliqiem.

— Stryju, widziałem statki — powiedział do kalifa. — Anioł mi je pokazał. Stoją w zatoce i powinniśmy je zniszczyć ogniem.

Zajna al-Dina opuściły wszelkie wątpliwości. Anioł wydał wroga w jego ręce. Kalif spojrzał ponad spienionym morzem ku odległemu cyplowi.

— Al-Salil tam jest — mruknął. — Czuję w powietrzu jego zapach. Czuję w ustach jego smak. Czekałem na tę chwilę przez całe życie.

Peter Peters przetłumaczył jego słowa konsulowi.

— Ja też jestem o tym przekonany — zgodził się sir Guy. — Zanim ten dzień dobiegnie kresu, znów stanę na pokładzie mojego pięknego *Arcturusa*. — Podczas gdy Peters przekładał te słowa, konsula nawiedziła jeszcze jedna, równie znacząca myśl. Odzyska nie tylko statek, lecz także córkę. Chociaż nie była już dziewicą, lecz zbrukaną i pohańbioną dziewką, nie przeszkadzało mu to. Oddech uwiązł mu w krtani na myśl o tym, jak będzie musiał ją ukarać i jakie słodkie nastąpi potem miedzy nimi pojednanie.

Wybaczy jej i wróci ich poprzednia bliskość. Verity znowu będzie go kochała, tak jak on nigdy nie przestał jej kochać.

— Wasza Wysokość, jednostki *muri* Kadema stają w dryfie pod żaglami — zameldował Rahmad.

Zajn al-Din otrząsnął się z zadumy i przeszedł na rufę. Wszystko przebiegało zgodnie z planem. Kadem miał pod swym dowództwem pięć mniejszych bojowych *dhow* oraz piętnaście statków transportowych. Te ostatnie były nieuzbrojone; zostały zarekwirowane kupcom do celów ekspedycji i wiozły żołnierzy oraz konie.

Kadem miał czekać w pobliżu brzegu, aż *dhow* dowodzone przez kalifa wejdą do zatoki i zaatakują fort. Kiedy usłyszy działa, będzie wiedział, że ma wysadzić Kootsa z jego żołnierzami nad rzeką Umgeni. Koots zabezpieczy teren i wówczas podpłyną tam *dhow* z końmi, które też zostaną wyprowadzone na ląd. Kawaleria ruszy w ślad za piechotą i wyłapie wszystkich uciekinierów, którym uda się wydostać ze skazanej na zagładę warowni.

Konie bardzo ucierpiały podczas długiej podróży po sztormowym morzu. Z każdej dziesiątki stracili cztery, a te, które przetrwały, były w opłakanym stanie. Mimo że wierzchowce były wynędzniałe i słabe, musieli na nich rzucić się w pogoń, bo gdyby mieli czekać, aż w pełni dojdą do siebie, potrwałoby to kilka tygodni.

Wielu żołnierzy było w nie lepszej kondycji. Na statkach panował ścisk. Nękała ich choroba morska, dostawali nadpsute jedzenie, a w wodzie do picia pływały zielone glony. Zajn liczył na to, że Koots doprowadzi ich do porządku, gdy tylko zejdą na ląd. Koots potrafiłby zmusić nieboszczyka, żeby wstał z grobu i walczył, dopóki znów nie zostanie zabity, pomyślał z wilczym uśmiechem kalif.

Konwój Zajna popłynął dalej, prosto do wejścia do zatoki. Kiedy podeszli bliżej do piętrzącego się wysoko cypla, dostrzegli spokojniejszy pas wody w miejscu przesmyku. Po jego obu stronach bielił się spieniony przybój, smagany wiejącym od morza wiatrem.

— Już nam nie uciekną — cieszył się kalif. — Jeżeli nawet nas zobaczyli, jest już za późno.

— Tęsknię za widokiem mojego *Arcturusa* — rzekł sir Guy, wpatrując się przed siebie. Verity mogła być na pokładzie. Wyobraził sobie, jak leży na koi, a długie włosy spływają jej na ramiona i białą pierś.

— Czy mogę pójść baksztagiem, Wasza Wysokość? — zapytał z szacunkiem Rahmad.

— Teraz już tak — skinął głową Zajn. — Wytoczyć działa! Wróg już z pewnością nas zobaczył. Będzie czekał na statkach i na obwarowaniach fortu.

Sufi poprowadził konwój bojowych *dhow* środkiem kanału. Kanonierzy czekali przy załadowanych działach. Laleh pełnił funkcję pilota, bo jako jedyny znał trochę ukształtowanie przesmyku. Stał obok sternika i słuchał odczytów marynarza na rufie, sondującego dno. Po lewej wznosił się masyw cypla, po prawej mieli nadbrzeżną dżunglę i mangrowe mokradła. Laleh dostrzegł zakręt kanału i dał rozkaz sternikowi.

Żagle *Sufi* załopotały i znów się wypełniły ze stłumionym łoskotem. Obeszli cypel, prawie nie zmniejszając prędkości. Zajn wpatrywał się przed siebie w napięciu, wydając się węszyć w powietrzu jak myśliwski pies gotowy pognać za zdobyczą. Przed dziobem statku otworzyły się rozległe wewnętrzne wody zatoki. Wojownicze spojrzenie Zajna stopniowo zmieniało się w wyraz kompletnego niedowierzania. Przecież prorocza wizja, w której Kadema prowadził anioł, nie mogła być kłamstwem!

— Nie ma ich! — wyszeptał sir Guy.

Zatoka była pusta. Nie zobaczyli choćby jednej łodzi rybackiej. Panowała złowieszcza cisza.

Konwój pięciu *dhow* sunął jednak dalej. Milę przed nimi wznosiły się ściany fortu. Z ostrokołu patrzyły jednym ciemnym okiem lufy armat. Zajn al-Din zmagał się z ogarniającym go nagle przeczuciem nieuchronnej klęski. Kadem miał przecież wizję, a teraz okazało się, że statki zniknęły. Kalif zamknął oczy i modlił się na głos:

— Wysłuchaj mnie, najświętszy ze wszystkich. Modlę się do ciebie, potężny Gabrielu, odpowiedz mi. — Sir Guy i Rahmad wpatrywali się w niego skonsternowani. — Gdzie są statki?

— W zatoce! — W jego głowie rozległ się dźwięczny głos, w którym pobrzmiewał jednak kpiący, sardoniczny ton. — Statki, które spłoną, są już w zatoce.

Zajn obejrzał się za rufę. Ostatni z pięciu *dhow* wchodził właśnie z przesmyku do laguny.

— Nie jesteś Gabrielem! — zrozumiał kalif. — Jesteś szatanem Iblisem, upadłym aniołem! Okłamałeś nas. — Rahmad patrzył na niego zdumiony. — Pokazałeś nam naszą własną flotę! — krzyknął płaczliwie Zajn. — Zwabiłeś nas w pułapkę! Jesteś Czarnym Aniołem, nie Gabrielem!

— Nie, nie, wielki kalifie! — zaprotestował Rahmad. — Jestem najlojalniejszym z twoich poddanych. Nigdy bym czegoś takiego nie uczynił.

Zajn spojrzał nań zaskoczony. Konsternacja mężczyzny była tak komiczna, że musiał wybuchnąć śmiechem, choć brzmiał on gorzko.

— Nie ty, nieszczęsny durniu — rzekł. — Ktoś o wiele przebieglejszy od ciebie.

Ponad wodami zatoki poniósł się nagle huk wystrzału z działa, przywracając Zajna do rzeczywistości. Z obwarowań wzbił się obłok dymu, a kula poleciała płasko nad wodą, odbiła się rykoszetem i wwierciła w kadłub *Sufi*. Z dolnego pokładu rozległy się wrzaski rannych.

— Zakotwiczyć statki w szeregu i otworzyć ogień — rozkazał Zajn. Świadomość, że rozpoczęła się bitwa, przyniosła mu chwilową ulgę.

Wojenne *dhow* kolejno rzucały kotwice, wykonywały zwrot i po opuszczeniu żagli ustawiały się prawą baterią burtową w stronę fortu. Rozpoczęła się kanonada. Ciężkie kamienne kule wzbijały fontanny ziemi z pochyłości wzgórza albo rozbijały drewniane obwarowania. Natychmiast stało się jasne, że fortyfikacje nie wytrzymają długo tak wściekłego ostrzału. Po każdym trafieniu grube bale pękały i ostrokół stopniowo się rozpadał.

— Wiedziałem, że warownia nie jest nie do zdobycia — rzekł sir Guy, przyglądając się z ponurą satysfakcją skutkom bombardowania — ale te ściany przestaną istnieć jeszcze przed zachodem słońca. Peters, powiedz kalifowi, że muszę natychmiast zebrać moje oddziały, żeby były gotowe do szturmu, gdy tylko powiększymy wyłom.

— Obrona zdrajcy jest zaiste żałosna! — Zajn musiał przekrzykiwać grzmot detonacji. — Tylko dwie armaty odpowiadają nam ogniem.

— Patrzcie! — krzyknął sir Guy. — Trafiliśmy jedną z nich! Obaj mężczyźni skierowali lunety na wybitą w ostrokole wyrwę. Zobaczyli wywróconą do góry nogami lawetę i zwłoki jednego z kanonierów, wiszące na kikucie drewnianego słupa jak połeć mięsa na haku.

— W imię Allaha! — zawołał nagle Rahmad. — Oni uciekają! Zrezygnowali z obrony i wycofują się z fortu.

Bramy warowni otwarły się na oścież i wylał się z nich zdjęty paniką tłum obrońców. Umykali w dżunglę, pozostawiając nieobsadzone platformy działowe na pastwę wroga. Ostatni kanonier opuścił swoje stanowisko i nad fortem zaległa cisza.

— Atakuj natychmiast! — zwrócił się Zajn al-Din do sir Guya. — Płyń ze swoim oddziałem na brzeg i zajmij fort.

Kapitulacja wroga zaskoczyła ich zupełnie. Nie spodziewali się tak marnego oporu. Teraz musieli zmitrężyć trochę czasu, zanim zostaną spuszczone na wodę łodzie wiosłowe i zejdą do nich żołnierze.

Guy Courtney stał przy drabince, wykrzykując rozkazy do żołnierzy, których osobiście wybrał do swego oddziału szturmowego. Byli to twardzi, zaprawieni w bojach ludzie, których niejednokrotnie widział w akcji. Do tego wielu z nich rozumiało trochę angielski, a kilku nawet potrafiło się porozumieć w tym języku.

— Szybciej, nie traćcie czasu! — krzyczał. — Wróg ucieka do dżungli! Wkrótce nie będzie tam czego łupić!

Część rozumiała jego słowa, a pozostałym przełożył je na arabski Peters. Tłumacz wytrzasnął skądś pas ze szpadą i pistoletem, który zapiął na swoich chudych biodrach. Wyglądał groteskowo z pochwą szpady wlokącą się po pokładzie i w zdefasonowanej kurtce.

Kanonada trwała bezustannie. Wielkie kamienne kule rozbijały na drzazgi zrujnowaną palisadę fortu. Ostatni obrońcy zniknęli w lesie i budynki stały puste. Wreszcie łodzie mogły wruszyć. Sir Guy z Petersem wsiedli do największego barkasu.

— Wiosłuj! — krzyknął konsul. — Do plaży!

Rozpaczliwie wyczekiwał chwili, kiedy dobierze się do skarbca braci i odzyska swoje skrzynie ze złotem. Gdy znaleźli się w połowie drogi, działa z *dhow* wstrzymały ogień, żeby nie trafić swoich. Nad zatoką zaległa ciężka cisza, w której łodzie sunęły szybko ku brzegowi. Barkas Guya wylądował pierwszy. Ledwie zaczął szorować dnem po piasku, konsul wyskoczył i pobiegł po płyciźnie, rozchlapując wodę.

— Za mną! — krzyknął. — Ruszać się!

Dzięki informacjom wydobytym od Omara, jeńca pojmanego przez Laleha, potrafiłby narysować z pamięci plan fortu i dokładnie wiedział, dokąd się udać.

Kiedy wdarli się przez otwartą bramę do środka, posłał część ludzi, żeby obsadzili pozostałości ostrokołu, a innym kazał przeszukać wszystkie budynki i sprawdzić, czy nie ukrywa się w nich nieprzyjaciel. Sam pobiegł do magazynu prochu, obrońcy bowiem mogli tam zostawić zapalony lont, żeby wysadzić fort w powietrze.

Czterech towarzyszących mu żołnierzy ciężkimi łomami wyważyło drzwi magazynu. Pomieszczenie było puste. Powinno to stanowić dla Guya ostrzeżenie, on jednak myślał już tylko o złocie. Pobiegł do głównego budynku. Schody prowadzące do podziemnego skarbca ukryte były za paleniskiem w kuchni. Choć wiedział, gdzie ich szukać, wejście skonstruowano tak przemyślnie, że odnalezienie go zabrało mu dobrą chwilę. Wreszcie otworzył drzwi kopniakiem i zszedł kręconymi schodkami na dół. Przez kraty zamontowane w łukowatym sklepieniu wpadało słabe światło. Guy zatrzymał się zdumiony u stóp schodów. Długie, niskie pomieszczenie przed nim wypełniały po sam strop równo ułożone stosy kości słoniowej.

— Niech mnie diabli, Koots miał rację! — zakrzyknął do siebie. — Tu są całe tony tego towaru. Skoro porzucili takie bogactwa, to mam nadzieję, że zostawili też moje złoto.

Omar wytłumaczył mu, w jaki sposób Tom Courtney zamaskował za pomocą kłów słoniowych wejście do wewnętrznego sejfu. Guy nie chciał jednak działać pochopnie. Zaczekał, aż jeden z kapitanów zszedł na dół i przedstawił mu rozwój sytuacji w forcie. Mężczyzna ciężko dyszał, zmęczony i rozgorączkowany, ale na jego ubraniu ani broni nie było śladów krwi.

— Zapytaj go, czy zabezpieczyli fort — polecił Guy Petersowi. Arab znał angielski na tyle, że zrozumiał pytanie.

— Nie ma ich, *efendi* — odpowiedział. — Ani ludzi, ani psów, ani kobiet... nikogo.

— Doskonale. — Guy skinął głową. — Teraz sprowadź tu ze dwudziestu żołnierzy. Niech usuną kość spod prawej ściany tego pomieszczenia.

Wejście do wewnętrznego skarbca zastawiono kilkoma rzędami największych i najcięższych kłów. Wyniesienie ich zajęło ludziom kapitana dwie godziny, a gdy w końcu ukazały się nieduże żelazne drzwi, ich wyłamanie potrwało kolejną godzinę.

Kiedy wyskoczyły wreszcie z zawiasów i runęły na kamienną posadzkę w tumanie kurzu, Guy wszedł do pomieszczenia. Odczekał chwilę, aż kurz nieco opadł, i rozejrzał się po wnętrzu. Przeszyło go uczucie gniewu i rozczarowania, skarbiec był bowiem pusty.

A jednak nie całkiem. Do jednej ze ścian ktoś przybił arkusz pergaminu. Guy rozpoznał natychmiast śmiały, wyrazisty charakter pisma, choć widział go ostatnio przed dwudziestu laty. Zerwał pergamin ze ściany i przebiegł go wzrokiem. Twarz mu pociemniała i wykrzywiła się wściekłością.

KWIT DOSTAWY TOWARU

Ja, niżej podpisany, z wdzięcznością wystawiam niniejsze potwierdzenie odbioru z rąk Guya Courtneya towaru w postaci piętnastu skrzyń złotych sztabek.

Wystawiono z upoważnienia Kompanii Handlowej Braci Courtneyów w Zatoce Narodzenia Pańskiego, 15. dnia listopada Roku Pańskiego 1738.

Thomas Courtney

Guy zmiął pismo w dłoniach i cisnął je o ścianę.

— Niech twoja złodziejska dusza sczeźnie w piekle, Tomie Courtneyu! — syknął, trzęsąc się cały z gniewu. — Śmiesz się ze mnie naigrawać? Kiedy mi za to wszystko zapłacisz, odejdzie ci ochota do żartów!

Wspiął się po schodkach i wybiegł z budynku, w potem wszedł po drabince na platformę za ostrokołem i wyjrzał na zatokę.

Flotylla *dhow* wciąż stała na kotwicy. Ujrzał, że marynarze zaczęli wyładowywać konie. Spuszczali je z burty na wodę, żeby same popłynęły wpław do brzegu. Zebrało się już tam pokaźne stadko, którym zajmowali się stajenni.

Przy relingu *Sufi* stał Zajn al-Din. Guy wiedział, że powinien udać się na pokład i złożyć mu raport, lecz najpierw musiał zapanować nad swoim gniewem i frustracją.

— Ani *Arcturusa* — mruczał do siebie — ani Verity, ani, co najważniejsze, złota. Gdzieś schował to moje złoto, Tomie Courtneyu, ty rozpustny sukinsynu? Nie dość, że się parzyłeś z moją żoną i zostawiłeś mi ją z bękartem, to jeszcze okradłeś mnie z mojej prawowitej własności.

Rozejrzał się po otoczeniu fortu i jego wzrok padł na koleiny wozów, które biegły od otwartej bramy i zaraz za nią się rozwidlały. Jeden ślad prowadził do plaży, drugi w głąb lądu. Omijając połacie lasu i mokradła, wił się jak ranny wąż po zboczu odległego wzniesienia i znikał za nim.

— Wozy! — szepnął Guy. — Piętnaście lakhów złota można wywieźć tylko na wozach. Powiedz ludziom, żeby szli za mną — rzucił Petersowi. Wyprowadził żołnierzy za bramę fortu i zszedł z nimi do miejsca, w którym zgromadzono konie. Stajenni wyładowywali akurat z łodzi siodła i uprząż. — Powiedz im, że potrzebuję dwudziestu koni i że wybiorę teraz ludzi, którzy pojadą ze mną — polecił Petersowi. Przeszedł się pomiędzy żołnierzami, klepiąc w ramię tych, których wybrał. Byli uzbrojeni po zęby, łącznie z dodatkowymi rożkami z prochem. — Niech osiodłają konie.

Kiedy główny koniuszy zrozumiał, że sir Guy zamierza zabrać jego najlepsze wierzchowce, zaczął protestować, krzycząc mu coś prosto w twarz po arabsku. Guy wrzasnął na niego po angielsku i próbował odepchnąć, lecz mężczyzna nie ustępował i szarpał go mocno za ramię, nie przestając krzyczeć.

— Nie mam czasu na dyskusje — oświadczył w końcu Guy, wyszarpnął zza pasa pistolet i odwiódł kurek. Następnie skierował lufę wprost w twarz zaskoczonego Araba i strzelił w jego otwarte usta. Mężczyzna runął na ziemię, a Guy przeskoczył nad jego ciałem i podbiegł do wierzchowca, którego już dla niego osiodłano.

— Na koń! — zawołał. Dwudziestu Arabów wraz z Petersem wskoczyło na siodła.

Ruszyli po śladach wozów, ku wzgórzom i dalej w głąb nieznanego lądu.

— Posłuchaj uważnie, Tomie Courtneyu — powiedział na głos Guy. — Jadę odebrać ci moje złoto. I nikt mnie przed tym nie powstrzyma.

Zajn al-Din obserwował z pokładu *Sufi*, jak sir Guy wkracza na czele swojego oddziału do opuszczonego fortu. Nie dobiegały stamtąd odgłosy walki i nie pojawiali się już nowi uciekinierzy. Kalif oczekiwał z niecierpliwością na raport dotyczący sytuacji wewnątrz warowni. Po godzinie wysłał na brzeg człowieka, żeby się czegoś dowiedział.

— Potężny kalifie — zameldował marynarz po powrocie — angielski *efendi* odkrył, że fort ogołocono z wszelakiego dobra poza wielką ilością kości słoniowej. W piwnicach pod głównym budynkiem jest ukryte wejście. Żołnierze próbują je sforsować, ale drzwi są żelazne i bardzo mocne.

Minęła kolejna godzina. Zajn rozkazał tymczasem przetransportować na brzeg konie. Nagle na palisadzie fortu pojawił się sir Guy. Nawet z tej odległości widać było po jego postawie, że poniósł porażkę. Wtem konsul raptownie się ożywił i po chwili wybiegł z bramy fortu wraz z dużą grupą żołnierzy. Zajn spodziewał się, że Anglik przypłynie, żeby zdać mu relację, lecz jego ludzie zaczęli siodłać konie. Na plaży widać było jakieś poruszenie i rozległ się wystrzał z pistoletu. Zajn ujrzał padające ciało. Ku jego najwyższemu zdumieniu po kilku minutach dwudziestka żołnierzy pod dowództwem sir Guya wskoczyła na siodła i ruszyła z kopyta drogą w głąb lądu.

— Zatrzymać ich! — krzyknął do Rahmada. — Natychmiast wyślij na brzeg posłańca, niech każe tym ludziom zawrócić!

Rahmad przywołał do siebie bosmana, lecz zanim zdążył przekazać mu rozkaz, dezercja sir Guya stała się mało istotna.

Huk armatniego wystrzału zaskoczył wszystkich. Detonacja odbiła się wielokrotnym echem od skał cypla. Zajn odwrócił się raptownie i spojrzał ponad zatoką ku miejscu, z którego uniósł się obłok dymu. Działo strzeliło z ukrycia wśród gęstych zarośli porastających zbocze wzniesienia. Nie mógł go dojrzeć w zielonym gąszczu nawet przez lunetę. Musiało być ukryte bardzo sprytnie, być może w specjalnym wykopie na pochyłości.

Nagle widok w okularze lunety zasłonił mu rozbryzg wody, która chlusnęła wysoką fontanną gdzieś bardzo blisko. Zajn opuścił lunetę i ujrzał, że kula armatnia wpadła do morza tuż przed burtą *Sufi*. Wtem zobaczył dziwne zjawisko. Woda w centrum kręgu fal zaczęła bulgotać i wrzeć jak w czajniku. Z powierzchni uniosły się gęste kłęby pary. Przez chwilę Zajn nie pojmował, co się dzieje, lecz niebawem przeszył go dreszcz zrozumienia.

— Rozżarzone kule! Ci świniożercy strzelają rozżarzonymi pociskami!

Skierował znów lunetę na zbocze, nad którym wciąż wisiał dym po strzale. Teraz, gdy wiedział już, czego szukać, zobaczył słup gorącego powietrza, drżącego jak pustynny miraż. Zajn pojął, co to oznacza.

— Paleniska z węgla drzewnego! — wykrzyknął. — Rahmad, musimy wyprowadzić *dhow* na morze. To straszliwa pułapka. Jeżeli natychmiast nie opuścimy tej zatoki, za godzinę cała nasza flotylla stanie w płomieniach.

Ogień stanowił dla drewnianego statku śmiertelne zagrożenie. Rahmad zaczął wydawać rozkazy, lecz zanim majtkowie zdążyli podnieść kotwicę, z przylądka wystrzelono kolejną rozżarzoną do czerwoności kulę. Za pociskiem ciągnęła się smuga iskier i po chwili spadł na ostatni z zakotwiczonych szeregiem *dhow*. Przebił pokład i wniknął głęboko do wnętrza kadłuba, pryskając po drodze ognistymi językami. Gdy do tlących się desek dotarło powietrze, na statku wybuchło jednocześnie kilkanaście pożarów, które szybko się rozprzestrzeniały.

Na pokładzie *Sufi* rozpętało się pandemonium. Marynarze rzucili się do pomp i kabestanu kotwicy, a jeszcze inni wspinali się na maszty, żeby postawić żagle. Kotwica została wyciągnięta z piaszczystego dna i statek wykonał zwrot w kierunku wyjścia z zatoki. Nagle majtek w bocianim gnieździe zaczął krzyczeć coś bez ładu i składu:

— Pokład! W imię Allaha! To przekleństwo szatana!

Zajn spojrzał w górę i wrzasnął wściekły, przeraźliwie pisklilwym głosem:

— Przestań bredzić, durniu! Mów natychmiast, co widzisz!

Mężczyzna jednak nie przestał bełkotać niezbornie, pokazując wejście do przesmyku.

Wszystkie oczy zwróciły się w tamtą stronę. Wśród marynarzy podniosły się jęki zabobonnego przerażenia.

— Potwór morski! — krzyczeli. — Wielki wąż z głębin, który pożera statki i ludzi!

Majtkowie padali na kolana i modlili się albo tylko patrzyli w niemym przerażeniu na wężowate cielsko, płynące od brzegu kanału na drugą jego stronę. Niekończące się zwoje stwora tworzyły nad wodą falistą linię.

— Chce nas zaatakować! — krzyknął z przerażeniem Rahmad. — Ognia! Zabijcie go!

Kanonierzy przyskoczyli do dział i ze wszystkich *dhow* huknęły strzały. Armaty pluły dymem i płomieniami, a wokół płynącego potwora podnosił się z morza las wysokich rozbryzgów.

W tej nawale ognia niektóre kule dosięgały celu. Słychać było łomot uderzenia, stwór jednak płynął dalej, jakby nie został nawet draśnięty. Głowa dotarła już do przeciwległego brzegu, a długie cielsko rozciągało się przez całą szerokość kanału, kołysząc się na falach i dryfując lekko z nurtem przesmyku. Kule armatnie padały wokół niego niczym grad. Niektóre rykoszetowały na powierzchni wody i leciały dalej.

Zajn odzyskał trzeźwość osądu jako pierwszy. Podbiegł do burty i przyjrzał się potworowi przez lunetę.

— Przerwać ogień! — krzyknął pisklilwie. — Dość tego!

Kanonada stopniowo ustała, a do kalifa zbliżył się Rahmad.

— Co to jest, Wasza Wysokość? — zapytał.

— Wróg przeciągnął zaporę z bali w poprzek kanału. Zamknął nas tutaj jak śledzie w cebrzyku.

W tej chwili od strony cypla nadleciał z głośnym sykiem kolejny ognisty pocisk, sypiąc w powietrzu iskrami. Runął do wody zaledwie kilka stóp za rufą *Sufi*. Zajn rozejrzał się po zatoce. Pierwszy z trafionych statków płonął już na dobre. Ogień dosięgnął właśnie wielkiego łacińskiego żagla i błyskawicznie go pochłaniał. Olbrzymia płachta płótna spadła na pokład i uwięziła pod sobą ludzi, którzy spłonęli jak owady pochwycone przez płomień lampy. Bez żagla statek zaczął dryfować bezradnie łukiem po lagunie, aż w końcu osiadł na przybrzeżnej płyciźnie i przechylił się mocno na bok. Marynarze, którzy ocaleli z pożaru, wyskakiwali w panice za burtę i brnęli przez wodę do plaży.

W stronę *Sufi* nadleciała kolejna rozżarzona żelazna kula. Minęła o kilka stóp jego główny maszt i uderzyła w *dhow*, który płynął za nim. Wybiła dziurę w pokładzie i drewno natychmiast zajęło się wysokim płomieniem. Załoga już pracowała przy pompach, lecz kierowane w ogień strumienie wody nie osłabiały jego siły. Pożar się rozprzestrzeniał.

— Podpłyń bliżej. Chcę wydać polecenie kapitanowi — rozkazał Zajn Rahmadowi. Kiedy zrównali się z płonącym *dhow*, kalif zawołał przez tubę:

— Twój statek i tak już przepadł! Skieruj go na zaporę. Użyj go jako taranu i oczyść nam drogę.

— Wedle rozkazu, Wasza Wysokość. — Kapitan podbiegł do steru i odsunął sternika. Trzy pozostałe statki zredukowały żagle, żeby mógł wysforować się naprzód. *Dhow* sunął prosto na sznur zagradzających przesmyk grubych bali, połączonych ciężką liną okrętową. Za płonącym kadłubem ciągnął się warkocz płomieni i dymu.

Kiedy uderzył w zaporę i wepchnął ją pod wodę, marynarze na *Sufi* wydali okrzyk radości. Statek przechylił się na burtę. Górne drzewce masztu odłamało się i płonący żagiel opadł na pokład, wybrzuszony jak balon. *Dhow* zatrzymał się w miejscu i chociaż żagle i olinowanie miał w strzępach, powoli się cofnął i wyprostował. Zapora z bali wypłynęła z powrotem na powierzchnię, zupełnie nienaruszona. Oparła się szarży żaglowca, który obracał się teraz bezwolnie, zupełnie straciwszy sterowność.

— Jest śmiertelnie ranny pod linią wodną — powiedział cicho Rahmad. — Spójrzcie, dziób już się zanurza. Zapora wypruła mu flaki. Jeżeli nie zatonie, ogień i tak strawi kadłub aż do linii wodnej.

Załodze skazanego na zagładę statku udało się spuścić na wodę dwie łodzie. Marynarze zeszli do nich i powiosłowali do brzegu. Zajn spojrzał na swoją flotyllę. W płomieniach stał już kolejny *dhow*. Popłynął do plaży i wbił się w piasek z płonącym ożaglowaniem, jak wielki stos pogrzebowy. Po kilku minutach został trafiony następny. Buchnęły z niego wysoko kłęby czarnego dymu. Marynarze uciekali przed ogniem na dziób, lecz kilku oślepionych dymem upadło na pokład i dosięgły ich płomienie. Pozostali zaczęli wyskakiwać za burtę. Niektórzy popłynęli do plaży, lecz większość nie umiała pływać i po chwili zniknęła pod wodą.

Wśród oficerów zebranych wokół Zajna podniosły się okrzyki przerażenia. Wszyscy patrzyli w stronę wysokiego przylądka. Nadlatywała stamtąd łukiem kolejna ognista kula, ciągnąc za sobą iskrzący ogon jak kometa. Tym razem musiała trafić w ich statek.

O dgłosy detonacji odbiły się echem od skał przylądka i poniosły ponad wodą do miejsca, gdzie milę od brzegu, naprzeciw ujścia rzeki Umgeni, dryfowała flota Kadema ibn Abubakera.

— Kalif rozpoczął atak na fort! Doskonale. Teraz musimy wyładować na brzeg twoje oddziały — zwrócił się Kadem do Kootsa. — Ustawić statek z wiatrem! — rzucił rozkaz sternikowi. *Dhow* obrócił się posłusznie, pchany wielkim łacińskim żaglem, i skierował się ku plaży. Reszta konwoju podążyła za nim.

Transportowce holowały za sobą barkasy, w których siedzieli już żołnierze z bronią. Kolejni czekali na pokładach statków na swoją kolejkę, gotowi wsiąść do łodzi, gdy wrócą puste z plaży.

Wpłynęli w rozlewisko żółtobrązowej wody, niesionej przez rzekę i zanieczyszczającej morski błękit na wiele mil wzdłuż lądu. Kadem i Koots obserwowali wybrzeże przez lunety.

— Pusto — stwierdził Koots.

— Nie ma powodu, żeby było inaczej — odparł Kadem. — Nie napotkasz oporu aż do samego fortu. Według Laleha wróg wycelował wszystkie działa na zatokę, żeby strzegły wejścia do przesmyku. Zupełnie nie jest przygotowany do obrony od strony lądu.

— Jeden szybki szturm, podczas gdy Courtneyowie będą zajęci odpieraniem ataku naszych statków, i znajdziemy się w środku — podsumował Koots.

— *Inszallah!* — zawołał Kadem. — Ale ruszajcie jak najszybciej. Kalif, mój stryj, już rozpoczął ostrzał. Twoi ludzie powinni okrążyć fort, zanim nieprzyjaciel zacznie uciekać z naszymi łupami.

Załoga opuściła żagle i za burtę wyrzucono kotwicę. *Dhow* osiadł spokojnie na długich falach biegnących ku plaży, w odległości kabla przed pierwszą linią przyboju.

— A teraz, mój stary towarzyszu broni, czas nam się rozdzielić — rzekł Kadem. — Pamiętaj jednak o tym, co mi obiecałeś, jeżeli uda ci się pochwycić al-Salila i jego szczeniaka.

— Nie zapomnę na pewno — odrzekł Holender z uśmiechem kobry. — Chcesz ich mieć dla siebie. Przysięgam, że jeśli tylko będzie to w mojej mocy, zostaną wydani w twoje ręce. Ja chciałbym jedynie dopaść Jima Courtneya i tę jego ładniutką dziewkę.

— Idź z Bogiem!

Kadem przyglądał się, jak Koots schodzi do zatłoczonego barkasu i odpływa do brzegu. Podążał za nim rój mniejszych łodzi. Kiedy znalazły się przy ujściu rzeki, fale przeniosły je ponad piaszczystą łachą utworzoną przez nurt. Wpłynąwszy na osłonięte wody, łodzie skierowały się do brzegu. Z każdej wyskoczyła dwudziestka żołnierzy, którzy pobrnęli ku plaży zanurzeni po pas, trzymając wysoko nad głowami broń i worki.

Ponad linią przypływu pogrupowali się w plutony i usiedli w szeregach na piasku, czekając cierpliwie. Puste łodzie wróciły do zakotwiczonych *dhow*; wioślarze mocno się napracowali, żeby je przeprowadzić przez linię fal przy ujściu. Podpłynęły do transportowców i zabrały na brzeg następną partię żołnierzy. Krążyły tak pomiędzy lądem i statkami, aż na plaży zaczęło się robić tłoczno. Nikt jednak nie zapuszczał się jeszcze w gęstwinę dżungli.

Obserwujący to przez lunetę Kadem zaczął się niepokoić. Co ten Koots wyprawia? — zastanawiał się. Z każdą minutą maleją jego szanse na wyłapanie uciekinierów z fortu.

Nagle odwrócił głowę i nadstawił ucha. Odgłosy kanonady ustały i w okolicy zatoki zapanowała cisza. Co się stało z atakiem kalifa? Niemożliwe, żeby zdołał tak szybko opanować fort, myślał Kadem. Przyjrzał się znowu plaży. Koots powinien natychmiast wyruszyć. Nie ma już chwili do stracenia.

P o zejściu na ląd Herminius Koots mógł lepiej przyjrzeć się terenowi, którym przyjdzie mu maszerować w drodze do fortu. Poczuł się nieprzyjemnie zaskoczony. Wysłał w busz kilka grup zwiadowców, żeby znaleźli najłatwiejsze przejście, lecz ludzie ci długo nie wracali. Koots wyczekiwał ich na skraju dżungli, uderzając gniewnie zaciśniętą pięścią w otwartą dłoń. Zdawał sobie sprawę równie dobrze jak Kadem, jak ryzykowne było zaprzepaszczenie przewagi szybkiego ataku, lecz z drugiej strony nie odważył się zapuszczać w niezbadany gąszcz.

Może byłoby lepiej pójść plażą? Spojrzał wzdłuż brunatnego piaszczystego pasa, a potem na własne stopy. Stał po kostki w piachu. Już przejście kilku kroków po takim terenie wymagało wysiłku. Nie wytrzymaliby tego nawet najtwardsi z jego ludzi, szczególnie że byli obciążeni ekwipunkiem.

Godzina po odpływie, oszacował. Niedługo zacznie się przypływ i zaleje plażę. Będzie trzeba się wycofać wyżej, do buszu.

Kiedy tak rozmyślał, zielony gąszcz przed nim rozchylił się i na plażę wyszła drużyna zwiadowców.

— Gdzie tak długo byliście!? — ryknął. — Znaleźliście drogę?

— Jest, ale bardzo kiepska przez pierwsze trzysta jardów — odpowiedział dowódca. — Prowadzi przez bagno. Jednego z moich ludzi pochwycił krokodyl; próbowaliśmy go uratować.

— Ty idioto! — Koots uderzył go w bok głowy płazem pochwy ze szpadą. Mężczyzna padł na kolana. — To na coś takiego zmarnowałeś tyle czasu? Na ratowanie jakiegoś głupiego sukinsyna, równie zbędnego jak ty sam? Trzeba było go zostawić krokodylom. Co jest z przejściem?

Arab wstał, chwiejąc się lekko i trzymając za obolały policzek.

— Nie obawiaj się, *efendi* — wymamrotał. — Za bagnem zaczyna się sucha ścieżka, która biegnie ku południowi. Jest bardzo wąska, najwyżej na trzech ludzi.

— Wróg się nie pojawił?

— Nie, *efendi*. Ale jest mnogość dzikich zwierząt.

— Prowadź natychmiast do tej ścieżki albo ty też wylądujesz w paszczy krokodyla.

Moglibyśmy ich teraz zaatakować — rzekł król Beszuajo, błyskając dziko białkami oczu. — Zmietlibyśmy ich jedną szarżą z powrotem do morza, skąd przybyli.

— Nie, wielki królu, nasz cel jest inny. Na brzeg wyjdzie jeszcze wielu nieprzyjaciół, a my chcemy dostać wszystkich — tłumaczył mu rozsądnie Jim. — Po co zabijać tylko niektórych, skoro można poczekać i wybić ich co do jednego?

Beszuajo roześmiał się i potrząsnął głową, aż zabrzęczały kolczyki, które dostał od Louisy.

— Masz rację, Somoja. Wielu z moich młodych wojowników

ubiega się o prawo do ożenku i nie chcę ich pozbawić tego zaszczytu.

Znajdowali się na wzgórzu w głębi wybrzeża, skąd mieli doskonały widok na morze i ujście rzeki. Widzieli, jak nadciąga flota Zajna al-Dina i jak rozdziela się na dwie części. Pięć największych *dhow* popłynęło w stronę zatoki. Dobiegały stamtąd odgłosy kanonady, a nad okolicą unosiły się kłęby dymu. Rozpoczęcie przez Zajna ostrzału fortu stanowiło znak dla drugiej, większej flotylli, która natychmiast podpłynęła w pobliże ujścia rzeki Umgeni. Jim czekał, aż statki zakotwiczą niedaleko wybrzeża. Patrzył, jak łodzie przewożą na ląd oddziały wojska i zawracają po następne.

— Oto jest mięso, które ci obiecałem, potężny czarny lwie — zwrócił się do króla.

— A więc udajmy się na ucztę, Somoja, bo w brzuchu mi burczy z głodu.

Kolejne *impi*, oddziały młodych wojowników, zaczęły zbiegać na płaski pas nadmorskiego lądu. Bezgłośnie, niczym stado panter, zajmowali wyznaczone pozycje. Jim i Beszuajo biegli na czele, by usadowić się w odpowiednim punkcie obserwacyjnym. Poprzedniego dnia wybrali do tego celu drzewo dzikiej figi. Było wysokie. Jego poskręcane korzenie powietrzne i gałęzie tworzyły naturalną drabinę, po której mogli się łatwo wspiąć, a gęste listowie i wyrastające wprost z pnia kiście żółtych owoców dawały skuteczną osłonę. Ze swego stanowiska w rozwidleniu konarów obaj dowódcy mieli doskonały widok na całą plażę na południe od ujścia rzeki.

Jim przystawił do oka lunetę i nagle wykrzyknął zaskoczony:

— Słodki Jezu, toż to Koots we własnej osobie, chociaż ubrany jak muzułmański dostojnik! Poznałbym tę kanalię wszędzie, choćby nie wiem za kogo się przebrał.

Powiedział to po angielsku i Beszuajo się skrzywił.

— Nie rozumiem, co mówisz, Somoja — fuknął na Jima. — Skoro już cię nauczyłem mówić językiem niebios, nie ma powodu, żebyś szwargotał jak małpa w tej twojej dziwnej mowie.

— Czy widzisz na brzegu mężczyznę z jaskrawą opaską na głowie? — zapytał Jim. — Stoi najbliżej nas. O, teraz uderzył kogoś w twarz!

— Widzę go — odparł król. — Kiepski cios, ten człowiek znów staje na nogi. Kto to, Somoja?

— Nazywa się Koots. To mój śmiertelny wróg.

— A więc zostawię go tobie — obiecał Beszuajo.

— Oho, chyba już przewieźli całe wojsko na brzeg i Koots zdecydował się wymaszerować — spostrzegł Jim.

Poprzez huk przyboju, załamującego się na piaszczystej ławicy, słyszeli, jak arabscy kapitanowie wykrzykują rozkazy. Żołnierze podnieśli się z ziemi wraz z bronią i ekwipunkiem i uformowali kolumny marszowe, które ruszyły w busz. Jim usiłował ich policzyć, ale dokładnie się nie dało. Ponad dwie setki, oszacował.

Beszuajo gwizdnął i wspięło się do niego na drzewo dwóch *induna*. Mieli na głowach opaski oznaczające wysoką rangę, ich krótkie bródki przyprószyła już siwizna, a obnażone piersi i ramiona nosiły ślady wielu bitew. Król wydał im szybko całą serię rozkazów.

— *Yehbo, Nkosi Nkulu*. Tak, wielki królu — odpowiadali.

— Wysłuchaliście mnie — rzekł Beszuajo. — Teraz zróbcie, co powiedziałem.

Obaj mężczyźni zsunęli się po pniu dzikiej figi i zniknęli w gąszczu. Po kilku minutach Jim dostrzegł w zaroślach w dole nieznaczne poruszenie, gdy wojownicy skradali się naprzód. Byli rzadko rozstawieni i choć miał widok z góry, tylko czasami mignęła mu wśród liści lśniąca czarna skóra albo refleks na nagiej stali. Zbliżali się z obu stron do maszerujących omańskich oddziałów.

Niemal pod samym drzewem przeszedł właśnie oddział Turków w miskowatych hełmach. Byli tak skupieni na odnajdowaniu drogi przez busz, że żaden nawet nie spojrzał w górę. Nagle rozległo się postękiwanie, trzask łamanych gałęzi i chlupot błocka. Spłoszone stadko bawołów wyskoczyło z bagna i popędziło przed siebie zwartą masą czarnych ubłoconych cielsk i zakrzywionych rogów, wyrąbując sobie ścieżkę poprzez dżunglę. Rozległ się krzyk i jeden z Turków, przebity rogiem prowadzącego bawołu, został wyrzucony w powietrze. Po chwili zwierzęta zniknęły w zaroślach.

Przy rannym mężczyźnie zebrało się kilku jego towarzyszy, lecz zaraz popędzili ich kapitanowie. Zostawili go więc tam, gdzie leżał, i poszli dalej. Pierwsze plutony zniknęły już w dżungli, a ostatnie dopiero zbierały się do opuszczenia plaży.

Kiedy już weszli w busz, każdy z żołnierzy mógł widzieć jedynie plecy idącego przed sobą, więc brnęli na ślepo jeden za drugim; wielu wpadało w błotniste zagłębienia. Mieli kłopoty z utrzymaniem właściwego kierunku, zmuszeni przedzierać się przez skupiska gęstych kolczastych krzaków. Znad pokrytych zielonymi algami kałuż, parujących w upale, unosiły się roje owadów. Turcy pocili się pod stalowymi kolczugami. Ich brązowe hełmy rzucały odblaski słonecznego światła. Oficerowie musieli krzyczeć, żeby się jakoś porozumieć; zaniechali już wszelkich prób przekradania się w ciszy.

Dla wojowników Beszuaja był to z kolei teren, w którym zwykli polować i walczyć, więc czuli się tu doskonale, zupełnie niewidzialni dla maszerujących ludzi Kootsa. Podążali za nimi jak cienie. *Induna* porozumiewali się bez słów. Prowadzili *impi* do boju, naśladując głosy ptaków i żab drzewnych. Brzmiały one w tym otoczeniu całkiem naturalnie i nikt nie domyśliłby się, że wydobywają się z ludzkich krtani.

Beszuajo uważnie nasłuchiwał tych odgłosów. Przekrzywiał głowę to w jedną, to w drugą stronę i doskonale rozumiał ich znaczenie.

— Już czas, Somoja — powiedział w końcu.

Odrzucił w górę głowę i nabrał powietrza, wydymając beczkowatą pierś, a potem wraz z mocnym wydechem wydał wysoki, śpiewny okrzyk rybołowa. Niemal natychmiast odpowiedziało mu z gąszczu kilkanaście podobnych odgłosów, dobiegających z oddali i całkiem z bliska. *Induna* potwierdzali przyjęcie rozkazu do ataku.

— Chodź, Somoja — ponaglił Jima. — Pośpieszmy się, bo nas ominie najlepsza zabawa.

Kiedy Jim zeskoczył na ziemię, zastał pod drzewem czekającego nań Bakkata. Buszmen powitał go szerokim uśmiechem.

— Słyszałem okrzyk rybołowa — rzekł. — Mamy pracę do wykonania, Somoja.

Wręczył swemu panu pas ze szpadą, a Jim zapiął go na sobie i wsunął parę dwulufowych pistoletów w skórzane pętle. Beszuajo zniknął już, niczym czarny duch, w najbliższej kępie trzcin.

— Koots tu jest — poinformował tropiciela Jim. — Dowodzi wojskiem wroga. Znajdź go dla mnie, Bakkat.

— Na pewno idzie na czele swoich żołnierzy — odparł Buszmen. — Musimy obejść teren głównej bitwy, żeby nas nie pochłonęła jak ruchome piaski słonia.

Dżungla wokół nich rozbrzmiała nagle zwielokrotnionym echem odgłosów walki. Mieszały się ze sobą wystrzały z pistoletów i muszkietów, dudnienie *assegai* i *kerrie* o skórzane tarcze, chlupot rozbryzgiwanego błota i trzask gałęzi, gdy przez zarośla przedzierali się atakujący. Na wojenny zaśpiew ludzi Beszuaja odpowiedziały okrzyki po arabsku i turecku.

Bakkat ruszył biegiem, unikając zamętu bitwy i kierując się ku rzece, żeby wyprzedzić omańskie oddziały. Jim pędził co tchu, ledwie za nim nadążając. Raz czy dwa stracił go z oczu w gęstwinie, lecz Bakkat przyzywał go cichym gwizdem.

Dotarli do suchej grobli po drugiej stronie bagna. Buszmen odszukał ścieżkę zwierzyny i ruszyli nią dalej. Po kilkuset krokach przystanęli, nasłuchując. Jim dyszał jak zziajany pies, a jego koszula pociemniała od potu i oblepiła mu tors jak druga skóra. Bitwa toczyła się tak blisko, że mogli w ogólnym zgiełku wyłowić znajome odgłosy śmierci — trzask czaszki rozpłatanej ciosem *kerrie*, stęknięcie, kiedy włócznia trafiła w cel, świst klingi bułata przecinającej powietrze, głuchy łomot padającego ciała, chrapliwe jęki rannych i konających.

Bakkat spojrzał na Jima i pokazał mu gestem, żeby ruszali, ten jednak powstrzymał tropiciela uniesieniem dłoni i zadarł głowę, nasłuchując. Jego oddech powoli się uspokajał. Poluźnił wiązania pistoletów i wyciągnął szpadę.

Nagle z pobliskiego gąszczu poniósł się donośny głos.

— Chodźcie, moi synowie! — Beszuajo ryczał jak szarżujący bawół. — Chodźcie, dzieci niebios! Pożryjmy ich żywcem!

Jim uśmiechnął się. Po tych krzykach padły słowa wypowiedziane nieczystą arabszczyzną:

— Spokojnie! Wstrzymać ogień! Niech podejdą bliżej!

— To on — Jim skinął na Bakkata. — Koots!

Opuścili ścieżkę i zanurzyli się w zielonej gęstwinie. Jim przedarł się przez cierniste zarośla i ujrzał przed sobą polanę porośniętą jasnozielonymi bagiennymi trawami. Na środku mokradła znajdowała się wysepka o średnicy nie większej niż dwadzieścia kroków. Na tej ostatniej reducie Koots bronił się z garstką żołnierzy, Arabów w zabłoconych szatach i Turków w zbryzganych czarnym szlamem półzbrojach. Tworzyli dwa nierówne szeregi, jedni klęcząc, inni stojąc z muszkietami przy ramieniu. Koots chodził za drugą linią z muszkietem w opuszczonej ręce. Głowę miał obwiązaną zakrwawioną szmatą, lecz szczerzył się niczym trupia czaszka w straszliwym uśmiechu, błyskając zaciśniętymi zębami.

Po drugiej stronie wąskiego pasa mokradeł szykowała się do boju horda wojowników, z samym Wielkim Bykiem na czele. Król zadarł głowę i ryknął po raz ostatni:

— Za mną, moje dzieci! Tędy prowadzi droga do chwały!

Skoczył w bagno, pokryte gęstymi skupiskami cuchnących zielonych glonów. Wojownicy pobiegli za nim, a spod ich stóp brynęły fontanny błota.

— Spokojnie! — krzyknął Koots. — Jeszcze nie strzelać!

Beszuajo pędził naprzód, nie zwalniając kroku, szarżując na wycelowane muszkiety niczym rozjuszony byk.

— To szaleństwo! — jęknął Jim. — Przecież zna siłę broni palnej!

— Czekać! — zawołał niegłośno Koots. — Czekać na rozkaz!

Holender obrał sobie za cel króla i mierzył prosto w jego pierś. Jim nie wytrzymał i wyszarpnął jeden z pistoletów, po czym strzelił do niego z biodra, nie celując. Był to daremny trud. Koots nawet się nie uchylił, gdy kula świsnęła mu tuż koło głowy.

— Ognia! — wrzasnął.

Huknęła salwa i Jim dostrzegł poprzez zasłonę dymu, że czterech wojowników pada; dwóch zostało zabitych, a dwaj inni zwijali się w błocie w śmiertelnych konwulsjach. Pozostali przeskakiwali nad nimi i biegli dalej. Jim rozpaczliwie wypatrywał króla i po chwili dojrzał go poprzez rzednący dym. Beszuajo biegł na czele swych ludzi, nawet niedraśnięty, wykrzykując buńczucznie:

— Ja jestem Czarna Śmierć! Patrzcie na mnie i poznajcie, co to strach!

Rzucił się na pierwszy szereg Arabów i znokautował dwóch uderzeniem tarczy, a potem nachylił się i zadźgał ich kolejno tak szybko, że ostrze jego noża migało w oczach. Gdy je wyciągał po każdym ciosie, stal spływała purpurową strugą krwi.

Koots odrzucił muszkiet po strzale i odwrócił się. Przeszedł przez wysepkę długim krokiem i ruszył przez mokradło w stronę, gdzie stał Jim. Ten ostatni rozgarnął zarośla i wyszedł z obnażoną szpadą na skraj bagnistej łąki. Koots poznał go i zatrzymał się w pół kroku. Błoto sięgało mu do kostek.

— Szczeniak Courtneyów! — zakrzyknął, wciąż szczerząc się w dzikim uśmiechu. — Długo czekałem na tę chwilę. Keyser chętnie sypnie złotem za twoją głowę.

— Będziesz musiał najpierw ją zdobyć — odparł Jim.

— A gdzie ta twoja blond dziwka, co? Dla niej także coś mam. — Koots złapał się za krocze i potrząsnął nim lubieżnie.

— Zaraz ci to odetnę i zaniosę jej — obiecał mu Jim.

Koots obejrzał się za siebie. Wszyscy jego ludzie byli już martwi. Wojownicy patroszyli ich zwłoki cięciami *assegai*, żeby dusze zmarłych mogły się wydostać z ciał. W ten sposób oddawali ostatni hołd przeciwnikowi, który godnie walczył. Niektórzy jednak puścili się w pogoń za Kootsem i brnęli w jego stronę przez bagno.

Holender już się dłużej nie wahał. Natarł na Jima, wyciągając wysoko nogi z błocka. Wpatrywał się w jego twarz wyblakłymi oczyma, żeby odczytać zamiary przeciwnika. Pierwszy sztych wykonał bez ostrzeżenia prosto w gardło. Jim sparował lekko, tylko na tyle, żeby czubek szpady zboczył z linii ciosu i przeleciał mu nad ramieniem. Kiedy Holender był wyciągnięty w przód, Jim zadał pchnięcie; stal zazgrzytała o stal i zrozumiał, że trafił. Klinga rozcięła ubranie i ciało i zatrzymała się na kości.

— Liefde tot God! — Uśmiech Kootsa zamienił się w wyraz niedowierzania. Na jego zachlapanej błotem koszuli wykwitła krwawa plama. — Szczeniak stał się dorosłym psem!

Zaskoczenie ustąpiło miejsca złości i natarł ponownie. Szpady dzwoniły i zgrzytały; Koots próbował zepchnąć Jima do tyłu, żeby móc stanąć na twardym podłożu. Jim jednak nie ustępował i zmuszał go do pozostania w miękkim błocku. Buty Holendra grzęzły, co znacznie ograniczało mu swobodę ruchów.

— Nadchodzę, Somoja! — krzyknął Beszuajo, nadbiegając przez wąski pas bagniska.

— Nie będę jadł z twojej ręki! — odkrzyknął młodzieniec. — Zostaw ten smaczny kąsek dla mnie!

Beszuajo zatrzymał się w pół kroku i podniósł ramię, żeby pohamować swoich ludzi, pędzących hurmą za nim.

— Somoja jest głodny! — zawołał do nich. — Niech się pożywi w spokoju. — Wybuchnął dzikim śmiechem.

Koots cofnął się o krok, próbując wciągnąć Jima w bagnisko. Ten tylko się uśmiechnął, patrząc wprost w blade oczy i pogardliwym ruchem głowy odrzucił zaproszenie. Koots zaszedł go z lewej, a kiedy Jim odwrócił się w tę stronę, natychmiast próbował zaatakować z drugiej. Jednak poruszał się zbyt wolno w błocie i Jim znów go trafił, rozcinając bok. Wojownicy wznieśli okrzyk triumfu.

— Krwawisz zaiste jak wielka świnia, którą przecież jesteś — rzucił kpiąco Jim. Po nodze Kootsa ściekała krew i wsiąkała w czarny szlam. Zerknął na to z zaciętą twarzą. Obydwie rany były płytkie i niegroźne, lecz upływ krwi mógł znacznie go osłabić. Jim zaatakował z wypadu.

Koots odskoczył i poczuł w nogach słabość. Wiedział, że musi szybko coś postanowić. Spojrzał na swego przeciwnika i ogarnął go lęk, uczucie, którego prawie nie znał. To już nie był wyrostek, którego ścigał przez pół Afryki. Miał przed sobą mężczyznę, wysokiego i barczystego, zahartowanego w bojach.

Holender znalazł w sobie dość odwagi i sił, żeby ruszyć na Jima, usiłując zmusić go do defensywy samą swoją masą i siłą natarcia. Jim jednak dotrzymał mu pola. Zdawało się, że rozdziela ich tylko migotliwa bariera śmigającej w powietrzu stali. Brzęk i zgrzyt metalu narastał do straszliwego crescendo. Wojownicy króla patrzyli jak urzeczeni na tę nieznaną im formę walki. Rozumieli jednak, jakiej wymagała zręczności i siły. Pokrzykiwali, dopingując walczących, łomotali *assegai* o tarcze, tańczyli i kołysali się podekscytowani.

Walka nie mogła trwać w nieskończoność. Wodniste oczy Kootsa zasnuły się mgiełką rozpaczy. Strużki potu rozcieńczały cieknącą z ran krew. Czuł, jak słabnie mu nadgarstek i drętwieją mięśnie, gdy usiłował ostatkiem sił nacierać na przeciwnika. Jim zablokował jego kolejny rozpaczliwy sztych na naturalnej linii ataku. Klingi obu szermierzy zwarły się ze sobą tuż przed ich oczami. Wpatrywali się w siebie poprzez srebrzysty krzyż stworzony z drżącej stali. Tkwili w miejscu nieruchomo, niczym wyrzeźbiony w marmurze posąg. Wojownicy wyczuli dramatyzm tej chwili i zupełnie zamilkli.

Obaj przeciwnicy wiedzieli dobrze, że ten, który pierwszy będzie chciał się wyłamać ze zwarcia, narazi się na śmiertelny cios. Nagle Jim poczuł, że Koots próbuje. Przemieścił stopy i pchnięciem obu ramion chciał odrzucić go w tył i odskoczyć. Jim jednak był na to przygotowany i kiedy tamten puścił, skoczył naprzód jak atakująca żmija. Oczy Holendra otworzyły się szeroko, były już jednak bezbarwne i niewidzące. Szpada wypadła mu z rozwartej dłoni i wbiła się w błoto.

Jim stał z zablokowanym przegubem; czubek jego broni tkwił głęboko w piersi przeciwnika. Poczuł, jak klinga pulsuje mu lekko w dłoni i w pierwszej chwili myślał, że to jego własne tętno. Zaraz jednak zrozumiał, że to ostatnie uderzenia serca Kootsa poruszały śmiercionośnym ostrzem.

Na twarzy Holendra malowało się zdumienie. Otworzył usta, jakby chciał coś powiedzieć, i zaraz je zamknął. Kolana ugięły się pod nim powoli, a padając, zsunął się z klingi Jima i runął twarzą w błoto. Wojownicy wydali triumfalny ryk, niczym stado lwów, które dopadło zdobyczy.

K ilka tygodni wcześniej trzy żaglowce, *Revenge*, *Sprite* i *Arcturus*, opuściły Zatokę Narodzenia Pańskiego wraz z porannym odpływem. Feluka Tasuza pozostała w miejscu, z którego mogła sygnalizować pojawienie się floty Zajna, a duże jednostki zaczaiły się w zasadzce daleko za wschodnim horyzontem. Zaczęły płynąć dni niekończącego się, monotonnego oczekiwania i niepewności. Patrolowali w tę i z powrotem skraj szelfu kontynentalnego, wypatrując sygnału wzywającego do walki.

Ruby Cornish na *Arcturusie* co dzień w południe dokonywał pomiaru pozycji, natomiast Batula na *Revenge* i Kumrah na *Sprite* polegali w tej mierze na własnej intuicji, równie precyzyjnej jak przyrządy nawigacyjne.

Mansur całymi godzinami przesiadywał w bocianim gnieździe *Arcturusa*, przepatrując horyzont przez lunetę, aż prawe oko nabiegło mu krwią od wysiłku i rażących refleksów słońca na wodzie. Wieczorami, po wczesnej kolacji z Cornishem, szedł do kajuty Verity, gdzie siedział do późna przy jej biurku. W czasie pożegnania w Zatoce Narodzenia Pańskiego dziewczyna wręczyła mu klucz do szuflad.

— Nikomu jeszcze nie pokazywałam moich dzienników — powiedziała. — Pisałam je po arabsku, żeby ojciec ani matka nie mogli ich przeczytać. Trzeba ci wiedzieć, kochanie ty moje, że nigdy żadnemu z nich zbytnio nie ufałam — dodała ze śmiechem. — Ty poznasz te zapiski pierwszy. W ten sposób podzielę się z tobą moim życiem i najintymniejszymi sekretami.

— Przyjmuję ten wielki zaszczyt z pokorą — głos Mansura drżał, gdy wypowiadał te słowa.

— Tu nie chodzi o zaszczyty, lecz o miłość — odparła Verity. — Od teraz nie będę miała przed tobą żadnych tajemnic.

Okazało się, że dzienniki obejmują aż dziesięć lat jej życia, a zaczęła je prowadzić, gdy skończyła dziewięć. Był to monumentalny wręcz opis przeżyć i emocji młodej dziewczyny, idącej po omacku ku pełni kobiecości. Mansur czytał długo w noc przy świetle lampy, dzieląc z nią jej tęsknoty, zadziwienie życiem, jej dziewczęce katastrofy i małe zwycięstwa. Były tam fragmenty kipiące radością i inne, tak poruszające, że aż ściskało mu się serce. Najbardziej mroczne i tajemnicze dotyczyły relacji Verity z jej rodzicami. Czuł ciarki na skórze, gdy, pisząc o ojcu, napomykała z lękiem o rzeczach niewypowiedzianych. Nie szczędziła szczegółów w opisach kar, jakie Guy jej wymierzał, i Mansurowi dłonie trzęsły się z gniewu, gdy przewracał perfumowane kartki. Inne ustępy świadczyły o błyskotliwej inteligencji i zmyśle obserwacji, Mansura zaś zdumiewało, z jaką świeżością dziewczyna operuje słowem. Czasami wybuchał głośnym śmiechem, a kiedy indziej wzrok mąciły mu napływające do oczu łzy.

Ostatnie stronice dotyczyły okresu od ich pierwszego spotkania na pokładzie *Arcturusa* w porcie w Maskacie aż do momentu rozstania na drodze z Isakanderbadu. W pewnym miejscu napisała: „Choć jeszcze tego nie wie, już stał się właścicielem części mnie. Od teraz ślady naszych stóp zawsze już będą odciśnięte obok siebie na piaskach czasu".

Gdy wreszcie wszystkie emocje wywołane jej słowami wypaliły się w nim do końca, Mansur zdmuchnął płomień lampy i położył się na koi Verity, zupełnie wyczerpany tymi przeżyciami. Z poduszki wciąż unosił się zapach jej włosów, a prześcieradła pachniały jej ciałem. W środku nocy obudził się i sięgnął do niej, a kiedy zdał sobie sprawę z jej nieobecności, jęknął cicho z udręki i tęsknoty. W tym momencie nienawidził nawet własnego ojca za to, że nie pozwolił Verity zostać na statku, lecz odesłał ją wraz z Sarah, Louisą i małym George'em w głąb interioru.

Niezależnie od tego jak krótko spał, Mansur wychodził na pokład *Arcturusa* codziennie, gdy osiem dzwonów obwieszczało środkową wachtę. Jeszcze przed brzaskiem wdrapywał się na bociane gniazdo, wypatrując oczy i trwając w oczekiwaniu.

Arcturus patrolował najdalej po nawietrznej, był bowiem najsilniejszym, choć także najpowolniejszym z trzech żaglowców. Mansur miał najbystrzejszy wzrok z całej załogi i to on dostrzegł wreszcie na horyzoncie malutką białą plamkę żagla feluki. Kiedy się upewnili, że to na pewno Tasuz, kapitan Cornish wykonał zwrot i popłynęli mu naprzeciw.

— Zajn al-Din przypłynął! — zawołał Tasuz, gdy się zbliżyli na odległość głosu. — Ma dwadzieścia pięć *dhow* w konwoju!

Następnie feluka zawróciła i popłynęli jej śladem w stronę wybrzeża Afryki. Kontynent majaczył na horyzoncie, ciemnoniebieski i groźny jak potwór z morskich głębin. I znowu to Mansur pierwszy dojrzał sylwetki nieprzyjacielskich *dhow*, zakotwiczonych u ujścia rzeki Umgeni. Żagle miały zwinięte. Ciemne kadłuby zlewały się w jedno z tłem odległych wzgórz i lasu.

— Stoją dokładnie tam, gdzie przewidział pański ojciec — rzekł Cornish do Mansura, przyglądając się uważnie statkom. — Spuścili łodzie i przewożą wojsko na brzeg. To znaczy, że atak się rozpoczął.

Dystans szybko się zmniejszał. Wyglądało na to, że wróg był tak skupiony na wyładunku, iż zupełnie zaniedbał obserwacji otwartego morza za swoimi plecami.

— Te pięć wojennych *dhow* to eskorta. — Mansur pokazał je palcem. — Reszta to transportowce.

— Wiatr nam sprzyja — stwierdził Ruby Cornish z zadowoloną miną. — Nas popycha naprzód, a ich z kolei przypiera do wybrzeża. Gdyby teraz podnieśli kotwicę, zostaliby niemal natychmiast zepchnięci na mieliznę. Kadem ibn Abubaker jest zdany na naszą łaskę. Jakie rozkazy, Wasza Wysokość? — zapytał.

Dorian powierzył Mansurowi dowodzenie całością flotylli, wynikało to bowiem z jego królewskiego pochodzenia. Arabscy kapitanowie nie zaakceptowaliby i nie zrozumieli innego rozwiązania.

— Instynkt mi podpowiada, żebyśmy natarli prosto na te wojenne jednostki, dopóki wiatr nam daje przewagę — odrzekł Mansur. — Jeżeli uda nam się je zniszczyć, transportowce wpadną nam w ręce jak dojrzałe owoce. Czy zgadza się pan z tym, kapitanie Cornish?

— Całym sercem, Wasza Wysokość. — Kapitan wyraził uznanie dla taktyki Mansura, przytykając dłoń do ronda kapelusza.

— Niech pan podpłynie, jeśli łaska, do pozostałych, żebym mógł im przekazać rozkazy. Każdy weźmie na siebie jeden nieprzyjacielski *dhow*. My na *Arcturusie* zajmiemy się tym największym — pokazał środkowy statek w szeregu — bo z pewnością dowodzi nim Kadem ibn Abubaker. Zaatakuję abordażem i pochwycę go, a wy popłyniecie do następnych.

Sprite i *Revenge* płynęły przodem na zrefowanych żaglach, starając się nie zostawić *Arcturusa* zbyt daleko w tyle. Mansur zawołał do nich przez tubę i pokazał, które z wrogich *dhow* każdy z nich ma zaatakować. Kiedy kapitanowie zrozumieli, czego od nich oczekuje, popłynęli raźno naprzód, wprost na zakotwiczone statki wroga.

Nieprzyjaciel wreszcie spostrzegł ich obecność i w jego flocie zapanowało zamieszanie. Trzy transportowce wciąż zajmowały się wyładunkiem koni. Marynarze wyciągali je z ładowni na pasach przeciągniętych pod brzuchami, a potem opuszczali za burtę i uwalniali, żeby dopłynęły same do brzegu. Inni czekali w małych łódkach na linii przyboju, żeby pognać je dalej w kierunku plaży. Już ponad setka wycieńczonych podróżą zwierząt znajdowała się w wodzie i walczyła o utrzymanie na powierzchni.

Na widok żaglowców sunących w ich kierunku z wytoczonymi już działami, kapitanowie transportowców wpadli w panikę. Kilkoma uderzeniami siekier odrąbali liny kotwiczne i próbowali odpłynąć. Dwa statki zderzyły się i zdryfowały razem do białej linii przyboju. Nie mogły się rozdzielić, a wysokie fale zalewały ich pokłady. W końcu jeden z *dhow* się wywrócił i pociągnął za sobą drugi. Na powierzchni morza zaroiło się od pływających ludzi i koni oraz części takielunku. Dwóm innym transportowym *dhow* udało się odciąć kotwice i postawić żagle. Mało brakowało, a zostałyby zepchnięte na zawietrzny brzeg, lecz w końcu odeszły na otwarte morze.

— Nie mają armat i nie zagrażają nam — stwierdził Mansur. — Niech sobie płyną, później je dogonimy. Teraz trzeba uporać się z tymi uzbrojonymi. — Przekazał dowodzenie Cornishowi, a sam zajął się przygotowaniami do abordażu. Pięć bojowych *dhow* stało wciąż na swoich pozycjach. Były zbyt duże i mało zwrotne, żeby ryzykować trudny manewr odejścia od wybrzeża tuż przed nosem zbliżającego się wroga. Pozostało im nie ruszać się z miejsca i podjąć walkę.

Arcturus płynął prosto na największy *dhow*. Mansur stał na dziobie i obserwował pokład nieprzyjacielskiego statku. Dystans między nimi szybko się zmniejszał.

— Jest! — krzyknął nagle, pokazując szpadą mężczyznę na pokładzie. — Wiedziałem, że musi tu być!

Oba statki znalazły się już tak blisko siebie, że Kadem usłyszał okrzyk i wbił wzrok w Mansura. Nienawiść w spojrzeniach obu mężczyzn była niemal namacalna.

— Salwa burtowa, panie Cornish. — Mansur obejrzał się ku sterowi. — Przeskoczymy na jego dziób pod osłoną dymu. — Kapitan skinął głową i skierował statek na wroga.

Wschodni wiatr sprawiał, że *dhow* Kadema utrzymywał się dziobem w kierunku morza, a rufą do plaży. Omańska załoga wytoczyła wprawdzie działa, lecz nie zdążyła ich załadować. Cornish przeszedł tak blisko nich, że dzioby minęły się nieznacznie. *Arcturus* był wyższy od *dhow* i mógł przeczesać jego pokład salwą z góry. Załadowane kartaczami działa huknęły zgodnym chórem. *Dhow* przesłoniła ściana gęstego dymu i płonących kłaczków przybitki. Po chwili wiatr rozpędził zasłonę, ukazując scenę kompletnego spustoszenia. Pokład mniejszego statku wyglądał, jakby jego deski rozszarpał pazurami olbrzymi kot. Kanonierzy leżeli jeden na drugim na swoich działach, których nie zdążyli nawet odpalić. Biel rozłupanego drewna zabarwiła się czerwienią ich krwi.

Mansur szukał pośród tej rzezi Kadema. Po chwili spostrzegł niemal z niedowierzaniem, że Arab stoi nietknięty, próbując zebrać koło siebie tych marynarzy, którzy przeżyli straszliwy grad żelaznych pocisków. Cornish prowadził *Arcturusa* delikatnymi poruszeniami steru, tak że kadłuby obu statków ocierały się o siebie.

Mansur wraz ze swoim oddziałem abordażowym przeskoczył błyskawicznie na *dhow*, a Cornish obrócił kołem i statki się rozdzieliły. *Arcturus* popłynął ku następnemu *dhow* w szeregu, żeby zaatakować go, zanim zdąży spróbować ucieczki. Przez te kilka bezczynnych minut kapitan mógł rozejrzeć się po morzu i sprawdzić, jak radzą sobie dwa pozostałe żaglowce.

Zarówno *Sprite*, jak i *Revenge* pogruchotały niemiłosiernie przydzielonych sobie przeciwników, a teraz szły do abordażu. Kolejne trzy transportowce zdryfowały ku brzegowi i wywróciły się w falach przyboju; kilka innych wciąż stało na kotwicy. Cornish doliczył się sześciu, którym udał się manewr odejścia. Uciekały teraz przed atakiem na otwarte morze. Spojrzał za rufę. Na *dhow* Kadema toczyła się zażarta bitwa. Wydawało mu się, że na czele atakujących widzi Mansura, lecz w tym zamęcie nie był tego pewien. Powinniśmy byli przed abordażem przeczesać ich pokład jeszcze kilkoma porcjami kartaczy, doszedł do wniosku. Ale cóż, książę jest w gorącej wodzie kąpany, pomyślał z podziwem. Kadem ibn Abubaker zamordował mu matkę i honor wymaga, żeby dokonać zemsty w bezpośredniej walce, jeden na jednego.

Arcturus zbliżał się szybko do następnego *dhow* i Cornish skupił się na sterowaniu.

— Jeszcze raz to samo lekarstwo, chłopcy! — krzyknął do kanonierów. — Porządna dawka kartaczy i przechodzimy na ich pokład!

S alwa z kartaczy zabiła lub ciężko poraniła połowę ludzi na statku Kadema ibn Abubakera. Pozostali jednak schowali się pod pokładem. Kiedy Mansur na czele swojego oddziału przeskoczył na *dhow*, na rozkaz Kadema wybiegli stamtąd, żeby się włączyć do walki.

Atakujący i obrońcy byli sobie mniej więcej równi liczbą. Na pokładzie zrobił się taki tłok, że brakowało przestrzeni, żeby się dobrze zamachnąć szpadą lub pchnąć piką. Przepychali się w tę i z powrotem, wrzeszcząc, siekąc się nawzajem jak popadnie i ślizgając na zbroczonych krwią deskach.

Mansur rozglądał się w tym tłumie za Kademem, lecz nagle zaatakowało go trzech Arabów jednocześnie. Pierwszego przebił szpadą ciosem w żebra; zanim przeciwnik padł, rozległ się syk powietrza uchodzącego z przebitego płuca. Ledwie zdążył uwolnić ociekającą krwią klingę, gdy rzucili się nań dwaj pozostali.

Jednym z nich był żylasty mężczyzna o długich, muskularnych ramionach. Na nagiej piersi miał wytatuowaną surę. Mansur poznał go; ten człowiek walczył u jego boku na murach Maskatu. Arab zrobił fintę i spróbował cięcia w głowę. Mansur sparował i uwięził jego klingę, a potem obrócił go niczym tarczę, żeby zasłonić się przed ciosem trzeciego z atakujących.

— I co, Zaufar! Nie mogłeś się doczekać powrotu al-Salila, twojego prawdziwego kalifa? — rzucił mu w twarz. — Jak się ostatnio widzieliśmy, uratowałem ci życie, pamiętasz? A teraz ci je odbiorę!

Arab odsunął się, skonsternowany.

— Książę Mansur? — zawołał.

W odpowiedzi Mansur ściągnął turban, spod którego wysypały się jego złotorude włosy.

— To syn al-Salila! — wrzasnął Zaufar. Jego towarzysze zaprzestali na chwilę walki i wpatrywali się w Mansura szeroko otwartymi oczami.

— Tak, to on! — krzyknął któryś. — Poddajmy się naszemu księciu!

— To nasienie zdrajcy! Zabić go! — zawołał inny, z wydatnym brzuszyskiem, przeciskając się w ich stronę. Zaufar odwrócił się i pchnął go głęboko w wystający bandzioch. Po stronie nieprzyjaciela zapanowało zamieszanie. Ludzie Mansura ruszyli naprzód, żeby wykorzystać ten moment.

— Al-Salil! — krzyczeli, a część załogi *dhow* podchwyciła ten okrzyk. Pozostali jednak odpowiadali uparcie: — Zajn al-Din!

Na stronę Mansura przeszło tak wielu wojaków Kadema, że jego siły znacznie stopniały. Mansur poprowadził atak, spychając wroga do defensywy. Twarz i szatę miał zbryzganą krwią swych ofiar. Rozglądał się wciąż za Kademem. Kiedy przebijał się przez tłum walczących, rozpoznawało go coraz więcej obrońców *dhow*, którzy odrzucali broń i padali przed nim na twarz.

— Litości, w imię al-Salila! — krzyczeli.

Dostrzegł w końcu Kadema stojącego samotnie przy rufowym relingu. Arab wpatrywał się w niego z pogardą.

— Przychodzę odpłacić się! — krzyknął do niego Mansur. — Przychodzę zetrzeć stalą brud z twojej niegodziwej duszy! — Szedł szybko pokładem, a ludzie na jego drodze kurczyli się ze strachu. — Chodź, Kademie ibn Abubakerze, stań do walki!

Kadem odchylił się do tyłu i, wziąwszy zamach, cisnął bułatem w głowę Mansura. Pokryte krwią, zakrzywione ostrze przekoziołkowało w powietrzu ze złowrogim furkotem. Mansur uchylił się i szabla utkwiła u podstawy masztu.

— Nie teraz, szczeniaku! — odkrzyknął Arab. — Najpierw muszę zabić tego psa, twojego ojca, a potem przyjdzie czas na ciebie!

Zanim Mansur zdążył się zorientować, co się dzieje, Kadem ściągnął przez głowę burnus i rzucił go na pokład, zostając tylko w przepasce biodrowej. Tors miał szczupły, lecz mocny. Pod jego pachą biegła purpurowa blizna po cięciu, jakie otrzymał na nabrzeżu w Maskacie. Odwrócił się do relingu i wyskoczył, odbijając się z całych sił. Runął do wody, poszedł pod powierzchnię, a po chwili wynurzył się i zaczął płynąć do brzegu.

Mansur biegł przez pokład, też zrzucając po drodze ubranie. Pozbył się szpady, ale zostawił sobie zakrzywiony sztylet, tkwiący w złoto-srebrnej pochwie. Zatknąwszy go za przepaskę na plecach, żeby mu nie przeszkadzał w pływaniu, bez namysłu skoczył przez reling głową w dół. Obaj z Jimem nauczyli się świetnie pływać w przyboju Prądu Benguelskiego, który obmywał wybrzeże Przylądka Dobrej Nadziei. Jako zaledwie niedorostki zaopatrywali gospodarstwo w High Weald w świeże uchowce i langusty. Łowili je nie za pomocą sieci czy podbieraka, lecz gołymi rękami, nurkując na głębi przy rafach. Po wielu godzinach spędzonych w zimnej wodzie potrafili jeszcze płynąć na wyścigi do brzegu, ciągnąc za sobą worki wypełnione zdobyczą.

Mansur wyprysnął na powierzchnię i, potrząsnąwszy głową, odrzucił z oczu grzywę mokrych włosów. Kadem znajdował się jakieś pięćdziesiąt jardów od niego. Wiedział z doświadczenia, że Arabowie, choć byli świetnymi żeglarzami, rzadko kiedy potrafili pływać. Zdumiał się więc, widząc, jak Kadem szybko posuwa się naprzód. Puścił się za nim, płynąc równym, mocnym rytmem.

Z pokładu *dhow* dolatywały okrzyki zachęty, lecz zignorował je i całe serce oraz wysiłek ścięgien i mięśni skupił na pościgu. Co kilkanaście uderzeń patrzył przed siebie i po pewnym czasie zauważył, że dogania Kadema.

Kiedy znaleźli się bliżej plaży, zaczęły przewalać się pod nimi coraz wyższe fale. Kadem dotarł do linii przyboju jako pierwszy. Przetaczające się grzywacze pochwyciły go i zakryły, po czym znów wyrzuciły na powierzchnię. Zdezorientowany, krztusząc się wodą, zamiast poddać się prądowi, zaczął z nim walczyć.

Mansur obejrzał się i zobaczył kolejny rząd fal, wyginających grzbiety ku błękitnemu niebu. Przestał płynąć i unosił się na wodzie jak korek, lekko tylko wiosłując rękami. Obserwował nadciągającą pierwszą falę i dał się jej unieść. Z jej grzbietu dostrzegł Kadema trzydzieści jardów dalej. Fala przeszła, a Mansur opadł w dolinę. Już sunęła ku niemu następna, jeszcze wyższa i potężniejsza.

„Pierwsza jak w kałuży, druga jak w jeziorze, pod trzecią łatwo utopić się możesz!". Niemal usłyszał głos Jima wykrzykującego rymowankę, jak wówczas gdy brykali razem w wodach przyboju. „Zaczekaj na trzecią!".

Pozwolił unieść się drugiej fali jeszcze wyżej niż poprzedniej i ujrzał z jej szczytu, jak przybój porywa Kadema. Arab koziołkował w spienionej kipieli, ponad którą ukazywały się to jego ramiona, to nogi. Fala przeszła ku plaży, zostawiając walczącego mężczyznę za sobą. Mansur obejrzał się i zobaczył tę trzecią, która piętrzyła się za nim wysokim łukiem niczym portal niebios. Jej przezroczysty grzbiet drżał, lśniąc zielenią.

Odwrócił się i zaczął płynąć, młócąc wodę z całych sił, żeby nabrać rozpędu. Fala pochwyciła go i sunął razem z jej wysokim frontonem, wysunięty do połowy z zielonej ściany.

Kadem wciąż zmagał się z kipielą i Mansur sterował w tamtą stronę rękami i nogami, przecinając zbocze fali na skos. Arab spostrzegł go w ostatniej chwili i jego oczy rozszerzyły się w wyrazie zdumienia. Mansur wziął głęboki wdech i runął na niego. Obłapił go mocno rękami i nogami, i obaj zostali wciągnięci głęboko w morską toń.

Mansur miał wrażenie, że bębenki pękają mu od ciśnienia, i jego czaszkę przeszył świdrujący ból. Nie zwolnił jednak uścisku, lecz przełknął kilkakrotnie ślinę, tracąc cenne powietrze. Usłyszał znów trzask bębenków i ciśnienie zelżało. Przez cały czas zaciskał chwyt na piersi Kadema, niczym boa dusiciel.

Opadli na dno i potoczyli się po piaszczystym podłożu. Mansur otworzył oczy i spojrzał w górę. Obraz był zmącony, a powierzchnia morza wydawała mu się odległa jak gwiazdy na niebie. Zebrał się w sobie i ścisnął ponownie. Poczuł, jak żebra Kadema uginają się w kleszczach jego ramion. Nagle Arab otworzył szeroko usta i wypuścił silny strumień powietrza.

Top się, ty świnio! — pomyślał Mansur, patrząc na pędzące ku powierzchni srebrzyste bąbelki. Nie przygotował się jednak na ostatni wysiłek ginącej bestii. Kademowi udało się jakoś stanąć obiema stopami na dnie i odbił się z całą siłą, jaka mu jeszcze pozostała w nogach. Wciąż trwając w uścisku, sunęli obaj ku górze, im bliżej powierzchni, tym szybciej.

Wyskoczyli nad wodę jak korek z butelki i Kadem natychmiast zaczerpnął powietrza. Dodało mu to sił i, przekręciwszy się w objęciach Mansura, sięgnął ku jego twarzy zakrzywionymi palcami. Ostre jak sztylety paznokcie rozorały Mansurowi czoło i policzek, a po chwili poczuł, jak palec wbija mu się pod mocno zaciśniętą powiekę. Ból był niewyobrażalny. Kadem wsunął paznokieć pod gałkę oczną i próbował wyłuskać ją z oczodołu. Mansur poluźnił chwyt i odrzucił głowę do tyłu, w ostatniej sekundzie ratując oko. Zalało się krwią i był teraz na wpół oślepiony. Z jego ust wyrwał się wrzask potwornej udręki. Kadem z nową siłą wpychał go pod wodę, zaciskając jedno ramię na jego szyi duszącym chwytem. Kopał, wbijając kolana w tułów Mansura, zadawał mu ciosy pięścią i nie pozwalał wystawić głowy nad powierzchnię. Opróżnione z powietrza płuca Mansura domagały się życiodajnego oddechu. Ramię Kadema więziło jego szyję jak żelazna obręcz. Wiedział, że jeśli będzie się wyrywał, straci resztkę sił.

Sięgnął za plecy i wyszarpnął z pochwy sztylet. Lewą ręką wymacał odpowiedni punkt i z całej siły pchnął w splot słoneczny, tuż pod mostkiem. Nóż był specjalnie zakrzywiony, żeby ułatwić zadawanie takich ciosów, a napięte twardo mięśnie brzucha Kadema nie stanowiły przeszkody dla ostrza. Wbiło się do końca, aż Mansur poczuł, jak rękojeść zatrzymuje się na najniższym żebrze. Pociągnął ostrą jak brzytwa klingę w dół i otworzył brzuch Kadema, od żeber aż po kość miednicy.

Ciałem Araba wstrząsnęła potężna konwulsja. Natychmiast rozluźnił duszący chwyt i oderwał się od Mansura. Przewrócił się na plecy i zgarniał wylewające się wnętrzności z powrotem do otwartej rany. Wciąż jednak wypływały i rozwijały się w wodzie srebrzysto-błękitnymi sznurami, aż w końcu oplątały mu nogi, którymi wierzgał szaleńczo, żeby nie utonąć. Jego twarz zwróciła się ku niebu, a usta otwarły w milczącym krzyku rozpaczy i wściekłości.

Mansur rozejrzał się, lecz obraz w jego zranionym oku był rozmazany, a twarz Kadema zwielokrotniona, jakby się odbijała w kawałkach rozbitego lustra. Miał wrażenie, że z bólu zaraz pęknie mu czaszka. Obmacał z lękiem swoją twarz i poczuł olbrzymią ulgę, gdy okazało się, że oko wciąż tkwi w oczodole, a nie zwisa mu na policzek.

Nad jego głową przewaliła się kolejna fala, a gdy się z niej wynurzył, nie zobaczył już Kadema. Jego uwagę przyciągnął jednak jeszcze straszniejszy widok. Ujścia afrykańskich rzek, które niosły ze sobą do morza różne odpadki i drobne ryby, stanowiły naturalne żerowiska dla rekinów. Mansur natychmiast poznał charakterystyczną płetwę grzbietową stworzenia, które sunęło ku niemu zwabione zapachem krwi. Następna fala uniosła rekina wysoko i przez chwilę widać było wyraźnie jego ciemną sylwetkę na tle zielonej wodnej ściany. Zdawał się wpatrywać w człowieka bezwzględnym, ciemnym okiem. Twarde, rzeźbione linie jego ciała, okrytego gładką śliską skórą, miały w sobie jakieś obsceniczne piękno. Ogon i płetwy ryby wyglądały jak ogromne brzytwy, a pysk zdawał się układać w okrutny, wyrachowany uśmiech.

Rekin machnął ogonem i przemknął obok Mansura, ocierając się lekko o jego nogi. Po chwili zniknął, co było jeszcze bardziej przerażające niż jego widok. Mansur wiedział, że ryba krąży pod nim w głębinie. Było to preludium do ataku. Miał okazję rozmawiać z kilkoma ludźmi, którzy przeżyli spotkanie z tym strasznym drapieżcą. Każdy z nich był ohydnie okaleczony i każdy mówił mu to samo: „Najpierw cię dotknie, a potem zaatakuje".

Mansur obrócił się na brzuch, starając się ignorować ból zranionego oka. Nadeszła kolejna potężna fala. Płynął z nią, czuł, jak go unosi, bierze w swoje ramiona niczym matka niemowlę i niesie szybko w stronę plaży. Po chwili poczuł pod stopami piasek dna. Zataczając się, wyszedł na brzeg zalewany przez następne fale.

Przyciskał jedną dłoń do zranionego oka, pojękując i charcząc. Kiedy dotarł powyżej linii przypływu, opadł na kolana. Oderwał pas materiału z przepaski biodrowej i obwiązał nim mocno głowę, umieszczając ciasny węzeł na oku, aby złagodzić ból.

Następnie spojrzał ku spienionej kipieli przyboju. Pięćdziesiąt jardów od brzegu wyskoczyło na powierzchnię coś jasnego i Mansur uzmysłowił sobie, że jest to ręka. Pod wodą trwało jakieś zamieszanie; poruszało się tam coś ciężkiego. Ręka zniknęła, jakby wessana przez morze.

Wstał chwiejnie i zobaczył, że już dwa rekiny pożywiają się ciałem Kadema, walcząc o nie jak psy o kość. Wyszarpując sobie nawzajem truchło i młócąc wodę ogonami, zapędziły się na płyciznę i w końcu kolejna wielka fala zabrała im bryłę zmasakrowanego mięsa i zaniosła te resztki wysoko na plażę. Rekiny przez chwilę jeszcze krążyły na krawędzi przyboju, a potem zanurkowały i zniknęły.

Mansur podszedł do szczątków Kadema ibn Abubakera, swojego największego wroga. Rekiny wyrwały z niego wielkie półksiężyce mięsa. Morska woda wymyła krew i otwarty brzuch ział wielką różową jamą, z której zwisały połyskujące blado resztki jelit. Nawet po śmierci oczy Kadema wyrażały wrogość, a usta krzywiły się w grymasie nienawiści.

— Spełniłem mój obowiązek — wyszeptał Mansur. — Może teraz dusza mojej matki odnajdzie pokój. Jeśli zaś chodzi o ciebie, Kademie ibn Abubakerze — trącił okaleczone zwłoki stopą — połowa twojego ciała znalazła się w brzuchach bestii. Nie spoczniesz nigdy w pokoju i niechaj twoje cierpienie trwa całą wieczność.

Odwrócił się i spojrzał na morze. Bitwa dobiegała końca. Trzy z pięciu bojowych *dhow* zostały zdobyte i na ich masztach powiewał błękit al-Salila. Wrak kolejnego scepił się z jednym z transportowców, rozbijanym przez fale dosłownie na szczapy do podpałki. Za ostatnim gonił *Arcturus*, grzmocąc do niego z dział. *Revenge* z kolei ścigała uciekające statki transportowe, lecz zdążyły się już rozproszyć na rozległych przestrzeniach oceanu.

Sprite natomiast kołysała się w pobliżu ujścia rzeki i Mansur pomachał w stronę żaglowca ręką. Wiedział, że wierny Kumrah na pewno próbuje go znaleźć i że nawet z tej odległości pozna go po kolorze włosów. To domniemanie natychmiast się potwierdziło, ze szkunera bowiem spuszczono łódź, która popłynęła poprzez kipiel do brzegu. Wciąż widział niewyraźnie, lecz wydawało mu się, że dostrzega na dziobie Kumraha.

Rozejrzał się teraz po plaży. Co najmniej na milę wzdłuż brzegu usłana była zwłokami topielców i koni ze zniszczonych *dhow*. Część rozbitków przeżyła. Niektórzy siedzieli w pojedynkę na piasku, inni stali w małych niespokojnych grupkach i było jasne, że przeszła im cała ochota do walki. Na skraju dżungli wałęsały się ocalałe rumaki.

Mansur stracił podczas walki swój sztylet i czuł się całkowicie bezbronny, a na domiar złego był na wpół ślepy i nagi. Ignorując ból zranionego oka, podbiegł do najbliżej leżących zwłok. Odziane były w króką tunikę i był przy nich pas z bronią. Mansur rozebrał te żałosne szczątki i wciągnął szatę przez głowę, a potem wysunął z pochwy szablę i obejrzał ostrze. Było ze świetnej damasceńskiej stali. Wypróbował je, goląc kilka włosków na przegubie, i schował z powrotem do pochwy. Nagle po raz pierwszy uświadomił sobie, że z dżungli ponad plażą dobiega go zgiełk głosów.

To jeszcze nie koniec! — zdał sobie sprawę i w tym momencie

z lasu zaczęła wybiegać bezładna chmara ludzi. Znajdowali się jakieś dwieście jardów od niego, oddzielając go od ujścia rzeki. Byli to Turcy i Arabowie, którzy uciekali w stronę morza przed grupą wojowników króla Beszuaja. W powietrzu śmigały włócznie, ich ostrza zagłębiały się w żywych ciałach, a triumfalne wrzaski goniących mieszały się z rozpaczliwymi krzykami ich ofiar.

— *Ngi dhla!* Najadłem się!

Mansur zrozumiał, że grozi mu nowe niebezpieczeństwo. Czarni wojownicy wpadli w amok zabijania. W tym stanie żaden z nich nie mógł go rozpoznać jako swojego. Był dla nich tylko kolejną jasną, brodatą twarzą i stało się oczywiste, że zadźgają go włóczniami tak samo ochoczo jak każdego z Omańczyków.

Mokry piach na skraju wody był zbity i twardy. Mansur pobiegł tamtędy ku ujściu rzeki. Arabscy żołnierze zauważyli, że przed sobą mają już tylko morze, i zaczęli się odwracać, żeby w ostatnim gorzkim starciu stawić czoło murzyńskim wojownikom. Obie strony dzielił wciąż pas pustej plaży i Mansur popędził po nim co sił, choć z każdym krokiem jego czaszkę przeszywał ból. Był niedaleko celu; łódź z *Sprite* pokonała przybój i zbliżała się już do plaży po spokojniejszej wodzie. Wiedział, że przybije do brzegu, zanim on tam dobiegnie.

Usłyszał za plecami krzyki i obejrzał się przez ramię. Trzech czarnych wojowników zwróciło na niego uwagę i, zostawiwszy osaczonych Arabów swoim kamratom, gnali za nim podekscytowani niczym gończe psy za zającem.

— Jesteśmy, Wasza Wysokość! — dobiegł go okrzyk z łodzi. — Biegnij, panie, w imię Boga! — Poznał głos Kumraha, który chciał go zdopingować do większego wysiłku.

Biegł więc, lecz walka w morzu i ból wyczerpały go znacznie. Słyszał blisko za sobą plask bosych stóp o mokry piasek. Niemal czuł, jak ostrze *assegai* zagłębia się w jego ciało między łopatkami. Do stojącego na dziobie łodzi Kumraha miał jeszcze trzydzieści jardów, lecz równie dobrze mogło to być trzydzieści mil. Słyszał za prawym ramieniem chrapliwy oddech jednego ze ścigających. Nie było wyjścia, musiał stawić im czoło. Odwrócił się, wyciągając z pochwy szablę.

Pierwszy z czarnych był tak blisko, że brał już zamach do śmiertelnego ciosu. Widząc jednak, że Mansur chce się bronić, zwolnił kroku i zawołał cicho do swoich towarzyszy:

— Rogi byka!

To była ich ulubiona taktyka. Zaczęli go zachodzić z dwóch stron i znalazł się w kleszczach; nie mógł się odwrócić, nie wystawiając jednocześnie pleców na cios długiego ostrza. Wiedział, że czeka go śmierć. Mimo to natarł z desperacją na wojownika przed sobą. Nie zdążył jeszcze skrzyżować z nim broni, gdy Kumrah krzyknął:

— Na ziemię, panie!

Mansur bez wahania rzucił się na piasek. Jego przeciwnik stanął nad nim, wznosząc wysoko *assegai*.

— *Ngi dhla!* — wrzasnął.

Czarni wojownicy nie przyswoili sobie jeszcze wiedzy o skutkach ognia z muszkietów. Zanim wojownik zdążył zadać cios, nad głową Mansura huknęła salwa. Kula trafiła Murzyna w łokieć, łamiąc mu rękę niczym kruchą gałąź. *Assegai* wypadło mu z dłoni i cofnął się gwałtownie, bo kolejny pocisk rozerwał mu pierś. Mansur przetoczył się szybko po ziemi, żeby stawić czoło pozostałej dwójce, lecz ujrzał, że jeden z nich klęczy, trzymając się za brzuch, a drugi leży, wierzgając konwulsyjnie nogami, gdyż kula odłupała mu pół czaszki.

— Do nas, Wasza Wysokość! — zawołał Kumrah przez spowijającą łódź chmurę dymu. Gdy się rozwiała, Mansur ujrzał, że wszyscy marynarze trzymają w rękach muszkiety, z których padła salwa ratująca mu życie. Dźwignął się na nogi i powlókł chwiejnie ku łodzi. Teraz, kiedy śmiertelne niebezpieczeństwo już minęło, zabrakło mu sił, żeby wgramolić się przez burtę. Na wpół przytomny poczuł jednak, że chwyta go wiele silnych rąk i wciąga do środka.

T om z Dorianem klęczeli ramię przy ramieniu za wałem jednego ze stanowisk artyleryjskich. Przez lunety obserwowali *dhow* Zajna al-Dina, które stały w szeregu na kotwicy w głębi zatoki, bombardując z dział obwarowania fortu.

Dorian rozmieścił długie dziewięciofuntowce na zboczu z wielką starannością. Z tej wysokości mogli ostrzelać praktycznie każde miejsce w zatoce. Statek, który wpłynął do laguny przesmykiem, nie miał się gdzie przed nimi ukryć. Umieszczenie dział w tym orlim gnieździe okazało się zadaniem herkulesowym. Zbocza były zbyt strome, a armaty za ciężkie, żeby można je było wciągnąć do góry wprost z brzegu.

Tom musiał wykarczować w gęstym lesie porastającym cypel trakt, który wspinał się grzbietem. Następnie zaprzęgi wołów wciągnęły tą drogą działa. Ustawiono je dokładnie ponad wybranymi miejscami, a potem opuszczono na ciężkich linach kotwicznych do ukrytych między drzewami redut. Kiedy już osadzili wszystkie działa, wycelowali je w różne punkty na wybrzeżu. Pierwsze strzały wyrzuciły pociski o wiele za daleko i kule spadły w dżungli.

Nauczywszy się celowania, wybudowali następnie palenisko, oddalone od magazynu prochu o pięćdziesiąt jardów, żeby przypadkowa iskra nie spowodowała eksplozji. Wylepili palenisko glinastym mułem z rzeki. Potem zrobili miechy, zszyte z pięćdziesięciu garbowanych skór bydlęcych, zalepiając szwy smołą. Pracowała przy nich cała czereda kucharzy, fornali i innych robotników z fortu, wdmuchując potężny strumień powietrza do paleniska. Kiedy już w pełni się rozżarzyło, nie sposób było patrzeć w biały blask wnętrza gołym okiem. Dorian okopcił więc nad lampą kawał szyby, przez który mógł oszacować, czy kula już się dość rozgrzała. Potem wyciągali je kolejno z paleniska wielkimi szczypcami o długich uchwytach. Przydzielonych do tej pracy ludzi chroniły przed gorącem grube skórzane rękawice i fartuchy. Rozżarzoną kulę wrzucali do specjalnych nosideł, a potem dwóch mężczyzn niosło ją do działa, którego lufa zadarta była niemal pionowo.

Kiedy pocisk wylądował już w lufie, nie trwało długo, zanim zajęła się mokra przybitka i samoistnie zapalał się ładunek prochu pod nią. Przedwczesna detonacja, gdy lufa skierowana była jeszcze ku niebu, wyrwałaby armatę z lawety, niszcząc redutę i zabijając lub raniąc kanonierów. Na wycelowanie działa i odpalenie pozostawało więc bardzo mało czasu. Następnie całą tę mozolną i niebezpieczną procedurę należało powtórzyć. Po kilku wystrzałach lufa rozgrzewała się tak mocno, że groziło jej rozerwanie, a odrzut za każdym razem był potworny. Zanim mogli ubić w parującej lufie kolejną porcję prochu, działo trzeba było oblać kilkoma wiadrami morskiej wody.

W ciągu tygodni wyczekiwania na flotę Zajna al-Dina Dorian szkolił kanonierów w posługiwaniu się ognistymi kulami. Rozwijali swoje umiejętności, lecz największym doświadczeniem stała się dla wszystkich sytuacja, w której jedno z dział eksplodowało. Fruwające fragmenty spiżowej lufy zabiły wtedy dwóch ludzi. Zaczęto się odnosić z respektem do ogniowych pocisków i nikt się zbytnio nie palił do strzelania z pozostałych trzech armat.

Przed Dorianem zjawił się Farmat, dowódca grupy obsługującej palenisko, i z wyrazem lekkiego przerażenia na twarzy zameldował:

— Mamy już dwanaście kul gotowych do strzału, potężny kalifie!

— Dobrze się spisaliście — odparł Dorian — ale jeszcze nie jesteśmy gotowi do rozpoczęcia ognia. Utrzymujcie żar w palenisku.

Powrócili wraz z Tomem do obserwacji rozwoju wypadków w zatoce. Kanonada z *dhow* Zajna zasnuła całą lagunę i skraj dżungli obłokami dymu, lecz poprzez prześwity widzieli, jak obrońcy fortu porzucają swoje stanowiska i wybiegają za bramę.

— Dobrze — uśmiechnął się z zadowoleniem Dorian. — Nie zapomnieli rozkazów. — Polecił im tylko markować obronę dla zmylenia Zajna i wciągnięcia jego floty głębiej w zatokę.

— Mam nadzieję, że nie zapomnieli też zaczopować dział, zanim je porzucili — dodał Tom. — Wolałbym, żeby wróg nie wykorzystał naszej własnej broni przeciwko nam.

Wreszcie kanonada umilkła. Od *dhow* oderwały się łodzie z oddziałami przeznaczonymi do szturmu; pozostało im już tylko zająć opuszczony fort. Na dziobie prowadzącego barkasu obaj Courtneyowie rozpoznali swego brata Guya.

— Konsul generalny Jego Królewskiej Mości we własnej osobie! — wykrzyknął Dorian. — Woń złota jest zbyt silna, żeby ją mógł zignorować. Pofatygował się po nie osobiście.

— Mój ukochany brat bliźniak — dorzucił Tom. — Serce mi rośnie na jego widok po tylu latach rozłąki. Kiedy ostatnio się rozstawaliśmy, próbował mnie zabić. Wygląda na to, że nic się od tamtej pory nie zmieniło.

— Już wkrótce Guy odkryje, że w kredensie jest pusto — rzekł Dorian. — Czas chyba zamknąć drzwi za naszymi gośćmi. — Wezwał do siebie gońca, który czekał od dłuższego czasu na tyłach reduty. Był to jeden z przygarniętych przez Sarah osieroconych chłopców. Podbiegł natychmiast, uśmiechając się szeroko, gotów usłużyć swemu panu. — Biegnij do Smallboya i powiedz mu, że czas zamknąć wrota. — Dorian nie zdążył nawet dokończyć zdania, gdy chłopak przeskoczył przez wał i popędził stromą ścieżką w dół. — Uważaj, żeby cię nie zobaczyli! — krzyknął za nim.

S mallboy i Muntu czekali na rozkaz przy wołach, które zaprzęgnięto już do najgrubszej liny kotwicznej, jaką mieli. Lina została z kolei przeciągnięta na drugi brzeg przesmyku, gdzie doczepiono do niej ciężkie drewniane kłody. Oczywiście obciążyli ją tak, żeby leżała na dnie, kiedy *dhow* Zajna będą wpływać do zatoki. Wróg nie miał pojęcia, że pod jego kilem ukryty jest potrzask.

Zapora składała się z siedemdziesięciu grubych bali. Większość wyrąbano w dżungli jeszcze w ubiegłym roku i leżały na podwórzu tartaku, przygotowane do pocięcia na deski. A jednak zabrakło im jeszcze dwudziestu pni, żeby całkiem zablokować kanał.

Jim z Mansurem wyprawili się więc do dżungli z parobkami, żeby wyrąbać potrzebną liczbę drzew, a potem zaciągnąć je wołami na plażę. Tam uwiązali bale poprzecznie do zapasowej liny kotwicznej, wyniesionej z ładowni *Arcturusa*. Miała niemal dwadzieścia cali średnicy i mogła wytrzymać obciążenie około trzydziestu ton. Pnie, z których wiele było prawie trzystopowej grubości i czterdziestostopowej długości, utworzyły gigantyczny naszyjnik, jak sznur pereł nanizanych na nić. Tom z Dorianem liczyli na to, że taka barykada oprze się taranowaniu przez nawet największy z bojowych *dhow* Zajna. Ciężkie bale miały wybić dziurę w dnie statku, zanim zdoła przerwać zaporę.

Gdy tylko obserwator z cypla dostrzegł zbliżającą się flotę kalifa, Smallboy i Muntu sformowali zaprzęgi wołów i poprowadzili je na południowy brzeg przesmyku. Ukryli je w gęstym buszu, i przyglądali się, jak pięć *dhow* Zajna podchodzi na strzał z pistoletu i wpływa do laguny. Wreszcie przybył posłaniec od Doriana. Był tak zdyszany i półprzytomny z ekscytacji, że nie mógł wypowiedzieć słowa. Smallboy złapał go za ramiona i potrząsał nim tak długo, aż chłopak wyskrzeczał w końcu:

— Pan Klebe powiedział, żeby zamknąć wrota!

Smallboy strzelił z długiego bicza i zaprzęgi ruszyły, ciągnąc za sobą wolny koniec liny. Kiedy uniosła się z dna i zaczęła naprężać, zwierzęta musiały mocno się wysilić, żeby pociągnąć leżące na drugim brzegu bale. Grube pnie powoli ześlizgiwały się do wody i sunęły w poprzek kanału niczym gigantyczny wąż. Kiedy czoło zapory dotarło do północnego brzegu, Smallboy przymocował je łańcuchami do pnia grubego sandałowca afrykańskiego. Wyjście z laguny zostało zamknięte.

T om i Dorian patrzyli, jak Guy w wielkim pośpiechu prowadzi swój oddział przez otwartą bramę fortu i znika im z oczu. Zwrócili teraz lunety na wyjście z zatoki i zobaczyli, że masywna lina wypływa właśnie na powierzchnię, wlokąc za sobą zaporę z bali.

— Załadować pierwsze działo — rozkazał Dorian kanonierom, którzy zareagowali na to z umiarkowanym entuzjazmem. Komendant artylerzystów przekazał rozkaz obsłudze paleniska. Wyłuskanie pierwszej kuli z żaru wymagało trochę czasu, Tom mógł jeszcze przez kilka minut obserwować wroga.

— Guy wyszedł na palisadę! — zawołał w pewnej chwili do Doriana. — Pewnie już znalazł liścik, który mu zostawiłem w skarbcu. — Roześmiał się ucieszony z dowcipu. — Nawet z tej odległości widać, że omal nie pęknie, taki jest rozwścieczony! — Nagle wyraz jego twarzy się zmienił. — Co ta świnia znów wymyśliła? Aha, poszedł na brzeg. Siodła konie, które już wyładowali ze statków. Jakieś zamieszanie... Na Boga, Dorry, nie uwierzysz! Zastrzelił jednego z własnych ludzi! — Doleciał ich daleki huk wystrzału z pistoletu. Dorian odszedł od działa i stanął przy Tomie.

— Wsiada na konia.

— Zabrał ze sobą ze dwudziestu ludzi.

— Gdzież on się wybiera, u diabła?

Patrzyli, jak Guy prowadzi swój oddział na trakt wyjeżdżony przez wozy. Obaj w tym samym momencie zrozumieli, co się dzieje.

— Zobaczył ślady wozów!

— Domyślił się, że wywiozły jego złoto!

— Kobiety i mały George! — wykrzyknął Tom. — Jeżeli Guy ich dopadnie... — przerwał, bojąc się nawet pomyśleć, co się może stać. — To moja wina — dodał po chwili z goryczą. — Powinienem był to przewidzieć. Guy tak łatwo się nie poddaje.

— Przecież wozy opuściły fort przed wieloma dniami — zauważył Dorian. — Są teraz na pewno wiele mil w głębi lądu.

— Nie, Dorry, tylko dwadzieścia mil stąd — Tom pokręcił głową. — Kazałem im jechać tylko do wąwozu nad rzeką i tam rozbić obóz.

— To raczej moja wina niż twoja — orzekł Dorian. — Mam obowiązek zatroszczyć się osobiście o bezpieczeństwo kobiet. Co za głupiec ze mnie!

— Muszę jechać za nimi — powiedział Tom, zrywając się z miejsca. — Nie mogę dopuścić, żeby kobiety dostały się w łapska Guya.

— Jadę z tobą. — Dorian także wstał.

— Nie, nie, Dorry! — Tom powstrzymał go gestem. — Los bitwy zależy od ciebie. Musisz tu zostać i dowodzić, inaczej wszystko przepadnie. Jima i Mansura także to dotyczy. Nie pozwól im jechać za mną. Poradzę sobie z braciszkiem Guyem bez pomocy, a chłopcy niech zostaną tutaj z tobą, dopóki nie załatwicie sprawy do końca. Daj mi na to swoje słowo, Dorry.

— Dobrze. Ale weź ze sobą Smallboya i jego ludzi z muszkietami. Zanim dotrzesz na brzeg, powinni już skończyć robotę przy zaporze. — Dorian klepnął Toma w ramię. — Jedź, co koń wyskoczy, bracie, i niechaj Bóg będzie z tobą.

Tom przedostał się na drugą stronę stanowiska obronnego i pobiegł do miejsca, w którym uwiązali konie.

Podczas gdy Tom galopował ścieżką w dół zbocza, od strony paleniska nadeszło dwóch mężczyzn, dźwigających w nosidłach o długich uchwytach rozgrzaną do czerwoności kulę. Wyglądała jak olbrzymie dojrzałe jabłko. Dorian ostatni raz spojrzał na znikającą w gąszczu postać i zajął się nadzorowaniem kanonierów. Rozpoczynali właśnie niebezpieczną operację umieszczenia kuli w lufie pierwszego działa. Kiedy już wtoczyła się do środka, dwóch ludzi ubiło ją mocno na mokrej przybitce. Kula syczała i skwierczała, a w górę unosiły się białe obłoki pary.

Obniżyli lufę; Dorian sam obsługiwał pokrętło, nie ufając precyzji innych. Dwaj mężczyźni obracali działem w poziomie za pomocą długich żelaznych drągów, słuchając jego poleceń:

— W lewo. Jeszcze trochę w lewo. — Wreszcie, zadowolony, uznał, że ma *dhow* dokładnie na linii strzału.

— Odsunąć się! — krzyknął i chwycił za talrep. Kanonierzy skwapliwie wykonali rozkaz. Dorian szarpnął talrep i wielkie działo skoczyło niczym dzikie zwierzę na kraty klatki, w której je uwięziono.

Wszyscy śledzili wzrokiem lot pryskającej iskrami kuli, gdy wznosiła się łukiem nad wodami zatoki, a potem opadała ku zakotwiczonemu statkowi. Wydawało się, że pocisk trafi w cel, więc podnieśli chóralny wrzask radości, który jednak zamienił się zaraz w jęk zawodu, kiedy przed burtą statku wykwitła wysoka biała fontanna.

— Polejcie porządnie działo! — rozkazał Dorian. — Widzieliście, co się dzieje, kiedy się tego zaniedba.

Wyskoczył z okopu i podbiegł do drugiej armaty. Z paleniska przyniesiono właśnie następną kulę i kanonierzy już czekali w gotowości. Zanim umieścili kulę w lufie, ujrzeli, że pięć nieprzyjaciel-skich *dhow* podnosi kotwice i zawraca w stronę wyjścia z laguny. Dorian spojrzał przez szczerbinę. Wcześniej zaznaczył białą farbą kolejne kąty podniesienia lufy. Mężczyźni z drągami szybko obró-cili armatę na cel. Wystrzelił.

Tym razem ryk triumfu był uzasadniony. Nawet z tej odległości dostrzegli snop iskier, gdy pocisk uderzył w kadłub *dhow* i przebił jego poszycie. Dorian pobiegł do trzeciego działa, podczas gdy obsługa dwóch pierwszych czyściła lufy mokrymi szmatami na kijach. Zanim je znów załadowali, trafiony statek płonął już niczym świąteczne ognisko w dniu Guya Fawkesa *.

— Próbują się przebić przez zaporę! — krzyknął jeden z kano-nierów. Dostrzegli, że płonący statek steruje ku wejściu do kanału, i całym rozpędem taranuje rząd unoszących się na wodzie bali. Znowu wznieśli radosny okrzyk, widząc, że *dhow* zatrzymuje się na zaporze, jego maszt się łamie, a ogień rozprzestrzenia coraz gwałtowniej. Załodze udało się opuścić na wodę dwie łodzie i marynarze pospiesznie uciekali z wraku.

Dorian, oblany od stóp do głów potem, uwijał się przy działach, ładując i strzelając bez wytchnienia. Spiżowe lufy, choć polewane obficie wodą, skwierczały jak rozgrzane patelnie. Po każdym strzale działa odskakiwały coraz mocniej na lawetach. Jednakże w ciągu godziny udało im się wystrzelić dwadzieścia ognistych pocisków i w płomieniach stały już cztery z pięciu *dhow* Zajna al-Dina. Ten, który szarżował na zaporę, spalił się całkiem aż do linii wodnej, na wpół zatopiony. Inny dryfował bezradnie po lagunie, porzucony przez załogę, która wiosłowała w barkasach do brzegu. Dwa *dhow* leżały na mieliźnie, a ich marynarze uciekali co sił w nogach do lasu, świadomi, że w magazynach zostały beczki z czarnym pro-chem. Tylko największa jednostka zdołała jak na razie uniknąć trafienia. Była jednak uwięziona w lagunie i mogła co najwyżej halsować w tę i z powrotem po jej wodach.

— Nie będziesz mi tak uciekać w nieskończoność — mruknął Dorian. Kiedy przyniesiono kolejną kulę, splunął na nią na szczę-ście. Ślina syknęła i zmieniła się w obłoczek pary. W tym samym momencie rozległa się straszliwa eksplozja i z zbocze wzgórza uderzyła potężna fala gorącego powietrza. Wszyscy poczuli bolesne ukłucie w uszach i przerażeni spojrzeli w dół, ku zatoce.

---

* Uczestnik spisku prochowego w Anglii w 1605 r.; stracony.

Dryfujący *dhow* wyleciał w powietrze, gdyż ogień dotarł do magazynu amunicji i zapalił się proch. W niebo wzbiła się chmura dymu o kształcie wielkiego grzyba, który wyrósł powyżej szczytu cypla. Po chwili, jakby w geście ubolewania, eksplodował jeden ze statków na mieliźnie, z jeszcze głośniejszym hukiem. Podmuch poniósł się ponad zatoką, wzbudzając na powierzchni spienione fale. Przeczesał las powyżej plaży, zginając małe drzewa, łamiąc gałęzie dużych i unosząc w powietrze tumany pyłu, liści i patyków. Obserwatorzy na zboczu cypla dosłownie oniemieli na widok spowodowanego przez siebie zniszczenia. Tym razem nie było już okrzyków radości, lecz zdumienie i zgroza.

— Został nam jeszcze jeden — wyrwał ich z transu Dorian. — Pływa sobie, wystrojony jak na wesele. — Pokazał w stronę *dhow*, który wykonał właśnie kolejny zwrot w stronę plaży.

Ładowniczy dźwignęli nosidła z dymiącą i skwierczącą kulą, żeby ją wtoczyć do lufy. Zanim jednak zdążyli to zrobić, znowu podniosły się krzyki.

— Uciekają!

— Chwalić Boga, nieprzyjaciel ma dość!

Kapitan *dhow*, widząc, jaki los spotkał resztę eskadry, przestał pływać zakosami i rozpędził statek prosto na stromą plażę. W ostatniej chwili zrzucono żagle i *dhow* wbił się w ląd z takim impetem, że trzask pękającego poszycia słychać było aż na cyplu. Statek przechylił się mocno i zaległ nieruchomo, w jednej chwili zmieniając się z wdzięcznej baletnicy w niezdarnego rozbitka. Marynarze wyskakiwali z bezużytecznego wraku i zbijali się w stadko na plaży.

— Dość! — krzyknął Dorian do kanonierów. — Wystarczy już tego strzelania.

Mężczyźni z wyraźną ulgą przechylili lufę i gorąca kula wypadła na ziemię. Dorian nabrał pełną warząchew wody z wiadra i polał sobie głowę, a potem otarł twarz przedramieniem.

— Patrzcie! — zawołał Farmat, pokazując ku plaży.

Wśród ludzi Doriana podniósł się gwar podnieconych głosów. Wszyscy poznali biało ubranego mężczyznę, który zsunął się z burty przewróconego *dhow* i kulejąc w charakterystyczny sposób na jedną nogę, poprowadził załogę w stronę warowni.

— To Zajn al-Din! — krzyknął ktoś.

— Śmierć i przekleństwo na tyrana!

— Władza i sława al-Salilowi!

— Bóg zesłał nam zwycięstwo! Bóg jest wielki!

— Nie! — Dorian wskoczył na wał reduty, żeby wszyscy go dobrze widzieli. — Jeszcze nie zwyciężyliśmy. Zajn al-Din zaszyje się w forcie jak ranny szakal w swej norze.

Ukryci w dżungli marynarze z rozbitych *dhow* zaczęli teraz ostrożnie wychodzić, a po chwili ruszać biegiem za swoim władcą do opuszczonego fortu.

— Będziemy musieli go wykurzyć — powiedział Dorian, zeskakując z reduty. Wezwał do siebie dowódców obsługi dział i wydał im zwięzłe rozkazy. — Nie rozgrzewajcie już kul. Strzelajcie zimnymi, ale nie dajcie wrogowi odetchnąć. Ja zejdę na dół, pozbieram wszystkich naszych ludzi i rozpoczniemy oblężenie fortu. Tamci nie mają wody ani żywności, w magazynach nie zostawiliśmy ani grama prochu, a działa na palisadzie i tak są zaczopowane. Zajn nie utrzyma się dłużej niż dwa dni.

Jeden z koniuszych już osiodłał mu konia. Dorian wskoczył na siodło i pokłusował w dół zbocza, a za nim podążyli wszyscy, którzy nie byli potrzebni przy obsłudze dział. U podnóża cypla czekała na niego grupa, która prowadziła markowaną obronę fortu. Wszystkim swoim ludziom kazał teraz otoczyć warownię, żeby żaden z nieprzyjaciół się nie wyśliznął.

Zobaczył, że od strony przesmyku nadchodzi przez las Muntu, i wyjechał mu naprzeciw.

— Gdzie Smallboy? — zapytał.

— Wziął dziesięciu ludzi i pojechali z Klebe.

— Czy zlikwidowałeś już zaporę, żeby nasze statki mogły wpłynąć na zatokę?

— Tak, panie. Przesmyk jest wolny.

Dorian przyjrzał się wejściu do laguny przez lunetę. Istotnie, Muntu przeciął linę i uwolnił zaporę, a prąd zepchnął ją na bok.

— Dobra robota, Muntu — pochwalił go. — Teraz weź woły i wyciągnijcie działa z tego *dhow* — wskazał na uwięziony przy brzegu statek Zajna — a potem zawieźcie je na tyły fortu. Przygrzmocimy wrogowi z dwóch stron. Wybijcie wyłom w palisadzie, a kiedy wrócą Jim, Beszuajo i jego *impi*, oni dokończą dzieła.

Późnym popołudniem armaty z rozbitego *dhow* zostały zawleczone wołami na stanowiska i rozpoczęły ostrzał, wzbijając fontanny ziemi i drewnianych szczap z obwarowań. Kanonada trwała całą noc, nie dając oblężonym ani chwili spokoju.

O świcie przesmykiem wpłynęły do zatoki *Sprite*, *Arcturus* i *Revenge*, poprzedzane przez stadko przechwyconych omańskich statków, bojowych i transportowych. Bojowe *dhow* rzuciły kotwice i załoga od razu podjęła ostrzał fortu, dołączając do trzech dziewięciofuntowców na cyplu oraz dział zabranych ze statku flagowego Zajna. Ogień tej artylerii nie dawał nieprzyjacielowi żadnych szans na utrzymanie się w forcie.

Revenge nie zdążyła jeszcze zakotwiczyć, gdy Mansur popłynął na plażę. Dorian podbiegł do syna i wziął go w objęcia.

— Jesteś ranny! — zawołał z niepokojem, widząc bandaż na jego głowie. — Czy to coś poważnego?

— Mam zadraśnięte oko, ale już się prawie wygoiło — uspokoił go Mansur. — Za to Kadem, któremu to zawdzięczam, jest martwy.

— Jak zginął? — zapytał Dorian, odsuwając go na długość ramienia i patrząc mu bacznie w twarz.

— Od noża. Tak samo jak moja matka z jego ręki.

— Ty go zabiłeś?

— Tak, ojcze, ja. I nie była to łatwa śmierć. Moja matka została pomszczona.

— Jeszcze nie, synu — pokręcił głową Dorian. — Zajn al-Din wciąż żyje. Zaszył się ze swymi ludźmi w naszym forcie.

— Czy to pewne, że on naprawdę tam jest? Czy widziałeś go na własne oczy? — dopytywał się Mansur. — Wiesz, jaki jest przebiegły.

Spojrzeli obaj ku mocno już nadwerężonej palisadzie fortu. Nad nią widać było głowy kilku najbardziej zawziętych obrońców. Nie mieli jednak artylerii i strzały z muszkietów były marną odpowiedzią na kanonadę dział.

— Tak, Mansurze, widziałem go. I nie opuszczę tego miejsca, dopóki on także nie zapłaci za swoje niegodziwości i nie dołączy w piekle do swego kompana Kadema.

Obaj zwrócili nagle uwagę na nowy odgłos, początkowo słaby, ale przybierający z każdą minutą na sile. Pół mili od nich wybiegła truchtem z dżungli zwarta kolumna ludzi. Poruszali się w zdyscyplinowanej wojskowej formacji. Przybrania z piór na ich głowach tańczyły w rytm kroków jak piana na czarnej fali. Promienie porannego słońca błyskały refleksami na ostrzach *assegai* i natłuszczonych torsach. Śpiewali głębokimi głosami wojenną pieśń, która dudniła ponad koronami drzew i przejmowała dreszczem słuchaczy. Kolumnę poprzedzał samotny jeździec. Grzywa i ogon jego czarnego wierzchowca powiewały na wietrze w takt krótkiego kroku.

— To Jim na Werblu! — ucieszył się Mansur. — Dzięki Bogu jest zdrów i cały.

Obok konia z jednej strony biegła drobna postać, a przy drugim strzemieniu druga, znacznie potężniejszej budowy.

— Bakkat i Beszuajo — rozpoznał ich Dorian. Mansur pobiegł na spotkanie Jima, który zeskoczył z siodła i zamknął go w niedźwiedzim uścisku.

— Co to za szmaty masz na sobie, kuzynku? — zaśmiał się na widok ubrania, które Mansur zdarł z trupa na plaży. — Czyżby to jakaś nowa moda? Nie pasuje do ciebie, możesz mi wierzyć. — Obejmując go jedną ręką, odwrócił się ku Dorianowi. — Gdzie jest mój ojciec, stryju? — zapytał z nagłym przestrachem. — Błagam cię, powiedz, że nie został ranny ani zabity!

— Nie, chłopcze, nie martw się. Toma nie imają się kule ani stal. Nie był już tutaj potrzebny, więc pojechał sprawdzić, jak się mają kobiety i mały George.

Dorian wiedział, że nie może ujawnić im prawdy o tym, co zrobił Guy, gdyż wówczas nie byłyby w stanie dotrzymać obietnicy danej Tomowi. Obaj młodzieńcy wyruszyliby natychmiast do wąwozu, by bronić swoich kobiet.

— Jak potoczyła się bitwa? — zapytał szybko, żeby ukryć oszustwo.

— Już po wszystkim, stryju — odparł Jim. — Herminius Koots, który dowodził oddziałami wroga, nie żyje. Zginął z mojej ręki, a wojownicy Beszuaja oczyścili dżunglę z jego ludzi. Pościg trwał cały wczorajszy dzień i sporą część nocy. Niektórych Turków dopadli dopiero z dala od plaży, na wzgórzach.

— Gdzie są teraz jeńcy? — zapytał Dorian.

— Beszuajo nie zna nawet tego słowa, a ja nie zdołałem go wyedukować — roześmiał się Jim. Dorianowi jednak nie było wcale do śmiechu. Wyobraził sobie rzeź w dżungli i nękały go wyrzuty sumienia. Czarni wojownicy zakłuli swymi *assegai* jego poddanych. Pomimo że ci ludzie zwrócili się przeciwko niemu, nie potrafił cieszyć się z ich śmierci. Ogarnął go jeszcze większy gniew na Zajna al-Dina, sprawcę tego rozlewu krwi.

Jim nie zwrócił uwagi na wyraz twarzy stryja. Nie ochłonął jeszcze z bitewnej ekscytacji i odurzenia zwycięstwem.

— Spójrzcie tylko na niego — pokazał na Beszuaja, który zgromadził już swoich wojowników naprzeciw palisady.

Działa wybiły w ostrokole potężny wyłom. Król paradował

wzdłuż szeregów *impi*, dźgając włócznią w stronę warowni i zagrzewając ich do dalszego boju.

— Moi synowie, nie wszyscy z was zasłużyli już sobie na prawo do ożenku! — wołał tubalnie. — Czy stworzyłem wam jeszcze zbyt mało okazji do wykazania się odwagą? Zabrakło wam szybkości? Prześladował was pech? — drażnił ich. Przez chwilę milczał, obrzucając wojowników płomiennym spojrzeniem. — A może zdjął was strach? Może sikaliście po nogach na widok uczty, jaką wam wyprawiłem!? — wrzasnął.

Wojownicy wykrzyczeli gniewne zaprzeczenie.

— Wciąż jesteśmy głodni! Wciąż chce nam się pić!

— Pozwól nam znów zaspokoić głód i pragnienie, Wielki Czarny Byku!

— Spuść z uwięzi swoje wierne myśliwskie psy, wielki królu! Chcemy już ścigać zwierzynę!

Z anim Beszuajo pośle swoich wojowników do fortu — zwrócił się do Doriana Jim — musisz rozkazać naszej artylerii, żeby wstrzymała ogień.

Dorian wysłał gońców do dowódców poszczególnych baterii i kanonada zaczęła zamierać. Trochę dłużej potrwało, nim wiadomość dotarła do trzech redut na zboczu cypla, lecz w końcu ponad zatoką zapadła ciężka, pełna napięcia cisza.

Poruszały się jedynie pierzaste przybrania głów czarnych wojowników. Arabscy obrońcy na palisadzie wpatrywali się z góry w karne szeregi i bezładny ogień z ich muszkietów także stopniowo ucichł. Wiedzieli, że spoglądają w oczy nieuchronnej śmierci.

Nagle z obwarowań fortu poniósł się głośny sygnał rogu. Szeregi ludzi Beszuaja zafalowały niespokojnie. Dorian zobaczył przez lunetę białą flagę, wywieszoną za ostrokół.

— Chcą się poddać? — Uśmiechnął się Jim. — Królowi to pojęcie także jest nieznane. Biała flaga nie uratuje tych ludzi przed niechybną śmiercią.

— To nie kapitulacja — Dorian zatrzasnął lunetę. — Znam człowieka, który wywiesił flagę; ma na imię Rahmad. To jeden z admirałów omańskich, dobry żeglarz i odważny człowiek. Nie dane mu było wybierać, któremu panu chce służyć. Taki ktoś nie poddałby się ze strachu. Chce pertraktować.

Jim pokręcił niecierpliwie głową.

— Nie zdołam już zbyt długo powściągać ludzi Beszuaja przed atakiem — stwierdził. — O czym tu zresztą pertraktować?

— Zamierzam się tego dowiedzieć — rzekł Dorian stanowczo.

— Na Boga, stryju! Nie zaufasz chyba Zajnowi? To z pewnością podstęp.

— Jim ma rację, ojcze — dorzucił Mansur. — Nie możesz pozwolić, żeby Zajn tobą sterował.

— Chcę porozmawiać z Rahmadem. Może istnieje jakaś szansa na zakończenie tej rzezi i na uratowanie życia tym nieszczęśnikom zamkniętym w pułapce.

— W takim razie idę z tobą — oznajmił Mansur.

— Ja też — Jim stanął przy nich.

Twarz Doriana złagodniała. Położył obu młodym ludziom dłonie na ramionach.

— Proszę, żebyście zostali tutaj. Ktoś przecież będzie musiał mnie pomścić, jeśli coś pójdzie źle. — Odpiął pas ze szpadą i wręczył go synowi. — Pilnuj go, dopóki nie wrócę. — Spojrzał na Jima. — Czy możesz porozmawiać z królem i wytłumaczyć mu, żeby utrzymał swoje psy gończe na wodzy jeszcze przez jakiś czas?

— Spróbuję, ale pośpiesz się, stryju. Beszuajo nie słynie z cierpliwości. — Jim podszedł wraz z Dorianem do króla stojącego przed kolumną *impi*. W końcu Beszuajo niechętnie skinął głową i Jim wypuścił z ulgą powietrze. — Zgadza się zaczekać do twego powrotu — powiedział Dorianowi.

Kalif przeszedł szybko między szeregami wojowników. Rozstępowali się przed nim, czując emanującą od niego moc człowieka wysokiego rodu. Kroczył statecznie ku ścianie fortu i w końcu zatrzymał się przed nią na odległość strzału z pistoletu.

— Mów, Rahmadzie! — zawołał, spoglądając ku postaci na palisadzie.

— Pamiętasz mnie, panie? — zdumiał się Arab.

— Znam cię dobrze, inaczej bym ci nie zaufał. Wiem, że jesteś człowiekiem honoru.

— Wasza Wysokość! — Rahmad skłonił się głęboko. — Potężny kalifie.

— Skoro zwracasz się do mnie w ten sposób, to dlaczego walczysz po przeciwnej stronie?

Mężczyzna pochylił na moment głowę, jakby ze wstydem, lecz po chwili znów podniósł wzrok.

— Mówię nie tylko w imieniu własnym, lecz także w imieniu ludzi, którzy są tu ze mną — oświadczył.

— To zaiste dziwne, Rahmadzie — rzekł Dorian, rozkładając dłonie. — Przemawiasz więc w imieniu ludzi, a nie Zajna al-Dina? Wytłumacz mi to.

— Potężny al-Salilu, Zajn al-Din jest... — mężczyzna szukał właściwego słowa. — Zwróciliśmy się do Zajna al-Dina, aby udowodnił nam i całemu światu, że to on, a nie ty, jest prawdziwym kalifem Omanu.

— Jak miałby to uczynić?

— Jest sposób uświęcony tradycją, gdy dwóch ludzi rości sobie prawo do jednego tronu — odparł Rahmad. — Zażądaliśmy, żeby Zajn al-Din zmierzył się z tobą w równej walce, aż do śmierci jednego z was, jak wojownik z wojownikiem, przed Bogiem i wszystkimi tu zgromadzonymi.

— Proponujecie pojedynek?

— Przyrzekaliśmy posłuszeństwo Zajnowi, panie, i nie możemy go wydać w twoje ręce. Przysięga nakazuje nam oddać życie w jego obronie. Gdyby jednakże został pokonany w tradycyjnym pojedynku, ślubowanie straciłoby swoją moc. Wówczas z ochotą zostalibyśmy twymi sługami.

Dorian rozumiał, przed jakim stoją dylematem. Uwięzili Zajna, ale nie mogli go zgładzić ani wydać w ręce wroga. Tylko on sam mógł go zabić w walce, tocząc pojedynek. Alternatywą była zgoda na to, żeby Beszujao zaszlachtował Rahmada i pozostałych Omańczyków w forcie.

— Dlaczegóż miałbym się wystawiać na takie niebezpieczeństwo? Zajn oraz wy wszyscy i tak jesteście w mojej mocy. Wystarczy jedno moje słowo i ci ludzie — pokazał na kolumnę czarnych wojowników — wyrżną was w pień.

— Ktoś pośledniejszej miary mógłby tak postąpić. Ale syn sułtana Abd Muhammada al-Malika z pewnością nie narazi na szwank dobrego imienia, ani swojego, ani naszego.

— Masz rację, Rahmadzie — odrzekł poważnie Dorian. — Moim przeznaczeniem jest zjednoczyć królestwo Omanu, a nie podzielić je jeszcze bardziej. Będę walczył z Zajnem al-Dinem o przyszłość kalifatu.

S tarszyzna omańska wyznaczyła kolisty ring dla walczących, wysypując jego obrzeże białym popiołem na spieczonej słońcem, twardej ziemi przed bramą warowni. Średnica kręgu wynosiła dwadzieścia kroków.

Wszyscy Arabowie, którzy znaleźli się w forcie, wybiegli do ostrokołu. Ludzie Doriana, włączając w to załogi pojmanych *dhow*, zgromadzili się przy kręgu od strony zatoki, naprzeciwko tamtych.

Jim objaśnił zasady i cel walki królowi, któremu pomysł pojedynku bardzo przypadł do gustu. Przestał już okazywać niezadowolenie z decyzji odbierającej mu możliwość wymordowania oblężonych. Te gladiatorskie zawody uznał za jeszcze lepszą zabawę.

— Podoba mi się taki sposób rozwiązania sporu — stwierdził. — To zaiste godne wojownika. Może w przyszłości sam będę go stosował.

Jego wojownicy siedzieli w karnych szeregach za oddziałami Doriana. Dzięki wyniesieniu gruntu wszyscy mieli doskonały widok na ring.

Dorian stał wraz z Mansurem i Jimem, patrząc w stronę zamkniętej bramy fortu. Miał na sobie tylko prostą białą szatę i był boso, a także, zgodnie z zasadami walki, bez broni.

Rozległ się sygnał rogu i wrota stanęły otworem. Wyszło z nich czterech żołnierzy w półzbrojach — w hełmach, kolczugach i nagolennikach chroniących nogi. Byli to barczyści, silni mężczyźni o zimnym spojrzeniu i zaciętych twarzach. Na dworze omańskim pełnili funkcje katów. Zadawanie tortur i śmierci stanowiło ich profesję. Zajęli teraz stanowiska w czterech punktach kręgu, opierając się na rękojeściach obnażonych szabli.

Po krótkiej przerwie róg zabrzmiał ponownie i z fortu wyszła kolejna procesja. Prowadził ją mułła Khaliq. Za nim szedł Rahmad i czterech wodzów plemiennych. Wreszcie w eskorcie pięciu zbrojnych pojawiła się wysoka postać Zajna al-Dina, który, utykając lekko, podszedł do krawędzi ringu i stanął naprzeciwko Doriana.

Na środek kręgu wyszedł teraz Rahmad wraz z czterema wodzami.

— W imię Boga Jedynego i jego prawdziwego Proroka, zebraliśmy się tutaj, żeby zadecydować o losie naszego narodu. Al-Salil! — skłonił się ku Dorianowi. — Zajn al-Din! — odwrócił się i skłonił ponownie. — Dzisiaj jeden z was umrze, a drugi wstąpi na Słoniowy Tron Omanu!

Wyciągnął ręce przed siebie i dwóch wodzów wręczyło mu parę szabli. Rahmad wbił jedną pionowo w ziemię tuż za granicą kręgu, a potem przeszedł na przeciwległą stronę i umieścił tam drugą.

— Tylko jeden z was będzie mógł wyjść z tego kręgu żywy — oznajmił. — Ci oto sędziowie — wskazał na czterech katów — zostali obarczeni obowiązkiem zabicia bez najmniejszego wahania tego, który wykroczy poza linię albo zostanie poza nią wypchnięty. — Dotknął granicy kręgu czubkiem sandała. — A teraz mułła Khaliq odmówi modły, by ubłagać Boga o jego przewodnictwo w tej sprawie.

Przenikliwe zawodzenie świątobliwego męża poniosło się w ciszy nad placem. Mułła polecił boskiemu osądowi obu przeciwników i ich los. Dorian i Zajn wpatrywali się w siebie ponad ringiem. Obaj zachowywali kamienny spokój, ale w ich oczach płonęła nienawiść i gniew.

— W imię Boga, niechaj się zacznie! — zakończył swoją modlitwę Khaliq.

— W imię Boga, gotujcie się! — zakrzyknął Rahmad.

Jim z Mansurem ściągnęli luźną szatę przez głowę Doriana, który pozostał tylko w białej przepasce biodrowej. Jego skóra w miejscach nietkniętych słońcem była gładka i biała. Eskorta Zajna także pomogła mu zdjąć odzienie. Pod spodem też nosił przepaskę, a skórę miał koloru starej kości słoniowej. Dorian wiedział, że Zajn jest starszy od niego tylko o dwa lata. Obaj byli po czterdziestce i upływający czas zaczął już odciskać swe piętno na ich ciałach. We włosach i brodach pojawiły im się siwe pasemka, a w talii nieznaczne wałeczki tłuszczu. Gdy jednak znaleźli się na ringu, poruszali się zwinnie, a ich muskularnym kończynom nie brakowało siły i twardości. Dorównywali sobie wzrostem, lecz Zajn był cięższy, szerszy w barach i bardziej grubokościstej budowy. Obaj szkoleni byli od dzieciństwa w sztukach wojennych, lecz dotąd spotkali się w bezpośrednim starciu tylko raz, jeszcze jako chłopcy. Od tamtego czasu bardzo się zmienili, i świat wokół nich także.

Stali teraz twarzą w twarz, nieco poza zasięgiem swoich ramion. Żaden się nie odzywał, lecz tylko szacował przeciwnika wzrokiem. Rahmad wszedł między nich. W ręce trzymał jedwabny sznur, lekki jak babie lato, lecz mocny jak stalowy drut. Odmierzył dokładnie jego długość. Sznur był o pięć kroków krótszy od średnicy kręgu.

Najpierw podszedł do Zajna. Choć wiedział, że jest mańkutem, zapytał dla formalności:

— Która ręka?

Zajn wyciągnął prawą, jakby odpowiedź była mu wstrętna, i Rahmad zawiązał mu koniec sznura na przegubie. Był żeglarzem i potrafił zrobić węzeł, który nie zaciśnie się ani nie ześliźnie, lecz będzie trzymał jak stalowe kajdany. Następnie podszedł z drugim końcem sznura do Doriana. Ten podstawił lewą rękę i też została obwiązana. Przeciwnicy byli teraz złączeni ze sobą i mogła ich rozdzielić tylko śmierć jednego z nich.

— Wyznaczcie szable — polecił Rahmad i każdy obejrzał się za siebie, żeby spojrzeć na bułat, wbity za jego plecami na krawędzi ringu. Długość jedwabnego sznura nie pozwalała im dosięgnąć broni jednocześnie.

— Odgłos rogu będzie sygnałem do rozpoczęcia walki, lecz zakończyć ją może tylko śmierć — oznajmił Rahmad, po czym opuścił krąg. Nad całym placem zaległa śmiertelna cisza; nawet wiatr jakby się uspokoił, a mewy przestały krzyczeć. Rahmad uniósł rękę ku heroldowi na palisadzie. Ten przytknął róg do ust. Rahmad opuścił rękę i głos rogu załkał ponad zatoką, odbijając się echem od ściany przylądka. Wokół ringu podniosła się potężna fala dźwięku, gdy zgromadzeni widzowie wydali chóralny okrzyk.

Żaden z walczących jeszcze się nie poruszył. Wpatrzeni w siebie, napinali sznur, szacując nawzajem swoją wagę i siłę, podobnie do rybaka sprawdzającego ciężar ryby, która połknęła haczyk. Żaden nie mógł ująć broni, dopóki nie zmusi przeciwnika do oddania pola. Trwali tak w ciszy, gdy nagle Dorian skoczył naprzód, poluźniając sznur. Zajn zatoczył się w tył, zaraz jednak wykonał obrót i ruszył biegiem do swojej szabli. Dorian podbiegł za nim i szybko wybrał sznur, skracając go o dwie długości ramienia. Znalazł się teraz pośrodku kręgu, a sznur był już o połowę krótszy. Z tego miejsca panował nad całym ringiem, lecz za to poświęcić musiał cenne jardy terenu. Zajn wyciągał już rękę ku rękojeści broni. Dorian okręcił sobie sznur mocniej wokół przegubu i zaparł się stopami o ziemię. Zajn szarpnął się na naprężonej lince tak mocno, że impet obrócił nim i musiał przenieść ciężar ciała na kaleką nogę. Na chwilę stracił równowagę, Dorian zaś wykorzystał to i wybrał kolejny odcinek sznura.

Teraz raptownie zmienił kąt. Był jak sworzeń, wokół którego obracał się Zajn. Wykorzystując jego bezwładność, wyrzucił go niczym kamień z procy w stronę białej linii, wprost ku jednemu z sędziów, czekającemu już z obnażoną szablą. Wydawało się, że

Zajn wypadnie poza krąg, jednak w ostatniej chwili zaparł się zdrową nogą i zatrzymał na samej linii, wzbijając stopą obłok popiołu. Kat stał tuż za nim, z bronią wzniesioną do ciosu. Sznur poluźnił się i Dorian stracił podparcie. Rzucił się ku Zajnowi, chcąc staranować go ramieniem i wyrzucić poza obręb ringu. Zajn zebrał się w sobie, zaparł nogami i pochylił, żeby przyjąć atak.

Zderzyli się z taką siłą, że aż strzeliło im w kościach, i stali w zwarciu, niczym kamienna rzeźba, wytężając się i postękując. Dorian wbił nasadę prawej dłoni pod brodę Zajna i pchał jego głowę do tyłu. Plecy tego ostatniego wyginały się w łuk ponad linią, a sędzia przysunął się o krok, gotów zadać cios, gdy tylko wykroczy poza krąg. Zajn nabrał z sykiem powietrza. Twarz pociemniała mu i nabrzmiała od wysiłku, lecz zdołał się powoli wyprostować i odepchnąć przeciwnika krok do tyłu.

Zgiełk był ogłuszający. Wrzask tysiąca głosów łączył się z łomotem *assegai* o tarcze kołyszących się rytmicznie wojowników. Cięższy od przeciwnika Zajn stopniowo wsuwał bark pod pachę Doriana i nagle dźwignął go w górę. Odebrał oparcie jego nogom i zmusił do poluźnienia chwytu. Stopy Doriana ślizgały się w pyle i musiał się cofnąć o jard, a potem o drugi. Z całej siły opierał się naporowi ramienia przeciwnika. Wtem Zajn odskoczył do tyłu. Dorian stracił równowagę, a Zajn pomknął, utykając, ku miejscu, gdzie sterczał wbity w ziemię bułat.

Dorian próbował jeszcze go zatrzymać, ściągając sznur, lecz zanim go naprężył, Zajn dopadł broni i zacisnął dłoń na jej rękojeści. Dorian szarpnął przeciwnikiem, a ten wcale się nie opierał i ruszył ku niemu, celując w krtań. Dorian zrobił unik i zaczęli się okrążać. Wciąż łączył ich, niczym pępowina, jedwabny sznur.

Zajn śmiał się bezgłośnie, lecz był to śmiech pozbawiony radości. Zamarkował natarcie, zmuszając Doriana do cofnięcia się, i gdy tylko sznur znów się poluzował, skoczył na przeciwną stronę kręgu, gdzie wciąż stał wbity w ziemię drugi bułat. Nim Dorian zdążył naprężyć sznur i powstrzymać go, Zajn chwycił broń i stanął twarzą do przeciwnika, dzierżąc teraz szablę w każdej ręce.

Wśród widzów zaległa cisza. Patrzyli ze zgrozą i fascynacją, jak Zajn skrada się za Dorianem wokół ringu, podczas gdy sędziowie krążą niczym cienie za jego plecami, czekając na moment, kiedy wykroczy poza linię. Obserwując wroga, Dorian doszedł do wniosku, że chociaż woli on posługiwać się lewą ręką, równie wprawnie włada bronią w prawej. Jakby dla potwierdzenia, Zajn skoczył naprzód i wykonał cięcie prawą w jego głowę. Gdy Dorian się uchylił, Zajn pchnął lewą i tego ciosu już nie dało się uniknąć. Mimo że Dorian wykonał skręt tułowia, szpic szabli trafił go w żebra. Tłum zawył na widok tryskającej krwi.

Mansur ścisnął ramię Jima z taką siłą, żę wbił mu paznokcie w skórę.

— Jest ranny — szepnął. — Musimy to przerwać.

— Nie, kuzynie. — Jim pokręcił ponuro głową. — Nie wolno nam się wtrącać.

Walczący wciąż krążyli po ringu, połączeni jedwabnym sznurem. Dorian miał w rękach jego zapas.

Zajn aż trząsł się cały z żądzy zabijania. Mlaskał ustami, a jego oczy płonęły mrocznym blaskiem.

— Wykrwawiaj się, świnio — wysyczał. — Kiedy już padniesz, porąbię twoje ścierwo na pięćdziesiąt kawałków i poślę je do najdalszych zakątków mego imperium, żeby wszyscy się dowiedzieli, jaka jest kara za zdradę.

Dorian nie odpowiedział. Palcami prawej ręki przytrzymywał lekko sznur i w pełni skoncentrowany szukał w oczach Zajna zapowiedzi kolejnego natarcia. Zajn zrobił zwód chromą nogą, po czym zaatakował, wybijając się ze zdrowej. Dorian dokładnie tego oczekiwał. Wypuścił szybko cały zapas sznura i ruchem nadgarstka trzasnął z luźnej pętli jak z bicza. Mocna jedwabna linka chlasnęła Zajna przez policzek, trafiając w prawe oko z taką siłą, że zalało się krwią. Źrenica i rogówka zostały uszkodzone i w jednej chwili gałka oczna zmieniła się w czerwony galaretowaty bąbel.

Zajn wrzasnął przeraźliwie, piskliwym dziewczęcym głosem. Puścił szablę i przycisnął dłonie do zranionego oka. Stał oślepiony na środku ringu, nie przestając krzyczeć. Dorian podniósł z ziemi broń. Prostując się, wykonał z wdziękiem tancerza półobrót i zagłębił ostrze w brzuchu swego wroga.

Wrzask zamarł na ustach Zajna. Jedną dłoń wciąż przyciskał do oka, a drugą ręką sięgnął w dół, do ziejącej w brzuchu rany, z której uchodziła z bulgotem mieszanina krwi, gazów i treści żołądkowej. Opadł na kolana i zwiesił nisko głowę, odsłaniając tym samym kark. Dorian wzniósł bułat wysoko w górę i zadał cios. Powietrze zaświergotało cicho na stalowym ostrzu, jak płaczliwy zew gołębicy. Klinga trafiła między dwa kręgi i przecięła szyję. Odrąbana głowa Zajna spadła z ramion i potoczyła się po twardej ziemi. Korpus klęczał jeszcze przez chwilę, brocząc krwią z otwartych arterii, po czym przewrócił się na wznak.

Dorian pochylił się, chwycił garść przetykanych siwizną włosów i uniósł krwawiącą głowę wysoko w górę. Szeroko otwarte oczy potoczyły wokół straszliwym spojrzeniem.

— Tak oto pomściłem śmierć księżniczki Jasmini! — zawołał Dorian triumfalnie. — Tak potwierdziłem moje prawo do Słoniowego Tronu Omanu!

— Chwała al-Salilowi! — odpowiedziało mu tysiąc głosów. — Chwała kalifowi!

Czarni wojownicy zerwali się na nogi i razem z Beszuajem ryknęli w królewskim salucie:

— Bayete, Inkhosi! Bayete!

Dorian wypuścił głowę Zajna z ręki i zachwiał się, gdyż jego własna rana wciąż krwawiła. Byłby upadł, lecz Mansur z Jimem przyskoczyli do niego i podtrzymali z dwóch stron. Zanieśli go do głównego budynku w forcie. Pokoje zostały ogołocone z wszelkich sprzętów, ale zabrali Doriana do jego sypialni i ułożyli tam na gołej podłodze. Mansur kazał Rahmadowi wezwać osobistego medyka Zajna al-Dina, który już czekał za drzwiami i zjawił się natychmiast.

Podczas gdy lekarz obmywał ranę i zszywał ją katgutem, Dorian przemówił cicho do obu młodzieńców.

— Dałem słowo Tomowi, że nic wam nie powiem, dopóki walka nie dobiegnie końca, lecz teraz jestem już zwolniony z tego przyrzeczenia. Jak tylko obrońcy opuścili fort, nasz brat Guy zszedł na ląd ze swoim oddziałem. Zajęli fort i Guy odkrył, że opróżniliśmy skarbiec z jego złota. Dojrzał ślady wozów i domyślił się wszystkiego. Zajn wyładował już część koni na plażę i Guy kazał je osiodłać, a potem z dwudziestką ludzi popędził, kierując się śladami. Nie ulega wątpliwości, że chce zdobyć wozy i odzyskać złoto.

Obaj wpatrywali się weń ze zgrozą. Jim pierwszy odzyskał głos.

— Kobiety! — zakrzyknął. — Mały George! Są w śmiertelnym niebezpieczeństwie!

— Kiedy uświadomiliśmy sobie, co się dzieje, Tom wziął Smallboya i jego ludzi z muszkietami i ruszyli w pościg za Guyem — uspokajał go Dorian.

— Na Boga, to było wczoraj! — jęknął Mansur. — Nie wiadomo, co się tam wydarzyło do tej pory. Dlaczego nam nic nie powiedziałeś, ojcze?

— Przecież rozumiesz, że nie mogłem — odparł Dorian. — Teraz obietnica dana Tomowi straciła ważność.

Jim odwrócił się do Mansura. Głos drżał mu z niepokoju o Sarah, Louisę i synka.

— Jedziesz ze mną? — zapytał.

— Pozwolisz, ojcze? — zwrócił się Mansur do Doriana.

— Oczywiście, synu. Jedź z moim błogosławieństwem.

Zerwali się na równe nogi i popędzili do drzwi. Jim krzyczał już do Bakkata:

— Siodłaj mi Werbla! Wyruszamy natychmiast!

Wąwóz nad rzeką znajdował się nie tylko wystarczająco daleko od wybrzeża, lecz było to także piękne miejsce i właśnie z tego powodu Sarah wybrała je na obozowisko. Rzeka spływała tu z gór w licznych zakolach i kaskadach. Jeziorka pod wodospadami były czyste i spokojne; roiło się w nich od żółtych ryb. Cień dawały wysokie drzewa. Dojrzewające owoce przyciągały ptaki i małe małpki.

Chociaż Tom wymusił na Sarah, żeby ukryli większość mebli i innych sprzętów bliżej fortu, w tym samym miejscu co niemal całą kość słoniową, wszystkie ważne dla niej rzeczy kazała załadować na wozy. Nie przejmowała się zbytnio skrzyniami ze złotem, które Tom powierzył jej szczególnej pieczy. Po dotarciu do wąwozu nie kazała ich nawet wyładować. Kiedy Louisa i Verity delikatnie napomknęły, że nie jest to może zbyt rozsądne, Sarah parsknęła śmiechem.

— Szkoda fatygi. Po co mamy się znów mozolić przy załadunku, kiedy nadejdzie czas powrotu do domu?

Z drugiej strony nie szczędziła wysiłków, żeby zmienić obóz w wygodne miejsce. Głównym jej osiągnięciem były kuchnia i jadalnia o ścianach z suszonej gliny, nakryte mistrzowsko wykonaną strzechą, z polepą z gliny i krowich placków. Na środku pokoju, tak samo jak w forcie, stał klawikord, do którego wtóru kobiety śpiewały wieczorami.

W ciągu dnia urządzały pikniki nad jeziorkiem. Patrzyły, jak mały George pływa golutieńki, niczym rybka, i biły mu brawo, gdy skakał do wody z brzegu, starając się to robić z jak najgłośniejszym pluskiem. Malowały i szyły. Louisa uczyła też synka jazdy konnej; George podskakiwał na grzbiecie Śmigłej jak mała pchełka. Verity pracowała nad przekładami Koranu i „Ramajany". Sarah chodziła z George'em po okolicy, zbierając dzikie kwiaty. Później w obozie szkicowała rośliny i opatrywała swoje prace opisami, by uzupełnić zielnik. Verity zabrała z kajuty na *Arcturusie* pudło ulubionych książek i czytała im na głos. Zachwycały się „The Seasons" Jamesa Thomsona* i chichotały jak uczennice przy „Rage on Rage".

Czasami o poranku Louisa zostawiała George'a pod opieką Sarah i Intepe, i udawały się z Verity na konną przejażdżkę. Chłopcu bardzo taka sytuacja odpowiadała. Babcia Sarah stanowiła dlań nigdy niewysychające źródło ciasteczek, toffi i innych łakoci; była też niezrównaną gawędziarką. Łagodną Intepe zaś George owinął sobie całkowicie wokół palca i spełniała jego polecenia bez słowa protestu. Była teraz żoną Zamy i urodziła mu już drugiego silnego syna. Niemowlak był jeszcze przy piersi, lecz starszy synek Intepe stał się przybocznym George'a. Zama zrobił każdemu po małym łuku i wyciął im włócznie z zaostrzonych kijów. Chłopcy spędzali wiele czasu, polując na obrzeżach obozu, lecz mogli się pochwalić tylko jedną zdobyczą. Polna mysz popełniła błąd i wbiegła George'owi pod nogi, a on, chcąc uskoczyć, nadepnął jej na głowę. Upiekli potem malutkie stworzenie na specjalnie w tym celu rozpalonym wielkim ognisku i spożyli z wielkim smakiem spieczone na czarno mięso.

Takie życie mogło wydawać się sielanką, lecz nią nie było. Nad obozowiskiem unosił się cień przygnębienia. Często wśród śmiechów i rozmów nagle zapadało milczenie i kobiety spoglądały ku drodze prowadzącej do wybrzeża. Gdy któraś wymieniała imię ukochanego mężczyzny, a czyniły to często, ich oczy powlekał smutek. Nocami budziły się na odgłos rżenia koni lub stukotu kopyt w ciemności i wołały do siebie ze swoich wozów:

— Słyszałaś to, matko?

— To jeden z naszych koni, Louiso. Śpij już. Jim niedługo przyjedzie.

— Dobrze się czujesz, Verity?

— Nie gorzej od ciebie, ale tęsknię za Mansurem tak jak ty za Jimem.

— Nie zamartwiajcie się tak, dziewczęta — uspokajała je Sarah. — To Courtneyowie. Są twardzi. Na pewno wkrótce powrócą.

Co cztery, pięć dni zjawiał się konny posłaniec z fortu i przywoził im listy w skórzanej torbie przewieszonej przez plecy. Była to dla

---

* Pisarz angielski pochodzenia szkockiego; prawdopodobnie autor angielskiej pieśni narodowej „Rule Britannia".

nich najpiękniejsza chwila. Każda szła z listem do swego wozu, żeby przeczytać go w samotności. Gdy wychodziły, zarumienione i uśmiechnięte, z chwilowym ożywieniem przekazywały sobie najnowsze wieści, a potem znów zaczynał się długi czas oczekiwania na następną wizytę posłańca.

Dziadek Intepe, Tegwane, pilnował obozowiska nocą. Nie potrzebował już wiele snu, a obowiązki traktował bardzo poważnie. Nieustannie obchodził obóz na swoich chudych, bocianich nogach, trzymając na ramieniu włócznię. Nadzór nad wszystkim sprawował Zama. Miał pod sobą ośmiu ludzi — woźniców i uzbrojonych *askari*. Izeze, „Pchełka", który wyrósł na krzepkiego młodzieńca i dobrego strzelca, dowodził strażą.

Z rozkazu Jima pasterze przepędzili stada na pobliskie wzgórza, żeby uchronić je przed wytropieniem przez siły ekspedycyjne Zajna al-Dina. Dzięki temu Ikunzi i jego Nguni też byli w razie czego pod ręką.

Po dwudziestu ośmiu dniach zamieszkiwania w nadrzecznym wąwozie kobiety powinny czuć się tam w miarę bezpiecznie, a jednak tak nie było. Powinny spać głębokim snem, lecz nie spały. Nieustannie towarzyszyły im złe przeczucia.

Tej nocy Louisa w ogóle nie mogła zasnąć. Powiesiła koc nad posłaniem George'a, żeby zasłonić go od światła, a sama oparta o poduszki czytała przy olejnej lampce Henry'ego Fieldinga *. Nagle odłożyła książkę i odsunęła płócienną klapę z tyłu wozu. Nasłuchiwała przez chwilę, żeby się upewnić.

— Jeździec się zbliża! To na pewno poczta! — zawołała.

W innych wozach rozbłysło światło, gdy podkręcono knoty, i po chwili wszystkie trzy kobiety zbiły się w stadko przed kuchnią. Narzuciły peleryny na nocne koszule i rozmawiały podekscytowane, podczas gdy Zama z Tegwane dokładali do ognia. Pierwsza zaniepokoiła się Sarah.

— To nie jeden jeździec, jest ich więcej! — zawołała, przechylając głowę i wsłuchując się w tętent.

— Myślisz, że to mogą być nasi mężczyźni? — spytała Louisa.

— Nie wiem.

— Powinnyśmy przesięwziąć środki ostrożności — ostrzegła Verity. — Nie zakładajmy, że to nasi, dlatego że jadą konno i nie podkradają się.

---

* Pisarz angielski, przedstawiciel oświecenia.

— Verity ma rację. Louiso, idź po George'a. Wszyscy do kuchni! Zamkniemy się tam, dopóki się nie okaże, kim oni są.

Louisa uniosła trochę koszulę nocną i pobiegła do wozu, a jej długie jasne włosy powiewały za nią. Intepe nadbiegła ze swojej chaty wraz z dziećmi. Sarah kazała jej wejść do kuchni, a sama chwyciła muszkiet i stanęła w drzwiach.

— Louiso, pośpiesz się! — ponagliła. Tętent kopyt się przybliżał i po kilku minutach z ciemności nocy wyjechała duża grupa konnych. Wpadli do środka obozowiska i osadzili konie, przewracając przy okazji wiadra i inne sprzęty i wzbijając podświetlony ogniem tuman pyłu. — Coście za jedni? — zapytała ostrym tonem Sarah, celując do nich z muszkietu. — Czego od nas chcecie?

Dowódca oddziału wystąpił naprzód i zsunął na tył głowy kapelusz, żeby zobaczyła, że jest biały.

— Odłóż tę strzelbę, kobieto — powiedział. — Niech wszyscy wyjdą na plac. Macie wypełniać moje polecenia.

Verity stanęła u boku Sarah.

— To mój ojciec — szepnęła. — Guy Courtney.

— Ach, Verity, ty wiarołomny bachorze! — zakrzyknął Guy. — Chodź no tu zaraz. Odpowiesz mi teraz za wszystko.

— Zostaw ją w spokoju, Guyu Courtneyu! — zawołała Sarah. — Verity jest pod moją opieką.

Guy poznał ją i zaśmiał się szyderczo.

— Sarah Beatty, moja ukochana szwagierka. Wiele długich lat minęło od naszego ostatniego spotkania!

— Jak na mój gust, jeszcze nie nazbyt wiele. — Spojrzała nań spode łba. — I nie jestem już Beatty, tylko pani Courtneyowa. A teraz zabieraj się stąd i zostaw nas w spokoju.

— Na twoim miejscu, Sarah, nie przechwalałbym się tak poślubieniem tego łotra i rozpustnika. Nie odjadę stąd tak szybko, macie tu bowiem coś, co zostało mi ukradzione. Moją córkę i moje złoto. Przybyłem odebrać swoją własność.

— Będziesz musiał mnie zabić, żeby dotknąć tu czegokolwiek swoimi brudnymi łapskami!

— Nie sprawi mi to żadnej trudności, zapewniam cię. — Roześmiał się i spojrzał na Petersa. — Każ ludziom przeszukać wozy.

— Stać! — Sarah uniosła muszkiet.

— Strzelaj! — judził Guy. — Ale przysięgam, że będzie to ostatnia rzecz, jaką zrobisz w życiu.

Zawahała się. Tymczasem ludzie Guya zeskoczyli z koni i rozeszli się grupkami do wozów. Po chwili któryś zawołał coś po arabsku.

— Znaleźli złoto — przetłumaczył Peters.

Nagle rozległ się krzyk kobiety — dwóch Arabów wywlokło z wozu Louisę. Trzymała w objęciach małego George'a i wyrywała się napastnikom.

— Zostawcie mnie! Zostawcie moje dziecko!

— A cóż to za bachor? — Guy pochylił się i chwyciwszy George'a pod jedno ramię, wyrwał go z objęć matki. Spojrzał ponad ogniskiem na Sarah. — Czy wiesz coś o tym małym bękarcie?

Verity pociągnęła ją ukradkiem za koszulę.

— Nie daj mu poznać, że George tyle dla ciebie znaczy, bo wykorzysta to przeciwko tobie — szepnęła.

— Moja droga córeczka spiskuje z wrogami własnego ojca — rzekł kwaśno Guy. — Okryłaś się hańbą, dziewczyno. — Utkwił znów wzrok w twarzy Sarah i spostrzegł, że pokryła się trupią bladością. Na jego ustach zaigrał zimny uśmiech. — A więc ten dzieciak nie jest twoim krewnym? — zapytał z przekąsem. — Nie rościsz do niego pretensji? No to możemy się go pozbyć.

Wychylił się z siodła i przytrzymał George'a ponad ogniskiem. Chłopiec poczuł na bosych stopach żar i zaczął wrzeszczeć. Louisa krzyczała nie ciszej od niego.

— Nie, ojcze! Proszę, zostaw go w spokoju! — zawołała Verity.

— Nie, Guy! — Reakcja Sarah była bardziej zdecydowana. Podbiegła naprzód, wołając: — To mój wnuk! Proszę, nie rób mu krzywdy! Zrobimy, co każesz, tylko puść George'a.

— No, to już brzmi rozsądniej. — Guy zabrał chłopca znad ognia.

— Oddaj mi go — Sarah wyciągnęła do niego ręce. — Guy, błagam cię!

— Guy, błagam cię! — przedrzeźniał ją. — Teraz wreszcie mówisz po ludzku. Obawiam się jednak, że młody człowiek będzie musiał zostać ze mną na wypadek, gdybyś zmieniła zdanie. A teraz niech wszyscy wasi ludzie rzucą broń i wyjdą ze swoich kryjówek z rękami w górze. Każ im to zrobić!

— Zama! Tegwane! Izeze! — zawołała Sarah. — Zróbcie, czego żąda!

Mężczyźni wyszli, ociągając się, spomiędzy wozów i z okolicznych zarośli. Ludzie Guya odebrali im muszkiety, związali ręce za plecami i odprowadzili poza obozowisko.

— A teraz ty, Verity i ta trzecia niewiasta — pokazał na Louisę — macie wejść do chaty i siedzieć tam grzecznie. Pamiętajcie, że mam tego ładnego bobaska. — Uszczypnął George'a w policzek tak mocno, że wbił mu paznokcie w skórę i chłopiec znów zaniósł się płaczem. Kobiety próbowały się opierać, lecz napastnicy wepchnęli je do kuchni i zatrzasnęli drzwi. Dwóch stanęło na zewnątrz na straży.

Guy zeskoczył z siodła i rzucił wodze jednemu z Arabów, a sam ruszył szybko do wozów, ciągnąc za sobą George'a. Malec protestował głośno. Guy pochylił się nad nim i potrząsnął tak mocno, że chłopcu aż zadzwoniły zęby i, nie mogąc złapać tchu, przestał krzyczeć.

— Zamknij gębę, ty mała świnio, albo ja ci ją zamknę! — syknął wściekle Guy, po czym zawołał do Petersa: — Niech wyładują skrzynie ze złotem! Chcę sprawdzić, czy niczego nie brakuje.

Wyciągnięcie ciężkich skrzyń z wozów i odśrubowanie pokryw zajęło więcej czasu, niż sądził, lecz w końcu mógł stanąć nad nimi i spojrzeć na błyszczące żółte sztaby. Jego twarz rozjaśniła się jak w religijnym uniesieniu.

— Jest wszystko — wyszeptał. — Co do uncji. Teraz trzeba będzie dostarczyć skrzynie z powrotem na statki — uświadomił sobie, otrząsając się z transu. — Będziemy potrzebowali przynajmniej dwóch wozów. — Niosąc George'a pod pachą, podszedł do miejsca, gdzie stali pod strażą służący Sarah. — Którzy z was są woźnicami? — zapytał. — Pójdziecie z moimi ludźmi po woły i zaprzęgniecie je do tamtych dwóch wozów. Uwińcie się z tym szybko. A kto spróbuje ucieczki, zarobi kulkę w plecy.

K iedy drzwi kuchni zamknęły się za nimi, Sarah spojrzała na obie dziewczyny. Verity była blada, lecz spokojna. Louisą wstrząsało ciche łkanie.

— Verity, ty stań przy drzwiach i daj nam znać, gdyby ktoś chciał wejść — poleciła. — A ty, kochanie, chodź ze mną i bądź dzielna. — Otoczyła Louisę ramieniem. — Łzy nie pomogą George'owi.

Dziewczyna wyprostowała się i powstrzymała płacz, pociągając nosem.

— Co mam zrobić?

— Pomóż mi. — Sarah podeszła do stojącej pod ścianą komody.

Pogrzebała w dolnej szufladzie i wyciągnęła stamtąd płaską skrzynkę obitą niebieską skórą. W środku, w wyłożonych aksamitem gniazdach spoczywały dwa srebrne pistolety do pojedynków. — Tom nauczył mnie z nich strzelać — powiedziała, wręczając jeden pistolet Louisie. — Załaduj go.

Mając do wykonania określoną pracę, dziewczyna pozbierała się szybko i załadowała broń pewnymi ruchami. Sarah widziała ją podczas ćwiczeń i wiedziała, że Jim wyszkolił swoją żonę na świetnego strzelca.

— Schowaj go w staniku — poleciła i wsunęła drugi pistolet w rozcięcie swojej peleryny. — Słyszałaś coś? — zapytała Verity, podchodząc do drzwi.

— Strażnicy rozmawiali ze sobą — szepnęła dziewczyna.

— Co mówili?

— W zatoce toczy się bitwa. Arabowie się niepokoją. Kiedy tutaj jechali, dochodziła stamtąd kanonada z dział, a potem słyszeli potężne wybuchy. Uważają, że to eksplodowały statki Zajna. Zastanawiają się, czy nie zostawić mojego ojca i nie spróbować przedrzeć się do wybrzeża. Boją się, że kiedy Zajn zostanie pobity, nie będzie już odwrotu.

— A więc nie wszystko stracone — ucieszyła się Sarah. — Tom z Dorianem wciąż walczą.

— Rzeczywiście na to wygląda — przytaknęła Verity.

— Nasłuchuj dalej, moje dziecko. Ja zobaczę, co widać przez okno.

Sarah przystawiła krzesło do jedynego okna, umieszczonego pod sufitem i zasłoniętego skórą kudu. Louisa przytrzymała krzesło, a ona wyjrzała ostrożnie zza zasłony na zewnątrz.

— Czy widzisz George'a? — zapytała drżącym głosem dziewczyna.

— Tak, Guy go w dalszym ciągu trzyma. George jest wystraszony, ale chyba nic poważnego mu się nie stało.

— Moje biedne dzieciątko! — załkała Louisa.

— Tylko nie zaczynaj znowu — ofuknęła ją Sarah. Żeby czymś zająć obie młode kobiety, zaczęła im relacjonować ze szczegółami, co się dzieje za oknem. — Wyładowują skrzynie ze złotem... Otwierają wieka... Guy wszystko sprawdza...

Opisała im, jak skrzynie zostały na powrót zamknięte i opieczętowane, a potem załadowane na wozy; jak woźnice pod strażą Arabów przyprowadzili woły i sformowali zaprzęgi.

— Chyba zaraz odjadą — powiedziała. — Guy dostał już to, po co tu przybył. Na pewno zaraz odda nam George'a i zostawi nas w spokoju.

— Nie sądzę, żeby tak postąpił — wyraziła powątpiewanie Verity. — Jesteśmy jego listem żelaznym. Strażnicy mówili, że nasi mężczyźni wciąż walczą i ojciec wie doskonale, że dopóki ma nas i George'a jako zakładników, nie będą mogli mu nic zrobić.

Kilka minut później okazało się, że miała rację. Usłyszały tupot stóp na dworze i drzwi kuchni się otworzyły. Do pomieszczenia wpadło pięciu Arabów i jeden z nich przemówił ostrym tonem do Verity. Dziewczyna przetłumaczyła jego słowa.

— Mamy się ubrać w cieplejsze rzeczy i być gotowe do wyjazdu w każdej chwili.

Strażnicy eskortowali je do wozów i pilnowali, gdy zakładały na nocne koszule ciepłe opończe. Zabrały do kuferka kilka najpotrzebniejszych drobiazgów i poprowadzono je do osiodłanych już koni. Wozy ze złotem stały jeden za drugim, zwrócone w kierunku wybrzeża. Guy czekał na czele swych ludzi, by dać znak do wymarszu w drogę powrotną.

— Pozwól mi wziąć George'a — błagała go Sarah.

— Kiedyś, dawno temu, wystrychnęłaś mnie na dudka, Sarah Beatty — odparł. — To się już nie powtórzy. Będę pilnować twojego wnuka osobiście. — Wyciągnął z pochwy przy pasie sztylet i przytknął go do szyi chłopca. Dzieciak był tak przerażony, że nawet nie pisnął. — Nie powinnaś wątpić ani przez chwilę, że bez najmniejszych skrupułów poderżnę mu gardło, jeżeli dasz mi powód. Jeśli spotkamy na drodze Toma albo Doriana czy któregoś z ich plugawych potomków, nie omieszkaj ich przed tym przestrzec. A teraz przestań już jazgotać.

Kobiety dosiadły koni, przytrzymywanych przez Zamę, Izeze i Tegwane. Wskakując na Śmigłą, Louisa zapytała szeptem Zamę:

— Gdzie jest Intepe i dzieci?

— Odesłałem je do dżungli — odpowiedział. — Nikt ich nie zatrzymywał.

— Dzięki Bogu choć za to.

Guy dał rozkaz do wymarszu, a Peters powtórzył go po arabsku. Woźnice strzelili z biczów i wozy zaczęły się toczyć. Guy jechał na czele kawalkady, trzymając George'a w niewygodnej pozycji na biodrze. Arabska eskorta zmusiła kobiety, żeby jechały tuż za nim. Stłoczyli je tak, że dotykały się kolanami. Jednakże turkot kół oraz stukot i pobrzękiwanie części ekwipunku zagłuszyły słowa Sarah, kiedy szepnęła:

— Przygotuj pistolet, Louiso.

— Trzymam na nim rękę, matko.

— To dobrze. Powiem wam, co zrobimy. — Szeptała dalej, a obie kobiety pomrukiwały cicho na znak, że rozumieją. — Czekajcie na mój sygnał — przestrzegła je. — Nasza jedyna szansa to wziąć ich przez zaskoczenie. Jeśli ma nam się udać, musimy zgrać wszystko idealnie.

Kawalkada toczyła się w dół, ku nadbrzeżnym mokradłom. Koniom ściągano wodze, żeby nie wyprzedzały stąpających ciężko wołów. Nikt się nie odzywał. Strażnicy i więźniowie jechali w letargicznej ciszy i popadali powoli w senne odrętwienie. George już wcześniej zasnął z wyczerpania i złożył głowę na ramieniu Guya. Za każdym razem, gdy Sarah na niego spojrzała, dławiło ją przerażenie.

Co jakiś czas trącała dyskretnie ręką którąś z dziewcząt, żeby nie przysypiały. Przyglądała się też koniom Arabów. Były wychudzone i w nie najlepszej kondycji po długiej, męczącej podróży w ciasnych ładowniach. Nie mogły się równać z wierzchowcami, na których jechały one same. Najszybsza z nich była Śmigła. Louisa ważyła niewiele i na tej klaczy mogła uciec każdemu, nawet z George'em przy boku.

Arabowi jadącemu obok Sarah głowa opadła na piersi i zaczął się zsuwać z konia. W ostatniej chwili jednak otrząsnął się ze snu i utrzymał w siodle.

Są bardzo wyczerpani, pomyślała Sarah. Nie odpoczywali od opuszczenia wybrzeża, a ich konie są w nie lepszym stanie. Jeżeli mamy spróbować ucieczki, to chyba teraz jest odpowiedni czas.

W świetle księżyca poznała odcinek drogi, którym właśnie jechali. Zbliżali się do brodu na jednym z dopływów rzeki Umgeni. Podczas ewakuacji z fortu Zama ze swoimi ludźmi przekopał tutaj nadbrzeżne skarpy, żeby zrobić przejazd dla wozów. Podejście było jednak wąskie i strome, zaprzęgi wołów pokonywały je z trudem. Sarah wiedziała, że lepszego miejsca na ucieczkę nie znajdzie. Szacowała, że do świtu pozostała jeszcze godzina ciemności, która sprzyjała jej planowi. W ciągu tej godziny powinny wystarczająco oddalić się od prześladowców, którzy będą je ścigać na zmęczonych, słabych koniach.

Ścisnęła ukradkiem dłoń obu kobiet, szarpiąc je słabo. Wszystkie trzy trąciły lekko piętami swoje wierzchowce, żeby podjechać nieco do przodu i znaleźć się tuż za koniem Guya.

Sarah wsunęła rękę pod opończę i wyciągnęła zza stanika pistolet. Fałdy owczej skóry stłumiły dźwięk, gdy odciągała do połowy kurek. Nie odważyła się całkiem odbezpieczyć broni, gdyż spust pistoletu do pojedynków był bardzo czuły, co groziło przypadkowym strzałem. Pięćdziesiąt jardów w przodzie dostrzegła w nadrzecznej skarpie prześwit, którym droga zbiegała do brodu. Zaczekała, aż Guy wstrzyma swego konia, żeby przyjrzeć się dojazdowi.

Zanim zdążył zatrzymać okrzykiem całą kawalkadę, Sarah, niby niechcący, najechała na jego konia. Verity z Louisą zrobiły to samo i przez chwilę trwało zamieszanie, gdy zwierzęta obijały się o siebie i parskały niespokojnie.

— Uważajcie na te przeklęte konie! — zirytował się Guy.

Nagle w ciemności przed nimi rozległ się donośny głos.

— Stać i nie ruszać się! — usłyszeli. — Pięćdziesiąt muszkietów celuje prosto w wasze głowy!

— To Tom! — krzyknęła Sarah. Oczywiście, Tom musiał usłyszeć wozy z daleka i wybrał bród jako najlepsze miejsce na zasadzkę.

— Tomie Courtneyu! — zawołał Guy. — Mam tu twojego wnuka i trzymam sztylet na jego gardle! Twoja Sarah i pozostałe kobiety są pod strażą moich ludzi. Jeżeli chcesz wszystkich zobaczyć przy życiu, usuń się na bok i daj nam wolną drogę.

Aby wzmocnić swoją groźbę, złapał George'a pod pachy i podniósł do góry.

— Tam jest twój dziadek, chłopcze. Powiedz coś do niego. Powiedz mu, że nic ci nie jest. — Guy dźgnął rękę dziecka czubkiem noża.

— Dziadkuu! — wrzasnął z całych sił George. — Ten zły człowiek mnie skaleczył!

— Na Boga, Guy! Jeżeli temu dziecku włos spadnie z głowy, zabiję cię gołymi rękami! — usłyszeli znów głos Toma.

— Posłuchaj, jak kwiczy ta mała świnka! — odpowiedział Guy i znowu ukłuł chłopca sztyletem. — Rzuć broń i wyłaź albo ci przyślę flaki tego bachora na srebrnej tacy!

Sarah wyciągnęła spod opończy pistolet i odwiodła kurek do końca. Wychyliła się z siodła i przystawiwszy lufę do pleców Guya na wysokości jego nerek, pociągnęła za spust. Huk wystrzału został stłumiony przez ubranie, lecz plecy mężczyzny wygięły się w łuk, gdy kula trafiła w stos pacierzowy. Guy wypuścił George'a z uniesionych rąk.

— Teraz, Louiso! — wrzasnęła Sarah.

Dziewczyna nie czekała na rozkaz. Zdołała chwycić synka w locie i, przycisnąwszy go do piersi, wbiła pięty w żebra swojej klaczy.

— Ha! Ha! — krzyknęła. — Biegnij, Śmigła!

Klacz skoczyła naprzód. Jeden z Arabów wyciągnął rękę, żeby ją chwycić za wodze. Louisa wypaliła z drugiego pistoletu prosto w jego brodatą twarz i mężczyzna runął z siodła na wznak. Verity odwróciła swego konia, żeby zasłonić Louisę z George'em przed strzałami eskorty. Zrobiła to w samą porę. Jeden ze strażników, przytomniejszy może od pozostałych, poderwał muszkiet i z lufy plunął długi język ognia. Sarah usłyszała plask kuli wbijającej się w ciało; koń Verity zwalił się na ziemię. Dziewczyna została wyrzucona z siodła jak z katapulty.

Sarah spięła swojego wierzchowca do biegu. Akurat w tym momencie śmiertelnie ranny Guy spadł z siodła na ziemię, prosto pod nogi jej konia. Ten próbował go przeskoczyć, lecz jedno z podkutych metalem kopyt uderzyło leżącego w głowę i dał się słyszeć trzask pękającej czaszki. Koń Sarah utrzymał równowagę i skierowała go w stronę podnoszącej się z ziemi Verity.

— Chodź, Verity! — krzyknęła i wyciągnęła po nią rękę. Dziewczyna uchwyciła ją, lecz zabrakło jej siły, żeby wskoczyć w pędzie na grzbiet konia. Udało jej się jednak obłapić drugim ramieniem końską szyję i trzymała się jej desperacko, podczas gdy Sarah pognała galopem ku brodowi.

— Tom, to my! — krzyknęła w pędzie. — Nie strzelajcie!

Arabowie z eskorty pozbierali się w końcu i ruszyli w pościg za kobietami. Wtem ze skarpy nad rzeką, gdzie ukrywali się Tom ze Smallboyem i jego ludźmi, huknęła salwa z muszkietów. Konie trzech ścigających runęły na ziemię. Pozostali osadzili rumaki w miejscu i po chwili zawrócili, żeby się schronić pod osłoną wozów.

Tom wyskoczył z ukrycia i zbiegł na drogę, a gdy Sarah wstrzymała konia, ściągnął ją z siodła i odprowadził wraz z Verity w bezpieczne miejsce.

— Louisa! — wydyszała Sarah. — Trzeba sprowadzić ją i George'a.

— Nikt nie dogoni Śmigłej, kiedy czuje wędzidło w pysku —

odparł. — Są bezpieczni, dopóki trzymamy Arabów w szachu. — Objął ją i uściskał mocno. — Na Boga, kobieto, cieszę się, że cię widzę całą i zdrową!

— Później będzie czas na te głupstwa, Tomie Courtneyu — odepchnęła go lekko. — Masz jeszcze sporo roboty.

— Co racja, to racja.

Tom wbiegł na skarpę i zawołał w stronę ciemnych wozów, za którym pochowali się Arabowie:

— Guy! Słyszysz mnie?

— On nie żyje, Tom — przerwała mu Sarah. — Zastrzeliłam go.

— No to mnie ubiegłaś — odparł ponuro. — Zamierzałem zrobić to osobiście. — Spostrzegł, że stoi za nim Verity. — Wybacz, moja droga, to przecież był twój ojciec — przeprosił ją.

— Gdybym miała pistolet, sama bym go zabiła — odrzekła spokojnie. — Krzywdy, które mi wyrządzał przez te wszystkie lata, nie są takie ważne, lecz kiedy zobaczyłam, jak torturuje małego George'a... — Głos jej zadrżał. — Nie, stryju Tomie, on nie zasłużył nawet na taką śmierć.

— Dzielna z ciebie dziewczyna, Verity. — Tom uściskał ją spontanicznie.

— My, Courtneyowie, jesteśmy z twardej gliny — odrzekła, odwzajemniając uścisk.

— A teraz byłbym ci bardzo zobowiązany, gdybyś mogła zawołać do tych obwiesiów za wozami. Przekaż im, że jeśli zostawią wozy, przepuścimy ich i będą mogli wrócić na wybrzeże. Powiedz, że mam ze sobą setkę ludzi, choć to nieprawda. Jeżeli się nie poddadzą, zaatakujemy ich i wybijemy do nogi.

Verity zwinęła dłonie w trąbkę i krzyknęła po arabsku do ludzi Guya. Przez pewien czas dyskutowali między sobą o propozycji Toma. Słyszała ich podniesione głosy i mogła wyłowić niektóre słowa. Część uważała, że skoro *efendi* nie żyje, nie mają już czego bronić. Inni mówili o złocie. Obawiali się, że Zajn al-Din nie wybaczy im, jeśli je stracą. W końcu jeden z nich mocniejszym głosem przypomniał o eksplozjach, które słyszeli po opuszczeniu zatoki.

— Możliwe, że Zajn al-Din także już jest martwy — skonstatował.

Ciało Guya Courtneya leżało tam, gdzie padł. W świetle świtu Verity widziała wyraźnie twarz martwego ojca. Pomimo swych wcześniejszych odważnych słów musiała odwrócić wzrok.

668

Wreszcie uzyskali odpowiedź:

— Jeżeli pozwolicie nam odejść w pokoju, złożymy broń i oddamy wam wozy!

Jim z Mansurem jechali szybko w kierunku wąwozu, zmuszając konie do galopu. Prowadzili ze sobą luzaki. Kiedy ich wierzchowce się zmęczyły, szybko przerzucali siodła na wypoczęte zwierzęta i pędzili dalej. Jechali w milczeniu, każdy zatopiony w myślach czarniejszych od nocy. Odzywali się co najwyżej monosylabami, a spojrzenia utkwili prosto przed siebie.

— Obozowisko jest jakieś sześć mil stąd — rzekł Jim, kiedy wspinali się na strome wzniesienie. W świetle brzasku rozpoznał samotne drzewo, odcinające się na tle nieba. — Dotrzemy tam za godzinę.

— Boże, błagam, miej je w swojej pieczy! — jęknął Mansur.

Wjechali na grzbiet wzgórza i spojrzeli przed siebie. Zobaczyli w dole zakola rzeki i w tym momencie pierwsze promienie słońca dotknęły podbrzusza chmur, oświetlając dolinę z dramatyczną raptownością. Obaj jednocześnie dostrzegli obłok pyłu.

— Jeździec w galopie! — wykrzyknął Jim.

— Tylko posłaniec może tak pędzić — rzekł cicho Mansur. — Miejmy nadzieję, że ma dobre wieści.

Sięgnęli po lunety. Kiedy wycelowali je na jeźdźca, na moment odebrało im mowę.

— To Śmigła! — zawołał Jim.

— W imię Boga jedynego! Chyba Louisa na niej jedzie! — dorzucił Mansur. — To jej włosy tak błyszczą w słońcu. Trzyma coś na podołku... To mały George!

Jim nie czekał już dłużej. Puścił wolno luzaka i spiął Werbla do galopu.

— Biegnij, mój kochany! Biegnij, ile sił w nogach!

Pędził tak szybko, że Mansur nie mógł za nim nadążyć. George dojrzał Jima i zaczął się wić jak piskorz w objęciach Louisy.

— Tata! — piszczał. — Tata!

Jim osadził konia w miejscu i zeskoczył na ziemię. Ściągnął oboje z siodła i przytulił z całych sił do piersi. Po chwili nadjechał Mansur.

— Gdzie Verity? Czy jest bezpieczna? — zawołał z niepokojem.

— Jest z Tomem i Sarah — odparła Louisa. — Są przy brodzie, z wozami.

— Niech cię Bóg błogosław, dziewczyno! — Mansur ruszył dalej, zostawiając Jima z Louisą na drodze. Obejmowali się, płacząc ze szczęścia, a mały George wczepił się obiema rękami w brodę ojca.

W ykopali dla Guya Courtneya grób obok traktu dla wozów. Zawinęli jego ciało w koc i opuścili do dołu.

— Był nikczemnikiem — mruknął Tom do ucha Sarah — i zasłużył na to, żeby go zostawić hienom. Ale, bądź co bądź, to mój brat.

— A mój podwójny szwagier — zauważyła. — I to właśnie ja go zabiłam. Będzie mi to ciążyło na sumieniu do końca moich dni.

— Niechaj ci nie ciąży, bo jesteś bez winy — odparł. Spojrzeli na Verity i Mansura, którzy stali po drugiej stronie grobu, trzymając się za ręce.

— Dobrze, że to robimy, Thomasie — orzekła Sarah.

— Wcale nie mam takiego poczucia — mruknął. — Skończmy już z tym i ruszajmy do Fortu Auspice. Dorian jest ranny. Choć został teraz wielkim kalifem, na pewno nas potrzebuje.

Kazali Zamie i Muntu zasypać grób i przykryć kamieniami, żeby nie rozgrzebały go hieny, a sami poszli z powrotem do miejsca, gdzie czekały dwa wozy ze złotem, pilnowane przez Smallboya. Mansur z Verity przez cały czas trzymali się za ręce. Mimo że twarz dziewczyny pokryła się bladością, w jej oczach nie pojawiła się ani jedna łza.

Przy wozach czekali na nich Jim z Louisą. Oboje odmówili udziału w pochówku.

— Nie ma mowy, po tym co zrobił Louisie i George'owi — skrzywił się Jim na propozycję Toma.

Syn spojrzał pytająco na ojca, a ten pokiwał głową.

— Dokonało się.

Dosiedli koni i ruszyli w kierunku wybrzeża i Fortu Auspice.

R eperacja *Sufi*, flagowego *dhow* Zajna al-Dina, a teraz al-Salila, potrwała kilka tygodni. W końcu załoga pod dowództwem Rahmada mogła ściągnąć go na wodę i zakotwiczyć na środku laguny. Statki transportowe z ładowniami pełnymi kości słoniowej czekały już na rozkaz wypłynięcia w podróż powrotną do Maskatu.

Dorian schodził na plażę, utykając mocno, oparty na ramieniu Toma. Rana, jaką mu zadał Zajn, nie zagoiła się jeszcze i Sarah aż do końca opiekowała się swoim królewskim pacjentem. Wszyscy zajęli miejsca w barkasie, a Mansur z Jimem powiosłowali do *Arcturusa*. Na pokładzie żaglowca czekały już na nich Verity oraz Louisa z rozszczebiotanym George'em u boku. Verity przygotowała pożegnalny bankiet, zasiedli więc do jedzenia przy rozstawionych na pokładzie stołach. Żartowali i pili wino, lecz Ruby Cornish co rusz spoglądał na morze, obserwując przypływ. W końcu podniósł się od stołu.

— Proszę wybaczyć, Wasza Wysokość, lecz woda jest już wysoko i wiatr się ustalił — oznajmił.

— Spełnij ostatni toast, bracie — zwrócił się Dorian do Toma. Ten wstał odrobinę niepewnie i wzniósł kielich.

— Szybkiej i bezpiecznej żeglugi! — zawołał. — Obyśmy znów się wszyscy spotkali, i to jak najrychlej!

Wypili i uściskali się, a potem ci, którzy zostawali w Forcie Auspice, zeszli do barkasu. Już z plaży obserwowali, jak *Arcturus* podnosi kotwicę. Dorian stał przy relingu wraz z Mansurem i Verity. Nagle zaczął śpiewać, głosem dźwięcznym i silnym jak zawsze:

Żegnajcie nam dziś, hiszpańskie dziewczyny,
Żegnajcie nam dziś, marzenia ze snów.
Ku brzegom angielskim już ruszać nam pora,
Lecz kiedyś na pewno wrócimy tu znów.

Arcturus skierował się ku wyjściu z zatoki, a za nim podążała cała flota większych i mniejszych *dhow*. Kiedy kontynent stał się już tylko niebieską smugą na horyzoncie, Ruby Cornish podszedł do Doriana siedzącego przy nawietrznym relingu.

— Wasza Wysokość, wyszliśmy na pełne morze — zameldował.

— Dziękuję, kapitanie. Będzie pan łaskaw wziąć kurs na Maskat. Mam tam do załatwienia kilka ważnych spraw.

Kiedy skończyli ładować wozy, Smallboy i Muntu przyprowadzili z pastwiska woły i zaprzęgli je.

— Dokąd pojedziecie? — zapytała Sarah Louisę.

Dziewczyna pokręciła głową.

— Musisz zapytać o to Jima, matko, gdyż nawet ja nie znam odpowiedzi.

Spojrzały obie na niego, a Jim wybuchnął śmiechem.

— Pojedziemy za błękitny horyzont — odparł, podnosząc George'a i sadzając go sobie na ramieniu. — Ale nie obawiajcie się. Niedługo wrócimy, a nasze wozy będą się uginały pod ciężarem kości słoniowej i diamentów.

Tom i Sarah stali na palisadzie, patrząc, jak konwój wozów rusza i kieruje się traktem ku wzgórzom, w głąb afrykańskiego lądu. Na czele jechali konno Jim z Louisą, a za nimi Bakkat i Zama. Intepe i Letee szły przy pierwszym wozie z gromadką swoich dzieci.

Na grzbiecie pierwszego wzgórza Jim odwrócił się w siodle i pomachał rodzicom. Sarah zerwała z głowy czepek i wymachiwała nim zawzięcie, dopóki ostatni wóz nie zniknął im z oczu.

— No i cóż, Thomasie Courtneyu — rzekła cicho. — Znów zostaliśmy tylko we dwoje.

— I całkiem mi się to podoba — odparł, otaczając ramieniem jej kibić.

J im patrzył przed siebie wzrokiem roziskrzonym pragnieniem wędrówki. George, którego wziął na barana, zaczął pokrzykiwać:

— Konik! Patataj, koniku!

— Jeżyku, wydałaś na świat potwora. — Jim uśmiechnął się do Louisy.

Dziewczyna nachyliła się do niego z tajemniczą miną i ścisnęła go za rękę.

— Mam nadzieję, że za drugim razem lepiej się spiszę — powiedziała.

— No nie! Czy to prawda? — zawołał.

— Najprawdziwsza.

— Dlaczego nie powiedziałaś mi przed wyjazdem?

— Bobyś mnie zostawił.

— Nigdy w życiu! — odparł z przekonaniem.